Dieser Band versammelt Goethes literarische ›Erfolgstexte‹: die 1774 veröffentlichten *Leiden des jungen Werthers*, die ihren Autor über Nacht berühmt machten; die 1809 aus einem Novellenplan hervorgegangenen *Wahlverwandtschaften*; das Revolutionsepos *Herrmann und Dorothea*, das noch zu Goethes Lebzeiten in mehr als dreißig Einzelausgaben erschienen ist. Hinzu kommen als hochkarätige Zeugnisse von Goethes formvielfältiger Erzählkunst die symbolgesättigte Prosa der *Novelle*, die Gesänge des *Reineke Fuchs* sowie Erzählskizzen und fragmentarische Epen.

Alle Texte werden nach den Erstausgaben ediert und mit reichen Kommentaren erschlossen. Die *Leiden des jungen Werthers* werden in den beiden Fassungen von 1774 und 1787 parallel abgedruckt.

DEUTSCHER KLASSIKER VERLAG
IM TASCHENBUCH
BAND 11

JOHANN WOLFGANG GOETHE
DIE LEIDEN DES JUNGEN WERTHERS
DIE WAHLVERWANDT-SCHAFTEN
KLEINE PROSA
EPEN

In Zusammenarbeit
mit Christoph Brecht
herausgegeben von
Waltraud Wiethölter

DEUTSCHER
KLASSIKER
VERLAG

Diese Ausgabe entspricht Band 8, herausgegeben von Waltraud Wiethölter, der Edition *Johann Wolfgang Goethe, Sämtliche Werke. Briefe, Tagebücher und Gespräche*, Frankfurt am Main 1994

Umschlag-Abb.: Johann Wolfgang Goethe. Lebensgroß geschnittener Schattenriß, undatiert. Stiftung Weimarer Klassik und Kunstsammlungen, Weimar

2. Auflage 2018

Erste Auflage 2006
Deutscher Klassiker Verlag
im Taschenbuch · Band 11

Vertrieb durch den Suhrkamp Taschenbuch Verlag
Satz: pagina GmbH, Tübingen
Druck: CPI – Ebner & Spiegel, Ulm
Printed in Germany
ISBN 978-3-618-68011-6

DIE LEIDEN DES JUNGEN WERTHERS
DIE WAHLVERWANDTSCHAFTEN
KLEINE PROSA
EPEN

INHALT

DIE LEIDEN DES JUNGEN WERTHERS
LEIDEN DES JUNGEN WERTHERS

Paralleldruck
der Fassungen
von 1774 und 1787

ERSTER THEIL

Was ich von der Geschichte des armen Werthers nur habe
auffinden können, habe ich mit Fleiß gesammlet, und leg es
euch hier vor, und weis, daß ihr mir's danken werdet. Ihr
5 könnt seinem Geist und seinem Charakter eure Bewunderung und Liebe, und seinem Schicksaale eure Thränen nicht
versagen.

Und du gute Seele, die du eben den Drang fühlst wie er,
schöpfe Trost aus seinem Leiden, und laß das Büchlein dei-
10 nen Freund seyn, wenn du aus Geschick oder eigner Schuld
keinen nähern finden kannst.

am 4. May 1771.
Wie froh bin ich, daß ich weg bin! Bester Freund, was ist das
Herz des Menschen! Dich zu verlassen, den ich so liebe, von
15 dem ich unzertrennlich war, und froh zu seyn! Ich weis, Du
verzeihst mir's. Waren nicht meine übrigen Verbindungen
recht ausgesucht vom Schicksaal, um ein Herz wie das meine
zu ängstigen? Die arme Leonore! Und doch war ich unschuldig! Konnt ich dafür, daß, während die eigensinnigen
20 Reize ihrer Schwester mir einen angenehmen Unterhalt verschafften, daß eine Leidenschaft in dem armen Herzen sich
bildete! Und doch – bin ich ganz unschuldig? Hab ich nicht
ihre Empfindungen genährt? Hab ich mich nicht an denen
ganz wahren Ausdrücken der Natur, die uns so oft zu lachen
25 machten, so wenig lächerlich sie waren, selbst ergözt! Hab
ich nicht – O was ist der Mensch, daß er über sich klagen darf!
– Ich will, lieber Freund, ich verspreche Dir's, ich will mich
bessern, will nicht mehr das Bisgen Uebel, das das Schicksaal
uns vorlegt, wiederkäuen, wie ich's immer gethan habe. Ich
30 will das Gegenwärtige genießen, und das Vergangene soll

ERSTES BUCH

Was ich von der Geschichte des armen Werthers nur habe
auffinden können, habe ich mit Fleiß gesammlet und lege es
euch hier vor, und weiß daß ihr mir's danken werdet. Ihr
könnt seinem Geiste und seinem Charakter eure Bewunde-   5
rung und Liebe, seinem Schicksale eure Thränen nicht versagen.

Und du gute Seele, die du eben den Drang fühlst wie er,
schöpfe Trost aus seinem Leiden, und laß das Büchlein deinen Freund seyn, wenn du aus Geschick oder eigener Schuld   10
keinen nähern finden kannst!

am 4. May.

Wie froh bin ich, daß ich weg bin! Bester Freund, was ist das
Herz des Menschen! Dich zu verlassen den ich so liebe, von
dem ich unzertrennlich war und froh zu seyn! Ich weiß du   15
verzeihst mir's. Waren nicht meine übrigen Verbindungen
recht ausgesucht vom Schicksal, um ein Herz wie das meinige
zu ängstigen? Die arme Leonore! Und doch war ich unschuldig. Konnt' ich dafür, daß, während die eigensinnigen
Reize ihrer Schwester mir eine angenehme Unterhaltung   20
verschafften, daß eine Leidenschaft in dem armen Herzen
sich bildete? Und doch – bin ich ganz unschuldig? Hab' ich
nicht ihre Empfindungen genährt? hab' ich mich nicht an den
ganz wahren Ausdrücken der Natur, die uns so oft zu lachen
machten, so wenig lächerlich sie waren, selbst ergetzt, hab' 25
ich nicht – O was ist der Mensch, daß er über sich klagen darf!
Ich will, lieber Freund, ich verspreche dir's, ich will mich
bessern, will nicht mehr ein bißchen Übel, das uns das
Schicksal vorlegt, wiederkäuen, wie ich's immer gethan
habe; ich will das Gegenwärtige genießen, und das Vergan-   30

mir vergangen seyn. Gewiß Du hast recht, Bester: der Schmerzen wären minder unter den Menschen, wenn sie nicht – Gott weis warum sie so gemacht sind – mit so viel Emsigkeit der Einbildungskraft sich beschäftigten, die Erin-
5 nerungen des vergangenen Uebels zurückzurufen, ehe denn eine gleichgültige Gegenwart zu tragen.

Du bist so gut, meiner Mutter zu sagen, daß ich ihr Ge-
schäfte bestens betreiben, und ihr ehstens Nachricht davon geben werde. Ich habe meine Tante gesprochen, und habe
10 bey weiten das böse Weib nicht gefunden, das man bey uns aus ihr macht, sie ist eine muntere heftige Frau von dem besten Herzen. Ich erklärte ihr meiner Mutter Beschwerden über den zurückgehaltenen Erbschaftsantheil. Sie sagte mir ihre Gründe, Ursachen und die Bedingungen, unter welchen
15 sie bereit wäre alles heraus zu geben, und mehr als wir ver-
langten – Kurz, ich mag jezo nichts davon schreiben, sag meiner Mutter, es werde alles gut gehen. Und ich habe, mein Lieber! wieder bey diesem kleinen Geschäfte gefunden: daß Mißverständnisse und Trägheit vielleicht mehr Irrungen in
20 der Welt machen, als List und Bosheit nicht thun. Wenigstens sind die beyden leztern gewiß seltner.

Uebrigens find ich mich hier gar wohl. Die Einsamkeit ist meinem Herzen köstlicher Balsam in dieser paradisischen Gegend, und diese Jahrszeit der Jugend wärmt mit aller
25 Fülle mein oft schauderndes Herz. Jeder Baum, jede Hecke ist ein Straus von Blüten, und man möchte zur Mayenkäfer werden, um in dem Meer von Wohlgerüchen herumschwe-
ben, und alle seine Nahrung darinne finden zu können.

Die Stadt ist selbst unangenehm, dagegen rings umher
30 eine unaussprechliche Schönheit der Natur. Das bewog den verstorbenen Grafen von M.. einen Garten auf einem der Hügel anzulegen, die mit der schönsten Mannigfaltigkeit der Natur sich kreuzen, und die lieblichsten Thäler bilden. Der Garten ist einfach, und man fühlt gleich bey dem Eintritte,
35 daß nicht ein wissenschaftlicher Gärtner, sondern ein fühlen-
des Herz den Plan bezeichnet, das sein selbst hier genießen wollte. Schon manche Thräne hab ich dem Abgeschiedenen

gene soll mir vergangen seyn. Gewiß du hast Recht Bester,
der Schmerzen wären minder unter den Menschen, wenn sie
nicht – Gott weiß warum sie so gemacht sind! – mit so viel
Emsigkeit der Einbildungskraft sich beschäftigten, die Erinnerungen des vergangenen Übels zurück zu rufen, eher als
eine gleichgültige Gegenwart zu ertragen.

Du bist so gut, meiner Mutter zu sagen, daß ich ihr Geschäft bestens betreiben und ihr ehstens Nachricht davon
geben werde. Ich habe meine Tante gesprochen, und bey
weitem das böse Weib nicht gefunden, das man bey uns aus
ihr macht. Sie ist eine muntere heftige Frau von dem besten
Herzen. Ich erklärte ihr meiner Mutter Beschwerden über
den zurückgehaltenen Erbschaftsantheil, sie sagte mir ihre
Gründe, Ursachen und die Bedingungen, unter welchen sie
bereit wäre alles herauszugeben, und mehr als wir verlangten
– Kurz, ich mag jetzt nichts davon schreiben; sage meiner
Mutter, es werde alles gut gehen. Und ich habe, mein Lieber,
wieder bey diesem kleinen Geschäft gefunden: daß Mißverständnisse und Trägheit vielleicht mehr Irrungen in der Welt
machen, als List und Boßheit. Wenigstens sind die beyden
letzteren gewiß seltner.

Übrigens befinde ich mich hier gar wohl, die Einsamkeit
ist meinem Herzen köstlicher Balsam in dieser paradiesischen Gegend, und diese Jahrszeit der Jugend wärmt mit
aller Fülle mein oft schauderndes Herz. Jeder Baum, jede
Hecke ist ein Strauß von Blüthen, und man möchte zum
Maykäfer werden, um in dem Meer von Wohlgerüchen her-
umschweben und alle seine Nahrung darin finden zu können.

Die Stadt selbst ist unangenehm, dagegen rings umher
eine unaussprechliche Schönheit der Natur. Das bewog den
verstorbenen Grafen von M... seinen Garten auf einem der
Hügel anzulegen, die mit der schönsten Mannichfaltigkeit
sich kreuzen, und die lieblichsten Thäler bilden. Der Garten
ist einfach und man fühlt gleich bey dem Eintritte, daß nicht
ein wissenschaftlicher Gärtner, sondern ein fühlendes Herz
den Plan gezeichnet, das seiner selbst hier genießen wollte.
Schon manche Thräne hab' ich dem Abgeschiedenen in dem

in dem verfallnen Cabinetgen geweint, das sein Lieblings-
pläzgen war, und auch mein's ist. Bald werd ich Herr vom
Garten seyn, der Gärtner ist mir zugethan, nur seit den paar
Tagen, und er wird sich nicht übel davon befinden.

5   am 10. May.
Eine wunderbare Heiterkeit hat meine ganze Seele eingenommen, gleich denen süßen Frühlingsmorgen, die ich mit
ganzem Herzen geniesse. Ich bin so allein und freue mich so
meines Lebens, in dieser Gegend, die für solche Seelen ge-
10 schaffen ist, wie die meine. Ich bin so glücklich, mein Bester,
so ganz in dem Gefühl von ruhigem Daseyn versunken, daß
meine Kunst darunter leidet. Ich könnte jetzo nicht zeichnen,
nicht einen Strich, und bin niemalen ein grösserer Mahler
gewesen als in diesen Augenblicken. Wenn das liebe Thal um
15 mich dampft, und die hohe Sonne an der Oberfläche der
undurchdringlichen Finsterniß meines Waldes ruht, und nur
einzelne Strahlen sich in das innere Heiligthum stehlen, und
ich dann im hohen Grase am fallenden Bache liege, und näher
an der Erde tausend mannigfaltige Gräsgen mir merkwürdig
20 werden. Wenn ich das Wimmeln der kleinen Welt zwischen
Halmen, die unzähligen, unergründlichen Gestalten, all der
Würmgen, der Mückgen, näher an meinem Herzen fühle,
und fühle die Gegenwart des Allmächtigen, der uns all nach
seinem Bilde schuf, das Wehen des Allliebenden, der uns in
25 ewiger Wonne schwebend trägt und erhält. Mein Freund,
wenn's denn um meine Augen dämmert, und die Welt um
mich her und Himmel ganz in meiner Seele ruht, wie die
Gestalt einer Geliebten; dann sehn ich mich oft und denke:
ach könntest du das wieder ausdrücken, könntest du dem
30 Papier das einhauchen, was so voll, so warm in dir lebt, daß
es würde der Spiegel deiner Seele, wie deine Seele ist der
Spiegel des unendlichen Gottes. Mein Freund – Aber ich
gehe darüber zu Grunde, ich erliege unter der Gewalt der
Herrlichkeit dieser Erscheinungen.

verfallenen Cabinetchen geweint, das sein Lieblingsplätzchen war und auch meines ist. Bald werde ich Herr vom Garten seyn; der Gärtner ist mir zugethan, nur seit den paar Tagen, und er wird sich nicht übel dabey befinden.

am 10. May.

Eine wunderbare Heiterkeit hat meine ganze Seele eingenommen, gleich den süßen Frühlingsmorgen, die ich mit ganzem Herzen genieße. Ich bin allein, und freue mich meines Lebens in dieser Gegend die für solche Seelen geschaffen ist wie die meine. Ich bin so glücklich, mein Bester, so ganz in dem Gefühle von ruhigem Daseyn versunken, daß meine Kunst darunter leidet. Ich könnte jetzt nicht zeichnen, nicht einen Strich, und bin nie ein größerer Mahler gewesen als in diesen Augenblicken. Wenn das liebe Thal um mich dampft, und die hohe Sonne an der Oberfläche der undurchdringlichen Finsterniß meines Waldes ruht, und nur einzelne Strahlen sich in das innere Heiligthum stehlen, ich dann im hohen Grase am fallenden Bache liege, und näher an der Erde tausend mannichfaltige Gräschen mir merkwürdig werden; wenn ich das Wimmeln der kleinen Welt zwischen Halmen, die unzähligen, unergründlichen Gestalten der Würmchen, der Mückchen, näher an meinem Herzen fühle, und fühle die Gegenwart des Allmächtigen der uns nach seinem Bilde schuf, das Wehen des Allliebenden, der uns in ewiger Wonne schwebend trägt und erhält; mein Freund! wenn's dann um meine Augen dämmert, und die Welt um mich her und der Himmel ganz in meiner Seele ruhn wie die Gestalt einer Geliebten; dann sehne ich mich oft und denke : ach könntest du das wieder ausdrücken, könntest dem Papiere das einhauchen, was so voll, so warm in dir lebt, daß es würde der Spiegel deiner Seele, wie deine Seele ist der Spiegel des unendlichen Gottes! – Mein Freund – Aber ich gehe darüber zu Grunde, ich erliege unter der Gewalt der Herrlichkeit dieser Erscheinungen.

am 12. May.

Ich weis nicht, ob so täuschende Geister um diese Gegend
schweben, oder ob die warme himmlische Phantasie in meinem Herzen ist, die mir alles rings umher so paradisisch
5 macht. Da ist gleich vor dem Orte ein Brunn', ein Brunn', an
den ich gebannt bin wie Melusine mit ihren Schwestern. Du
gehst einen kleinen Hügel hinunter, und findest dich vor
einem Gewölbe, da wohl zwanzig Stufen hinab gehen, wo
unten das klarste Wasser aus Marmorfelsen quillt. Das
10 Mäuergen, das oben umher die Einfassung macht, die hohen
Bäume, die den Platz rings umher bedecken, die Kühle des
Orts, das hat alles so was anzügliches, was schauerliches. Es
vergeht kein Tag, daß ich nicht eine Stunde da sizze. Da
kommen denn die Mädgen aus der Stadt und holen Wasser,
15 das harmloseste Geschäft und das nöthigste, das ehmals die
Töchter der Könige selbst verrichteten. Wenn ich da sizze, so
lebt die patriarchalische Idee so lebhaft um mich, wie sie alle
die Altväter am Brunnen Bekanntschaft machen und freyen,
und wie um die Brunnen und Quellen wohlthätige Geister
20 schweben. O der muß nie nach einer schweren Sommertags-
wanderung sich an des Brunnens Kühle gelabt haben, der das
nicht mit empfinden kann.

am 13. May.

Du fragst, ob Du mir meine Bücher schikken sollst? Lieber,
25 ich bitte dich um Gottes willen, laß mir sie vom Hals. Ich will
nicht mehr geleitet, ermuntert, angefeuret seyn, braust dieses
Herz doch genug aus sich selbst, ich brauche Wiegengesang,
und den hab ich in seiner Fülle gefunden in meinem Homer.
Wie oft lull ich mein empörendes Blut zur Ruhe, denn so
30 ungleich, so unstet hast Du nichts gesehn als dieses Herz.
Lieber! Brauch ich Dir das zu sagen, der Du so oft die Last
getragen hast, mich vom Kummer zur Ausschweifung, und
von süsser Melancholie zur verderblichen Leidenschaft
übergehn zu sehn. Auch halt ich mein Herzgen wie ein kran-
35 kes Kind, all sein Wille wird ihm gestattet. Sag das nicht
weiter, es giebt Leute, die mir's verübeln würden.

am 12. May.

Ich weiß nicht, ob täuschende Geister um diese Gegend
schweben, oder ob die warme himmlische Phantasie in meinem Herzen ist, die mir alles rings umher so paradiesisch
macht. Da ist gleich vor dem Orte ein Brunnen, ein Brunnen,
an den ich gebannt bin wie Melusine mit ihren Schwestern. –
Du gehst einen kleinen Hügel hinunter, und findest dich vor
einem Gewölbe, da wohl zwanzig Stufen hinab gehen, wo
unten das klareste Wasser aus Marmorfelsen quillt. Die
kleine Mauer die oben umher die Einfassung macht, die hohen Bäume die den Platz ringsumher bedecken, die Kühle
des Ortes; das hat alles so was anzügliches, was schauerliches.
Es vergeht kein Tag, daß ich nicht eine Stunde da sitze. Da
kommen dann die Mädchen aus der Stadt, und hohlen Wasser, das harmloseste Geschäft und das nöthigste, das ehemals
die Töchter der Könige selbst verrichteten. Wenn ich da
sitze, so lebt die patriarchalische Idee so lebhaft um mich, wie
sie alle, die Altväter am Brunnen Bekanntschaft machen und
freyen, und wie um die Brunnen und Quellen wohlthätige
Geister schweben. O der muß nie nach einer schweren Som-
mertagswanderung sich an des Brunnens Kühle gelabt haben, der das nicht mitempfinden kann.

am 13. May.

Du fragst, ob du mir meine Bücher schicken sollst? – Lieber,
ich bitte dich um Gotteswillen, laß mir sie vom Halse! Ich
will nicht mehr geleitet, ermuntert, angefeuret seyn; braust
dieses Herz doch genug aus sich selbst; ich brauche Wiegengesang und den habe ich in seiner Fülle gefunden in meinem
Homer. Wie oft lull' ich mein empörtes Blut zur Ruhe, denn
so ungleich so unstät hast du nichts gesehen als dieses Herz.
Lieber! brauch' ich dir das zu sagen, der du so oft die Last
getragen hast, mich vom Kummer zur Ausschweifung und
von süßer Melancholie zur verderblichen Leidenschaft übergehen zu sehen? Auch halte ich mein Herzchen wie ein krankes Kind; jeder Wille wird ihm gestattet. Sage das nicht weiter, es gibt Leute die mir es verübeln würden.

am 15. May.

Die geringen Leute des Orts kennen mich schon, und lieben
mich, besonders die Kinder. Eine traurige Bemerkung hab
ich gemacht. Wie ich im Anfange mich zu ihnen gesellte, sie
freundschaftlich fragte über dieß und das, glaubten einige,
ich wollte ihrer spotten, und fertigten mich wol gar grob ab.
Ich ließ mich das nicht verdriessen, nur fühlt ich, was ich
schon oft bemerkt habe, auf das lebhafteste. Leute von einigem Stande werden sich immer in kalter Entfernung vom
gemeinen Volke halten, als glaubten sie durch Annäherung
zu verlieren, und dann giebts Flüchtlinge und üble Spasvö-
gel, die sich herabzulassen scheinen, um ihren Uebermuth
dem armen Volke desto empfindlicher zu machen.

Ich weiß wohl, daß wir nicht gleich sind, noch seyn können. Aber ich halte dafür, daß der, der glaubt nöthig zu
haben, vom sogenannten Pöbel sich zu entfernen, um den
Respekt zu erhalten, eben so tadelhaft ist, als ein Feiger, der
sich für seinem Feinde verbirgt, weil er zu unterliegen fürchtet.

Lezthin kam ich zum Brunnen, und fand ein junges
Dienstmädgen, das ihr Gefäß auf die unterste Treppe gesetzt
hatte, und sich umsah, ob keine Camerädin kommen wollte,
ihr's auf den Kopf zu helfen. Ich stieg hinunter und sah sie
an. Soll ich ihr helfen, Jungfer? sagt ich. Sie ward roth über
und über. O nein Herr! sagte sie. – Ohne Umstände – Sie
legte ihren Kringen zurechte, und ich half ihr. Sie dankte und
stieg hinauf.

den 17. May.

Ich hab allerley Bekanntschaft gemacht, Gesellschaft hab ich
noch keine gefunden. Ich weiß nicht, was ich anzügliches für
die Menschen haben muß, es mögen mich ihrer so viele, und
hängen sich an mich, und da thut mirs immer weh, wenn
unser Weg nur so eine kleine Strecke mit einander geht.
Wenn Du fragst, wie die Leute hier sind? muß ich Dir sagen:

am 15. May.

Die geringen Leute des Ortes kennen mich schon und lieben mich, besonders die Kinder.
Wie ich im Anfange mich zu ihnen gesellte, sie freundschaftlich fragte über dieß und das, glaubten einige, ich wollte ihrer spotten und fertigten mich wohl gar grob ab. Ich ließ mich das nicht verdrießen; nur fühlte ich, was ich schon oft bemerkt habe, auf das lebhafteste: Leute von einigem Stande werden sich immer in kalter Entfernung vom gemeinen Volke halten, als glaubten sie durch Annäherung zu verlieren; und dann gibt's Flüchtlinge und üble Spaßvögel, die sich herab zu lassen scheinen, um ihren Übermuth dem armen Volke desto empfindlicher zu machen.

Ich weiß wohl daß wir nicht gleich sind, noch seyn können; aber ich halte dafür, daß der, der nöthig zu haben glaubt, vom so genannten Pöbel sich zu entfernen, um den Respect zu erhalten, eben so tadelhaft ist, als ein Feiger, der sich vor seinem Feinde verbirgt weil er zu unterliegen fürchtet.

Letzthin kam ich zum Brunnen, und fand ein junges Dienstmädchen, das ihr Gefäß auf die unterste Treppe gesetzt hatte, und sich umsah, ob keine Kamerädinn kommen wollte, ihr es auf den Kopf zu helfen. Ich stieg hinunter und sah' sie an. Soll ich Ihr helfen, Jungfer? sagte ich. – Sie ward roth über und über. O mein Herr! sagte sie – Ohne Umstände. – Sie legte ihren Kringen zurecht und ich half ihr. Sie dankte und stieg hinauf.

den 17. May.

Ich habe allerley Bekanntschaft gemacht, Gesellschaft habe ich noch keine gefunden. Ich weiß nicht was ich anzügliches für die Menschen haben muß; es mögen mich ihrer so viele und hängen sich an mich und da thut mir's weh, wenn unser Weg nur eine kleine Strecke mit einander geht. Wenn du fragst, wie die Leute hier sind? muß ich dir sagen: wie über-

wie überall! Es ist ein einförmig Ding um's Menschengeschlecht. Die meisten verarbeiten den grösten Theil der Zeit,
um zu leben, und das Bisgen, das ihnen von Freyheit übrig
bleibt, ängstigt sie so, daß sie alle Mittel aufsuchen, um's los
5 zu werden. O Bestimmung des Menschen!

Aber eine rechte gute Art Volks! Wann ich mich manchmal
vergesse, manchmal mit ihnen die Freuden genieße, die so
den Menschen noch gewährt sind, an einem artig besetzten
Tisch, mit aller Offen- und Treuherzigkeit sich herum zu
10 spassen, eine Spazierfahrt, einen Tanz zur rechten Zeit
anzuordnen und dergleichen, das thut eine ganz gute Würkung auf mich, nur muß mir nicht einfallen, daß noch so viele
andere Kräfte in mir ruhen, die alle ungenutzt vermodern,
und die ich sorgfältig verbergen muß. Ach das engt all das
15 Herz so ein – Und doch! Misverstanden zu werden, ist das
Schicksal von unser einem.

Ach daß die Freundin meiner Jugend dahin ist, ach daß ich
sie je gekannt habe! Ich würde zu mir sagen: du bist ein Thor!
du suchst, was hienieden nicht zu finden ist. Aber ich hab sie
20 gehabt, ich habe das Herz gefühlt, die große Seele, in deren
Gegenwart ich mir schien mehr zu seyn als ich war, weil ich
alles war was ich seyn konnte. Guter Gott, blieb da eine
einzige Kraft meiner Seele ungenutzt, konnt ich nicht vor ihr
all das wunderbare Gefühl entwickeln, mit dem mein Herz
25 die Natur umfaßt, war unser Umgang nicht ein ewiges Weben von feinster Empfindung, schärfstem Witze, dessen Mo-
difikationen bis zur Unart alle mit dem Stempel des Genies
bezeichnet waren? Und nun – Ach ihre Jahre, die sie voraus
hatte, führten sie früher an's Grab als mich. Nie werd ich
30 ihrer vergessen, nie ihren festen Sinn und ihre göttliche Duldung.

Vor wenig Tagen traf ich einen jungen V.. an, ein offner
Junge, mit einer gar glücklichen Gesichtsbildung. Er kommt
erst von Akademien, dünkt sich nicht eben weise, aber glaubt
35 doch, er wüßte mehr als andere. Auch war er fleißig, wie ich
an allerley spüre, kurz er hatt' hüpsche Kenntnisse. Da er
hörte, daß ich viel zeichnete, und Griechisch konnte, zwey

all! Es ist ein einförmiges Ding um das Menschengeschlecht.
Die meisten verarbeiten den größten Theil der Zeit um zu
leben, und das Bißchen das ihnen von Freyheit übrig bleibt
ängstigt sie so, daß sie alle Mittel aufsuchen um es los zu
werden. O Bestimmung des Menschen!

    Aber eine recht gute Art Volks! Wenn ich mich manchmal
vergesse, manchmal mit ihnen die Freuden genieße, die den
Menschen noch gewährt sind, an einem artig besetzten Tisch
mit aller Offen- und Treuherzigkeit sich herum zu spaßen,
eine Spatzierfahrt, einen Tanz zur rechten Zeit anzuordnen,
und dergleichen, das thut eine ganz gute Wirkung auf mich;
nur muß mir nicht einfallen, daß noch so viele andere Kräfte
in mir ruhen, die alle ungenutzt vermodern und die ich sorgfältig verbergen muß. Ach das engt das ganze Herz so ein. –
Und doch! mißverstanden zu werden, ist das Schicksal von
unser einem.

    Ach daß die Freundinn meiner Jugend dahin ist! ach daß
ich sie gekannt habe! – Ich würde sagen, du bist ein Thor, du
suchst, was hienieden nicht zu finden ist; aber ich habe sie
gehabt, ich habe das Herz gefühlt, die große Seele, in deren
Gegenwart ich mir schien, mehr zu seyn als ich war, weil ich
alles war was ich seyn konnte. Guter Gott! blieb da eine
einzige Kraft meiner Seele ungenutzt? Konnt ich nicht vor
ihr das ganze wunderbare Gefühl entwickeln, mit dem mein
Herz die Natur umfaßt? War unser Umgang nicht ein ewiges
Weben von der feinsten Empfindung, dem schärfsten Witze,
dessen Modificationen, bis zur Unart alle mit dem Stempel
des Genies bezeichnet waren? Und nun! – Ach ihre Jahre die
sie voraus hatte, führten sie früher an's Grab als mich. Nie
werde ich sie vergessen, nie ihren festen Sinn und ihre göttliche Duldung.

    Vor wenig Tagen traf ich einen jungen V... an, einen off-
nen Jungen mit einer gar glücklichen Gesichtsbildung. Er
kommt erst von Akademien, dünkt sich eben nicht weise,
aber glaubt doch, er wisse mehr als andere. Auch war er
fleißig, wie ich an Allerley spüre, kurz er hat hübsche Kenntnisse. Da er hörte daß ich viel zeichnete und griechisch

Meteore hier zu Land, wandt er sich an mich und kramte viel
Wissens aus, von Batteux bis zu Wood, von de Piles zu Winkelmann, und versicherte mich, er habe Sulzers Theorie den
ersten Theil ganz durchgelesen, und besitze ein Manuscript
5 von Heynen über das Studium der Antike. Ich ließ das gut
seyn.

Noch gar einen braven Kerl hab ich kennen lernen, den
fürstlichen Amtmann. Einen offenen, treuherzigen Menschen. Man sagt, es soll eine Seelenfreude seyn, ihn unter
10 seinen Kindern zu sehen, deren er neune hat. Besonders
macht man viel Wesens von seiner ältsten Tochter. Er hat
mich zu sich gebeten, und ich will ihn ehster Tage besuchen,
er wohnt auf einem fürstlichen Jagdhofe, anderthalb Stunden von hier, wohin er, nach dem Tode seiner Frau, zu ziehen
15 die Erlaubniß erhielt, da ihm der Aufenthalt hier in der Stadt
und dem Amthause zu weh that.

Sonst sind einige verzerrte Originale mir in Weg gelaufen,
an denen alles unausstehlich ist, am unerträglichsten ihre
Freundschaftsbezeugungen.

20   Leb wohl! der Brief wird dir recht seyn, er ist ganz historisch.

                                                am 22. May.

Daß das Leben des Menschen nur ein Traum sey, ist manchem schon so vorgekommen, und auch mit mir zieht dieses
25 Gefühl immer herum. Wenn ich die Einschränkung so ansehe, in welche die thätigen und forschenden Kräfte des
Menschen eingesperrt sind, wenn ich sehe, wie alle Würksamkeit dahinaus läuft, sich die Befriedigung von Bedürfnissen zu verschaffen, die wieder keinen Zwek haben, als
unsere arme Existenz zu verlängern, und dann, daß alle Beruhigung über gewisse Punkte des Nachforschens nur eine
träumende Resignation ist, da man sich die Wände, zwischen
denen man gefangen sizt, mit bunten Gestalten und lichten
Aussichten bemahlt. Das alles, Wilhelm, macht mich stumm.
35 Ich kehre in mich selbst zurük, und finde eine Welt! Wieder

könnte, (zwey Meteore hier zu Lande,) wandte er sich an mich und kramte viel Wissens aus, von *Batteux* bis zu *Wood*, von *de Piles* zu *Winkelmann*, und versicherte mich, er habe *Sulzers* Theorie, den ersten Theil ganz durchgelesen und besitze ein Manuscript von *Heynen* über das Studium der An- 5 tike. Ich ließ das gut seyn.

Noch gar einen braven Mann habe ich kennen lernen, den Fürstl. Amtmann, einen offenen treuherzigen Menschen. Man sagt, es soll eine Seelenfreude seyn, ihn unter seinen Kindern zu sehen, deren er neun hat; besonders macht man 10 viel Wesens von seiner ältesten Tochter. Er hat mich zu sich gebeten, und ich will ihn ehster Tage besuchen. Er wohnt auf einem Fürstlichen Jagdhofe, anderthalb Stunden von hier, wohin er, nach dem Tode seiner Frau, zu ziehen die Erlaubniß erhielt, da ihm der Aufenthalt hier in der Stadt und im 15 Amthause zu weh that.

Sonst sind mir einige verzerrte Originale in den Weg gelaufen, an denen alles unausstehlich ist, am unerträglichsten ihre Freundschaftsbezeigungen.

Leb' wohl! der Brief wird dir recht seyn, er ist ganz hi- 20 storisch.

                                        am 22. May.

Daß das Leben des Menschen nur ein Traum sey, ist manchen schon so vorgekommen und auch mit mir zieht dieses Gefühl immer herum. Wenn ich die Einschränkung ansehe in wel- 25 cher die thätigen und forschenden Kräfte des Menschen eingesperrt sind; wenn ich sehe, wie alle Wirksamkeit dahinausläuft, sich die Befriedigung von Bedürfnissen zu verschaffen, die wieder keinen Zweck haben, als unsere arme Existenz zu verlängern, und dann, daß alle Beruhigung über 30 gewisse Puncte des Nachforschens nur eine träumende Resignation ist, da man sich die Wände, zwischen denen man gefangen sitzt mit bunten Gestalten und lichten Aussichten bemahlt – Das alles Wilhelm macht mich stumm. Ich kehre in mich selbst zurück, und finde eine Welt! Wieder mehr in 35

mehr in Ahndung und dunkler Begier, als in Darstellung
und lebendiger Kraft. Und da schwimmt alles vor meinen
Sinnen, und ich lächle dann so träumend weiter in die Welt.

Daß die Kinder nicht wissen, warum sie wollen, darin
sind alle hochgelahrte Schul- und Hofmeister einig. Daß aber
auch Erwachsene, gleich Kindern, auf diesem Erdboden her-
umtaumeln, gleichwie jene nicht wissen, woher sie kommen
und wohin sie gehen, eben so wenig nach wahren Zwekken
handeln, eben so durch Biskuit und Kuchen und Birkenreiser
regiert werden, das will niemand gern glauben, und mich
dünkt, man kann's mit Händen greifen.

Ich gestehe dir gern, denn ich weis, was du mir hierauf
sagen möchtest, daß diejenige die glüklichsten sind, die
gleich den Kindern in Tag hinein leben, ihre Puppe herum
schleppen, aus und anziehen, und mit großem Respekte um
die Schublade herum schleichen, wo Mama das Zuckerbrod
hinein verschlossen hat, und wenn sie das gewünschte endlich erhaschen, es mit vollen Bakken verzehren, und rufen:
Mehr! das sind glükliche Geschöpfe! Auch denen ists wohl,
die ihren Lumpenbeschäftigungen, oder wohl gar ihren Leidenschaften prächtige Titel geben, und sie dem Menschen-
geschlechte als Riesenoperationen zu dessen Heil und Wohlfahrt anschreiben. Wohl dem, der so seyn kann! Wer aber in
seiner Demuth erkennt, wo das alles hinausläuft, der so sieht,
wie artig jeder Bürger, dem's wohl ist, sein Gärtchen zum
Paradiese zuzustuzzen weis, und wie unverdrossen dann
doch auch der Unglükliche unter der Bürde seinen Weg fort-
keicht, und alle gleich interessirt sind, das Licht dieser Sonne
noch eine Minute länger zu sehn, ja! der ist still und bildet
auch seine Welt aus sich selbst, und ist auch glüklich, weil er
ein Mensch ist. Und dann, so eingeschränkt er ist, hält er
doch immer im Herzen das süsse Gefühl von Freyheit, und
daß er diesen Kerker verlassen kann, wann er will.

Ahndung und dunkler Begier, als in Darstellung und lebendiger Kraft. Und da schwimmt alles vor meinen Sinnen
und ich lächle dann so träumend weiter in die Welt.

Daß die Kinder nicht wissen warum sie wollen, darin sind
alle hochgelahrte Schul- und Hofmeister einig; daß aber auch
Erwachsene, gleich Kindern, auf diesem Erdboden herum-
taumeln, und wie jene nicht wissen woher sie kommen und
wohin sie gehen, eben so wenig nach wahren Zwecken handeln, eben so durch Biskuit und Kuchen und Birkenreiser
regieret werden: das will niemand gern glauben und mich
dünkt man kann es mit Händen greifen.

Ich gestehe dir gern, denn ich weiß was du mir hierauf
sagen möchtest, daß diejenigen die glücklichsten sind, die,
gleich den Kindern in den Tag hinein leben, ihre Puppen
herumschleppen, aus und anziehen, und mit großem Respect
um die Schublade umherschleichen, wo Mama das Zuckerbrod hinein geschlossen hat, und wenn sie das gewünschte
endlich erhaschen, es mit vollen Backen verzehren und rufen:
Mehr! – Das sind glückliche Geschöpfe. Auch denen ist's
wohl, die ihren Lumpenbeschäftigungen oder wohl gar ihren Leidenschaften prächtige Titel geben, und sie dem Men-
schengeschlechte als Riesenoperationen zu dessen Heil und
Wohlfahrt anschreiben; – Wohl dem, der so seyn kann! Wer
aber in seiner Demuth erkennt, wo das alles hinausläuft, wer
da sieht, wie artig jeder Bürger, dem es wohl ist, sein Gärtchen zum Paradiese zuzustutzen weiß, und wie unverdrossen
auch der Unglückliche unter der Bürde seinen Weg fort-
keicht, und alle gleich interessirt sind, das Licht dieser Sonne
noch eine Minute länger zu sehen; – Ja der ist still, und bildet
auch seine Welt aus sich selbst, und ist auch glücklich weil er
ein Mensch ist. Und dann, so eingeschränkt er ist, hält er
doch immer im Herzen das süße Gefühl der Freyheit, und
daß er diesen Kerker verlassen kann wann er will.

am 26. May.

Du kennst von Alters her meine Art, mich anzubauen, irgend mir an einem vertraulichen Orte ein Hüttchen aufzuschlagen, und da mit aller Einschränkung zu herbergen.
Ich hab auch hier wieder ein Pläzchen angetroffen, das mich
angezogen hat.

Ohngefähr eine Stunde von der Stadt liegt ein Ort, den sie
Wahlheim* nennen. Die Lage an einem Hügel ist sehr interessant, und wenn man oben auf dem Fußpfade zum Dorfe
heraus geht, übersieht man mit Einem das ganze Thal. Eine
gute Wirthin, die gefällig und munter in ihrem Alter ist,
schenkt Wein, Bier, Caffee, und was über alles geht, sind
zwey Linden, die mit ihren ausgebreiteten Aesten den kleinen Plaz vor der Kirche bedecken, der ringsum mit Bauerhäusern, Scheuern und Höfen eingeschlossen ist. So vertraulich, so heimlich hab ich nicht leicht ein Pläzchen gefunden,
und dahin laß ich mein Tischchen aus dem Wirthshause bringen und meinen Stuhl, und trinke meinen Caffee da, und lese
meinen Homer. Das erstemal als ich durch einen Zufall an
einem schönen Nachmittage unter die Linden kam, fand ich
das Pläzchen so einsam. Es war alles im Felde. Nur ein Knabe
von ohngefähr vier Jahren saß an der Erde, und hielt ein
andres etwa halbjähriges vor ihm zwischen seinen Füssen
sitzendes Kind mit beyden Armen wider seine Brust, so daß
er ihm zu einer Art von Sessel diente, und ohngeachtet der
Munterkeit, womit er aus seinen schwarzen Augen herumschaute, ganz ruhig saß. Mich vergnügte der Anblick, und ich
sezte mich auf einen Pflug, der gegen über stund, und zeichnete die brüderliche Stellung mit vielem Ergözzen, ich fügte
den nächsten Zaun, ein Tennenthor und einige gebrochne
Wagenräder bey, wie es all hintereinander stund, und fand
nach Verlauf einer Stunde, daß ich eine wohlgeordnete sehr
interessante Zeichnung verfertigt hatte, ohne das mindeste

---

* Der Leser wird sich keine Mühe geben, die hier genannten
  Orte zu suchen, man hat sich genöthigt gesehen, die im Originale befindlichen wahren Nahmen zu verändern.

am 26. May.

Du kennst von Altersher meine Art, mich anzubauen, mir irgend an einem vertraulichen Ort ein Hüttchen aufzuschlagen, und da mit aller Einschränkung zu herbergen. Auch hier hab ich wieder ein Plätzchen angetroffen, das mich angezogen hat.

Ohngefähr eine Stunde von der Stadt liegt ein Ort den sie Wahlheim* nennen. Die Lage an einem Hügel ist sehr interessant, und wenn man oben auf dem Fußpfade zum Dorf herausgeht, übersieht man auf einmal das ganze Thal. Eine gute Wirthinn, die gefällig und munter in ihrem Alter ist, schenkt Wein, Bier, Caffee; und was über alles geht, sind zwey Linden, die mit ihren ausgebreiteten Ästen, den kleinen Platz vor der Kirche bedecken, der ringsum mit Bauerhäusern, Scheuern und Höfen eingeschlossen ist. So vertraulich, so heimlich hab' ich nicht leicht ein Plätzchen gefunden, und dahin laß ich mein Tischchen aus dem Wirthshause bringen und meinen Stuhl, trinke meinen Caffee da, und lese meinen Homer. Das erstemal, als ich durch einen Zufall, an einem schönen Nachmittage unter die Linden kam, fand ich das Plätzchen so einsam. Es war alles im Felde, nur ein Knabe von ohngefähr vier Jahren saß an der Erde und hielt ein anderes, etwa halbjähriges, vor ihm zwischen seinen Füßen sitzendes Kind mit beyden Armen wider seine Brust, so daß er ihm zu einer Art von Sessel diente, und ohngeachtet der Munterkeit, womit er aus seinen schwarzen Augen herumschaute, ganz ruhig saß. Mich vergnügte der Anblick: ich setzte mich auf einen Pflug der gegenüber stand und zeichnete die brüderliche Stellung mit vielem Ergetzen. Ich fügte den nächsten Zaun, ein Scheunenthor und einige gebrochene Wagenräder bey, alles wie es hinter einander stand, und fand nach Verlauf einer Stunde, daß ich eine wohlgeordnete sehr interessante Zeichnung verfertiget hatte, ohne das mindeste

---

* Der Leser wird sich keine Mühe geben die hier genannten Orte zu suchen; man hat sich genöthigt gesehen, die im Originale befindlichen wahren Nahmen zu verändern.

von dem meinen hinzuzuthun. Das bestärkte mich in meinem Vorsazze, mich künftig allein an die Natur zu halten. Sie allein ist unendlich reich, und sie allein bildet den großen Künstler. Man kann zum Vortheile der Regeln viel sagen, ohngefähr was man zum Lobe der bürgerlichen Gesellschaft sagen kann. Ein Mensch, der sich nach ihnen bildet, wird nie etwas abgeschmaktes und schlechtes hervor bringen, wie einer, der sich durch Gesezze und Wohlstand modeln läßt, nie ein unerträglicher Nachbar, nie ein merkwürdiger Bösewicht werden kann; dagegen wird aber auch alle Regel, man rede was man wolle, das wahre Gefühl von Natur und den wahren Ausdruk derselben zerstören! sagst du, das ist zu hart! Sie schränkt nur ein, beschneidet die geilen Reben etc. Guter Freund, soll ich dir ein Gleichniß geben: es ist damit wie mit der Liebe, ein junges Herz hängt ganz an einem Mädchen, bringt alle Stunden seines Tags bey ihr zu, verschwendet all seine Kräfte, all sein Vermögen, um ihr jeden Augenblik auszudrükken, daß er sich ganz ihr hingiebt. Und da käme ein Philister, ein Mann, der in einem öffentlichen Amte steht, und sagte zu ihm: feiner junger Herr, lieben ist menschlich, nur müßt ihr menschlich lieben! Theilet eure Stunden ein, die einen zur Arbeit, und die Erholungsstunden widmet eurem Mädchen, berechnet euer Vermögen, und was euch von eurer Nothdurft übrig bleibt, davon verwehr ich euch nicht ihr ein Geschenk, nur nicht zu oft, zu machen. Etwa zu ihrem Geburts- und Namenstage etc.. – Folgt der Mensch, so giebts einen brauchbaren jungen Menschen, und ich will selbst jedem Fürsten rathen, ihn in ein Collegium zu sezzen, nur mit seiner Liebe ist's am Ende, und wenn er ein Künstler ist, mit seiner Kunst. O meine Freunde! warum der Strom des Genies so selten ausbricht, so selten in hohen Fluthen hereinbraust, und eure staunende Seele erschüttert. Lieben Freunde, da wohnen die gelaßnen Kerls auf beyden Seiten des Ufers, denen ihre Gartenhäuschen, Tulpenbeete, und Krautfelder zu Grunde gehen würden, und die daher in Zeiten mit dämmen und ableiten der künftig drohenden Gefahr abzuwehren wissen.

von dem meinen hinzuzuthun; Das bestärkte mich in meinem Vorsatze, mich künftig allein an die Natur zu halten. Sie allein ist unendlich reich und sie allein bildet den großen Künstler. Man kann zum Vortheile der Regeln viel sagen, ohngefähr was man zum Lobe der bürgerlichen Gesellschaft 5 sagen kann. Ein Mensch, der sich nach ihnen bildet, wird nie etwas abgeschmacktes und schlechtes hervorbringen, wie einer, der sich durch Gesetze und Wohlstand modeln läßt, nie ein unerträglicher Nachbar, nie ein merkwürdiger Bösewicht werden kann; dagegen wird aber auch alle Regel, man rede 10 was man wolle, das wahre Gefühl von Natur und den wahren Ausdruck derselben zerstören! Sag' du, das ist zu hart! sie schränkt nur ein, beschneidet die geilen Reben etc. – Guter Freund, soll ich dir ein Gleichniß geben? Es ist damit wie mit der Liebe. Ein junges Herz hängt ganz an einem Mädchen, 15 bringt alle Stunden seines Tages bey ihr zu, verschwendet alle seine Kräfte, all sein Vermögen, um ihr jeden Augenblick auszudrücken, daß er sich ganz ihr hingibt. Und da käme ein Philister, ein Mann, der in einem öffentlichen Amte steht, und sagte zu ihm: Feiner junger Herr! lieben ist 20 menschlich, nur müßt ihr menschlich lieben! Theilet eure Stunden ein, die einen zur Arbeit und die Erhohlungsstunden widmet eurem Mädchen. Berechnet euer Vermögen und was euch von eurer Nothdurft übrig bleibt, davon verwehr' ich euch nicht ihr ein Geschenk, nur nicht zu oft, zu machen, 25 etwa zu ihrem Geburts- und Nahmenstage etc.. – Folgt der Mensch, so gibt's einen brauchbaren jungen Menschen und ich will selbst jedem Fürsten rathen, ihn in ein Collegium zu setzen; nur mit seiner Liebe ist's am Ende, und wenn er ein Künstler ist, mit seiner Kunst. O meine Freunde! warum der 30 Strom des Genies so selten ausbricht, so selten in hohen Fluthen hereinbraus't und eure staunende Seele erschüttert? – Lieben Freunde, da wohnen die gelassenen Herren auf beyden Seiten des Ufers, denen ihre Gartenhäuschen, Tulpenbeete und Krautfelder zu Grunde gehen würden, die daher in 35 Zeiten mit Dämmen und Ableiten der künftig drohenden Gefahr abzuwehren wissen.

am 27. May.

Ich bin, wie ich sehe, in Verzükkung, Gleichnisse und Dekla-
mation verfallen, und habe drüber vergessen, dir auszu-
erzählen, was mit den Kindern weiter worden ist. Ich saß
ganz in mahlerische Empfindungen vertieft, die dir mein
gestriges Blatt sehr zerstükt darlegt, auf meinem Pfluge wohl
zwey Stunden. Da kommt gegen Abend eine junge Frau auf
die Kinder los, die sich die Zeit nicht gerührt hatten, mit
einem Körbchen am Arme, und ruft von weitem: Philips, du
bist recht brav. Sie grüßte mich, ich dankte ihr, stand auf, trat
näher hin, und fragte sie: ob sie Mutter zu den Kindern wäre?
Sie bejahte es, und indem sie dem Aeltesten einen halben
Wek gab, nahm sie das Kleine auf und küßte es mit aller
mütterlichen Liebe. Ich habe, sagte sie, meinem Philips das
Kleine zu halten gegeben, und bin in die Stadt gegangen mit
meinem Aeltsten, um weis Brod zu holen, und Zukker, und
ein irden Breypfännchen; ich sah das alles in dem Korbe,
dessen Dekkel abgefallen war. Ich will meinem Hans (das
war der Nahme des Jüngsten) ein Süppchen kochen zum
20 Abende, der lose Vogel der Große hat mir gestern das Pfännchen zerbrochen, als er sich mit Philipsen um die Scharre des
Brey's zankte. Ich fragte nach dem Aeltsten, und sie hatte mir
kaum gesagt, daß er auf der Wiese sich mit ein Paar Gänsen
herumjagte, als er hergesprungen kam, und dem zweyten
25 eine Haselgerte mitbrachte. Ich unterhielt mich weiter mit
dem Weibe, und erfuhr, daß sie des Schulmeisters Tochter
sey, und daß ihr Mann eine Reise in die Schweiz gemacht
habe, um die Erbschaft eines Vettern zu holen. Sie haben ihn
drum betrügen wollen, sagte sie, und ihm auf seine Briefe
30 nicht geantwortet, da ist er selbst hineingegangen. Wenn ihm
nur kein Unglük passirt ist, ich höre nichts von ihm. Es ward
mir schwer, mich von dem Weibe loszumachen, gab jedem
der Kinder einen Kreuzer, und auch für's jüngste gab ich ihr
einen, ihm einen Wek mitzubringen zur Suppe, wenn sie in
35 die Stadt gieng, und so schieden wir von einander.

am 27. May.

Ich bin, wie ich sehe in Zückungen, Gleichnisse und De-
clamation verfallen, und habe darüber vergessen, dir aus-
zuerzählen, was mit den Kindern weiter geworden ist. Ich
saß, ganz in mahlerische Empfindung vertieft, die dir mein
gestriges Blatt sehr zerstückt darlegt, auf meinem Pfluge
wohl zwey Stunden. Da kommt gegen Abend eine junge
Frau auf die Kinder los, die sich indeß nicht gerührt hatten,
mit einem Körbchen am Arm uud ruft von weitem: Philipps
du bist recht brav. Sie grüßte mich, ich dankte ihr, stand auf,
trat näher hin, und fragte sie, ob sie Mutter von den Kindern
wäre ? Sie bejahte es, und indem sie dem ältesten einen halben
Weck gab, nahm sie das kleine auf und küßte es mit aller
mütterlichen Liebe. – Ich habe, sagte sie, meinem Philipps
das Kleine zu halten gegeben, und bin mit meinem Ältesten
in die Stadt gegangen um Weiß-Brod zu hohlen und Zucker,
und ein irden Breypfännchen. – Ich sah das alles in dem
Korbe, dessen Deckel abgefallen war. – Ich will meinem
Hans (das war der Nahme des Jüngsten) ein Süppchen kochen zum Abende; der lose Vogel, der Große, hat mir gestern
das Pfännchen zerbrochen, als er sich mit Philippsen um die
Scharre des Brey's zankte. – Ich fragte nach dem Ältsten, und
sie hatte mir kaum gesagt, daß er sich auf der Wiese mit ein
paar Gänsen herumjage, als er gesprungen kam und dem
zweyten eine Haselgerte mitbrachte. Ich unterhielt mich weiter mit dem Weibe und erfuhr, daß sie des Schulmeisters
Tochter sey, und daß ihr Mann eine Reise in die Schweiz
gemacht habe, um die Erbschaft eines Vetters zu hohlen. –
Sie haben ihn drum betrügen wollen, sagte sie, und ihm auf
seine Briefe nicht geantwortet; da ist er selbst hinein gegangen. Wenn ihm nur kein Unglück widerfahren ist, ich höre
nichts von ihm. – Es ward mir schwer, mich von dem Weibe
loszumachen, gab jedem der Kinder einen Kreuzer, und auch
für's jüngste gab ich ihr einen, ihm einen Weck zur Suppe
mitzubringen, wenn sie in die Stadt ginge, und so schieden
wir von einander.

Ich sage dir, mein Schaz, wenn meine Sinnen gar nicht mehr halten wollen, so linderts all den Tumult, der Anblik eines solchen Geschöpfs, das in der glüklichen Gelassenheit so den engen Kreis seines Daseyns ausgeht, von einem Tag zum andern sich durchhilft, die Blätter abfallen sieht, und nichts dabey denkt, als daß der Winter kömmt.

Seit der Zeit bin ich oft draus, die Kinder sind ganz an mich gewöhnt. Sie kriegen Zukker, wenn ich Caffee trinke, und theilen das Butterbrod und die saure Milch mit mir des Abends. Sonntags fehlt ihnen der Kreuzer nie, und wenn ich nicht nach der Betstunde da bin, so hat die Wirthin Ordre, ihn auszubezahlen.

Sie sind vertraut, erzählen mir allerhand, und besonders ergözz' ich mich an ihren Leidenschaften und simplen Ausbrüchen des Begehrens, wenn mehr Kinder aus dem Dorfe sich versammeln.

Viel Mühe hat mich's gekostet, der Mutter ihre Besorgniß zu benehmen: »Sie möchten den Herrn inkommodiren.«

Ich sage dir, mein Schatz, wenn meine Sinnen gar nicht
mehr halten wollen, so lindert all den Tumult der Anblick
eines solchen Geschöpfs, das in glücklicher Gelassenheit den
engen Kreis seines Daseyns hingeht, von einem Tage zum
andern sich durchhilft, die Blätter abfallen sieht, und nichts 5
dabey denkt, als daß der Winter kommt.

Seit der Zeit bin ich oft draussen. Die Kinder sind ganz an
mich gewöhnt, sie kriegen Zucker wenn ich Caffee trinke und
theilen das Butterbrod und die saure Milch mit mir des
Abends. Sonntags fehlt ihnen der Kreuzer nie, und wenn ich 10
nicht nach der Bethstunde da bin, so hat die Wirthinn Ordre
ihn auszuzalen.

Sie sind vertraut, erzählen mir allerhand, und besonders
ergetze ich mich an ihren Leidenschaften, und simpeln Ausbrüchen des Begehrens, wenn mehr Kinder aus dem Dorfe 15
sich versammlen.

Viel Mühe hat mich's gekostet der Mutter ihre Besorgniß
zu nehmen: Sie möchten den Herrn incommodiren.

am 30. May.

Was ich dir neulich von der Mahlerei sagte, gilt gewiß auch 20
von der Dichtkunst; es ist nur daß man das vortreffliche
erkenne und es auszusprechen wage, und das ist freylich mit
wenigem viel gesagt. Ich habe heut eine Scene gehabt, die,
rein abgeschrieben die schönste Idylle von der Welt gäbe;
doch was soll Dichtung, Scene und Idylle? muß es denn im- 25
mer geboßelt seyn, wenn wir Theil an einer Naturerschei-
nung nehmen sollen?

Wenn du auf diesen Eingang viel Hohes und Vornehmes
erwartest, so bist du wieder übel betrogen; es ist nichts als ein
Bauerbursch, der mich zu dieser lebhaften Theilnehmung 30
hingerissen hat – ich werde, wie gewöhnlich, schlecht erzählen, und du wirst mich, wie gewöhnlich, denk ich, übertrieben finden; es ist wieder Wahlheim, und immer Wahlheim
das diese Seltenheiten hervorbringt.

Es war eine Gesellschaft draussen unter den Linden Caffee 35

zu trinken. Weil sie mir nicht ganz anstand, so blieb ich unter einem Vorwande zurück.

Ein Bauerbursch kam aus einem benachbarten Hause und beschäftigte sich an dem Pfluge, den ich neulich gezeichnet hatte, etwas zurecht zu machen. Da mir sein Wesen gefiel, redete ich ihn an, fragte nach seinen Umständen, wir waren bald bekannt, und wie mir's gewöhnlich mit dieser Art Leuten geht, bald vertraut. Er erzählte mir, daß er bey einer Wittwe in Diensten sey und von ihr gar wohl gehalten werde. Er sprach so vieles von ihr und lobte sie dergestalt, daß ich bald merken konnte, er sey ihr mit Leib und Seele zugethan. Sie sey nicht mehr jung, sagte er, sie sey von ihrem ersten Mann übel gehalten worden, wolle nicht mehr heirathen und aus seiner Erzählung leuchtete so merklich hervor, wie schön, wie reizend sie für ihn sey, wie sehr er wünsche, daß sie ihn wählen möchte, um das Andenken der Fehler ihres ersten Mannes auszulöschen, daß ich Wort für Wort wiederhohlen müßte, um dir die reine Neigung, die Liebe und Treue dieses Menschen anschaulich zu machen. Ja, ich müßte die Gabe des größten Dichters besitzen, um dir zugleich den Ausdruck seiner Geberden, die Harmonie seiner Stimme, das heimliche Feuer seiner Blicke lebendig darstellen zu können. Nein, es sprechen keine Worte die Zartheit aus, die in seinem ganzen Wesen und Ausdruck war; es ist alles nur plump, was ich wieder vorbringen könnte. Besonders rührte mich, wie er fürchtete, ich möchte über sein Verhältniß zu ihr ungleich denken und an ihrer guten Aufführung zweifeln. Wie reizend es war, wenn er von ihrer Gestalt, von ihrem Körper sprach, der ihn ohne jugendliche Reize gewaltsam an sich zog und fesselte, kann ich mir nur in meiner innersten Seele wiederhohlen. Ich hab in meinem Leben die dringende Begierde und das heiße sehnliche Verlangen nicht in dieser Reinheit gesehen, ja wohl kann ich sagen, in dieser Reinheit nicht gedacht und geträumt. Schelte mich nicht, wenn ich dir sage, daß bey der Erinnerung dieser Unschuld und Wahrheit mir die innerste Seele glüht und daß mich das Bild dieser Treue und Zärtlichkeit überall verfolgt,

Break, met aquaitance that hor won heart Simple w/ understanding, mild, werolute while eating supper will write

am 16. Juny.

10 Warum ich dir nicht schreibe? Fragst du das und bist doch
auch der Gelehrten einer. Du solltest rathen, daß ich mich
wohl befinde, und zwar – Kurz und gut, ich habe eine Bekanntschaft gemacht, die mein Herz näher angeht. Ich habe –
ich weis nicht.

15 Dir in der Ordnung zu erzählen, wie's zugegangen ist, daß
ich ein's der liebenswürdigsten Geschöpfe habe kennen lernen, wird schwer halten, ich bin vergnügt und glüklich, und
so kein guter Historienschreiber.

Einen Engel! Pfuy! das sagt jeder von der seinigen! Nicht
20 wahr? Und doch bin ich nicht im Stande, dir zu sagen, wie sie
vollkommen ist, warum sie vollkommen ist, genug, sie hat
all meinen Sinn gefangen genommen.

So viel Einfalt bey so viel Verstand, so viel Güte bey so
viel Festigkeit, und die Ruhe der Seele bey dem wahren Le-
25 ben und der Thätigkeit. –

Das ist alles garstiges Gewäsche, was ich da von ihr sage,
leidige Abstraktionen, die nicht einen Zug ihres Selbst ausdrükken. Ein andermal – Nein, nicht ein andermal, jezt
gleich will ich dir's erzählen. Thu ich's jezt nicht, geschäh's
30 niemals. Denn, unter uns, seit ich angefangen habe zu schreiben, war ich schon dreymal im Begriffe die Feder niederzulegen, mein Pferd satteln zu lassen und hinaus zu reiten, und
doch schwur ich mir heut früh nicht hinaus zu reiten – und
gehe doch alle Augenblikke ans Fenster zu sehen, wie hoch
35 die Sonne noch steht.

und daß ich, wie selbst davon entzündet, lechze und schmachte.

Ich will nun suchen, auch sie ehstens zu sehn, oder vielmehr, wenn ichs recht bedenke, ich wills vermeiden. Es ist besser, ich sehe sie durch die Augen ihres Liebhabers; vielleicht erscheint sie mir vor meinen eignen Augen nicht so, wie sie jetzt vor mir steht, und warum soll ich mir das schöne Bild verderben?

am 16. Junius.

Warum ich dir nicht schreibe? – Fragst du das, und bist doch auch der Gelehrten einer? Du solltest rathen, daß ich mich wohl befinde, und zwar – Kurz und gut, ich habe eine Bekanntschaft gemacht die mein Herz näher angeht. Ich habe – ich weiß nicht.

Dir in der Ordnung zu erzählen wie's zugegangen ist, daß ich eines der liebenswürdigsten Geschöpfe habe kennen lernen, wird schwer halten. Ich bin vergnügt und glücklich und also kein guter Historienschreiber.

Einen Engel! – Pfuy! das sagt jeder von der seinigen, nicht wahr? Und doch bin ich nicht im Stande, dir zu sagen, wie sie vollkommen ist, warum sie vollkommen ist; genug sie hat allen meinen Sinn gefangen genommen.

So viel Einfalt bey so viel Verstand, so viele Güte bey so viel Festigkeit, und die Ruhe der Seele bey dem wahren Leben und der Thätigkeit. –

Das ist alles garstiges Gewäsch was ich da von ihr sage, leidige Abstractionen, die nicht einen Zug ihres Selbst ausdrücken. Ein andermal – Nein nicht ein andermal, jetzt gleich will ich dir's erzählen. Thu' ch's jetzt nicht, so geschäh es niemals. Denn, unter uns, seit ich angefangen habe zu schreiben, war ich schon dreymal im Begriffe die Feder niederzulegen, mein Pferd satteln zu lassen und hinauszureiten. Und doch schwur ich mir heute frühe nicht hinauszureiten und gehe doch alle Augenblick' an's Fenster, zu sehen wie hoch die Sonne noch steht. – – –

Ich hab's nicht überwinden können, ich mußte zu ihr hinaus. Da bin ich wieder, Wilhelm, und will mein Butterbrod
zu Nacht essen und dir schreiben. Welch eine Wonne das für
meine Seele ist, sie in dem Kreise der lieben muntern Kinder
ihrer acht Geschwister zu sehen! –

Wenn ich so fortfahre, wirst du am Ende so klug seyn wie
am Anfange, höre denn, ich will mich zwingen ins Detail zu
gehen.

Ich schrieb dir neulich, wie ich den Amtmann S.. habe
kennen lernen, und wie er mich gebeten habe, ihn bald in
seiner Einsiedeley, oder vielmehr seinem kleinen Königrei-
che zu besuchen. Ich vernachläßigte das, und wäre vielleicht
nie hingekommen, hätte mir der Zufall nicht den Schaz entdeckt, der in der stillen Gegend verborgen liegt.

Unsere jungen Leute hatten einen Ball auf dem Lande
angestellt, zu dem ich mich denn auch willig finden ließ. Ich
bot einem hiesigen guten, schönen, weiters unbedeutenden
Mädchen die Hand, und es wurde ausgemacht, daß ich eine
Kutsche nehmen, mit meiner Tänzerinn und ihrer Baase
nach dem Orte der Lustbarkeit hinausfahren, und auf dem
Wege Charlotten S. mitnehmen sollte. Sie werden ein schönes Frauenzimmer kennen lernen, sagte meine Gesellschaf-
terinn, da wir durch den weiten schön ausgehauenen Wald
nach dem Jagdhause fuhren. Nehmen sie sich in Acht, versezte die Baase, daß Sie sich nicht verlieben! Wie so? sagt' ich:
Sie ist schon vergeben, antwortete jene, an einen sehr braven
Mann, der weggereist ist, seine Sachen in Ordnung zu bringen nach seines Vaters Tod, und sich um eine ansehnliche
Versorgung zu bewerben. Die Nachricht war mir ziemlich
gleichgültig.

Die Sonne war noch eine Viertelstunde vom Gebürge, als
wir vor dem Hofthore anfuhren, es war sehr schwühle, und
die Frauenzimmer äusserten ihre Besorgniß wegen eines
Gewitters, das sich in weisgrauen dumpfigen Wölkchen
rings am Horizonte zusammen zu ziehen schien. Ich täuschte
ihre Furcht mit anmaßlicher Wetterkunde, ob mir gleich
selbst zu ahnden anfieng, unsere Lustbarkeit werde einen
Stoß leiden.

Ich hab's nicht überwinden können, ich mußte zu ihr hinaus. Da bin ich wieder, Wilhelm, will mein Butterbrod zu
Nacht essen, und dir schreiben. Welch eine Wonne das für
meine Seele ist, sie in dem Kreise der lieben muntern Kinder,
ihrer acht Geschwister zu sehen! –   5

Wenn ich so fortfahre, wirst du am Ende so klug seyn wie
am Anfange. Höre denn, ich will mich zwingen in's Detail zu
gehen.

Ich schrieb dir neulich, wie ich den Amtmann S... habe
kennen lernen, und wie er mich gebeten habe, ihn bald in   10
seiner Einsiedeley, oder vielmehr seinem kleinen Königrei-
che zu besuchen. Ich vernachlässigte das, und wäre vielleicht
nie hingekommen, hätte mir der Zufall nicht den Schatz entdeckt, der in der stillen Gegend verborgen liegt.

Unsere jungen Leute hatten einen Ball auf dem Lande   15
angestellt, zu dem ich mich denn auch willig finden ließ. Ich
both einem hiesigen guten, schönen, übrigens unbedeutenden Mädchen die Hand, und es wurde ausgemacht, daß ich
eine Kutsche nehmen, mit meiner Tänzerinn und ihrer Base
nach dem Orte der Lustbarkeit hinausfahren, und auf dem   20
Wege Charlotten S... mitnehmen sollte. – Sie werden ein
schönes Frauenzimmer kennen lernen, sagte meine Gesell-
schafterinn, da wir durch den weiten ausgehauenen Wald
nach dem Jagdhause fuhren. Nehmen Sie sich in Acht, versetzte die Base, daß Sie sich nicht verlieben! – Wie so? sagte   25
ich – Sie ist schon vergeben, antwortete jene, an einen sehr
braven Mann, der weggereist ist, seine Sachen in Ordnung
zu bringen weil sein Vater gestorben ist, und sich um eine
ansehnliche Versorgung zu bewerben. Die Nachricht war
mir ziemlich gleichgültig.   30

Die Sonne war noch eine Viertelstunde vom Gebirge, als
wir vor dem Hofthore anfuhren. Es war sehr schwühl, und
die Frauenzimmer äußerten ihre Besorgniß wegen eines Gewitters, das sich in weißgrauen dumpfichten Wölkchen rings
am Horizonte zusammenzuziehen schien. Ich täuschte ihre   35
Furcht mit anmaßlicher Wetterkunde, ob mir gleich selbst zu
ahnden anfing, unsere Lustbarkeit werde einen Stoß leiden.

Ich war ausgestiegen. Und eine Magd, die an's Thor kam,
bat uns, einen Augenblik zu verziehen, Mamsell Lottchen
würde gleich kommen. Ich gieng durch den Hof nach dem
wohlgebauten Hause, und da ich die vorliegenden Treppen
hinaufgestiegen war und in die Thüre trat, fiel mir das reizendste Schauspiel in die Augen, das ich jemals gesehen habe.
In dem Vorsaale wimmelten sechs Kinder, von eilf zu zwey
Jahren, um ein Mädchen von schöner mittlerer Taille, die ein
simples weisses Kleid mit blaßrothen Schleifen an Arm und
Brust anhatte. Sie hielt ein schwarzes Brod und schnitt ihren
Kleinen rings herum jedem sein Stük nach Proportion ihres
Alters und Appetites ab, gabs jedem mit solcher Freundlichkeit, und jedes rufte so ungekünstelt sein: Danke! indem es
mit den kleinen Händchen lang in die Höh gereicht hatte, eh
es noch abgeschnitten war, und nun mit seinem Abendbrode
vergnügt entweder wegsprang, oder nach seinem stillern
Charakter gelassen davon nach dem Hofthore zugieng, um
die Fremden und die Kutsche zu sehen, darinnen ihre Lotte
wegfahren sollte. Ich bitte um Ve⟨r⟩gebung, sagte sie, daß
ich Sie herein bemühe, und die Frauenzimmer warten lasse.
Ueber dem Anziehen und allerley Bestellungen für's Haus in
meiner Abwesenheit, habe ich vergessen meinen Kindern ihr
Vesperstük zu geben, und sie wollen von niemanden Brod
geschnitten haben als von mir. Ich machte ihr ein unbedeutendes Compliment, und meine ganze Seele ruhte auf der
Gestalt, dem Tone, dem Betragen, und hatte eben Zeit, mich
von der Ueberraschung zu erholen, als sie in die Stube lief
ihre Handschuh und Fächer zu nehmen. Die Kleinen sahen
mich in einiger Entfernung so von der Seite an, und ich gieng
auf das jüngste los, das ein Kind von der glüklichsten Gesichtsbildung war. Es zog sich zurük, als eben Lotte zur
Thüre herauskam, und sagte: Louis, gieb dem Herrn Vetter
eine Hand. Das that der Knabe sehr freymüthig, und ich
konnte mich nicht enthalten, ihn ohngeachtet seines kleinen
Roznäschens herzlich zu küssen. Vetter? sagt' ich, indem ich
ihr die Hand reichte, glauben Sie, daß ich des Glüks werth
sey, mit Ihnen verwandt zu seyn? O! sagte sie, mit einem

Ich war ausgestiegen, und eine Magd die an's Thor kam, bat uns, einen Augenblick zu verziehen, Mamsell Lottchen würde gleich kommen. Ich ging durch den Hof nach dem wohlgebauten Hause, und da ich die vorliegende Treppen hinaufgestiegen war und in die Thür trat, fiel mir das reizendste Schauspiel in die Augen, das ich je gesehen habe. In dem Vorsaale wimmelten sechs Kinder von eilf zu zwey Jahren um ein Mädchen von schöner Gestalt, mittlerer Größe, die ein simples weißes Kleid, mit blaßrothen Schleifen an Arm und Brust, anhatte. Sie hielt ein schwarzes Brod und schnitt ihren Kleinen rings herum jedem sein Stück nach Proportion ihres Alters und Appetits ab, gab's jedem mit solcher Freundlichkeit und jedes rufte so ungekünstelt sein: Danke! indem es mit den kleinen Händchen lange in die Höhe gereicht hatte, ehe es noch abgeschnitten war, und nun mit seinem Abendbrode vergnügt, entweder wegsprang, oder nach seinem stillern Charakter gelassen davonging nach dem Hofthore zu um die Fremden und die Kutsche zu sehen, darinnen ihre Lotte wegfahren sollte. – Ich bitte um Vergebung, sagte sie, daß ich Sie herein bemühe und die Frauenzimmer warten lasse. Über dem Anziehen und allerley Bestellungen für's Haus in meiner Abwesenheit, habe ich vergessen meinen Kindern ihr Vesperbrod zu geben, und sie wollen von niemanden Brod geschnitten haben als von mir. – Ich machte ihr ein unbedeutendes Compliment, meine ganze Seele ruhte auf der Gestalt, dem Tone, dem Betragen, und ich hatte eben Zeit mich von der Überraschung zu erhohlen, als sie in die Stube lief ihre Handschuhe und Fächer zu hohlen. Die Kleinen sahen mich in einiger Entfernung so von der Seite an, und ich ging auf das jüngste los, das ein Kind von der glücklichsten Gesichtsbildung war. Es zog sich zurück, als eben Lotte zur Thüre herauskam und sagte: Louis gib dem Herrn Vetter eine Hand. Das that der Knabe sehr freymüthig, und ich konnte mich nicht enthalten, ihn, ohngeachtet seines kleinen Rotznäschens herzlich zu küssen – Vetter? sagte ich, indem ich ihr die Hand reichte, glauben Sie daß ich des Glücks werth sey mit Ihnen verwandt zu seyn? – O, sagte

leichtfertigen Lächeln, unsere Vetterschaft ist sehr weitläuftig, und es wäre mir leid, wenn sie der Schlimmste drunter
seyn sollten. Im Gehen gab sie Sophien, der ältsten Schwester nach ihr, einem Mädchen von ohngefähr eilf Jahren, den
Auftrag, wohl auf die Kleinen Acht zu haben, und den Papa
zu grüssen, wenn er vom Spazierritte zurükkäme. Den Kleinen sagte sie, sie sollten ihrer Schwester Sophie folgen, als
wenn sie's selbst wäre, das denn auch einige ausdrüklich versprachen. Eine kleine naseweise Blondine aber, von ohngefähr sechs Jahren, sagte: du bist's doch nicht, Lottchen! wir
haben dich doch lieber. Die zwey ältsten der Knaben waren
hinten auf die Kutsche geklettert, und auf mein Vorbitten
erlaubte sie ihnen, bis vor den Wald mit zu fahren, wenn sie
versprächen, sich nicht zu necken, und sich recht fest zu halten.

Wir hatten uns kaum zurecht gesezt, die Frauenzimmer
sich bewillkommt, wechselsweis über den Anzug und vorzüglich die Hütchen ihre Anmerkungen gemacht, und die
Gesellschaft, die man zu finden erwartete, gehörig durchgezogen; als Lotte den Kutscher halten, und ihre Brüder
herabsteigen lies, die noch einmal ihre Hand zu küssen begehrten, das denn der ältste mit aller Zärtlichkeit, die dem
Alter von funfzehn Jahren eigen seyn kann, der andere mit
viel Heftigkeit und Leichtsinn that. Sie ließ die Kleinen noch
einmal grüßen, und wir fuhren weiter.

Die Baase fragte: ob sie mit dem Buche fertig wäre, das sie
ihr neulich geschickt hätte. Nein, sagte Lotte, es gefällt mir
nicht, sie könnens wieder haben. Das vorige war auch nicht
besser. Ich erstaunte, als ich fragte: was es für Bücher wären
und sie mir antwortete:* – Ich fand so viel Charakter in allem
was sie sagte, ich sah mit jedem Wort neue Reize, neue Strah-

---

* Man sieht sich genöthigt, diese Stelle des Briefs zu unterdrük-
ken, um niemand Gelegenheit zu einiger Beschwerde zu geben.
Ob gleich im Grunde jedem Autor wenig an dem Urtheile eines einzelnen Mädgens, und eines jungen unsteten Menschen
gelegen seyn kann.

sie mit einem leichtfertigen Lächeln: unsere Vetterschaft ist
sehr weitläufig, und es wäre mir leid, wenn Sie der schlimmste drunter seyn sollten. – Im Gehen gab sie Sophien, der
ältesten Schwester nach ihr, einem Mädchen von ohngefähr
eilf Jahren, den Auftrag, wohl auf die Kinder Acht zu haben, 5
und den Papa zu grüßen, wenn er vom Spatzierritte nach
Hause käme. Den Kleinen sagte sie, sie sollten ihrer Schwester Sophie folgen, als wenn sie's selber wäre, das denn auch
einige ausdrücklich versprachen. Eine kleine naseweise
Blondine aber, von ohngefähr sechs Jahren, sagte: du bist's 10
doch nicht Lottchen, wir haben dich doch lieber – Die zwey
ältesten Knaben waren auf die Kutsche geklettert, und auf
mein Vorbitten erlaubte sie ihnen, bis vor den Wald mitzu-
fahren, wenn sie versprächen sich nicht zu necken, und sich
recht fest zu halten. 15

Wir hatten uns kaum zurecht gesetzt, die Frauenzimmer
sich bewillkommet, wechselsweise über den Anzug, vorzüglich über die Hüte ihre Anmerkungen gemacht, und die Gesellschaft, die man erwartete gehörig durchgezogen; als
Lotte den Kutscher halten und ihre Brüder herabsteigen ließ, 20
die noch einmal ihre Hand zu küssen begehrten, das denn der
älteste mit aller Zärtlichkeit, die dem Alter von funfzehn
Jahren eigen seyn kann, der andere mit viel Heftigkeit und
Leichtsinn that. Sie ließ die Kleinen noch einmal grüßen und
wir fuhren weiter. 25

Die Base fragte, ob sie mit dem Buche fertig wäre, das sie
ihr neulich geschickt hätte? Nein, sagte Lotte, es gefällt mir
nicht, Sie können's wieder haben. Das vorige war auch nicht
besser. – Ich erstaunte als ich fragte, was es für Bücher wären?
und sie mir antwortete :* – Ich fand so viel Charakter in allem 30
was sie sagte, ich sah mit jedem Wort neue Reize, neue Strah-

---

* Man sieht sich genöthiget diese Stelle des Briefes zu unterdrük-
  ken, um niemand Gelegenheit zu einiger Beschwerde zu geben.
  Obgleich im Grunde jedem Autor wenig an dem Urtheile eines
  einzelnen Mädchens, und eines jungen unstäten Menschen gelegen seyn kann.

len des Geistes aus ihren Gesichtszügen hervorbrechen, die
sich nach und nach vergnügt zu entfalten schienen, weil sie an
mir fühlte, daß ich sie verstund.

Wie ich jünger war, sagte sie, liebte ich nichts so sehr als
die Romanen. Weis Gott wie wohl mir's war, mich so Sonntags in ein Eckgen zu sezzen, und mit ganzem Herzen an dem
Glükke und Unstern einer Miß Jenny Theil zu nehmen. Ich
läugne auch nicht, daß die Art noch einige Reize für mich hat.
Doch da ich so selten an ein Buch komme, so müssen sie auch
10 recht nach meinem Geschmakke seyn. Und der Autor ist mir
der liebste, in dem ich meine Welt wieder finde, bey dem's
zugeht wie um mich, und dessen Geschichte mir doch so
interessant so herzlich wird, als mein eigen häuslich Leben,
das freylich kein Paradies, aber doch im Ganzen eine Quelle
15 unsäglicher Glükseligkeit ist.

Ich bemühte mich, meine Bewegungen über diese Worte
zu verbergen. Das gieng freylich nicht weit, denn da ich sie
mit solcher Wahrheit im Vorbeygehn vom Landpriester von
Wakefield vom* – reden hörte, kam ich eben ausser mich und
20 sagte ihr alles was ich mußte, und bemerkte erst nach einiger
Zeit, da Lotte das Gespräch an die andern wendete, daß diese
die Zeit über mit offnen Augen, als säßen sie nicht da, da
gesessen hatten. Die Baase sah mich mehr als einmal mit einem spöttischen Näsgen an, daran mir aber nichts gelegen
25 war.

Das Gespräch fiel auf das Vergnügen am Tanze. Wenn
diese Leidenschaft ein Fehler ist, sagte Lotte, so gesteh ich
ihnen gern, ich weis nichts über's Tanzen. Und wenn ich was
im Kopfe habe, und mir auf meinem verstimmten Klaviere
30 einen Contretanz vortrommle, so ist alles wieder gut.

Wie ich mich unter dem Gespräche in den schwarzen Augen weidete, wie die lebendigen Lippen und die frischen

---

* Man hat auch hier die Namen einiger vaterländischen Autoren
  ausgelassen. Wer Theil an Lottens Beyfall hatte, wird es gewiß
  an seinem Herzen fühlen, wenn er diese Stelle lesen sollte. Und
  sonst brauchts ja niemand zu wissen.

len des Geistes aus ihren Gesichtszügen hervorbrechen, die
sich nach und nach vergnügt zu entfalten schienen, weil sie an
mir fühlte daß ich sie verstand.

Wie ich jünger war, sagte sie, liebte ich nichts so sehr als
Romane. Weiß Gott wie wohl mir's war, wenn ich mich   5
Sonntags so in ein Eckchen setzen, und mit ganzem Herzen
an dem Glück und Unstern einer Miß Jenny Theil nehmen
konnte. Ich läugne auch nicht, daß die Art noch einige Reize
für mich hat; Doch da ich so selten an ein Buch komme, so
müssen sie auch recht nach meinem Geschmack seyn. Und   10
der Autor ist mir der liebste, in dem ich meine Welt wieder
finde, bey dem es zugeht wie um mich, und dessen Geschichte mir doch so interessant und herzlich wird, als mein
eigen häuslich Leben, das freylich kein Paradies, aber doch
im Ganzen eine Quelle unsäglicher Glückseligkeit ist.   15

Ich bemühte mich meine Bewegungen über diese Worte zu
verbergen. Das ging freylich nicht weit: denn da ich sie mit
solcher Wahrheit im Vorbeygehen vom Landpriester von
Wakefield, vom* – reden hörte, kam ich ganz außer mich,
sagte ihr alles was ich wußte, und bemerkte erst nach einiger   20
Zeit, da Lotte das Gespräch an die anderen wendete, daß
diese die Zeit über mit offenen Augen, als säßen sie nicht da,
da gesessen hatten. Die Base sah mich mehr als einmal mit
einem spöttischen Näschen an, daran mir aber nichts gelegen
war.   25

Das Gespräch fiel auf's Vergnügen am Tanze. Wenn diese
Leidenschaft ein Fehler ist, sagte Lotte, so gestehe ich Ihnen
gern, ich weiß mir nichts über's Tanzen. Und wenn ich was
im Kopfe habe, und mir auf meinem verstimmten Clavier
einen Contretanz vortrommle, so ist alles wieder gut.   30

Wie ich mich unter dem Gespräche in den schwarzen Augen weidete! wie die lebendigen Lippen und die frischen

---

* Man hat auch hier die Nahmen einiger vaterländischen Autoren weggelassen. Wer Theil an Lottens Beyfalle hat, wird es gewiß an seinem Herzen fühlen, wenn er diese Stelle lesen sollte,
und sonst braucht es ja niemand zu wissen.

muntern Wangen meine ganze Seele anzogen, wie ich in den
herrlichen Sinn ihrer Rede ganz versunken, oft gar die Worte
nicht hörte, mit denen sie sich ausdrukte! Davon hast du eine
Vorstellung, weil du mich kennst. Kurz, ich stieg aus dem
Wagen wie ein Träumender, als wir vor dem Lusthause still
hielten, und war so in Träumen rings in der dämmernden
Welt verlohren, daß ich auf die Musik kaum achtete, die uns
von dem erleuchteten Saale herunter entgegen schallte.

     Die zwey Herren Audran und ein gewisser N. N. wer
behält all die Nahmen! die der Baase und Lottens Tänzer
waren, empfiengen uns am Schlage, bemächtigten sich ihrer
Frauenzimmer und ich führte die meinige hinauf.

     Wir schlangen uns in Menuets um einander herum, ich
förderte ein Frauenzimmer nach dem andern auf, und just die
unleidlichsten konnten nicht dazu kommen, einem die Hand
zu reichen, und ein Ende zu machen. Lotte und ihr Tänzer
fiengen einen englischen an, und wie wohl mir's war, als sie
auch in der Reihe die Figur mit uns anfieng, magst du fühlen.
Tanzen muß man sie sehen. Siehst du, sie ist so mit ganzem
Herzen und mit ganzer Seele dabey, ihr ganzer Körper, eine
Harmonie, so sorglos, so unbefangen, als wenn das eigentlich alles wäre, als wenn sie sonst nichts dächte, nichts empfände, und in dem Augenblikke gewiß schwindet alles andere vor ihr.

     Ich bat sie um den zweyten Contretanz, sie sagte mir den
dritten zu, und mit der liebenswürdigsten Freymüthigkeit
von der Welt versicherte sie mich, daß sie herzlich gern
deutsch tanzte. Es ist hier so Mode, fuhr sie fort, daß jedes
paar, das zusammen gehört, beym Deutschen zusammen
bleibt, und mein Chapeau walzt schlecht, und dankt mir's,
wenn ich ihm die Arbeit erlasse, ihr Frauenzimmer kann's
auch nicht und mag nicht, und ich habe im Englischen gesehn, daß sie gut walzen, wenn sie nun mein seyn wollen fürs
Deutsche, so gehn sie und bitten sich's aus von meinem
Herrn, ich will zu ihrer Dame gehn. Ich gab ihr die Hand
drauf und es wurde schon arrangirt, daß ihrem Tänzer inzwischen die Unterhaltung meiner Tänzerin aufgetragen
ward.

muntern Wangen meine ganze Seele anzogen! wie ich, in den
herrlichen Sinn ihrer Rede ganz versunken, oft gar die Worte
nicht hörte, mit denen sie sich ausdrückte! – Davon hast du
eine Vorstellung weil du mich kennst. Kurz, ich stieg aus
dem Wagen wie ein Träumender als wir vor dem Lusthause
stille hielten, und war so in Träumen rings in der dämmernden Welt verlohren, daß ich auf die Musik kaum achtete, die
uns von dem erleuchteten Saal herunter entgegen schallte.

Die zwey Herrn Audran und ein gewisser N. N. – wer
behält alle die Nahmen! – die der Base und Lottens Tänzer
waren, empfingen uns am Schlage, bemächtigten sich ihrer
Frauenzimmer, und ich führte die meinige hinauf.

Wir schlangen uns in Menuets um einander herum; ich
forderte ein Frauenzimmer nach dem andern auf, und just die
unleidlichsten konnten nicht dazu kommen, einem die Hand
zu reichen und ein Ende zu machen. Lotte und ihr Tänzer
fingen einen Englischen an, und wie wohl mir's war, als sie
auch in der Reihe die Figur mit uns anfing, magst du fühlen.
Tanzen muß man sie sehen! Siehst du, sie ist so mit ganzem
Herzen und mit ganzer Seele dabey, ihr ganzer Körper Eine
Harmonie, so sorglos, so unbefangen, als wenn das eigentlich alles wäre, als wenn sie sonst nichts dächte, nichts empfände; und in dem Augenblicke gewiß schwindet alles andere
vor ihr.

Ich bat sie um den zweyten Contretanz; sie sagte mir den
dritten zu und mit der liebenswürdigsten Freymüthigkeit
von der Welt versicherte sie mich, daß sie herzlich gern
Deutsch tanze. Es ist hier so Mode, fuhr sie fort, daß jedes
Paar das zusammen gehört, bey'm Deutschen zusammen
bleibt, und mein Chapeau walzt schlecht, und dankt mir's
wenn ich ihm die Arbeit erlasse. Ihr Frauenzimmer kann's
auch nicht und mag nicht, und ich habe im Englischen gesehen daß Sie gut walzen; wenn Sie nun mein seyn wollen
für's Deutsche, so gehen Sie und bitten sich's von meinem
Herrn aus, und ich will zu Ihrer Dame gehen. – Ich gab ihr
die Hand darauf und wir machten aus, daß ihr Tänzer inzwischen meine Tänzerinn unterhalten sollte.

Nun giengs, und wir ergözten uns eine Weile an mannch-
faltigen Schlingungen der Arme. Mit welchem Reize, mit
welcher Flüchtigkeit bewegte sie sich! Und da wir nun gar
an's Walzen kamen, und wie die Sphären um einander her-
umrollten, giengs freylich anfangs, weil's die wenigsten können, ein bisgen bunt durch einander. Wir waren klug und
liessen sie austoben, und wie die ungeschiktesten den Plan
geräumt hatten, fielen wir ein, und hielten mit noch einem
Paare, mit Audran und seiner Tänzerinn, wakker aus. Nie ist
mir's so leicht vom Flekke gegangen. Ich war kein Mensch
mehr. Das liebenswürdigste Geschöpf in den Armen zu haben, und mit ihr herum zu fliegen wie Wetter, daß alles rings
umher vergieng und – Wilhelm, um ehrlich zu seyn, that ich
aber doch den Schwur, daß ein Mädchen, das ich liebte, auf
das ich Ansprüche hätte, mir nie mit einem andern walzen
sollte, als mit mir, und wenn ich drüber zu Grunde gehen
müßte, du verstehst mich.

Wir machten einige Touren gehend im Saale, um zu ver-
schnauffen. Dann sezte sie sich, und die Zitronen, die ich
weggestohlen hatte beym Punsch machen, die nun die einzigen noch übrigen waren, und die ich ihr in Schnittchen, mit
Zukker zur Erfrischung brachte, thaten fürtrefliche Würkung, nur daß mir mit jedem Schnittgen das ihre Nachbarinn
aus der Tasse nahm, ein Stich durch's Herz gieng, der ich's
nun freylich Schanden halber mit präsentiren mußte.

Beym dritten Englischen waren wir das zweyte Paar. Wie
wir die Reihe so durchtanzten, und ich, weis Gott mit wie
viel Wonne, an ihrem Arme und Auge hieng, das voll vom
wahrsten Ausdrukke des offensten reinsten Vergnügens war,
kommen wir an eine Frau, die mir wegen ihrer liebenswürdigen Mine auf einem nicht mehr ganz jungen Gesichte,
merkwürdig gewesen war. Sie sieht Lotten lächelnd an, hebt
einen drohenden Finger auf, und nennt den Nahmen Albert
zweymal im Vorbeyfliegen mit viel Bedeutung.

Wer ist Albert, sagte ich zu Lotten, wenns nicht Vermessenheit ist zu fragen. Sie war im Begriffe zu antworten, als
wir uns scheiden mußten die grosse Achte zu machen, und

Nun ging's an! und wir ergetzten uns eine Weile an mannichfaltigen Schlingungen der Arme. Mit welchem Reize,
mit welcher Flüchtigkeit bewegte sie sich! und da wir nun gar
an's Walzen kamen und wie die Sphären um einander herum-
rollten, ging's freylich anfangs, weil's die wenigsten können, 5
ein bißchen bunt durch einander. Wir waren klug und ließen
sie austoben, und als die ungeschicktesten den Plan geräumt
hatten, fielen wir ein, und hielten mit noch einem Paare, mit
Audran und seiner Tänzerinn wacker aus. Nie ist mir's so
leicht vom Flecke gegangen. Ich war kein Mensch mehr. Das 10
liebenswürdigste Geschöpf in den Armen zu haben und mit
ihr herum zu fliegen wie Wetter, daß alles rings umher verging und – Wilhelm, um ehrlich zu seyn, that ich aber doch
den Schwur, daß ein Mädchen, das ich liebte, auf das ich
Ansprüche hätte, mir nie mit einem andern walzen sollte als 15
mit mir, und wenn ich drüber zu Grunde gehen müßte. Du
verstehst mich!

Wir machten einige Touren gehend im Saale, um zu ver-
schnaufen. Dann setzte sie sich, und die Orangen, die ich
beyseite gebracht hatte, die nun die einzigen noch übrigen 20
waren, thaten vortreffliche Wirkung, nur daß mir mit jedem
Schnittchen, das sie einer unbescheidenen Nachbarinn Eh-
renhalben zutheilte, ein Stich durch's Herz ging.

Bey'm dritten englischen Tanz, waren wir das zweyte Paar.
Wie wir die Reihe durchtanzten, und ich, weiß Gott mit wie
viel Wonne, an ihrem Arm und Auge hing, das voll vom
wahresten Ausdruck des offensten reinsten Vergnügens war,
kommen wir an eine Frau, die mir wegen ihrer liebenswür- 30
digen Miene auf einem nicht mehr ganz jungen Gesichte,
merkwürdig gewesen war. Sie sieht Lotten lächelnd an, hebt
einen drohenden Finger auf, und nennt den Nahmen Albert
zweymal im Vorbeyfliegen mit Bedeutung.

Wer ist Albert, sagte ich zu Lotten, wenn's nicht Vermes- 35
senheit ist zu fragen? Sie war im Begriff zu antworten, als wir
uns scheiden mußten um die große Achte zu machen, und

mich dünkte einiges Nachdenken auf ihrer Stirne zu sehen, als wir so vor einander vorbeykreuzten. Was soll ich's ihnen läugnen, sagte sie, indem sie mir die Hand zur Promenade bot. Albert ist ein braver Mensch, dem ich so gut als verlobt bin! Nun war mir das nichts neues, denn die Mädchen hatten mir's auf dem Wege gesagt, und war mir doch so ganz neu, weil ich das noch nicht im Verhältnisse auf sie, die mir in so wenig Augenblikken so werth geworden war, gedacht hatte. Genug ich verwirrte mich, vergaß mich, und kam zwischen das unrechte Paar hinein, daß alles drunter und drüber gieng, und Lottens ganze Gegenwart und Zerren und Ziehen nöthig war, um's schnell wieder in Ordnung zu bringen.

Der Tanz war noch nicht zu Ende, als die Blizze, die wir schon lange am Horizonte leuchten gesehn, und die ich immer für Wetterkühlen ausgegeben hatte, viel stärker zu werden anfiengen, und der Donner die Musik überstimmte. Drey Frauenzimmer liefen aus der Reihe, denen ihre Herren folgten, die Unordnung ward allgemein, und die Musik hörte auf. Es ist natürlich, wenn uns ein Unglük oder etwas schrökliches im Vergnügen überrascht, daß es stärkere Eindrükke auf uns macht, als sonst, theils wegen dem Gegensazze, der sich so lebhaft empfinden läßt, theils und noch mehr, weil unsere Sinnen einmal der Fühlbarkeit geöffnet sind und also desto schneller einen Eindruk annehmen. Diesen Ursachen muß ich die wunderbaren Grimassen zuschreiben, in die ich mehrere Frauenzimmer ausbrechen sah. Die Klügste sezte sich in eine Ekke, mit dem Rükken gegen das Fenster, und hielt die Ohren zu, eine andere kniete sich vor ihr nieder und verbarg den Kopf in der ersten Schoos, eine dritte schob sich zwischen beyde hinein, und umfaßte ihre Schwesterchen mit tausend Thränen. Einige wollten nach Hause, andere, die noch weniger wußten was sie thaten, hatten nicht so viel Besinnungskraft, den Kekheiten unserer jungen Schlukkers zu steuern, die sehr beschäftigt zu seyn schienen, alle die ängstlichen Gebete, die dem Himmel bestimmt waren, von den Lippen der schönen Bedrängten wegzufangen. Einige unserer Herren hatten sich hinab be-

mich dünkte einiges Nachdenken auf ihrer Stirn zu sehen, als
wir so vor einander vorbeykreuzten. – Was soll ich's Ihnen
läugnen, sagte sie, indem sie mir die Hand zur Promenade
both, Albert ist ein braver Mensch, dem ich so gut als verlobt
bin! – Nun war mir das das nichts neues, (denn die Mädchen   5
hatten mir's auf dem Wege gesagt) und war mir doch so ganz
neu, weil ich es noch nicht im Verhältniß auf sie, die mir in so
wenig Augenblicken so werth geworden war, gedacht hatte.
Genug ich verwirrte mich, vergaß mich, und kam zwischen
das unrechte Paar hinein, daß alles drunter und drüber ging,   10
und Lottens ganze Gegenwart und Zerren und Ziehen nöthig war, um es schnell wieder in Ordnung zu bringen.

   Der Tanz war noch nicht zu Ende, als die Blitze, die wir
schon lange am Horizonte leuchten gesehen, und die ich immer für Wetterkühlen ausgegeben hatte, viel stärker zu wer-   15
den anfingen, und der Donner die Musik überstimmte. Drey
Frauenzimmer liefen aus der Reihe, denen ihre Herrn folgten; die Unordnung wurde allgemein und die Musik hörte
auf. Es ist natürlich, wenn uns ein Unglück, oder etwas
Schreckliches im Vergnügen überrascht, daß es stärkere Ein-   20
drücke auf uns macht, als sonst; theils wegen des Gegensat-
zes, der sich so lebhaft empfinden läßt, theils und noch mehr,
weil unsere Sinnen einmal der Fühlbarkeit geöffnet sind, und
also desto schneller einen Eindruck annehmen. Diesen Ursachen muß ich die wunderbaren Grimassen zuschreiben, in   25
die ich mehrere Frauenzimmer ausbrechen sah. Die Klügste
setzte sich in eine Ecke, mit dem Rücken gegen das Fenster,
und hielt die Ohren zu. Eine andere kniete vor ihr nieder,
und verbarg den Kopf in der ersten Schoos. Eine dritte
schob sich zwischen beyde hinein, und umfaßte ihre Schwe-   30
sterchen mit tausend Thränen. Einige wollten nach Hause;
andere, die noch weniger wußten was sie thaten, hatten nicht
so viel Besinnungskraft, den Keckheiten unserer jungen
Schlukker zu steuern, die sehr beschäftigt zu seyn schienen,
alle die ängstlichen Gebethe, die dem Himmel bestimmt wa-   35
ren, von den Lippen der schönen Bedrängten wegzufangen.
Einige unserer Herrn hatten sich hinab begeben, um ein

geben, um ein Pfeifchen in Ruhe zu rauchen, und die übrige
Gesellschaft schlug es nicht aus, als die Wirthinn auf den
klugen Einfall kam, uns ein Zimmer anzuweisen, das Läden
und Vorhänge hätte. Kaum waren wir da angelangt, als Lotte
beschäftigt war, einen Kreis von Stühlen zu stellen, die Gesellschaft zu sezzen, und den Vortrag zu einem Spiele zu
thun.

Ich sahe manchen, der in Hoffnung auf ein saftiges Pfand
sein Mäulchen spizte, und seine Glieder rekte. Wir spielen
Zählens, sagte sie, nun gebt Acht! Ich gehe im Kreise herum
von der Rechten zur Linken, und so zählt ihr auch rings
herum jeder die Zahl die an ihn kommt, und das muß gehn
wie ein Lauffeuer, und wer stokt, oder sich irrt, kriegt eine
Ohrfeige, und so bis tausend. Nun war das lustig anzusehen.
Sie gieng mit ausgestrecktem Arme im Kreise herum, Eins!
fieng der erste an, der Nachbar zwey! drey! der folgende und
so fort; dann fieng sie an geschwinder zu gehn, immer geschwinder. Da versahs einer, Patsch eine Ohrfeige, und über
das Gelächter der folgende auch Patsch! Und immer geschwinder. Ich selbst kriegte zwey Maulschellen und glaubte
mit innigem Vergnügen zu bemerken, daß sie stärker seyen,
als sie den übrigen zuzumessen pflegte. Ein allgemeines
Gelächter und Geschwärme machte dem Spiele ein Ende, ehe
noch das Tausend ausgezählt war. Die Vertrautesten zogen
einander beyseite, das Gewitter war vorüber, und ich folgte
Lotten in den Saal. Unterwegs sagte sie: über die Ohrfeigen
haben sie Wetter und alles vergessen! Ich konnte ihr nichts
antworten. Ich war, fuhr sie fort, eine der Furchtsamsten,
und indem ich mich herzhaft stellte, um den andern Muth zu
geben, bin ich muthig geworden. Wir traten an's Fenster, es
donnerte abseitwärts und der herrliche Regen säuselte auf
das Land, und der erquikkendste Wohlgeruch stieg in aller
Fülle einer warmen Luft zu uns auf. Sie stand auf ihrem
Ellenbogen gestüzt und ihr Blik durchdrang die Gegend, sie
sah gen Himmel und auf mich, ich sah ihr Auge thränenvoll,
sie legte ihre Hand auf die meinige und sagte – Klopstock!

nicht genossen habe. – Du kennst mein Wahlheim; dort bin
ich völlig etablirt, von da habe ich nur eine halbe Stunde zu
Lotten, dort fühl' ich mich selbst und alles Glück das dem
Menschen gegeben ist.

Hätt' ich gedacht, als ich mir Wahlheim zum Zwecke meiner Spatziergänge wählte, daß es so nahe am Himmel läge!
Wie oft habe ich das Jagdhaus, das nun alle meine Wünsche
einschließt, auf meinen weiten Wanderungen, bald vom
Berge, bald von der Ebne über den Fluß gesehen!

Lieber Wilhelm, ich habe allerley nachgedacht, über die
Begier im Menschen sich auszubreiten, neue Entdeckungen
zu machen, herumzuschweifen; und dann wieder über den
inneren Trieb, sich der Einschränkung willig zu ergeben, in
dem Gleise der Gewohnheit so hinzufahren, und sich weder
um Rechts noch um Links zu bekümmern.

Es ist wunderbar: wie ich hierher kam und vom Hügel in
das schöne Thal schaute, wie es mich rings umher anzog. –
Dort das Wäldchen! – Ach könntest du dich in seine Schatten
mischen! – Dort die Spitze des Berges! – Ach könntest du
von da die weite Gegend überschauen! – Die in einander
geketteten Hügel und vertraulichen Thäler! – O könnte ich
mich in ihnen verlieren! – – Ich eilte hin, und kehrte zurück,
und hatte nicht gefunden was ich hoffte. O es ist mit der
Ferne, wie mit der Zukunft! ein großes dämmerndes Ganze
ruht vor unserer Seele, unsere Empfindung verschwimmt
darin, wie unser Auge, und wir sehnen uns, ach! unser ganzes
Wesen hinzugeben, uns mit aller Wonne eines einzigen, großen, herrlichen Gefühls ausfüllen zu lassen – Und ach! wenn
wir hinzueilen, wenn das Dort nun Hier wird, ist alles vor
wie nach, und wir stehen in unserer Armuth, in unserer
Eingeschränktheit und unsere Seele lechzt nach entschlüpf-
tem Labsale.

So sehnt sich der unruhigste Vagabund zuletzt wieder
nach seinem Vaterlande, und findet in seiner Hütte, an der
Brust seiner Gattinn, in dem Kreise seiner Kinder, in den
Geschäften zu ihrer Erhaltung, die Wonne, die er in der weiten Welt vergebens suchte.

Wenn ich so des Morgens mit Sonnenaufgange hinaus-
gehe nach meinem Wahlheim, und dort im Wirthsgarten mir
meine Zukkererbsen selbst pflükke, mich hinsezze, und sie
abfädme und dazwischen lese in meinem Homer. Wenn ich
5 denn in der kleinen Küche mir einen Topf wähle, mir Butter
aussteche, meine Schoten an's Feuer stelle, zudekke und
mich dazu sezze, sie manchmal umzuschütteln. Da fühl ich so
lebhaft, wie die herrlichen übermüthigen Freyer der Penelope Ochsen und Schweine schlachten, zerlegen und bra-
10 ten. Es ist nichts, das mich so mit einer stillen, wahren Empfindung ausfüllte, als die Züge patriarchalischen Lebens, die
ich, Gott sey Dank, ohne Affektation in meine Lebensart
verweben kann.

Wie wohl ist mir's, daß mein Herz die simple harmlose
15 Wonne des Menschen fühlen kann, der ein Krauthaupt auf
seinen Tisch bringt, das er selbst gezogen, und nun nicht den
Kohl allein, sondern all die guten Tage, den schönen Morgen, da er ihn pflanzte, die lieblichen Abende, da er ihn begoß, und da er an dem fortschreitenden Wachsthume seine
20 Freude hatte, alle in einem Augenblicke wieder mit geniest.

am 29. Juny.
Vorgestern kam der Medikus hier aus der Stadt hinaus zum
Amtmanne und fand mich auf der Erde unter Lottens Kindern, wie einige auf mir herumkrabelten, andere mich nekten
25 und wie ich sie küzzelte, und ein grosses Geschrey mit ihnen
verführte. Der Doktor, der eine sehr dogmatische Drat-
puppe ist, und im Diskurs seine Manschetten in Falten legt,
und den Kräusel bis zum Nabel herauszupft, fand dieses
unter der Würde eines gescheuten Menschen, das merkte ich
30 an seiner Nase. Ich lies mich aber in nichts stören, lies ihn sehr
vernünftige Sachen abhandeln, und baute den Kindern ihre
Kartenhäuser wieder, die sie zerschlagen hatten. Auch gieng
er darauf in der Stadt herum und beklagte: des Amtsmanns
Kinder wären schon ungezogen genug, der Werther ver-
35 dürbe sie nun völlig.

Wenn ich des Morgens mit Sonnen-Aufgange hinaus gehe
nach meinem Wahlheim und dort im Wirthgarten mir meine
Zuckererbsen selbst pflücke, mich hinsetze, sie abfädne und
dazwischen in meinem Homer lese; wenn ich in der kleinen
Küche mir einen Topf wähle, mir Butter aussteche, Schoten
an's Feuer stelle, zudecke, und mich dazu setze, sie manchmal
umzuschütteln: da fühl' ich so lebhaft, wie die übermüthigen
Freyer der Penelope Ochsen und Schweine schlachten, zerlegen und braten. Es ist nichts, das mich so mit einer stillen
wahren Empfindung ausfüllte, als die Züge patriarchalischen Lebens, die ich, Gott sey Dank ohne Affectation in
meine Lebensart verweben kann.

Wie wohl ist mir's daß mein Herz die simple harmlose
Wonne des Menschen fühlen kann, der ein Krauthaupt auf
seinen Tisch bringt, das er selbst gezogen, und nun nicht den
Kohl allein, sondern all die guten Tage, den schönen Morgen, da er ihn pflanzte, die lieblichen Abende, da er ihn begoß, und da er an dem fortschreitenden Wachsthum seine
Freude hatte, alle in Einem Augenblicke wieder mit genießt.

                                        am 29. Junius.
Vorgestern kam der Medicus hier aus der Stadt hinaus zum
Amtmann, und fand mich auf der Erde unter Lottens Kindern, wie einige auf mir herumkrabbelten, andere mich neck-
ten, und wie ich sie kitzelte und ein großes Geschrey mit
ihnen erregte. Der Doctor, der eine sehr dogmatische Drat-
puppe ist, unterm Reden seine Manschetten in Falten legt
und einen Kräusel ohne Ende herauszupft, fand dieses unter
der Würde eines gescheuten Menschen; das merkte ich an
seiner Nase. Ich ließ mich aber in nichts stören, ließ ihn sehr
vernünftige Sachen abhandeln; und baute den Kindern ihre
Kartenhäuser wieder, die sie zerschlagen hatten. Auch ging
er darauf in der Stadt herum und beklagte: des Amtmanns
Kinder wären so schon ungezogen genug, der Werther ver-
derbe sie nun völlig.

Ja, lieber Wilhelm, meinem Herzen sind die Kinder am
nächsten auf der Erde. Wenn ich so zusehe und in dem kleinen Dinge die Keime aller Tugenden, aller Kräfte sehe, die
sie einmal so nöthig brauchen werden, wenn ich in dem Ei-
5 gensinne, alle die künftige Standhaftigkeit und Festigkeit
des Charakters, in dem Muthwillen, allen künftigen guten
Humor und die Leichtigkeit, über alle die Gefahren der Welt
hinzuschlüpfen, erblikke, alles so unverdorben, so ganz! Immer, immer wiederhol ich die goldnen Worte des Lehrers der
10 Menschen: wenn ihr nicht werdet wie eines von diesen! Und
nun, mein Bester, sie, die unsers gleichen sind, die wir als
unsere Muster ansehen sollten; behandeln wir als Unterthanen. Sie sollen keinen Willen haben! – Haben wir denn keinen? und wo liegt das Vorrecht? – Weil wir älter sind und
15 gescheuter? – Guter Gott von deinem Himmel, alte Kinder
siehst du, und junge Kinder und nichts weiter, und an welchen du mehr Freude hast, das hat dein Sohn schon lange
verkündigt. Aber sie glauben an ihn und hören ihn nicht, das
ist auch was alt's, und bilden ihre Kinder nach sich und –
20 Adieu, Wilhelm, ich mag darüber nicht weiter radotiren.

am 1. Juli.

Was Lotte einem Kranken seyn muß, fühl ich an meinem
eignen armen Herzen, das übler dran ist als manches, das auf
dem Siechbette verschmachtet. Sie wird einige Tage in der
25 Stadt bey einer rechtschaffenen Frau zubringen, die sich nach
der Aussage der Aerzte ihrem Ende naht, und in diesen lezten Augenblikken will sie Lotten um sich haben. Ich war
vorige Woche mit ihr den Pfarrer von St.. zu besuchen, ein
Oertgen, das eine Stunde seitwärts im Gebürge liegt. Wir
30 kamen gegen viere dahin. Lotte hatte ihre zweyte Schwester
mitgenommen. Als wir in den, von zwey hohen Nußbäumen
überschatteten, Pfarrhof traten, saß der gute alte Mann auf
einer Bank vor der Hausthüre, und da er Lotten sah, ward er
wie neubelebt, vergaß seinen Knotenstok, und wagte sich
35 auf ihr entgegen. Sie lief hin zu ihm, nöthigte ihn sich nie-

Ja, lieber Wilhelm, meinem Herzen sind die Kinder am
nächsten auf der Erde. Wenn ich ihnen zusehe, und in dem
kleinen Dinge die Keime aller Tugenden, aller Kräfte, sehe,
die sie einmal so nöthig brauchen werden; Wenn ich in dem
Eigensinne künftige Standhaftigkeit und Festigkeit des Cha-   5
rakters, in dem Muthwillen guten Humor, und Leichtigkeit,
über die Gefahren der Welt hinzuschlüpfen, erblicke, alles so
unverdorben, so ganz! – immer, immer wiederhohle ich dann
die goldenen Worte des Lehrers der Menschen: Wenn ihr
nicht werdet wie eines von diesen! Und nun, mein Bester, sie,   10
die unseres Gleichen sind, die wir als unsere Muster ansehen
sollten, behandeln wir als Unterthanen. Sie sollen keinen
Willen haben! – Haben wir denn keinen? Und wo liegt das
Vorrecht? – Weil wir älter sind und gescheuter! – Guter Gott
von deinem Himmel! alte Kinder siehst du und junge Kin-   15
der, und nichts weiter; und an welchen du mehr Freude hast,
das hat dein Sohn schon lange verkündigt. Aber sie glauben
an ihn und hören ihn nicht, – das ist auch was altes! – und
bilden ihre Kinder nach sich und – Adieu Wilhelm! ich mag
darüber nicht weiter radotiren.   20

                                          am 1. Julius.
Was Lotte einem Kranken seyn muß, fühl' ich an meinem
eigenen armen Herzen, das übler dran ist als manches, das auf
dem Siechbette verschmachtet. Sie wird einige Tage in der
Stadt bey einer rechtschaffnen Frau zubringen, die sich nach   25
der Aussage der Ärzte ihrem Ende naht, und in diesen letzten
Augenblicken Lotten um sich haben will. Ich war vorige
Woche mit ihr, den Pfarrer von St... zu besuchen; ein Ört-
chen das eine Stunde seitwärts im Gebirge liegt. Wir kamen
gegen vier dahin. Lotte hatte ihre zweyte Schwester mit-   30
genommen. Als wir in den mit zwey hohen Nußbäumen
überschatteten Pfarrhof traten, saß der gute alte Mann auf
einer Bank vor der Hausthür, und da er Lotten sah, ward er
wie neu belebt, vergaß seinen Knotenstock, und wagte sich
auf, ihr entgegen. Sie lief hin zu ihm, nöthigte ihn sich nie-   35

derzusezzen, indem sie sich zu ihm sezte, brachte viel Grüsse
von ihrem Vater, herzte seinen garstigen schmuzigen jüngsten Buben, das Quakelgen seines Alters. Du hättest sie sehen sollen, wie sie den Alten beschäftigte, wie sie ihre
Stimme erhub um seinen halb tauben Ohren vernehmlich zu
werden, wie sie ihm erzählte von jungen robusten Leuten,
die unvermuthet gestorben wären, von der Vortreflichkeit
des Carlsbades, und wie sie seinen Entschluß lobte, künftigen Sommer hinzugehen, und wie sie fand, daß er viel besser
aussähe, viel munterer sey als das leztemal, da sie ihn gesehn.
Ich hatte indeß der Frau Pfarrern meine Höflichkeiten gemacht, der Alte wurde ganz munter, und da ich nicht umhin
konnte, die schönen Nußbäume zu loben, die uns so lieblich
beschatteten, fieng er an, uns, wiewohl mit einiger Beschwerlichkeit, die Geschichte davon zu geben. Den alten
sagte er, wissen wir nicht, wer den gepflanzt hat, einige sagen
dieser, andere jener Pfarrer. Der jüngere aber dorthinten ist
so alt als meine Frau, im Oktober funfzig Jahre. Ihr Vater
pflanzte ihn des Morgens, als sie gegen Abend gebohren
wurde. Er war mein Vorfahr im Amte, und wie lieb ihm der
Baum war, ist nicht zu sagen, mir ist er's gewiß nicht weniger, meine Frau sas drunter auf einem Balken und strikte, als
ich vor sieben und zwanzig Jahren als ein armer Student zum
erstenmal hier in Hof kam. Lotte fragte nach seiner Tochter,
es hieß, sie sey mit Herrn Schmidt auf der Wiese hinaus zu
den Arbeitern, und der Alte fuhr in seiner Erzählung fort,
wie sein Vorfahr ihn lieb gewonnen und die Tochter dazu,
und wie er erst sein Vikar und dann sein Nachfolger geworden. Die Geschichte war nicht lange zu Ende, als die Jungfer
Pfarrern, mit dem sogenannten Herrn Schmidt durch den
Garten herkam, sie bewillkommte Lotten mit herzlicher
Wärme, und ich muß sagen, sie gefiel mir nicht übel, eine
rasche, wohlgewachsne Brünette, die einen die Kur⟨z⟩zeit
über auf dem Lande wohl unterhalten hätte. Ihr Liebhaber,
denn als solchen stellte sich Herr Schmidt gleich dar, ein
feiner, doch stiller Mensch, der sich nicht in unsere Gespräche mischen wollte, ob ihn gleich Lotte immer herein zog,

derzulassen, indem sie sich zu ihm setzte, brachte viele Grüße
von ihrem Vater, herzte seinen garstigen schmuzigen jüngsten Buben, das Quakelchen seines Alters. Du hättest sie
sehen sollen, wie sie den Alten beschäftigte, wie sie ihre
Stimme erhob, um seinen halb tauben Ohren vernehmlich zu   5
werden, wie sie ihm von jungen robusten Leuten erzählte,
die unvermuthet gestorben wären, von der Vortrefflichkeit
des Karlsbades, und wie sie seinen Entschluß lobte, künftigen Sommer hinzugehen, wie sie fand, daß er viel besser
aussähe, viel munterer sey als das letztemal, da sie ihn gese-   10
hen. – Ich hatte indeß der Frau Pfarrerinn meine Höflichkeit
gemacht. Der Alte wurde ganz munter, und da ich nicht
umhin konnte, die schönen Nußbäume zu loben die uns so
lieblich beschatteten, fing er an, uns, wiewohl mit einiger
Beschwerlichkeit, die Geschichte davon zu geben. – Den al-   15
ten, sagte er, wissen wir nicht, wer den gepflanzt hat: einige
sagen dieser, andere jener Pfarrer. Der jüngere aber dort
hinten, ist so alt als meine Frau, im October funfzig Jahr. Ihr
Vater pflanzte ihn des Morgens, als sie gegen Abend gebohr-
ren wurde. Er war mein Vorfahr im Amt, und wie lieb ihm   20
der Baum war, ist nicht zu sagen; mir ist er's gewiß nicht
weniger. Meine Frau saß darunter auf einem Balken und
strickte, da ich vor sieben und zwanzig Jahren als ein armer
Student zum erstenmale hier in den Hof kam. – Lotte fragte
nach seiner Tochter: es hieß, sie sey mit Herrn Schmidt auf   25
die Wiese hinaus zu den Arbeitern, und der Alte fuhr in
seiner Erzählung fort: wie sein Vorfahr ihn lieb gewonnen
und die Tochter dazu, und wie er erst sein Vicar und dann
sein Nachfolger geworden. Die Geschichte war nicht lange
zu Ende, als die Jungfer Pfarrerinn mit dem so genannten   30
Herrn Schmidt durch den Garten herkam: sie bewillkommte
Lotten mit herzlicher Wärme, und ich muß sagen, sie gefiel
mir nicht übel; eine rasche, wohlgewachsene Brünette, die
einen, die kurze Zeit über, auf dem Lande wohl unterhalten
hätte. Ihr Liebhaber (denn als solchen stellte sich Herr   35
Schmidt gleich dar) ein feiner doch stiller Mensch, der sich
nicht in unsere Gespräche mischen wollte, ob ihn gleich

und was mich am meisten betrübte, war, daß ich an seinen
Gesichtszügen zu bemerken schien, es sey mehr Eigensinn
und übler Humor als Eingeschränktheit des Verstandes, der
ihn sich mitzutheilen hinderte. In der Folge ward dieß nur
5 leider zu deutlich, denn als Friedrike beym Spazierengehn
mit Lotten und verschiedentlich auch mit mir gieng, wurde
des Herrn Angesicht, das ohne das einer bräunlichen Farbe
war, so sichtlich verdunkelt, daß es Zeit war, daß Lotte mich
beym Ermel zupfte, und mir das Artigthun mit Friederiken
10 abrieth. Nun verdrießt mich nichts mehr als wenn die Menschen einander plagen, am meisten, wenn junge Leute in der
Blüthe des Lebens, da sie am offensten für alle Freuden seyn
könnten, einander die paar gute Tage mit Frazzen verderben,
und nur erst zu spät das unersezliche ihrer Verschwendung
15 einsehen. Mir wurmte das, und ich konnte nicht umhin, da
wir gegen Abend in den Pfarrhof zurükkehrten, und an einem Tische gebroktes Brod in Milch assen, und der Diskurs
auf Freude und Leid in der Welt roulirte, den Faden zu ergreifen, und recht herzlich gegen die üble Laune zu reden.
20 Wir Menschen beklagen uns oft, fing ich an, daß der guten
Tage so wenig sind, und der schlimmen so viel, und wie mich
dünkt, meist mit Unrecht. Wenn wir immer ein offenes Herz
hätten das Gute zu geniessen, das uns Gott für jeden Tag
bereitet, wir würden alsdenn auch Kraft genug haben, das
25 Uebel zu tragen, wenn es kommt. – Wir haben aber unser
Gemüth nicht in unserer Gewalt, versezte die Pfarrern, wie
viel hängt vom Körper ab! wenn man nicht wohl ist, ist's
einem überall nicht recht. – Ich gestund ihr das ein. Wir
wollens also, fuhr ich fort, als eine Krankheit ansehen, und
30 fragen ob dafür kein Mittel ist! – Das läßt sich hören, sagte
Lotte, ich glaube wenigstens, daß viel von uns abhängt, ich
weis es an mir, wenn mich etwas nekt, und mich verdrüßlich
machen will, spring ich auf und sing ein paar Contretänze den
Garten auf und ab, gleich ist's weg. – Das war's was ich sagen
35 wollte, versezte ich, es ist mit der üblen Laune völlig wie mit
der Trägheit, denn es ist eine Art von Trägheit, unsere Natur
hängt sehr dahin, und doch, wenn wir nur einmal die Kraft

Lotte immer herein zog. Was mich am meisten betrübte, war,
daß ich an seinen Gesichtszügen zu bemerken schien, es sey
mehr Eigensinn und übler Humor als Eingeschränktheit des
Verstandes, der ihn sich mitzutheilen hinderte. In der Folge
ward dieß leider nur zu deutlich; denn als Friederike bey'm   5
Spatzierengehen mit Lotten und gelegentlich auch mit mir
ging, wurde des Herrn Angesicht, das ohne dieß einer bräunlichen Farbe war, so sichtlich verdunkelt, daß es Zeit war,
daß Lotte mich bey'm Ermel zupfte und mir zu verstehn gab
daß ich mit Friederiken zu artig gethan. Nun verdrießt mich   10
nichts mehr, als wenn die Menschen einander plagen, am
meisten, wenn junge Leute in der Blüthe des Lebens, da sie
am offensten für alle Freuden seyn könnten, einander die
paar guten Tage mit Fratzen verderben, und nur erst zu spät
das unersetzliche ihrer Verschwendung einsehen. Mir   15
wurmte das und ich konnte nicht umhin, da wir gegen Abend
in den Pfarrhof zurück kehrten und an einem Tische Milch
aßen und das Gespräch auf Freude und Leid der Welt sich
wendete, den Faden zu ergreifen und recht herzlich gegen die
üble Laune zu reden. Wir Menschen beklagen uns oft, fing   20
ich an, daß der guten Tage so wenig sind und der schlimmen
so viel, und wie mich dünkt, meist mit Unrecht. Wenn wir
immer ein offenes Herz hätten das Gute zu genießen, das uns
Gott für jeden Tag bereitet, wir würden alsdenn auch Kraft
genug haben, das Übel zu tragen, wenn es kommt. – Wir   25
haben aber unser Gemüth nicht in unserer Gewalt, versetzte
die Pfarrerinn: wie viel hängt vom Körper ab! wenn einem
nicht wohl ist, ist's einem überall nicht recht. – Ich gestand
ihr das ein. Wir wollen es also, fuhr ich fort, als eine Krankheit ansehen und fragen, ob dafür kein Mittel ist! – Das läßt   30
sich hören, sagte Lotte: ich glaube wenigstens, daß viel von
uns abhängt. Ich weiß es an mir. Wenn mich etwas neckt und
mich verdrießlich machen will, spring' ich auf und sing ein
paar Contretänze den Garten auf und ab, gleich ist's weg –
Das war's was ich sagen wollte, versetzte ich: es ist mit der   35
üblen Laune völlig wie mit der Trägheit, denn es ist eine Art
von Trägheit. Unsere Natur hängt sehr dahin, und doch,

haben uns zu ermannen, geht uns die Arbeit frisch von der
Hand, und wir finden in der Thätigkeit ein wahres Vergnügen. Friederike war sehr aufmerksam, und der junge
Mensch wandte mir ein, daß man nicht Herr über sich selbst
sey, und am wenigsten über seine Empfindungen gebieten
könne. Es ist hier die Frage von einer unangenehmen Empfindung, versezt ich, die doch jedermann gern los ist, und
niemand weis wie weit seine Kräfte gehn, bis er sie versucht
hat. Gewiß, einer der krank ist, wird bey allen Aerzten
herum fragen und die größten Resignationen, die bittersten
Arzneyen, wird er nicht abweisen um seine gewünschte Gesundheit zu erhalten. Ich bemerkte, daß der ehrliche Alte sein
Gehör anstrengte um an unserm Diskurs Theil zu nehmen,
ich erhub die Stimme, indem ich die Rede gegen ihn wandte.
Man predigt gegen so viele Laster, sagt ich, ich habe noch nie
gehört daß man gegen die üble Laune vom Predigtstuhle
gearbeitet hätte* – Das müßten die Stadtpfarrer thun, sagt er,
die Bauern haben keinen bösen Humor, doch könnts auch
nichts schaden zuweilen, es wäre eine Lektion für seine Frau
wenigstens, und den Herrn Amtmann. Die Gesellschaft
lachte und er herzlich mit, bis er in einen Husten verfiel, der
unsern Diskurs eine Zeitlang unterbrach, darauf denn der
junge Mensch wieder das Wort nahm: Sie nannten den bösen
Humor ein Laster, mich däucht, das ist übertrieben. – Mit
nichten gab ich zur Antwort, wenn das, womit man sich
selbst und seinen Nächsten schadet, den Namen verdient. Ist
es nicht genug, daß wir einander nicht glüklich machen können, müssen wir auch noch einander das Vergnügen rauben,
das jedes Herz sich noch manchmal selbst gewähren kann.
Und nennen sie mir den Menschen, der übler Laune ist und
so brav dabey sie zu verbergen, sie allein zu tragen, ohne die
Freuden um sich her zu zerstören; oder ist sie nicht vielmehr
ein innerer Unmuth über unsre eigne Unwürdigkeit, ein
Misfallen an uns selbst, das immer mit einem Neide ver-

---

* Wir haben nun von Lavatern eine trefliche Predigt hierüber
unter denen über das Buch Jonas.

mehr thäte als Wenig – Ich sage dir Wilhelm, ich habe mit
mehr Respect nie einer Taufhandlung beygewohnt – und als
Lotte herauf kam, hätte ich mich gern vor ihr niedergewor-
fen, wie vor einem Propheten der die Schulden einer Nation
weggeweiht hat.　　　　　　　　　　　　　　　　　　　5

Des Abends konnte ich nicht umhin in der Freude meines
Herzens den Vorfall einem Manne zu erzählen, dem ich Men-
schensinn zutraute, weil er Verstand hat; aber wie kam ich an!
Er sagte, das sey sehr übel von Lotten gewesen; man solle
den Kindern nichts weis machen; dergleichen gebe zu un-　10
zähligen Irrthümern und Aberglauben Anlaß, wovor man
die Kinder frühzeitig bewahren müsse – Nun fiel mir ein, daß
der Mann vor acht Tagen hatte taufen lassen, drum ließ ich's
vorbeygehen, und blieb in meinem Herzen der Wahrheit ge-
treu: Wir sollen es mit den Kindern machen, wie Gott mit　15
uns, der uns am glücklichsten macht, wenn er uns in freundlichem Wahne so hintaumeln läßt.

　　　　　　　　　　　　　　　　　　den 8. Julius.
Was man ein Kind ist! Was man nach einem Blicke geizt! Was
man ein Kind ist! – Wir waren nach Wahlheim gegangen. Die　20
Frauenzimmer fuhren hinaus, und während unserer Spatziergänge glaubte ich in Lottens schwarzen Augen – Ich bin
ein Thor, verzeih' mir's! du solltest sie sehen diese Augen! –
Daß ich kurz bin (denn die Augen fallen mir zu vor Schlaf)
siehe die Frauenzimmer stiegen ein, da standen um die Kut-　25
sche der junge W... Selstadt und Audran und ich. Da ward
aus dem Schlage geplaudert mit den Kerlchens, die freylich
leicht und lüftig genug waren. – Ich suchte Lottens Augen!
Ach sie gingen von einem zum andern! Aber auf mich! mich!
mich! der ganz allein auf sie resigniret da stand, fielen sie　30
nicht! – Mein Herz sagte ihr tausend Adieu! Und sie sah mich
nicht! Die Kutsche fuhr vorbey und eine Thräne stand mir im
Auge. Ich sah' ihr nach, und sah Lottens Kopfputz sich zum
Schlage heraus lehnen, und sie wandte sich um zu sehen, ach!
nach mir? – Lieber! in dieser Ungewißheit schwebe ich; das　35

Das ist mein Trost. Vielleicht hat sie sich nach mir umgesehen. Vielleicht – Gute Nacht! O was ich ein Kind bin!

am 10. Juli.

Die alberne Figur, die ich mache, wenn in Gesellschaft von
ihr gesprochen wird, solltest du sehen. Wenn man mich nun
gar fragt, wie sie mir gefällt – Gefällt! das Wort haß ich in
Tod. Was muß das für ein Kerl seyn, dem Lotte gefällt, dem
sie nicht alle Sinnen, alle Empfindungen ausfüllt. Gefällt!
Neulich fragte mich einer, wie mir Ossian gefiele.

am 11. Juli.

Frau M.. ist sehr schlecht, ich bete für ihr Leben, weil ich mit
Lotten dulde. Ich seh sie selten bey einer Freundinn, und
heut hat sie mir einen wunderbaren Vorfall erzählt. Der alte
M.. ist ein geiziger rangiger Hund, der seine Frau im Leben
was rechts geplagt und eingeschränkt hat. Doch hat sich die
Frau immer durchzuhelfen gewußt. Vor wenig Tagen, als der
Doktor ihr das Leben abgesprochen hatte, ließ sie ihren
Mann kommen, Lotte war im Zimmer, und redte ihn also an:
Ich muß dir eine Sache gestehn, die nach meinem Tode Verwirrung und Verdruß machen könnte. Ich habe bisher die
Haushaltung geführt, so ordentlich und sparsam als möglich, allein du wirst mir verzeihen, daß ich dich diese dreyßig
Jahre her hintergangen habe. Du bestimmtest im Anfange
unserer Heyrath ein geringes für die Bestreitung der Küche
und anderer häuslichen Ausgaben. Als unsere Haushaltung
stärker wurde, unser Gewerb grösser, warst du nicht zu bewegen, mein Wochengeld nach dem Verhältnisse zu vermehren, kurz du weißt, daß du in den Zeiten, da sie am grösten
war, verlangtest, ich solle mit sieben Gulden die Woche auskommen. Die hab ich denn ohne Widerrede genommen und
mir den Ueberschuß wöchentlich aus der Loosung geholt, da
niemand vermuthete, daß die Frau die Casse bestehlen
würde. Ich habe nichts verschwendet, und wäre auch, ohne es

ist mein Trost: vielleicht hat sie sich nach mir umgesehen!
Vielleicht! – Gute Nacht! O was ich ein Kind bin!

am 10. Julius.
Die alberne Figur die ich mache wenn in Gesellschaft von ihr
gesprochen wird, solltest du sehen! Wenn man mich nun gar
fragt, wie sie mir gefällt? – Gefällt! das Wort hasse ich auf den
Tod! Was muß das für ein Mensch seyn, dem Lotte gefällt,
dem sie nicht alle Sinnen, alle Empfindungen ausfüllt! Gefällt! Neulich fragte mich einer, wie mir Ossian gefiele!

am 11. Julius.
Frau M... ist sehr schlecht; ich bethe für ihr Leben, weil ich
mit Lotten dulde. Ich sehe sie selten bey meiner Freundinn,
und heute hat sie mir einen wunderbaren Vorfall erzählt. –
Der alte M... ist ein geiziger, rangiger Filz, der seine Frau im
Leben was rechts geplagt und eingeschränkt hat; doch hat
sich die Frau immer durchzuhelfen gewußt. Vor wenigen
Tagen als der Arzt ihr das Leben abgesprochen hatte, ließ sie
ihren Mann kommen (Lotte war im Zimmer) und redete ihn
also an: Ich muß dir eine Sache gestehen, die nach meinem
Tode Verwirrung und Verdruß machen könnte. Ich habe bisher die Haushaltung geführt, so ordentlich und sparsam als
möglich: allein du wirst mir verzeihen, daß ich dich diese
dreyßig Jahre hintergangen habe. Du bestimmtest im Anfange unserer Heirath ein geringes für die Bestreitung der
Küche und anderer häuslichen Ausgaben. Als unsere Haushaltung stärker wurde, unser Gewerbe größer, warst du
nicht zu bewegen mein Wochengeld nach dem Verhältnisse
zu vermehren; kurz du weißt, daß du in den Zeiten, da sie am
größten war, verlangtest, ich solle mit sieben Gulden die
Woche auskommen. Die habe ich denn ohne Widerrede genommen, und mir den Überschuß wöchentlich aus der Losung geholtt, da niemand vermuthete daß die Frau die Casse
bestehlen würde. Ich habe nichts verschwendet, und wäre

zu bekennen, getrost der Ewigkeit entgegen gegangen,
wenn nicht diejenige, die nach mir das Wesen zu führen hat,
sich nicht zu helfen wissen würde, und du doch immer drauf
bestehen könntest, deine erste Frau sey damit ausgekommen.

Ich redete mit Lotten über die unglaubliche Verblendung
des Menschensinns, daß einer nicht argwohnen soll, dahinter
müsse was anders stekken, wenn eins mit sieben Gulden
hinreicht, wo man den Aufwand vielleicht um zweymal so
viel sieht. Aber ich hab selbst Leute gekannt, die des Propheten ewiges Oelkrüglein ohne Verwunderung in ihrem
Hause statuirt hätten.

am 13. Juli.

Nein, ich betrüge mich nicht! Ich lese in ihren schwarzen
Augen wahre Theilnehmung an mir, und meinem Schicksaale. Ja ich fühle, und darin darf ich meinem Herzen trauen,
daß sie – O darf ich, kann ich den Himmel in diesen Worten
aussprechen? – daß sie mich liebt.

Und ob das Vermessenheit ist oder Gefühl des wahren
Verhältnisses: Ich kenne den Menschen nicht, von dem ich
etwas in Lottens Herzen fürchtete. Und doch – wenn sie von
ihrem Bräutigam spricht mit all der Wärme, all der Liebe, da
ist mir's wie einem, der all seiner Ehren und Würden entsezt,
und dem der Degen abgenommen wird.

am 16. Juli.

Ach wie mir das durch alle Adern läuft, wenn mein Finger
unversehns den ihrigen berührt, wenn unsere Füsse sich unter dem Tische begegnen. Ich ziehe zurück wie vom Feuer,
und eine geheime Kraft zieht mich wieder vorwärts, mir
wirds so schwindlich vor allen Sinnen. O und ihre Unschuld,

auch, ohne es zu bekennen, getrost der Ewigkeit entgegen
gegangen, wenn nicht diejenige, die nach mir das Hauswesen
zu führen hat, sich nicht zu helfen wissen würde, und du doch
immer darauf bestehen könntest, deine erste Frau sey damit
ausgekommen.   5

    Ich redete mit Lotten über die unglaubliche Verblendung
des Menschensinns, daß einer nicht argwohnen soll, dahinter
müsse was anders stecken wenn eins mit sieben Gulden hinreicht, wo man den Aufwand um zweymal so viel sieht. Aber
ich habe selbst Leute gekannt, die des Propheten ewiges Öhl-   10
krüglein ohne Verwunderung in ihrem Hause angenommen
hätten.

                                                    am 13. Julius.
Nein, ich betrüge mich nicht! Ich lese in ihren schwarzen
Augen wahre Theilnehmung an mir, und meinem Schicksal.   15
Ja ich fühle, und darin darf ich meinem Herzen trauen, daß
sie – o darf ich, kann ich den Himmel in diesen Worten
aussprechen? – daß sie mich liebt!

    Mich liebt! – Und wie werth ich mir selbst werde, wie ich –
dir darf ich's wohl sagen, du hast Sinn für so etwas – wie ich 20
mich selbst anbethe, seitdem sie mich liebt!

    Ob das Vermessenheit ist oder Gefühl des wahren Ver-
hältnisses? – Ich kenne den Menschen nicht, von dem ich
etwas in Lottens Herzen fürchtete: Und doch – wenn sie von
ihrem Bräutigam spricht – mit solcher Wärme, solcher Liebe   25
von ihm spricht, da ist mir wie einem der aller seiner Ehren
und Würden entsetzt und dem der Degen genommen wird.

                                                    am 16. Julius.
Ach wie mir das durch alle Adern läuft, wenn mein Finger
unversehens den ihrigen berührt, wenn unsere Füße sich   30
unter dem Tische begegnen; Ich ziehe zurück wie vom Feuer,
und eine geheime Kraft zieht mich wieder vorwärts – mir
wird's so schwindlich vor allen Sinnen – O! und ihre Un-

ihre unbefangene Seele fühlt nicht, wie sehr mich die kleinen
Vertraulichkeiten peinigen. Wenn sie gar im Gespräch ihre
Hand auf die meinige legt, und im Interesse der Unterredung
näher zu mir rückt, daß der himmlische Athem ihres Mundes
5 meine Lippen reichen kann. – Ich glaube zu versinken wie
vom Wetter gerührt. Und Wilhelm, wenn ich mich jemals
unterstehe, diesen Himmel, dieses Vertrauen – Du verstehst
mich. Nein, mein Herz ist so verderbt nicht! Schwach!
schwach genug! Und ist das nicht Verderben?
10

   Sie ist mir heilig. Alle Begier schweigt in ihrer Gegenwart.
Ich weis nimmer wie mir ist, wenn ich bey ihr bin, es ist als
wenn die Seele sich mir in allen Nerven umkehrte. Sie hat
eine Melodie, die sie auf dem Clavier spielt mit der Kraft
15 eines Engels, so simpel und so geistvoll, es ist ihr Leiblied,
und mich stellt es von aller Pein, Verwirrung und Grillen her,
wenn sie nur die erste Note davon greift.
   Kein Wort von der Zauberkraft der alten Musik ist mir
unwahrscheinlich, wie mich der einfache Gesang angreift.
20 Und wie sie ihn anzubringen weis, oft zur Zeit, wo ich mir
eine Kugel vor'n Kopf schiessen möchte. Und all die Irrung
und Finsterniß meiner Seele zerstreut sich, und ich athme
wieder freyer.

                                          am 18. Juli.
25 Wilhelm, was ist unserm Herzen die Welt ohne Liebe! Was
eine Zauberlaterne ist, ohne Licht! Kaum bringst Du das
Lämpgen hinein, so scheinen Dir die buntesten Bilder an
deine weiße Wand! Und wenn's nichts wäre als das, als vor-
übergehende Phantomen, so machts doch immer unser
30 Glük, wenn wir wie frische Bubens davor stehen und uns
über die Wundererscheinungen entzükken. Heut konnt ich
nicht zu Lotten, eine unvermeidliche Gesellschaft hielt mich
ab. Was war zu thun. Ich schikte meinen Buben hinaus, nur
um einen Menschen um mich zu haben, der ihr heute nahe
35 gekommen wäre. Mit welcher Ungedult ich den Buben er-

schuld, ihre unbefangne Seele fühlt nicht, wie sehr mich die
kleinen Vertraulichkeiten peinigen! – Wenn sie gar im Gespräch ihre Hand auf die meinige legt, und im Interesse der
Unterredung näher zu mir rückt, daß der himmlische Athem
ihres Mundes meine Lippen erreichen kann. – Ich glaube zu 5
versinken, wie vom Wetter gerührt. – Und, Wilhelm! wenn
ich mich jemals unterstehe diesen Himmel, dieses Vertrauen –! Du verstehst mich. Nein, mein Herz ist so verderbt
nicht! Schwach! schwach genug! – Und ist das nicht Verderben? –   10

Sie ist mir heilig. Alle Begier schweigt in ihrer Gegenwart.
Ich weiß nie wie mir ist, wenn ich bey ihr bin; es ist als wenn
die Seele sich mir in allen Nerven umkehrte. – Sie hat eine
Melodie, die sie auf dem Claviere spielet mit der Kraft eines
Engels, so simpel und so geistvoll! Es ist ihr Leiblied und 15
mich stellt es von aller Pein, Verwirrung und Grillen her,
wenn sie nur die erste Note davon greift.

Kein Wort von der alten Zauberkraft der Musik ist mir
unwahrscheinlich, wie mich der einfache Gesang angreift!
Und wie sie ihn anzubringen weiß, oft zur Zeit, wo ich mir 20
eine Kugel vor den Kopf schießen möchte! Die Irrung und
Finsterniß meiner Seele zerstreut sich und ich athme wieder
freyer.

                                        am 18. Julius.
Wilhelm, was ist unserem Herzen die Welt ohne Liebe! Was 25
eine Zauberlaterne ist ohne Licht! Kaum bringst du das
Lämpchen hinein, so scheinen dir die buntesten Bilder an
deine weiße Wand! Und wenn's nichts wäre als das, als vor-
übergehende Phantomen, so macht's doch immer unser
Glück, wenn wir wie frische Jungen davor stehen und uns 30
über die Wundererscheinung entzücken. Heute konnte ich
nicht zu Lotten, eine unvermeidliche Gesellschaft hielt mich
ab. Was war zu thun? Ich schickte meinen Diener hinaus, nur
um einen Menschen um mich zu haben, der ihr heute nahe
gekommen wäre. Mit welcher Ungeduld ich ihn erwartete; 35

wartete, mit welcher Freude ich ihn wieder sah. Ich hätt' ihn
gern bey'm Kopf genommen und geküßt, wenn ich mich
nicht geschämt hätte.

Man erzählt von dem Bononischen Stein, daß er, wenn
5 man ihn in die Sonne legt, ihre Strahlen anzieht und eine
Weile bey Nacht leuchtet. So war mir's mit dem Jungen. Das
Gefühl, daß ihre Augen auf seinem Gesicht', seinen Bakken,
seinen Rokknöpfen und dem Kragen am Sürtout geruht hatten, machte mir das all so heilig, so werth, ich hätte in dem
10 Augenblicke den Jungen nicht vor tausend Thaler gegeben.
Es war mir so wohl in seiner Gegenwart – Bewahre dich
Gott, daß du darüber nicht lachst. Wilhelm, sind das Phantomen, wenn es uns wohl wird?

den 19. Juli.

15 Ich werde sie sehen: ruf ich Morgens aus, wenn ich mich
ermuntere, und mit aller Heiterkeit der schönen Sonne entgegen blikke. Ich werde sie sehen! Und da hab ich für den
ganzen Tag keinen Wunsch weiter. Alles, alles verschlingt
sich in dieser Aussicht.

20   den 20. Juli.

Eure Idee will noch nicht die meinige werden, daß ich mit
dem Gesandten nach *** gehen soll. Ich liebe die Subordi-
nation nicht sehr, und wir wissen alle, daß der Mann noch
dazu ein widriger Mensch ist. Meine Mutter möchte mich
25 gern in Aktivität haben, sagst du, das hat mich zu lachen
gemacht, bin ich jezt nicht auch aktiv? und ist's im Grund
nicht einerley: ob ich Erbsen zähle oder Linsen? Alles in der
Welt läuft doch auf eine Lumperey hinaus, und ein Kerl, der
um anderer willen, ohne daß es seine eigene Leidenschaft ist,
30 sich um Geld, oder Ehre, oder sonst was, abarbeitet, ist immer ein Thor.

mit welcher Freude ich ihn wieder sah! Ich hätte ihn gern
bey'm Kopfe genommen und geküßt, wenn ich mich nicht
geschämt hätte.

Man erzählt von dem Bononischen Steine, daß er, wenn
man ihn in die Sonne legt, ihre Strahlen anzieht und eine
Weile bey Nacht leuchtet: So war mir's mit dem Burschen.
Das Gefühl, daß ihre Augen auf seinem Gesichte, seinen
Backen, seinen Rockknöpfen, und dem Kragen am Sürtout
geruht hatten, machte mir das alles so heilig, so werth. Ich
hätte in dem Augenblick den Jungen nicht um tausend Tha-
ler gegeben. Es war mir so wohl in seiner Gegenwart. –
Bewahre dich Gott, daß du darüber lachest. Wilhelm sind das
Phantome, wenn es uns wohl ist?

am 19. Julius.

Ich werde sie sehen! ruf' ich morgens aus, wenn ich mich
ermuntere, und mit aller Heiterkeit der schönen Sonne entgegen blicke; ich werde sie sehen! Und da habe ich für den
ganzen Tag keinen Wunsch weiter. Alles alles verschlingt
sich in dieser Aussicht.

am 20. Julius.

Eure Idee will noch nicht die meinige werden, daß ich mit
dem Gesandten nach *** gehen soll. Ich liebe die Subordi-
nation nicht sehr, und wir wissen alle, daß der Mann noch
dazu ein widriger Mensch ist. Meine Mutter möchte mich
gern in Activität haben, sagst du: das hat mich zu lachen
gemacht. Bin ich jetzt nicht auch activ? und ist's im Grunde
nicht einerley: ob ich Erbsen zähle oder Linsen? Alles in der
Welt läuft doch auf eine Lumperey hinaus, und ein Mensch,
der um anderer willen, ohne daß es seine eigene Leidenschaft, sein eigenes Bedürfniß ist, sich um Geld oder Ehre,
oder sonst was abarbeitet, ist immer ein Thor.

am 24. Juli.

Da Dir so viel daran gelegen ist, daß ich mein Zeichnen nicht
vernachlässige, möcht ich lieber die ganze Sache übergehn,
als Dir sagen: daß zeither wenig gethan wird.

5   Noch nie war ich glüklicher, noch nie meine Empfindung
an der Natur, bis auf's Steingen, auf's Gräsgen herunter,
voller und inniger, und doch – ich weis nicht, wie ich mich
ausdrükken soll, meine vorstellende Kraft ist so schwach,
alles schwimmt, schwankt vor meiner Seele, daß ich keinen
10   Umriß pakken kann; aber ich bilde mir ein, wenn ich Thon
hätte oder Wachs, so wollt ich's wohl herausbilden, ich werde
auch Thon nehmen wenn's länger währt, und kneten, und
sollten's Kuchen werden.

Lottens Porträt habe ich dreymal angefangen, und habe
15   mich dreymal prostituirt, das mich um so mehr verdriest,
weil ich vor einiger Zeit sehr glüklich im Treffen war, darauf
hab ich denn ihren Schattenriß gemacht, und damit soll mir
genügen.

25   am 26. Juli.

Ich habe mir schon so manchmal vorgenommen, sie nicht so
oft zu sehn. Ja wer das halten könnte! Alle Tage unterlieg ich
der Versuchung, und verspreche mir heilig: Morgen willst du
einmal wegbleiben, und wenn der Morgen kommt, find ich
30   doch wieder eine unwiderstehliche Ursache, und eh ich
mich's versehe, bin ich bey ihr. Entweder sie hat des Abends
gesagt: Sie kommen doch Morgen? – Wer könnte da wegbleiben? Oder der Tag ist gar zu schön, ich gehe nach Wahl-

am 24. Julius.
Da dir so sehr daran gelegen ist, daß ich mein Zeichnen nicht
vernachlässige, möchte ich lieber die ganze Sache übergehen,
als dir sagen, daß zeither wenig gethan wird.

Noch nie war ich glücklicher, noch nie meine Empfindung
an der Natur, bis auf's Steinchen, auf's Gräschen herunter,
voller und inniger, und doch – Ich weiß nicht wie ich mich
ausdrücken soll, meine vorstellende Kraft ist so schwach,
alles schwimmt und schwankt so vor meiner Seele, daß ich
keinen Umriß packen kann; aber ich bilde mir ein, wenn ich
Thon hätte, oder Wachs, so wollte ich's wohl heraus bilden.
Ich werde auch Thon nehmen, wenn's länger währt, und
kneten und sollten's Kuchen werden!

Lottens Portrait habe ich dreymal angefangen, und habe
mich dreymal prostituiret; das mich um so mehr verdrießt,
weil ich vor einiger Zeit sehr glücklich im Treffen war. Darauf habe ich denn ihren Schattenriß gemacht und damit soll
mir gnügen.

am 26. Julius.
Ja, liebe Lotte, ich will alles besorgen und bestellen; geben
Sie nur mehr Aufträge, nur recht oft. Um eins bitte ich Sie:
Keinen Sand mehr auf die Zettelchen die Sie mir schreiben.
Heute führte ich es schnell nach der Lippe und die Zähne
knisterten mir.

am 26. Julius.
Ich habe mir schon so manchmal vorgenommen, sie nicht so
oft zu sehen; Ja, wer das halten könnte! Alle Tage unterlieg
ich der Versuchung, und verspreche mir heilig: morgen willst
du einmal wegbleiben, und wenn der Morgen kommt, finde
ich doch wieder eine unwiderstehliche Ursache, und ehe ich
mich's versehe bin ich bey ihr. Entweder sie hat des Abends
gesagt: Sie kommen doch morgen? – Wer könnte da wegbleiben? oder sie gibt mir einen Auftrag und ich finde schick-

heim, und wenn ich so da bin – ist's nur noch eine halbe
Stunde zu ihr! Ich bin zu nah in der Atmosphäre, Zuk! so bin
ich dort. Meine Großmutter hatte ein Mährgen vom Magnetenberg. Die Schiffe die zu nahe kamen, wurden auf ein-
5 mal alles Eisenwerks beraubt, die Nägel flogen dem Berge
zu, und die armen Elenden scheiterten zwischen den übereinander stürzenden Brettern.

am 30. Juli.

10 Albert ist angekommen, und ich werde gehen, und wenn er
der beste, der edelste Mensch wäre, unter den ich mich in
allem Betracht zu stellen bereit wäre, so wär's unerträglich,
ihn vor meinem Angesichte im Besizze so vieler Vollkom-
menheiten zu sehen. Besiz! – Genug, Wilhelm der Bräutigam
15 ist da. Ein braver lieber Kerl, dem man gut seyn muß. Glüklicher weise war ich nicht bey'm Empfange! Das hätte mir das
Herz zerrissen. Auch ist er so ehrlich und hat Lotten in meiner Gegenwart noch nicht einmal geküßt. Das lohn ihm
Gott! Um des Respekts willen, den er vor dem Mädgen hat,
20 muß ich ihn lieben. Er will mir wohl, und ich vermuthe, das
ist Lottens Werk, mehr als seiner eigenen Empfindung, denn
darinn sind die Weiber fein, und haben recht. Wenn sie zwey
Kerls in gutem Vernehmen mit einander halten können, ist
der Vortheil immer ihre, so selten es auch angeht.
25

Indeß kann ich Alberten meine Achtung nicht versagen,
seine gelassne Aussenseite, sticht gegen die Unruhe meines
Charakters sehr lebhaft ab, die sich nicht verbergen läßt, er
hat viel Gefühl und weis, was er an Lotten hat. Er scheint
30 wenig üble Laune zu haben, und du weist, das ist die Sünde,
die ich ärger hasse am Menschen als alle andre.
Er hält mich für einen Menschen von Sinn, und meine
Anhänglichkeit an Lotten, meine warme Freude, die ich an
all ihren Handlungen habe, vermehrt seinen Triumph, und er
35 liebt sie nur desto mehr. Ob er sie nicht manchmal heimlich

lich, ihr selbst die Antwort zu bringen; oder der Tag ist gar zu
schön, ich gehe nach Wahlheim, und wenn ich nun da bin,
ist's nur noch eine halbe Stunde zu ihr! – Ich bin zu nahe in
der Atmosphäre – Zuck! so bin ich dort! Meine Großmutter
hatte ein Mährchen vom Magnetenberg, die Schiffe die zu
nahe kamen, wurden auf einmal alles Eisenwerks beraubt,
die Nägel flogen dem Berge zu, und die armen Elenden
scheiterten zwischen den übereinander stürzenden Brettern.

am 30. Julius.

Albert ist angekommen und ich werde gehen; und wenn er
der beste, der edelste Mensch wäre, unter den ich mich in
jeder Betrachtung zu stellen bereit wäre, so wär's unerträglich, ihn vor meinem Angesicht im Besitz so vieler Vollkom-
menheiten zu sehen. – Besitz! – Genug Wilhelm, der Bräutigam ist da! Ein braver lieber Mann, dem man gut seyn muß.
Glücklicherweise war ich nicht bey'm Empfange! Das hätte
mir das Herz zerrissen. Auch ist er so ehrlich und hat Lotten
in meiner Gegenwart noch nicht ein einzigmal geküßt. Das
lohn' ihm Gott! Um des Respects willen, den er vor dem
Mädchen hat, muß ich ihn lieben. Er will mir wohl, und ich
vermuthe das ist Lottens Werk mehr, als seiner eigenen
Empfindung: denn darin sind die Weiber fein und haben
Recht; wenn sie zwey Verehrer in gutem Vernehmen mit
einander erhalten können, ist der Vortheil immer ihr so selten es auch angeht.

Indeß kann ich Alberten meine Achtung nicht versagen.
Seine gelassene Außenseite sticht gegen die Unruhe meines
Charakters sehr lebhaft ab, die sich nicht verbergen läßt. Er
hat viel Gefühl, und weiß was er an Lotten hat. Er scheint
wenig üble Laune zu haben, und du weißt, das ist die Sünde
die ich ärger hasse am Menschen als alles andere.

Er hält mich für einen Menschen von Sinn; und meine
Anhänglichkeit an Lotten, meine warme Freude, die ich an
allen ihren Handlungen habe, vermehrt seinen Triumph, und
er liebt sie nur desto mehr. Ob er sie nicht manchmal mit

mit kleiner Eifersüchteley peinigt, das laß ich dahin gestellt
seyn, wenigstens an seinem Plazze würde ich nicht ganz sicher vor dem Teufel bleiben.

Dem sey nun wie ihm wolle, meine Freude bey Lotten zu
5 seyn, ist hin! Soll ich das Thorheit nennen oder Verblendung? – Was braucht's Nahmen! Erzählt die Sache an sich! –
Ich wuste alles, was ich jezt weis, eh Albert kam, ich wuste,
daß ich keine Prätensionen auf sie zu machen hatte, machte
auch keine – Heist das, insofern es möglich ist, bey so viel
10 Liebenswürdigkeiten nicht zu begehren – Und jezt macht der
Frazze grosse Augen, da der andere nun wirklich kommt,
und ihm das Mädgen wegnimmt.

Ich beisse die Zähne auf einander und spotte über mein
Elend, und spottete derer doppelt und dreyfach, die sagen
15 könnten, ich sollte mich resigniren, und weil's nun einmal
nicht anders seyn könnte. – Schafft mir die Kerls vom Hals! –
Ich laufe in den Wäldern herum, und wenn ich zu Lotten
komme, und Albert so bey ihr sizt im Gärtgen unter der
Laube, und ich nicht weiter kann, so bin ich ausgelassen
20 närrisch, und fange viel Possen, viel verwirrtes Zeug an. Um
Gottes willen, sagte mir Lotte heute, ich bitte Sie! keine
Scene wie die von gestern Abend! sie sind fürchterlich, wenn
Sie so lustig sind. Unter uns, ich passe die Zeit ab, wenn er zu
thun hat, wutsch! bin ich draus, und da ist mir's immer wohl,
25 wenn ich sie allein finde.

am 8. Aug.

Ich bitte dich, lieber Wilhelm! Es war gewiß nicht auf dich
geredt, wenn ich schrieb: schafft mir die Kerls vom Hals, die
sagen, ich sollte mich resigniren. Ich dachte warlich nicht
30 dran, daß du von ähnlicher Meinung seyn könntest. Und im
Grunde hast du recht! Nur eins, mein Bester, in der Welt ist's
sehr selten mit dem Entweder Oder gethan, es giebt so viel
Schattirungen der Empfindungen und Handlungsweisen, als
Abfälle zwischen einer Habichts- und Stumpfnase.

kleiner Eifersüchteley peinigt, das lasse ich dahin gestellt
seyn, wenigstens würd ich an seinem Platze nicht ganz sicher
vor diesem Teufel bleiben.

   Dem sey nun wie ihm wolle! meine Freude, bey Lotten zu
seyn, ist hin. Soll ich das Thorheit nennen oder Verblendung? -Was braucht's Nahmen! erzählt die Sache an sich! –
Ich wußte alles was ich jetzt weiß, ehe Albert kam; ich wußte,
daß ich keine Prätension an sie zu machen hatte, machte auch
keine – das heißt, in sofern es möglich ist, bey so viel Liebenswürdigkeit nicht zu begehren – Und jetzt macht der
Fratze große Augen, da der andere nun wirklich kommt und
ihm das Mädchen wegnimmt.

   Ich beiße die Zähne auf einander und spotte derer doppelt
und dreyfach, die sagen können, ich sollte mich resigniren
und weil es nun einmal nicht anders seyn könnte – Schafft mir
diese Strohmänner vom Halse! – Ich laufe in den Wäldern
herum und wenn ich zu Lotten komme und Albert bey ihr
sitzt im Gärtchen unter der Laube und ich nicht weiter kann,
so bin ich ausgelassen närrisch, und fange viel verwirrtes
Zeug an. – Um Gottes willen, sagte mir Lotte heut, ich bitte
Sie, keine Scene wie die von gestern Abend! Sie sind fürchterlich, wenn Sie so lustig sind. – Unter uns, ich passe die Zeit
ab, wenn er zu thun hat; wutsch! bin ich draus, und da ist
mir's immer wohl wenn ich sie allein finde.

                                             am 8. August.
Ich bitte dich lieber Wilhelm, es war gewiß nicht auf dich
geredt, wenn ich die Menschen unerträglich schalt die von
uns Ergebung in unvermeidliche Schicksale fordern. Ich
dachte wahrlich nicht daran, daß du von ähnlicher Meinung
seyn könntest. Und im Grunde hast du Recht! Nur Eins,
mein Bester! In der Welt ist es sehr selten mit dem *Entweder,*
Oder, gethan, die Empfindungen und Handlungsweisen
schattiren sich so mannichfaltig, als Abfälle zwischen einer
Habichts- und Stumpfnase sind.

Du wirst mir also nicht übel nehmen, wenn ich dir dein ganzes Argument einräume, und mich doch zwischen dem Entweder Oder durchzustehlen suche.

Entweder sagst du, hast du Hofnung auf Lotten, oder du hast keine. Gut! Im ersten Falle such sie durchzutreiben, suche die Erfüllung deiner Wünsche zu umfassen, im andern Falle ermanne dich und suche einer elenden Empfindung los zu werden, die all deine Kräfte verzehren muß. Bester, das ist wohl gesagt, und – bald gesagt.

Und kannst du von dem Unglüklichen, dessen Leben unter einer schleichenden Krankheit unaufhaltsam allmählich abstirbt, kannst du von ihm verlangen, er solle durch einen Dolchstos der Quaal auf einmal ein Ende machen? Und raubt das Uebel, das ihm die Kräfte wegzehrt, ihm nicht auch zugleich den Muth, sich davon zu befreyen?

Zwar könntest du mir mit einem verwandten Gleichnisse antworten: Wer liesse sich nicht lieber den Arm abnehmen, als daß er durch Zaudern und Zagen sein Leben auf's Spiel sezte – Ich weis nicht – und wir wollen uns nicht in Gleichnissen herumbeissen. Genug – Ja, Wilhelm ich habe manchmal so einen Augenblick aufspringenden, abschüttelnden Muths, und da, wenn ich nur wüste wohin, ich gienge wohl.

Du wirst mir also nicht übel nehmen, wenn ich dir dein ganzes Argument einräume, und mich doch zwischen dem *Entweder, Oder,* durchzustehlen suche.

Entweder, sagst du, hast du Hoffnung auf Lotten, oder du hast keine. Gut, im ersten Fall suche sie durchzutreiben, suche die Erfüllung deiner Wünsche zu umfassen: im anderen Falle ermanne dich, und suche einer elenden Empfindung los zu werden, die alle deine Kräfte verzehren muß – Bester! das ist wohl gesagt, und – bald gesagt.

Und kannst du von dem Unglücklichen, dessen Leben unter einer schleichenden Krankheit unaufhaltsam allmählich abstirbt, kannst du von ihm verlangen, er solle durch einen Dolchstoß der Qual auf einmal ein Ende machen? Und raubt das Übel, das ihm die Kräfte verzehrt, ihm nicht auch zugleich den Muth sich davon zu befreyen?

Zwar könntest du mir mit einem verwandten Gleichnisse antworten: Wer ließe sich nicht lieber den Arm abnehmen, als daß er durch Zaudern und Zagen sein Leben auf's Spiel setzte? – Ich weiß nicht! – und wir wollen uns nicht in Gleichnissen herumbeissen. Genug – Ja, Wilhelm, ich habe manchmal so einen Augenblick aufspringenden, abschüttelnden Muthes, und da – wenn ich nur wüßte wohin? ich ginge wohl.

Abends.

Mein Tagebuch, das ich seit einiger Zeit vernachlässiget, fiel mir heut wieder in die Hände, und ich bin erstaunt wie ich so wissentlich in das alles Schritt vor Schritt hinein gegangen bin! Wie ich über meinen Zustand immer so klar gesehen und doch gehandelt habe wie ein Kind, jetzt noch so klar sehe, und es noch keinen Anschein zur Besserung hat.

am 10. Aug.

Ich könnte das beste glüklichste Leben führen, wenn ich
nicht ein Thor wäre. So schöne Umstände vereinigen sich
nicht leicht zusammen, eines Menschen Herz zu ergözzen, als
die sind, in denen ich mich jezt befinde. Ach so gewiß ist's,
daß unser Herz allein sein Glük macht! Ein Glied der liebenswürdigen Familie auszumachen, von dem Alten geliebt zu
werden wie ein Sohn, von den Kleinen wie ein Vater und von
Lotten – und nun der ehrliche Albert, der durch keine launische Unart mein Glük stört, der mich mit herzlicher
Freundschaft umfaßt, dem ich nach Lotten das liebste auf der
Welt bin – Wilhelm, es ist eine Freude uns zu hören, wenn
wir spazieren gehn und uns einander von Lotten unterhalten, es ist in der Welt nichts lächerlichers erfunden worden als
dieses Verhältniß, und doch kommen mir drüber die Thränen oft in die Augen.

Wenn er mir so von ihrer rechtschaffenen Mutter erzählt,
wie die auf ihrem Todbette Lotten ihr Hauß und ihre Kinder
übergeben, und ihm Lotten anbefohlen habe, wie seit der
Zeit ein ganz anderer Geist Lotten belebt, wie sie in Sorge
für ihre Wirthschaft und im Ernste eine wahre Mutter geworden, wie kein Augenblik ihrer Zeit ohne thätige Liebe,
ohne Arbeit verstrichen, und wie dennoch all ihre Munterkeit, all ihr Leichtsinn sie nicht verlassen habe. Ich gehe
so neben ihm hin, und pflükke Blumen am Wege, füge sie
sehr sorgfältig in einen Straus und – werfe sie in den vor-
überfliessenden Strohm, und sehe ihnen nach wie sie leise
hinunterwallen. Ich weis nicht, ob ich dir geschrieben habe,
daß Albert hier bleiben, und ein Amt mit einem artigen Auskommen vom Hofe erhalten wird, wo er sehr beliebt ist. In
Ordnung und Emsigkeit in Geschäften hab ich wenig seines
gleichen gesehen.

am 10. August.

Ich könnte das beste glücklichste Leben führen, wenn ich
nicht ein Thor wäre. So schöne Umstände vereinigen sich
nicht leicht, eines Menschen Seele zu ergetzen, als die sind in
denen ich mich jetzt befinde. Ach so gewiß ist's, daß unser
Herz allein sein Glück macht. – Ein Glied der liebenswürdigsten Familie zu seyn, von dem Alten geliebt zu werden
wie ein Sohn, von den Kleinen wie ein Vater und von Lotten!
– dann der ehrliche Albert, der durch keine launische Unart
mein Glück stört; der mich mit herzlicher Freundschaft umfaßt; dem ich nach Lotten das Liebste auf der Welt bin! –
Wilhelm es ist eine Freude uns zu hören, wenn wir spatzieren
gehen und uns einander von Lotten unterhalten: es ist in der
Welt nichts lächerlichers erfunden worden, als dieses Verhältniß, und doch kommen mir oft darüber die Thränen in
die Augen.

Wenn er mir von ihrer rechtschaffenen Mutter erzählt: wie
sie auf ihrem Todbette Lotten ihr Haus und ihre Kinder
übergeben und ihm Lotten anbefohlen habe, wie seit der Zeit
ein ganz anderer Geist Lotten belebt habe, wie sie, in der
Sorge für ihre Wirthschaft, und in dem Ernste, eine wahre
Mutter geworden, wie kein Augenblick ihrer Zeit ohne thätige Liebe, ohne Arbeit verstrichen, und dennoch ihre Munterkeit, ihr leichter Sinn sie nie dabey verlassen habe. – Ich
gehe so neben ihm hin und pflücke Blumen am Wege, füge sie
sehr sorgfältig in einen Strauß und – werfe sie in den vor-
überfließenden Strom, und sehe ihnen nach, wie sie leise
hinunter wallen. – Ich weiß nicht ob ich dir geschrieben habe,
daß Albert hier bleiben, und ein Amt mit einem artigen Auskommen vom Hofe erhalten wird, wo er sehr beliebt ist. In
Ordnung und Emsigkeit in Geschäften habe ich wenig seines
Gleichen gesehen.

am 12. Aug.

Gewiß Albert ist der beste Mensch unter dem Himmel, ich
habe gestern eine wunderbare Scene mit ihm gehabt. Ich kam
zu ihm, um Abschied zu nehmen, denn mich wandelte die
5 Lust an, in's Gebürg zu reiten, von daher ich dir auch jezt
schreibe, und wie ich in der Stube auf und ab gehe, fallen mir
seine Pistolen in die Augen. Borg mir die Pistolen, sagt ich,
zu meiner Reise. Meintwegen, sagt er, wenn du dir die Mühe
geben willst sie zu laden, bey mir hängen sie nur pro forma.
10 Ich nahm eine herunter, und er fuhr fort: Seit mir meine
Vorsicht einen so unartigen Streich gespielt hat, mag ich mit
dem Zeuge nichts mehr zu thun haben. Ich war neugierig, die
Geschichte zu wissen. Ich hielte mich, erzählte er, wohl ein
Vierteljahr auf dem Lande bey einem Freunde auf, hatte ein
15 paar Terzerolen ohngeladen und schlief ruhig. Einmal an
einem regnigten Nachmittage, da ich so müßig sizze, weis ich
nicht wie mir einfällt: wir könnten überfallen werden, wir
könnten die Terzerols nöthig haben, und könnten – du weist
ja, wie das ist. Ich gab sie dem Bedienten, sie zu puzzen, und
20 zu laden, und der dahlt, mit den Mädgen, will sie erschrök-
ken, und Gott weis wie, das Gewehr geht los, da der Ladstok
noch drinn stekt und schießt den Ladstok einem Mädgen zur
Maus herein, an der rechten Hand, und zerschlägt ihr den
Daumen. Da hatt' ich das Lamentiren, und den Barbierer zu
25 bezahlen oben drein, und seit der Zeit laß ich all das Gewehr
ungeladen. Lieber Schaz, was ist Vorsicht! die Gefahr läßt
sich nicht auslernen! Zwar – Nun weißt du, daß ich den
Menschen sehr lieb habe bis auf seine Zwar. Denn versteht
sich's nicht von selbst, daß jeder allgemeine Saz Ausnahmen
30 leidet. Aber so rechtfertig ist der Mensch, wenn er glaubt,
etwas übereiltes, allgemeines, halbwahres gesagt zu haben;
so hört er dir nicht auf zu limitiren, modificiren, und ab und
zu zu thun, bis zulezt gar nichts mehr an der Sache ist. Und
bey diesem Anlasse kam er sehr tief in Text, und ich hörte
35 endlich gar nicht weiter auf ihn, verfiel in Grillen, und mit
einer auffahrenden Gebährde drukt ich mir die Mündung der
Pistolen übers rechte Aug an die Stirn. Pfuy sagte Albert,

am 12. Aug.

Gewiß Albert ist der beste Mensch unter dem Himmel. Ich
habe gestern eine wunderbare Scene mit ihm gehabt. Ich kam
zu ihm um Abschied von ihm zu nehmen; denn mich
wandelte die Lust an in's Gebirge zu reiten, von woher ich
dir auch jetzt schreibe und wie ich in der Stube auf und ab
gehe, fallen mir seine Pistolen in die Augen. Borge mir die
Pistolen, sagte ich, zu meiner Reise. Meinetwegen, sagte er,
wenn du dir die Mühe nehmen willst sie zu laden; bey mir
hängen sie nur pro forma. Ich nahm eine herunter, und er
fuhr fort: Seit mir meine Vorsicht einen so unartigen Streich
gespielt hat, mag ich mit dem Zeuge nichts mehr zu thun
haben. – Ich war neugierig die Geschichte zu wissen – Ich
hielt mich, erzählte er, wohl ein Vierteljahr auf dem Lande
bey einem Freunde auf, hatte ein paar Terzerolen ungeladen
und schlief ruhig. Einmal an einem regnichten Nachmittage,
da ich müßig sitze, weiß ich nicht wie mir einfällt: wir könnten überfallen werden, wir könnten die Terzerolen nöthig
haben und könnten – du weißt ja wie das ist – Ich gab sie dem
Bedienten sie zu putzen und zu laden; und der dahlt mit den
Mädchen, will sie erschrecken, und Gott weiß wie, das Gewehr geht los, da der Ladstock noch drin steckt und schießt
den Ladstock einem Mädchen zur Maus herein an der rechten
Hand, und zerschlägt ihr den Daumen. Da hatte ich das Lamentiren, und die Cur zu bezahlen oben drein, und seit der
Zeit laß ich alles Gewehr ungeladen. Lieber Schatz, was ist
Vorsicht? die Gefahr läßt sich nicht auslernen! Zwar – Nun
weißt du, daß ich den Menschen sehr lieb habe bis auf seine
Zwar; denn versteht sich's nicht von selbst, daß jeder allgemeine Satz Ausnahmen leidet? Aber so rechtfertig ist der
Mensch! wann er glaubt etwas übereiltes, allgemeines, halbwahres gesagt zu haben: so hört er dir nicht auf zu limitiren,
zu modificiren und ab und zu zu thun, bis zuletzt gar nichts
mehr an der Sache ist. Und bey diesem Anlaß kam er sehr tief
in Text: ich hörte endlich gar nicht weiter auf ihn, verfiel in
Grillen, und mit einer auffallenden Geberde, druckte ich mir
die Mündung der Pistole über's rechte Aug an die Stirn. –

indem er mir die Pistole herabzog, was soll das! – Sie ist nicht
geladen, sagt ich. – Und auch so! Was soll's? versezt er ungedultig. Ich kann mir nicht vorstellen, wie ein Mensch so
thörigt seyn kann, sich zu erschiessen; der blosse Gedanke
erregt mir Widerwillen.

   Daß ihr Menschen, rief ich aus, um von einer Sache zu
reden, gleich sprechen müßt: Das ist thörig, das ist klug, das
ist gut, das ist bös! Und was will das all heissen? Habt ihr
deßwegen die innern Verhältnisse einer Handlung erforscht?
Wißt ihr mit Bestimmtheit die Ursachen zu entwikkeln,
warum sie geschah, warum sie geschehen mußte? Hättet ihr
das, ihr würdet nicht so eilfertig mit euren Urtheilen seyn.

   Du wirst mir zugeben, sagte Albert, daß gewisse Handlungen lasterhaft bleiben, sie mögen aus einem Beweggrunde geschehen, aus welchem sie wollen.

   Ich zukte die Achseln und gabs ihm zu. Doch, mein Lieber, fuhr ich fort, finden sich auch hier einige Ausnahmen. Es
ist wahr, der Diebstahl ist ein Laster, aber der Mensch, der,
um sich und die Seinigen vom schmäligen Hungertode zu
erretten, auf Raub ausgeht, verdient der Mitleiden oder
Strafe? Wer hebt den ersten Stein auf gegen den Ehemann,
der im gerechten Zorne sein untreues Weib und ihren nichts-
würdigen Verführer aufopfert? Gegen das Mädgen, das in
einer wonnevollen Stunde, sich in den unaufhaltsamen Freuden der Liebe verliert? Unsere Gesetze selbst, diese kalt-
blütigen Pedanten, lassen sich rühren, und halten ihre Strafe
zurük.

   Das ist ganz was anders, versezte Albert, weil ein Mensch,
den seine Leidenschaften hinreissen, alle Besinnungskraft
verliert, und als ein Trunkener, als ein Wahnsinniger angesehen wird. – Ach ihr vernünftigen Leute! rief ich lächelnd
aus. Leidenschaft! Trunkenheit! Wahnsinn! Ihr steht so gelassen, so ohne Theilnehmung da, ihr sittlichen Menschen,
scheltet den Trinker, verabscheuet den Unsinnigen, geht
vorbey wie der Priester, und dankt Gott wie der Pharisäer,
daß er euch nicht gemacht hat, wie einen von diesen. Ich bin
mehr als einmal trunken gewesen, und meine Leidenschaften

Pfuy! sagte Albert indem er mir die Pistole herabzog, was
soll das? – Sie ist nicht geladen, sagte ich. – Und auch so, was
soll's? versetzte er ungeduldig. Ich kann mir nicht vorstellen,
wie ein Mensch so thöricht seyn kann sich zu erschießen; der
bloße Gedanke erregt mir Widerwillen.

Daß ihr Menschen, rief ich aus, um von einer Sache zu
reden, gleich sprechen müßt, das ist thöricht, das ist klug, das
ist gut, das ist bös! Und was will das alles heissen? Habt ihr
deswegen die inneren Verhältnisse einer Handlung erforscht?
wißt ihr mit Bestimmtheit die Ursachen zu entwickeln,
warum sie geschah, warum sie geschehen mußte. Hättet ihr
das, ihr würdet nicht so eilfertig mit euren Urtheilen seyn.

Du wirst mir zugeben, sagte Albert, daß gewisse Handlungen lasterhaft bleiben, sie mögen geschehen aus welchem
Beweggrunde sie wollen.

Ich zuckte die Achseln und gab's ihm zu. Doch, mein Lieber, fuhr ich fort, finden sich auch hier einige Ausnahmen. Es
ist wahr, der Diebstahl ist ein Laster: aber der Mensch, der,
um sich und die Seinigen vom gegenwertigen Hungertode
zu erretten, auf Raub ausgeht, verdient der Mitleiden oder
Strafe? Wer hebt den ersten Stein auf gegen den Ehemann,
der im gerechten Zorne sein untreues Weib und ihren nichts-
würdigen Verführer aufopfert? Gegen das Mädchen das in
einer wonnevollen Stunde sich in den unaufhaltsamen Freuden der Liebe verliert? Unsere Gesetze selbst, diese kalt-
blütige Pedanten lassen sich rühren und halten ihre Strafe
zurück.

Das ist ganz was anders, versetzte Albert, weil ein
Mensch, den seine Leidenschaften hinreissen, alle Besinnungskraft verliert, und als ein Trunkener, als ein Wahnsinniger angesehen wird.

Ach ihr vernünftigen Leute, rief ich lächelnd aus. Leiden-
schaft! Trunkenheit! Wahnsinn! Ihr steht so gelassen, so ohne
Theilnehmung da, ihr sittlichen Menschen! scheltet den
Trinker, verabscheut den Unsinnigen, geht vorbey wie der
Priester und dankt Gott wie der Pharisäer, daß er euch nicht
gemacht hat wie einen von diesen. Ich bin mehr als einmal

waren nie weit vom Wahnsinne, und beydes reut mich nicht,
denn ich habe in meinem Maasse begreifen lernen: Wie man
alle ausserordentliche Menschen, die etwas grosses, etwas
unmöglich scheinendes würkten, von jeher für Trunkene
5 und Wahnsinnige ausschreien müßte.

Aber auch im gemeinen Leben ists unerträglich, einem
Kerl bey halbweg einer freyen, edlen, unerwarteten That
nachrufen zu hören: Der Mensch ist trunken, der ist närrisch.
10 Schämt euch, ihr Nüchternen. Schämt euch, ihr Weisen. Das
sind nun wieder von deinen Grillen, sagte Albert. Du überspannst alles, und hast wenigstens hier gewiß unrecht, daß
du den Selbstmord, wovon wir jetzo reden, mit grossen
Handlungen vergleichst, da man es doch für nichts anders als
15 eine Schwäche halten kann, denn freylich ist es leichter zu
sterben, als ein qualvolles Leben standhaft zu ertragen.
Ich war im Begriffe abzubrechen, denn kein Argument in
der Welt bringt mich so aus der Fassung, als wenn einer mit
einem unbedeutenden Gemeinspruche angezogen kommt,
20 da ich aus ganzem Herzen rede. Doch faßt ich mich, weil ich's
schon öfter gehört und mich öfter darüber geärgert hatte,
und versezte ihm mit einiger Lebhaftigkeit: Du nennst das
Schwäche! ich bitte dich, laß dich vom Anscheine nicht verführen. Ein Volk, das unter dem unerträglichen Joche eines
25 Tyrannen seufzt, darfst du das schwach heissen, wenn es endlich aufgährt und seine Ketten zerreißt. Ein Mensch, der über
dem Schrekken, daß Feuer sein Haus ergriffen hat, alle
Kräfte zusammen gespannt fühlt, und mit Leichtigkeit Lasten wegträgt, die er bey ruhigem Sinne kaum bewegen
30 kann; einer, der in der Wuth der Beleidigung es mit Sechsen
aufnimmt, und sie überwältigt, sind die schwach zu nennen?
Und mein Guter, wenn Anstrengung Stärke ist, warum soll
die Ueberspannung das Gegentheil seyn? Albert sah mich an
und sagte: nimm mirs nicht übel, die Beyspiele die du da
35 giebst, scheinen hierher gar nicht zu gehören. Es mag seyn,
sagt ich, man hat mir schon öfter vorgeworfen, daß meine
Combinationsart manchmal an's Radotage gränze! Laßt uns

trunken gewesen, meine Leidenschaften waren nie weit vom Wahnsinn, und beydes reut mich nicht: denn ich habe in meinem Maße begreifen lernen, wie man alle außerordentliche Menschen, die etwas Großes, etwas Unmöglichscheinendes wirkten, von jeher für Trunkene und Wahnsinnige ausschreyen mußte.

Aber auch im gemeinen Leben ists unerträglich, fast einem jeden bey halbweg einer freyen, edlen, unerwarteten That nachrufen zu hören: der Mensch ist trunken, der ist närrisch! Schämt euch ihr Nüchternen! Schämt euch ihr Weisen!

Das sind nun wieder von deinen Grillen, sagte Albert, du überspannst alles, und hast wenigstens hier gewiß Unrecht, daß du den Selbstmord, wovon jetzt die Rede ist, mit großen Handlungen vergleichst: da man es doch für nichts anders als eine Schwäche halten kann. Denn freylich ist es leichter zu sterben als ein qualvolles Leben standhaft zu ertragen.

Ich war im Begriff abzubrechen; denn kein Argument bringt mich so aus der Fassung, als wenn einer mit einem unbedeutenden Gemeinspruche angezogen kommt, wenn ich aus ganzem Herzen rede. Doch faßte ich mich, weil ich's schon oft gehört, und mich öfter darüber geärgert hatte, und versetzte ihm mit einiger Lebhaftigkeit: Du nennst das Schwäche! ich bitte dich laß dich vom Anscheine nicht verführen. Ein Volk, das unter dem unerträglichen Joch eines Tyrannen seufzt, darfst du das schwach heissen, wenn es endlich aufgährt und seine Ketten zerreißt? Ein Mensch, der über dem Schrecken, daß Feuer sein Haus ergriffen hat, alle Kräfte gespannt fühlt, und mit Leichtigkeit Lasten wegträgt, die er bey ruhigem Sinne kaum bewegen kann; Einer der in der Wuth der Beleidigung es mit sechsen aufnimmt und sie überwältigt, sind die schwach zu nennen? Und mein Guter wenn Anstrengung Stärke ist, warum soll die Überspannung das Gegentheil seyn? – Albert sah mich an und sagte: Nimm mir's nicht übel, die Beyspiele die du da gibst, scheinen hieher gar nicht zu gehören. – Es mag seyn, sagte ich, man hat mir schon öfters vorgeworfen, daß meine Combinationsart manchmal an's Radotage gränze. Laßt uns denn sehen, ob

denn sehen, ob wir auf eine andere Weise uns vorstellen
können, wie es dem Menschen zu Muthe seyn mag, der sich
entschließt, die sonst so angenehme Bürde des Lebens abzuwerfen, denn nur in so fern wir mit empfinden, haben wir
5 Ehre von einer Sache zu reden.

Die menschliche Natur, fuhr ich fort, hat ihre Gränzen, sie
kann Freude, Leid, Schmerzen, bis auf einen gewissen Grad
ertragen, und geht zu Grunde, sobald der überstiegen ist.

Hier ist also nicht die Frage, ob einer schwach oder stark
10 ist, sondern ob er das Maas seines Leidens ausdauren kann; es
mag nun moralisch oder physikalisch seyn, und ich finde es
eben so wunderbar zu sagen, der Mensch ist feig, der sich das
Leben nimmt, als es ungehörig wäre, den einen Feigen zu
nennen, der an einem bösartigen Fieber stirbt.

15 Paradox! sehr paradox! rief Albert aus. – Nicht so sehr, als
du denkst, versezt ich. Du giebst mir zu wir nennen das eine
Krankheit zum Todte, wodurch die Natur so angegriffen
wird, daß theils ihre Kräfte verzehrt, theils so ausser Würkung gesezt werden, daß sie sich nicht wieder aufzuhelfen,
20 durch keine glükliche Revolution, den gewöhnlichen Umlauf des Lebens wieder herzustellen fähig ist.

Nun mein Lieber, laß uns das auf den Geist anwenden.
Sieh den Menschen an in seiner Eingeschränktheit, wie Eindrükke auf ihn würken, Ideen sich bey ihm fest sezzen, bis
25 endlich eine wachsende Leidenschaft ihn aller ruhigen Sin-
neskraft beraubt, und ihn zu Grunde richtet.

Vergebens, daß der gelaßne vernünftige Mensch den Zustand des Unglüklichen übersieht, vergebens, daß er ihm
zuredet, eben als wie ein Gesunder, der am Bette des Kran-
30 ken steht, ihm von seinen Kräften nicht das geringste einflößen kann.

Alberten war das zu allgemein gesprochen, ich erinnerte
ihn an ein Mädgen, das man vor weniger Zeit im Wasser todt
gefunden, und wiederholt ihm ihre Geschichte. Ein gutes
35 junges Geschöpf, das in dem engen Kreise häuslicher Beschäftigungen, wöchentlicher bestimmter Arbeit so herangewachsen war, das weiter keine Aussicht von Vergnügen

wir uns auf eine andere Weise vorstellen können, wie dem
Menschen zu Muthe seyn mag, der sich entschließt, die sonst
angenehme Bürde des Lebens abzuwerfen. Denn nur in so
fern wir mitempfinden, haben wir Ehre, von einer Sache zu
reden.   5

Die menschliche Natur, fuhr ich fort, hat ihre Gränzen: sie
kann Freude, Leid, Schmerzen bis auf einen gewissen Grad
ertragen, und geht zu Grunde so bald *der* überstiegen ist.
Hier ist also nicht die Frage, ob einer schwach oder stark ist?
sondern ob er das Maß seines Leidens ausdauren kann? es   10
mag nun moralisch oder körperlich seyn: und ich finde es
eben so wunderbar zu sagen, der Mensch ist feige, der sich
das Leben nimmt, als es ungehörig wäre, den einen Feigen zu
nennen, der an einem bösartigen Fieber stirbt.

Paradox! sehr paradox! rief Albert aus. – Nicht so sehr als   15
du denkst, versetzte ich. Du gibst mir zu, wir nennen das eine
Krankheit zum Tode, wodurch die Natur so angegriffen
wird, daß theils ihre Kräfte verzehrt, theils so außer Wirkung gesetzt werden, daß sie sich nicht wieder aufzuhelfen,
durch keine glückliche Revolution, den gewöhnlichen Um-   20
lauf des Lebens wieder herzustellen fähig ist.

Nun, mein Lieber, laß uns das auf den Geist anwenden.
Siehe den Menschen an in seiner Eingeschränktheit, wie Eindrücke auf ihn wirken, Ideen sich bey ihm festsetzen, bis
endlich eine wachsende Leidenschaft ihn aller ruhigen Sin- 25
neskraft beraubt, und ihn zu Grunde richtet.

Vergebens daß der gelassene vernünftige Mensch, den
Zustand eines Unglücklichen übersieht, vergebens daß er
ihm zuredet! eben so wie ein Gesunder, der am Bette des
Kranken steht, ihm von seinen Kräften nicht das geringste   30
einflößen kann.

Alberten war das zu allgemein gesprochen. Ich erinnerte
ihn an ein Mädchen, das man vor weniger Zeit im Wasser
todt gefunden und wiederhohlte ihm ihre Geschichte. – Ein
gutes Geschöpf das in dem engen Kreise häuslicher Be-   35
schäftigungen, wöchentlicher bestimmter Arbeit, heran gewachsen war, das weiter keine Aussicht von Vergnügen

kannte, als etwa Sonntags in einem nach und nach zusam-
mengeschafften Puzze mit ihres gleichen um die Stadt spazieren zu gehen, vielleicht alle hohe Feste einmal zu tanzen,
und übrigens mit aller Lebhaftigkeit des herzlichsten Antheils manche Stunde über den Anlas eines Gezänkes, einer
übeln Nachrede, mit einer Nachbarin zu verplaudern; deren
feurige Natur fühlt nun endlich innigere Bedürfnisse, die
durch die Schmeicheleyen der Männer vermehrt werden, all
ihre vorige Freuden werden ihr nach und nach unschmak-
haft, bis sie endlich einen Menschen antrifft, zu dem ein unbekanntes Gefühl sie unwiderstehlich hinreißt, auf den sie
nun all ihre Hofnungen wirft, die Welt rings um sich vergißt,
nichts hört, nichts sieht, nichts fühlt als ihn, den Einzigen,
sich nur sehnt nach ihm, dem Einzigen. Durch die leere Vergnügen einer unbeständigen Eitelkeit nicht verdorben, zieht
ihr Verlangen grad nach dem Zwecke: Sie will die Seinige
werden, sie will in ewiger Verbindung all das Glück antreffen, das ihr mangelt, die Vereinigung aller Freuden geniessen, nach denen sie sich sehnte. Wiederholtes Versprechen, das ihr die Gewißheit aller Hofnungen versiegelt,
kühne Liebkosungen, die ihre Begierden vermehren, umfangen ganz ihre Seele, sie schwebt in einem dumpfen Bewußtseyn, in einem Vorgefühl aller Freuden, sie ist bis auf den
höchsten Grad gespannt, wo sie endlich ihre Arme ausstrekt,
all ihre Wünsche zu umfassen – und ihr Geliebter verläßt sie –
Erstarrt, ohne Sinne steht sie vor einem Abgrunde, und alles
ist Finsterniß um sie her, keine Aussicht, kein Trost, keine
Ahndung, denn der hat sie verlassen, in dem sie allein ihr
Daseyn fühlte. Sie sieht nicht die weite Welt, die vor ihr liegt,
nicht die Vielen, die ihr den Verlust ersezzen könnten, sie
fühlt sich allein, verlassen von aller Welt, – und blind, in die
Enge gepreßt von der entsezlichen Noth ihres Herzens stürzt
sie sich hinunter, um in einem rings umfangenden Tode all
ihre Quaalen zu erstikken. – Sieh, Albert, das ist die Geschichte so manches Menschen, und sag, ist das nicht der Fall
der Krankheit? Die Natur findet keinen Ausweg aus dem
Labyrinthe der verworrenen und widersprechenden Kräfte,
und der Mensch muß sterben.

kannte, als etwa Sonntags in einem nach und nach zusam-
mengeschafften Putz mit ihres Gleichen um die Stadt spatzieren zu gehen, vielleicht alle hohe Feste einmal zu tanzen,
und übrigens mit aller Lebhaftigkeit des herzlichsten Antheils manche Stunde über den Anlaß eines Gezänkes, einer
üblen Nachrede, mit einer Nachbarinn zu verplaudern – Deren feurige Natur fühlt nun endlich innigere Bedürfnisse, die
durch die Schmeicheleyen der Männer vermehrt werden; ihre
vorige Freuden werden ihr nach und nach unschmackhaft,
bis sie endlich einen Menschen antrifft, zu dem ein unbekanntes Gefühl sie unwiderstehlich hinreißt, auf den sie nun alle
ihre Hoffnungen wirft, die Welt rings um sich vergißt, nichts
hört, nichts sieht, nichts fühlt als ihn, den Einzigen, sich nur
sehnt nach ihm, dem Einzigen. Durch die leeren Vergnügen
einer unbeständigen Eitelkeit nicht verdorben, zieht ihr Verlangen gerade nach dem Zweck, sie will die Seinige werden,
sie will in ewiger Verbindung all das Glück antreffen, das ihr
mangelt, die Vereinigung aller Freuden genießen, nach denen sie sich sehnte. Wiederhohltes Versprechen, das ihr die
Gewißheit aller Hoffnungen versiegelt, kühne Liebkosungen die ihre Begierden vermehren, umfangen ganz ihre
Seele; sie schwebt in einem dumpfen Bewußtseyn, in einem
Vorgefühl aller Freuden, sie ist bis auf den höchsten Grad
gespannt. Sie streckt endlich ihre Arme aus all' ihre Wünsche
zu umfassen – und ihr Geliebter verläßt sie – Erstarrt, ohne
Sinne steht sie vor einem Abgrunde; alles ist Finsterniß um
sie her, keine Aussicht, kein Trost, keine Ahndung! denn *Der*
hat sie verlassen, in dem sie allein ihr Daseyn fühlte. Sie sieht
nicht die weite Welt die vor ihr liegt, nicht die vielen die ihr
den Verlust ersetzen könnten, sie fühlt sich allein, verlassen
von der Welt – und blind, in die Enge gepreßt von der entsetzlichen Noth ihres Herzens, stürzt sie sich hinunter, um in
einem rings umfangenden Tode alle ihre Qualen zu ersticken. – Sieh Albert, das ist die Geschichte so manches
Menschen! und sag', ist das nicht der Fall der Krankheit? Die
Natur findet keinen Ausweg aus dem Labyrinthe der verworrenen und widersprechenden Kräfte, und der Mensch
muß sterben.

Wehe dem, der zusehen und sagen könnte: Die Thörinn! hätte sie gewartet, hätte sie die Zeit würken lassen, es würde sich die Verzweiflung schon gelegt, es würde sich ein anderer sie zu trösten schon vorgefunden haben.

5 Das ist eben, als wenn einer sagte: der Thor! stirbt am Fieber! hätte er gewartet, bis sich seine Kräfte erhohlt, seine Säfte verbessert, der Tumult seines Blutes gelegt hätten, alles wäre gut gegangen, und er lebte bis auf den heutigen Tag!

Albert, dem die Vergleichung noch nicht anschaulich war,
10 wandte noch einiges ein, und unter andern: ich habe nur von einem einfältigen Mädgen gesprochen, wie denn aber ein Mensch von Verstande, der nicht so eingeschränkt sey, der mehr Verhältnisse übersähe, zu entschuldigen seyn möchte, könne er nicht begreifen. Mein Freund rief ich aus, der
15 Mensch ist Mensch, und das Bißgen Verstand das einer haben mag, kommt wenig oder nicht in Anschlag, wenn Leidenschaft wüthet, und die Gränzen der Menschheit einen drängen. Vielmehr – ein andermal davon, sagt ich, und grif nach meinem Hute. O mir war das Herz so voll – Und wir giengen
20 auseinander, ohne einander verstanden zu haben. Wie denn auf dieser Welt keiner leicht den andern versteht.

am 15. Aug.

Es ist doch gewiß, daß in der Welt den Menschen nichts nothwendig macht als die Liebe. Ich fühl's an Lotten, daß sie
25 mich ungern verlöhre, und die Kinder haben keine andre Idee, als daß ich immer morgen wiederkommen würde. Heut war ich hinausgegangen, Lottens Clavier zu stimmen, ich konnte aber nicht dazu kommen, denn die Kleinen verfolgten mich um ein Mährgen, und Lotte sagte denn selbst,
30 ich sollte ihnen den Willen thun. Ich schnitt ihnen das Abendbrod, das sie nun fast so gerne von mir als von Lotten annehmen und erzählte ihnen das Hauptstückgen von der Prinzeßinn, die von Händen bedient wird. Ich lerne viel dabey, das versichr' ich dich, und ich bin erstaunt, was es auf sie
35 für Eindrükke macht. Weil ich manchmal einen Inzidenz-

Wehe dem! der zusehen und sagen könnte: die Thörinn!
Hätte sie gewartet, hätte sie die Zeit wirken lassen, die Verzweifelung würde sich schon gelegt, es würde sich schon ein
anderer sie zu trösten vorgefunden haben. Das ist eben, als
wenn einer sagte: der Thor, stirbt am Fieber! hätte er gewartet bis seine Kräfte sich erhohlt, seine Säfte sich verbessert, der Tumult seines Blutes sich geleget hätten: alles wäre
gut gegangen, und er lebte bis auf den heutigen Tag.

Albert, dem die Vergleichung noch nicht anschaulich war,
wandte noch einiges ein, und unter andern: ich hätte nur von
einem einfältigen Mädchen gesprochen; wie aber ein Mensch
von Verstande, der nicht so eingeschränkt sey, der mehr Verhältnisse übersehe, zu entschuldigen seyn möchte, könne er
nicht begreifen. – Mein Freund, rief ich aus, der Mensch ist
Mensch, und das bißchen Verstand, das einer haben mag,
kommt wenig oder nicht in Anschlag, wenn Leidenschaft
wüthet und die Gränzen der Menschheit einen drängen.
Vielmehr – Ein andermal davon, sagte ich, und griff nach
meinem Hute. O mir war das Herz so voll, – und wir gingen
aus einander, ohne einander verstanden zu haben. Wie denn
auf dieser Welt keiner leicht den andern versteht.

am 15. Aug.

Es ist doch gewiß, daß in der Welt den Menschen nichts
nothwendig macht, als die Liebe. Ich fühl's an Lotten daß sie
mich ungerne verlöhre, und die Kinder haben keinen andern
Begriff, als daß ich immer morgen wieder kommen würde.
Heute war ich hinaus gegangen, Lottens Clavier zu stimmen,
denn die Kleinen verfolg-
ten mich um ein Mährchen, und Lotte sagte selbst, ich sollte
ihnen den Willen thun. Ich schnitt ihnen das Abendbrod, das
sie nun so gern von mir als von Lotten annehmen und erzählte ihnen das Hauptstückchen von der Prinzessinn die
von Händen bedient wird. Ich lerne viel dabey das versichre
ich dich, und ich bin erstaunt was es auf sie für Eindrücke
macht. Weil ich manchmal einen Incidentpunct erfinden

punkt erfinden muß, den ich bey'm zweytenmal vergesse,
sagen sie gleich, das vorigemal wär's anders gewest, so daß
ich mich jezt übe, sie unveränderlich in einem singenden
Sylbenfall an einem Schnürgen weg zu rezitiren. Ich habe
daraus gelernt wie ein Autor, durch eine zweyte veränderte
Auflage seiner Geschichte, und wenn sie noch so poetisch
besser geworden wäre, nothwendig seinem Buche schaden
muß. Der erste Eindruk findet uns willig, und der Mensch ist
so gemacht, daß man ihm das abenteuerlichste überreden
kann, das haftet aber auch gleich so fest, und wehe dem, der
es wieder auskrazzen und austilgen will.

                                                    am 18. Aug.
Mußte denn das so seyn? daß das, was des Menschen Glükseligkeit macht, wieder die Quelle seines Elends würde.

Das volle warme Gefühl meines Herzens an der lebendigen Natur, das mich mit so viel Wonne überströmte, das
rings umher die Welt mir zu einem Paradiese schuf, wird mir
jezt zu einem unerträglichen Peiniger, zu einem quälenden
Geiste, der mich auf allen Wegen verfolgt. Wenn ich sonst
vom Fels über den Fluß bis zu jenen Hügeln das fruchtbare
Thal überschaute, und alles um mich her keimen und quellen
sah, wenn ich jene Berge, vom Fuße bis auf zum Gipfel, mit
hohen, dichten Bäumen bekleidet, all jene Thäler in ihren
mannichfaltigen Krümmungen von den lieblichsten Wäldern beschattet sah, und der sanfte Fluß zwischen den lispelnden Rohren dahin gleitete, und die lieben Wolken ab-
spiegelte, die der sanfte Abendwind am Himmel herüber
wiegte, wenn ich denn die Vögel um mich, den Wald beleben
hörte, und die Millionen Mükkenschwärme im lezten rothen
Strahle der Sonne muthig tanzten, und ihr lezter zukkender
Blik den summenden Käfer aus seinem Grase befreyte und
das Gewebere um mich her, mich auf den Boden aufmerksam
machte und das Moos, das meinem harten Felsen seine Nahrung abzwingt, und das Geniste, das den dürren Sandhügel

muß, den ich beym zweytenmal vergesse, sagen sie gleich,
das vorigemal wär' es anders gewesen, so daß ich mich jetzt
übe, sie unveränderlich in einem singenden Sylbenfall an
einem Schnürchen weg zu recitiren. Ich habe daraus gelernt
wie ein Autor durch eine zweyte veränderte Ausgabe seiner
Geschichte, und wenn sie poetisch noch so besser geworden
wäre, nothwendig seinem Buche schaden muß. Der erste
Eindruck findet uns willig und der Mensch ist gemacht daß
man ihn das abentheuerlichste überreden kann; das haftet
aber auch gleich so fest, und wehe dem, der es wieder aus-
kratzen und austilgen will!

am 18. Aug.

Mußte denn das so seyn, daß das, was des Menschen Glückseligkeit macht, wieder die Quelle seines Elendes würde?

Das volle warme Gefühl meines Herzens an der lebendigen Natur, das mich mit so vieler Wonne überströmte, das
rings umher die Welt mir zu einem Paradiese schuf, wird mir
jetzt zu einem unerträglichen Peiniger, zu einem quälenden
Geist, der mich auf allen Wegen verfolgt. Wenn ich sonst
vom Felsen über den Fluß bis zu jenen Hügeln das fruchtbare Thal überschaute und alles um mich her keimen und
quellen sah; wenn ich jene Berge vom Fuße bis zum Gipfel
mit hohen dichten Bäumen bekleidet, jene Thäler in ihren
mannichfaltigen Krümmungen von den lieblichsten Wäldern beschattet sah, und der sanfte Fluß zwischen den lispelnden Röhren dahin gleitete und die lieben Wolken ab-
spiegelte, die der sanfte Abendwind am Himmel herüber
wiegte; wenn ich dann die Vögel um mich den Wald beleben
hörte, und die Millionen Mückenschwärme im letzten rothen
Strahle der Sonne muthig tanzten, und ihr letzter zuckender
Blick den summenden Käfer aus seinem Grase befreyte; und
das Schwirren und Weben um mich her mich auf den Boden
aufmerksam machte, und das Moos, das meinem harten
Felsen seine Nahrung abzwingt, und das Geniste das den

hinunter wächst, mir alles das innere glühende, heilige Leben
der Natur eröfnete, wie umfaßt ich das all mit warmen Herzen, verlohr mich in der unendlichen Fülle, und die herrlichen Gestalten der unendlichen Welt bewegten sich alllebend
5 in meiner Seele. Ungeheure Berge umgaben mich, Abgründe
lagen vor mir, und Wetterbäche stürzten herunter, die Flüsse
strömten unter mir, und Wald und Gebürg erklang. Und ich
sah sie würken und schaffen in einander in den Tiefen der
Erde, all die Kräfte unergründlich. Und nun über der Erde
10 und unter dem Himmel wimmeln die Geschlechter der Geschöpfe all, und alles, alles bevölkert mit tausendfachen Gestalten, und die Menschen dann sich in Häuslein zusammen
sichern, und sich annisten, und herrschen in ihrem Sinne über
die weite Welt! Armer Thor, der du alles so gering achtest,
15 weil du so klein bist. Vom unzugänglichen Gebürge über die
Einöde, die kein Fuß betrat, bis ans Ende des unbekannten
Ozeans, weht der Geist des Ewigschaffenden und freut sich
jedes Staubs, der ihn vernimmt und lebt. Ach damals, wie oft
hab ich mich mit Fittigen eines Kranichs, der über mich hin-
20 flog, zu dem Ufer des ungemessenen Meeres gesehnt, aus
dem schäumenden Becher des Unendlichen, jene schwellende Lebenswonne zu trinken, und nur einen Augenblick in
der eingeschränkten Kraft meines Busens einen Tropfen der
Seligkeit des Wesens zu fühlen, das alles in sich und durch
25 sich hervorbringt.

Bruder, nur die Erinnerung jener Stunden macht mir
wohl, selbst diese Anstrengung, jene unsäglichen Gefühle
zurük zu rufen, wieder auszusprechen, hebt meine Seele über
sich selbst, und läßt mir dann das Bange des Zustands dop-
30 pelt empfinden, der mich jezt umgiebt.

Es hat sich vor meiner Seele wie ein Vorhang weggezogen,
und der Schauplatz des unendlichen Lebens verwandelt sich
vor mir in den Abgrund des ewig offnen Grabs. Kannst du
sagen: Das ist! da alles vorübergeht, da alles mit der Wet-
35 terschnelle vorüber rollt, so selten die ganze Kraft seines
Daseyns ausdauert, ach in den Strom fortgerissen, unterge-
taucht und an Felsen zerschmettert wird. Da ist kein Augen-

dürren Sandhügel hinunter wächst, mir das innere glühende
heilige Leben der Natur eröffnete: wie faßte ich das alles in
mein warmes Herz, fühlte mich in der überfließenden Fülle wie
vergöttert, und die herrlichen Gestalten der unendlichen Welt
bewegten sich allbelebend in meiner Seele. Ungeheure Berge
umgaben mich, Abgründe lagen vor mir, und Wetterbäche
stürzten herunter, die Flüsse strömten unter mir und Wald
und Gebirg erklang; und ich sah' sie wirken und schaffen in
einander in den Tiefen der Erde, alle die unergründlichen
Kräfte; und nun über der Erde und unter dem Himmel wimmeln die Geschlechter der mannichfaltigen Geschöpfe. Alles,
alles bevölkert mit tausendfachen Gestalten; und die Menschen dann sich in Häuslein zusammen sichern, und sich annisten und herrschen in ihrem Sinne über die weite Welt! Armer Thor! der du alles so geringe achtest, weil du so klein bist. –
Vom unzugänglichen Gebirge über die Einöde die kein Fuß
betrat, bis ans Ende des unbekannten Oceans weht der Geist
des Ewigschaffenden, und freut sich jedes Staubes der ihn
vernimmt und lebt. – Ach damals, wie oft habe ich mich mit
Fittigen eines Kranichs, der über mich hinflog, zu dem Ufer
des ungemessenen Meeres gesehnt, aus dem schäumenden
Becher des Unendlichen jene schwellende Lebenswonne zu
trinken, und nur einen Augenblick, in der eingeschränkten
Kraft meines Busens, einen Tropfen der Seligkeit des Wesens
zu fühlen, das alles in sich und durch sich hervorbringt.

    Bruder, nur die Erinnerung jener Stunden macht mir
wohl. Selbst diese Anstrengung, jene unsäglichen Gefühle
zurück zu rufen, wieder auszusprechen, hebt meine Seele
über sich selbst, und läßt mich dann das Bange des Zustandes
doppelt empfinden, der mich jetzt umgibt.

    Es hat sich vor meiner Seele wie ein Vorhang weggezogen,
und der Schauplatz des unendlichen Lebens verwandelt sich
vor mir in den Abgrund des ewigoffenen Grabes. Kannst du
sagen: Das *ist*! da alles vorüber geht? da alles mit der Wet-
terschnelle vorüber rollt, so selten die ganze Kraft seines
Daseyns ausdauert, ach! in den Strom fortgerissen, unter-
getaucht und an Felsen zerschmettert wird; Da ist kein Au-

blik, der nicht dich verzehrte und die Deinigen um dich her,
kein Augenblik, da du nicht ein Zerstöhrer bist, seyn mußt.
Der harmloseste Spaziergang kostet tausend tausend armen
Würmgen das Leben, es zerrüttet ein Fustritt die mühseligen
5 Gebäude der Ameisen, und stampft eine kleine Welt in ein
schmähliches Grab. Ha! nicht die große seltene Noth der
Welt, diese Fluthen, die eure Dörfer wegspülen, diese Erdbeben, die eure Städte verschlingen, rühren mich. Mir untergräbt das Herz die verzehrende Kraft, die im All der Na-
10 tur verborgen liegt, die nichts gebildet hat, das nicht seinen
Nachbar, nicht sich selbst zerstörte. Und so taumele ich
beängstet! Himmel und Erde und all die webenden Kräfte
um mich her! Ich sehe nichts, als ein ewig verschlingendes,
ewig wiederkäuendes Ungeheur.

15   am 21. Aug.
Umsonst strekke ich meine Arme nach ihr aus, Morgens
wenn ich von schweren Träumen aufdämmere, vergebens
such ich sie Nachts in meinem Bette, wenn mich ein glüklicher unschuldiger Traum getäuscht hat, als säß ich neben ihr
20 auf der Wiese, und hielte ihre Hand und dekte sie mit tausend
Küssen. Ach wenn ich denn noch halb im Taumel des Schlafs
nach ihr tappe, und drüber mich ermuntere – Ein Strom von
Thränen bricht aus meinem gepreßten Herzen, und ich weine
trostlos einer finstern Zukunft entgegen.

25   am 22. Aug.
Es ist ein Unglük, Wilhelm! all meine thätigen Kräfte sind zu
einer unruhigen Lässigkeit verstimmt, ich kann nicht müssig
seyn und wieder kann ich nichts thun. Ich hab keine Vorstellungskraft, kein Gefühl an der Natur und die Bücher
30 speien mich alle an. Wenn wir uns selbst fehlen, fehlt uns
doch alles. Ich schwöre Dir, manchmal wünschte ich ein
Taglöhner zu seyn, um nur des Morgens bey'm Erwachen

genblick, der nicht dich verzehrte und die Deinigen um dich
her, kein Augenblick, da du nicht ein Zerstörer bist, seyn
mußt; der harmloseste Spaziergang kostet tausend armen
Würmchen das Leben, es zerrüttet Ein Fußtritt die mühseligen Gebäude der Ameisen, und stampft eine kleine Welt in   5
ein schmähliches Grab. Ha! nicht die große seltne Noth der
Welt, diese Fluthen   diese Erdbeben, die eure Städte verschlingen, rühren mich; mir untergräbt das Herz die verzehrende Kraft die in dem All der
Natur verborgen liegt; die nichts gebildet hat, das nicht sei-   10
nen Nachbar, nicht sich selbst zerstörte. Und so taumle ich
beängstigt. Himmel und Erde und ihre webenden Kräfte um
mich her: Ich sehe nichts als ein ewig verschlingendes, ewig
wiederkäuendes Ungeheuer.

am 21. Aug.   15

Umsonst strecke ich meine Arme nach ihr aus, Morgens,
wenn ich von schweren Träumen aufdämmre, vergebens suche ich sie Nachts in meinem Bette, wenn mich ein glücklicher unschuldiger Traum getäuscht hat, als säß' ich neben ihr
auf der Wiese und hielte ihre Hand und deckte sie mit tau-   20
send Küssen. Ach wann ich dann noch halb im Taumel des
Schlafes nach ihr tappe, und drüber mich ermuntere – ein
Strom von Thränen bricht aus meinem gepreßten Herzen,
und ich weine trostlos einer finstern Zukunft entgegen.

am 22. Aug.   25

Es ist ein Unglück Wilhelm, meine thätigen Kräfte sind zu
einer unruhigen Lässigkeit verstimmt, ich kann nicht müßig
seyn und kann doch auch nichts thun. Ich habe keine Vorstellungskraft, kein Gefühl an der Natur und die Bücher
eckeln mich an. Wenn wir uns selbst fehlen, fehlt uns doch   30
alles. Ich schwöre dir, manchmal wünschte ich ein Tagelöh-
ner zu seyn, um nur des Morgens beym Erwachen eine Aus-

eine Aussicht auf den künftigen Tag, einen Drang, eine Hofnung zu haben. Oft beneid ich Alberten, den ich über die
Ohren in Akten begraben sehe, und bilde mir ein: mir wär's
wohl, wenn ich an seiner Stelle wäre! Schon etlichemal ist
5   mir's so aufgefahren, ich wollte Dir schreiben und dem Minister, und um die Stelle bey der Gesandtschaft anhalten, die,
wie Du versicherst, mir nicht versagt werden würde. Ich
glaube es selbst, der Minister liebt mich seit lange, hatte lange
mir angelegen, ich sollte mich employiren, und eine Stunde
10 ist mir's auch wohl drum zu thun; hernach, wenn ich so
wieder dran denke, und mir die Fabel vom Pferde einfällt,
das seiner Freyheit ungedultig, sich Sattel und Zeug auflegen
läßt, und zu Schanden geritten wird. Ich weis nicht, was ich
soll – Und mein Lieber! Ist nicht vielleicht das Sehnen in mir
15 nach Veränderung des Zustands, eine innre unbehagliche
Ungedult, die mich überall hin verfolgen wird?

                                          am 28. Aug.
Es ist wahr, wenn meine Krankheit zu heilen wäre, so würden diese Menschen es thun. Heut ist mein Geburtstag, und
20 in aller Frühe empfang ich ein Päkgen von Alberten. Mir fällt
bey'm Eröfnen sogleich eine der blaßrothen Schleifen in die
Augen, die Lotte vorhatte, als ich sie kennen lernte, und um
die ich sie seither etlichemal gebeten hatte. Es waren zwey
Büchelgen in duodez dabey, der kleine Wetsteinische Homer,
25 ein Büchelgen, nach dem ich so oft verlangt, um mich auf
dem Spaziergange mit dem Ernestischen nicht zu schleppen.
Sieh! so kommen sie meinen Wünschen zuvor, so suchen sie
all die kleinen Gefälligkeiten der Freundschaft auf, die tausendmal werther sind als jene blendende Geschenke, wo-
30 durch uns die Eitelkeit des Gebers erniedrigt. Ich küsse diese
Schleife tausendmal, und mit jedem Athemzuge schlürfe ich
die Erinnerung jener Seligkeiten ein, mit denen mich jene
wenige, glückliche unwiederbringliche Tage überfüllten.
Wilhelm es ist so, und ich murre nicht, die Blüthen des Le-
35 bens sind nur Erscheinungen! wie viele gehn vorüber, ohne

sicht auf den künftigen Tag, einen Drang, eine Hoffnung zu
haben. Oft beneide ich Alberten, den ich über die Ohren in
Acten vergraben sehe, und bilde mir ein, mir wäre wohl,
wenn ich an seiner Stelle wäre! Schon etlichemal ist mirs so
aufgefahren ich wollte dir schreiben und dem Minister, um   5
die Stelle bey der Gesandtschaft anzuhalten, die, wie du versicherst mir nicht versagt werden würde. Ich glaube es selbst.
Der Minister liebt mich seit langer Zeit, hatte lange mir angelegen, ich sollte mich irgend einem Geschäfte widmen; und
eine Stunde ist mirs auch wohl drum zu thun. Hernach wenn   10
ich wieder dran denke, und mir die Fabel vom Pferde einfällt,
das seiner Freyheit ungeduldig sich Sattel und Zeug auflegen
läßt, und zu schanden geritten wird; – ich weiß nicht was ich
soll – Und, mein Lieber! ist nicht vielleicht das Sehnen in mir
nach Veränderung des Zustandes eine innere unbehagliche   15
Ungeduld, die mich überall hin verfolgen wird?

                                        am 28. Aug.

Es ist wahr, wenn meine Krankheit zu heilen wäre, so würden diese Menschen es thun. Heute ist mein Geburtstag, und
in aller Frühe empfange ich ein Päckchen von Alberten. Mir 20
fällt beym Eröffnen sogleich eine der blaßrothen Schleifen in
die Augen, die Lotte vor hatte, als ich sie kennen lernte, und
um die ich sie seither etlichemal gebeten hatte. Es waren
zwey Büchelchen in Duodez dabey, der kleine Wetsteinische
Homer, eine Ausgabe nach der ich so oft verlangt, um mich   25
auf dem Spatziergange mit dem Ernestischen nicht zu schleppen. Sieh so kommen sie meinen Wünschen zuvor, so suchen
sie alle die kleinen Gefälligkeiten der Freundschaft auf, die
tausendmal werther sind als jene blendende Geschenke, wodurch uns die Eitelkeit des Gebers erniedrigt. Ich küsse diese 30
Schleife tausendmal, und mit jedem Athemzuge schlürfe ich
die Erinnerung jener Seligkeiten ein, mit denen mich jene
wenige, glückliche, unwiederbringliche Tage überfüllten.
Wilhelm, es ist so, und ich murre nicht, die Blüthen des
Lebens sind nur Erscheinungen! Wie viele gehen vorüber   35

eine Spur hinter sich zu lassen, wie wenige sezzen Frucht an,
und wie wenige dieser Früchte werden reif. Und doch sind
deren noch genug da, und doch – O mein Bruder! können wir
gereifte Früchte vernachlässigen, verachten, ungenossen
verwelken und verfaulen lassen?

Lebe wohl! Es ist ein herrlicher Sommer, ich sizze oft auf
den Obstbäumen in Lottens Baumstük mit dem Obstbrecher
der langen Stange, und hole die Birn aus dem Gipfel. Sie
steht unten und nimmt sie ab, wenn ich sie ihr hinunter lasse.

unhappy)

am 30. Aug.

Unglüklicher! Bist du nicht ein Thor? Betrügst du dich nicht
selbst? Was soll all diese tobende endlose Leidenschaft? Ich
habe kein Gebet mehr, als an sie, meiner Einbildungskraft
erscheint keine andere Gestalt als die ihrige, und alles in der
Welt um mich her, sehe ich nur im Verhältnisse mit ihr. Und
das macht mir denn so manche glükliche Stunde – Bis ich
mich wieder von ihr losreißen muß, ach Wilhelm, wozu mich
mein Herz oft drängt! – Wenn ich so bey ihr gesessen bin,
zwey, drey Stunden, und mich an der Gestalt, an dem Betragen, an dem himmlischen Ausdruk ihrer Worte geweidet
habe, und nun so nach und nach alle meine Sinnen aufgespannt werden, mir's düster vor den Augen wird, ich kaum
was noch höre, und mich's an die Gurgel faßt, wie ein
Meuchelmörder, dann mein Herz in wilden Schlägen den
bedrängten Sinnen Luft zu machen sucht und ihre Verwirrung vermehrt. Wilhelm, ich weis oft nicht, ob ich auf der
Welt bin! Und wenn nicht manchmal die Wehmuth das
Uebergewicht nimmt, und Lotte mir den elenden Trost erlaubt, auf ihrer Hand meine Beklemmung auszuweinen, so
muß ich fort! Muß hinaus! Und schweife dann weit im Felde
umher. Einen gähen Berg zu klettern, ist dann meine Freude,
durch einen unwegsamen Wald einen Pfad durchzuarbeiten,
durch die Hekken die mich verlezzen, durch die Dornen die
mich zerreissen! Da wird mir's etwas besser! Etwas! Und

ohne eine Spur hinter sich zu lassen, wie wenige setzen
Frucht an, und wie wenige dieser Früchte werden reif! Und
doch sind deren noch genug da; und doch – O mein Bruder! –
können wir gereifte Früchte vernachlässigen, verachten, ungenossen verfaulen lassen?

Lebe wohl! Es ist ein herrlicher Sommer; ich sitze oft auf
den Obstbäumen in Lottens Baumstück mit dem Obstbrecher der langen Stange und hohle die Birnen aus dem Gipfel.
Sie steht unten und nimmt sie ab wenn ich sie ihr herunter
lasse.

am 30. Aug.

Unglücklicher! Bist du nicht ein Thor? betrügst du dich nicht
selbst? Was soll diese tobende, endlose Leidenschaft? Ich
habe kein Gebeth mehr, als an sie; meiner Einbildungskraft
erscheint keine andere Gestalt, als die ihrige, und alles in der
Welt um mich her sehe ich nur im Verhältnisse mit ihr. Und
das macht mir denn so manche glückliche Stunde – bis ich
mich wieder von ihr losreissen muß! Ach Wilhelm! wozu
mich mein Herz oft drängt! – Wenn ich bey ihr gesessen bin,
zwey drey Stunden, und mich an ihrer Gestalt, an ihrem Betragen, an dem himmlischen Ausdruck ihrer Worte geweidet
habe, nach und nach alle meine Sinnen aufgespannt werden,
mir es düster vor den Augen wird, ich kaum noch höre, und
es mich an die Gurgel faßt, wie ein Meuchelmörder, dann
mein Herz in wilden Schlägen den bedrängten Sinnen Luft
zu machen sucht, und ihre Verwirrung nur vermehrt – Wilhelm, ich weiß oft nicht ob ich auf der Welt bin! Und, – wenn
nicht manchmal die Wehmuth das Übergewicht nimmt, und
Lotte mir den elenden Trost erlaubt, auf ihrer Hand meine
Beklemmung auszuweinen, – so muß ich fort, muß hinaus!
und schweife dann weit im Feld' umher; einen gähen Berg zu
klettern, ist dann meine Freude, durch einen unwegsamen
Wald einen Pfad durch zu arbeiten, durch die Hecken, die
mich verletzen, durch die Dornen die mich zerreissen! Da
wird mirs etwas besser! Etwas! Und wenn ich für Müdigkeit

wenn ich für Müdigkeit und Durst manchsmal unterwegs
liegen bleibe, manchmal in der tiefen Nacht, wenn der hohe
Vollmond über mir steht, im einsamen Walde auf einem
krumgewachsnen Baum mich sezze, um meinen verwundeten Solen nur einige Linderung zu verschaffen, und dann in
einer ermattenden Ruhe in dem Dämmerscheine hinschlummre! O Wilhelm! Die einsame Wohnung einer Zelle,
das härne Gewand und der Stachelgürtel, wären Labsale,
nach denen meine Seele schmachtet. Adieu. Ich seh all dieses
Elends kein Ende als das Grab.

am 3. Sept.

Ich muß fort! ich danke Dir, Wilhelm, daß Du meinen wankenden Entschluß bestimmt hast. Schon vierzehn Tage geh
ich mit dem Gedanken um, sie zu verlassen. Ich muß. Sie ist
wieder in der Stadt bey einer Freundinn. Und Albert – und –
ich muß fort.

am 10. Sept.

Das war eine Nacht! Wilhelm, nun übersteh ich alles. Ich
werde sie nicht wiedersehn. O daß ich nicht an Deinen Hals
fliegen, Dir mit tausend Thränen und Entzükkungen ausdrükken kann, mein Bester, all die Empfindungen, die mein
Herz bestürmen. Hier sizz ich und schnappe nach Luft, suche
mich zu beruhigen, und erwarte den Morgen, und mit Son-
nen Aufgang sind die Pferde bestellt.

Ach sie schläft ruhig und denkt nicht, daß sie mich nie
wieder sehen wird. Ich habe mich losgerissen, bin stark genug gewesen, in einem Gespräche von zwey Stunden mein
Vorhaben nicht zu verrathen. Und Gott, welch ein Gespräch!

Albert hatte mir versprochen, gleich nach dem Nachtessen
mit Lotten im Garten zu seyn. Ich stand auf der Terasse unter
den hohen Castanienbäumen, und sah der Sonne nach, die
mir nun zum letztenmal über dem lieblichen Thale, über dem

und Durst manchmal unterwegs liegen bleibe, manchmal in
der tiefen Nacht, wann der hohe Vollmond über mir steht, im
einsamen Walde, auf einen krummgewachsenen Baum mich
setze, um meinen verwundeten Sohlen nur einige Linderung
zu verschaffen, und dann in einer ermattenden Ruhe in dem
Dämmerschein hinschlummre! O Wilhelm! die einsame
Wohnung einer Zelle, das härene Gewand und der Stachelgürtel wären Labsale nach denen meine Seele schmachtet.
Adieu! Ich sehe dieses Elendes kein Ende als das Grab.

am 3. Sept.

Ich muß fort! Ich danke dir Wilhelm, daß du meinen wankenden Entschluß bestimmt hast. Schon vierzehn Tage gehe
ich mit dem Gedanken um, sie zu verlassen. Ich muß fort. Sie
ist wieder in der Stadt bey einer Freundinn. Und Albert –
und – ich muß fort!

am 10. Sept.

Das war eine Nacht! Wilhelm! nun überstehe ich alles. Ich
werde sie nicht wieder sehn! O daß ich nicht an deinen Hals
fliegen, dir mit tausend Thränen und Entzückungen ausdrücken kann mein Bester, die Empfindungen, die mein
Herz bestürmen! Hier sitze ich und schnappe nach Luft, suche mich zu beruhigen, erwarte den Morgen und mit Sonnenaufgang sind die Pferde bestellt.

Ach sie schläft ruhig und denkt nicht daß sie mich nie
wieder sehen wird. Ich habe mich los gerissen, bin stark
genug gewesen in einem Gespräch von zwey Stunden mein
Vorhaben nicht zu verrathen. Und Gott, welch ein Gespräch!

Albert hatte mir versprochen gleich nach dem Nachtessen
mit Lotten im Garten zu seyn. Ich stand auf der Terrasse
unter den hohen Kastanienbäumen und sah der Sonne nach,
die mir nun zum letztenmale über dem lieblichen Thale, über

sanften Flusse untergieng. So oft hatte ich hier gestanden mit ihr, und eben dem herrlichen Schauspiele zugesehen und nun – Ich gieng in der Allee auf und ab, die mir so lieb war, ein geheimer sympathetischer Zug hatte mich hier so oft gehal-
5   ten, eh ich noch Lotten kannte, und wie freuten wir uns, als im Anfange unserer Bekanntschaft wir die wechselseitige Neigung zu dem Pläzgen entdekten, das wahrhaftig eins der romantischten ist, die ich von der Kunst habe hervorgebracht gesehen.
10   Erst hast du zwischen den Castanienbäumen die weite Aussicht – – Ach ich erinnere mich, ich habe dir, denk ich, schon viel geschrieben davon, wie hohe Buchenwände einen endlich einschliessen und durch ein daran stoßendes Bosquet die Allee immer düstrer wird, bis zuletzt alles sich in ein
15   geschlossenes Pläzgen endigt, das alle Schauer der Einsamkeit umschweben. Ich fühl es noch wie heimlich mir's ward, als ich zum erstenmal an einem hohen Mittage hinein trat, ich ahndete ganz leise, was das noch für ein Schauplaz werden sollte von Seligkeit und Schmerz.
20   Ich hatte mich etwa eine halbe Stunde in denen schmachtenden süssen Gedanken des Abscheidens, des Wiedersehns geweidet; als ich sie die Terasse herauf steigen hörte, ich lief ihnen entgegen, mit einem Schauer faßt ich ihre Hand und küßte sie. Wir waren eben herauf getreten, als der Mond
25   hinter dem büschigen Hügel aufgieng, wir redeten mancherley und kamen unvermerkt dem düstern Cabinette näher. Lotte trat hinein und sezte sich, Albert neben sie, ich auch, doch, meine Unruhe lies mich nicht lange sizzen, ich stand auf, trat vor sie, gieng auf und ab, sezte mich wieder, es
30   war ein ängstlicher Zustand. Sie machte uns aufmerksam auf die schöne Würkung des Mondenlichts, das am Ende der Buchenwände die ganze Terasse vor uns erleuchtete, ein herrlicher Anblik, der um so viel frappanter war, weil uns rings eine tiefe Dämmerung einschloß. Wir waren still, und
35   sie fieng nach einer Weile an: Niemals geh ich im Mondenlichte spazieren, niemals daß mir nicht der Gedanke an meine Verstorbenen begegnete, daß nicht das Gefühl von Tod, von

dem sanften Fluß unterging. So oft hatte ich hier gestanden
mit ihr und eben dem herrlichen Schauspiele zugesehen, und
nun – Ich ging in der Allee auf und ab, die mir so lieb war; ein
geheimer sympathetischer Zug hatte mich hier so oft gehalten, ehe ich noch Lotten kannte, und wie freuten wir uns als   5
wir im Anfang unserer Bekanntschaft die wechselseitige Neigung zu diesem Plätzchen entdeckten! das wahrhaftig eins
von den romantischten ist, die ich von der Kunst hervor
gebracht gesehen habe.

Erst hast du zwischen Kastanienbäumen die weite Aus-   10
sicht – Ach ich erinnere mich, ich habe dir, denk' ich, schon
viel davon geschrieben, wie hohe Buchenwände einen endlich einschließen, und durch ein daran stoßendes Bosket die
Allee immer düsterer wird, bis zuletzt alles sich in ein geschlossenes Plätzchen endigt, das alle Schauer der Einsam-   15
keit umschweben. Ich fühle es noch wie heimlich mirs war,
als ich zum erstenmale an einem hohen Mittage hinein trat;
ich ahndete ganz leise, was für ein Schauplatz das noch werden sollte von Seligkeit und Schmerz.

Ich hatte mich etwa eine halbe Stunde in den schmachten-   20
den süßen Gedanken des Abscheidens, des Wiedersehens
geweidet, als ich sie die Terrasse herauf steigen hörte. Ich lief
ihnen entgegen, mit einem Schauer faßte ich ihre Hand und
küßte sie. Wir waren eben herauf getreten, als der Mond
hinter dem buschigen Hügel aufging; wir redeten mancher-   25
ley und kamen unvermerkt dem düstern Cabinette näher.
Lotte trat hinein und setzte sich, Albert neben sie, ich auch;
doch meine Unruhe ließ mich nicht lange sitzen; ich stand
auf, trat vor sie, ging auf und ab, setzte mich wieder: es war
ein ängstlicher Zustand. Sie machte uns aufmerksam auf die   30
schöne Wirkung des Mondenlichtes, das am Ende der Buchenwände die ganze Terrasse vor uns erleuchtete: ein herrlicher Anblick, der um so viel frappanter war, weil uns rings
eine tiefe Dämmerung einschloß. Wir waren still und sie fing
nach einer Weile an: Niemals gehe ich im Mondenlichte spat-   35
zieren, niemals, daß mir nicht der Gedanke an meine Verstorbenen begegnete, daß nicht das Gefühl von Tod, von

Zukunft über mich käme. Wir werden seyn, fuhr sie mit der
Stimme des herrlichsten Gefühls fort, aber Werther, sollen
wir uns wieder finden? und wieder erkennen? Was ahnden
sie, was sagen sie?

5   Lotte, sagt ich, indem ich ihr die Hand reichte und mir die
Augen voll Thränen wurden, wir werden uns wieder sehn!
Hier und dort wieder sehn! – Ich konnte nicht weiter reden –
Wilhelm, mußte sie mich das fragen? da ich diesen ängst-
lichen Abschied im Herzen hatte.

10   Und ob die lieben Abgeschiednen von uns wissen, fuhr sie
fort, ob sie fühlen, wann's uns wohl geht, daß wir mit warmer Liebe uns ihrer erinnern? O die Gestalt meiner Mutter
schwebt immer um mich, wenn ich so am stillen Abend,
unter ihren Kindern, unter meinen Kindern sizze, und sie um
15   mich versammlet sind, wie sie um sie versammlet waren.
Wenn ich so mit einer sehnenden Thräne gen Himmel sehe,
und wünsche: daß sie herein schauen könnte einen Augenblik, wie ich mein Wort halte, das ich ihr in der Stunde des
Todes gab: die Mutter ihrer Kinder zu seyn. Hundertmal ruf
20   ich aus: Verzeih mir's, Theuerste, wenn ich ihnen nicht bin,
was du ihnen warst. Ach! thu ich doch alles was ich kann, sind
sie doch gekleidet, genährt, ach und was mehr ist als das alles,
gepflegt und geliebet. Könntest du unsere Eintracht sehn,
liebe Heilige! du würdest mit dem heissesten Danke den
25   Gott verherrlichen, den du mit den lezten bittersten Thränen
um die Wohlfahrt deiner Kinder batst. Sie sagte das! O Wilhelm! wer kann wiederholen was sie sagte, wie kann der kalte
todte Buchstabe diese himmlische Blüthe des Geistes darstellen. Albert fiel ihr sanft in die Rede: es greift sie zu stark
30   an, liebe Lotte, ich weis, ihre Seele hängt sehr nach diesen
Ideen, aber ich bitte sie – O Albert, sagte sie, ich weis, du
vergißt nicht die Abende, da wir zusammen saßen an dem
kleinen runden Tischgen, wenn der Papa verreist war, und
wir die Kleinen schlafen geschikt hatten. Du hattest oft ein
35   gutes Buch, und kamst so selten dazu etwas zu lesen. War der
Umgang dieser herrlichen Seele nicht mehr als alles! die
schöne, sanfte, muntere und immer thätige Frau! Gott kennt

Zukunft über mich käme. Wir werden seyn! fuhr sie mit der
Stimme des herrlichsten Gefühls fort; aber Werther sollen
wir uns wieder finden? wieder erkennen? was ahnden Sie?
was sagen Sie?

Lotte, sagte ich, indem ich ihr die Hand reichte, und mir
die Augen voll Thränen wurden, wir werden uns wieder
sehen! hier und dort wieder sehen! – Ich konnte nicht weiter
reden – Wilhelm, mußte sie mich das fragen da ich diesen
ängstlichen Abschied im Herzen hatte!

Und ob die lieben Abgeschiedenen von uns wissen, fuhr
sie fort, ob sie fühlen wenns uns wohl geht, daß wir mit
warmer Liebe uns ihrer erinnern? O! die Gestalt meiner Mutter schwebt immer um mich, wenn ich am stillen Abend unter
ihren Kindern, unter meinen Kindern sitze, und sie um mich
versammlet sind, wie sie um sie versammlet waren. Wenn ich
dann mit einer sehnenden Thräne gen Himmel sehe, und
wünsche, daß sie herein schauen könnte einen Augenblick,
wie ich mein Wort halte, das ich ihr in der Stunde des Todes
gab: die Mutter ihrer Kinder zu seyn. Mit welcher Empfindung rufe ich aus: Verzeihe mirs, Theuerste, wenn ich ihnen
nicht bin was du ihnen warst. Ach! thue ich doch alles was ich
kann; sind sie doch gekleidet, genährt, ach, und was mehr ist
als das alles, gepflegt und geliebt. Könntest du unsere Eintracht sehen, liebe Heilige! du würdest mit dem heißesten
Danke den Gott verherrlichen, den du mit den letzten bittersten Thränen um die Wohlfahrt deiner Kinder batest. –

Sie sagte das! o Wilhelm, wer kann wiederhohlen was sie
sagte! wie kann der kalte, todte Buchstabe diese himmlische
Blüthe des Geistes darstellen! Albert fiel ihr sanft in die Rede:
Es greift Sie zu stark an, liebe Lotte! ich weiß, Ihre Seele
hängt sehr nach diesen Ideen, aber ich bitte Sie – O Albert,
sagte sie, ich weiß, du vergißt nicht die Abende, da wir zusammen saßen an dem kleinen runden Tischchen, wenn der
Papa verreist war, und wir die Kleinen schlafen geschickt
hatten. Du hattest oft ein gutes Buch und kamst so selten
dazu etwas zu lesen – War der Umgang dieser herrlichen
Seele nicht mehr als alles? die schöne, sanfte, muntere und

meine Thränen, mit denen ich mich oft in meinem Bette vor
ihn hinwarf: er möchte mich ihr gleich machen.

Lotte! rief ich aus, indem ich mich vor sie hinwarf, ihre
5 Hände nahm und mit tausend Thränen nezte. Lotte, der Segen Gottes ruht über dir, und der Geist deiner Mutter! –
Wenn sie sie gekannt hätten! sagte sie, indem sie mir die
Hand drükte, – sie war werth, von ihnen gekannt zu seyn. –
Ich glaubte zu vergehen, nie war ein grösseres, stolzeres
10 Wort über mich ausgesprochen worden, und sie fuhr fort:
und diese Frau mußte in der Blüthe ihrer Jahre dahin, da ihr
jüngster Sohn nicht sechs Monathe alt war. Ihre Krankheit
dauerte nicht lange, sie war ruhig, resignirt, nur ihre Kinder
thaten ihr weh, besonders das kleine. Wie es gegen das Ende
15 gieng, und sie zu mir sagte: Bring mir sie herauf, und wie ich
sie herein führte, die kleinen die nicht wußten, und die ältesten die ohne Sinne waren, wie sie um's Bett standen, und
wie sie die Hände aufhub und über sie betete, und sie küßte
nach einander und sie wegschikte, und zu mir sagte: Sey ihre
20 Mutter! Ich gab ihr die Hand drauf! Du versprichst viel,
meine Tochter, sagte sie, das Herz einer Mutter und das Aug
einer Mutter! Ich hab oft an deinen dankbaren Thränen gesehen, daß du fühlst was das sey. Hab es für deine Geschwister, und für deinen Vater, die Treue, den Gehorsam
25 einer Frau. Du wirst ihn trösten. Sie fragte nach ihm, er war
ausgegangen, um uns den unerträglichen Kummer zu verbergen, den er fühlte, der Mann war ganz zerrissen.

Albert, du warst im Zimmer! Sie hörte jemand gehn, und
30 fragte, und forderte dich zu ihr. Und wie sie dich ansah und
mich, mit dem getrösteten ruhigen Blikke, daß wir glüklich
seyn, zusammen glüklich seyn würden. Albert fiel ihr um den
Hals und küßte sie, und rief: wir sinds! wir werdens seyn.
Der ruhige Albert war ganz aus seiner Fassung, und ich
35 wußte nichts von mir selber.

Werther, fieng sie an, und diese Frau sollte dahin seyn!
Gott, wenn ich manchmal so denke, wie man das Liebste

immer thätige Frau! Gott kennt meine Thränen, mit denen ich mich oft in meinem Bette vor ihn hinwarf: er möchte mich ihr gleich machen.

Lotte! rief ich aus, indem ich mich vor sie hinwarf, ihre Hand nahm und mit tausend Thränen netzte, Lotte! der Segen Gottes ruht über dir, und der Geist deiner Mutter! – Wenn Sie sie gekannt hätten, sagte sie, indem sie mir die Hand drückte, – sie war werth von Ihnen gekannt zu seyn! – Ich glaubte zu vergehen. Nie war ein größeres stolzeres Wort über mich ausgesprochen worden – und sie fuhr fort: Und diese Frau mußte in der Blüthe ihrer Jahre dahin, da ihr jüngster Sohn nicht sechs Monate alt war! Ihre Krankheit dauerte nicht lange; sie war ruhig, hingegeben, nur ihre Kinder thaten ihr weh, besonders das Kleine. Wie es gegen das Ende ging, und sie zu mir sagte: Bringe mir sie herauf, und wie ich sie herein führte, die Kleinen die nicht wußten, und die Ältesten die ohne Sinne waren, wie sie um's Bette standen, und wie sie die Hände aufhob und über sie bethete, und sie küßte nach einander und sie wegschickte, und zu mir sagte: Sey ihre Mutter! Ich gab ihr die Hand drauf. Du versprichst viel meine Tochter, sagte sie, das Herz einer Mutter und das Aug' einer Mutter. Ich habe oft an deinen dankbaren Thränen gesehen, daß du fühlst was das sey. Habe es für deine Geschwister, und für deinen Vater: die Treue und den Gehorsam einer Frau. Du wirst ihn trösten. Sie fragte nach ihm, er war ausgegangen, um uns den unerträglichen Kummer zu verbergen, den er fühlte, der Mann war ganz zerrissen.

Albert, du warst im Zimmer. Sie hörte jemand gehen und fragte und forderte dich zu sich, und wie sie dich ansah und mich, mit dem getrösteten ruhigen Blicke daß wir glücklich seyn, zusammen glücklich seyn würden – Albert fiel ihr um den Hals und küßte sie und rief: wir sind es! wir werden es seyn! der ruhige Albert war ganz aus seiner Fassung, und ich wußte nichts von mir selber.

Werther, fing sie an, und diese Frau sollte dahin seyn! Gott! wenn ich manchmal denke, wie man das Liebste seines

seines Lebens so wegtragen läßt, und niemand als die Kinder
das so scharf fühlt, die sich noch lange beklagten: die schwarzen Männer hätten die Mamma weggetragen.

    Sie stund auf, und ich ward erwekt und erschüttert, blieb
sizzen und hielt ihre Hand. Wir wollen fort, sagte sie, es wird
Zeit. Sie wollte ihre Hand zurük ziehen und ich hielt sie
fester! Wir werden uns wiedersehn, rief ich, wir werden uns
finden, unter allen Gestalten werden wir uns erkennen. Ich
gehe, fuhr ich fort, ich gehe willig, und doch, wenn ich sagen
sollte auf ewig, ich würde es nicht aushalten. Leb wohl,
Lotte! Leb wohl, Albert! Wir sehen uns wieder. – Morgen
denk ich, versezte sie scherzend, ich fühlte das Morgen! Ach
sie wußte nicht als sie ihre Hand aus der meinigen zog – sie
giengen die Allee hinaus, ich stand, sah ihnen nach im Mondscheine und warf mich an die Erde und weinte mich aus, und
sprang auf, lief auf die Terasse hervor und sah noch dort
drunten im Schatten der hohen Lindenbäume ihr weisses
Kleid nach der Gartenthüre schimmern, ich strekte meine
Arme hinaus, und es verschwand.

Lebens wegtragen läßt, und niemand als die Kinder das so scharf fühlt, die sich noch lange beklagten, die schwarzen Männer hätten die Mama weggetragen.

Sie stand auf und ich ward erweckt und erschüttert, blieb sitzen und hielt ihre Hand. Wir wollen fort, sagte sie, es wird Zeit. Sie wollte ihre Hand zurück ziehen und ich hielt sie fester. Wir werden uns wiedersehen, rief ich, wir werden uns finden, unter allen Gestalten werden wir uns erkennen. Ich gehe, fuhr ich fort, ich gehe willig, und doch wenn ich sagen sollte auf ewig, ich würde es nicht aushalten. Leb wohl Lotte! Leb wohl Albert! Wir sehn uns wieder – Morgen, denke ich, versetzte sie scherzend. – Ich fühlte das Morgen! Ach sie wußte nicht als sie ihre Hand aus der meinen zog – Sie gingen die Allee hinaus, ich stand, sah ihnen nach im Mondscheine und warf mich an die Erde und weinte mich aus und sprang auf und lief auf die Terrasse hervor und sah noch dort unten im Schatten der hohen Lindenbäume ihr weißes Kleid nach der Gartenthür schimmern, ich streckte meine Arme aus und es verschwand.

ZWEYTER THEIL

am 20. Okt. 1771.

Gestern sind wir hier angelangt. Der Gesandte ist unpaß,
und wird sich also einige Tage einhalten, wenn er nur nicht so
unhold wäre, wär alles gut. Ich merke, ich merke, das
Schiksal hat mir harte Prüfungen zugedacht. Doch gutes
Muths! ein leichter Sinn trägt alles! Ein leichter Sinn! das
macht mich zu lachen, wie das Wort in meine Feder kommt.
O ein Bißgen leichteres Blut würde mich zum glüklichsten
Menschen unter der Sonne machen. Was! Da wo andre, mit
ihrem Bißgen Kraft und Talent, vor mir in behaglicher
Selbstgefälligkeit herum schwadroniren, verzweifl' ich an
meiner Kraft, an meinen Gaben. Guter Gott! der du mir das
alles schenktest, warum hieltest du nicht die Hälfte zurük
und gabst mir Selbstvertrauen und Genügsamkeit!

Gedult! Gedult! Es wird besser werden. Denn ich sage dir,
Lieber, du hast Recht. Seit ich unter dem Volke so alle Tage
herumgetrieben werde, und sehe was sie thun und wie sie's
treiben, steh ich viel besser mit mir selbst. Gewiß, weil wir
doch einmal so gemacht sind, daß wir alles mit uns, und uns
mit allem vergleichen; so liegt Glük oder Elend in den Gegenständen, womit wir uns zusammenhalten, und da ist
nichts gefährlicher als die Einsamkeit. Unsere Einbildungskraft, durch ihre Natur gedrungen sich zu erheben, durch die
phantastische Bilder der Dichtkunst genährt, bildet sich eine
Reihe Wesen hinauf, wo wir das unterste sind, und alles ausser uns herrlicher erscheint, jeder andre vollkommner ist.
Und das geht ganz natürlich zu: Wir fühlen so oft, daß uns
manches mangelt, und eben was uns fehlt scheint uns oft ein
anderer zu besizzen, dem wir denn auch alles dazu geben was
wir haben, und noch eine gewisse idealische Behaglichkeit
dazu. Und so ist der Glükliche vollkommen fertig, das Geschöpf unserer selbst.

ZWEYTES BUCH

am 20. Oct. 1771.

Gestern sind wir hier angelangt. Der Gesandte ist unpaß, und wird sich also einige Tage einhalten. Wenn er nur nicht so unhold wäre, wär' alles gut. Ich merke, ich merke, das Schicksal hat mir harte Prüfungen zugedacht. Doch gutes Muths! ein leichter Sinn trägt alles! Ein leichter Sinn? das macht mich zu lachen, wie das Wort in meine Feder kommt. O ein bißchen leichteres Blut würde mich zum Glücklichsten unter der Sonne machen. Was! da wo andere mit ihrem biß-chen Kraft und Talent vor mir in behaglicher Selbstgefällig-keit herum schwadroniren, verzweifle ich an meiner Kraft, an meinen Gaben? Guter Gott der du mir das alles schenk-test, warum hieltest du nicht die Hälfte zurück, und gabst mir Selbstvertrauen und Genügsamkeit!

Geduld! Geduld! es wird besser werden. Denn ich sage dir Lieber, du hast Recht. Seit ich unter dem Volke alle Tage herum getrieben werde, und sehe was sie thun und wie sie's treiben, stehe ich viel besser mit mir selbst. Gewiß, weil wir doch einmal so gemacht sind, daß wir alles mit uns und uns mit allem vergleichen, so liegt Glück oder Elend in den Ge-genständen womit wir uns zusammenhalten, und da ist nichts gefährlicher als die Einsamkeit. Unsere Einbildungs-kraft, durch ihre Natur gedrungen sich zu erheben, durch die phantastischen Bilder der Dichtkunst genährt, bildet sich eine Reihe Wesen hinauf, wo wir das unterste sind, und alles außer uns herrlicher erscheint, jeder andere vollkommner ist. Und das geht ganz natürlich zu. Wir fühlen so oft daß uns manches mangelt, und eben was uns fehlt scheint uns oft ein anderer zu besitzen, dem wir denn auch alles dazu geben was *wir* haben und noch eine gewisse idealische Behaglichkeit dazu. Und so ist der Glückliche vollkommen fertig, das Ge-schöpf unserer selbst.

Dagegen wenn wir mit all unserer Schwachheit und
Mühseligkeit nur gerade fortarbeiten, so finden wir gar oft,
daß wir mit all unserm Schlendern und Laviren es weiter
bringen als andre mit ihren Segeln und Rudern – und – das ist
⁵ doch ein wahres Gefühl seiner selbst, wenn man andern
gleich oder gar vorlauft.

am 10. Nov.
Ich fange an mich in sofern ganz leidlich hier zu befinden.
Das beste ist, daß es zu thun genug giebt, und dann die
¹⁰ vielerley Menschen, die allerley neue Gestalten, machen mir
ein buntes Schauspiel vor meiner Seele. Ich habe den Grafen
C.. kennen lernen, einen Mann, den ich jeden Tag mehr verehren muß. Einen weiten grossen Kopf, und der deswegen
nicht kalt ist, weil er viel übersieht; aus dessen Umgange so
¹⁵ viel Empfindung für Freundschaft und Liebe hervorleuchtet. Er nahm Theil an mir, als ich einen Geschäftsauftrag an
ihn ausrichtete, und er bey den ersten Worten merkte, daß
wir uns verstunden, daß er mit mir reden konnte wie nicht
mit jedem. Auch kann ich sein offnes Betragen gegen mich
²⁰ nicht genug rühmen. So eine wahre warme Freude ist nicht in
der Welt, als eine grosse Seele zu sehen, die sich gegen einen
öffnet.

am 24. Dec.
Der Gesandte macht mir viel Verdruß, ich hab es voraus
²⁵ gesehn. Es ist der pünktlichste Narre, den's nur geben kann.
Schritt vor Schritt und umständlich wie eine Baase. Ein
Mensch, der nie selbst mit sich zufrieden ist, und dem's daher
niemand zu Danke machen kann. Ich arbeite gern leicht weg,
und wie's steht so steht's, da ist er im Stande, mir einen
³⁰ Aufsaz zurükzugeben und zu sagen: er ist gut, aber sehen sie
ihn durch, man findt immer ein besser Wort, eine reinere
Partikel. Da möcht ich des Teufels werden. Kein Und, kein
Bindwörtchen sonst darf aussenbleiben, und von allen In-

Dagegen wenn wir mit all unserer Schwachheit und
Mühseligkeit nur gerade fort arbeiten, so finden wir gar oft,
daß wir mit unserem Schlendern und Laviren es weiter bringen, als andere mit ihrem Segeln und Rudern – und – das ist
doch ein wahres Gefühl seiner selbst, wenn man andern   5
gleich oder gar vorläuft.

am 10. Nov. 1771.

Ich fange an mich in so fern ganz leidlich hier zu befinden.
Das beste ist daß es zu thun genug gibt; und dann die vielerley Menschen, die allerley neue Gestalten, machen mir ein   10
buntes Schauspiel vor meiner Seele. Ich habe den Grafen C...
kennen lernen, einen Mann, den ich jeden Tag mehr verehren
muß, einen weiten großen Kopf, und der deswegen nicht
kalt ist, weil er viel übersieht; aus dessen Umgange so viel
Empfindung für Freundschaft und Liebe hervorleuchtet. Er   15
nahm Theil an mir, als ich einen Geschäfts-Auftrag an ihn
ausrichtete, und er bey den ersten Worten merkte, daß wir
uns verstanden, daß er mit mir reden konnte wie nicht mit
jedem. Auch kann ich sein offenes Betragen gegen mich nicht
genug rühmen. So eine wahre warme Freude ist nicht in der   20
Welt, als eine große Seele zu sehen, die sich gegen einen
öffnet.

am 24. Dec.

Der Gesandte macht mir viel Verdruß, ich habe es voraus
gesehen. Er ist der pünctlichste Narr den es nur geben kann;   25
Schritt vor Schritt, und umständlich wie eine Base, ein
Mensch, der nie mit sich selbst zufrieden ist, und dem es
daher niemand zu Danke machen kann. Ich arbeite gern
leicht weg, und wie es steht so steht es: da ist er im Stande,
mir einen Aufsatz zurück zu geben und zu sagen: er ist gut,   30
aber sehen Sie ihn durch, man findet immer ein besseres
Wort, eine reinere Partikel. Da möchte ich des Teufels werden. Kein Und, kein Bindwörtchen darf außenbleiben, und

versionen die mir manchmal entfahren, ist er ein Todtfeind.
Wenn man seinen Period nicht nach der hergebrachten Me-
lodie heraborgelt; so versteht er gar nichts drinne. Das ist ein
Leiden, mit so einem Menschen zu thun zu haben.

5   Das Vertrauen des Grafen von C.. ist noch das einzige, was
mich schadlos hält. Er sagte mir lezthin ganz aufrichtig: wie
unzufrieden er über die Langsamkeit und Bedenklichkeit
meines Gesandten sey. Die Leute erschweren sich's und andern. Doch, sagt er, man muß sich darein resigniren, wie ein
10 Reisender, der über einen Berg muß. Freylich! wär der Berg
nicht da, wäre der Weg viel bequemer und kürzer, er ist nun
aber da! und es soll drüber! –

Mein Alter spürt auch wohl den Vorzug, den mir der Graf
vor ihm giebt, und das ärgert ihn, und er ergreift jede Ge-
15 legenheit, übels gegen mich vom Grafen zu reden, ich halte,
wie natürlich, Widerpart, und dadurch wird die Sache nur
schlimmer. Gestern gar bracht er mich auf, denn ich war mit
gemeint. Zu so Weltgeschäften wäre der Graf ganz gut, er
hätte viel Leichtigkeit zu arbeiten, und führte eine gute Fe-
20 der, doch an gründlicher Gelehrsamkeit mangelt es ihm, wie
all den Bellettristen. Darüber hätt ich ihn gern ausgeprügelt,
denn weiter ist mit den Kerls nicht zu raisonniren, da das
aber nun nicht angieng, so focht ich mit ziemlicher Heftigkeit, und sagt ihm, der Graf sey ein Mann, vor dem man
25 Achtung haben müßte, wegen seines Charakters sowohl, als
seiner Kenntnisse; ich habe, sagt ich, niemand gekannt, dem
es so geglükt wäre, seinen Geist zu erweitern, ihn über unzählige Gegenstände zu verbreiten, und doch die Thätigkeit
für's gemeine Leben zu behalten. Das waren dem Gehirn
30 spanische Dörfer, und ich empfahl mich, um nicht über ein
weiteres Deraisonnement noch mehr Galle zu schlukken.

Und daran seyd ihr all Schuld, die ihr mich in das Joch
35 geschwazt, und mir so viel von Aktivität vorgesungen habt.
Aktivität! Wenn nicht der mehr thut, der Kartoffeln stekt,
und in die Stadt reitet, sein Korn zu verkaufen, als ich, so will

von allen Inversionen die mir manchmal entfahren, ist er ein Todfeind; wenn man seinen Perioden nicht nach der hergebrachten Melodie herab orgelt, so versteht er gar nichts drin. Das ist ein Leiden mit so einem Menschen zu thun zu haben.

Das Vertrauen des Grafen von C... ist noch das einzige was mich schadlos hält. Er sagte mir letzthin ganz aufrichtig, wie unzufrieden er mit der Langsamkeit und Bedenklichkeit meines Gesandten sey. Die Leute erschweren es sich und andern; doch, sagte er, man muß sich darein resigniren, wie ein Reisender, der über einen Berg muß; freylich wäre der Berg nicht da, so wäre der Weg viel bequemer und kürzer; er ist nun aber da, und man soll hinüber! –

Mein Alter spürt auch wohl den Vorzug, den mir der Graf vor ihm gibt, und das ärgert ihn, und er ergreift jede Gelegenheit, übels gegen mich vom Grafen zu reden: ich halte, wie natürlich Widerpart, und dadurch wird die Sache nur schlimmer. Gestern gar brachte er mich auf, denn ich war mit gemeint: Zu so Weltgeschäften sey der Graf ganz gut, er habe viele Leichtigkeit zu arbeiten und führe eine gute Feder; doch an gründlicher Gelehrsamkeit mangle es ihm wie allen Bellettristen. Dazu machte er eine Miene als ob er sagen wollte: Fühlst du den Stich? Aber es that bey mir nicht die Wirkung, ich verachtete den Menschen, der so denken und sich so betragen konnte. Ich hielt ihm Stand, und focht mit ziemlicher Heftigkeit. Ich sagte, der Graf sey ein Mann vor dem man Achtung haben müsse, wegen seines Charakters sowohl als wegen seiner Kenntnisse. Ich habe, sagt' ich, niemand gekannt, dem es so geglückt wäre, seinen Geist zu erweitern, ihn über unzählige Gegenstände zu verbreiten und doch diese Thätigkeit fürs gemeine Leben zu behalten. Das waren dem Gehirne spanische Dörfer und ich empfahl mich, um nicht über ein weiteres Deraisonnement noch mehr Galle zu schlucken.

Und daran seyd ihr alle Schuld, die ihr mich in das Joch geschwatzt, und mir so viel von Activität vorgesungen habt. Activität! Wenn nicht der mehr thut, der Kartoffeln legt, und in die Stadt reitet sein Korn zu verkaufen, als ich, so will ich

ich zehn Jahre noch mich auf der Galeere abarbeiten, auf der
ich nun angeschmiedet bin.

Und das glänzende Elend die Langeweile unter dem garstigen Volke das sich hier neben einander sieht. Die
Rangsucht unter ihnen, wie sie nur wachen und aufpassen,
einander ein Schrittgen abzugewinnen, die elendesten erbärmlichsten Leidenschaften, ganz ohne Rökgen! Da ist ein
Weib, zum Exempel, die jederman von ihrem Adel und ihrem Lande unterhält, daß nun jeder Fremde denken muß: das
ist eine Närrin, die sich auf das Bißgen Adel und auf den Ruf
ihres Landes Wunderstreiche einbildet – Aber es ist noch viel
ärger, eben das Weib ist hier aus der Nachbarschaft eine Amtschreibers Tochter. – Sieh, ich kann das Menschengeschlecht
nicht begreifen, das so wenig Sinn hat, um sich so platt zu
prostituiren.

Zwar ich merke täglich mehr, mein Lieber, wie thöricht
man ist andre nach sich zu berechnen. Und weil ich so viel mit
mir selbst zu thun habe, und dieses Herz und Sinn so stürmisch ist, ach ich lasse gern die andern ihres Pfads gehen,
wenn sie mich nur auch könnten gehn lassen.

Was mich am meisten nekt, sind die fatalen bürgerlichen
Verhältnisse. Zwar weis ich so gut als einer, wie nöthig der
Unterschied der Stände ist, wie viel Vortheile er mir selbst
verschafft, nur soll er mir nicht eben grad im Wege stehn, wo
ich noch ein wenig Freude, einen Schimmer von Glük auf
dieser Erden geniessen könnte. Ich lernte neulich auf dem
Spaziergange ein Fräulein von B.. kennen, ein liebenswürdiges Geschöpf, das sehr viele Natur mitten in dem steifen
Leben erhalten hat. Wir gefielen uns in unserm Gespräche,
und da wir schieden, bat ich sie um Erlaubniß, sie bey sich
sehen zu dürfen. Sie gestattete mir das mit so viel Freymüthigkeit, daß ich den schiklichen Augenblik kaum erwarten
konnte, zu ihr zu gehen. Sie ist nicht von hier, und wohnt bey
einer Tante im Hause. Die Physiognomie der alten Schachtel
gefiel mir nicht. Ich bezeigte ihr viel Aufmerksamkeit, mein
Gespräch war meist an sie gewandt, und in minder als einer
halben Stunde hatte ich so ziemlich weg, was mir das Fräu-

zehn Jahre mich noch auf der Galeere abarbeiten auf der ich nun angeschmiedet bin.

Und das glänzende Elend, die Langeweile unter dem garstigen Volke, das sich hier neben einander sieht! die Rangsucht unter ihnen, wie sie nur wachen und aufpassen, einander ein Schrittchen ab zu gewinnen; Die elendesten, erbärmlichsten Leidenschaften, ganz ohne Röckchen. Da ist ein Weib z. E. die jedermann von ihrem Adel und ihrem Lande unterhält, so daß jeder Fremde denken muß: das ist eine Närrinn, die sich auf das Bißchen Adel und auf den Ruf ihres Landes Wunderstreiche einbildet –; Aber es ist noch viel ärger: eben das Weib ist hier aus der Nachbarschaft eine Amtschreibers Tochter – Sieh, ich kann das Menschengeschlecht nicht begreifen, das so wenig Sinn hat, um sich so platt zu prostituiren.

Zwar ich merke täglich mehr mein Lieber, wie thöricht man ist, andere nach sich zu berechnen. Und weil ich so viel mit mir selbst zu thun habe, und dieses Herz so stürmisch ist, – ach ich lasse gern die andern ihres Pfades gehen, wenn sie mich nur auch könnten gehen lassen.

Was mich am meisten neckt sind die fatalen bürgerlichen Verhältnisse. Zwar weiß ich so gut als einer, wie nöthig der Unterschied der Stände ist, wie viel Vortheile er mir selbst verschafft: nur soll er mir nicht eben gerade im Wege stehen, wo ich noch ein wenig Freude, einen Schimmer von Glück auf dieser Erde genießen könnte. Ich lernte neulich auf dem Spatziergange eine Fräulein von B... kennen, ein liebenswürdiges Geschöpf, das sehr viel Natur mitten in dem steifen Leben erhalten hat. Wir gefielen uns in unserem Gespräche, und da wir schieden bat ich sie um Erlaubniß, sie bey sich sehen zu dürfen. Sie gestattete mir das mit so vieler Freymüthigkeit, daß ich den schicklichen Augenblick kaum erwarten konnte, zu ihr zu gehen. Sie ist nicht von hier und wohnt bey einer Tante im Hause. Die Physiognomie der Alten gefiel mir nicht. Ich bezeigte ihr viel Aufmerksamkeit, mein Gespräch war meist an sie gewandt, und in minder als einer halben Stunde hatte ich so ziemlich weg, was mir das

lein nachher selbst gestund: daß die liebe Tante in ihrem
Alter, und dem Mangel von allem, vom anständigen Vermögen an bis auf den Geist, keine Stüzze hat, als die Reihe
ihrer Vorfahren, keinen Schirm, als den Stand, in dem sie sich
5 verpallisadirt, und kein Ergözzen, als von ihrem Stokwerk
herab über die bürgerlichen Häupter weg zu sehen. In ihrer
Jugend soll sie schön gewesen seyn, und ihr Leben so weggegaukelt, erst mit ihrem Eigensinne manchen armen Jungen gequält, und in reifern Jahren sich unter den Gehorsam
10 eines alten Offiziers gedukt haben, der gegen diesen Preis
und einen leidlichen Unterhalt das ehrne Jahrhundert mit ihr
zubrachte, und starb, und nun sieht sie im eisernen sich allein,
und würde nicht angesehn, wär ihre Nichte nicht so liebenswürdig.

15   den 8. Jan. 1772.
Was das für Menschen sind, deren ganze Seele auf dem Ce-
remoniel ruht, deren Dichten und Trachten Jahre lang dahin
geht, wie sie um einen Stuhl weiter hinauf bey Tische sich
einschieben wollen. Und nicht, daß die Kerls sonst keine
20 Angelegenheit hätten, nein, vielmehr häufen sich die Arbeiten, eben weil man über die kleinen Verdrüßlichkeiten, von
Beförderung der wichtigen Sachen abgehalten wird. Vorige
Woche gabs bey der Schlittenfahrt Händel, und der ganze
Spas wurde verdorben.
25   Die Thoren, die nicht sehen, daß es eigentlich auf den Plaz
gar nicht ankommt, und daß der, der den ersten hat, so selten
die erste Rolle spielt! Wie mancher König wird durch seinen
Minister, wie mancher Minister durch seinen Sekretär regiert. Und wer ist dann der Erste? der, dünkt mich, der die
30 andern übersieht, und so viel Gewalt oder List hat, ihre
Kräfte und Leidenschaften zu Ausführung seiner Plane an-
zuspannen.

Fräulein hernach selbst gestand: daß die liebe Tante in ihrem
Alter Mangel an allem, kein anständiges Vermögen, keinen
Geist, und keine Stütze hat als die Reihe ihrer Vorfahren,
keinen Schirm als den Stand in den sie sich verpallisadiret,
und kein Ergetzen als von ihrem Stockwerk herab über die ⁵
bürgerlichen Häupter weg zu sehen. In ihrer Jugend soll sie
schön gewesen seyn und ihr Leben weggegaukelt, erst mit
ihrem Eigensinne manchen armen Jungen gequält, und in
den reiferen Jahren sich unter den Gehorsam eines alten
Offiziers geduckt haben, der gegen diesen Preis und einen ¹⁰
leidlichen Unterhalt das ehrene Jahrhundert mit ihr zubrachte und starb. Nun sieht sie im eisernen sich allein und
würde nicht angesehen, wäre ihre Nichte nicht so liebenswürdig.

den 8. Jan. 1772. ¹⁵
Was das für Menschen sind, deren ganze Seele auf dem Ce-
remoniel ruht, deren Dichten und Trachten Jahre lang dahin
geht, wie sie um einen Stuhl weiter hinauf bey Tische sich
einschieben wollen! Und nicht, daß sie sonst keine Angelegenheit hätten: nein, vielmehr häufen sich die Arbeiten, ²⁰
eben weil man über den kleinen Verdrießlichkeiten von Beförderung der wichtigen Sachen abgehalten wird. Vorige
Woche gab es bey der Schlittenfahrt Händel und der ganze
Spaß wurde verdorben.

Die Thoren, die nicht sehen, daß es eigentlich auf den Platz ²⁵
gar nicht ankommt, und daß der, der den ersten hat, so selten
die erste Rolle spielt! Wie mancher König wird durch seinen
Minister, wie mancher Minister durch seinen Secretär regiert! Und wer ist dann der erste? der dünkt mich, der die
anderen übersieht, und so viel Gewalt oder List hat ihre ³⁰
Kräfte und Leidenschaften zu Ausführung seiner Plane an-
zuspannen.

[handwritten marginalia: Writing to Charlotte / Writer's / 1st things / now / in]

am 20. Jan.

Ich muß Ihnen schreiben, liebe Lotte, hier in der Stube einer
geringen Bauernherberge, in die ich mich vor einem schweren Wetter geflüchtet habe. So lange ich in dem traurigen
Neste D.. unter dem fremden, meinem Herzen ganz fremden
Volke, herumziehe, hab' ich keinen Augenblik gehabt, keinen, an dem mein Herz mich geheissen hätte Ihnen zu schreiben. Und jezt in dieser Hütte, in dieser Einsamkeit, in dieser
Einschränkung, da Schnee und Schlossen wider mein Fen-
10   stergen wüthen, hier waren Sie mein erster Gedanke. Wie ich
herein trat, überfiel mich Ihre Gestalt, Ihr Andenken. O
Lotte! so heilig, so warm! Guter Gott! der erste glükliche
Augenblik wieder.

Wenn Sie mich sähen meine Beste, in dem Schwall von
15   Zerstreuung! Wie ausgetroknet meine Sinnen werden, nicht
Einen Augenblik der Fülle des Herzens, nicht Eine selige
thränenreiche Stunde. Nichts! Nichts! Ich stehe wie vor einem Raritätenkasten, und sehe die Männgen und Gäulgen
vor mir herumrükken, und frage mich oft, ob's nicht opti-
20   scher Betrug ist. Ich spiele mit, vielmehr, ich werde gespielt
wie eine Marionette, und fasse manchmal meinen Nachbar an
der hölzernen Hand und schaudere zurük.

30   Ein einzig weiblich Geschöpf hab ich hier gefunden. Eine
Fräulein von B.. Sie gleicht Ihnen liebe Lotte, wenn man
Ihnen gleichen kann. Ey! werden Sie sagen: der Mensch legt
sich auf niedliche Komplimente! Ganz unwahr ist's nicht.
Seit einiger Zeit bin ich sehr artig, weil ich doch nicht anders
35   seyn kann, habe viel Wiz, und die Frauenzimmer sagen: es
wüste niemand so fein zu loben als ich (und zu lügen, sezzen
Sie hinzu, denn ohne das geht's nicht ab, verstehen Sie:) Ich

am 20. Jan.

Ich muß Ihnen schreiben, liebe Lotte, hier in der Stube einer
geringen Bauernherberge, in die ich mich vor einem schweren Wetter geflüchtet habe. So lange ich in dem traurigen
Neste D..., unter dem fremden, meinem Herzen ganz fremden Volke herumziehe, habe ich keinen Augenblick gehabt,
keinen, an dem mein Herz mich geheißen hätte Ihnen zu
schreiben; und jetzt in dieser Hütte, in dieser Einsamkeit, in
dieser Einschränkung, da Schnee und Schloßen wider mein
Fensterchen wüthen, hier waren Sie mein erster Gedanke.
Wie ich herein trat überfiel mich Ihre Gestalt, Ihr Andenken,
o Lotte! so heilig, so warm! Guter Gott! der erste glückliche
Augenblick wieder.

Wenn Sie mich sähen, meine Beste, in dem Schwall von
Zerstreuung! wie ausgetrocknet meine Sinnen werden; nicht
einen Augenblick der Fülle des Herzens, nicht Eine selige
Stunde! nichts! nichts! Ich stehe wie vor einem Raritätenkasten; und sehe die Männchen und Gäulchen vor mir herum-
rücken, und frage mich oft, ob es nicht optischer Betrug ist.
Ich spiele mit, vielmehr, ich werde gespielt wie eine Marionette, und fasse manchmal meinen Nachbar an der hölzernen
Hand und schaudre zurück. Des Abends nehme ich mir vor,
den Sonnenaufgang zu genießen und komme nicht aus dem
Bette; am Tage hoffe ich mich des Mondscheins zu erfreuen
und bleibe in meiner Stube. Ich weiß nicht recht, warum ich
aufstehe, warum ich schlafen gehe.

Der Sauerteig, der mein Leben in Bewegung setzte, fehlt;
der Reiz, der mich in tiefen Nächten munter erhielt, ist hin,
der mich des Morgens aus dem Schlafe weckte, ist weg.

Ein einzig weibliches Geschöpf habe ich hier gefunden,
eine Fräulein von B..., sie gleicht Ihnen liebe Lotte, wenn
man Ihnen gleichen kann. Ey! werden Sie sagen, der Mensch
legt sich auf niedliche Complimente! Ganz unwahr ist es
nicht. Seit einiger Zeit bin ich sehr artig, weil ich doch nicht
anders seyn kann, habe viel Witz, und die Frauenzimmer
sagen: es wüßte niemand so fein zu loben als ich. (und zu
lügen setzen Sie hinzu, denn ohne das geht es nicht ab, ver-

wollte von Fräulein B.. reden! Sie hat viel Seele, die voll aus ihren blauen Augen hervorblikt, ihr Stand ist ihr zur Last, der keinen der Wünsche ihres Herzens befriedigt. Sie sehnt sich aus dem Getümmel, und wir verphantasiren manche Stunde in ländlichen Scenen von ungemischter Glükseligkeit, ach! und von Ihnen! Wie oft muß sie Ihnen huldigen. Muß nicht, thut's freywillig, hört so gern von Ihnen, liebt Sie –

O säs ich zu Ihren Füssen in dem lieben vertraulichen Zimmergen, und unsere kleinen Lieben wälzten sich miteinander um mich herum, und wenn sie Ihnen zu laut würden, wollt ich sie mit einem schauerlichen Mährgen um mich zur Ruhe versammlen. Die Sonne geht herrlich unter über der schneeglänzenden Gegend, der Sturm ist hinüber gezogen. Und ich – muß mich wieder in meinen Käfig sperren. Adieu! Ist Albert bey Ihnen? Und wie – ? Gott verzeihe mir diese Frage!

stehen Sie?) Ich wollte von Fräulein B... reden. Sie hat viel
Seele, die voll aus ihren blauen Augen hervor blickt. Ihr
Stand ist ihr zur Last, der keinen der Wünsche ihres Herzens
befriedigt. Sie sehnt sich aus dem Getümmel und wir verphantasiren manche Stunde in ländlichen Scenen von ungemischter Glückseligkeit; ach! und von Ihnen! Wie oft muß sie
Ihnen huldigen, muß nicht, thut es freywillig, hört so gern
von Ihnen, liebt Sie. –

O säß ich zu Ihren Füßen in dem lieben vertraulichen
Zimmerchen, und unsere kleine Lieben wälzten sich mit einander um mich herum, und wenn sie Ihnen zu laut würden,
wollte ich sie mit einem schauerlichen Mährchen um mich zur
Ruhe versammlen.

Die Sonne geht herrlich unter, über der schneeglänzenden
Gegend, der Sturm ist hinüber gezogen und ich – muß mich
wieder in meinen Käfig sperren – Adieu! Ist Albert bey Ihnen? Und wie? – Gott verzeihe mir diese Frage!

den 8. Febr

Wir haben seit acht Tagen das abscheulichste Wetter und mir
ist es wohlthätig. Denn solang ich hier bin ist mir noch kein
schöner Tag am Himmel erschienen, den mir nicht jemand
verdorben oder verleidet hätte. Wenn's nun recht regnet und
stöbert und fröstelt und thaut; ha! denk ich, kanns doch zu
Hause nicht schlimmer werden als es draussen ist, oder umgekehrt, und so ist's gut. Geht die Sonne des Morgens auf
und verspricht einen feinen Tag; erwehr ich mir niemals aus-
zurufen: da haben sie doch wieder ein himmlisches Gut
worum sie einander bringen können. Es ist nichts worum sie
einander nicht bringen. Gesundheit, guter Nahme, Freudigkeit, Erhohlung! Und meist aus Albernheit, Unbegriff und
Enge und wenn man sie anhört mit der besten Meinung.
Manchmal möcht' ich sie auf den Knieen bitten, nicht so
rasend in ihre eigne Eingeweide zu wüthen.

ambassador
previous past
endurance

am 17. Febr.

Ich fürchte, mein Gesandter und ich, haltens nicht lange
mehr zusammen aus. Der Mensch ist ganz und gar unerträglich. Seine Art zu arbeiten und Geschäfte zu treiben ist so
5 lächerlich, daß ich mich nicht enthalten kann ihm zu widersprechen, und oft eine Sache nach meinem Kopfe und Art zu
machen, das ihm denn, wie natürlich, niemals recht ist. Darüber hat er mich neulich bey Hofe verklagt, und der Minister
gab mir einen zwar sanften Verweis, aber es war doch ein
10 Verweis, und ich stand im Begriffe, meinen Abschied zu begehren, als ich einen Privatbrief* von ihm erhielt, einen
Brief, vor dem ich mich niedergekniet, und den hohen, edlen,
weisen Sinn angebetet habe, wie er meine allzugrosse Empfindlichkeit zurechte weißt, wie er meine überspannte Ideen
15 von Würksamkeit, von Einfluß auf andre, von Durchdrin-
gen in Geschäften als jugendlichen guten Muth zwar ehrt, sie
nicht auszurotten, nur zu mildern und dahin zu leiten sucht,
wo sie ihr wahres Spiel haben, ihre kräftige Würkung thun
können. Auch bin ich auf acht Tage gestärkt, und in mir
20 selbst einig geworden. Die Ruhe der Seele ist ein herrlich
Ding, und die Freude an sich selbst, lieber Freund, wenn nur
das Ding nicht eben so zerbrechlich wäre, als es schön und
kostbar ist.

to albert wedding

am 20. Febr.

25 Gott segne euch, meine Lieben, geb euch all die guten Tage,
die er mir abzieht.

Ich danke dir Albert, daß du mich betrogen hast, ich
wartete auf Nachricht, wann euer Hochzeittag seyn würde,
und hatte mir vorgenommen, feyerlichst an demselben Lot-

---

*   Man hat aus Ehrfurcht für diesen trefflichen Mann, gedachten
    Brief, und einen andern dessen weiter hinten erwehnt wird, die-
    ser Sammlung entzogen, weil man nicht glaubte, solche Kühn-
    heit durch den wärmsten Dank des Publikums entschuldigen
    zu können.

am 17. Febr.

Ich fürchte mein Gesandter und ich halten es zusammen nicht
mehr lange aus. Der Mann ist ganz und gar unerträglich.
Seine Art zu arbeiten und Geschäfte zu treiben ist so lächerlich, daß ich mich nicht enthalten kann ihm zu widerspre-   5
chen, und oft eine Sache nach meinem Kopf und meiner Art
zu machen, das ihm denn, wie natürlich niemals recht ist.
Darüber hat er mich neulich bey Hofe verklagt, und der
Minister gab mir einen zwar sanften Verweis, aber es war
doch ein Verweis, und ich stand im Begriffe meinen Abschied 10
zu begehren, als ich einen Privatbrief* von ihm erhielt, einen
Brief vor dem ich niedergekniet, und den hohen edlen weisen
Sinn angebethet habe. Wie er meine allzugroße Empfindlichkeit zurechtweiset, wie er meine überspannte Ideen
von Wirksamkeit, von Einfluß auf andere, von Durchdrin-   15
gen in Geschäften, als jugendlichen guten Muth zwar ehrt,
sie nicht auszurotten, nur zu mildern und dahin zu leiten
sucht, wo sie ihr wahres Spiel haben, ihre kräftige Wirkung
thun können. Auch bin ich auf acht Tage gestärkt, und in mir
selbst einig geworden. Die Ruhe der Seele ist ein herrliches 20
Ding und die Freude an sich selbst; Lieber Freund wenn nur
das Kleinod nicht eben so zerbrechlich wäre als es schön und
kostbar ist.

am 20. Febr.

Gott segne euch meine Lieben, gebe euch alle die guten   25
Tage, die er mir abzieht!

Ich danke dir Albert daß du mich betrogen hast: ich
wartete auf Nachricht, wann euer Hochzeittag seyn würde,
und hatte mir vorgenommen, feierlichst an demselben Lot-

---

* Man hat aus Ehrfurcht für diesen trefflichen Herrn gedachten
Brief, und einen andern dessen weiter hinten erwähnt wird, dieser Sammlung entzogen, weil man nicht glaubte eine solche
Kühnheit durch den wärmsten Dank des Publicums entschuldigen zu können.

tens Schattenriß von der Wand zu nehmen, und sie unter
andere Papiere zu begraben. Nun seyd ihr ein Paar, und ihr
Bild ist noch hier! Nun so soll's bleiben! Und warum nicht?
Ich weis, ich bin ja auch bey euch, bin dir unbeschadet in
Lottens Herzen. Habe, ja ich habe den zweyten Plaz drinne,
und will und muß ihn behalten. O ich würde rasend werden,
wenn sie vergessen könnte – Albert in dem Gedanken liegt
eine Hölle. Albert! Leb wohl. Leb wohl, Engel des Himmels,
leb wohl, Lotte!

am 15. Merz.

Ich hab einen Verdruß gehabt, der mich von hier wegtreiben
wird, ich knirsche mit den Zähnen! Teufel! Er ist nicht zu
ersezzen, und ihr seyd doch allein schuld daran, die ihr mich
spornet und triebt und quältet, mich in einen Posten zu
begeben, der nicht nach meinem Sinne war. Nun hab ich's
nun habt ihr's. Und daß du nicht wieder sagst: meine über-
spannten Ideen verdürben alles; so hast du hier lieber Herr,
eine Erzählung, plan und nett, wie ein Chronikenschreiber
das aufzeichnen würde.

Der Graf v. C. liebt mich, distingwirt mich, das ist bekannt, das hab ich dir schon hundertmal gesagt. Nun war ich
bey ihm zu Tische gestern, eben an dem Tage, da Abends die
noble Gesellschaft von Herren und Frauen bey ihm zusam-
menkommt, an die ich nie gedacht hab, auch mir nie aufgefallen ist, daß wir Subalternen nicht hinein gehören. Gut. Ich
speise beym Grafen und nach Tische gehn wir im grossen
Saale auf und ab, ich rede mit ihm, mit dem Obrist B. der
dazu kommt, und so rükt die Stunde der Gesellschaft heran.
Ich denke, Gott weis, an nichts. Da tritt herein die übergnädige Dame von S.. mit Dero Herrn Gemahl und wohl
ausgebrüteten Gänslein Tochter mit der flachen Brust und
niedlichem Schnürleib, machen en passant ihre hergebrachten hochadlichen Augen und Naslöcher, und wie mir die
Nation von Herzen zuwider ist, wollt ich eben mich empfehlen, und wartete nur, bis der Graf vom garstigen Gewäsche

tens Schattenriß von der Wand zu nehmen und sie unter
andere Papiere zu begraben. Nun seyd ihr ein Paar und ihr
Bild ist noch hier! Nun so soll es bleiben! Und warum nicht?
Ich weiß, ich bin ja auch bey euch, bin dir unbeschadet in
Lottens Herzen, habe, ja ich habe den zweyten Platz darin
und will und muß ihn behalten. O ich würde rasend werden,
wenn sie vergessen könnte – Albert in dem Gedanken liegt
eine Hölle. Albert lebwohl! Lebwohl, Engel des Himmels!
lebwohl Lotte!

den 15. Merz.

Ich habe einen Verdruß gehabt, der mich von hier wegtreiben wird. Ich knirsche mit den Zähnen! Teufel! er ist nicht zu
ersetzen, und ihr seyd doch allein Schuld daran, die ihr mich
sporntet und triebt und quältet mich in einen Posten zu begeben, der nicht nach meinem Sinne war. Nun habe ichs! nun
habt ihr's! Und daß du nicht wieder sagst, meine überspann-
ten Ideen verdürben alles, so hast du hier lieber Herr, eine
Erzählung, plan und nett, wie ein Chronikenschreiber das
aufzeichnen würde.

Der Graf von C... liebt mich, distinguirt mich, das ist bekannt, das habe ich dir schon hundertmal gesagt. Nun war
ich gestern bey ihm zu Tafel, eben an dem Tage, da Abends
die noble Gesellschaft von Herrn und Frauen bey ihm zusammen kommt, an die ich nicht gedacht habe, auch mir nie
aufgefallen ist, daß wir Subalternen nicht hinein gehören.
Gut. Ich speise bey dem Grafen, und nach Tische gehn wir in
dem großen Saal auf und ab, ich rede mit ihm, mit dem
Obristen B..., der dazu kommt, und so rückt die Stunde der
Gesellschaft heran. Ich denke, Gott weiß, an nichts. Da tritt
herein die übergnädige Dame von S... mit Ihrem Herrn Gemahle und wohl ausgebrüteten Gänslein Tochter, mit der
flachen Brust und niedlichem Schnürleibe, machen en passant
ihre hergebrachten hochadelichen Augen und Naslöcher,
und wie mir die Nation von Herzen zuwider ist, wollte ich
mich eben empfehlen und wartete nur bis der Graf vom

frey wäre, als eben meine Fräulein B.. herein trat, da mir denn
das Herz immer ein bißgen aufgeht, wenn ich sie sehe, blieb
ich eben, stellte mich hinter ihren Stuhl, und bemerkte erst
nach einiger Zeit, daß sie mit weniger Offenheit als sonst, mit
einiger Verlegenheit mit mir redte. Das fiel mir auf. Ist sie
auch wie all das Volk, dacht ich, hohl sie der Teufel! und war
angestochen und wollte gehn, und doch blieb ich, weil ich
intriguirt war, das Ding näher zu beleuchten. Ueber dem
füllt sich die Gesellschaft. Der Baron F.. mit der ganzen
Garderobe von den Krönungszeiten Franz des ersten her,
der Hofrath R.. hier aber in qualitate Herr von R.. genannt
mit seiner tauben Frau etc. den übel fournirten J. nicht zu
vergessen, bey dessen Kleidung, Reste des altfränkischen mit
dem neu'st aufgebrachten kontrastiren etc. das kommt all
und ich rede mit einigen meiner Bekanntschaft, die alle sehr
lakonisch sind, ich dachte – und gab nur auf meine B.. acht.
Ich merkte nicht, daß die Weiber am Ende des Saals sich in die
Ohren pisperten, daß es auf die Männer zirkulirte, daß Frau
von S.. mit dem Grafen redte (das alles hat mir Fräulein B..
nachher erzählt) biß endlich der Graf auf mich losgieng und
mich in ein Fenster nahm. Sie wissen sagt er, unsere wunderbaren Verhältnisse, die Gesellschaft ist unzufrieden, merk
ich, sie hier zu sehn, ich wollte nicht um alles – Ihro Exzel-
lenz, fiel ich ein, ich bitte tausendmal um Verzeihung, ich
hätte eher dran denken sollen, und ich weis, Sie verzeihen
mir diese Inkonsequenz, ich wollte schon vorhin mich empfehlen, ein böser Genius hat mich zurük gehalten, sezte ich
lächelnd hinzu, indem ich mich neigte. Der Graf drükte
meine Hände mit einer Empfindung, die alles sagte. Ich
machte der vornehmen Gesellschaft mein Compliment,
gieng und sezte mich in ein Cabriolet und fuhr nach M.. dort
vom Hügel die Sonne untergehen zu sehen, und dabey in
meinem Homer den herrlichen Gesang zu lesen, wie Ulyß
von dem treflichen Schweinhirten bewirthet wird. Das war
all gut.

garstigen Gewäsche frey wäre, als meine Fräulein B... hereintrat. Da mir das Herz immer ein bißchen aufgeht, wenn ich
sie sehe, blieb ich eben, stellte mich hinter ihren Stuhl, und
bemerkte erst nach einiger Zeit, daß sie mit weniger Offenheit als sonst, mit einiger Verlegenheit mit mir redete. Das 5
fiel mir auf. Ist sie auch wie alle das Volk, dachte ich, und war
angestochen und wollte gehen; und doch blieb ich, weil ich
sie gerne entschuldigt hätte, und es nicht glaubte, und noch
ein gut Wort von ihr hoffte und – was du willst. Unterdessen
füllt sich die Gesellschaft. Der Baron F... mit der ganzen 10
Garderobe von den Krönungszeiten Franz des ersten her,
der Hofrath R... hier aber in qualitate Herr von R... genannt,
mit seiner tauben Frau etc. den übel fournirten J... nicht zu
vergessen, der die Lücken seiner altfränkischen Garderobe
mit neumodischen Lappen ausflickt, das kommt zu Hauf, 15
und ich rede mit einigen meiner Bekanntschaft die alle sehr
lakonisch sind. Ich dachte – und gab nur auf meine B... Acht.
Ich merkte nicht daß die Weiber am Ende des Saales sich in
die Ohren flüsterten, daß es auf die Männer circulirte, daß
Frau von S... mit dem Grafen redete (das alles hat mir Fräu- 20
lein B... nachher erzählt) bis endlich der Graf auf mich los
ging und mich in ein Fenster nahm. Sie wissen, sagte er,
unsere wunderbaren Verhältnisse; die Gesellschaft ist unzufrieden, merke ich, Sie hier zu sehen. Ich wollte nicht um
alles – Ihro Excellenz, fiel ich ein, ich bitte tausendmal um 25
Verzeihung; ich hätte eher dran denken sollen, und ich weiß,
Sie vergeben mir diese Inconsequenz; ich wollte schon vorhin mich empfehlen, ein böser Genius hat mich zurück gehalten, setzte ich lächelnd hinzu, indem ich mich neigte. Der
Graf drückte meine Hände mit einer Empfindung die alles 30
sagte. Ich strich mich sacht aus der vornehmen Gesellschaft,
ging, setzte mich in ein Cabriolet und fuhr nach M... dort
vom Hügel die Sonne untergehen zu sehen, und dabey in
meinem Homer den herrlichen Gesang zu lesen, wie Ulyß
von dem trefflichen Schweinhirten bewirthet wird. Das war 35
alles gut.

Des Abends komm ich zurük zu Tische. Es waren noch
wenige in der Gaststube, die würfelten auf einer Ekke, hatten das Tischtuch zurük geschlagen. Da kommt der ehrliche
A.. hinein, legt seinen Hut nieder, indem er mich ansieht,
tritt zu mir und sagt leise: Du hast Verdruß gehabt? Ich? sagt
ich – der Graf hat dich aus der Gesellschaft gewiesen – Hol sie
der Teufel, sagt ich, mir war's lieb, daß ich in die freye Luft
kam – Gut, sagt er, daß du's auf die leichte Achsel nimmst.
Nur verdrießt mich's. Es ist schon überall herum. – Da fieng
mir das Ding erst an zu wurmen. Alle die zu Tische kamen
und mich ansahen, dacht ich die sehen dich darum an! Das
fieng an mir böses Blut zu sezzen.

Und da man nun heute gar wo ich hintrete mich bedauert,
da ich höre, daß meine Neider nun triumphiren und sagen:
Da sähe man's, wo's mit den Uebermüthigen hinausgieng,
die sich ihres bißgen Kopfs überhüben und glaubten, sich
darum über alle Verhältnisse hinaussezzen zu dürfen, und
was des Hundegeschwäzzes mehr ist. Da möchte man sich ein
Messer in's Herz bohren. Denn man rede von Selbstständig-
keit was man will, den will ich sehn der dulden kann, daß
Schurken über ihn reden, wenn sie eine Prise über ihn haben.
Wenn ihr Geschwäz leer ist, ach! da kann man sie leicht
lassen.

am 16. Merz.

Es hezt mich alles! Heut tref ich die Fräulein B.. in der Allee.
Ich konnte mich nicht enthalten sie anzureden, und ihr, sobald wir etwas entfernt von der Gesellschaft waren, meine
Empfindlichkeit über ihr neuliches Betragen zu zeigen. O
Werther, sagte sie mit einem innigen Tone, konnten Sie
meine Verwirrung so auslegen, da Sie mein Herz kennen.
Was ich gelitten habe um ihrentwillen, von dem Augenblikke an, da ich in den Saal trat. Ich sah' alles voraus,
hundertmal saß mir's auf der Zunge, es Ihnen zu sagen, ich
wußte, daß die von S.. und T.. mit ihren Männern eher aufbrechen würden, als in Ihrer Gesellschaft zu bleiben, ich

Des Abends komme ich zurück zu Tische, es waren noch
wenige in der Gaststube; die würfelten auf einer Ecke, hatten
das Tischtuch zurück geschlagen; Da kommt der ehrliche
A... hinein, legt seinen Hut nieder, indem er mich ansieht,
tritt zu mir und sagt leise: Du hast Verdruß gehabt? Ich? sagte   5
ich. Der Graf hat dich aus der Gesellschaft gewiesen. – Hohle
sie der Teufel! sagt' ich, mir war's lieb, daß ich in die freye
Luft kam. – Gut sagte er, daß du es auf die leichte Achsel
nimmst; Nur verdrießt mich's, es ist schon überall herum –
Da fing mir das Ding erst an zu wurmen. Alle die zu Tische   10
kamen und mich ansahn, dachte ich, die sehen dich darum
an! Das gab böses Blut.

Und da man nun heute gar, wo ich hintrete, mich bedauert,
da ich höre daß meine Neider nun triumphiren und sagen: da
sähe man's, wo es mit den Übermüthigen hinausginge, die   15
sich ihres bißchen Kopfs überhüben, und glaubten sich
darum über alle Verhältnisse hinaussetzen zu dürfen, und
was des Hundegeschwätzes mehr ist – da möchte man sich ein
Messer in's Herz bohren; denn man rede von Selbstständig-
keit was man will, den will ich sehen, der dulden kann, daß   20
Schurken über ihn reden, wenn sie einen Vortheil über ihn
haben; wenn ihr Geschwätze leer ist, ach da kann man sie
leicht lassen.

am 16. Merz.

Es hetzt mich alles. Heute treffe ich die Fräulein B... in der   25
Allee, ich konnte mich nicht enthalten sie anzureden, und ihr,
so bald wir etwas entfernt von der Gesellschaft waren, meine
Empfindlichkeit über ihr neuliches Betragen zu zeigen. O
Werther sagte sie mit einem innigen Tone, konnten Sie meine
Verwirrung so auslegen, da Sie mein Herz kennen? Was ich   30
gelitten habe um Ihrentwillen, von dem Augenblicke an, da
ich in den Saal trat! Ich sah alles voraus, hundertmal saß mir's
auf der Zunge, es Ihnen zu sagen. Ich wußte daß die von S...
und T... mit ihren Männern eher aufbrechen würden, als in
Ihrer Gesellschaft zu bleiben; ich wußte daß der Graf es mit   35

wußte, daß der Graf es nicht mit Ihnen verderben darf, und
jezo der Lärm – Wie Fräulein? sagt' ich, und verbarg meinen
Schrekken, denn alles, was Adelin mir ehgestern gesagt
hatte, lief mir wie siedend Wasser durch die Adern in diesem
5 Augenblikke. – Was hat mich's schon gekostet! sagte das
süsse Geschöpf, indem ihr die Thränen in den Augen stunden. Ich war nicht Herr mehr von mir selbst, war im Begriff,
mich ihr zu Füssen zu werfen. Erklären sie sich, ruft ich: Die
Thränen liefen ihr die Wangen herunter, ich war ausser mir.
10 Sie troknete sie ab, ohne sie verbergen zu wollen. Meine
Tante kennen sie, fieng sie an; sie war gegenwärtig, und hat,
o mit was für Augen hat sie das angesehn. Werther, ich habe
gestern Nacht ausgestanden, und heute früh eine Predigt
über meinen Umgang mit Ihnen, und ich habe müssen zu-
15 hören Sie herabsezzen, erniedrigen, und konnte und durfte
Sie nur halb vertheidigen.

Jedes Wort, das sie sprach, gieng mir wie Schwerder
durch's Herz. Sie fühlte nicht, welche Barmherzigkeit es gewesen wäre, mir das alles zu verschweigen, und nun fügte sie
20 noch all dazu, was weiter würde geträtscht werden, was die
schlechten Kerls alle darüber triumphiren würden. Wie man
nunmehr meinen Uebermuth und Geringschäzzung andrer, das sie mir schon lange vorwerfen, gestraft, erniedrigt
ausschreien würde. Das alles, Wilhelm, von ihr zu hören, mit
25 der Stimme der wahrsten Theilnehmung. Ich war zerstört,
und bin noch wüthend in mir. Ich wollte, daß sich einer
unterstünde mir's vorzuwerfen, daß ich ihm den Degen
durch den Leib stossen könnte! Wenn ich Blut sähe würde
mir's besser werden. Ach ich hab hundertmal ein Messer
30 ergriffen, um diesem gedrängten Herzen Luft zu machen.
Man erzählt von einer edlen Art Pferde, die, wenn sie schröklich erhizt und aufgejagt sind, sich selbst aus Instinkt eine
Ader aufbeissen, um sich zum Athem zu helfen. So ist mir's
oft, ich möchte mir eine Ader öfnen, die mir die ewige Frey-
35 heit schaffte.

ihnen nicht verderben darf, – und jetzt der Lärm! – Wie
Fräulein? sagte ich, und verbarg meinen Schrecken: denn
alles was Adelin mir ehegestern gesagt hatte, lief mir wie
siedend Wasser durch die Adern in diesem Augenblicke. –
Was hat mich es schon gekostet! sagte das süße Geschöpf,   5
indem ihr die Thränen in den Augen standen. – Ich war nicht
Herr mehr von mir selbst, war im Begriffe mich ihr zu Füßen
zu werfen. Erklären Sie sich, rief ich. Die Thränen liefen ihr
die Wangen herunter. Ich war außer mir. Sie trocknete sie ab,
ohne sie verbergen zu wollen. Meine Tante kennen Sie, fing   10
sie an, sie war gegenwärtig, und hat, o mit was für Augen hat
sie das angesehen! Werther, ich habe gestern Nacht ausgestanden, und heute früh eine Predigt über meinen Umgang
mit Ihnen, und ich habe müssen zuhören, Sie herabsetzen,
erniedrigen, und konnte und durfte Sie nur halb vertheidi-   15
gen.
   Jedes Wort das sie sprach ging mir wie ein Schwerdt
durch's Herz. Sie fühlte nicht, welche Barmherzigkeit es gewesen wäre, mir das alles zu verschweigen, und nun fügte sie
noch dazu, was weiter würde geträtscht werden, was eine Art   20
Menschen darüber triumphiren würde. Wie man sich nunmehr über die Strafe meines Übermuths und meiner Gering-
schätzung anderer, die sie mir schon lange vorwerfen, kitzeln
und freuen würde. Das alles Wilhelm von ihr zu hören, mit
der Stimme der wahresten Theilnehmung – Ich war zerstört,   25
und bin noch wüthend in mir. Ich wollte daß sich einer unterstünde mir es vorzuwerfen, daß ich ihm den Degen durch
den Leib stoßen könnte; wenn ich Blut sähe, würde mir es
besser werden. Ach, ich habe hundertmal ein Messer ergriffen um diesem gedrängten Herzen Luft zu machen. Man   30
erzählt von einer edlen Art Pferde, die wenn sie schrecklich
erhitzt und aufgejagt sind, sich selbst aus Instinct eine Ader
aufbeissen um sich zum Athem zu helfen. So ist mir's oft, ich
möchte mir eine Ader öffnen, die mir die ewige Freyheit
schaffte.   35

am 24. Merz.

Ich habe meine Dimißion bey Hofe verlangt, und werde sie,
hoff ich erhalten, und ihr werdet mir verzeihen, daß ich nicht
erst Permißion dazu bey euch geholt habe. Ich mußte nun
5 einmal fort, und was ihr zu sagen hattet, um mir das Bleiben
einzureden weis ich all, und also – Bring das meiner Mutter in
einem Säftgen bey, ich kann mir selbst nicht helfen, also mag
sie sich's gefallen lassen, wenn ich ihr auch nicht helfen kann.
Freylich muß es ihr weh tun. Den schönen Lauf, den ihr Sohn
10 grad zum Geheimderath und Gesandten ansezte, so auf einmal Halte zu sehen, und rükwärts mit dem Thiergen in Stall.
Macht nun draus was ihr wollt und kombinirt die mögliche
Fälle, unter denen ich hätte bleiben können und sollen. Genug ich gehe. Und damit ihr wißt wo ich hinkomme, so ist
15 hier der Fürst ** der viel Geschmak an meiner Gesellschaft
findet, der hat mich gebeten, da er von meiner Absicht hörte,
mit ihm auf seine Güter zu gehen, und den schönen Frühling
da zuzubringen. Ich soll ganz mir selbst gelassen seyn, hat er
mir versprochen, und da wir uns zusammen bis auf einen
20 gewissen Punkt verstehn, so will ich's denn auf gut Glük
wagen, und mit ihm gehn.

den 19. April.

Zur Nachricht.

25 Danke für deine beyden Briefe. Ich antwortete nicht, weil ich
diesen Brief liegen ließ, bis mein Abschied von Hofe da wäre,
weil ich fürchtete, meine Mutter möchte sich an den Minister
wenden und mir mein Vorhaben erschweren. Nun aber ist's
geschehen, mein Abschied ist da. Ich mag euch nicht sagen,
30 wie ungern man mir ihn gegeben hat, und was mir der Minister schreibt, ihr würdet in neue Lamentationen ausbrechen. Der Erbprinz hat mir zum Abschiede fünf und zwanzig
Dukaten geschikt, mit einem Wort, das mich bis zu Thränen
gerührt hat. Also braucht die Mutter mir das Geld nicht zu
35 schikken, um das ich neulich schrieb.

am 24. Merz.

Ich habe meine Entlassung vom Hofe verlangt und werde
sie, hoffe ich, erhalten, und ihr werdet mir verzeihen, daß ich
nicht erst Erlaubniß dazu bey euch gehohlt habe. Ich muß
nun einmal fort, und was ihr zu sagen hattet um mir das
Bleiben einzureden, weiß ich alles, und also – Bringe das
meiner Mutter in einem Säftchen bey, ich kann mir selbst
nicht helfen, und sie mag sich gefallen lassen, wenn ich ihr
auch nicht helfen kann. Freylich muß es ihr wehe thun. Den
schönen Lauf, den ihr Sohn gerade zum Geheimenrath und
Gesandten ansetzte, so auf einmal Halte zu sehen und rückwärts mit dem Thierchen in den Stall! Macht nun daraus was
ihr wollt, und combinirt die möglichen Fälle unter denen ich
hätte bleiben können und sollen; genug ich gehe, und damit
ihr wißt wo ich hinkomme, so ist hier der Fürst ** der vielen
Geschmack an meiner Gesellschaft findet; der hat mich gebeten, da er von meiner Absicht hörte, mit ihm auf seine
Güter zu gehen, und den schönen Frühling da zuzubringen.
Ich soll ganz mir selbst gelassen seyn, hat er mir versprochen,
und da wir uns zusammen bis auf einen gewissen Punct verstehen, so will ich es denn auf gut Glück wagen und mit ihm
gehen.

zur Nachricht.

am 19. Aprill.

Danke für deine beyden Briefe. Ich antwortete nicht, weil ich
dieses Blatt liegen ließ, bis mein Abschied vom Hofe da wäre;
ich fürchtete, meine Mutter möchte sich an den Minister wenden und mir mein Vorhaben erschweren; Nun aber ist es
geschehen, mein Abschied ist da. Ich mag euch nicht sagen,
wie ungern man mir ihn gegeben hat, und was mir der Minister schreibt: ihr würdet in neue Lamentationen ausbrechen. Der Erbprinz hat mir zum Abschiede fünf und zwanzig
Ducaten geschickt, mit einem Worte das mich bis zu Thränen
gerührt hat; also brauche ich von der Mutter das Geld nicht,
um das ich neulich schrieb.

am 5. May.

Morgen geh ich von hier ab, und weil mein Geburtsort nur
sechs Meilen vom Wege liegt, so will ich den auch wieder
sehen, will mich der alten glüklich verträumten Tage erinnern. Zu eben dem Thore will ich hineingehn, aus dem meine
Mutter mit mir herausfuhr, als sie nach dem Tode meines
Vaters den lieben vertraulichen Ort verließ, um sich in ihre
unerträgliche Stadt einzusperren. Adieu, Wilhelm, du sollst
von meinem Zuge hören.

am 9. May.

Ich habe die Wallfahrt nach meiner Heimath mit aller Andacht eines Pilgrims vollendet, und manche unerwartete Gefühle haben mich ergriffen. An der grossen Linde, die eine
Viertelstunde vor der Stadt nach S.. zu steht, ließ ich halten,
stieg aus und hieß den Postillion fortfahren, um zu Fusse jede
Erinnerung ganz neu, lebhaft nach meinem Herzen zu kosten. Da stand ich nun unter der Linde, die ehedessen als
Knabe das Ziel und die Gränze meiner Spaziergänge gewesen. Wie anders! Damals sehnt ich mich in glüklicher Unwissenheit hinaus in die unbekannte Welt, wo ich für mein
Herz alle die Nahrung, alle den Genuß hoffte, dessen Ermangeln ich so oft in meinem Busen fühlte. Jezt kam ich
zurük aus der weiten Welt – O mein Freund, mit wie viel
fehlgeschlagenen Hofnungen, mit wie viel zerstörten Planen! – Ich sah das Gebürge vor mir liegen, das so tausendmal
der Gegenstand meiner Wünsche gewesen. Stundenlang
konnte ich hier sizzen, und mich hinüber sehnen, mit inniger
Seele mich in denen Wäldern, denen Thälern verliehren, die
sich meinen Augen so freundlich dämmernd darstellten –
und wenn ich denn nun die bestimmte Zeit wieder zurük
mußte, mit welchem Widerwillen verließ ich nicht den lieben
Plaz! Ich kam der Stadt näher, alle alte bekannte Gartenhäus-
gen wurden von mir gegrüßt, die neuen waren mir zuwider,
so auch alle Veränderungen, die man sonst vorgenommen
hatte. Ich trat zum Thore hinein, und fand mich doch gleich

am 5. May.

Morgen gehe ich von hier ab, und weil mein Geburtsort nur
sechs Meilen vom Wege liegt, so will ich den auch wieder
sehen, will mich der alten glücklich verträumten Tage erinnern; Zu eben dem Thore will ich hinein gehen, aus dem
meine Mutter mit mir heraus fuhr, als sie nach dem Tode
meines Vaters den lieben vertraulichen Ort verließ um sich in
ihre Stadt einzusperren. Adieu Wilhelm du sollst von meinem Zuge hören.

am 9. May.

Ich habe die Wallfahrt nach meiner Heimath mit aller Andacht eines Pilgrims vollendet, und manche unerwartete Gefühle haben mich ergriffen. An der großen Linde, die eine
Viertelstunde vor der Stadt nach S… zu steht, ließ ich halten,
stieg aus und ließ den Postillion fortfahren, um zu Fuße jede
Erinnerung ganz neu, lebhaft, nach meinem Herzen zu kosten. Da stand ich nun unter der Linde, die ehedem, als
Knabe, das Ziel und die Gränze meiner Spatziergänge gewesen. Wie anders! Damals sehnte ich mich in glücklicher
Unwissenheit hinaus in die unbekannte Welt, wo ich für mein
Herz so viele Nahrung, so vielen Genuß hoffte, meinen strebenden, sehnenden Busen auszufüllen und zu befriedigen;
Jetzt komme ich zurück aus der weiten Welt – o mein Freund,
mit wie viel fehlgeschlagenen Hoffnungen, mit wie viel zerstörten Planen! – Ich sah' das Gebirge vor mir liegen, das so
tausendmal der Gegenstand meiner Wünsche gewesen war.
Stundenlang konnt ich hier sitzen und mich hinüber sehnen,
mit inniger Seele mich in den Wäldern, den Thälern verlieren, die sich meinen Augen so freundlich-dämmernd darstellten, und wenn ich dann um bestimmte Zeit wieder zurück mußte, mit welchem Widerwillen verließ ich nicht den
lieben Platz! – Ich kam der Stadt näher, alle alte bekannte
Gartenhäuschen wurden von mir gegrüßt, die neuen waren
mir zuwider, so auch alle Veränderungen die man sonst
vorgenommen hatte. Ich trat zum Thor hinein, und fand

und ganz wieder. Lieber, ich mag nicht in's Detail gehn, so
reizend als es mir war, so einförmig würde es in der Erzählung werden. Ich hatte beschlossen auf dem Markte zu wohnen, gleich neben unserm alten Hause. Im Hingehen bemerkte ich daß die Schulstube, wo ein ehrlich altes Weib
unsere Kindheit zusammengepfercht hatte, in einen Kram
verwandelt war. Ich erinnerte mich der Unruhe, der Thränen, der Dumpfheit des Sinnes, der Herzensangst, die ich in
dem Loche ausgestanden hatte – Ich that keinen Schritt, der
nicht merkwürdig war. Ein Pilger im heiligen Lande trifft
nicht so viel Stäten religioser Erinnerung, und seine Seele ist
schwerlich so voll heiliger Bewegung. – Noch eins für tausend. Ich gieng den Fluß hinab, bis an einen gewissen Hof,
das war sonst auch mein Weg, und die Pläzgen da wir Knaben uns übten, die meisten Sprünge der flachen Steine im
Wasser hervorzubringen. Ich erinnere mich so lebhaft, wenn
ich manchmal stand, und dem Wasser nachsah, mit wie
wunderbaren Ahndungen ich das verfolgte, wie abenteuerlich ich mir die Gegenden vorstellte, wo es nun hinflösse, und
wie ich da so bald Grenzen meiner Vorstellungskraft fand,
und doch mußte das weiter gehn, immer weiter, bis ich mich
ganz in dem Anschauen einer unsichtbaren Ferne verlohr.
Siehe mein Lieber, das ist doch eben das Gefühl der herrlichen Altväter! Wenn Ulyß von dem ungemessenen Meere,
und von der unendlichen Erde spricht, ist das nicht wahrer,
menschlicher, inniger, als wenn jezzo jeder Schulknabe sich
wunder weise dünkt, wenn er nachsagen kann, daß sie rund
sey.

Nun bin ich hier auf dem fürstlichen Jagdschlosse. Es läßt
sich noch ganz wohl mit dem Herrn leben, er ist ganz wahr,
und einfach.

mich doch gleich und ganz wieder. Lieber, ich mag nicht in's
Detail gehen; so reizend als es mir war, so einförmig würde
es in der Erzählung werden. Ich hatte beschlossen auf dem
Markte zu wohnen, gleich neben unserem alten Hause. Im
Hingehen bemerkte ich, daß die Schulstube, wo ein ehrliches
altes Weib unsere Kindheit zusammengepfercht hatte, in einen Kramladen verwandelt war. Ich erinnerte mich der Unruhe, der Thränen, der Dumpfheit des Sinnes, der Herzensangst, die ich in dem Loche ausgestanden hatte. – Ich
that keinen Schritt der nicht merkwürdig war. Ein Pilger im
heiligen Lande trifft nicht so viele Stätten religiöser Erinnerungen an, und seine Seele ist schwerlich so voll heiliger
Bewegung. – Noch eins für tausend. Ich ging den Fluß hinab,
bis an einen gewissen Hof; das war sonst auch mein Weg, und
die Plätzchen wo wir Knaben uns übten, die meisten
Sprünge der flachen Steine im Wasser hervorzubringen. Ich
erinnerte mich so lebhaft, wenn ich manchmal stand und dem
Wasser nachsah, mit wie wunderbaren Ahndungen ich es
verfolgte, wie abentheuerlich ich mir die Gegenden vorstellte wo es nun hinflösse, und wie ich da so bald Gränzen
meiner Vorstellungskraft fand; und doch mußte das weiter
gehen, immer weiter, bis ich mich ganz in dem Anschauen
einer unsichtbaren Ferne verlohr. – Sieh' mein Lieber so
beschränkt und so glücklich waren die herrlichen Altväter! so
kindlich ihr Gefühl, ihre Dichtung! Wenn Ulyß von dem
ungemeßnen Meer und von der unendlichen Erde spricht,
das ist so wahr, menschlich, innig, eng und geheimnißvoll;
Was hilft mich's, daß ich jetzt mit jedem Schulknaben nachsagen kann, daß sie rund sey? Der Mensch braucht nur wenige Erdschollen um darauf zu genießen, weniger um drunter zu ruhen.

Nun bin ich hier auf dem Fürstlichen Jagdschloß. Es läßt
sich noch ganz wohl mit dem Herrn leben, er ist wahr und
einfach. Wunderliche Menschen sind um ihn herum, die ich
gar nicht begreife. Sie scheinen keine Schelmen und haben
doch auch nicht das Ansehen von ehrlichen Leuten. Manchmal kommen sie mir ehrlich vor und ich kann ihnen doch

Was mir noch manchmal leid thut, ist, daß er oft über Sachen redt, die er nur gehört und gelesen hat, und zwar aus eben dem Gesichtspunkte, wie sie ihm der andere darstellen mochte.

5 Auch schäzt er meinen Verstand und Talente mehr als dies Herz, das doch mein einziger Stolz ist, das ganz allein die Quelle von allem ist, aller Kraft, aller Seligkeit und alles Elends. Ach was ich weis, kann jeder wissen. – Mein Herz hab ich allein.

10   am 25. May.
Ich hatte etwas im Kopfe, davon ich euch nichts sagen wollte, bis es ausgeführt wäre, jezt da nichts draus wird, ist's eben so gut. Ich wollte in Krieg! Das hat mir lang am Herzen gelegen. Vornehmlich darum bin ich dem Fürsten hieher gefolgt, 15 der General in ***schen Diensten ist. Auf einem Spaziergange entdekte ich ihm mein Vorhaben, er widerrieth mir's, und es müßte bey mir mehr Leidenschaft als Grille gewesen seyn, wenn ich seinen Gründen nicht hätte Gehör geben wollen.

20   am 11. Juni.
Sag was Du willst, ich kann nicht länger bleiben. Was soll ich hier? Die Zeit wird mir lang. Der Fürst hält mich wie seines Gleichen gut, und doch bin ich nicht in meiner Lage. Und dann, wir haben im Grunde nichts gemeines mit einander. Er 25 ist ein Mann von Verstande, aber von ganz gemeinem Verstande, sein Umgang unterhält mich nicht mehr, als wenn ich ein wohlgeschrieben Buch lese. Noch acht Tage bleib ich, und dann zieh ich wieder in der Irre herum. Das beste, was ich hier gethan habe, ist mein Zeichnen. Und der Fürst fühlt in 30 der Kunst, und würde noch stärker fühlen, wenn er nicht durch das garstige, wissenschaftliche Wesen, und durch die gewöhnliche Terminologie eingeschränkt wäre. Manchmal knirsch ich mit den Zähnen, wenn ich ihn mit warmer Ima-

nicht trauen. Was mir noch leid thut ist, daß er oft von Sachen
redet, die er nur gehört und gelesen hat, und zwar aus eben
dem Gesichtspuncte, wie sie ihm der andere vorstellen
mochte.

Auch schätzt er meinen Verstand und meine Talente mehr
als dieß Herz, das doch mein einziger Stolz ist, das ganz allein
die Quelle von allem ist, aller Kraft, aller Seligkeit und alles
Elendes. Ach, was ich weiß kann jeder wissen – mein Herz
habe ich allein.

am 25. May.

Ich hatte etwas im Kopfe, davon ich euch nichts sagen wollte
bis es ausgeführt wäre: jetzt, da nichts draus wird, ist es eben
so gut. Ich wollte in den Krieg; das hat mir lange am Herzen
gelegen. Vornehmlich darum bin ich dem Fürsten hierher
gefolgt, der General in *** Diensten ist. Auf einem Spatzier-
gang entdeckte ich ihm mein Vorhaben; er widerrieth mir es,
und es müßte bey mir mehr Leidenschaft als Grille gewesen
seyn, wenn ich seinen Gründen nicht hätte Gehör geben
wollen.

am 11. Junius.

Sage was du willst, ich kann nicht länger bleiben. Was soll ich
hier? die Zeit wird mir lange. Der Fürst hält mich, so gut man
nur kann, und doch bin ich nicht in meiner Lage. Wir haben
im Grunde nichts gemeines mit einander. Er ist ein Mann
von Verstande, aber von ganz gemeinem Verstande; sein
Umgang unterhält mich nicht mehr, als wenn ich ein wohl-
geschriebenes Buch lese. Noch acht Tage bleibe ich und dann
ziehe ich wieder in der Irre herum. Das beste was ich hier
gethan habe ist mein Zeichnen. Der Fürst fühlt in der Kunst
und würde noch stärker fühlen, wenn er nicht durch das
garstige wissenschaftliche Wesen und durch die gewöhnliche
Terminologie eingeschränkt wäre. Manchmal knirsche ich
mit den Zähnen, wenn ich ihn mit warmer Imagination an

gination so an Natur und Kunst herum führe und er's auf
einmal recht gut zu machen denkt, wenn er mit einem gestempelten Kunstworte drein tölpelt.

am 18. Juni.

Wo ich hin will? Das laß Dir im Vertrauen eröfnen. Vierzehn
Tage muß ich doch noch hier bleiben, und dann hab ich mir
10 weis gemacht, daß ich die Bergwerke in **schen besuchen
wollte, ist aber im Grunde nichts dran, ich will nur Lotten
wieder näher, das ist alles. Und ich lache über mein eigen
Herz – und thu ihm seinen Willen.

am 29. Juli.

15 Nein es ist gut! Es ist alles gut! Ich ihr Mann! O Gott, der du
mich machtest, wenn du mir diese Seligkeit bereitet hättest,
mein ganzes Leben sollte ein anhaltendes Gebet seyn. Ich
will nicht rechten, und verzeih mir diese Thränen, verzeih
mir meine vergebliche Wünsche. – Sie meine Frau! Wenn ich
20 das liebste Geschöpf unter der Sonne in meine Arme geschlossen hätte – Es geht mir ein Schauder durch den ganzen
Körper, Wilhelm, wenn Albert sie um den schlanken Leib
faßt.

Und, darf ich's sagen? Warum nicht, Wilhelm, sie wäre mit
25 mir glüklicher geworden als mit ihm! O er ist nicht der
Mensch, die Wünsche dieses Herzens alle zu füllen. Ein gewisser Mangel an Fühlbarkeit, ein Mangel – nimm's wie du
willst, daß sein Herz nicht sympathetisch schlägt bey – Oh! –
bey der Stelle eines lieben Buchs, wo mein Herz und Lottens
30 in einem zusammen treffen. In hundert andern Vorfällen,
wenn's kommt, daß unsere Empfindungen über eine Hand-

Natur und Kunst herumführe und er es auf einmal recht gut
zu machen denkt, wenn er mit einem gestempelten Kunstworte drein stolpert.

am 16. Junius.

Ja wohl bin ich nur ein Wandrer, ein Waller auf der Erde!
Seyd ihr denn mehr?

am 18. Junius.

Wo ich hin will? das laß dir im Vertrauen eröffnen. Vierzehn
Tage muß ich doch noch hier bleiben, und dann habe ich mir
weis gemacht, daß ich die Bergwerke im **schen besuchen
wollte; ist aber im Grunde nichts dran, ich will nur Lotten
wieder näher, das ist alles. Und ich lache über mein eignes
Herz – und thu' ihm seinen Willen.

am 29. Julius.

Nein es ist gut! es ist alles gut! – Ich – ihr Mann! O Gott, der
du mich machtest, wenn du mir diese Seligkeit bereitet hättest, mein ganzes Leben sollte ein anhaltendes Gebeth seyn.
Ich will nicht rechten, und verzeihe mir diese Thränen, verzeihe mir meine vergebliche Wünsche! – Sie meine Frau!
Wenn ich das liebste Geschöpf unter der Sonne in meine
Arme geschlossen hätte – Es geht mir ein Schauder durch den
ganzen Körper Wilhelm, wenn Albert sie um den schlanken
Leib faßt.

    Und, darf ich es sagen? Warum nicht, Wilhelm? Sie wäre
mit mir glücklicher geworden als mit ihm! O er ist nicht der
Mensch, die Wünsche dieses Herzens alle zu füllen. Ein gewisser Mangel an Fühlbarkeit, ein Mangel – nimm es wie du
willst; daß sein Herz nicht sympathetisch schlägt bey – oh! –
bey der Stelle eines lieben Buches, wo mein Herz und Lottens
in einem zusammen treffen; in hundert andern Vorfällen,
wenn es kommt daß unsere Empfindungen über eine Hand-

lung eines dritten laut werden. Lieber Wilhelm! – Zwar er
liebt sie von ganzer Seele, und so eine Liebe was verdient die
nicht –

Ein unerträglicher Mensch hat mich unterbrochen. Meine
Thränen sind getroknet. Ich bin zerstreut. Adieu Lieber.

am 4. August.

Es geht mir nicht allein so. Alle Menschen werden in ihren
Hofnungen getäuscht, in ihren Erwartungen betrogen. Ich
besuchte mein gutes Weib unter der Linde. Der ältste Bub lief
mir entgegen, sein Freudengeschrey führte die Mutter herbey, die sehr niedergeschlagen aussah. Ihr erstes Wort war:
Guter Herr! ach mein Hanns ist mir gestorben, es war der
jüngste ihrer Knaben, ich war stille, und mein Mann sagte
sie, ist aus der Schweiz zurük, und hat nichts mit gebracht,
und ohne gute Leute hätte er sich heraus betteln müssen. Er
hatte das Fieber kriegt unterwegs. Ich konnte ihr nichts sagen, und schenkte dem kleinen was, sie bat mich einige Aep-
fel anzunehmen, das ich that und den Ort des traurigen Andenkens verließ.

am 21. Aug.

Wie man eine Hand umwendet, ist's anders mit mir. Manchmal will so ein freudiger Blik des Lebens wieder auf-
dämmern, ach nur für einen Augenblik! Wenn ich mich so in
Träumen verliehre, kann ich mich des Gedankens nicht erwehren: Wie, wenn Albert stürbe! Du würdest! ja sie würde –
und dann lauf ich dem Hirngespinste nach, bis es mich an
Abgründe führt, vor denen ich zurükbebe.

Wenn ich so dem Thore hinaus gehe, den Weg den ich zum
erstenmal fuhr, Lotten zum Tanze zu holen, wie war das all
so anders! Alles, alles ist vorüber gegangen! Kein Wink der
vorigen Welt, kein Pulsschlag meines damaligen Gefühls.
Mir ist's, wie's einem Geiste seyn müßte, der in das versengte
verstörte Schloß zurükkehrte, das er als blühender Fürst

lung eines dritten laut werden. Lieber Wilhelm! – Zwar er
liebt sie von ganzer Seele, und so eine Liebe was verdient die
nicht! –

Ein unerträglicher Mensch hat mich unterbrochen. Meine
Thränen sind getrocknet. Ich bin zerstreut. Adieu, Lieber!   5

am 4. Aug.

Es geht mir nicht allein so. Alle Menschen werden in ihren
Hoffnungen getäuscht, in ihren Erwartungen betrogen. Ich
besuchte mein gutes Weib unter der Linde. Der älteste Junge
lief mir entgegen, sein Freudengeschrey führte die Mutter   10
herbey, die sehr niedergeschlagen aussah. Ihr erstes Wort
war: Guter Herr, ach mein Hanns ist mir gestorben! Es war
der jüngste ihrer Knaben. Ich war stille. Und mein Mann,
sagte ist aus der Schweiz zurück, und hat nichts mitgebracht, und ohne gute Leute, hätte er sich heraus betteln   15
müssen, er hatte das Fieber unterwegs gekriegt. – Ich konnte
ihr nichts sagen und schenkte dem Kleinen was; sie bat mich
einige Äpfel anzunehmen, das ich that, und den Ort des traurigen Andenkens verließ.

am 21. Aug.   20

Wie man eine Hand umwendet ist es anders mit mir. Manchmal will wohl ein freudiger Blick des Lebens wieder aufdäm-
mern, ach! nur für einen Augenblick! – Wenn ich mich so in
Träumen verliere, kann ich mich des Gedankens nicht erwehren: wie wenn Albert stürbe? Du würdest! ja, Sie würde –   25
und dann laufe ich dem Hirngespinste nach, bis es mich an
Abgründe führet, vor denen ich zurückbebe.

Wenn ich zum Thor hinaus gehe, den Weg, den ich zum
erstenmal fuhr, Lotten zum Tanze zu hohlen, wie war das so
ganz anders! Alles, alles ist vorüber gegangen! Kein Wink   30
der vorigen Welt, kein Pulsschlag meines damaligen Gefühles; Mir ist es, wie es einem Geiste seyn müßte, der in das
ausgebrannte, zerstörte Schloß zurückkehrte, das er als

einst gebaut und mit allen Gaben der Herrlichkeit ausgestattet, sterbend seinem geliebten Sohne hoffnungsvoll hinterlassen.

am 3. September.

5 Ich begreife manchmal nicht, wie sie ein anderer lieb haben
kann, lieb haben darf, da ich sie so ganz allein, so innig, so
voll liebe, nichts anders kenne, noch weis, noch habe als sie.

blühender Fürst einst gebaut, und mit allen Gaben der Herrlichkeit ausgestattet, sterbend seinem geliebten Sohne hoffnungsvoll hinterlassen hätte.

am 3. Sept.

Ich begreife manchmal nicht, wie sie ein anderer lieb haben
kann, lieb haben *darf*, da ich sie so ganz allein, so innig, so voll
liebe, nichts anders kenne, noch weiß, noch habe, als sie!

am 4. Sept.

Ja, es ist so. Wie die Natur sich zum Herbste neigt, wird es
Herbst in mir und um mich her. Meine Blätter werden gelb
und schon sind die Blätter der benachbarten Bäume abgefallen. Hab ich dir nicht einmal von einem Bauerburschen geschrieben gleich da ich herkam? Jetzt erkundigte ich mich
wieder nach ihm in Wahlheim; es hieß, er sey aus dem Dienste
gejagt worden, und niemand wollte was weiter von ihm wissen. Gestern traf ich ihn von ohngefähr auf dem Wege nach
einem andern Dorfe, ich redete ihn an und er erzählte mir
seine Geschichte, die mich doppelt und dreyfach gerührt hat
wie du leicht begreifen wirst, wenn ich dir sie wieder erzähle.
Doch wozu das alles, warum behalt' ich nicht für mich, was
mich ängstigt und kränkt? warum betrüb' ich noch dich?
warum geb' ich dir immer Gelegenheit, mich zu bedauren
und mich zu schelten. Seys denn, auch das mag zu meinem
Schicksal gehören!

Mit einer stillen Traurigkeit, in der ich ein wenig scheues
Wesen zu bemerken schien, antwortete der Mensch mir erst
auf meine Fragen; aber gar bald offner als wenn er sich und
mich auf einmal wieder erkennte, gestand er mir seine Fehler,
klagte er mir sein Unglück. Könnt' ich dir, mein Freund,
jedes seiner Worte vor Gericht stellen! Er bekannte, ja er
erzählte mit einer Art von Genuß und Glück der Wiederer-
innerung, daß die Leidenschaft zu seiner Hausfrau sich in
ihm tagtäglich vermehrt, daß er zuletzt nicht gewußt habe

was er thue, nicht, wie er sich ausdruckte, wo er mit dem
Kopfe hin gesollt? Er habe weder essen noch trinken, noch
schlafen können, es habe ihm an der Kehle gestockt, er habe
gethan, was er nicht thun sollen, was ihm aufgetragen worden hab' er vergessen, er sey als wie von einem bösen Geist
verfolgt gewesen, bis er eins Tags, als er sie in einer obern
Kammer gewußt, ihr nachgegangen, ja vielmehr ihr nachge-
zogen worden sey; da sie seinen Bitten kein Gehör gegeben,
hab' er sich ihrer mit Gewalt bemächtigen wollen, er wisse
nicht wie ihm geschehen sey, und nehme Gott zum Zeugen,
daß seine Absichten gegen sie immer redlich gewesen, und
daß er nichts sehnlicher gewünscht, als daß sie ihn heirathen,
daß sie mit ihm ihr Leben zubringen möchte. Da er eine
Zeitlang geredet hatte, fing er an zu stocken, wie einer, der
noch etwas zu sagen hat, und sich es nicht herauszusagen
getraut; endlich gestand er mir auch mit Schüchternheit, was
sie ihm für kleine Vertraulichkeiten erlaubt, und welche
Nähe sie ihm vergönnet. Er brach zwey- dreymal ab und
wiederhohlte die lebhaftesten Protestationen, daß er das
nicht sage, um sie schlecht zu machen, wie er sich ausdrückte,
daß er sie liebe und schätze wie vorher, daß so etwas nicht
über seinen Mund gekommen sey, und daß er es mir nur sage
um mich zu überzeugen, daß er kein ganz verkehrter und
unsinniger Mensch sey – Und hier, mein Bester fang' ich
mein altes Lied wieder an, das ich ewig anstimmen werde:
könnt' ich dir den Menschen vorstellen, wie er vor mir stand,
wie er noch vor mir steht! Könnt' ich dir alles recht sagen,
damit du fühltest wie ich an seinem Schicksale Theil nehme,
Theil nehmen muß! Doch genug, da du auch mein Schicksal
kennst, auch mich kennst, so weißt du nur zu wohl, was mich
zu allen Unglücklichen, was mich besonders zu diesem Unglücklichen hinzieht. Da ich das Blatt wieder durchlese seh'
ich, daß ich das Ende der Geschichte zu erzählen vergessen
habe, das sich aber leicht hinzu denken läßt. Sie erwehrte sich
sein; ihr Bruder kam dazu, der ihn schon lange gehaßt, der
ihn schon lange aus dem Hause gewünscht hatte, weil er
fürchtet, durch eine neue Heirath der Schwester werde seinen

Kindern die Erbschaft entgehn, die ihnen jetzt, da sie kinder-
los ist, schöne Hoffnungen gibt; dieser habe ihn gleich zum
Hause hinaus gestoßen und einen solchen Lärm von der Sache gemacht, daß die Frau, auch selbst wenn sie gewollt, ihn
nicht wieder hätte aufnehmen können. Jetzt habe sie wieder
einen andern Knecht genommen, auch über den, sage man,
sei sie mit dem Bruder zerfallen und man behaupte für gewiß,
sie werde ihn heirathen, aber er sey fest entschlossen das
nicht zu erleben.

Was ich dir erzähle, ist nicht übertrieben, nichts verzärtelt,
ja ich darf wohl sagen, schwach schwach hab' ich's erzählt
und vergröbert hab ichs, indem ichs mit unsern hergebrachten sittlichen Worten vorgetragen habe.

Diese Liebe, diese Treue, diese Leidenschaft, ist also keine
dichterische Erfindung. Sie lebt, sie ist in ihrer größten Reinheit unter der Classe von Menschen, die wir ungebildet, die
wir roh nennen. Wir gebildeten – zu nichts verbildeten, lies
die Geschichte mit Andacht, ich bitte dich. Ich bin heute still,
indem ich das hinschreibe; du siehst an meiner Hand, daß ich
nicht so strudele und sudele wie sonst. Lies mein Geliebter
und denke dabey, daß es auch die Geschichte deines Freundes
ist. Ja, so ist mirs gegangen, so wird mirs gehn, und ich bin
nicht halb so brav, nicht halb so entschlossen, als der arme
Unglückliche, mit dem ich mich zu vergleichen mich fast
nicht getraue.

am 5. Sept.

Sie hatte ein Zettelchen an ihren Mann auf's Land geschrieben, wo er sich Geschäfte wegen aufhielt. Es fing an: Bester,
Liebster, komme so bald du kannst, ich erwarte dich mit
tausend Freuden. – Ein Freund, der herein kam, brachte
Nachricht, daß er wegen gewisser Umstände so bald noch
nicht zurückkehren würde. Das Billet blieb liegen, und fiel
mir Abends in die Hände. Ich las es und lächelte; sie fragte
worüber? – Was die Einbildungskraft für ein göttliches Geschenk ist, rief ich aus, ich konnte mir einen Augenblick
vorspiegeln, als wäre es an mich geschrieben. Sie brach ab, es
schien ihr zu mißfallen, und ich schwieg.

am 6. Sept.

Es hat schwer gehalten, bis ich mich entschloß, meinen blauen einfachen Frak, in dem ich mit Lotten zum erstenmal tanzte, abzulegen, er ward aber zulezt gar unscheinbar. Auch hab ich mir einen machen lassen, ganz wie den vorigen, Kragen und Aufschlag und auch wieder so gelbe West und Hosen dazu.

Ganz will's es doch nicht thun. Ich weis nicht – Ich denke mit der Zeit soll mir der auch lieber werden.

am 6. Sept.

Es hat schwer gehalten, bis ich mich entschloß, meinen blauen einfachen Frack, in dem ich mit Lotten zum erstenmale tanzte, abzulegen, er ward aber zuletzt gar unscheinbar. Auch habe ich mir einen machen lassen, ganz wie den vorigen, Kragen und Aufschlag, und auch wieder so gelbe Weste und Beinkleider dazu.

Ganz will es doch die Wirkung nicht thun. Ich weiß nicht – Ich denke mit der Zeit soll mir der auch lieber werden.

am 12. Sept.

Sie war einige Tage verreist, Alberten abzuhohlen. Heute trat ich in ihre Stube, sie kam mir entgegen und ich küßte ihre Hand mit tausend Freuden.

Ein Kanarienvogel flog von dem Spiegel ihr auf die Schulter. Einen neuen Freund, sagte sie und lockte ihn auf ihre Hand, er ist meinen Kleinen zugedacht. Er thut gar zu lieb! Sehen Sie ihn! Wenn ich ihm Brod gebe flattert er mit den Flügeln und pickt so artig. Er küßt mich auch, sehen Sie!

Als sie dem Thierchen den Mund hinhielt, druckte es sich so lieblich in die süßen Lippen als wenn es die Seligkeit hätte fühlen können die es genoß.

Er soll Sie auch küssen, sagte sie, und reichte den Vogel herüber. Das Schnäbelchen machte den Weg von ihrem Munde zu dem meinigen, und die pickende Berührung war wie ein Hauch, eine Ahndung liebevollen Genusses.

Sein Kuß sagte ich, ist nicht ganz ohne Begierde, er sucht Nahrung und kehrt unbefriedigt von der leeren Liebkosung zurück.

Er ißt mir auch aus dem Munde, sagte sie. Sie reichte ihm einige Brosamen mit ihren Lippen, aus denen die Freuden unschuldig theilnehmender Liebe in aller Wonne lächelten.

Ich kehrte das Gesicht weg. Sie sollte es nicht thun! sollte nicht meine Einbildungskraft mit diesen Bildern himmlischer Unschuld und Seligkeit reizen und mein Herz aus dem Schlafe, in den es manchmal die Gleichgültigkeit des Lebens

am 15. Sept.

Man möchte sich dem Teufel ergeben, Wilhelm, über all die
Hunde, die Gott auf Erden duldet, ohne Sinn und Gefühl an
dem wenigen, was drauf noch was werth ist. Du kennst die
Nußbäume, unter denen ich bey dem ehrlichen Pfarrer zu
St.., mit Lotten gesessen, die herrlichen Nußbäume, die
mich, Gott weis, immer mit dem grösten Seelenvergnügen
füllten. Wie vertraulich sie den Pfarrhof machten, wie kühl,
und wie herrlich die Aeste waren. Und die Erinnerung bis zu
den guten Kerls von Pfarrers, die sie vor so viel Jahren
pflanzten. Der Schulmeister hat uns den einen Namen oft
genannt, den er von seinem Grosvater gehört hatte, und so
ein braver Mann soll er gewesen seyn, und sein Andenken
war mir immer heilig, unter den Bäumen. Ich sage Dir, dem
Schulmeister standen die Thränen in den Augen, da wir gestern davon redeten, daß sie abgehauen worden – Abgehauen! Ich möchte rasend werden, ich könnte den Hund ermorden, der den ersten Hieb dran that. Ich, der ich könnte
mich vertrauren, wenn so ein paar Bäume in meinem Hofe
stünden, und einer davon stürbe vor Alter ab, ich muß so
zusehn. Lieber Schaz, eins ist doch dabey! Was Menschengefühl ist! Das ganze Dorf murrt, und ich hoffe, die Frau
Pfarrern soll's an Butter und Eyern und übrigem Zutragen
spüren, was für eine Wunde sie ihrem Orte gegeben hat.
Denn sie ist's, die Frau des neuen Pfarrers, unser Alter ist
auch gestorben, ein hageres, kränkliches Thier, das sehr Ursache hat an der Welt keinen Antheil zu nehmen, denn niemand nimmt Antheil an ihr. Eine Frazze, die sich abgiebt
gelehrt zu seyn, sich in die Untersuchung des Canons melirt,
gar viel an der neumodischen moralisch kritischen Reformation des Christenthums arbeitet, und über Lavaters
Schwärmereyen die Achseln zukt, eine ganz zerrüttete Gesundheit hat, und auf Gottes Erdboden deswegen keine

wiegt, nicht wecken! – Und warum nicht? – Sie traut mir so!
sie weiß wie ich sie liebe!

am 15. Sept.

Man möchte rasend werden Wilhelm, daß es Menschen geben soll ohne Sinn und Gefühl an dem wenigen, was auf
Erden noch einen Werth hat. Du kennst die Nußbäume, unter denen ich bey dem ehrlichen Pfarrer zu St... mit Lotten
gesessen, die herrlichen Nußbäume! die mich, Gott weiß,
immer mit dem größten Seelenvergnügen füllten! Wie vertraulich sie den Pfarrhof machten, wie kühl! und wie herrlich
die Äste waren! und die Erinnerung bis zu den ehrlichen
Geistlichen die sie vor so vielen Jahren pflanzten. Der Schulmeister hat uns den einen Nahmen oft genannt, den er von
seinem Großvater gehört hatte; so ein braver Mann soll er
gewesen seyn, und sein Andenken war mir immer heilig
unter den Bäumen. Ich sage dir, dem Schulmeister standen
die Thränen in den Augen, da wir gestern davon redeten daß
sie abgehauen worden – Abgehauen! Ich möchte toll werden,
ich könnte den Hund ermorden der den ersten Hieb dran
that. Ich, der ich mich vertrauren könnte, wenn so ein paar
Bäume in meinem Hofe stünden und einer davon stürbe vor
Alter ab, ich muß zusehen. Lieber Schatz, eins ist doch dabey!
Was Menschengefühl ist! Das ganze Dorf murrt, und ich
hoffe die Frau Pfarrerinn soll es an Butter und Eyern und
übrigem Zutrauen spüren, was für eine Wunde sie ihrem
Orte gegeben hat. Denn *sie* ist es, die Frau des neuen Pfarrers
(unser Alter ist auch gestorben) ein hageres kränkliches Geschöpf, das sehr Ursache hat an der Welt keinen Antheil zu
nehmen, denn niemand nimmt Antheil an ihr. Eine Närrinn,
die sich abgibt gelehrt zu seyn, sich in die Untersuchung des
Kanons melirt, gar viel an der neumodischen moralischkritischen Reformation des Christenthumes arbeitet, und über
Lavaters Schwärmereyen die Achseln zuckt, eine ganz zerrüttete Gesundheit hat und deswegen auf Gottes Erdboden
keine Freude; So einer Kreatur war es auch alleine möglich,

Freude. So ein Ding war's auch allein, um meine Nußbäume
abzuhauen. Siehst du, ich komme nicht zu mir! Stelle dir vor,
die abfallenden Blätter machen ihr den Hof unrein und
dumpfig, die Bäume nehmen ihr das Tageslicht, und wenn
die Nüsse reif sind, so werfen die Knaben mit Steinen darnach, und das fällt ihr auf die Nerven, und das stört sie in
ihren tiefen Ueberlegungen, wenn sie Kennikot, Semler und
Michaelis, gegen einander abwiegt. Da ich die Leute im
Dorfe, besonders die Alten, so unzufrieden sah, sagt' ich:
warum habt ihr's gelitten? – Wenn der Schulz will, hier zu
Lande, sagten sie, was kann man machen. Aber eins ist recht
geschehn, der Schulz und der Pfarrer, der doch auch von
seiner Frauen Grillen, die ihm so die Suppen nicht fett machen, etwas haben wollte, dachtens mit einander zu theilen,
da erfuhr's die Kammer und sagte: hier herein!
                          und verkaufte die Bäume an den Meist-
bietenden. Sie liegen! O wenn ich Fürst wäre! Ich wollt die
Pfarrern, den Schulzen und die Kammer – Fürst! – Ja wenn
ich Fürst wäre, was kümmerten mich die Bäume in meinem
Lande.

                                              am 10. Oktober.
Wenn ich nur ihre schwarzen Augen sehe, ist mirs schon
wohl! Sieh, und was mich verdrüst, ist, daß Albert nicht so
beglükt zu seyn scheinet, als er – hoffte – als ich – zu seyn
glaubte – wenn – Ich mache nicht gern Gedankenstriche,
aber hier kann ich mich nicht anders ausdrukken – und mich
dünkt deutlich genug.

                                              am 12. Oktober.
Ossian hat in meinem Herzen den Homer verdrängt. Welch
eine Welt, in die der Herrliche mich führt. Zu wandern über
die Haide, umsaußt vom Sturmwinde, der in dampfenden
Nebeln, die Geister der Väter im dämmernden Lichte des
Mondes hinführt. Zu hören vom Gebürge her, im Gebrülle

meine Nußbäume abzuhauen. Siehst du, ich komme nicht zu
mir! Stelle dir vor, die abfallenden Blätter machen ihr den
Hof unrein und dumpfig, die Bäume nehmen ihr das Tageslicht, und wenn die Nüsse reif sind, so werfen die Knaben mit
Steinen dar nach, und das fällt ihr auf die Nerven, das stört sie   5
in ihren tiefen Überlegungen, wenn sie Kennikot, Semler
und Michaelis gegen einander abwiegt. Da ich die Leute im
Dorfe, besonders die Alten, so unzufrieden sah, sagte ich:
Warum habt ihr es gelitten? – Wenn der Schulze will, hier zu
Lande, sagten sie, was kann man machen? Aber eins ist recht   10
geschehen; Der Schulze und der Pfarrer, der doch auch von
seiner Frauen Grillen, die ihm ohne dieß die Suppen nicht
fett machen, was haben wollte, dachten es mit einander zu
theilen; Da erfuhr es die Kammer und sagte: hier herein!
denn sie hatte noch alte Prätensionen an den Theil des Pfarr-   15
hofes wo die Bäume standen, und verkaufte sie an den Meist-
biethenden. Sie liegen! O wenn ich Fürst wäre! ich wollte die
Pfarrerinn, den Schulzen und die Kammer – Fürst! – Ja,
wenn ich Fürst wäre, was kümmerten mich die Bäume in
meinem Lande?   20

am 10. Octbr.

Wenn ich nur ihre schwarzen Augen sehe ist mir es schon
wohl! Sieh, und was mich verdrießt, ist, daß Albert nicht so
beglückt zu seyn scheint, als er – hoffte, als ich – zu seyn
glaubte, wenn – Ich mache nicht gerne Gedankenstriche,   25
aber hier kann ich mich nicht anders ausdrücken – und mich
dünkt deutlich genug.

am 12. Oct.

Ossian hat in meinem Herzen den Homer verdrängt. Welch
eine Welt in die der Herrliche mich führt! Zu wandern über   30
die Haide, umsaust vom Sturmwinde, der in dampfenden
Nebeln die Geister der Väter im dämmernden Lichte des
Mondes hinführt. Zu hören vom Gebirge her im Gebrülle

des Waldstroms, halb verwehtes Aechzen der Geister aus
ihren Hölen, und die Wehklagen des zu Tode gejammerten
Mädgens, um die vier moosbedekten, grasbewachsnen
Steine des edelgefallnen ihres Geliebten. Wenn ich ihn denn
5 finde, den wandelnden grauen Barden, der auf der weiten
Haide die Fustapfen seiner Väter sucht und ach! ihre Grabsteine findet. Und dann jammernd nach dem lieben Sterne
des Abends hinblikt, der sich in's rollende Meer verbirgt,
und die Zeiten der Vergangenheit in des Helden Seele leben-
10 dig werden, da noch der freundliche Stral den Gefahren der
Tapfern leuchtete, und der Mond ihr bekränztes, siegrük-
kehrendes Schiff beschien. Wenn ich so den tiefen Kummer
auf seiner Stirne lese, so den lezten verlaßnen Herrlichen in
aller Ermattung dem Grabe zu wanken sehe, wie er immer
15 neue schmerzlich glühende Freuden in der kraftlosen Gegenwart der Schatten seiner Abgeschiedenen einsaugt, und
nach der kalten Erde dem hohen wehenden Grase niedersieht, und ausruft: Der Wanderer wird kommen, kommen, der mich kannte in meiner Schönheit und fragen, wo ist
20 der Sänger, Fingals treflicher Sohn? Sein Fustritt geht über
mein Grab hin, und er fragt vergebens nach mir auf der Erde.
O Freund! ich möchte gleich einem edlen Waffenträger das
Schwerd ziehen und meinen Fürsten von der zükkenden
Quaal des langsam absterbenden Lebens auf einmal be-
25 freyen, und dem befreyten Halbgott meine Seele nachsenden.

                                        am 19. Oktober.
Ach diese Lükke! Diese entsezliche Lükke, die ich hier in
meinem Busen fühle! ich denke oft! – Wenn du sie nur einmal,
30 nur einmal an dieses Herz drükken könntest. All diese Lükke
würde ausgefüllt seyn.

des Waldstroms halb verwehtes Ächzen der Geister aus ihren
Höhlen und die Wehklagen des zu Tode sich jammernden
Mädchens, um die vier moosbedeckten, grasbewachsenen
Steine des Edelgefallnen ihres Geliebten. Wenn ich ihn dann
finde den wandelnden grauen Barden, der auf der weiten 5
Haide die Fußstapfen seiner Väter sucht, und ach! ihre Grabsteine findet, und dann jammernd nach dem lieben Sterne des
Abends hinblickt, der sich in's rollende Meer verbirgt, und
die Zeiten der Vergangenheit in des Helden Seele lebendig
werden, da noch der freundliche Strahl den Gefahren der 10
Tapferen leuchtete, und der Mond ihr bekränztes siegrück-
kehrendes Schiff beschien. Wenn ich den tiefen Kummer auf
seiner Stirn lese, den letzten, verlaßnen Herrlichen in aller
Ermattung dem Grabe zuwanken sehe, wie er immer neue
schmerzlichglühende Freuden in der kraftlosen Gegenwart 15
der Schatten seiner Abgeschiedenen einsaugt, und nach der
kalten Erde, dem hohen, wehenden Grase niedersieht und
ausruft: Der Wanderer wird kommen, kommen! der mich
kannte in meiner Schönheit und fragen: Wo ist der Sänger,
Fingals trefflicher Sohn? Sein Fußtritt geht über mein Grab 20
hin und er fragt vergebens nach mir auf der Erde – O Freund!
ich möchte gleich einem edlen Waffenträger das Schwerdt
ziehn, meinen Fürsten von der zückenden Qual des langsam
absterbenden Lebens auf einmal befreyen und dem befreyten
Halbgott meine Seele nachsenden. 25

am 19. Octbr.

Ach diese Lücke! diese entsetzliche Lücke, die ich hier in
meinem Busen fühle! – Ich denke oft, wenn du sie nur einmal,
nur einmal an dieses Herz drücken könntest, diese ganze 30
Lücke würde ausgefüllt seyn.

am 26. Oktober.

Ja es wird mir gewiß, Lieber! gewiß und immer gewisser,
daß an dem Daseyn eines Geschöpfs so wenig gelegen ist,
ganz wenig. Es kam eine Freundinn zu Lotten, und ich gieng
herein in's Nebenzimmer, ein Buch zu nehmen, und konnte
nicht lesen, und dann nahm ich eine Feder zu schreiben. Ich
hörte sie leise reden, sie erzählten einander insofern unbedeutende Sachen, Stadtneuigkeiten: wie diese heyrathet, wie
jene krank, sehr krank ist. Sie hat einen troknen Husten, die
Knochen stehn ihr zum Gesichte heraus, und kriegt Ohnmachten, ich gebe keinen Kreuzer für ihr Leben, sagte die
eine. Der N. N. ist auch so übel dran, sagte Lotte. Er ist
schon geschwollen, sagte die andre. Und meine lebhafte Einbildungskraft versezte mich an's Bette dieser Armen, ich sah
sie, mit welchem Widerwillen sie dem Leben den Rükken
wandten, wie sie – Wilhelm, und meine Weibgens redeten
davon, wie man eben davon redt: daß ein Fremder stirbt. –
Und wenn ich mich umsehe, und seh das Zimmer an, und
rings um mich Lottens Kleider, hier ihre Ohrringe auf dem
Tischgen, und Alberts Scripturen und diese Meubels, denen
ich nun so befreundet bin, so gar diesem Dintenfaß; und
denke: Sieh, was du nun diesem Hause bist! Alles in allem.
Deine Freunde ehren dich! Du machst oft ihre Freude, und
deinem Herzen scheint's, als wenn es ohne sie nicht seyn
könnte, und doch – wenn du nun giengst? wenn du aus
diesem Kreise schiedest, würden sie? wie lange würden sie
die Lükke fühlen, die dein Verlust in ihr Schiksal reißt? wie
lang? – O so vergänglich ist der Mensch, daß er auch da, wo
er seines Daseyns eigentliche Gewißheit hat, da, wo er den
einzigen wahren Eindruk seiner Gegenwart macht; in dem
Andenken in der Seele seiner Lieben, daß er auch da verlöschen, verschwinden muß, und das – so bald!

am 26. Oct.

Ja es wird mir gewiß, Lieber! gewiß und immer gewisser,
daß an dem Daseyn eines Geschöpfes wenig gelegen ist, ganz
wenig. Es kam eine Freundinn zu Lotten, und ich ging herein in's Nebenzimmer ein Buch zu nehmen, und konnte nicht
lesen, und dann nahm ich eine Feder zu schreiben. Ich hörte
sie leise reden; sie erzählten einander unbedeutende Sachen,
Stadtneuigkeiten: Wie diese heirathet, wie jene krank, sehr
krank ist; Sie hat einen trocknen Husten, die Knochen stehn
ihr zum Gesicht heraus, und kriegt Ohnmachten; ich gebe
keinen Kreuzer für ihr Leben, sagte die eine, der N. N. ist
auch so übel dran, sagte Lotte. Er ist geschwollen, sagte die
andere. – Und meine lebhafte Einbildungskraft versetzte
mich an's Bett dieser Armen; ich sah sie, mit welchem Widerwillen sie dem Leben den Rücken wandten, wie sie –
Wilhelm! und meine Weibchen, redeten davon, wie man eben
davon redet – daß ein Fremder stirbt – Und wenn ich mich
umsehe, und sehe das Zimmer an, und rings um mich Lottens Kleider
              und Alberts Scripturen und diese Meubel, de-
nen ich nun so befreundet bin, sogar diesem Dintenfasse,
und denke: Siehe was du nun diesem Hause bist! Alles in
allem. Deine Freunde ehren dich! du machst oft ihre Freude,
und deinem Herzen scheint es, als wenn es ohne sie nicht seyn
könnte; und doch – wenn du nun gingst, wenn du aus diesem
Kreise schiedest, würden sie, wie lange würden sie die Lücke
fühlen, die dein Verlust in ihr Schicksal reißt? wie lange? – O
so vergänglich ist der Mensch, daß er auch da, wo er seines
Daseyns eigentliche Gewißheit hat, da, wo er den einzigen
wahren Eindruck seiner Gegenwart macht, in dem Andenken, in der Seele seiner Lieben, daß er auch da verlöschen,
verschwinden muß, und das so bald!

am 27. Oktober.
Ich möchte mir oft die Brust zerreissen und das Gehirn ein-
stoßen, daß man einander so wenig seyn kann. Ach die Liebe
und Freude und Wärme und Wonne, die ich nicht hinzu
bringe, wird mir der andre nicht geben, und mit einem ganzen Herzen voll Seligkeit, werd ich den andern nicht be-
glükken der kalt und kraftlos vor mir steht.

am 30. Oktober.
Wenn ich nicht schon hundertmal auf dem Punkte gestanden
bin ihr um den Hals zu fallen. Weis der große Gott, wie
einem das thut, so viel Liebenswürdigkeit vor sich herum-
kreuzen zu sehn und nicht zugreifen zu dürfen. Und das
Zugreifen ist doch der natürlichste Trieb der Menschheit.
Greifen die Kinder nicht nach allem was ihnen in Sinn fällt?
Und ich?

am 3. November.
Weis Gott, ich lege mich so oft zu Bette mit dem Wunsche, ja
manchmal mit der Hofnung, nicht wieder zu erwachen, und
Morgens schlag ich die Augen auf, sehe die Sonne wieder,
und bin elend. O daß ich launisch seyn könnte, könnte die
Schuld auf's Wetter, auf einen dritten, auf eine fehlge-
schlagene Unternehmung schieben; so würde die unerträgliche Last des Unwillens doch nur halb auf mir ruhen. Weh
mir, ich fühle zu wahr, daß an mir allein alle Schuld liegt, –
nicht Schuld! Genug daß in mir die Quelle alles Elendes
verborgen ist, wie es ehemals die Quelle aller Seligkeiten
war. Bin ich nicht noch eben derselbe, der ehemals in aller
Fülle der Empfindung herumschwebte, dem auf jedem Tritte

am 27. Oct.

Ich möchte mir oft die Brust zerreissen und das Gehirn ein-
stoßen, daß man einander so wenig seyn kann. Ach die Liebe,
Freude, Wärme und Wonne, die ich nicht hinzu bringe, wird
mir der andere nicht geben, und mit einem ganzen Herzen
voll Seligkeit, werde ich den andern nicht beglücken, der kalt
und kraftlos vor mir steht.

am 27. Oct. Ab.

Ich habe so viel und die Empfindung an ihr verschlingt alles,
ich habe so viel und ohne sie wird mir alles zu nichts.

am 30. Octbr.

Wenn ich nicht schon hundertmal auf dem Puncte gestanden
bin, ihr um den Hals zu fallen! Weiß der große Gott, wie
einem das thut, so viele Liebenswürdigkeit vor einem her-
umkreuzen zu sehen und nicht zugreifen zu dürfen; und das
Zugreifen ist doch der natürlichste Trieb der Menschheit;
Greifen die Kinder nicht nach allem was ihnen in den Sinn
fällt? – Und ich?

am 3. Nov.

Weiß Gott! ich lege mich so oft zu Bette mit dem Wunsche, ja
manchmal mit der Hoffnung, nicht wieder zu erwachen: und
Morgens schlage ich die Augen auf, sehe die Sonne wieder
und bin elend. O daß ich launisch seyn könnte, könnte die
Schuld auf's Wetter, auf einen dritten, auf eine fehlgeschla-
gene Unternehmung schieben, so würde die unerträgliche
Last des Unwillens doch nur halb auf mir ruhen. Wehe mir!
ich fühle zu wahr, daß an mir allein alle Schuld liegt, – nicht
Schuld! Genug daß in mir die Quelle alles Elendes verborgen
ist, wie ehemals die Quelle aller Seligkeit. Bin ich nicht noch
eben derselbe, der ehemals in aller Fülle der Empfindung
herumschwebte, dem auf jedem Tritte ein Paradies folgte,

ein Paradies folgte, der ein Herz hatte, eine ganze Welt liebevoll zu umfassen. Und das Herz ist jezo todt, aus ihm
fließen keine Entzükkungen mehr, meine Augen sind trokken, und meine Sinnen, die nicht mehr von erquikkenden
Thränen gelabt werden, ziehen ängstlich meine Stirne zusammen. Ich leide viel, denn ich habe verlohren was meines
Lebens einzige Wonne war, die heilige belebende Kraft, mit
der ich Welten um mich schuf. Sie ist dahin! – Wenn ich zu
meinem Fenster hinaus an den fernen Hügel sehe, wie die
Morgensonne über ihn her den Nebel durchbricht und den
stillen Wiesengrund bescheint, und der sanfte Fluß zwischen
seinen entblätterten Weiden zu mir herschlängelt, o wenn da
diese herrliche Natur so starr vor mir steht wie ein lakirt
Bildgen, und all die Wonne keinen Tropfen Seligkeit aus
meinem Herzen herauf in das Gehirn pumpen kann, und der
ganze Kerl vor Gottes Angesicht steht wie ein versiegter
Brunn, wie ein verlechter Eymer! Ich habe mich so oft auf
den Boden geworfen und Gott um Thränen gebeten, wie ein
Akkersmann um Regen, wenn der Himmel ehern über ihm
ist, und um ihn die Erde verdürstet.

Aber, ach ich fühls! Gott giebt Regen und Sonnenschein
nicht unserm ungestümen Bitten, und jene Zeiten, deren
Andenken mich quält, warum waren sie so selig? als weil ich
mit Geduld seinen Geist erwartete, und die Wonne, die er
über mich ausgoß mit ganzem, innig dankbarem Herzen aufnahm.

am 8. Nov.

Sie hat mir meine Exzesse vorgeworfen! Ach mit so viel
Liebenswürdigkeit! Meine Exzesse, daß ich mich manchmal
von einem Glas Wein verleiten lasse, eine Bouteille zu trinken. Thun Sie's nicht! sagte sie, denken Sie an Lotten! –
Denken! sagt' ich, brauchen Sie mir das zu heissen? Ich
denke! – Ich denke nicht! Sie sind immer vor meiner Seelen.
Heut saß ich an dem Flekke, wo Sie neulich aus der Kutsche
stiegen – Sie redte was anders, um mich nicht tiefer in den

der ein Herz hatte eine ganze Welt liebevoll zu umfassen?
Und dieß Herz ist jetzt todt, aus ihm fließen keine Entzückungen mehr, meine Augen sind trocken, und meine Sinnen die nicht mehr von erquickendenThränen gelabt werden, ziehen ängstlich meine Stirn zusammen. Ich leide viel, 5
denn ich habe verlohren was meines Lebens einzige Wonne
war, die heilige belebende Kraft mit der ich Welten um mich
schuf; sie ist dahin! – Wenn ich zu meinem Fenster hinaus an
den fernen Hügel sehe, wie die Morgensonne über ihn her
den Nebel durchbricht, und den stillen Wiesengrund be- 10
scheint, und der sanfte Fluß zwischen seinen entblätterten
Weiden zu mir herschlängelt, – o! wenn da diese herrliche
Natur so starr vor mir steht wie ein lackirtes Bildchen, und
alle die Wonne keinen Tropfen Seligkeit aus meinem Herzen
herauf in das Gehirn pumpen kann, und der ganze Kerl vor 15
Gottes Angesicht steht wie ein versiegter Brunn, wie ein
verlechzter Eimer. Ich habe mich oft auf den Boden geworfen und Gott um Thränen gebeten wie ein Ackersmann um
Regen, wenn der Himmel ehern über ihm ist und um ihn die
Erde verdürstet. 20

Aber ach! ich fühle es, Gott gibt Regen und Sonnenschein
nicht unserm ungestümen Bitten, und jene Zeiten deren Andenken mich quält, warum waren sie so selig? als weil ich mit
Geduld seinen Geist erwartete, und die Wonne, die er über
mich ausgoß, mit ganzem, innigdankbarem Herzen auf- 25
nahm.

am 8. Nov.

Sie hat mir meine Excesse vorgeworfen! ach, mit so viel
Liebenswürdigkeit! Meine Excesse, daß ich mich manchmal
von einem Glase Wein verleiten lasse, eine Bouteille zu trin- 30
ken. Thun Sie es nicht! sagte sie, denken Sie an Lotten! –
Denken! sagte ich, brauchen Sie mir das zu heissen? Ich
denke! – ich denke nicht! Sie sind immer vor meiner Seele.
Heute saß ich an dem Flecke, wo Sie neulich aus der Kutsche
stiegen – Sie redete was anders um mich nicht tiefer in den 35

Text kommen zu lassen. Bester, ich bin dahin! Sie kann mit
mir machen was sie will.

                                                      am 15. Nov.
Ich danke Dir, Wilhelm, für Deinen herzlichen Antheil, für
Deinen wohlmeynenden Rath, und bitte Dich, ruhig zu seyn.
Laß mich ausdulden, ich habe bey all meiner Müdseligkeit
noch Kraft genug durchzusezzen. Ich ehre die Religion, das
weist Du, ich fühle, daß sie manchem Ermatteten Stab, manchem Verschmachtenden Erquikkung ist. Nur – kann sie
denn, muß sie denn das einem jeden seyn? Wenn Du die
große Welt ansiehst; so siehst du Tausende, denen sie's nicht
war, Tausende denen sie's nicht seyn wird, gepredigt oder
ungepredigt, und muß sie mir's denn seyn? Sagt nicht selbst
der Sohn Gottes: daß die um ihn seyn würden, die ihm der
Vater gegeben hat. Wenn ich ihm nun nicht gegeben bin!
Wenn mich nun der Vater für sich behalten will, wie mir mein
Herz sagt! Ich bitte Dich, lege das nicht falsch aus, sieh nicht
etwa Spott in diesen unschuldigen Worten, es ist meine ganze
Seele, die ich dir vorlege. Sonst wollt ich lieber, ich hätte
geschwiegen, wie ich denn über all das, wovon jedermann so
wenig weis als ich, nicht gern ein Wort verliehre. Was ist's
anders als Menschenschiksal, sein Maas auszuleiden, seinen
Becher auszutrinken. – Und ward der Kelch dem Gott vom
Himmel auf seiner Menschenlippe zu bitter, warum soll ich
gros thun und mich stellen, als schmekte er mir süsse. Und
warum sollte ich mich schämen, in dem schröklichen Augenblikke, da mein ganzes Wesen zwischen Seyn und Nichtseyn
zittert, da die Vergangenheit wie ein Bliz über dem finstern
Abgrunde der Zukunft leuchtet, und alles um mich her versinkt, und mit mir die Welt untergeht. – Ist es da nicht die
Stimme der ganz in sich gedrängten, sich selbst ermangeln-
den, und unaufhaltsam hinabstürzenden Creatur, in den innern Tiefen ihrer vergebens aufarbeitenden Kräfte zu knirschen: Mein Gott! Mein Gott! warum hast du mich verlassen? Und sollt ich mich des Ausdruks schämen, sollte mir's

Text kommen zu lassen. Bester, ich bin dahin! sie kann mit
mir machen was sie will.

am 15. Nov.
Ich danke dir, Wilhelm, für deinen herzlichen Antheil, für
deinen wohlmeinenden Rath, und bitte dich ruhig zu seyn.
Laß mich ausdulden, ich habe bey aller meiner Mühseligkeit
noch Kraft genug durchzusetzen. Ich ehre die Religion, das
weißt du, ich fühle daß sie manchem Ermatteten Stab, manchem Verschmachtenden Erquickung ist; Nur – kann sie
dann, muß sie dann das einem jeden seyn? Wenn du die große
Welt ansiehst, so siehst du Tausende denen sie es nicht war,
Tausende denen sie es nicht seyn wird, gepredigt oder ungepredigt, und muß sie mir es denn seyn? Sagt nicht selbst
der Sohn Gottes, daß die um ihn seyn würden die ihm der
Vater gegeben hat? wenn ich ihm nun nicht gegeben bin?
wenn mich nun der Vater für sich behalten will, wie mir mein
Herz sagt! – Ich bitte dich, lege das nicht falsch aus; sieh nicht
etwa Spott in diesen unschuldigen Worten; es ist meine ganze
Seele, die ich dir vorlege; sonst wollte ich lieber ich hätte
geschwiegen: wie ich denn über alles das, wovon jedermann
so wenig weiß als ich, nicht gerne ein Wort verliere. Was ist es
anders als Menschenschicksal, sein Maß auszuleiden seinen
Becher auszutrinken? – Und ward der Kelch dem Gott vom
Himmel auf seiner Menschenlippe zu bitter, warum soll ich
groß thun und mich stellen als schmeckte er mir süß? Und
warum sollte ich mich schämen, in dem schrecklichen Augenblick, da mein ganzes Wesen zwischen Seyn und Nichtseyn zittert, da die Vergangenheit wie ein Blitz über dem
finstern Abgrunde der Zukunft leuchtet, und alles um mich
her versinkt und mit mir die Welt untergeht – Ist es da nicht
die Stimme der ganz in sich gedrängten, sich selbst erman-
gelnden und unaufhaltsam hinabstürzenden Kreatur, in den
innern Tiefen ihrer vergebens aufarbeitenden Kräfte zu knirschen: Mein Gott! mein Gott! warum hast du mich verlassen?
Und sollt’ ich mich des Ausdruckes schämen, sollte mir es vor

vor dem Augenblikke bange seyn, da ihm der nicht entgieng,
der die Himmel zusammenrollt wie ein Tuch.

am 21. Nov.

Sie sieht nicht, sie fühlt nicht, daß sie einen Gift bereitet, der
mich und sie zu Grunde richten wird. Und ich mit voller
Wollust schlurfe den Becher aus, den sie mir zu meinem Verderben reicht. Was soll der gütige Blik, mit dem sie mich oft
– oft? – nein nicht oft, aber doch manchmal ansieht, die Gefälligkeit, womit sie einen unwillkührlichen Ausdruk meines
Gefühls aufnimmt, das Mitleiden mit meiner Duldung, das
sich auf ihrer Stirne zeichnet.

Gestern als ich weggieng, reichte sie mir die Hand und
sagte: Adieu, lieber Werther! Lieber Werther! Es war das
erstemal, daß sie mich Lieber hies, und mir giengs durch
Mark und Bein. Ich hab mir's hundertmal wiederholt und
gestern Nacht da ich in's Bette gehen wollte, und mit mir
selbst allerley schwazte, sag ich so auf einmal: gute Nacht,
lieber Werther! Und mußte hernach selbst über mich lachen.

am 24. Nov.

Sie fühlt, was ich dulde. Heut ist mir ihr Blik tief durch's
Herz gedrungen. Ich fand sie allein. Ich sagte nichts und sie
sah mich an. Und ich sah nicht mehr in ihr die liebliche
Schönheit, nicht mehr das Leuchten des treflichen Geistes;
das war all vor meinen Augen verschwunden. Ein weit herrlicherer Blik würkte auf mich, voll Ausdruk des innigsten

dem Augenblicke bange seyn, da ihm der nicht entging, der
die Himmel zusammenrollt wie ein Tuch?

am 21. Nov.

Sie sieht nicht, sie fühlt nicht, daß sie einen Gift bereitet, der
mich und sie zu Grunde richten wird; und ich mit voller
Wollust schlürfe den Becher aus, den sie mir zu meinem Verderben reicht. Was soll der gütige Blick, mit dem sie mich oft
– oft? – nein, nicht oft, aber doch manchmal ansieht, die
Gefälligkeit, womit sie einen unwillkührlichen Ausdruck
meines Gefühles aufnimmt, das Mitleiden mit meiner Duldung, das sich auf ihrer Stirne zeichnet?

Gestern als ich wegging reichte sie mir die Hand und
sagte: Adieu lieber Werther! – Lieber Werther! Es war das
erstemal daß sie mich Lieber hieß und es ging mir durch
Mark und Bein. Ich habe es mir hundertmal wiederhohlt und
gestern Nacht, da ich zu Bette gehen wollte, und mit mir
selbst allerley schwatzte, sagte ich so auf einmal: Gute Nacht
lieber Werther! und mußte hernach selbst über mich lachen.

am 22. Nov.

Ich kann nicht bethen: Laß mir sie! und doch kommt sie mir
oft als die Meine vor; Ich kann nicht bethen: Gib mir sie!
denn sie ist eines andern. Ich witzle mich mit meinen Schmerzen herum; wenn ich mirs nachließe es gäbe eine ganze Li-
taney von Antithesen.

am 24. Nov.

Sie fühlt was ich dulde. Heute ist mir ihr Blick tief durch's
Herz gedrungen. Ich fand sie allein; ich sagte nichts und sie
sah mich an. Und ich sah nicht mehr in ihr die liebliche
Schönheit, nicht mehr das Leuchten des trefflichen Geistes,
das war alles vor meinen Augen verschwunden; Ein weit
herrlicherer Blick wirkte auf mich, voll Ausdruck des innig-

Antheils des süßten Mitleidens. Warum durft' ich mich nicht
ihr zu Füssen werfen! warum durft ich nicht an ihrem Halse
mit tausend Küssen antworten – Sie nahm ihre Zuflucht zum
Claviere und hauchte mit süsser leiser Stimme harmonische
Laute zu ihrem Spiele. Nie hab ich ihre Lippen so reizend
gesehn, es war, als wenn sie sich lechzend öffneten, jene süsse
Töne in sich zu schlürfen, die aus dem Instrumente hervorquollen, und nur der heimliche Wiederschall aus dem süssen
Munde zurükklänge – Ja wenn ich dir das so sagen könnte!
Ich widerstund nicht länger, neigte mich und schwur: Nie
will ich's wagen, einen Kuß euch einzudrücken, Lippen, auf
denen die Geister des Himmels schweben – Und doch – ich
will – Ha siehst du, das steht wie eine Scheidewand vor meiner Seelen – diese Seligkeit – und da untergegangen, die
Sünde abzubüssen – Sünde?

am 30. Nov.
Ich soll, ich soll nicht zu mir selbst kommen, wo ich hintrete,
begegnet mir eine Erscheinung, die mich aus aller Fassung
bringt. Heut! O Schiksal! O Menschheit!
Ich gehe an dem Wasser hin in der Mittagsstunde, ich hatte
keine Lust zu essen. Alles war so öde, ein naßkalter Abendwind blies vom Berge, und die grauen Regenwolken zogen
das Thal hinein. Von ferne seh ich einen Menschen in einem
grünen schlechten Rokke, der zwischen den Felsen herum-
krabelte und Kräuter zu suchen schien. Als ich näher zu ihm
kam und er sich auf das Geräusch, das ich machte, herumdrehte, sah ich eine gar interessante Physiognomie, darinn

sten Antheils des süßesten Mitleidens. Warum durfte ich
mich nicht ihr zu Füßen werfen? warum durfte ich nicht an
ihrem Halse mit tausend Küssen antworten? Sie nahm ihre
Zuflucht zum Clavier und hauchte mit süßer leiser Stimme
harmonische Laute zu ihrem Spiele. Nie habe ich ihre Lippen 5
so reizend gesehen; es war, als wenn sie sich lechzend öffneten, jene süßen Töne in sich zu schlürfen, die aus dem
Instrument hervorquollen, und nur der himmlische Wiederschall aus dem reinen Munde zurückklänge. – Ja wenn ich dir
das so sagen könnte! – Ich widerstand nicht länger, neigte 10
mich und schwur: nie will ich es wagen einen Kuß euch
aufzudrücken, Lippen! auf denen die Geister des Himmels
schweben – Und doch – ich will – Ha! siehst du, das steht wie
eine Scheidewand vor meiner Seele – diese Seligkeit – und
dann untergegangen diese Sünde abzubüßen – Sünde?   15

                                        am 26. Nov.
Manchmal sag' ich mir: Dein Schicksal ist einzig; preise die
übrigen glücklich – so ist noch keiner gequält worden; dann
lese ich einen Dichter der Vorzeit, und es ist mir als säh' ich in
mein eignes Herz. Ich habe so viel auszustehen! Ach sind 20
denn Menschen vor mir schon so elend gewesen?

                                        am 30. Nov.
Ich soll, ich soll nicht zu mir selbst kommen! wo ich hintrete,
begegnet mir eine Erscheinung, die mich aus aller Fassung
bringt. Heute! o Schicksal! o Menschheit!   25
   Ich gehe an dem Wasser hin in der Mittagsstunde, ich hatte
keine Lust zu essen. Alles war öde, ein naßkalter Abendwind
blies vom Berge, und die grauen Regenwolken zogen das
Thal hinein. Von fern sah' ich einen Menschen in einem grünen schlechten Rocke, der zwischen den Felsen herumkrab- 30
belte und Kräuter zu suchen schien. Als ich näher zu ihm kam
und er sich auf das Geräusch, das ich machte, herumdrehte,
sahe ich eine interessante Physiognomie, darin eine stille

eine stille Trauer den Hauptzug machte, die aber sonst nichts
als einen graden guten Sinn ausdrükte, seine schwarzen
Haare waren mit Nadeln in zwey Rollen gestekt, und die
übrigen in einen starken Zopf geflochten, der ihm den Rükken herunter hieng. Da mir seine Kleidung einen Menschen
von geringem Stande zu bezeichnen schien, glaubt' ich, er
würde es nicht übel nehmen, wenn ich auf seine Beschäftigung aufmerksam wäre, und daher fragte ich ihn, was er
suchte? Ich suche, antwortete er mit einem tiefen Seufzer,
Blumen – und finde keine – Das ist auch die Jahrszeit nicht,
sagt' ich lächelnd. – Es giebt so viel Blumen, sagt er, indem er
zu mir herunter kam. In meinem Garten sind Rosen und Je
länger je lieber zweyerley Sorten, eine hat mir mein Vater
gegeben, sie wachsen wie's Unkraut, ich suche schon zwey
Tage darnach, und kann sie nicht finden. Da haußen sind
auch immer Blumen, gelbe und blaue und rothe, und das
Tausend Güldenkraut hat ein schön Blümgen. Keines kann
ich finden. Ich merkte was unheimliches, und drum fragte ich
durch einen Umweg: Was will er denn mit den Blumen? Ein
wunderbares zukkendes Lächeln verzog sein Gesicht. Wenn
er mich nicht verrathen will, sagt er, indem er den Finger auf
den Mund drükte, ich habe meinem Schazze einen Straus
versprochen. Das ist brav, sagt ich. O sagt' er, sie hat viel
andre Sachen, sie ist reich. Und doch hat sie seinen Straus
lieb, versezt ich. O! fuhr er fort, sie hat Juwelen und eine
Krone. Wie heißt sie denn? – Wenn mich die Generalstaaten
bezahlen wollten! versezte er, ich wär ein anderer Mensch! Ja
es war einmal eine Zeit, da mir's so wohl war. Jezt ist's aus
mit mir, ich bin nun – Ein nasser Blik zum Himmel drükte
alles aus. Er war also glüklich? fragt ich. Ach ich wollt ich
wäre wieder so! sagt' er, da war mir's so wohl, so lustig, so
leicht wie ein Fisch im Wasser! Heinrich! rufte eine alte Frau,
die den Weg herkam. Heinrich, wo stikst du. Wir haben dich
überall gesucht. Komm zum Essen. Ist das euer Sohn? fragt'
ich zu ihr tretend. Wohl mein armer Sohn, versezte sie. Gott
hat mir ein schweres Kreuz aufgelegt. Wie lang ist er so?
fragt ich. So stille, sagte sie, ist er nun ein halb Jahr. Gott sey

Trauer den Hauptzug machte, die aber sonst nichts als einen
geraden guten Sinn ausdruckte; seine schwarzen Haare waren mit Nadeln in zwey Rollen gesteckt und die übrigen in
einen starken Zopf geflochten, der ihm den Rücken herunter
hing. Da mir seine Kleidung einen Menschen von geringem
Stande zu bezeichnen schien, glaubte ich, er würde es nicht
übel nehmen, wenn ich auf seine Beschäftigung aufmerksam
wäre, und daher fragte ich ihn was er suchte? Ich suche,
antwortete er mit einem tiefen Seufzer, Blumen – und finde
keine – Das ist auch die Jahrszeit nicht, sagte ich lächelnd. –
Es gibt so viele Blumen, sagte er, indem er zu mir herunter
kam; In meinem Garten sind Rosen und Je länger je lieber
zweyerley Sorten, eine hat mir mein Vater gegeben, sie wachsen wie Unkraut; ich suche schon zwey Tage darnach und
kann sie nicht finden. Da haussen sind auch immer Blumen,
gelbe und blaue und rothe, und das Tausendgüldenkraut hat
ein schönes Blümchen; Keines kann ich finden. – Ich merkte
was unheimliches, und drum fragte ich durch einen Umweg:
Was will Er denn mit den Blumen? Ein wunderbares zukkendes Lächeln verzog sein Gesicht. – Wenn Er mich nicht
verrathen will, sagte er, indem er den Finger auf den Mund
drückte, ich habe meinem Schatz einen Strauß versprochen.
Das ist brav, sagte ich. O, sagte er, sie hat viel andere Sachen,
sie ist reich. – Und doch hat Sie seinen Strauß lieb, versetzte
ich. O! fuhr er fort, sie hat Juwelen und eine Krone. – Wie
heißt sie denn? – Wenn mich die Generalstaaten bezahlen
wollten, versetzte er, ich wär' ein anderer Mensch! Ja es war
einmal eine Zeit, da mir es so wohl war! Jetzt ist es aus mit
mir. Ich bin nun – Ein nasser Blick zum Himmel drückte alles
aus. Er war also glücklich? fragte ich – Ach ich wollte ich
wäre wieder so! sagte er. Da war mir es so wohl, so lustig, so
leicht wie einem Fische im Wasser! – Heinrich! rief eine alte
Frau, die den Weg herkam, Heinrich, wo steckst du? wir
haben dich überall gesucht, komm zum Essen! – Ist das Euer
Sohn? fragt' ich, zu ihr tretend. Wohl, mein armer Sohn!
versetzte sie. Gott hat mir ein schweres Kreuz aufgelegt. Wie
lange ist er so? fragte ich. So stille, sagte sie, ist er nun ein

Dank, daß es nur so weit ist. Vorher war er ein ganz Jahr
rasend, da hat er an Ketten im Tollhause gelegen. Jezt thut er
niemand nichts, nur hat er immer mit Königen und Kaysern
zu thun. Es war ein so guter stiller Mensch, der mich ernäh-
5 ren half, seine schöne Hand schrieb, und auf einmal wird er
tiefsinnig, fällt in ein hitzig Fieber, daraus in Raserey, und
nun ist er, wie sie ihn sehen. Wenn ich ihm erzählen sollt,
Herr – Ich unterbrach ihren Strom von Erzählungen mit der
Frage: was denn das für eine Zeit wäre von der er so rühmte,
10 daß er so glüklich, so wohl darinn gewesen wäre. Der thörige
Mensch, rief sie mit mitleidigem Lächlen, da meint er die
Zeit, da er von sich war, das rühmt er immer! Das ist die Zeit,
da er im Tollhause war, wo er nichts von sich wußte – Das fiel
mir auf wie ein Donnerschlag, ich drükte ihr ein Stük Geld in
15 die Hand und verließ sie eilend.

Da du glüklich warst! rief ich aus, schnell vor mich hin
nach der Stadt zu gehend. Da dir's wohl war wie einem Fisch
im Wasser! – Gott im Himmel! Hast du das zum Schiksaal der
Menschen gemacht, daß sie nicht glüklich sind, als eh sie zu
20 ihrem Verstande kommen, und wenn sie ihn wieder verliehren! Elender und auch wie beneid ich deinen Trübsinn, die
Verwirrung deiner Sinne, in der du verschmachtest! Du
gehst hoffnungsvoll aus, deiner Königin Blumen zu pflük-
ken – im Winter – und traurest, da du keine findest, und
25 begreifst nicht, warum du keine finden kannst. Und ich – und
ich gehe ohne Hoffnung ohne Zwek heraus, und kehr wieder
heim wie ich gekommen bin. – Du wähnst, welcher Mensch
du seyn würdest wenn die Generalstaaten dich bezahlten.
Seliges Geschöpf, das den Mangel seiner Glükseligkeit einer
30 irdischen Hinderniß zuschreiben kann. – Du fühlst nicht! Du
fühlst nicht! daß in deinem zerstörten Herzen, in deinem
zerrütteten Gehirne dein Elend liegt, wovon alle Könige der
Erde dir nicht helfen können.

Müsse der trostlos umkommen, der eines Kranken spot-
35 tet, der nach der entferntesten Quelle reist die seine Krankheit vermehren, sein Ausleben schmerzhafter machen wird,
der sich über das bedrängte Herz erhebt, das, um seine Ge-

halbes Jahr. Gott sey Dank, daß er nur so weit ist, vorher war
er ein ganzes Jahr rasend, da hat er an Ketten im Tollhause
gelegen; Jetzt thut er niemand nichts, nur hat er immer mit
Königen und Kaysern zu schaffen. Er war ein so guter stiller
Mensch, der mich ernähren half, seine schöne Hand schrieb,   5
und auf einmal wird er tiefsinnig, fällt in ein hitziges Fieber,
daraus in Raserey, und nun ist er wie Sie ihn sehen. Wenn ich
Ihm erzählen sollte Herr – Ich unterbrach den Strom ihrer
Worte mit der Frage: was war denn das für eine Zeit, von der
er rühmt, daß er so glücklich, so wohl darin gewesen sey?   10
Der thörichte Mensch! rief sie, mit mitleidigem Lächeln, da
meint er die Zeit da er von sich war, das rühmt er immer; das
ist die Zeit, da er im Tollhause war, wo er nichts von sich
wußte – Das fiel mir auf wie ein Donnerschlag, ich drückte
ihr ein Stück Geld in die Hand und verließ sie eilend.   15

Da du glücklich warst! rief ich aus, schnell vor mich hin
nach der Stadt zu gehend, da dir es wohl war, wie einem
Fisch im Wasser! – Gott im Himmel! hast du das zum Schicksale der Menschen gemacht, daß sie nicht glücklich sind als
ehe sie zu ihrem Verstande kommen und wenn sie ihn wieder   20
verlieren! – Elender! und auch wie beneide ich deinen
Trübsinn, die Verwirrung deiner Sinne, in der du verschmachtest! Du gehst hoffnungsvoll aus, deiner Königinn
Blumen zu pflücken – im Winter – und traurest, da du keine
findest, und begreifst nicht, warum du keine finden kannst.   25
Und ich – und ich gehe ohne Hoffnung, ohne Zweck heraus,
und kehre wieder heim wie ich gekommen bin. – Du wähnst,
welcher Mensch du seyn würdest, wenn die Generalstaaten
dich bezahlten. Seliges Geschöpf! das den Mangel seiner
Glückseligkeit einer irdischen Hinderniß zuschreiben kann.   30
Du fühlst nicht! du fühlst nicht daß in deinem zerstörten
Herzen, in deinem zerrütteten Gehirne dein Elend liegt, wovon alle Könige der Erde dir nicht helfen können.

Müsse Der trostlos umkommen, der eines Kranken spot-
tet, der nach der entferntesten Quelle reist, die seine Krank-   35
heit vermehren, sein Ausleben schmerzhafter machen wird!
der sich über das bedrängte Herz erhebt, das, um seine Ge-

wissensbisse los zu werden und die Leiden seiner Seele abzuthun, seine Pilgrimschaft nach dem heiligen Grabe thut!
Jeder Fußtritt der seine Solen auf ungebahntem Wege durchschneidet, ist ein Lindrungstropfen der geängsteten Seele,
5 und mit jeder ausgedauerten Tagreise legt sich das Herz um
viel Bedrängniß leichter nieder. – Und dürft ihr das Wahn
nennen – Ihr Wortkrämer auf euren Polstern – Wahn! – O
Gott! du siehst meine Thränen – Mußtest du, der du den
Menschen arm genug erschufst, ihm auch Brüder zugeben,
10 die ihm das bisgen Armuth, das bisgen Vertrauen noch raubten, das er auf dich hat, auf dich, du Allliebender, denn das
Vertrauen zu einer heilenden Wurzel, zu den Thränen des
Weinstoks, was ist's, als Vertrauen zu dir, daß du in alles, was
uns umgiebt, Heil und Lindrungskraft gelegt hast, der wir so
15 stündlich bedürfen. – Vater, den ich nicht kenne! Vater, der
sonst meine ganze Seele füllte, und nun sein Angesicht von
mir gewendet hat! Rufe mich zu dir! Schweige nicht länger!
Dein Schweigen wird diese durstende Seele nicht aufhalten –
Und würde ein Mensch, ein Vater zürnen können, dem sein
20 unvermuthet rükkehrender Sohn um den Hals fiele und rief:
Ich bin wieder da mein Vater. Zürne nicht, daß ich die
Wanderschaft abbreche, die ich nach deinem Willen länger
aushalten sollte. Die Welt ist überall einerley, auf Müh und
Arbeit, Lohn und Freude; aber was soll mir das? mir ist nur
25 wohl wo du bist, und vor deinem Angesichte will ich leiden
und geniessen – Und du, lieber himmlischer Vater, solltest
ihn von dir weisen?

am 1. Dez.

Wilhelm! der Mensch, von dem ich dir schrieb, der glükliche
30 Unglükliche, war Schreiber bey Lottens Vater, und eine unglükliche Leidenschaft zu ihr, die er nährte, verbarg, entdekte, und aus dem Dienst geschikt wurde, hat ihn rasend
gemacht. Fühle Kerl, bey diesen troknen Worten, mit welchem Unsinne mich die Geschichte ergriffen hat, da mir sie
35 Albert eben so gelassen erzählte, als dus' vielleicht liesest.

wissensbisse los zu werden, und die Leiden seiner Seele abzuthun eine Pilgrimschaft nach dem heiligen Grabe thut.
Jeder Fußtritt, der seine Sohlen auf ungebahntem Wege
durchschneidet, ist ein Linderungstropfen der geängsteten
Seele, und mit jeder ausgedauerten Tagereise legt sich das
Herz um viele Bedrängnisse leichter nieder – Und dürft ihr
das Wahn nennen, ihr Wortkrämer auf euren Polstern?
Wahn! – O Gott! du siehst meine Thränen! Mußtest du, der
du den Menschen arm genug erschufst, ihm auch Brüder
zugeben, die ihm das bißchen Armuth, das bißchen Vertrauen noch raubten, das er auf dich hat, auf dich, du Allliebender! Denn das Vertrauen zu einer heilenden Wurzel, zu
den Thränen des Weinstockes, was ist es als Vertrauen zu Dir,
daß du in alles was uns umgibt Heil- und Linderungskraft
gelegt hast, der wir so stündlich bedürfen? Vater! den ich
nicht kenne! Vater! der sonst meine ganze Seele füllte, und
nun sein Angesicht von mir gewendet hat! rufe mich zu dir!
Schweige nicht länger! dein Schweigen wird diese dürstende
Seele nicht aufhalten – Und würde ein Mensch, ein Vater
zürnen können, dem sein unvermuthet rückkehrender Sohn
um den Hals fiele und riefe: Ich bin wieder da, mein Vater!
Zürne nicht daß ich die Wanderschaft abbreche, die ich nach
deinem Willen länger aushalten sollte. Die Welt ist überall
einerley, auf Mühe und Arbeit, Lohn und Freude; aber was
soll mir das? mir ist nur wohl wo du bist, und vor deinem
Angesichte will ich leiden und genießen. – Und du, lieber
himmlischer Vater solltest ihn von dir weisen?

am 1. Dec.

Wilhelm! der Mensch, von dem ich dir schrieb, der glückliche Unglückliche, war Schreiber bey Lottens Vater, und
eine Leidenschaft zu ihr, die er nährte, verbarg, entdeckte
und worüber er aus dem Dienst geschickt wurde, hat ihn
rasend gemacht. Fühle, bey diesen trocknen Worten, mit
welchem Unsinne mich die Geschichte ergriffen hat, da mir
sie Albert eben so gelassen erzählte, als du sie vielleicht liesest.

am 4. Dez.

Ich bitte dich – siehst du, mit mir ist's aus – Ich trag das all
nicht länger. Heut sas ich bey ihr – sas, sie spielte auf ihrem
Clavier, manchfaltige Melodien und all den Ausdruk! all! all!
– Was willst du? – Ihr Schwestergen puzte ihre Puppe auf
meinem Knie. Mir kamen die Thränen in die Augen. Ich
neigte mich und ihr Trauring fiel mir in's Gesicht – Meine
Thränen flossen – Und auf einmal fiel sie in die alte him-
melsüsse Melodie ein, so auf einmal, und mir durch die Seele
gehn ein Trostgefühl und eine Erinnerung all des Vergangenen, all der Zeiten, da ich das Lied gehört, all der düstern
Zwischenräume des Verdrusses, der fehlgeschlagenen Hoffnungen, und dann – Ich gieng in der Stube auf und nieder,
mein Herz erstikte unter all dem. Um Gottes Willen, sagt ich
mit einem heftigen Ausbruch hin gegen sie fahrend, um Gottes Willen hören sie auf. Sie hielt, und sah mich starr an.
Werther, sagte sie, mit einem Lächlen, das mir durch die Seele
gieng, Werther, sie sind sehr krank, ihre Lieblingsgerichte
widerstehen ihnen. Gehen sie! Ich bitte sie, beruhigen sie
sich. Ich riß mich von ihr weg, und – Gott! du siehst mein
Elend, und wirst es enden.

am 6. Dez.

Wie mich die Gestalt verfolgt. Wachend und träumend füllt
sie meine ganze Seele. Hier, wenn ich die Augen schliesse,
hier in meiner Stirne, wo die innere Sehkraft sich vereinigt,
stehen ihre schwarzen Augen. Hier! Ich kann dir's nicht ausdrükken. Mach ich meine Augen zu, so sind sie da, wie ein
Meer, wie ein Abgrund ruhen sie vor mir, in mir, füllen die
Sinnen meiner Stirne.

Was ist der Mensch? der gepriesene Halbgott! Ermangeln
ihm nicht da eben die Kräfte, wo er sie am nöthigsten
braucht? Und wenn er in Freude sich aufschwingt, oder im
Leiden versinkt, wird er nicht in beyden eben da aufgehalten,
eben da wieder zu dem stumpfen kalten Bewustseyn zurük
gebracht, da er sich in der Fülle des Unendlichen zu verliehren sehnte.

am 4. Dec.

Ich bitte dich – Siehst du mit mir ist's aus, ich trag' es nicht
länger! Heute saß ich bey ihr – saß, sie spielte auf ihrem
Clavier, mannichfaltige Melodieen, und all den Ausdruck!
all! – all! – Was willst du? – Ihr Schwesterchen putzte ihre
Puppe auf meinem Knie. Mir kamen die Thränen in die Augen. Ich neigte mich und ihr Trauring fiel mir in's Gesicht –
meine Thränen flossen – Und auf einmal fiel sie in die alte
himmelsüße Melodie ein, so auf einmal, und mir durch die
Seele gehn ein Trostgefühl, und eine Erinnerung des Vergangenen, der Zeiten da ich das Lied gehört, der düstern
Zwischenräume, des Verdrusses, der fehlgeschlagenen Hoffnungen, und dann – Ich ging in der Stube auf und nieder,
mein Herz erstickte unter dem Zudringen. Um Gottes willen, sagte ich, mit einem heftigen Ausbruch hin gegen sie
fahrend, um Gottes willen hören Sie auf! Sie hielt, und sah
mich starr an. Werther, sagte sie mit einem Lächeln, das mir
durch die Seele ging, Werther, Sie sind sehr krank, Ihre
Lieblingsgerichte widerstehen Ihnen. Gehn Sie! Ich bitte Sie,
beruhigen Sie sich. Ich riß mich von ihr weg, und – Gott! du
siehst mein Elend und wirst es enden.

am 6. Dec.

Wie mich die Gestalt verfolgt! Wachend und träumend füllt
sie meine ganze Seele! Hier, wenn ich die Augen schließe,
hier in meiner Stirne, wo die innere Sehkraft sich vereinigt,
stehn ihre schwarzen Augen. Hier! ich kann dir es nicht ausdrücken. Mache ich meine Augen zu, so sind sie da; wie ein
Abgrund ruhen sie vor mir, in mir, füllen die Sinne meiner
Stirn.

   Was ist der Mensch, der gepriesene Halbgott! Ermangeln
ihm nicht eben da die Kräfte, wo er sie am nöthigsten
braucht? Und wenn er in Freude sich aufschwingt, oder im
Leiden versinkt, wird er nicht in beyden eben da aufgehalten,
eben da zu dem stumpfen, kalten Bewußtseyn wieder zu-
rückegebracht, da er sich in der Fülle des Unendlichen zu
verlieren sehnte?

am 8. Dez.

Lieber Wilhelm, ich bin in einem Zustande, in dem jene Unglüklichen müssen gewesen seyn, von denen man glaubte, sie würden von einem bösen Geiste umher getrieben. Manchmal ergreift mich's, es ist nicht Angst, nicht Begier! es ist ein inneres unbekanntes Toben, das meine Brust zu zerreissen droht, das mir die Gurgel zupreßt! Wehe! Wehe! Und dann schweif ich umher in den furchtbaren nächtlichen Scenen dieser menschenfeindlichen Jahrszeit.

Gestern Nacht mußt ich hinaus. Ich hatte noch Abends gehört, der Fluß sey übergetreten und die Bäche all, und von Wahlheim herunter all mein Liebesthal überschwemmt. Nachts nach eilf rannt ich hinaus. Ein fürchterliches Schauspiel. Vom Fels herunter die wühlenden Fluthen in dem Mondlichte wirbeln zu sehn, über Aekker und Wiesen und Hekken und alles, und das weite Thal hinauf und hinab eine stürmende See im Sausen des Windes. Und wenn denn der Mond wieder hervortrat und über der schwarzen Wolke ruhte, und vor mir hinaus die Fluth in fürchterlich herrlichen Wiederschein rollte und klang, da überfiel mich ein Schauer, und wieder ein Sehnen! Ach! Mit offenen Armen stand ich gegen den Abgrund, und athmete hinab! hinab, und verlohr mich in der Wonne, all meine Quaalen all mein Leiden da hinab zu stürmen, dahin zu brausen wie die Wellen. Oh! Und den Fuß vom Boden zu heben, vermochtest du nicht und alle Qualen zu enden! – Meine Uhr ist noch nicht ausgelaufen – ich fühl's! O Wilhelm, wie gern hätt ich all mein Menschseyn drum gegeben, mit jenem Sturmwinde die Wolken zu zerreissen, die Fluthen zu fassen. Ha! Und wird nicht vielleicht dem Eingekerkerten einmal diese Wonne zu Theil! –

Und wie ich wehmüthig hinab sah auf ein Pläzgen, wo ich mit Lotten unter einer Weide geruht, auf einem heissen Spaziergange, das war auch überschwemmt, und kaum daß ich die Weide erkannte! Wilhelm. Und ihre Wiesen, dacht ich, und all die Gegend um ihr Jagdhaus, wie jezt vom reissenden Strome verstört unsere Lauben, dacht ich. Und der Vergangenheit Sonnenstrahl blikte herein – Wie einem Gefangenen

⟨vgl. S. 213⟩

ein Traum von Heerden, Wiesen und Ährenfeldern. Ich
stand! – Ich schelte mich nicht, denn ich habe Muth zu sterben
– Ich hätte – Nun siz ich hier wie ein altes Weib, das ihr Holz
an Zäunen stoppelt, und ihr Brod an den Thüren, um ihr
hinsterbendes freudloses Daseyn noch einen Augenblik zu
verlängern und zu erleichtern.

am 17. Dez.
Was ist das, mein Lieber? Ich erschrekke vor mir selbst! Ist
nicht meine Liebe zu ihr die heiligste, reinste, brüderlichste
Liebe? Hab ich jemals einen strafbaren Wunsch in meiner
Seele gefühlt – ich will nicht betheuren – und nun – Träume!
O wie wahr fühlten die Menschen, die so widersprechende
Würkungen fremden Mächten zuschrieben. Diese Nacht! Ich
zittere es zu sagen, hielt ich sie in meinen Armen, fest an
meinen Busen gedrükt und dekte ihren lieben lispelnden
Mund mit unendlichen Küssen. Mein Auge schwamm in der
Trunkenheit des ihrigen. Gott! bin ich strafbar, daß ich auch
jezt noch eine Seligkeit fühle, mir diese glühende Freuden
mit voller Innigkeit zurük zu rufen, Lotte! Lotte! – Und mit
mir ist's aus! Meine Sinnen verwirren sich. Schon acht Tage
hab ich keine Besinnungskraft, meine Augen sind voll Thränen. Ich bin nirgends wohl, und überall wohl. Ich wünsche
nichts, verlange nichts. Mir wärs besser ich gienge.

⟨vgl. S. 215⟩

DER HERAUSGEBER AN DEN LESER.

Die ausführliche Geschichte der lezten merkwürdigen Tage
unsers Freundes zu liefern, seh ich mich genöthiget seine
Briefe durch Erzählung zu unterbrechen, wozu ich den Stof
aus dem Munde Lottens, Albertens, seines Bedienten, und
anderer Zeugen gesammlet habe.

Werthers Leidenschaft hatte den Frieden zwischen Alberten und seiner Frau allmählig untergraben, dieser liebte sie
mit der ruhigen Treue eines rechtschafnen Manns, und der
freundliche Umgang mit ihr subordinirte sich nach und nach
seinen Geschäften. Zwar wollte er sich nicht den Unterschied
gestehen, der die gegenwärtige Zeit den Bräutigams-Tagen
so ungleich machte: doch fühlte er innerlich einen gewissen
Widerwillen gegen Werthers Aufmerksamkeiten für Lotten,
die ihm zugleich ein Eingriff in seine Rechte und ein stiller
Vorwurf zu seyn scheinen mußten. Dadurch ward der üble
Humor vermehrt, den ihm seine überhäuften, gehinderten,
schlecht belohnten Geschäfte manchmal gaben, und da denn
Werthers Lage auch ihn zum traurigen Gesellschafter
machte, indem die Beängstigung seines Herzens, die übrige
Kräfte seines Geistes, seine Lebhaftigkeit, seinen Scharfsinn

DER HERAUSGEBER AN DEN LESER.

Wie sehr wünscht' ich daß uns von den letzten merkwürdigen Tagen unsers Freundes so viel eigenhändige Zeugnisse übrig geblieben wären, daß ich nicht nöthig hätte, die Folge seiner hinterlaßnen Briefe durch Erzählung zu unterbrechen.

Ich habe mir angelegen seyn lassen, genaue Nachrichten aus dem Munde derer zu sammlen, die von seiner Geschichte wohl unterrichtet seyn konnten; sie ist einfach und es kommen alle Erzählungen davon bis auf wenige Kleinigkeiten miteinander überein; nur über die Sinnesarten der handlenden Personen sind die Meinungen verschieden und die Urtheile getheilt.

Was bleibt uns übrig, als dasjenige was wir mit wiederhohlter Mühe erfahren können, gewissenhaft zu erzählen; die von dem Abscheidenden hinterlaßnen Briefe einzuschalten und das kleinste aufgefundene Blättchen nicht gering zu achten; zumal da es so schwer ist, die eigensten wahren Triebfedern auch nur einer einzelnen Handlung zu entdecken, wenn sie unter Menschen vorgeht, die nicht gemeiner Art sind.

Unmuth und Unlust hatten in Werthers Seele immer tiefer Wurzel geschlagen, sich fester unter einander verschlungen und sein ganzes Wesen nach und nach eingenommen. Die Harmonie seines Geistes war völlig zerstört, eine innerliche Hitze und Heftigkeit, die alle Kräfte seiner Natur durcheinander arbeitete, brachte die widrigsten Wirkungen hervor und ließ ihm zuletzt nur eine Ermattung übrig, aus der er noch ängstlicher empor strebte als er mit allen Übeln bisher gekämpft hatte. Die Beängstigung seines Herzens zehrte die übrigen Kräfte seines Geistes, seine Lebhaftigkeit, seinen Scharfsinn auf, er ward ein trauriger Gesellschafter, immer unglücklicher und immer ungerechter, je unglücklicher er ward. Wenigstens sagen dieß Alberts Freunde; sie behaupten, daß Werther einen reinen, ruhigen Mann der nun eines langgewünschten Glückes theilhaftig geworden und sein

aufgezehrt hatte; so konnte es nicht fehlen daß Lotte zulezt
selbst mit angestekt wurde, und in eine Art von Schwermuth
verfiel, in der Albert eine wachsende Leidenschaft für ihren
Liebhaber, und Werther einen tiefen Verdruß über das veränderte Betragen ihres Mannes zu entdekken glaubte. Das
Mistrauen, womit die beyden Freunde einander ansahen,
machte ihnen ihre wechselseitige Gegenwart höchst beschwerlich. Albert mied das Zimmer seiner Frau, wenn Werther bey ihr war, und dieser, der es merkte, ergriff nach einigen fruchtlosen Versuchen ganz von ihr zu lassen, die Gelegenheit, sie in solchen Stunden zu sehen, da ihr Mann von
seinen Geschäften gehalten wurde. Daraus entstund neue
Unzufriedenheit, die Gemüther verhezten sich immer mehr
gegen einander, bis zulezt Albert seiner Frau mit ziemlich
trokenen Worten sagte: sie möchte, wenigstens um der Leute
willen, dem Umgange mit Werthern eine andere Wendung
geben, und seine allzuöfteren Besuche abschneiden.

Betragen sich dieses Glück auch auf die Zukunft zu erhalten,
nicht habe beurtheilen können, er, der gleichsam mit jedem
Tage sein ganzes Vermögen verzehrte, um an dem Abend zu
leiden und zu darben. Albert, sagen sie, hatte sich in so kurzer Zeit nicht verändert, er war noch immer derselbige, den 5
Werther so vom Anfang her kannte, so sehr schätzte und
ehrte. Er liebte Lotten über alles, er war stolz auf sie und
wünschte sie auch von jedermann als das herrlichste Geschöpf anerkannt zu wissen. War es ihm daher zu verdenken,
wenn er auch jeden Schein des Verdachtes abzuwenden 10
wünschte, wenn er in dem Augenblicke mit niemand diesen
köstlichen Besitz auch auf die unschuldigste Weise zu theilen,
Lust hatte? Sie gestehen ein, daß Albert oft das Zimmer
seiner Frau verlassen, wenn Werther bey ihr war, aber nicht
aus Haß noch Abneigung gegen seinen Freund, sondern nur 15
weil er gefühlt habe, daß dieser von seiner Gegenwart gedruckt sey.

Lottens Vater war von einem Übel befallen worden, das ihn
in der Stube hielt, er schickte ihr seinen Wagen, und sie fuhr
hinaus. Es war ein schöner Wintertag, der erste Schnee war 20
stark gefallen und deckte die ganze Gegend.

    Werther ging ihr den andern Morgen nach, um wenn Al-
bert sie nicht abzuhohlen käme, sie herein zu begleiten.

    Das klare Wetter konnte wenig auf sein trübes Gemüth
wirken, ein dumpfer Druck lag auf seiner Seele, die traurigen 25
Bilder hatten sich bey ihm festgesetzt und sein Gemüth
kannte keine Bewegung als von einem schmerzlichen Gedanken zum andern.

    Wie er mit sich in ewigem Unfrieden lebte, schien ihm
auch der Zustand andrer nur bedenklicher und verworrener, 30
er glaubte das schöne Verhältniß zwischen Albert und seiner
Gattinn gestört zu haben, er machte sich Vorwürfe darüber,
in die sich ein heimlicher Unwille gegen den Gatten mischte.

    Seine Gedanken fielen auch unterwegs auf diesen Gegen-
stand. Ja, ja, sagte er zu sich selbst, mit heimlichem Zähn- 35
knirschen: das ist der vertraute, freundliche, zärtliche an al-

lem theilnehmende Umgang, die ruhige daurende Treue!
Sattigkeit ists und Gleichgültigkeit! Zieht ihn nicht jedes
elende Geschäft mehr an als die theure, köstliche Frau? Weiß
er sein Glück zu schätzen? Weiß er sie zu achten wie sie es
verdient? Er hat sie, nun gut er hat sie – Ich weiß das, wie ich   5
was anders auch weiß, ich glaube an den Gedanken gewöhnt
zu seyn, er wird mich noch rasend machen, er wird mich noch
umbringen – Und hat denn die Freundschaft zu mir Stich
gehalten? Sieht er nicht in meiner Anhänglichkeit an Lotten
schon einen Eingriff in seine Rechte, in meiner Aufmerksam-   10
keit für sie einen stillen Vorwurf? Ich weiß es wohl, ich fühl'
es, er sieht mich ungern, er wünscht meine Entfernung,
meine Gegenwart ist ihm beschwerlich.

Oft hielt er seinen raschen Schritt an, oft stand er stille, und
schien umkehren zu wollen; allein er richtete seinen Gang   15
immer wieder vorwärts und war mit diesen Gedanken und
Selbstgesprächen endlich gleichsam wider Willen bey dem
Jagdhause angekommen.

Er trat in die Thür, fragte nach dem Alten und nach Lotten, er fand das Haus in einiger Bewegung. Der älteste Knabe   20
sagte ihm, es sey drüben in Wahlheim ein Unglück geschehn,
es sey ein Bauer erschlagen worden! – Es machte das weiter
keinen Eindruck auf ihn. – Er trat in die Stube und fand
Lotten beschäftigt, dem Alten zuzureden, der ohngeachtet
seiner Krankheit hinüber wollte, um an Ort und Stelle die   25
That zu untersuchen. Der Thäter war noch unbekannt, man
hatte den Erschlagenen des Morgens vor der Hausthür gefunden, man hatte Muthmaßungen: der Entleibte war
Knecht einer Wittwe, die vorher einen andern im Dienste
gehabt, der mit Unfrieden aus dem Hause gekommen war.   30

Da Werther dieses hörte, fuhr er mit Heftigkeit auf. Ists
möglich! rief er aus, ich muß hinüber, ich kann nicht einen
Augenblick ruhn. Er eilte nach Wahlheim zu, jede Erinnerung ward ihm lebendig und er zweifelte nicht einen Augenblick, daß jener Mensch die That begangen, den er so manch-   35
mal gesprochen, der ihm so werth geworden war.

Da er durch die Linden mußte, um nach der Schenke zu

kommen, wo sie den Körper hingelegt hatten, entsetzt' er
sich vor dem sonst so geliebten Platze. Jene Schwelle worauf
die Nachbarskinder so oft gespielt hatten, war mit Blut besudelt. Liebe und Treue, die schönsten menschlichen Empfindungen hatten sich in Gewalt und Mord verwandelt. Die 5
starken Bäume standen ohne Laub und bereift, die schönen
Hecken, die sich über die niedrige Kirchhofmauer wölbten,
waren entblättert und die Grabsteine sahen mit Schnee bedeckt durch die Lücken hervor.

Als er sich der Schenke näherte, vor welcher das ganze 10
Dorf versammlet war, entstand auf einmal ein Geschrey.
Man erblickte von fern einen Trupp bewaffneter Männer,
und ein jeder rief, daß man den Thäter herbeyführe. Werther
sah hin und blieb nicht lange zweifelhaft. Ja! es war der
Knecht, der jene Wittwe so sehr liebte, den er vor einiger 15
Zeit mit dem stillen Grimme, mit der heimlichen Ver-
zweiflung umhergehend, angetroffen hatte.

Was hast du begangen, Unglücklicher! rief Werther aus,
indem er auf den Gefangnen losging. Dieser sah ihn still an,
schwieg und versetzte endlich ganz gelassen: Keiner wird sie 20
haben, sie wird keinen haben. Man brachte den Gefangnen in
die Schenke und Werther eilte fort.

Durch die entsetzliche gewaltige Berührung war alles, was
in seinem Wesen lag, durcheinander geschüttelt worden. Aus
seiner Trauer, seinem Mißmuth, seiner gleichgültigen Hin- 25
gegebenheit, wurde er auf einen Augenblick herausgerissen;
unüberwindlich bemächtigte sich die Theilnehmung seiner
und es ergriff ihn eine unsägliche Begierde den Menschen zu
retten. Er fühlte ihn so unglücklich, er fand ihn als Verbrecher selbst so schuldlos, er setzte sich so tief in seine Lage, 30
daß er gewiß glaubte auch andere davon zu überzeugen.
Schon wünschte er für ihn sprechen zu können, schon
drängte sich der lebhafteste Vortrag nach seinen Lippen, er
eilte nach dem Jagdhause, und konnte sich unterwegs nicht
enthalten alles das was er dem Amtmann vorstellen wollte, 35
schon halb laut auszusprechen.

Als er in die Stube trat, fand er Alberten gegenwärtig, dieß
verstimmte ihn einen Augenblick; doch faßte er sich bald
wieder und trug dem Amtmanne feurig seine Gesinnungen
vor. Dieser schüttelte einigemal den Kopf, und obgleich
Werther mit der größten Lebhaftigkeit, Leidenschaft und 5
Wahrheit, alles vorbrachte, was ein Mensch zur Entschuldigung eines Menschen sagen kann; so war doch, wie sichs
leicht denken läßt, der Amtmann dadurch nicht gerührt. Er
ließ vielmehr unsern Freund nicht ausreden, widersprach
ihm eifrig und tadelte ihn, daß er einen Meuchelmörder in 10
Schutz nehme! er zeigte ihm daß auf diese Weise jedes Gesetz
aufgehoben, alle Sicherheit des Staats zu Grund gerichtet
werde, auch, setzte er hinzu, daß er in einer solchen Sache
nichts thun könne ohne sich die größte Verantwortung auf-
zuladen, es müsse alles in der Ordnung, in dem vorgeschrie- 15
benen Gang gehen.

Werther ergab sich noch nicht, sondern bat nur, der Amtmann möchte durch die Finger sehn, wenn man dem Menschen zur Flucht behülflich wäre! Auch damit wies ihn der
Amtmann ab. Albert, der sich endlich ins Gespräch mischte, 20
trat auch auf des Alten Seite: Werther wurde überstimmt und
mit einem entsetzlichen Leiden machte er sich auf den Weg,
nachdem ihm der Amtmann einigemal gesagt hatte: Nein, er
ist nicht zu retten!

Wie sehr ihm diese Worte aufgefallen seyn müssen, sehn 25
wir aus einem Zettelchen, das sich unter seinen Papieren
fand, und das gewiß an dem nähmlichen Tage geschrieben
worden:

»Du bist nicht zu retten Unglücklicher! ich sehe wohl daß wir
nicht zu retten sind.«   30

Was Albert zuletzt über die Sache des Gefangenen in Gegenwart des Amtmanns gesprochen, war Werthern höchst
zuwider gewesen: er glaubte einige Empfindlichkeit gegen
sich darin bemerkt zu haben, und wenn gleich bey mehrerem
Nachdenken seinem Scharfsinne nicht entging, daß beyde 35

Ohngefähr um diese Zeit hatte sich der Entschluß, diese
Welt zu verlassen, in der Seele des armen Jungen näher be-

Männer Recht haben möchten, so war es ihm doch als ob er
seinem innersten Daseyn entsagen müßte, wenn er es gestehen, wenn er es zugeben sollte.

Ein Blättchen, das sich darauf bezieht, das vielleicht sein
ganzes Verhältniß zu Albert ausdrückt, finden wir unter sei- 5
nen Papieren.

»Was hilft es, daß ich mirs sage und wieder sage, er ist brav
und gut, aber es zerreißt mir mein inneres Eingeweide; ich
kann nicht gerecht seyn.«

Weil es ein gelinder Abend war und das Wetter anfing sich 10
zum Thauen zu neigen, ging Lotte mit Alberten zu Fuße
zurück. Unterwegs sah sie sich hier und da um, eben, als
wenn sie Werthers Begleitung vermißte. Albert fing von ihm
an zu reden, er tadelte ihn, indem er ihm Gerechtigkeit widerfahren ließ. Er berührte seine unglückliche Leidenschaft 15
und wünschte, daß es möglich seyn möchte ihn zu entfernen.
Ich wünsch' es auch um unsertwillen, sagt' er, und ich bitte
dich, fuhr er fort, siehe zu, seinem Betragen gegen dich eine
andere Richtung zu geben, seine öftern Besuche zu vermin-
dern. Die Leute werden aufmerksam, und ich weiß, daß man 20
hier und da drüber gesprochen hat. Lotte schwieg und Albert
schien ihr Schweigen empfunden zu haben, wenigstens seit
der Zeit erwähnte er Werthers nicht mehr gegen sie und
wenn sie seiner erwähnte, ließ er das Gespräch fallen oder
lenkte es wo anders hin.   25
   Der vergebliche Versuch, den Werther zur Rettung des
Unglücklichen gemacht hatte, war das letzte Auflodern der
Flamme eines verlöschenden Lichtes; er versank nur desto
tiefer in Schmerz und Unthätigkeit; besonders kam er fast
außer sich, als er hörte, daß man ihn vielleicht gar zum Zeu- 30
gen gegen den Menschen, der sich nun aufs Läugnen legte,
auffordern könnte.

⟨vgl. S. 215⟩

stimmt. Es war von jeher seine Lieblingsidee gewesen, mit
der er sich, besonders seit der Rükkehr zu Lotten, immer
getragen.

Doch sollte es keine übereilte, keine rasche That seyn, er
wollte mit der besten Ueberzeugung, mit der möglichsten
ruhigen Entschlossenheit diesen Schritt thun.

Seine Zweifel, sein Streit mit sich selbst, blikken aus einem
Zettelgen hervor, das wahrscheinlich ein angefangener Brief
an Wilhelmen ist, und ohne Datum, unter seinen Papieren
gefunden worden.

Ihre Gegenwart, ihr Schiksal, ihr Theilnehmen an dem
meinigen, preßt noch die lezten Thränen aus meinem versengten Gehirn.

Den Vorhang aufzuheben und dahinter zu treten, das ist's
all! Und warum das Zaudern und Zagen? – Weil man nicht
weis, wie's dahinten aussieht? – und man nicht zurükkehrt? –
Und daß das nun die Eigenschaft unseres Geistes ist, da Verwirrung und Finsterniß zu ahnden, wovon wir nichts Bestimmtes wissen.

Den Verdruß, den er bey der Gesandtschaft gehabt, konnte
er nicht vergessen. Er erwähnte dessen selten, doch wenn es
auch auf die entfernteste Weise geschah, so konnte man fühlen, daß er seine Ehre dadurch unwiederbringlich gekränkt
hielte, und daß ihm dieser Vorfall eine Abneigung gegen alle
Geschäfte und politische Wirksamkeit gegeben hatte. Daher
überließ er sich ganz der wunderbaren Empfind- und Den-
kensart, die wir aus seinen Briefen kennen, und einer endlosen Leidenschaft, worüber noch endlich alles, was thätige
Kraft an ihm war, verlöschen mußte. Das ewige einerley
eines traurigen Umgangs mit dem liebenswürdigen und geliebten Geschöpfe, dessen Ruhe er störte, das stürmende
Abarbeiten seiner Kräfte, ohne Zwek und Aussicht, drängten ihn endlich zu der schröklichen That.

⟨vgl. S. 217⟩

Alles was ihm Unangenehmes jemals in seinem wirksamen
Leben begegnet war, der Verdruß bey der Gesandtschaft,
alles was ihm sonst mißlungen war, was ihn je gekränkt
hatte, ging in seiner Seele auf und nieder. Er fand sich durch
alles dieses wie zur Unthätigkeit berechtigt, er fand sich
abgeschnitten von aller Aussicht, unfähig, irgend eine Handhabe zu ergreifen mit denen man die Geschäfte des gemeinen
Lebens anfaßt, und so ruckte er endlich, ganz seiner wunderbaren Empfindung, Denkart und einer endlosen Leidenschaft hingegeben, in dem ewigen Einerley eines traurigen
Umgangs mit dem liebenswürdigen und geliebten Geschöpfe, dessen Ruhe er störte, in seine Kräfte stürmend, sie
ohne Zweck und Aussicht abarbeitend immer einem traurigen Ende näher.

Von seiner Verworrenheit, Leidenschaft, von seinem rastlosen Treiben und Streben, von seiner Lebensmüde sind
einige hinterlaßne Briefe die stärksten Zeugnisse, die wir
hier einrücken wollen.

⟨vgl. S. 194⟩

am 12.Dec.

Lieber Wilhelm, ich bin in einem Zustande, in dem jene Unglücklichen gewesen seyn müssen, von denen man glaubte sie würden von einem bösen Geiste umher getrieben. Manchmal ergreift mich's; es ist nicht Angst, nicht Begier – es ist ein inneres unbekanntes Toben, das meine Brust zu zerreissen droht, das mir die Gurgel zupreßt! Wehe! wehe! und dann schweife ich umher in den furchtbaren nächtlichen Scenen dieser menschenfeindlichen Jahrszeit.

Gestern Abend mußte ich hinaus. Es war plötzlich Thauwetter eingefallen, ich hatte gehört, der Fluß sey übergetreten, alle Bäche geschwollen und von Wahlheim herunter mein liebes Thal überschwemmt! Nachts nach eilfe rannte ich hinaus. Ein fürchterliches Schauspiel, vom Fels herunter die wühlenden Fluthen in dem Mondlichte wirbeln zu sehen, über Äcker und Wiesen und Hecken und alles, und das weite Thal hinauf und hinab Eine stürmende See im Sausen des Windes! Und wenn denn der Mond wieder hervortrat und über der schwarzen Wolke ruhte und vor mir hinaus die Fluth in fürchterlich-herrlichem Wiederschein rollte und klang: da überfiel mich ein Schauer und wieder ein Sehnen! Ach mit offnen Armen stand ich gegen den Abgrund und athmete hinab! hinab! und verlohr mich in der Wonne, meine Qualen, meine Leiden da hinab zu stürzen! dahin zu brausen wie die Wellen! Oh! – und den Fuß vom Boden zu heben vermochtest du nicht, und alle Qualen zu enden! – Meine Uhr ist noch nicht ausgelaufen, ich fühle es! O Wilhelm! wie gern hätte ich mein Menschseyn drum gegeben, mit jenem Sturmwinde die Wolken zu zerreissen, die Fluthen zu fassen! Ha! und wird nicht vielleicht dem Eingekerkerten einmal diese Wonne zu Theil? –

Und wie ich wehmüthig hinabsah auf ein Plätzchen, wo ich mit Lotten unter einer Weide geruht, auf einem heißen Spatziergange, – das war auch überschwemmt und kaum daß ich die Weide erkannte! Wilhelm. Und ihre Wiesen, dachte ich, die Gegend um ihr Jagdhaus! wie verstört jetzt vom reissenden Strome unsere Laube! dacht' ich. Und der Ver-

⟨vgl. S. 196⟩

⟨vgl. S. 208⟩

gangenheit Sonnenstrahl blickte herein, wie einem Gefangenen ein Traum von Herden, Wiesen und Ehrenämtern! Ich
stand! – Ich schelte mich nicht, denn ich habe Muth zu sterben. – Ich hätte – Nun sitze ich hier wie ein altes Weib, das ihr
Holz von Zäunen stoppelt und ihr Brod an den Thüren, um   5
ihr hinsterbendes, freudeloses Daseyn noch einen Augenblick zu verlängern und zu erleichtern.

                                                den 14. Dec.
Was ist das mein Lieber? Ich erschrecke vor mir selbst! Ist
nicht meine Liebe zu ihr die heiligste, reinste, brüderlichste   10
Liebe? Habe ich jemals einen strafbaren Wunsch in meiner
Seele gefühlt? – Ich will nicht betheuren – Und nun, Träume!
O wie wahr fühlten die Menschen, die so widersprechende
Wirkungen fremden Mächten zuschrieben! Diese Nacht! ich
zittre es zu sagen, hielt ich sie in meinen Armen, fest an   15
meinen Busen gedrückt, und deckte ihren liebelispelnden
Mund mit unendlichen Küssen; mein Auge schwamm in der
Trunkenheit des ihrigen! Gott! bin ich strafbar, daß ich auch
jetzt noch eine Seligkeit fühle, mir diese glühenden Freuden
mit voller Innigkeit zurück zu rufen? Lotte! Lotte! – Und mit   20
mir ist es aus! meine Sinnen verwirren sich, schon acht Tage
habe ich keine Besinnungskraft mehr, meine Augen sind voll
Thränen; Ich bin nirgend wohl, und überall wohl; Ich wünsche nichts, ich verlange nichts; Mir wäre besser ich ginge.

Der Entschluß die Welt zu verlassen hatte in dieser Zeit,   25
unter solchen Umständen in Werthers Seele immer mehr
Kraft gewonnen. Seit der Rückkehr zu Lotten war es immer
seine letzte Aussicht und Hoffnung gewesen; doch hatte er
sich gesagt, es solle keine übereilte, keine rasche That seyn, er
wolle mit der besten Überzeugung mit der möglichst ruhi-   30
gen Entschlossenheit diesen Schritt thun.
    Seine Zweifel, sein Streit mit sich selbst, blicken aus einem
Zettelchen hervor, das wahrscheinlich ein angefangner Brief

⟨vgl. S. 210⟩

am 20. Dec.

Ich danke Deiner Liebe, Wilhelm, daß Du das Wort so aufgefangen hast. Ja Du hast recht: Mir wäre besser, ich gienge.
Der Vorschlag, den Du zu einer Rükkehr zu euch thust,
gefällt mir nicht ganz, wenigstens möcht ich noch gern einen
Umweg machen, besonders da wir anhaltenden Frost und
gute Wege zu hoffen haben. Auch ist mir's sehr lieb, daß Du
kommen willst, mich abzuholen, verzieh nur noch vierzehn
Tage, und erwarte noch einen Brief von mir mit dem weitern.
Es ist nöthig, daß nichts gepflükt werde, eh es reif ist. Und
vierzehn Tage auf oder ab thun viel. Meiner Mutter sollst Du
sagen: daß sie für ihren Sohn beten soll und daß ich sie um
Vergebung bitte, wegen all des Verdrusses, den ich ihr gemacht habe. Das war nun mein Schiksal, die zu betrüben,
denen ich Freude schuldig war. Leb wohl, mein Theuerster.
Allen Segen des Himmels über Dich! Leb wohl!

an Wilhelm ist, und ohne Datum unter seinen Papieren gefunden worden.

Ihre Gegenwart, ihr Schicksal, ihre Theilnehmung an dem meinigen, preßt noch die letzten Thränen aus meinem versengten Gehirne.

Den Vorhang aufzuheben und dahinter zu treten! das ist alles! Und warum das Zaudern und Zagen? Weil man nicht weiß, wie es dahinten aussieht? und man nicht wiederkehrt? Und daß das nun die Eigenschaft unseres Geistes ist, da Verwirrung und Finsterniß zu ahnden, wovon wir nichts bestimmtes wissen.

Endlich ward er mit dem traurigen Gedanken immer mehr verwandt und befreundet und sein Vorsatz fest und unwiderruflich, wovon folgender zweydeutige Brief, den er an seinen Freund schrieb, ein Zeugniß abgibt.

am 20. Dec.

Ich danke deiner Liebe, Wilhelm, daß du das Wort so aufgefangen hast. Ja, du hast Recht: mir wäre besser, ich ginge. Der Vorschlag, den du zu einer Rückkehr zu euch thust, gefällt mir nicht ganz; wenigstens möchte ich noch gerne einen Umweg machen, besonders da wir anhaltenden Frost und gute Wege zu hoffen haben. Auch ist mir es sehr lieb, daß du kommen willst, mich abzuhohlen; verziehe nur noch vierzehn Tage, und erwarte noch einen Brief von mir mit dem weiteren. Es ist nöthig daß nichts gepflückt werde, ehe es reif ist; Und vierzehn Tage auf oder ab thun viel. Meiner Mutter sollst du sagen: daß sie für ihren Sohn bethen soll und daß ich sie um Vergebung bitte, wegen alles Verdrusses, den ich ihr gemacht habe. Das war nun mein Schicksal, die zu betrüben denen ich Freude schuldig war. Lebwohl, mein Theuerster! Allen Segen des Himmels über dich! Lebwohl!

An eben dem Tage, es war der Sonntag vor Weihnachten,
kam er Abends zu Lotten, und fand sie allein. Sie beschäftigte sich, einige Spielwerke in Ordnung zu bringen, die sie
20 ihren kleinen Geschwistern zum Christgeschenke zurecht
gemacht hatte. Er redete von dem Vergnügen, das die Kleinen haben würden, und von den Zeiten, da einen die unerwartete Oeffnung der Thüre, und die Erscheinung eines
aufgepuzten Baums mit Wachslichtern, Zukkerwerk und
25 Aepfeln, in paradisische Entzükkung sezte. Sie sollen, sagte
Lotte, indem sie ihre Verlegenheit unter ein liebes Lächeln
verbarg: Sie sollen auch bescheert kriegen, wenn Sie recht
geschikt sind, ein Wachsstökgen und noch was. Und was
heißen Sie geschikt seyn? rief er aus, wie soll ich seyn, wie
30 kann ich seyn, beste Lotte? Donnerstag Abend, sagte sie, ist
Weyhnachtsabend, da kommen die Kinder, mein Vater auch,
da kriegt jedes das seinige, da kommen Sie auch – aber nicht
eher. – Werther stuzte! – Ich bitte Sie, fuhr sie fort, es ist nun
einmal so, ich bitte Sie um meiner Ruhe willen, es kann nicht,
35 es kann nicht so bleiben! – Er wendete seine Augen von ihr,
gieng in der Stube auf und ab, und murmelte das: es kann
nicht so bleiben! zwischen den Zähnen. Lotte, die den

Was in dieser Zeit in Lottens Seele vorging, wie ihre Gesinnungen gegen ihren Mann, gegen ihren unglücklichen
Freund gewesen, getrauen wir uns kaum mit Worten auszudrücken, ob wir uns gleich davon, nach der Kenntniß ihres
Charakters, wohl einen stillen Begriff machen können und
eine schöne weibliche Seele sich in die ihrige denken und mit
ihr empfinden kann.

So viel ist gewiß, sie war fest bey sich entschlossen alles zu
thun, um Werthern zu entfernen und wenn sie zauderte, so
war es eine herzliche freundschaftliche Schonung, weil sie
wußte, wie viel es ihm kosten, ja daß es ihm beynahe unmöglich seyn würde. Doch ward sie in dieser Zeit mehr gedrängt Ernst zu machen; es schwieg ihr Mann ganz über dieß
Verhältniß, wie sie auch immer darüber geschwiegen hatte
und um so mehr war ihr angelegen, ihm durch die That zu
beweisen, wie ihre Gesinnungen der seinigen werth seyen.

An demselben Tage als Werther den zuletzt eingeschalte-
ten Brief an seinen Freund geschrieben, es war der Sonntag
vor Weihnachten, kam er Abends zu Lotten und fand sie
allein. Sie beschäftigte sich einige Spielwerke in Ordnung zu
bringen, die sie ihren kleinen Geschwistern zum Christgeschenke zurecht gemacht hatte. Er redete von dem Vergnügen, das die Kleinen haben würden, und von den Zeiten, da
einen die unerwartete Öffnung der Thür und die Erscheinung eines aufgeputzten Baumes mit Wachslichtern,
Zuckerwerk und Äpfeln, in paradiesische Entzückung setzte. Sie sollen, sagte Lotte, indem sie ihre Verlegenheit unter
ein liebes Lächeln verbarg, Sie sollen auch beschert kriegen,
wenn Sie recht geschickt sind; ein Wachsstöckchen und noch
was. – Und was heissen Sie geschickt seyn? rief er aus; wie soll
ich seyn? wie kann ich seyn? beste Lotte! Donnerstag Abend,
sagte sie ist Weihnachtsabend, da kommen die Kinder, mein
Vater auch, da kriegt jedes das seinige, da kommen Sie auch –
aber nicht eher. – Werther stutzte. – Ich bitte Sie, fuhr sie fort,
es ist nun einmal so, ich bitte Sie um meiner Ruhe willen, es
kann nicht, es kann nicht so bleiben! – Er wendete seine
Augen von ihr, und ging in der Stube auf und ab, und mur-

schröklichen Zustand fühlte, worinn ihn diese Worte versezt
hatten, suchte durch allerley Fragen seine Gedanken abzulenken, aber vergebens: Nein, Lotte, rief er aus, ich werde Sie
nicht wieder sehn! – Warum das? versezte sie, Werther, Sie
5 können, Sie müssen uns wieder sehen, nur mässigen Sie sich.
O! warum mußten Sie mit dieser Heftigkeit, dieser unbe-
zwinglich haftenden Leidenschaft für alles, das Sie einmal
anfassen, gebohren werden. Ich bitte Sie, fuhr sie fort, indem
sie ihn bey der Hand nahm, mässigen Sie sich, Ihr Geist, Ihre
10 Wissenschaft, Ihre Talente, was bieten die Ihnen für mannigfaltige Ergözzungen dar! seyn Sie ein Mann, wenden Sie
diese traurige Anhänglichkeit von einem Geschöpfe, das
nichts thun kann als Sie bedauern. – Er knirrte mit den Zähnen, und sah sie düster an. Sie hielt seine Hand: Nur einen
15 Augenblick ruhigen Sinn, Werther, sagte sie. Fühlen Sie
nicht, daß Sie sich betrügen, sich mit Willen zu Grunde richten? Warum denn mich! Werther! Just mich! das Eigenthum
eines andern. Just das! Ich fürchte, ich fürchte, es ist nur die
Unmöglichkeit mich zu besizzen, die Ihnen diesen Wunsch so
20 reizend macht. Er zog seine Hand aus der ihrigen, indem er
sie mit einem starren unwilligen Blikke ansah. Weise! rief er,
sehr weise! hat vielleicht Albert diese Anmerkung gemacht?
Politisch! sehr politisch! – Es kann sie jeder machen, versezte
sie drauf. Und sollte denn in der weiten Welt kein Mädgen
25 seyn, das die Wünsche Ihres Herzens erfüllte. Gewinnen
Sie's über sich, suchen Sie darnach, und ich schwöre Ihnen,
Sie werden sie finden. Denn schon lange ängstet mich für Sie
und uns die Einschränkung, in die Sie sich diese Zeit her
selbst gebannt haben. Gewinnen Sie's über sich! Eine Reise
30 wird Sie, muß Sie zerstreuen! Suchen Sie, finden Sie einen
werthen Gegenstand all Ihrer Liebe, und kehren Sie zurük,
und lassen Sie uns zusammen die Seligkeit einer wahren
Freundschaft genießen.

35   Das könnte man, sagte er mit einem kalten Lachen, druk-
ken lassen, und allen Hofmeistern empfehlen. Liebe Lotte,
lassen Sie mir noch ein klein wenig Ruh, es wird alles wer-

melte das: Es kann nicht so bleiben! zwischen den Zähnen.
Lotte, die den schrecklichen Zustand fühlte, worein ihn diese
Worte versetzt hatten, suchte durch allerley Fragen seine
Gedanken abzulenken, aber vergebens. Nein, Lotte, rief er
aus, ich werde Sie nicht wiedersehen! Warum das? versetzte
sie, Werther, Sie können, Sie müssen uns wieder sehen, nur
mäßigen Sie sich. O, warum mußten Sie mit dieser Heftig-
keit, dieser unbezwinglich-haftenden Leidenschaft für alles
was Sie einmal anfassen, gebohren werden! Ich bitte Sie, fuhr
sie fort, indem sie ihn bey der Hand nahm, mäßigen Sie sich!
Ihr Geist, Ihre Wissenschaften, Ihre Talente, was biethen die
Ihnen für mannichfaltige Ergetzungen dar? Seyn Sie ein
Mann! wenden Sie diese traurige Anhänglichkeit von einem
Geschöpf, das nichts thun kann als Sie bedauren. – Er knirrte
mit den Zähnen und sah sie düster an. Sie hielt seine Hand.
Nur einen Augenblick ruhigen Sinn, Werther! sagte sie. Fühlen Sie nicht daß Sie sich betrügen, sich mit Willen zu Grunde
richten! Warum denn mich, Werther? just mich, das Eigenthum eines Andern? just das? Ich fürchte, ich fürchte, es ist nur
die Unmöglichkeit mich zu besitzen, die Ihnen diesen
Wunsch so reizend macht. Er zog seine Hand aus der ihrigen,
indem er sie mit einem starren unwilligen Blick ansah. Weise!
rief er, sehr weise! Hat vielleicht Albert diese Anmerkung
gemacht? Politisch! sehr politisch! – Es kann sie jeder machen, versetzte sie drauf. Und sollte denn in der weiten Welt
kein Mädchen seyn, das die Wünsche Ihres Herzens erfüllte?
Gewinnen Sie's über sich, suchen Sie darnach, und ich
schwöre Ihnen Sie werden sie finden; denn schon lange ängstet mich für Sie und uns die Einschränkung, in die Sie sich
diese Zeit her selbst gebannt haben. Gewinnen Sie es über
Sich! eine Reise wird Sie, muß Sie zerstreuen! Suchen sie,
finden Sie einen werthen Gegenstand Ihrer Liebe, und kehren Sie zurück und lassen Sie uns zusammen die Seligkeit
einer wahren Freundschaft genießen.

    Das könnte man, sagte er mit einem kalten Lachen,
drucken lassen, und allen Hofmeistern empfehlen. Liebe
Lotte! lassen Sie mir noch ein klein wenig Ruh, es wird alles

den. – Nur das Werther! daß Sie nicht eher kommen als
Weyhnachtsabend! – Er wollte antworten, und Albert trat in
die Stube. Man bot sich einen frostigen guten Abend, und
gieng verlegen im Zimmer neben einander auf und nieder.
5 Werther fieng einen unbedeutenden Diskurs an, der bald aus
war, Albert desgleichen, der sodann seine Frau nach einigen
Aufträgen fragte, und als er hörte, sie seyen noch nicht ausgerichtet, ihr spizze Reden gab, die Werthern durch's Herz
giengen. Er wollte gehn, er konnte nicht und zauderte bis
10 Acht, da sich denn der Unmuth und Unwillen an einander
immer vermehrte, bis der Tisch gedekt wurde und er Huth
und Stok nahm, da ihm denn Albert ein unbedeutend Kompliment, ob er nicht mit ihnen vorlieb nehmen wollte? mit
auf den Weg gab.

15   Er kam nach Hause, nahm seinem Burschen, der ihm
leuchten wollte, das Licht aus der Hand, und gieng allein in
sein Zimmer, weinte laut, redete aufgebracht mit sich selbst,
gieng heftig die Stube auf und ab, und warf sich endlich in
seinen Kleidern auf's Bette, wo ihn der Bediente fand, der es
20 gegen Eilf wagte hinein zu gehn, um zu fragen, ob er dem
Herrn die Stiefel ausziehen sollte, das er denn zuließ und dem
Diener verbot, des andern Morgens nicht in's Zimmer zu
kommen, bis er ihm rufte.

    Montags früh, den ein und zwanzigsten December,
25 schrieb er folgenden Brief an Lotten, den man nach seinem
Tode versiegelt auf seinem Schreibtische gefunden und ihr
überbracht hat, und den ich Absazweise hier einrükken will,
so wie aus den Umständen erhellet, daß er ihn geschrieben
habe.

30 Es ist beschlossen, Lotte, ich will sterben, und das schreib ich
Dir ohne romantische Ueberspannung gelassen, an dem
Morgen des Tags, an dem ich Dich zum lezten mal sehn
werde. Wenn Du dieses liesest, meine Beste, dekt schon das
kühle Grab die erstarrten Reste des Unruhigen, Unglük-
35 lichen, der für die lezten Augenblikke seines Lebens keine
grössere Süssigkeit weis, als sich mit Dir zu unterhalten. Ich

werden! – Nur das, Werther, daß Sie nicht eher kommen als
Weihnachtsabend! – Er wollte antworten und Albert trat in
die Stube. Man both sich einen frostigen Guten Abend und
ging verlegen im Zimmer neben einander auf und nieder.
Werther fing einen unbedeutenden Discurs an, der bald aus
war, Albert desgleichen, der sodann seine Frau nach gewissen Aufträgen fragte, und als er hörte sie seyen noch nicht
ausgerichtet, ihr einige Worte sagte, die Werthern kalt ja gar
hart vorkamen. Er wollte gehen, er konnte nicht und zauderte bis acht, da sich denn sein Unmuth und Unwillen immer vermehrte, bis der Tisch gedeckt wurde und er Hut und
Stock nahm. Albert lud ihn zu bleiben, er aber, der nur ein
unbedeutendes Compliment zu hören glaubte, dankte kalt
dagegen und ging weg.

Er kam nach Hause, nahm seinem Burschen, der ihm
leuchten wollte, das Licht aus der Hand und ging allein in
sein Zimmer, weinte laut, redete aufgebracht mit sich selbst,
ging heftig die Stube auf und ab, und warf sich endlich in
seinen Kleidern aufs Bette, wo ihn der Bediente fand, der es
gegen eilfe wagte hinein zu gehen, um zu fragen, ob er dem
Herrn die Stiefeln ausziehen sollte? das er denn zuließ und
dem Bedienten verboth, den andern Morgen ins Zimmer zu
kommen, bis er ihn rufen würde.

Montags früh, den ein und zwanzigsten December schrieb
er folgenden Brief an Lotten, den man nach seinem Tode
versiegelt auf seinem Schreibtische gefunden und ihr überbracht hat, und den ich Absatzweise hier einrücken will, so
wie aus den Umständen erhellet, daß er ihn geschrieben habe.

Es ist beschlossen, Lotte, ich will sterben, und das schreibe
ich dir ohne romantische Überspannung gelassen, an dem
Morgen des Tages, an dem ich dich zum letztenmale sehen
werde. Wenn du dieses liesest, meine Beste, deckt schon das
kühle Grab die erstarrten Reste des Unruhigen, Unglücklichen, der für die letzten Augenblicke seines Lebens keine

habe eine schrökliche Nacht gehabt, und ach eine wohlthätige Nacht, sie ist's, die meinen wankenden Entschluß befe-
stiget, bestimmt hat: ich will sterben. Wie ich mich gestern
von Dir riß, in der fürchterlichen Empörung meiner Sinnen,
wie sich all all das nach meinem Herzen drängte, und mein
hoffnungloses, freudloses Daseyn neben Dir, in gräßlicher
Kälte mich anpakte; ich erreichte kaum mein Zimmer, ich
warf mich ausser mir auf meine Knie, und o Gott! du gewährtest mir das lezte Labsal der bittersten Thränen, und
tausend Anschläge, tausend Aussichten wütheten durch
meine Seele, und zuletzt stand er da, fest ganz der lezte einzige Gedanke: Ich will sterben! – Ich legte mich nieder, und
Morgens, in all der Ruh des Erwachens, steht er noch fest,
noch ganz stark in meinem Herzen: Ich will sterben! – Es ist
nicht Verzweiflung, es ist Gewißheit, daß ich ausgetragen
habe, und daß ich mich opfere für Dich, ja Lotte, warum sollt
ich's verschweigen: eins von uns dreyen muß hinweg, und
das will ich seyn. O meine Beste, in diesem zerrissenen Herzen ist es wüthend herum geschlichen, oft – Deinen Mann zu
ermorden! – Dich! – mich! – So sey's denn! – Wenn du hinauf
steigst auf den Berg, an einem schönen Sommerabende, dann
erinnere Dich meiner, wie ich so oft das Thal herauf kam,
und dann blikke nach dem Kirchhofe hinüber nach meinem
Grabe, wie der Wind das hohe Gras im Schein der sinkenden
Sonne, hin und her wiegt. – Ich war ruhig da ich anfieng, und
nun wein ich wie ein Kind, da mir all das so lebhaft um mich
wird. –

Gegen zehn Uhr rufte Werther seinem Bedienten, und unter
dem Anziehen sagte er ihm: wie er in einigen Tagen verreisen
würde, er solle daher die Kleider auskehren, und alles zum
Einpakken zurechte machen, auch gab er ihm Befehl, überall
Contis zu fordern, einige ausgeliehene Bücher abzuholen,
und einigen Armen, denen er wöchentlich etwas zu geben
gewohnt war, ihr Zugetheiltes auf zwey Monathe voraus zu
bezahlen.
Er ließ sich das Essen auf die Stube bringen, und nach

größere Süßigkeit weiß als sich mit dir zu unterhalten. Ich
habe eine schreckliche Nacht gehabt, und ach! eine wohlthätige Nacht. Sie ist es, die meinen Entschluß befestigt,
bestimmt hat: ich will sterben! Wie ich mich gestern von dir
riß, in der fürchterlichen Empörung meiner Sinnen, wie sich   5
alles das nach meinem Herzen drängte, und mein hoffnungs-
loses, freudeloses Daseyn neben dir, in gräßlicher Kälte mich
anpackte – ich erreichte kaum mein Zimmer, ich warf mich
außer mir auf meine Knie, und o Gott! du gewährtest mir das
letzte Labsal der bittersten Thränen! Tausend Anschläge,   10
tausend Aussichten wütheten durch meine Seele, und zuletzt
stand er da, fest, ganz, der letzte einzige Gedanke: ich will
sterben! – Ich legte mich nieder, und Morgens in der Ruhe
des Erwachens, steht er noch fest, noch ganz stark in meinem
Herzen: ich will sterben! – Es ist nicht Verzweiflung, es ist   15
Gewißheit, daß ich ausgetragen habe, und daß ich mich opfre
für dich. Ja, Lotte! warum sollte ich es verschweigen? eins
von uns dreyen muß hinweg und das will ich seyn! O meine
Beste! in diesem zerrissenen Herzen ist es wüthend herum-
geschlichen, oft – deinen Mann zu ermorden! – dich! – mich! –   20
So sey es! – Wenn du hinaufsteigst auf den Berg, an einem
schönen Sommerabende, dann erinnere dich meiner, wie ich
so oft das Thal herauf kam, und dann blicke nach dem Kirchhofe hinüber nach meinem Grabe, wie der Wind das hohe
Gras im Scheine der sinkenden Sonne, hin und her wiegt –   25
Ich war ruhig da ich anfing, nun nun weine ich wie ein Kind,
da alles das so lebhaft um mich wird.

Gegen zehn Uhr rief Werther seinem Bedienten und unter
dem Anziehen sagte er ihm: wie er in einigen Tagen verreisen
würde, er solle daher die Kleider auskehren und alles zum   30
Einpacken zurecht machen; auch gab er ihm Befehl, überall
Conto's zu fordern, einige ausgeliehene Bücher abzuhohlen
und einigen Armen, denen er wöchentlich etwas zu geben
gewohnt war, ihr Zugetheiltes auf zwey Monate voraus zu
bezahlen.   35
    Er ließ sich das Essen auf die Stube bringen, und nach

Tische ritt er hinaus zum Amtmanne, den er nicht zu Hause
antraf. Er gieng tiefsinnig im Garten auf und ab, und schien
noch zulezt alle Schwermuth der Erinnerung auf sich häufen
zu wollen.

Die Kleinen ließen ihn nicht lange in Ruhe, sie verfolgten
ihn, sprangen an ihn hinauf, erzählten ihm: daß, wenn Morgen und wieder Morgen, und noch ein Tag wäre, daß sie die
Christgeschenke bey Lotten holten, und erzählten ihm Wunder, die sich ihre kleine Einbildungskraft versprach. Morgen! rief er aus, und wieder Morgen, und noch ein Tag! Und
küßte sie alle herzlich, und wollte sie verlassen, als ihm der
kleine noch was in's Ohr sagen wollte. Der verrieth ihm, daß
die großen Brüder hätten schöne Neujahrswünsche geschrieben, so gros, und einen für den Papa, für Albert und
Lotte einen, und auch einen für Herrn Werther. Die wollten
sie des Neujahrstags früh überreichen.

Das übermannte ihn, er schenkte jedem was, sezte sich zu
Pferde, ließ den Alten grüßen, und ritt mit Thränen in den
Augen davon.

Gegen fünfe kam er nach Hause, befahl der Magd nach
dem Feuer zu sehen, und es bis in die Nacht zu unterhalten.
Dem Bedienten hieß er Bücher und Wäsche unten in den
Coffer pakken, und die Kleider einnähen. Darauf schrieb er
wahrscheinlich folgenden Absaz seines lezten Briefes an Lotten.

Du erwartest mich nicht. Du glaubst, ich würde gehorchen,
und erst Weyhnachtsabend Dich wieder sehn. O Lotte! Heut,
oder nie mehr. Weyhnachtsabend hältst Du dieses Papier in
Deiner Hand, zitterst und benezt es mit Deinen lieben Thränen. Ich will, ich muß! O wie wohl ist mir's, daß ich entschlossen bin.

Um halb sieben gieng er nach Albertens Hause, und fand
Lotten allein, die über seinen Besuch sehr erschrokken war.
Sie hatte ihrem Manne im Diskurs gesagt, daß Werther vor
Weyhnachtsabend nicht wiederkommen würde. Er ließ bald

Tische ritt er hinaus zum Amtmanne, den er nicht zu Hause
antraf. Er ging tiefsinnig im Garten auf und ab und schien
noch zuletzt alle Schwermuth der Erinnerung auf sich häufen
zu wollen.

Die Kleinen ließen ihn nicht lange in Ruhe, sie verfolgten
ihn, sprangen an ihm hinauf, erzählten ihm: daß, wenn Morgen, und wieder Morgen, und noch ein Tag wäre, sie die
Christgeschenke bey Lotten hohlten, und erzählten ihm
Wunder, die sich ihre kleine Einbildungskraft versprach.
Morgen! rief er aus, und wieder Morgen! und noch ein Tag!
und küßte sie alle herzlich und wollte sie verlassen, als ihm
der Kleine noch etwas in das Ohr sagen wollte. Der verrieth
ihm, die großen Brüder hätten schöne Neujahrswünsche geschrieben, *so* groß! und einen für den Papa, für Albert und
Lotten einen und auch einen für Herrn Werther; die wollten
sie am Neujahrstage früh überreichen. Das übermannte ihn,
er schenkte jedem etwas, setzte sich zu Pferde, ließ den Alten
grüßen und ritt mit Thränen in den Augen davon.

Gegen fünf kam er nach Hause, befahl der Magd nach dem
Feuer zu sehen und es bis in die Nacht zu unterhalten. Den
Bedienten hieß er Bücher und Wäsche unten in den Koffer
packen und die Kleider einnähen. Darauf schrieb er wahrscheinlich folgenden Absatz seines letzten Briefes an Lotten:

Du erwartest mich nicht! du glaubst, ich würde gehorchen,
und erst Weihnachtsabend dich wiedersehn. O Lotte! Heut
oder nie mehr. Weihnachtsabend hältst du dieses Papier in
deiner Hand, zitterst und benetzest es mit deinen lieben
Thränen. Ich will, ich muß! O wie wohl ist es mir, daß ich
entschlossen bin.

Lotte war indeß in einen sonderbaren Zustand gerathen.
Nach der letzten Unterredung mit Werthern hatte sie empfunden, wie schwer es ihr fallen werde sich von ihm zu trennen, was er leiden würde, wenn er sich von ihr entfernen
sollte.

darauf sein Pferd satteln, nahm von ihr Abschied und sagte,
er wolle zu einem Beamten in der Nachbarschaft reiten, mit
dem er Geschäfte abzuthun habe, und so machte er sich truz
der übeln Witterung fort. Lotte, die wohl wußte, daß er
dieses Geschäft schon lange verschoben hatte, daß es ihn eine
Nacht von Hause halten würde, verstund die Pantomime nur
allzu wohl und ward herzlich betrübt darüber. Sie saß in ihrer
Einsamkeit, ihr Herz ward weich, sie sah das Vergangene,
fühlte all ihren Werth, und ihre Liebe zu ihrem Manne, der
nun statt des versprochenen Glüks anfieng das Elend ihres
Lebens zu machen.

                    Ihre Gedanken fielen auf Werthern.
Sie schalt ihn, und konnte ihn nicht hassen. Ein geheimer
Zug hatte ihr ihn vom Anfange ihrer Bekanntschaft theuer
gemacht, und nun, nach so viel Zeit, nach so manchen durch-
lebten Situationen, mußte sein Eindruk unauslöschlich in
ihrem Herzen seyn. Ihr gepreßtes Herz machte sich endlich in
Thränen Luft und gieng in eine stille Melancholie über, in
der sie sich je länger je tiefer verlohr.

Es war wie im Vorübergehn in Alberts Gegenwart gesagt
worden, daß Werther vor Weihnachtsabend nicht wieder
kommen werde und Albert war zu einem Beamten in der
Nachbarschaft geritten, mit dem er Geschäfte abzuthun
hatte, und wo er über Nacht ausbleiben mußte.

Sie saß nun allein, keins von ihren Geschwistern war um
sie, sie überließ sich ihren Gedanken, die stille über ihren
Verhältnissen herumschweiften. Sie sah sich nun mit dem
Mann auf ewig verbunden, dessen Liebe und Treue sie
kannte, dem sie von Herzen zu gethan war, dessen Ruhe,
dessen Zuverlässigkeit recht vom Himmel dazu bestimmt zu
seyn schien, daß eine wackere Frau das Glück ihres Lebens
darauf gründen sollte, sie fühlte was er ihr und ihren Kindern
auf immer seyn würde. Auf der andern Seite war ihr Werther
so theuer geworden, gleich von dem ersten Augenblick ihrer
Bekanntschaft an hatte sich die Übereinstimmung ihrer Gemüther so schön gezeigt, der lange dauernde Umgang mit
ihm, so manche durchlebte Situationen hatten einen unauslöschlichen Eindruck auf ihr Herz gemacht. Alles, was sie
interessantes fühlte und dachte, war sie gewohnt mit ihm zu
theilen und seine Entfernung drohete in ihr ganzes Wesen
eine Lücke zu reissen, die nicht wieder ausgefüllt werden
konnte. O, hätte sie ihn in dem Augenblick zum Bruder
umwandeln können! wie glücklich wäre sie gewesen! – Hätte
sie ihn einer ihrer Freundinnen verheirathen dürfen, hätte sie
hoffen können, auch sein Verhältniß gegen Albert ganz wieder herzustellen!

Sie hatte ihre Freundinnen der Reihe nach durchgedacht,
und fand bey einer jeglichen etwas auszusetzen, fand keine
der sie ihn gegönnt hätte.

Über allen diesen Betrachtungen fühlte sie erst tief, ohne
sich es deutlich zu machen, daß ihr herzliches heimliches Verlangen sey, ihn für sich zu behalten und sagte sich daneben
daß sie ihn nicht behalten könne, behalten dürfe; ihr reines,
schönes, sonst so leichtes und leicht sich helfendes Gemüth
empfand den Druck einer Schwermuth, dem die Aussicht
zum Glück verschlossen ist. Ihr Herz war gepreßt und eine
trübe Wolke lag über ihrem Auge.

Aber wie schlug ihr Herz, als sie Werthern die Treppe
herauf kommen und außen nach ihr fragen hörte. Es war zu
spät, sich verläugnen zu lassen, und sie konnte sich nur halb
von ihrer Verwirrung ermannen, als er ins Zimmer trat. Sie
5 haben nicht Wort gehalten! rief sie ihm entgegen. Ich habe
nichts versprochen, war seine Antwort. So hätten Sie mir
wenigstens meine Bitte gewähren sollen, sagte sie, es war
Bitte um unserer beyder Ruhe willen. Indem sie das sprach,
hatte sie bey sich überlegt, einige ihrer Freundinnen zu sich
10 rufen zu lassen. Sie sollten Zeugen ihrer Unterredung mit
Werthern seyn, und Abends, weil er sie nach Hause führen
mußte, ward sie ihn zur rechten Zeit los. Er hatte ihr einige
Bücher zurük gebracht, sie fragte nach einigen andern, und
suchte das Gespräch in Erwartung ihrer Freundinnen, all-
15 gemein zu erhalten, als das Mädgen zurük kam und ihr hin-
terbrachte, wie sie sich beyde entschuldigen ließen, die eine
habe unangenehmen Verwandtenbesuch, und die andere
möchte sich nicht anziehen, und in dem schmuzigen Wetter
nicht gerne ausgehen.

20 Darüber ward sie einige Minuten nachdenkend, bis das
Gefühl ihrer Unschuld sich mit einigem Stolze empörte. Sie
bot Albertens Grillen Truz, und die Reinheit ihres Herzens
gab ihr eine Festigkeit, daß sie nicht, wie sie anfangs vorhatte, ihr Mädgen in die Stube rief, sondern, nachdem sie
25 einige Menuets auf dem Clavier gespielt hatte, um sich zu
erholen, und die Verwirrung ihres Herzens zu stillen, sich
gelassen zu Werthern auf's Canapee sezte. Haben Sie nichts
zu lesen, sagte sie. Er hatte nichts. Da drinne in meiner
Schublade, fieng sie an, liegt ihre Uebersezzung einiger Ge-
30 sänge Ossians, ich habe sie noch nicht gelesen, denn ich
hoffte immer, sie von Ihnen zu hören, aber zeither sind Sie zu
nichts mehr tauglich. Er lächelte, holte die Lieder, ein
Schauer überfiel ihn, als er sie in die Hand nahm, und die
Augen stunden ihm voll Thränen, als er hinein sah, er sezte
35 sich nieder und las:

Stern der dämmernden Nacht, schön funkelst du in Westen. Hebst dein strahlend Haupt aus deiner Wolke. Wan-

So war es halb sieben geworden, als sie Werthern die
Treppe herauf kommen hörte und seinen Tritt, seine Stimme
die nach ihr fragte, bald erkannte. Wie schlug ihr Herz, und
wir dürfen fast sagen zum erstenmal, bey seiner Ankunft. Sie
hätte sich gern vor ihm verläugnen lassen, und als er herein-   5
trat, rief sie ihm mit einer Art von leidenschaftlicher Verwirrung entgegen: Sie haben nicht Wort gehalten. – Ich habe
nichts versprochen, war seine Antwort. So hätten Sie wenigstens meiner Bitte Statt geben sollen, versetzte sie, ich bat Sie
um unsrer beyder Ruhe.   10
   Sie wußte nicht recht, was sie sagte, eben so wenig was sie
that, als sie nach einigen Freundinnen schickte um nicht mit
Werthern allein zu seyn. Er legte einige Bücher hin die er
gebracht hatte, fragte nach andern, und sie wünschte, bald
daß ihre Freundinnen kommen, bald daß sie wegbleiben   15
möchten. Das Mädchen kam zurück und brachte die Nachricht, daß sich beyde entschuldigen ließen.

   Sie wollte das Mädchen mit ihrer Arbeit in das Nebenzim-   20
mer sitzen lassen; dann besann sie sich wieder anders. Werther ging in der Stube auf und ab, sie trat an's Clavier und
fing einen Menuet an, er wollte nicht fließen. Sie nahm sich
zusammen und setzte sich gelassen zu Werthern, der seinen
gewöhnlichen Platz auf dem Kanapee eingenommen hatte.   25
   Haben Sie nichts zu lesen? sagte sie. Er hatte nichts. Da
drin in meiner Schublade, fing sie an, liegt Ihre Übersetzung
einiger Gesänge Ossians; ich habe sie noch nicht gelesen,
denn ich hoffte immer, sie von Ihnen zu hören; aber seither
hat sichs nicht finden, nicht machen wollen. Er lächelte,   30
hohlte die Lieder, ein Schauer überfiel ihn als er sie in die
Hände nahm und die Augen standen ihm voll Thränen als er
hinein sah. Er setzte sich nieder und las.

»Stern der dämmernden Nacht, schön funkelst du in Westen,
hebst dein strahlend Haupt aus deiner Wolke, wandelst statt-   35

delst stattlich deinen Hügel hin. Wornach blikst du auf die
Haide? Die stürmende Winde haben sich gelegt. Von ferne
kommt des Giesbachs Murmeln. Rauschende Wellen spielen
am Felsen ferne. Das Gesumme der Abendfliegen schwärmet
über's Feld. Wornach siehst du, schönes Licht? Aber du lächelst und gehst, freudig umgeben dich die Wellen und baden
dein liebliches Haar. Lebe wohl ruhiger Strahl. Erscheine du
herrliches Licht von Ossians Seele.

Und es erscheint in seiner Kraft. Ich sehe meine geschie-
dene Freunde, sie sammeln sich auf Lora, wie in den Tagen,
die vorüber sind. – Fingal kommt wie eine feuchte Ne-
belsäule; um ihn sind seine Helden. Und sieh die Barden des
Gesangs! grauer Ullin! statlicher Ryno! Alpin lieblicher Sänger! Und du sanft klagende Minona! – Wie verändert seyd ihr
meine Freunde seit den festlichen Tagen auf Selma! da wir
buhlten um die Ehre des Gesangs, wie Frühlingslüfte den
Hügel hin wechselnd beugen das schwach lispelnde Gras.

Da trat Minona hervor in ihrer Schönheit, mit niederge-
schlagenem Blik und thränenvollem Auge. Ihr Haar floß
schwer im unsteten Winde der von dem Hügel hersties. –
Düster wards in der Seele der Helden als sie die liebliche
Stimme erhub; denn oft hatten sie das Grab Salgars gesehen,
oft die finstere Wohnung der weissen Colma. Colma verlassen auf dem Hügel, mit all der harmonischen Stimme. Salgar
versprach zu kommen; aber rings um zog sich die Nacht.
Höret Colmas Stimme, da sie auf dem Hügel allein saß.

Colma.

Es ist Nacht; – ich bin allein, verlohren auf dem stürmischen
Hügel. Der Wind saust im Gebürg, der Strohm heult den
Felsen hinab. Keine Hütte schüzt mich vor dem Regen, ver-
lassen auf dem stürmischen Hügel.

Tritt, o Mond, aus deinen Wolken; erscheinet Sterne der
Nacht! Leite mich irgend ein Strahl zu dem Orte wo meine
Liebe ruht von den Beschwerden der Jagd, sein Bogen neben
ihm abgespannt, seine Hunde schnobend um ihn! Aber hier

lich deinen Hügel hin. Wornach blickst du auf die Haide? Die
stürmende Winde haben sich gelegt; Von ferne kommt des
Gießbachs Murmeln; Rauschende Wellen spielen am Felsen
ferne; Das Gesumme der Abendfliegen schwärmt übers Feld.
Wornach siehst du schönes Licht? Aber du lächelst und gehst,   5
freudig umgeben dich die Wellen, und baden dein liebliches
Haar. Lebe wohl, ruhiger Strahl. Erscheine du herrliches
Licht von Ossians Seele!

   »Und es erscheint in seiner Kraft. Ich sehe meine geschie-
denen Freunde, sie sammlen sich auf Lora, wie in den Tagen,   10
die vorüber sind – Fingal kommt wie eine feuchte Nebel-
säule; um ihn sind seine Helden, und, siehe! die Barden des
Gesanges: Grauer Ullin! stattlicher Ryno! Alpin, lieblicher
Sänger! und du, sanft-klagende Minona! – Wie verändert
seyd ihr meine Freunde, seit den festlichen Tagen auf Selma,   15
da wir buhlten um die Ehre des Gesanges, wie Frühlingslüfte
den Hügel hin wechselnd beugen das schwachlispelnde
Gras.

   »Da trat Minona hervor in ihrer Schönheit, mit nieder-
geschlagenem Blick und thränenvollem Auge, schwer floß   20
ihr Haar im unstäten Winde, der von dem Hügel herstieß. –
Düster ward's in der Seele der Helden als sie die liebliche
Stimme erhob; Denn oft hatten sie das Grab Salgars gesehen,
oft die finstere Wohnung der weißen Colma. Colma, verlassen auf dem Hügel mit der harmonischen Stimme; Salgar   25
versprach zu kommen; aber ringsum zog sich die Nacht.
Höret Colmas Stimme, da sie auf dem Hügel allein saß.

Colma.

»Es ist Nacht! – ich bin allein, verlohren auf dem stürmischen
Hügel. Der Wind saust im Gebirge, der Strom heult den   30
Felsen hinab. Keine Hütte schützt mich vor dem Regen mich
Verlaßne auf dem stürmischen Hügel.

   »Tritt, o Mond, aus deinen Wolken! erscheinet, Sterne der
Nacht! Leite mich irgend ein Strahl zu dem Orte, wo meine
Liebe ruht, von den Beschwerden der Jagd, sein Bogen ne-   35
ben ihm abgespannt, seine Hunde schnobend um ihn! Aber

muß ich sizzen allein auf dem Felsen des verwachsenen
Strohms. Der Strohm und der Sturm saust, ich höre nicht die
Stimme meines Geliebten.

Warum zaudert mein Salgar? Hat er sein Wort vergessen? –
5 Da ist der Fels und der Baum und hier der rauschende
Strohm. Mit der Nacht versprachst du hier zu seyn. Ach!
wohin hat sich mein Salgar verirrt? Mit dir wollt ich fliehen,
verlassen Vater und Bruder! die Stolzen! Lange sind unsere
Geschlechter Feinde, aber wir sind keine Feinde, o Salgar.

10

Schweig eine Weile o Wind, still eine kleine Weile o
Strohm, daß meine Stimme klinge durch's Thal, daß mein
Wandrer mich höre. Salgar! Ich bin's die ruft. Hier ist der
Baum und der Fels. Salgar, mein Lieber, hier bin ich. Warum
15 zauderst du zu kommen?

Sieh, der Mond erscheint. Die Fluth glänzt im Thale. Die
Felsen stehn grau den Hügel hinauf. Aber ich seh ihn nicht
auf der Höhe. Seine Hunde vor ihm her verkündigen nicht
seine Ankunft. Hier muß ich sizzen allein.

20 Aber wer sind die dort unten liegen auf der Haide – Mein
Geliebter? Mein Bruder? – Redet o meine Freunde! Sie antworten nicht. Wie geängstet ist meine Seele – Ach sie sind
todt! – Ihre Schwerdte roth vom Gefecht. O mein Bruder,
mein Bruder, warum hast du meinen Salgar erschlagen? O
25 mein Salgar, warum hast du meinen Bruder erschlagen? – Ihr
wart mir beyde so lieb! O du warst schön an dem Hügel unter
Tausenden; er war schröklich in der Schlacht. Antwortet mir!
Hört meine Stimme, meine Geliebten. Aber ach sie sind
stumm. Stumm vor ewig. Kalt wie die Erde ist ihr Busen.

30 O von dem Felsen des Hügels, von dem Gipfel des stürmenden Berges, redet Geister der Todten! Redet! mir soll es
nicht grausen! – Wohin seyd ihr zur Ruhe gegangen? In welcher Gruft des Gebürges soll ich euch finden! – Keine schwache Stimme vernehm ich im Wind, keine wehende Antwort
35 im Sturme des Hügels.

Ich sizze in meinem Jammer, ich harre auf den Morgen in
meinen Thränen. Wühlet das Grab, ihr Freunde der Todten,

hier muß ich sitzen allein auf dem Felsen des verwachsenen
Stroms. Der Strom und der Sturm saust, ich höre nicht die
Stimme meines Geliebten.

»Warum zaudert mein Salgar? Hat er sein Wort vergessen?
– Da ist der Fels und der Baum, und hier der rauschende
Strom! Mit einbrechender Nacht versprachst du hier zu seyn;
ach! wohin hat sich mein Salgar verirrt? Mit dir wollt' ich
fliehen, verlassen Vater und Bruder! die Stolzen! Lange sind
unsere Geschlechter Feinde, aber wir sind keine Feinde, o
Salgar!

»Schweig' eine Weile, o Wind! still, eine kleine Weile, o
Strom! daß meine Stimme klinge durch's Thal, daß mein
Wanderer mich höre. Salgar! ich bin's, die ruft! Hier ist der
Baum und der Fels! Salgar! mein Lieber! hier bin ich; warum
zauderst du zu kommen?

»Sieh' der Mond erscheint, die Fluth glänzt im Thale, die
Felsen stehen grau, den Hügel hinauf; aber ich seh' ihn nicht
auf der Höhe, seine Hunde vor ihm her verkündigen nicht
seine Ankunft. Hier muß ich sitzen allein.

»Aber wer sind, die dort unten liegen auf der Haide –?
Mein Geliebter? Mein Bruder? – Redet o meine Freunde! Sie
antworten nicht. Wie geängstet ist meine Seele! – Ach sie sind
todt! Ihre Schwerdte roth vom Gefechte! O mein Bruder,
mein Bruder! warum hast du meinen Salgar erschlagen? O
mein Salgar! warum hast du meinen Bruder erschlagen? Ihr
wart mir beyde so lieb! O du warst schön an dem Hügel unter
Tausenden! Er war schrecklich in der Schlacht. Antwortet
mir! hört meine Stimme, meine Geliebten! Aber ach! sie sind
stumm! stumm auf ewig! kalt, wie die Erde, ist ihr Busen!

»O von dem Felsen des Hügels, von dem Gipfel des stürmenden Berges, redet Geister der Todten! redet, mir soll es
nicht grausen! – Wohin seyd ihr zur Ruhe gegangen? in welcher Gruft des Gebirges soll ich euch finden! – Keine schwache Stimme vernehme ich im Winde, keine wehende Antwort im Sturme des Hügels.

»Ich sitze in meinem Jammer, ich harre auf den Morgen in
meinen Thränen. Wühlet das Grab, ihr Freunde der Todten,

aber schließt es nicht, bis ich komme. Mein Leben schwindet
wie ein Traum, wie sollt ich zurük bleiben. Hier will ich
wohnen mit meinen Freunden an dem Strohme des klingen-
den Felsen – Wenns Nacht wird auf dem Hügel, und der
5 Wind kommt über die Haide, soll mein Geist im Winde stehn
und trauren den Tod meiner Freunde. Der Jäger hört mich
aus seiner Laube, fürchtet meine Stimme und liebt sie,
den⟨n⟩ süß soll meine Stimme seyn um meine Freunde, sie
waren mir beyde so lieb.

10 Das war dein Gesang, o Minona, Tormans sanfte errö-
thende Tochter. Unsere Thränen flossen um Colma, und unsere Seele ward düster – Ullin trat auf mit der Harfe und gab
uns Alpins Gesang – Alpins Stimme war freundlich, Rynos
Seele ein Feuerstrahl. Aber schon ruhten sie im engen Hause,
15 und ihre Stimme war verhallet in Selma – Einst kehrt Ullin
von der Jagd zurük, eh noch die Helden fielen, er hörte ihren
Wettegesang auf dem Hügel, ihr Lied war sanft, aber traurig,
sie klagten Morars Fall, des ersten der Helden. Seine Seele
war wie Fingals Seele; sein Schwerdt wie das Schwerdt Os-
20 kars – Aber er fiel und sein Vater jammerte und seiner Schwester Augen waren voll Thränen – Minonas Augen waren voll
Thränen, der Schwester des herrlichen Morars. Sie trat zurük
vor Ullins Gesang, wie der Mond in Westen, der den Sturmregen voraussieht und sein schönes Haupt in eine Wolke
25 verbirgt. – Ich schlug die Harfe mit Ullin zum Gesange des
Jammers.

Ryno.

Vorbey sind Wind und Regen, der Mittag ist so heiter, die
Wolken theilen sich. Fliehend bescheint den Hügel die un-
30 beständge Sonne. So röthlich fließt der Strohm des Bergs im
Thale hin. Süß ist dein Murmeln Strohm, doch süsser die
Stimme, die ich höre. Es ist Alpin's Stimme, er bejammert
den Todten. Sein Haupt ist vor Alter gebeugt, und roth sein
thränendes Auge. Alpin treflicher Sänger, warum allein auf
35 dem schweigenden Hügel, warum jammerst du wie ein
Windstos im Wald, wie eine Welle am fernen Gestade.

aber schließt es nicht bis ich komme. Mein Leben schwindet
wie ein Traum, wie sollt' ich zurück bleiben. Hier will ich
wohnen mit meinen Freunden an dem Strome des klingen-
den Felsens – Wenn's Nacht wird auf dem Hügel und Wind
kommt über die Haide, soll mein Geist im Winde stehn und ⁵
trauren den Tod meiner Freunde. Der Jäger hört mich aus
seiner Laube, fürchtet meine Stimme und liebt sie; denn süß
soll meine Stimme seyn um meine Freunde, sie waren mir
beyde so lieb!

»Das war dein Gesang, o Minona, Thormans sanft errö- ¹⁰
thende Tochter. Unsere Thränen flossen um Colma, und unsere Seele ward düster.

»Ullin trat auf mit der Harfe und gab uns Alpins Gesang –
Alpins Stimme war freundlich, Rynos Seele ein Feuerstrahl.
Aber schon ruhten sie im engen Hause und ihre Stimme war ¹⁵
verhallet in Selma. Einst kehrte Ullin zurück von der Jagd,
ehe die Helden noch fielen. Er hörte ihren Wettegesang auf
dem Hügel. Ihr Lied ist sanft, aber traurig. Sie klagten Morars Fall, des ersten der Helden. Seine Seele war wie Fingals
Seele, sein Schwerdt wie das Schwerdt Oskars – Aber er fiel, ²⁰
und sein Vater jammerte, und seiner Schwester Augen waren voll Thränen, Minonas Augen waren voll Thränen, der
Schwester des herrlichen Morars. Sie trat zurück vor Ullins
Gesang, wie der Mond in Westen, der den Sturmregen voraus sieht, und sein schönes Haupt in eine Wolke verbirgt – ²⁵
Ich schlug die Harfe mit Ullin zum Gesange des Jammers.

Ryno.

Vorbey sind Wind und Regen, der Mittag ist so heiter, die
Wolken theilen sich. Fliehend bescheint den Hügel die un-
beständige Sonne. Röthlich fließt der Strom des Berges im ³⁰
Thale hin. Süß ist dein Murmeln, Strom; doch süßer die
Stimme,   er bejammert
den Todten. Sein Haupt ist vor Alter gebeugt, und roth sein
thränendes Auge. Alpin! trefflicher Sänger! warum allein, auf
dem schweigenden Hügel? warum jammerst du, wie ein ³⁵
Windstoß im Walde, wie eine Welle am fernen Gestade?

Alpin.

Meine Thränen Ryno, sind für den Todten, meine Stimme
für die Bewohner des Grabs. Schlank bist du auf dem Hügel,
schön unter den Söhnen der Haide. Aber du wirst fallen wie
Morar, und wird der traurende sizzen auf deinem Grabe. Die
Hügel werden dich vergessen, dein Bogen in der Halle liegen
ungespannt.

Du warst schnell o Morar, wie ein Reh auf dem Hügel,
schreklich wie die Nachtfeuer am Himmel, dein Grimm war
ein Sturm. Dein Schwerdt in der Schlacht wie Wetterleuchten über der Haide. Deine Stimme glich dem Waldstrohme
nach dem Regen, dem Donner auf fernen Hügeln. Manche
fielen von deinem Arm, die Flamme deines Grimms verzehrte sie. Aber wenn du kehrtest vom Kriege, wie friedlich
war deine Stirne! Dein Angesicht war gleich der Sonne nach
dem Gewitter, gleich dem Monde in der schweigenden
Nacht. Ruhig deine Brust wie der See, wenn sich das Brausen
des Windes gelegt hat.

Eng ist nun deine Wohnung, finster deine Städte. Mit drey
Schritten meß ich dein Grab, o du, der du ehe so gros warst!
Vier Steine mit mosigen Häuptern sind dein einzig Gedächt-
niß. Ein entblätterter Baum, lang Gras, das wispelt im
Winde, deutet dem Auge des Jägers das Grab des mächtigen
Morars. Keine Mutter hast du, dich zu beweinen, kein Mäd-
gen mit Thränen der Liebe. Todt ist, die dich gebahr. Ge-
fallen die Tochter von Morglan.

Wer auf seinem Stabe ist das? Wer ist's, dessen Haupt weis
ist vor Alter, dessen Augen roth sind von Thränen? – Er ist
dein Vater, o Morar! Der Vater keines Sohns ausser dir! Er
hörte von deinem Rufe in der Schlacht; er hörte von zer-
stobenen Feinden. Er hörte Morars Ruhm! Ach nichts von
seiner Wunde? Weine, Vater Morars! Weine! aber dein Sohn
hört dich nicht. Tief ist der Schlaf der Todten, niedrig ihr
Küssen von Staub. Nimmer achtet er auf die Stimme, nie
erwacht er auf deinen Ruf. O wann wird es Morgen im
Grabe? zu bieten dem Schlummerer: Erwache!

Alpin.

»Meine Thränen, Ryno, sind für den Todten, meine Stimme
für die Bewohner des Grabes. Schlank bist du auf dem Hügel, schön unter den Söhnen der Haide; Aber du wirst fallen
wie Morar, und auf deinem Grabe der Traurende sitzen. Die
Hügel werden dich vergessen, dein Bogen in der Halle liegen
ungespannt.

»Du warst schnell, o Morar wie ein Reh auf dem Hügel,
schrecklich wie die Nachtfeuer am Himmel. Dein Grimm
war ein Sturm, dein Schwerdt in der Schlacht wie Wetterleuchten über der Haide, deine Stimme gleich dem Wald-
strome nach dem Regen, dem Donner auf fernen Hügeln.
Manche fielen vor deinem Arm, die Flamme deines Grimmes
verzehrte sie; Aber wenn du wiederkehrtest vom Kriege, wie
friedlich war deine Stimme! dein Angesicht war gleich der
Sonne nach dem Gewitter, gleich dem Monde in der schweigenden Nacht, ruhig deine Brust wie der See, wenn sich des
Windes Brausen gelegt hat.

»Eng ist nun deine Wohnung! finster deine Stätte! mit drey
Schritten mess' ich dein Grab, o du! der du ehe so groß warst!
vier Steine mit moosigen Häuptern sind dein einziges Ge-
dächtniß, ein entblätterter Baum, langes Gras, das im Winde
wispelt, deutet dem Auge des Jägers das Grab des mächtigen
Morars. Keine Mutter hast du, dich zu beweinen, kein Mädchen mit Thränen der Liebe; Todt ist, die dich gebahr, gefallen die Tochter von Morglan.

»Wer auf seinem Stabe ist das? Wer ist es, dessen Haupt
weiß ist vor Alter, dessen Augen roth sind von Thränen? Es
ist dein Vater, o Morar! der Vater keines Sohnes außer dir. Er
hörte von deinem Ruf' in der Schlacht, er hörte von zersto-
benen Feinden; er hörte Morars Ruhm! Ach! nichts von seiner Wunde? Weine, Vater Morars! weine! aber dein Sohn hört
dich nicht. Tief ist der Schlaf der Todten, niedrig ihr Kissen
von Staube. Nimmer achtet er auf die Stimme, nie erwacht er
auf deinen Ruf. O wann wird es Morgen im Grabe? zu biethen dem Schlummerer: Erwache!

Lebe wohl, edelster der Menschen, du Eroberer im Felde!
Aber ⟨n⟩immer wird dich das Feld sehn, nimmer der düstere
Wald leuchten vom Glanze deines Stahls. Du hinterliesest
keinen Sohn, aber der Gesang soll deinen Nahmen erhalten.
5 Künftige Zeiten sollen von dir hören, hören sollen sie von
dem gefallenen Morar.

Laut ward die Trauer der Helden, am lautesten Armins
berstender Seufzer. Ihn erinnert's an den Todt seines Sohns,
der fiel in den Tagen seiner Jugend. Carmor sas nah bey dem
10 Helden, der Fürst des hallenden Galmal. Warum schluchset
der Seufzer Armins? sprach er, was ist hier zu weinen? Klingt
nicht Lied und Gesang, die Seele zu schmelzen und zu ergözzen. Sind wie sanfter Nebel der steigend vom See auf's
Thal sprüht, und die blühenden Blumen füllet das Naß, aber
15 die Sonne kommt wieder in ihrer Kraft und der Nebel ist
gangen. Warum bist du so jammervoll, Armin, Herr des
seeumflossenen Gorma?

Jammervoll! Wohl das bin ich, und nicht gering die Ursach
meines Wehs. – Carmor, du verlohrst keinen Sohn; verlohrst
20 keine blühende Tochter! Colgar der Tapfere lebt; und Amira,
die schönste der Mädgen. Die Zweige deines Hauses blühen,
o Carmor, aber Armin ist der lezte seines Stamms. Finster ist
dein Bett, o Daura! Dumpf ist dein Schlaf in dem Grabe –
Wann erwachst du mit deinen Gesängen, mit deiner melo-
25 dischen Stimme? Auf! ihr Winde des Herbst, auf! Stürmt
über die finstre Haide! Waldströhme braust! Heult Stürme in
dem Gipfel der Eichen! Wandle durch gebrochene Wolken o
Mond, zeige wechselnd dein bleiches Gesicht! Erinnere mich
der schröklichen Nacht, da meine Kinder umkamen, Arindal
30 der mächtige fiel, Daura, die liebe, vergieng.

Daura, meine Tochter, du warst schön! schön wie der
Mond auf den Hügeln von Fura, weiß wie der gefallene
Schnee, süß wie die athmende Luft. Arindal, dein Bogen war
35 stark, dein Speer schnell auf dem Felde, dein Blik wie Nebel
auf der Welle, dein Schild eine Feuerwolke im Sturme. Armar berühmt im Krieg, kam und warb um Dauras Liebe, sie

»Lebe wohl! edelster der Menschen, du Eroberer im Felde! Aber nimmer wird dich das Feld sehen! nimmer der düstere Wald leuchten vom Glanze deines Stahls. Du hinterließest keinen Sohn, aber der Gesang soll deinen Nahmen erhalten, künftige Zeiten sollen von dir hören, hören von dem gefallenen Morar.

»Laut ward die Trauer der Helden, am lautesten Armins berstender Seufzer. Ihn erinnerte es an den Tod seines Sohnes, er fiel in den Tagen der Jugend. Carmor saß nahe bey dem Helden, der Fürst des hallenden Galmal. Warum schluchzet der Seufzer Armins? sprach er, was ist hier zu weinen? Klingt nicht Lied und Gesang die Seele zu schmelzen und zu ergetzen? sie sind wie sanfter Nebel, der steigend vom See auf's Thal sprüht, und die blühende Blumen füllet das Naß; aber die Sonne kommt wieder in ihrer Kraft und der Nebel ist gegangen. Warum bist du so jammervoll, Armin? Herrscher des seeumflossenen Gorma?

»Jammervoll! Wohl das bin ich und nicht gering die Ursache meines Weh's. – Carmor, du verlohrst keinen Sohn, verlohrst keine blühende Tochter; Colgar, der Tapfere lebt, und Amira, die schönste der Mädchen. Die Zweige deines Hauses blühen, o Carmor; aber Armin ist der Letzte seines Stammes. Finster ist dein Bett o Daura! dumpf ist dein Schlaf im Grabe – Wann erwachst du mit deinen Gesängen, mit deiner melodischen Stimme? Auf ihr Winde des Herbstes! auf! stürmt über die finstere Haide! Waldströme braust! Heult Stürme im Gipfel der Eichen! Wandle durch gebrochene Wolken, o Mond, zeige wechselnd dein bleiches Gesicht! Erinnre mich der schrecklichen Nacht, da meine Kinder umkamen, da Arindal, der Mächtige fiel, Daura, die Liebe, verging.

»Daura, meine Tochter, du warst schön! schön wie der Mond auf den Hügeln von Fura, weiß wie der gefallene Schnee, süß wie die athmende Luft! Arindal dein Bogen war stark, dein Speer schnell auf dem Felde, dein Blick wie Nebel auf der Welle, dein Schild eine Feuerwolke im Sturme!

»Armar, berühmt im Kriege kam und warb um Dauras

widerstund nicht lange, schön waren die Hoffnungen ihrer
Freunde.

Erath, der Sohn Odgals, grollte, denn sein Bruder lag
erschlagen von Armar. Er kam in einen Schiffer verkleidet,
5 schön war sein Nachen auf der Welle, weiß seine Lokken vor
Alter, ruhig sein ernstes Gesicht. Schönste der Mädgen, sagt
er, liebliche Tochter von Armin. Dort am Fels nicht fern in
der See, wo die rothe Frucht vom Baume herblinkt, dort
wartet Armar auf Daura. Ich komme, seine Liebe zu führen
10 über die rollende See.

Sie folgt ihm, und rief nach Armar. Nichts antwortete als
die Stimme des Felsens. Armar mein Lieber, mein Lieber,
warum ängstest du mich so? Höre, Sohn Arnats, höre. Daura
ist's, die dich ruft!

15 Erath, der Verräther, floh lachend zum Lande. Sie erhub
ihre Stimme, rief nach ihrem Vater und Bruder. Arindal!
Armin! Ist keiner, seine Daura zu retten?

Ihre Stimme kam über die See. Arindal mein Sohn, stieg
vom Hügel herab rauh in der Beute der Jagd. Seine Pfeile
20 rasselten an seiner Seite. Seinen Bogen trug er in der Hand.
Fünf schwarzgraue Dokken waren um ihn. Er sah den kühnen Erath am Ufer, faßt und band ihn an die Eiche. Fest
umflocht er seine Hüften, er füllt mit Aechzen die Winde.

25 Arindal betritt die Welle in seinem Boote, Daura herüber
zu bringen. Armar kam in seinem Grimm, drükt ab den grau
befiederten Pfeil, er klang, er sank in dein Herz, o Arindal,
mein Sohn! Statt Erath des Verräthers kamst du um, das
Boot erreicht den Felsen, er sank dran nieder und starb.
30 Welch war dein Jammer, o Daura, da zu deinen Füssen floß
deines Bruders Blut.

Die Wellen zerschmettern das Boot. Armar stürzt sich in
die See, seine Daura zu retten oder zu sterben. Schnell stürmt
ein Stos vom Hügel in die Wellen, er sank und hub sich nicht
35 wieder.

Allein auf dem seebespülten Felsen hört ich die Klage
meiner Tochter. Viel und laut war ihr Schreyen; doch konnt

Liebe; sie widerstand nicht lange. Schön waren die Hoffnungen ihrer Freunde.

»Erath der Sohn Odgalls, grollte, denn sein Bruder lag
erschlagen von Armar. Er kam in einen Schiffer verkleidet.
Schön war sein Nachen auf der Welle, weiß seine Locken vor 5
Alter, ruhig sein ernstes Gesicht. Schönste der Mädchen,
sagte er, liebliche Tochter von Armin, dort am Felsen, nicht
fern' in der See,   dort
wartet Armar auf Daura; ich komme seine Liebe zu führen
über die rollende See.   10

»Sie folgt' ihm und rief nach Armar; nichts antwortete als
die Stimme des Felsens. Armar! mein Lieber! mein Lieber!
warum ängstest du mich so? Höre, Sohn Arnaths! höre!
Daura ist's, die dich ruft!

»Erath der Verräther floh lachend zum Lande. Sie erhob 15
ihre Stimme, rief nach ihrem Vater und Bruder: Arindal!
Armin! Ist keiner seine Daura zu retten?

»Ihre Stimme kam über die See. Arindal mein Sohn stieg
vom Hügel herab, rauh in der Beute der Jagd, seine Pfeile
rasselten an seiner Seite, seinen Bogen trug er in der Hand, 20
fünf schwarzgraue Docken waren um ihn. Er sah den kühnen
Erath am Ufer, faßte und band ihn an die Eiche, fest umflocht er seine Hüften, der Gefesselte füllte mit Ächzen die
Winde.

»Arindal betritt die Wellen in seinem Boote Daura herüber 25
zu bringen. Armar kam in seinem Grimme, drückt' ab den
grau befiederten Pfeil, er klang, er sank in dein Herz, o Arindal mein Sohn! Statt Erath des Verräthers kamst du um, das
Boot erreichte den Felsen, er sank dran nieder und starb. Zu
deinen Füßen floß deines Bruders Blut, welch war dein Jam- 30
mer o Daura!

»Die Wellen zerschmetterten das Boot. Armar stürzte sich
in die See seine Daura zu retten oder zu sterben. Schnell
stürmte ein Stoß vom Hügel in die Wellen, er sank und hob
sich nicht wieder.   35

»Allein auf dem seebespülten Felsen hörte ich die Klagen
meiner Tochter. Viel und laut war ihr Schreyen, doch konnte

sie ihr Vater nicht retten. Die ganze Nacht stund ich am Ufer,
ich sah sie im schwachen Strahle des Monds, die ganze Nacht
hört ich ihr Schreyn. Laut war der Wind, und der Regen
schlug scharf nach der Seite des Bergs. Ihre Stimme ward
5 schwach, eh der Morgen erschien, sie starb weg wie die
Abendluft zwischen dem Grase der Felsen. Beladen mit Jammer starb sie und ließ Armin allein! dahin ist meine Stärke im
Krieg, gefallen mein Stolz unter den Mädgen.

Wenn die Stürme des Berges kommen, wenn der Nord die
10 Wellen hoch hebt, siz ich am schallenden Ufer, schaue nach
dem schröklichen Felsen. Oft im sinkenden Mond seh ich die
Geister meiner Kinder, halb dämmernd, wandeln sie zusammen in trauriger Eintracht.

Ein Strohm von Thränen, der aus Lottens Augen brach und
15 ihrem gepreßten Herzen Luft machte, hemmte Werthers Gesang, er warf das Papier hin, und faßte ihre Hand und weinte
die bittersten Thränen. Lotte ruhte auf der andern und verbarg ihre Augen in's Schnupftuch, die Bewegung beyder war
fürchterlich. Sie fühlten ihr eigenes Elend in dem Schiksal
20 der Edlen, fühlten es zusammen, und ihre Thränen vereinigten sie. Die Lippen und Augen Werthers glühten an Lottens
Arme, ein Schauer überfiel sie, sie wollte sich entfernen und
es lag all der Schmerz, der Antheil betäubend wie Bley auf
ihr. Sie athmete sich zu erholen, und bat ihn schluchsend,
25 fortzufahren, bat mit der ganzen Stimme des Himmels, Werther zitterte, sein Herz wollte bersten, er hub das Blatt auf
und las halb gebrochen:

Warum wekst du mich Frühlingsluft, du buhlst und sprichst:
ich bethaue mit Tropfen des Himmels. Aber die Zeit meines
30 Welkens ist nah, nah der Sturm, der meine Blätter herabstört!
Morgen wird der Wandrer kommen, kommen der mich sah
in meiner Schönheit, rings wird sein Aug im Felde mich
suchen, und wird mich nicht finden. –

sie ihr Vater nicht retten. Die ganze Nacht stand ich am Ufer, ich sah sie im schwachen Strahle des Mondes, die ganze Nacht hörte ich ihr Schreyen, laut war der Wind und der Regen schlug scharf nach der Seite des Berges. Ihre Stimme ward schwach ehe der Morgen erschien, sie starb weg, wie die Abendluft zwischen dem Grase der Felsen. Beladen mit Jammer starb sie und ließ Armin allein! Dahin ist meine Stärke im Kriege, gefallen mein Stolz unter den Mädchen.

»Wenn die Stürme des Berges kommen, wenn der Nord die Wellen hoch hebt, sitze ich am schallenden Ufer, schaue nach dem schrecklichen Felsen. Oft im sinkenden Monde sehe ich die Geister meiner Kinder, halbdämmernd wandeln sie zusammen in trauriger Eintracht.«

Ein Strom von Thränen, der aus Lottens Augen brach, und ihrem gepreßten Herzen Luft machte, hemmte Werthers Gesang. Er warf das Papier hin, faßte ihre Hand und weinte die bittersten Thränen. Lotte ruhte auf der andern und verbarg ihre Augen in's Schnupftuch. Die Bewegung beyder war fürchterlich. Sie fühlten ihr eignes Elend in dem Schicksale der Edlen, fühlten es zusammen und ihre Thränen vereinigten sie. Die Lippen und Augen Werthers glühten an Lottens Arme; ein Schauer überfiel sie; sie wollte sich entfernen und Schmerz und Antheil lagen betäubend wie Bley auf ihr. Sie athmete sich zu erholhen, und bath ihn schluchzend fortzufahren, bat mit der ganzen Stimme des Himmels! Werther zitterte, sein Herz wollte bersten, er hob das Blatt auf und las halbgebrochen.

»Warum weckst du mich Frühlingsluft? Du buhlst und sprichst: Ich bethaue mit Tropfen des Himmels! Aber die Zeit meines Welkens ist nahe, nahe der Sturm, der meine Blätter herabstört! Morgen wird der Wanderer kommen, kommen der mich sah in meiner Schönheit, ringsum wird sein Auge im Felde mich suchen, und wird mich nicht finden.- «

Die ganze Gewalt dieser Worte fiel über den Unglüklichen,
er warf sich vor Lotten nieder in der vollen Verzweiflung,
faßte ihre Hände, drukte sie in seine Augen, wider seine
Stirn, und ihr schien eine Ahndung seines schröklichen Vorhabens durch die Seele zu fliegen. Ihre Sinnen verwirrten
sich, sie drukte seine Hände, drukte sie wider ihre Brust,
neigte sich mit einer wehmüthigen Bewegung zu ihm, und
ihre glühenden Wangen berührten sich. Die Welt vergieng
ihnen, er schlang seine Arme um sie her, preßte sie an seine
Brust, und dekte ihre zitternde stammelnde Lippen mit wüthenden Küssen. Werther! rief sie mit erstikter Stimme sich
abwendend, Werther! und drükte mit schwacher Hand seine
Brust von der ihrigen! Werther! rief sie mit dem gefaßten
Tone des edelsten Gefühls; er widerstund nicht, lies sie aus
seinen Armen, und warf sich unsinnig vor sie hin. Sie riß sich
auf, und in ängstlicher Verwirrung, bebend zwischen Liebe
und Zorn sagte sie: Das ist das leztemal! Werther! Sie sehn
mich nicht wieder. Und mit dem vollsten Blik der Liebe auf
den Elenden eilte sie in's Nebenzimmer, und schloß hinter
sich zu. Werther strekte ihr die Arme nach, getraute sich nicht
sie zu halten. Er lag an der Erde, den Kopf auf dem Canapee,
und in dieser Stellung blieb er über eine halbe Stunde, biß ihn
ein Geräusch zu sich selbst rief. Es war das Mädgen, das den
Tisch dekken wollte. Er gieng im Zimmer auf und ab, und da
er sich wieder allein sah, gieng er zur Thüre des Cabinets,
und rief mit leiser Stimme, Lotte! Lotte! nur noch ein Wort,
ein Lebe wohl! – Sie schwieg, er harrte – und bat – und
harrte, dann riß er sich weg und rief, Leb wohl, Lotte! auf
ewig leb wohl!

　　Er kam an's Stadtthor. Die Wächter die ihn schon gewohnt waren, ließen ihn stillschweigend hinaus, es stübte
zwischen Regen und Schnee, und erst gegen eilfe klopfte er
wieder. Sein Diener bemerkte, als Werther nach Hause kam,
daß seinem Herrn der Huth fehlte. Er getraute sich nichts zu
sagen, entkleidete ihn, alles war naß. Man hat nachher den
Huth auf einem Felsen, der an dem Abhange des Hügels in's
Thal sieht gefunden, und es ist unbegreiflich, wie er ihn in
einer finstern feuchten Nacht ohne zu stürzen erstiegen hat.

Die ganze Gewalt dieser Worte fiel über den Unglücklichen. Er warf sich vor Lotten nieder in der vollsten Verzweifelung, faßte ihre Hände, druckte sie in seine Augen, wider seine Stirn, und ihr schien eine Ahndung seines schrecklichen Vorhabens durch die Seele zu fliegen. Ihre Sinnen verwirrten sich, sie drückte seine Hände, drückte sie wider ihre Brust, neigte sich mit einer wehmüthigen Bewegung zu ihm, und ihre glühenden Wangen berührten sich. Die Welt verging ihnen. Er schlang seine Arme um sie her, preßte sie an seine Brust und deckte ihre zitternde stammelnde Lippen mit wüthenden Küssen. Werther! rief sie, mit erstickter Stimme sich abwendend, Werther! und drückte mit schwacher Hand seine Brust von der ihrigen; Werther! rief sie mit dem gefaßten Tone des edelsten Gefühles. Er widerstand nicht, ließ sie aus seinen Armen und warf sich unsinnig vor sie hin. Sie riß sich auf und in ängstlicher Verwirrung, bebend zwischen Liebe und Zorn, sagte sie: Das ist das letztemal Werther! Sie sehn mich nicht wieder. Und mit dem vollsten Blick der Liebe auf den Elenden eilte sie in's Nebenzimmer und schloß hinter sich zu. Werther streckte ihr die Arme nach, getraute sich nicht sie zu halten. Er lag an der Erde, den Kopf auf dem Kanapee, und in dieser Stellung blieb er über eine halbe Stunde, bis ihn ein Geräusch zu sich selbst rief. Es war das Mädchen das den Tisch decken wollte. Er ging im Zimmer auf und ab und da er sich wieder allein sah, ging er zur Thüre des Cabinets und rief mit leiser Stimme: Lotte! Lotte! nur noch Ein Wort! ein Lebe wohl! – Sie schwieg. Er harrte und bat und harrte; dann riß er sich weg und rief: Lebe wohl, Lotte! auf ewig lebe wohl!

Er kam an's Stadtthor. Die Wächter die ihn schon gewohnt waren, ließen ihn stillschweigend hinaus. Es stübte zwischen Regen und Schnee und erst gegen eilfe klopfte er wieder. Sein Diener bemerkte, als Werther nach Hause kam, daß seinem Herrn der Hut fehlte. Er getraute sich nicht etwas zu sagen, entkleidete ihn, alles war naß. Man hat nachher den Hut auf einem Felsen, der an dem Abhange des Hügels in's Thal sieht, gefunden, und es ist unbegreiflich, wie er ihn in einer finstern feuchten Nacht, ohne zu stürzen, erstiegen hat.

Er legte sich zu Bette und schlief lange. Der Bediente fand
ihn schreiben, als er ihm den andern Morgen auf sein Rufen
den Caffee brachte. Er schrieb folgendes am Briefe an Lotten:

Zum leztenmale denn, zum leztenmale schlag ich diese Augen auf, sie sollen ach die Sonne nicht mehr sehen, ein trüber
neblichter Tag hält sie bedeckt. So traure denn, Natur, dein
Sohn, dein Freund, dein Geliebter naht sich seinem Ende.
Lotte, das ist ein Gefühl ohne gleichen, und doch kommt's
dem dämmernden Traume am nächsten, zu sich zu sagen: das
ist der lezte Morgen. Der lezte! Lotte, ich habe keinen Sinn
vor das Wort, der lezte! Steh ich nicht da in meiner ganzen
Kraft, und Morgen lieg ich ausgestreckt und schlaff am Boden. Sterben! Was heist das? Sieh wir träumen, wenn wir
vom Tode reden. Ich hab manchen sterben sehen, aber so
eingeschränkt ist die Menschheit, daß sie für ihres Daseyns
Anfang und Ende keinen Sinn hat. Jezt noch mein, dein!
dein! o Geliebte, und einen Augenblick – getrennt, geschieden – vielleicht auf ewig. – Nein, Lotte, nein – Wie kann ich
vergehen, wie kannst du vergehen, wir sind ja! – Vergehen! –
Was heißt das? das ist wieder ein Wort! ein leerer Schall ohne
Gefühl für mein Herz. – – Todt, Lotte! Eingescharrt der
kalten Erde, so eng, so finster! – Ich hatte eine Freundin, die
mein Alles war meiner hülflosen Jugend, sie starb und ich
folgte ihrer Leiche, und stand an dem Grabe. Wie sie den
Sarg hinunter ließen und die Seile schnurrend unter ihm weg
und wieder herauf schnellten, dann die erste Schaufel hinunter schollerte und die ängstliche Lade einen dumpfen Ton
wiedergab, und dumpfer und immer dumpfer und endlich
bedeckt war! – Ich stürzte neben das Grab hin – Ergriffen
erschüttert geängstet zerrissen mein innerstes, aber ich wuste
nicht wie mir geschah, – wie mir geschehen wird – Sterben!
Grab! Ich verstehe die Worte nicht!
O vergieb mir! vergieb mir! Gestern! Es hätte der lezte
Augenblik meines Lebens seyn sollen. O du Engel! zum
erstenmale, zum erstenmale ganz ohne Zweifel durch mein
innig innerstes durchglühte mich das Wonnegefühl: Sie liebt

Er legte sich zu Bette und schlief lange. Der Bediente fand
ihn schreibend, als er ihm den andern Morgen auf sein Rufen
den Caffee brachte. Er schrieb folgendes am Briefe an Lotten:

Zum letztenmale denn, zum letztenmale schlage ich diese
Augen auf. Sie sollen ach die Sonne nicht mehr sehen, ein 5
trüber neblichter Tag hält sie bedeckt. So traure denn Natur!
dein Sohn, dein Freund, dein Geliebter naht sich seinem
Ende. Lotte das ist ein Gefühl ohne gleichen, und doch
kommt es dem dämmernden Traum am nächsten, zu sich zu
sagen: das ist der letzte Morgen. Der letzte! Lotte, ich habe 10
keinen Sinn für das Wort der letzte! Stehe ich nicht da in
meiner ganzen Kraft und morgen liege ich ausgestreckt und
schlaff am Boden. Sterben! was heißt das? Siehe wir träumen
wenn wir vom Tode reden. Ich habe manchen sterben sehen;
aber so eingeschränkt ist die Menschheit daß sie für ihres 15
Daseyns Anfang und Ende keinen Sinn hat. Jetzt noch mein,
dein! dein, o Geliebte! Und einen Augenblick – getrennt,
geschieden – vielleicht auf ewig? – Nein, Lotte, nein – Wie
kann ich vergehen? wie kannst du vergehen? Wir *sind* ja! –
Vergehen! – Was heißt das? Das ist wieder ein Wort! ein leerer 20
Schall! ohne Gefühl für mein Herz. – Todt, Lotte! eingescharrt der kalten Erde, so eng! so finster! – Ich hatte eine
Freundinn, die mein Alles war meiner hülflosen Jugend; sie
starb, und ich folgte ihrer Leiche, und stand an dem Grabe,
wie sie den Sarg hinunter ließen und die Seile schnurrend 25
unter ihm weg und wieder herauf schnellten, dann die erste
Schaufel hinunter schollerte, und die ängstliche Lade einen
dumpfen Ton wiedergab und dumpfer und immer dumpfer
und endlich bedeckt war! Ich stürzte neben das Grab hin –
ergriffen, erschüttert, geängstet, zerrissen mein Innerstes, 30
aber ich wußte nicht, wie mir geschah – wie mir geschehen
wird – Sterben! Grab! Ich verstehe die Worte nicht!

O vergib mir! vergib mir! Gestern! Es hätte der letzte
Augenblick meines Lebens seyn sollen. O du Engel! zum
erstenmale, zum erstenmale ganz ohne Zweifel durch mein 35
Inniginnerstes durchglühte mich das Wonnegefühl: Sie liebt

mich! Sie liebt mich. Es brennt noch auf meinen Lippen das heilige Feuer das von den deinigen ströhmte, neue warme Wonne ist in meinem Herzen. Vergieb mir, vergieb mir.

Ach ich wuste, daß du mich liebtest, wuste es an den ersten seelenvollen Blikken, an dem ersten Händedruk, und doch wenn ich wieder weg war, wenn ich Alberten an deiner Seite sah, verzagt' ich wieder in fieberhaften Zweifeln.

Erinnerst du dich der Blumen die du mir schiktest, als du in jener fatalen Gesellschaft mir kein Wort sagen, keine Hand reichen konntest, o ich habe die halbe Nacht davor gekniet, und sie versiegelten mir deine Liebe. Aber ach! diese Eindrükke gingen vorüber, wie das Gefühl der Gnade seines Gottes allmählig wieder aus der Seele des Gläubigen weicht, die ihm mit ganzer Himmelsfülle im heiligen sichtbaren Zeichen gereicht ward.

Alles das ist vergänglich, keine Ewigkeit soll das glühende Leben auslöschen, das ich gestern auf deinen Lippen genoß, das ich in mir fühle. Sie liebt mich! Dieser Arm hat sie umfast, diese Lippen auf ihren Lippen gezittert, dieser Mund am ihrigen gestammelt. Sie ist mein! du bist mein! ja Lotte auf ewig!

Und was ist das? daß Albert dein Mann ist! Mann? – das wäre denn für diese Welt – und für diese Welt Sünde, daß ich dich liebe, daß ich dich aus seinen Armen in die meinigen reissen möchte? Sünde? Gut! und ich strafe mich davor: Ich hab sie in ihrer ganzen Himmelswonne geschmekt diese Sünde, habe Lebensbalsam und Kraft in mein Herz gesaugt, du bist von dem Augenblikke mein! Mein, o Lotte. Ich gehe voran! Geh zu meinem Vater, zu deinem Vater, dem will ich's klagen und er wird mich trösten biß du kommst, und ich fliege dir entgegen und fasse dich und bleibe bey dir vor dem Angesichte des Unendlichen in ewigen Umarmungen.

Ich träume nicht, ich wähne nicht! nah am Grabe ward mir's heller. Wir werden seyn, wir werden uns wieder sehn! Deine Mutter sehn! ich werde sie sehen, werde sie finden, ach und vor ihr all mein Herz ausschütten. Deine Mutter. Dein Ebenbild.

mich! sie liebt mich! Es brennt noch auf meinen Lippen das
heilige Feuer, das von den deinigen strömte, neue warme
Wonne ist in meinem Herzen. Vergib mir! vergib mir!

Ach ich wußte daß du mich liebtest, wußte es an den ersten
seelenvollen Blicken, an dem ersten Händedruck: und doch
wenn ich wieder weg war, wenn ich Alberten an deiner Seite
sah, verzagte ich wieder in fieberhaften Zweifeln.

Erinnerst du dich der Blumen, die du mir schicktest, als du
in jener fatalen Gesellschaft mir kein Wort sagen, keine Hand
reichen konntest? o ich habe die halbe Nacht davor gekniet,
und sie versiegelten mir deine Liebe. Aber ach! diese Eindrücke gingen vorüber, wie das Gefühl der Gnade seines
Gottes allmählich wieder aus der Seele des Gläubigen
weicht, die ihm mit ganzer Himmelsfülle in heiligen sichtbaren Zeichen gereicht ward.

Alles das ist vergänglich, aber keine Ewigkeit soll das
glühende Leben auslöschen, das ich gestern auf deinen Lippen genoß, das ich in mir fühle! Sie liebt mich! Dieser Arm
hat sie umfaßt, diese Lippen auf ihren Lippen gezittert, dieser Mund an dem ihrigen gestammelt. Sie ist mein! Du bist
mein! ja Lotte auf ewig.

Und was ist das, daß Albert dein Mann ist? Mann! – Das
wäre denn für diese Welt – und für diese Welt Sünde, daß ich
dich liebe, daß ich dich aus seinen Armen in die meinigen
reissen möchte? Sünde? Gut, und ich strafe mich dafür; ich
habe sie in ihrer ganzen Himmelswonne geschmeckt diese
Sünde, habe Lebensbalsam und Kraft in mein Herz gesaugt.
Du bist von diesem Augenblicke mein! mein, o Lotte! Ich
gehe voran! gehe zu meinem Vater, zu deinem Vater. Dem
will ich's klagen, und er wird mich trösten bis du kommst,
und ich fliege dir entgegen und fasse dich und bleibe bey dir
vor dem Angesichte des Unendlichen in ewigen Umarmungen.

Ich träume nicht, ich wähne nicht. Nahe am Grabe wird
mir es heller. Wir werden seyn! wir werden uns wieder sehen!
Deine Mutter sehen! ich werde sie sehen, werde sie finden,
ach und vor ihr mein ganzes Herz ausschütten! Deine Mutter, dein Ebenbild.

Gegen eilfe fragte Werther seinen Bedienten, ob wohl Albert
zurük gekommen sey. Der Bediente sagte: ja er habe dessen
Pferd dahin führen sehn. Drauf giebt ihm der Herr ein offenes Zettelgen des Inhalts:

5 Wollten Sie mir wohl zu einer vorhabenden Reise ihre Pistolen leihen? Leben Sie recht wohl.

Die liebe Frau hatte die lezte Nacht wenig geschlafen, ihr
Blut war in einer fieberhaften Empörung, und tausenderley
Empfindungen zerrütteten ihr Herz. Wider ihren Willen
10 fühlte sie tief in ihrer Brust das Feuer von Werthers Umarmungen, und zugleich stellten sich ihr die Tage ihrer unbe-
fangenen Unschuld, des sorglosen Zutrauens auf sich selbst
in doppelter Schöne dar, es ängstigten sie schon zum voraus
die Blikke ihres Manns, und seine halb verdrüßlich halb spöt-
15 tische Fragen, wenn er Werthers Besuch erfahren würde; sie
hatte sich nie verstellt, sie hatte nie gelogen, und nun sah sie
sich zum erstenmal in der unvermeidlichen Nothwendigkeit;
der Widerwillen, die Verlegenheit die sie dabey empfand,
machte die Schuld in ihren Augen grösser, und doch konnte
20 sie den Urheber davon weder hassen, noch sich versprechen,
ihn nie wieder zu sehn.

Gegen eilfe fragte Werther seinen Bedienten, ob wohl Albert
zurück gekommen sey? Der Bediente sagte: ja, er habe dessen
Pferd dahin führen sehen. Darauf gibt ihm der Herr ein offnes Zettelchen des Inhalts:

Wollten Sie mir wohl zu einer vorhabenden Reise Ihre Pi-   5
stolen leihen? Leben Sie recht wohl!

Die liebe Frau hatte die letzte Nacht wenig geschlafen, was
sie gefürchtet hatte, war entschieden, auf eine Weise entschieden, die sie weder ahnden noch fürchten konnte; ihr
sonst so rein und leicht fließendes Blut war in einer fieber-   10
haften Empörung, tausenderley Empfindungen zerrütteten
das schöne Herz. War es das Feuer von Werthers Umarmungen, das sie in ihrem Busen fühlte? war es Unwille über seine
Verwegenheit? war es eine unmuthige Vergleichung ihres
gegenwärtigen Zustandes mit jenen Tagen ganz unbefan-   15
gener freyer Unschuld und sorglosen Zutrauens an sich
selbst? Wie sollte sie ihrem Manne entgegen gehen? wie ihm
eine Scene bekennen, die sie so gut gestehen durfte und die
sie sich doch zu gestehen nicht getraute. Sie hatten so lange
gegen einander geschwiegen, und sollte sie die erste seyn, die   20
das Stillschweigen bräche und eben zur unrechten Zeit ihrem
Gatten eine so unerwartete Entdeckung machte? Schon
fürchtete sie, die bloße Nachricht von Werthers Besuch
werde ihm einen unangenehmen Eindruck machen, und nun
gar diese unerwartete Katastrophe! Konnte sie wohl hoffen   25
daß ihr Mann sie ganz im rechten Lichte sehen, ganz ohne
Vorurtheil aufnehmen würde? und konnte sie wünschen, daß
er in ihrer Seele lesen möchte? Und doch wieder konnte sie
sich verstellen gegen den Mann, vor dem sie immer wie ein
krystallhelles Glas offen und frey gestanden, und dem sie   30
keine ihrer Empfindungen jemals verheimlicht noch ver-
heimlichen können. Eins und das andre machte ihr Sorgen
und setzte sie in Verlegenheit; und immer kehrten ihre Gedanken wieder zu Werthern, der für sie verlohren war, den
sie nicht lassen konnte, den sie leider! sich selbst überlassen   35

Sie weinte bis gegen Morgen, da sie in einen matten Schlaf
30 versank, aus dem sie sich kaum aufgeraft und angekleidet
hatte, als ihr Mann zurükkam, dessen Gegenwart ihr zum
erstenmal ganz unerträglich war; denn indem sie zitterte, er
würde das verweinte überwachte ihrer Augen und ihrer Gestalt entdekken, ward sie noch verwirrter, bewillkommte ihn
35 mit einer heftigen Umarmung, die mehr Bestürzung und
Reue, als eine auffahrende Freude ausdrükte, und eben dadurch machte sie die Aufmerksamkeit Albertens rege, der,

mußte, und dem, wenn er sie verlohren hatte, nichts mehr
übrig blieb.

Wie schwer lag jetzt, was sie sich in dem Augenblick nicht
deutlich machen konnte, die Stockung auf ihr, die sich unter
ihnen festgesetzt hatte! So verständige so gute Menschen, 5
fingen wegen gewisser heimlicher Verschiedenheiten unter
einander zu schweigen an, jedes dachte seinem Recht und
dem Unrechte des andern nach, und die Verhältnisse verwickelten und verhetzten sich dergestalt, daß es unmöglich
ward den Knoten eben in dem kritischen Momente, von dem 10
alles abhing, zu lösen. Hätte eine glückliche Vertraulichkeit
sie früher wieder einander näher gebracht, wäre Liebe und
Nachsicht wechselsweise unter ihnen lebendig worden, und
hätte ihre Herzen aufgeschlossen; vielleicht wäre unser
Freund noch zu retten gewesen.   15

Noch ein sonderbarer Umstand kam dazu. Werther hatte,
wie wir aus seinen Briefen wissen, nie ein Geheimniß daraus
gemacht, daß er sich, diese Welt zu verlassen, sehnte. Albert
hatte ihn oft bestritten, auch war zwischen Lotten und ihrem
Mann manchmal die Rede davon gewesen. Dieser, wie er 20
einen entschiedenen Widerwillen gegen die That empfand,
hatte auch gar oft mit einer Art von Empfindlichkeit, die
sonst ganz außer seinem Charakter lag, zu erkennen gegeben, daß er an dem Ernst eines solchen Vorsatzes sehr zu
zweifeln Ursach finde, er hatte sich sogar darüber einigen 25
Scherz erlaubt, und seinen Unglauben Lotten mitgetheilt.
Dieß beruhigte sie zwar von Einer Seite wenn ihre Gedanken ihr das traurige Bild vorführten, von der andern aber
fühlte sie sich auch dadurch gehindert ihrem Manne die Besorgnisse mitzutheilen, die sie in dem Augenblicke quälten. 30

Albert kam zurück, und Lotte ging ihm mit einer verleg-
nen Hastigkeit entgegen, er war nicht heiter, sein Geschäft
war nicht vollbracht, er hatte an dem benachbarten Amtmanne einen unbiegsamen kleinsinnigen Menschen gefunden. Der üble Weg auch hatte ihn verdrießlich gemacht.   35

Er fragte, ob nichts vorgefallen sey, und sie antwortete mit
Übereilung: Werther sey gestern Abends da gewesen. Er

nachdem er einige Briefe und Pakets erbrochen, sie ganz
trokken fragte, ob sonst nichts vorgefallen, ob niemand da
gewesen wäre? Sie antwortete ihm stokkend, Werther seye
gestern eine Stunde gekommen. – Er nimmt seine Zeit gut,
5 versezt er, und ging nach seinem Zimmer. Lotte war ein
Viertelstunde allein geblieben. Die Gegenwart des Mannes,
den sie liebte und ehrte, hatte einen neuen Eindruk in ihr
Herz gemacht. Sie erinnerte sich all seiner Güte, seines Edelmuths, seiner Liebe, und schalt sich, daß sie es ihm so übel
10 gelohnt habe. Ein unbekannter Zug reizte sie ihm zu folgen,
sie nahm ihre Arbeit, wie sie mehr gethan hatte, ging nach
seinem Zimmer und fragte, ob er was bedürfte? er antwortete: nein! stellte sich an Pult zu schreiben, und sie sezte
sich nieder zu strikken. Eine Stunde waren sie auf diese
15 Weise neben einander, und als Albert etlichemal in der Stube
auf und ab ging, und Lotte ihn anredete, er aber wenig oder
nichts drauf gab und sich wieder an Pult stellte, so verfiel sie
in eine Wehmuth, die ihr um desto ängstlicher ward, als sie
solche zu verbergen und ihre Thränen zu verschlukken
20 suchte.

Die Erscheinung von Werthers Knaben versezte sie in die
gröste Verlegenheit, er überreichte Alberten das Zettelgen,
der sich ganz kalt nach seiner Frau wendete, und sagte: gieb
ihm die Pistolen. – Ich laß ihm glükliche Reise wünschen,
25 sagt er zum Jungen. Das fiel auf sie wie ein Donnerschlag. Sie
schwankte aufzustehn. Sie wußte nicht wie ihr geschah.
Langsam ging sie nach der Wand, zitternd nahm sie sie herunter, puzte den Staub ab und zauderte, und hätte noch lang
gezögert, wenn nicht Albert durch einen fragenden Blik: was
30 denn das geben sollte? sie gedrängt hätte. Sie gab das unglükliche Gewehr dem Knaben, ohne ein Wort vorbringen
zu können, und als der zum Hause draus war, machte sie ihre
Arbeit zusammen, ging in ihr Zimmer in dem Zustand des
unaussprechlichsten Leidens. Ihr Herz weissagte ihr alle
35 Schröknisse. Bald war sie im Begriff sich zu den Füssen ihres
Mannes zu werfen, ihm alles zu entdekken, die Geschichte
des gestrigen Abends, ihre Schuld und ihre Ahndungen.

fragte, ob Briefe gekommen, und er erhielt zur Antwort, daß
ein Brief und Packet auf seiner Stube lägen. Er ging hinüber
und Lotte blieb allein. Die Gegenwart des Mannes den sie
liebte und ehrte, hatte einen neuen Eindruck in ihr Herz
gemacht. Das Andenken seines Edelmuths seiner Liebe und   5
Güte hatte ihr Gemüth mehr beruhigt, sie fühlte einen heimlichen Zug ihm zu folgen, sie nahm ihre Arbeit und ging auf
sein Zimmer, wie sie mehr zu thun pflegte. Sie fand ihn
beschäftigt die Packete zu erbrechen und zu lesen. Einige
schienen nicht das angenehmste zu enthalten. Sie that einige   10
Fragen an ihn, die er kurz beantwortete und sich an den Pult
stellte zu schreiben.

Sie waren auf diese Weise eine Stunde neben einander gewesen und es ward immer dunkler in Lottens Gemüth. Sie
fühlte, wie schwer es ihr werden würde, ihrem Mann, auch   15
wenn er bey dem besten Humor wäre, das zu entdecken was
ihr auf dem Herzen lag: sie verfiel in eine Wehmuth, die ihr
um desto ängstlicher ward, als sie solche zu verbergen und
ihre Thränen zu verschlucken suchte.

Die Erscheinung von Werthers Knaben setzte sie in die
größte Verlegenheit; er überreichte Alberten das Zettelchen,
der sich gelassen nach seiner Frau wendete und sagte: gib ihm
die Pistolen. Ich lasse ihm glückliche Reise wünschen, sagte
er zum Jungen. Das fiel auf sie wie ein Donnerschlag, sie   25
schwankte aufzustehen, sie wußte nicht, wie ihr geschah.
Langsam ging sie nach der Wand, zitternd nahm sie das Gewehr herunter, putzte den Staub ab und zauderte und hätte
noch lange gezögert, wenn nicht Albert durch einen fragenden Blick sie gedrängt hätte. Sie gab das unglückliche Werk-   30
zeug dem Knaben ohne ein Wort vorbringen zu können, und
als der zum Hause hinaus war, machte sie ihre Arbeit zusammen, ging in ihr Zimmer, in dem Zustande der unaussprechlichsten Ungewißheit. Ihr Herz weissagte ihr alle Schrecknisse. Bald war sie im Begriffe sich zu den Füßen ihres Man-   35
nes zu werfen, ihm alles zu entdecken, die Geschichte des
gestrigen Abends, ihre Schuld und ihre Ahndungen; Dann

Dann sah sie wieder keinen Ausgang des Unternehmens, am
wenigsten konnte sie hoffen ihren Mann zu einem Gange
nach Werthern zu bereden. Der Tisch ward gedekt, und eine
gute Freundinn, die nur etwas zu fragen kam und die Lotte
5 nicht wegließ, machte die Unterhaltung bey Tische erträglich, man zwang sich, man redete, man erzählte, man vergaß
sich.

Der Knabe kam mit den Pistolen zu Werthern, der sie ihm
mit Entzükken abnahm, als er hörte, Lotte habe sie ihm
10 gegeben. Er ließ sich ein Brod und Wein bringen, hies den
Knaben zu Tisch gehn, und sezte sich nieder zu schreiben.

Sie sind durch deine Hände gegangen, du hast den Staub
davon gepuzt, ich küsse sie tausendmal, du hast sie berührt.
Und du Geist des Himmels begünstigst meinen Entschluß!
15 Und du Lotte reichst mir das Werkzeug, du, von deren Händen ich den Tod zu empfangen wünschte, und ach nun empfange. O ich habe meinen Jungen ausgefragt, du zittertest,
als du sie ihm reichtest, du sagtest kein Lebe wohl; – Weh!
Weh! – kein Lebe wohl! – Solltest du dein Herz für mich
20 verschlossen haben, um des Augenbliks willen der mich auf
ewig an dich befestigte. Lotte, kein Jahrtausend vermag den
Eindruk auszulöschen! Und ich fühl's, du kannst den nicht
hassen, der so für dich glüht.

Nach Tische hieß er den Knaben alles vollends einpakken,
25 zerriß viele Papiere, ging aus, und brachte noch kleine Schulden in Ordnung. Er kam wieder nach Hause, ging wieder
aus, vor's Thor ohngeachtet des Regens, in den gräflichen
Garten, schweifte weiter in der Gegend umher, und kam mit
einbrechender Nacht zurük und schrieb.

30

Wilhelm, ich habe zum leztenmale Feld und Wald und den
Himmel gesehn. Leb wohl auch du! Liebe Mutter, verzeiht
mir! Tröste sie, Wilhelm. Gott segne euch! Meine Sachen
sind all in Ordnung. Lebt wohl! Wir sehen uns wieder und
35 freudiger.

sah sie wieder keinen Ausgang des Unternehmens, am wenigsten konnte sie hoffen, ihren Mann zu einem Gange nach Werthern zu bereden. Der Tisch ward gedeckt, und eine gute Freundinn, die nur etwas zu fragen kam, gleich gehen wollte – und blieb, machte die Unterhaltung bey Tische erträglich; man zwang sich, man redete, man erzählte, man vergaß sich.

Der Knabe kam mit den Pistolen zu Werthern, der sie ihm mit Entzücken abnahm, als er hörte, Lotte habe sie ihm gegeben. Er ließ sich Brod und Wein bringen, hieß den Knaben zu Tische gehen und setzte sich nieder zu schreiben.

Sie sind durch deine Hände gegangen, du hast den Staub davon geputzt, ich küsse sie tausendmal, du hast sie berührt; und du, Geist des Himmels, begünstigst meinen Entschluß! und du Lotte reichst mir das Werkzeug, du, von deren Händen ich den Tod zu empfangen wünschte, und ach nun empfange. O ich habe meinen Jungen ausgefragt. Du zittertest als du sie ihm reichtest, du sagtest kein Lebe wohl! – Wehe! wehe! kein Lebe wohl! – Solltest du dein Herz für mich verschlossen haben, um des Augenblicks willen, der mich ewig an dich befestigte? Lotte kein Jahrtausend vermag den Eindruck auszulöschen! und ich fühle es, du kannst den nicht hassen, der so für dich glüht.

Nach Tische hieß er den Knaben alles vollends einpacken, zerriß viele Papiere, ging aus und brachte noch kleine Schulden in Ordnung. Er kam wieder nach Hause, ging wieder aus vor's Thor, ohngeachtet des Regens, in den gräflichen Garten, schweifte weiter in der Gegend umher und kam mit anbrechender Nacht zurück und schrieb.

Wilhelm, ich habe zum letztenmale Feld und Wald und den Himmel gesehen. Lebe wohl auch du! Liebe Mutter, verzeiht mir! Tröste sie Wilhelm! Gott segne euch! Meine Sachen sind alle in Ordnung. Lebt wohl! Wir sehn uns wieder und freudiger.

Ich habe dir übel gelohnt, Albert, und du vergiebst mir. Ich habe den Frieden deines Hauses gestört, ich habe Mißtrauen zwischen euch gebracht. Leb wohl, ich will's enden. O daß ihr glüklich wäret durch meinen Tod! Albert! Albert! mache den Engel glüklich. Und so wohne Gottes Seegen über dir!

Er kramte den Abend noch viel in seinen Papieren, zerriß vieles und warf's in Ofen, versiegelte einige Päkke mit den Addressen an Wilhelmen. Sie enthielten kleine Aufsäzze, abgerissene Gedanken, deren ich verschiedene gesehen habe; und nachdem er um zehn Uhr im Ofen nachlegen, und sich einen Schoppen Wein geben lassen, schikte er den Bedienten, dessen Kammer wie auch die Schlafzimmer der Hausleute weit hinten hinaus waren, zu Bette, der sich denn in seinen Kleidern niederlegte um früh bey der Hand zu seyn, denn sein Herr hatte gesagt, die Postpferde würden vor sechse vor's Haus kommen.

nach eilfe.

Alles ist so still um mich her, und so ruhig meine Seele, ich danke dir Gott, der du diesen lezten Augenblikken diese Wärme, diese Kraft schenkest.

Ich trete an's Fenster, meine Beste, und seh und sehe noch durch die stürmenden vorüberfliehenden Wolken einzelne Sterne des ewigen Himmels! Nein, ihr werdet nicht fallen! Der Ewige trägt euch an seinem Herzen, und mich. Ich sah die Deichselsterne des Wagens, des liebsten unter allen Gestirnen. Wenn ich Nachts von dir ging, wie ich aus deinem Thore trat, stand er gegen über! Mit welcher Trunkenheit hab ich ihn oft angesehen! Oft mit aufgehabenen Händen ihn zum Zeichen, zum heiligen Merksteine meiner gegenwärtigen Seligkeit gemacht, und noch – O Lotte, was erinnert mich nicht an dich! Umgiebst du mich nicht, und hab ich nicht gleich einem Kinde, ungenügsam allerley Kleinigkeiten zu mir gerissen, die du Heilige berührt hattest!

Liebes Schattenbild! Ich vermache dir's zurük, Lotte, und

Ich habe dir übel gelohnt, Albert, und du vergibst mir. Ich
habe den Frieden deines Hauses gestört, ich habe Mißtrauen
zwischen euch gebracht. Lebe wohl! ich will es enden. O daß
ihr glücklich wärt durch meinen Tod! Albert! Albert! mache
den Engel glücklich! Und so wohne Gottes Segen über dir!   5

Er kramte den Abend noch viel in seinen Papieren, zerriß
vieles und warf es in den Ofen, versiegelte einige Päcke mit
den Addressen an Wilhelm. Sie enthielten kleine Aufsätze,
abgerissene Gedanken, deren ich verschiedene gesehn habe;
und nachdem er um zehn Uhr Feuer nachlegen und sich eine   10
Flasche Wein geben lassen, schickte er den Bedienten, dessen
Kammer wie auch die Schlafzimmer der Hausleute weit hinten hinaus waren, zu Bette, der sich dann in seinen Kleidern
niederlegte, um frühe bey der Hand zu seyn; denn sein Herr
hatte gesagt, die Postpferde würden vor sechse vor's Haus   15
kommen.

nach eilfe.
Alles ist so still um mich her, und so ruhig meine Seele. Ich
danke dir Gott, der du diesen letzten Augenblicken diese
Wärme, diese Kraft schenkest.   20
    Ich trete an das Fenster, meine Beste! und sehe, und sehe
noch durch die stürmenden, vorüberfliehenden Wolken einzelne Sterne des ewigen Himmels! Nein, ihr werdet nicht
fallen! der Ewige trägt euch an seinem Herzen, und mich. Ich
sehe die Deichselsterne des Wagens, des liebsten unter allen   25
Gestirnen. Wann ich Nachts von dir ging, wie ich aus deinem
Thore trat, stand er gegen mir über, mit welcher Trunkenheit habe ich ihn oft angesehen! oft mit aufgehabenen Händen ihn zum Zeichen, zum heiligen Merksteine meiner gegenwärtigen Seligkeit gemacht! und noch – O Lotte, was   30
erinnert mich nicht an dich! umgibst du mich nicht! und habe
ich nicht, gleich einem Kinde, ungenügsam allerley Kleinigkeiten zu mir gerissen, die du Heilige berührt hattest!
    Liebes Schattenbild! Ich vermache dir es zurück Lotte, und

bitte dich es zu ehren. Tausend, tausend Küsse hab ich drauf
gedrükt, tausend Grüße ihm zugewinkt, wenn ich ausgieng,
oder nach Hause kam.

Ich habe deinen Vater in einem Zettelgen gebeten, meine
5 Leiche zu schüzzen. Auf dem Kirchhofe sind zwey Lindenbäume, hinten im Ekke nach dem Felde zu, dort wünsch ich
zu ruhen. Er kann, er wird das für seinen Freund thun. Bitt
ihn auch. Ich will frommen Christen nicht zumuthen, ihren
Körper neben einem armen Unglüklichen niederzulegen.
10 Ach ich wollte, ihr begrübt mich am Wege, oder im einsamen
Thale, daß Priester und Levite vor dem bezeichnenden
Steine sich segnend vorüberging, und der Samariter eine
Thräne weinte.

Hier Lotte! Ich schaudere nicht den kalten schröklichen
15 Kelch zu fassen, aus dem ich den Taumel des Todes trinken
soll! Du reichtest mir ihn, und ich zage nicht. All! All! so sind
all die Wünsche und Hoffnungen meines Lebens erfüllt! So
kalt, so starr an der ehernen Pforte des Todes anzuklopfen.

Daß ich des Glüks hätte theilhaftig werden können! Für
20 dich zu sterben, Lotte, für dich mich hinzugeben. Ich wollte
muthig, ich wollte freudig sterben, wenn ich dir die Ruhe, die
Wonne deines Lebens wieder schaffen könnte; aber ach das
ward nur wenig Edlen gegeben, ihr Blut für die Ihrigen zu
vergiessen, und durch ihren Tod ein neues hundertfältiges
25 Leben ihren Freunden anzufachen.

In diesen Kleidern, Lotte, will ich begraben seyn. Du hast
sie berührt, geheiligt. Ich habe auch darum deinen Vater gebeten. Meine Seele schwebt über dem Sarge. Man soll meine
Taschen nicht aussuchen. Diese blaßrothe Schleife, die du am
30 Busen hattest, als ich dich zum erstenmale unter deinen Kindern fand. O küsse sie tausendmal und erzähl ihnen das
Schiksal ihres unglüklichen Freunds. Die Lieben, sie wimmeln um mich. Ach wie ich mich an dich schloß! Seit dem
ersten Augenblikke dich nicht lassen konnte! Diese Schleife
35 soll mit mir begraben werden. An meinem Geburtstage
schenktest du mir sie! Wie ich das all verschlang – Ach ich
dachte nicht, daß mich der Weg hierher führen sollte! – – Sey
ruhig! ich bitte dich, sey ruhig! –

bitte dich, es zu ehren. Tausend tausend Küsse habe ich drauf
gedrückt, tausend Grüße ihm zugewinkt, wenn ich ausging
oder nach Hause kam.

Ich habe deinen Vater in einem Zettelchen gebeten, meine
Leiche zu schützen. Auf dem Kirchhofe sind zwey Lindenbäume, hinten in der Ecke nach dem Felde zu; dort wünsche
ich zu ruhen. Er kann, er wird das für seinen Freund thun.
Bitte ihn auch. Ich will frommen Christen nicht zumuthen,
ihren Körper neben einen armen Unglücklichen zu legen.
Ach ich wollte ihr begrübt mich am Wege, oder im einsamen
Thale, daß Priester und Levit vor dem bezeichneten Steine
sich segnend vorübergingen und der Samariter eine Thräne
weinte.

Hier Lotte! Ich schaudre nicht, den kalten schrecklichen
Kelch zu fassen, aus dem ich den Taumel des Todes trinken
soll! Du reichtest mir ihn und ich zage nicht. All! all! So sind
alle die Wünsche und Hoffnungen meines Lebens erfüllt! So
kalt, so starr an der ehernen Pforte des Todes anzuklopfen.

Daß ich des Glückes hätte theilhaftig werden können, für
dich zu sterben! Lotte, für *dich* mich hinzugeben! Ich wollte
muthig, ich wollte freudig sterben, wenn ich dir die Ruhe, die
Wonne deines Lebens wieder schaffen könnte. Aber ach! das
ward nur wenig Edlen gegeben, ihr Blut für die Ihrigen zu
vergießen, und durch ihren Tod ein neues hundertfältiges
Leben ihren Freunden anzufachen!

In diesen Kleidern, Lotte, will ich begraben seyn, du hast
sie berührt, geheiligt; ich habe auch deinen Vater darum gebeten. Meine Seele schwebt über dem Sarge. Man soll meine
Taschen nicht aussuchen. Diese blaßrothe Schleife, die du am
Busen hattest, als ich dich zum erstenmale unter deinen Kindern fand. O küsse sie tausendmal und erzähle ihnen das
Schicksal ihres unglücklichen Freundes. Die Lieben! sie wimmeln um mich. Ach wie ich mich an dich schloß! seit dem
ersten Augenblicke dich nicht lassen konnte! – Diese Schleife
soll mit mir begraben werden; An meinem Geburtstage
schenktest du mir sie! Wie ich das alles verschlang! – Ach ich
dachte nicht, daß mich der Weg hierher führen sollte! – – Sey
ruhig! ich bitte dich, sey ruhig! –

Sie sind geladen – es schlägt zwölfe! – So sey's denn –
Lotte! Lotte leb wohl! Leb wohl!

Ein Nachbar sah den Blik vom Pulver und hörte den Schuß
fallen, da aber alles still blieb achtete er nicht weiter drauf.
5 Morgens um sechse tritt der Bediente herein mit dem
Lichte, er findet seinen Herrn an der Erde, die Pistole und
Blut. Er ruft, er faßt ihn an, keine Antwort, er röchelt nur
noch. Er lauft nach den Aerzten, nach Alberten. Lotte hörte
die Schelle ziehen, ein Zittern ergreift all ihre Glieder, sie
10 wekt ihren Mann, sie stehen auf, der Bediente bringt heulend
und stotternd die Nachricht, Lotte sinkt ohnmächtig vor
Alberten nieder.

Als der Medikus zu dem Unglüklichen kam, fand er ihn an
der Erde ohne Rettung, der Puls schlug, die Glieder waren
15 alle gelähmt, über dem rechten Auge hatte er sich durch den
Kopf geschossen, das Gehirn war herausgetrieben. Man ließ
ihm zum Ueberflusse eine Ader am Arme, das Blut lief, er
holte noch immer Athem.

Aus dem Blut auf der Lehne des Sessels konnte man
20 schliessen, er habe sizzend vor dem Schreibtische die That
vollbracht. Dann ist er herunter gesunken, hat sich kon-
vulsivisch um den Stuhl herum gewälzt, er lag gegen das
Fenster entkräftet auf dem Rükken, war in völliger Kleidung
gestiefelt, im blauen Frak mit gelber Weste.
25 Das Haus, die Nachbarschaft, die Stadt kam in Aufruhr.
Albert trat herein. Werthern hatte man aufs Bett gelegt, die
Stirne verbunden, sein Gesicht schon wie eines Todten, er
rührte kein Glied, die Lunge röchelte noch fürchterlich bald
schwach bald stärker, man erwartete sein Ende.
30 Von dem Weine hatte er nur ein Glas getrunken. Emilia
Galotti lag auf dem Pulte aufgeschlagen.

Von Alberts Bestürzung, von Lottens Jammer laßt mich
nichts sagen.

Der alte Amtmann kam auf die Nachricht hereinge-
35 sprengt, er küßte den Sterbenden unter den heissesten Thränen. Seine ältsten Söhne kamen bald nach ihm zu Fusse, sie

Sie sind geladen – Es schlägt zwölfe! So sey es denn! –
Lotte! Lotte lebe wohl! lebe wohl!

Ein Nachbar sah den Blick vom Pulver und hörte den Schuß
fallen; da aber alles stille blieb, achtete er nicht weiter drauf.

Morgens um sechse tritt der Bediente herein mit dem
Lichte. Er findet seinen Herrn an der Erde, die Pistole und
Blut. Er ruft, er faßt ihn an; keine Antwort, er röchelte nur
noch. Er läuft nach den Ärzten, nach Alberten. Lotte hört die
Schelle ziehen, ein Zittern ergreift alle ihre Glieder. Sie
weckt ihren Mann, sie stehen auf, der Bediente bringt heulend und stotternd die Nachricht, Lotte sinkt ohnmächtig
vor Alberten nieder.

Als der Medicus zu dem Unglücklichen kam, fand er ihn
an der Erde ohne Rettung, der Puls schlug, die Glieder waren alle gelähmt. Über dem rechten Auge hatte er sich durch
den Kopf geschossen, das Gehirn war heraus getrieben. Man
ließ ihm zum Überfluß eine Ader am Arme, das Blut lief, er
hohlte noch immer Athem.

Aus dem Blut auf der Lehne des Sessels konnte man schließen, er habe sitzend vor dem Schreibtische die That vollbracht, dann ist er herunter gesunken, hat sich convulsivisch
um den Stuhl herum gewälzt. Er lag gegen das Fenster entkräftet auf dem Rücken, war in völliger Kleidung, gestiefelt,
im blauen Frack mit gelber Weste.

Das Haus, die Nachbarschaft, die Stadt kam in Aufruhr.
Albert trat herein. Werthern hatte man auf das Bette gelegt,
die Stirn verbunden; sein Gesicht schien wie eines Todten, er
rührte kein Glied. Die Lunge röchelte noch fürchterlich, bald
schwach, bald stärker, man erwartete sein Ende.

Von dem Weine hatte er nur ein Glas getrunken. Emilia
Galotti lag auf dem Pulte aufgeschlagen.

Von Alberts Bestürzung, von Lottens Jammer laßt mich
nichts sagen.

Der alte Amtmann kam auf die Nachricht herein gesprengt, er küßte den Sterbenden unter den heißesten Thränen. Seine ältesten Söhne kamen bald nach ihm zu Fuße, sie

fielen neben dem Bette nieder im Ausdruk des unbändigsten
Schmerzens, küßten ihm die Hände und den Mund, und der
älteste, den er immer am meisten geliebt, hing an seinen Lip-
pen, bis er verschieden war und man den Knaben mit Gewalt
wegriß. Um zwölfe Mittags starb er. Die Gegenwart des
Amtmanns und seine Anstalten tischten einen Auflauf.
Nachts gegen eilfe ließ er ihn an die Stätte begraben, die er
sich erwählt hatte, der Alte folgte der Leiche und die Söhne.
Albert vermochts nicht. Man fürchtete für Lottens Leben.
Handwerker trugen ihn. Kein Geistlicher hat ihn begleitet.

fielen neben dem Bette nieder im Ausdrucke des unbändig-
sten Schmerzens, küßten ihm die Hände und den Mund, und
der Ältste, den er immer am meisten geliebt, hing an seinen
Lippen bis er verschieden war und man den Knaben mit
Gewalt wegriß. Um zwölfe Mittags starb er. Die Gegenwart 5
des Amtmannes und seine Anstalten tuschten einen Auflauf.
Nachts gegen eilfe ließ er ihn an die Stätte begraben, die er
sich erwählt hatte. Der Alte folgte der Leiche und die Söhne,
Albert vermocht's nicht. Man fürchtete für Lottens Leben.
Handwerker trugen ihn. Kein Geistlicher hat ihn begleitet. 10

DIE WAHLVERWANDTSCHAFTEN

ERSTER TEIL

ERSTES KAPITEL

Eduard – so nennen wir einen reichen Baron im besten Man-
nesalter – Eduard hatte in seiner Baumschule die schönste
Stunde eines Aprilnachmittags zugebracht, um frisch erhaltene Pfropfreiser auf junge Stämme zu bringen. Sein Geschäft war eben vollendet; er legte die Gerätschaften in das
Futteral zusammen und betrachtete seine Arbeit mit Vergnügen, als der Gärtner hinzutrat und sich an dem teilnehmenden Fleiße des Herrn ergetzte.

Hast du meine Frau nicht gesehen? fragte Eduard, indem
er sich weiter zu gehen anschickte.

Drüben in den neuen Anlagen, versetzte der Gärtner. Die
Mooshütte wird heute fertig, die sie an der Felswand, dem
Schlosse gegenüber gebaut hat. Alles ist recht schön geworden und muß Ew. Gnaden gefallen. Man hat einen vortrefflichen Anblick: unten das Dorf, ein wenig rechter Hand die
Kirche, über deren Turmspitze man fast hinwegsieht; gegenüber das Schloß und die Gärten.

Ganz recht, versetzte Eduard; einige Schritte von hier
konnte ich die Leute arbeiten sehen.

Dann, fuhr der Gärtner fort, öffnet sich rechts das Tal und
man sieht über die reichen Baumwiesen in eine heitere Ferne.
Der Stieg die Felsen hinauf ist gar hübsch angelegt. Die
gnädige Frau versteht es; man arbeitet unter ihr mit Vergnügen.

Geh zu ihr, sagte Eduard, und ersuche sie, auf mich zu
warten. Sage ihr, ich wünsche die neue Schöpfung zu sehen
und mich daran zu erfreuen.

Der Gärtner entfernte sich eilig und Eduard folgte bald.

Dieser stieg nun die Terrassen hinunter, musterte, im Vorbeigehen, Gewächshäuser und Treibebeete, bis er ans Wasser, dann über einen Steg an den Ort kam, wo sich der Pfad nach den neuen Anlagen in zwei Arme teilte. Den einen, der über den Kirchhof ziemlich gerade nach der Felswand hinging, ließ er liegen um den andern einzuschlagen, der sich links etwas weiter durch anmutiges Gebüsch sachte hinaufwand; da wo beide zusammentrafen, setzte er sich für einen Augenblick auf einer wohlangebrachten Bank nieder, betrat sodann den eigentlichen Stieg, und sah sich durch allerlei Treppen und Absätze, auf dem schmalen, bald mehr bald weniger steilen Wege endlich zur Mooshütte geleitet.

An der Türe empfing Charlotte ihren Gemahl und ließ ihn dergestalt niedersitzen, daß er durch Türe und Fenster die verschiedenen Bilder, welche die Landschaft gleichsam im Rahmen zeigten, auf einen Blick übersehen konnte. Er freute sich daran, in Hoffnung daß der Frühling bald alles noch reichlicher beleben würde. Nur eines habe ich zu erinnern, setzte er hinzu: die Hütte scheint mir etwas zu eng.

Für uns beide doch geräumig genug, versetzte Charlotte.

Nun freilich, sagte Eduard, für einen Dritten ist auch wohl noch Platz.

Warum nicht? versetzte Charlotte, und auch für ein Viertes. Für größere Gesellschaft wollen wir schon andere Stellen bereiten.

Da wir denn ungestört hier allein sind, sagte Eduard, und ganz ruhigen heiteren Sinnes; so muß ich dir gestehen, daß ich schon einige Zeit etwas auf dem Herzen habe, was ich dir vertrauen muß und möchte, und nicht dazu kommen kann.

Ich habe dir so etwas angemerkt, versetzte Charlotte.

Und ich will nur gestehen, fuhr Eduard fort, wenn mich der Postbote morgen früh nicht drängte, wenn wir uns nicht heut entschließen müßten, ich hätte vielleicht noch länger geschwiegen.

Was ist es denn? fragte Charlotte freundlich entgegenkommend.

Es betrifft unsern Freund, den Hauptmann, antwortete Eduard. Du kennst die traurige Lage, in die er, wie so man-

cher andere, ohne sein Verschulden gesetzt ist. Wie schmerzlich muß es einem Manne von seinen Kenntnissen, seinen
Talenten und Fertigkeiten sein, sich außer Tätigkeit zu sehen
und – ich will nicht lange zurückhalten mit dem was ich für
ihn wünsche: ich möchte daß wir ihn auf einige Zeit zu uns   5
nähmen.

Das ist wohl zu überlegen und von mehr als einer Seite zu
betrachten, versetzte Charlotte.

Meine Ansichten bin ich bereit dir mitzuteilen, entgegnete
ihr Eduard. In seinem letzten Briefe herrscht ein stiller Aus-   10
druck des tiefsten Mißmutes; nicht daß es ihm an irgend
einem Bedürfnis fehle: denn er weiß sich durchaus zu beschränken und für das Notwendige habe ich gesorgt; auch
drückt es ihn nicht etwas von mir anzunehmen: denn wir sind
unsre Lebzeit über einander wechselseitig so viel schuldig   15
geworden, daß wir nicht berechnen können, wie unser Credit
und Debet sich gegen einander verhalte – daß er geschäftlos
ist, das ist eigentlich seine Qual. Das Vielfache, was er an sich
ausgebildet hat, zu Andrer Nutzen täglich und stündlich zu
gebrauchen, ist ganz allein sein Vergnügen, ja seine Leiden-   20
schaft. Und nun die Hände in den Schoß zu legen, oder noch
weiter zu studieren, sich weitere Geschicklichkeit zu verschaffen, da er das nicht brauchen kann, was er in vollem
Maße besitzt – genug, liebes Kind, es ist eine peinliche Lage,
deren Qual er doppelt und dreifach in seiner Einsamkeit   25
empfindet.

Ich dachte doch, sagte Charlotte, ihm wären von verschiedenen Orten Anerbietungen geschehen. Ich hatte selbst,
um seinetwillen, an manche tätige Freunde und Freundinnen
geschrieben, und soviel ich weiß, blieb dies auch nicht ohne   30
Wirkung.

Ganz recht, versetzte Eduard; aber selbst diese verschiedenen Gelegenheiten, diese Anerbietungen machen ihm
neue Qual, neue Unruhe. Keines von den Verhältnissen ist
ihm gemäß. Er soll nicht wirken; er soll sich aufopfern, seine   35
Zeit, seine Gesinnungen, seine Art zu sein, und das ist ihm
unmöglich. Jemehr ich das alles betrachte, jemehr ich es
fühle, desto lebhafter wird der Wunsch ihn bei uns zu sehen.

Es ist recht schön und liebenswürdig von dir, versetzte
Charlotte, daß du des Freundes Zustand mit so viel Teilnahme bedenkst; allein erlaube mir dich aufzufordern, auch
deiner, auch unser zu gedenken.

Das habe ich getan, entgegnete ihr Eduard. Wir können
von seiner Nähe uns nur Vorteil und Annehmlichkeit versprechen. Von dem Aufwande will ich nicht reden, der auf
alle Fälle gering für mich wird, wenn er zu uns zieht; besonders wenn ich zugleich bedenke, daß uns seine Gegenwart
nicht die mindeste Unbequemlichkeit verursacht. Auf dem
rechten Flügel des Schlosses kann er wohnen, und alles andre
findet sich. Wie viel wird ihm dadurch geleistet, und wie
manches Angenehme wird uns durch seinen Umgang, ja wie
mancher Vorteil! Ich hätte längst eine Ausmessung des Gutes
und der Gegend gewünscht; er wird sie besorgen und leiten.
Deine Absicht ist, selbst die Güter künftig zu verwalten,
sobald die Jahre der gegenwärtigen Pächter verflossen sind.
Wie bedenklich ist ein solches Unternehmen! Zu wie manchen Vorkenntnissen kann er uns nicht verhelfen! Ich fühle
nur zu sehr, daß mir ein Mann dieser Art abgeht. Die Landleute haben die rechten Kenntnisse; ihre Mitteilungen aber
sind konfus und nicht ehrlich. Die Studierten aus der Stadt
und von den Akademien sind wohl klar und ordentlich; aber
es fehlt an der unmittelbaren Einsicht in die Sache. Vom
Freunde kann ich mir beides versprechen; und dann entspringen noch hundert andre Verhältnisse daraus, die ich mir
alle gern vorstellen mag, die auch auf dich Bezug haben und
wovon ich viel Gutes voraussehe. Nun danke ich dir, daß du
mich freundlich angehört hast; itzt sprich aber auch recht frei
und umständlich und sage mir alles was du zu sagen hast, ich
will dich nicht unterbrechen.

Recht gut, versetzte Charlotte: so will ich gleich mit einer
allgemeinen Bemerkung anfangen. Die Männer denken
mehr auf das Einzelne, auf das Gegenwärtige, und das mit
Recht, weil sie zu tun, zu wirken berufen sind; die Weiber
hingegen mehr auf das was im Leben zusammenhängt, und
das mit gleichem Rechte, weil ihr Schicksal, das Schicksal

ihrer Familien, an diesen Zusammenhang geknüpft ist, und auch gerade dieses Zusammenhängende von ihnen gefordert wird. Laß uns deswegen einen Blick auf unser gegenwärtiges, auf unser vergangenes Leben werfen, und du wirst mir eingestehen, daß die Berufung des Hauptmanns nicht so ganz mit unsern Vorsätzen, unsern Planen, unsern Einrichtungen zusammentrifft.

Mag ich doch so gern unserer frühsten Verhältnisse gedenken! Wir liebten einander als junge Leute recht herzlich; wir wurden getrennt: du von mir, weil dein Vater, aus nie zu sättigender Begierde des Besitzes, dich mit einer ziemlich ältern reichen Frau verband; ich von dir, weil ich, ohne sonderliche Aussichten, einem wohlhabenden, nicht geliebten aber geehrten Manne meine Hand reichen mußte. Wir wurden wieder frei; du früher, indem dich dein Mütterchen im Besitz eines großen Vermögens ließ; ich später, eben zu der Zeit, da du von Reisen zurückkamst. So fanden wir uns wieder. Wir freuten uns der Erinnerung, wir liebten die Erinnerung, wir konnten ungestört zusammen leben. Du drangst auf eine Verbindung; ich willigte nicht gleich: denn da wir ohngefähr von denselben Jahren sind, so bin ich als Frau wohl älter geworden, du nicht als Mann. Zuletzt wollte ich dir nicht versagen, was du für dein einziges Glück zu halten schienst. Du wolltest von allen Unruhen, die du bei Hof, im Militär, auf Reisen erlebt hattest, dich an meiner Seite erholen, zur Besinnung kommen, des Lebens genießen; aber auch nur mit mir allein. Meine einzige Tochter tat ich in Pension, wo sie sich freilich mannigfaltiger ausbildet, als bei einem ländlichen Aufenthalte geschehen könnte; und nicht sie allein, auch Ottilien, meine liebe Nichte, tat ich dorthin, die vielleicht zur häuslichen Gehülfin unter meiner Anleitung am besten herangewachsen wäre. Das alles geschah mit deiner Einstimmung, bloß damit wir uns selbst leben, bloß damit wir das früh so sehnlich gewünschte, endlich spät erlangte Glück ungestört genießen möchten. So haben wir unsern ländlichen Aufenthalt angetreten. Ich übernahm das Innere, du das Äußere und was ins Ganze geht. Meine Ein-

richtung ist gemacht, dir in allem entgegen zu kommen, nur
für dich allein zu leben; laß uns wenigstens eine Zeit lang
versuchen, in wie fern wir auf diese Weise mit einander aus-
reichen.

Da das Zusammenhängende, wie du sagst, eigentlich euer
Element ist, versetzte Eduard; so muß man euch freilich
nicht in einer Folge reden hören, oder sich entschließen euch
Recht zu geben, und du sollst auch Recht haben bis auf den
heutigen Tag. Die Anlage, die wir bis jetzt zu unserm Dasein
gemacht haben, ist von guter Art; sollen wir aber nichts
weiter darauf bauen, und soll sich nichts weiter daraus entwickeln? Was ich im Garten leiste, du im Park, soll das nur für
Einsiedler getan sein?

Recht gut! versetzte Charlotte, recht wohl! Nur daß wir
nichts hinderndes, fremdes herein bringen. Bedenke, daß
unsre Vorsätze, auch was die Unterhaltung betrifft, sich gewissermaßen nur auf unser beiderseitiges Zusammensein bezogen. Du wolltest zuerst die Tagebücher deiner Reise mir in
ordentlicher Folge mitteilen, bei dieser Gelegenheit so manches dahin gehörige von Papieren in Ordnung bringen, und
unter meiner Teilnahme, mit meiner Beihülfe, aus diesen unschätzbaren aber verworrenen Heften und Blättern ein für
uns und andre erfreuliches Ganze zusammenstellen. Ich versprach dir an der Abschrift zu helfen, und wir dachten es uns
so bequem, so artig, so gemütlich und heimlich, die Welt, die
wir zusammen nicht sehen sollten, in der Erinnerung zu
durchreisen. Ja der Anfang ist schon gemacht. Dann hast du
die Abende deine Flöte wieder vorgenommen, begleitest
mich am Klavier; und an Besuchen aus der Nachbarschaft
und in die Nachbarschaft fehlt es uns nicht. Ich wenigstens
habe mir aus allem diesem den ersten wahrhaft fröhlichen
Sommer zusammengebaut, den ich in meinem Leben zu genießen dachte.

Wenn mir nur nicht, versetzte Eduard indem er sich die
Stirne rieb, bei alle dem, was du mir so liebevoll und ver-
ständig wiederholst, immer der Gedanke beiginge, durch die
Gegenwart des Hauptmanns würde nichts gestört, ja viel-

mehr alles beschleunigt und neu belebt. Auch er hat einen Teil meiner Wanderungen mitgemacht; auch er hat manches, und in verschiedenem Sinne, sich angemerkt: wir benutzten das zusammen, und alsdann würde es erst ein hübsches Ganze werden.   5

So laß mich denn dir aufrichtig gestehen, entgegnete Charlotte mit einiger Ungeduld, daß diesem Vorhaben mein Gefühl widerspricht, daß eine Ahndung mir nichts Gutes weissagt.

Auf diese Weise wäret Ihr Frauen wohl unüberwindlich,   10
versetzte Eduard: erst verständig, daß man nicht widersprechen kann, liebevoll, daß man sich gern hingibt, gefühlvoll, daß man Euch nicht weh tun mag, ahndungsvoll, daß man erschrickt.

Ich bin nicht abergläubisch, versetzte Charlotte, und gebe   15
nichts auf diese dunklen Anregungen, insofern sie nur solche wären; aber es sind meistenteils unbewußte Erinnerungen glücklicher und unglücklicher Folgen, die wir an eigenen oder fremden Handlungen erlebt haben. Nichts ist bedeutender in jedem Zustande, als die Dazwischenkunft eines   20
Dritten. Ich habe Freunde gesehen, Geschwister, Liebende, Gatten, deren Verhältnis durch den zufälligen oder gewählten Hinzutritt einer neuen Person ganz und gar verändert, deren Lage völlig umgekehrt worden.

Das kann wohl geschehen, versetzte Eduard, bei Menschen,   25
die nur dunkel vor sich hin leben, nicht bei solchen, die schon durch Erfahrung aufgeklärt sich mehr bewußt sind.

Das Bewußtsein, mein Liebster, entgegnete Charlotte, ist keine hinlängliche Waffe, ja manchmal eine gefährliche, für den der sie führt; und aus diesem allen tritt wenigstens so viel   30
hervor, daß wir uns ja nicht übereilen sollen. Gönne mir noch einige Tage, entscheide nicht!

Wie die Sache steht, erwiderte Eduard, werden wir uns, auch nach mehreren Tagen, immer übereilen. Die Gründe für und dagegen haben wir wechselsweise vorgebracht; es   35
kommt auf den Entschluß an, und da wär' es wirklich das beste, wir gäben ihn dem Los anheim.

Ich weiß, versetzte Charlotte, daß du in zweifelhaften Fällen gerne wettest oder würfelst; bei einer so ernsthaften Sache hingegen würde ich dies für einen Frevel halten.

Was soll ich aber dem Hauptmann schreiben? rief Eduard
aus: denn ich muß mich gleich hinsetzen.

Einen ruhigen, vernünftigen, tröstlichen Brief, sagte
Charlotte.

Das heißt soviel wie keinen, versetzte Eduard.

Und doch ist es in manchen Fällen, versetzte Charlotte,
notwendig und freundlich lieber Nichts zu schreiben als
nicht zu schreiben.

ZWEITES KAPITEL

Eduard fand sich allein auf seinem Zimmer, und wirklich
hatte die Wiederholung seiner Lebensschicksale aus dem
Munde Charlottens, die Vergegenwärtigung ihres beiderseitigen Zustandes, ihrer Vorsätze, sein lebhaftes Gemüt angenehm aufgeregt. Er hatte sich in ihrer Nähe, in ihrer Gesellschaft so glücklich gefühlt, daß er sich einen freundlichen,
teilnehmenden, aber ruhigen und auf nichts hindeutenden
Brief an den Hauptmann ausdachte. Als er aber zum Schreibtisch ging und den Brief des Freundes aufnahm, um ihn
nochmals durchzulesen, trat ihm sogleich wieder der traurige
Zustand des trefflichen Mannes entgegen; alle Empfindungen, die ihn diese Tage gepeinigt hatten, wachten wieder
auf, und es schien ihm unmöglich, seinen Freund einer so
ängstlichen Lage zu überlassen.

Sich etwas zu versagen, war Eduard nicht gewohnt. Von
Jugend auf das einzige, verzogene Kind reicher Eltern, die
ihn zu einer seltsamen aber höchst vorteilhaften Heirat mit
einer viel ältern Frau zu bereden wußten, von dieser auch auf
alle Weise verzärtelt, indem sie sein gutes Betragen gegen sie
durch die größte Freigebigkeit zu erwidern suchte, nach ihrem baldigen Tode sein eigener Herr, auf Reisen unabhängig, jeder Abwechselung jeder Veränderung mächtig, nichts

Übertriebenes wollend, aber viel und vielerlei wollend, freimütig, wohltätig, brav, ja tapfer im Fall – was konnte in der
Welt seinen Wünschen entgegenstehen!

Bisher war alles nach seinem Sinne gegangen, auch zum
Besitz Charlottens war er gelangt, den er sich durch eine
hartnäckige, ja romanenhafte Treue doch zuletzt erworben
hatte; und nun fühlte er sich zum erstenmal widersprochen,
zum erstenmal gehindert, eben da er seinen Jugendfreund an
sich heranziehen, da er sein ganzes Dasein gleichsam ab-
schließen wollte. Er war verdrießlich, ungeduldig, nahm
einigemal die Feder und legte sie nieder, weil er nicht einig
mit sich werden konnte, was er schreiben sollte. Gegen die
Wünsche seiner Frau wollte er nicht, nach ihrem Verlangen
konnte er nicht; unruhig wie er war sollte er einen ruhigen
Brief schreiben, es wäre ihm ganz unmöglich gewesen. Das
natürlichste war, daß er Aufschub suchte. Mit wenig Worten
bat er seinen Freund um Verzeihung, daß er diese Tage nicht
geschrieben, daß er heut nicht umständlich schreibe, und versprach für nächstens ein bedeutenderes, ein beruhigendes
Blatt.

Charlotte benutzte des andern Tags auf einem Spaziergang
nach derselben Stelle die Gelegenheit das Gespräch wieder
anzuknüpfen, vielleicht in der Überzeugung, daß man einen
Vorsatz nicht sicherer abstumpfen kann, als wenn man ihn
öfters durchspricht.

Eduarden war diese Wiederholung erwünscht. Er äußerte
sich nach seiner Weise freundlich und angenehm: denn wenn
er, empfänglich wie er war, leicht aufloderte, wenn sein lebhaftes Begehren zudringlich ward, wenn seine Hartnäckigkeit ungeduldig machen konnte; so waren doch alle seine
Äußerungen durch eine vollkommene Schonung des andern
dergestalt gemildert, daß man ihn immer noch liebenswürdig finden mußte, wenn man ihn auch beschwerlich fand.

Auf eine solche Weise brachte er Charlotten diesen Morgen erst in die heiterste Laune, dann durch anmutige Ge-
sprächswendungen ganz aus der Fassung, so daß sie zuletzt
ausrief: Du willst gewiß, daß ich das was ich dem Ehmann
versagte, dem Liebhaber zugestehen soll.

Wenigstens, mein Lieber, fuhr sie fort, sollst du gewahr
werden, daß deine Wünsche, die freundliche Lebhaftigkeit
womit du sie ausdrückst, mich nicht ungerührt, mich nicht
unbewegt lassen. Sie nötigen mich zu einem Geständnis. Ich
habe dir bisher auch etwas verborgen. Ich befinde mich in
einer ähnlichen Lage wie du, und habe mir schon eben die
Gewalt angetan, die ich dir nun über dich selbst zumute.

Das hör' ich gern, sagte Eduard; ich merke wohl, im Eh-
stande muß man sich manchmal streiten, denn dadurch erfährt man was von einander.

Nun sollst du also erfahren, sagte Charlotte, daß es mir mit
Ottilien geht, wie dir mit dem Hauptmann. Höchst ungern
weiß ich das liebe Kind in der Pension, wo sie sich in sehr
drückenden Verhältnissen befindet. Wenn Luciane, meine
Tochter, die für die Welt geboren ist, sich dort für die Welt
bildet, wenn sie Sprachen, Geschichtliches und was sonst von
Kenntnissen ihr mitgeteilt wird, so wie ihre Noten und Va-
riationen vom Blatte wegspielt; wenn bei einer lebhaften
Natur und bei einem glücklichen Gedächtnis sie, man
möchte wohl sagen, alles vergißt und im Augenblicke sich an
alles erinnert; wenn sie durch Freiheit des Betragens, Anmut
im Tanze, schickliche Bequemlichkeit des Gesprächs sich vor
allen auszeichnet, und durch ein angebornes herrschendes
Wesen sich zur Königin des kleinen Kreises macht; wenn die
Vorsteherin dieser Anstalt sie als eine kleine Gottheit ansieht, die nun erst unter ihren Händen recht gedeiht, die ihr
Ehre machen, Zutrauen erwerben und einen Zufluß von andern jungen Personen verschaffen wird; wenn die ersten Seiten ihrer Briefe und Monatsberichte immer nur Hymnen sind
über die Vortrefflichkeit eines solchen Kindes, die ich denn
recht gut in meine Prose zu übersetzen weiß: so ist dagegen,
was sie schließlich von Ottilien erwähnt, nur immer Entschuldigung auf Entschuldigung, daß ein übrigens so schön
heranwachsendes Mädchen sich nicht entwickeln, keine Fähigkeiten und keine Fertigkeiten zeigen wolle. Das wenige
was sie sonst noch hinzufügt ist gleichfalls für mich kein
Rätsel, weil ich in diesem lieben Kinde den ganzen Charakter

ihrer Mutter, meiner wertesten Freundin, gewahr werde, die sich neben mir entwickelt hat und deren Tochter ich gewiß, wenn ich Erzieherin oder Aufseherin sein könnte, zu einem herrlichen Geschöpf heraufbilden wollte.

Da es aber einmal nicht in unsern Plan geht, und man an seinen Lebensverhältnissen nicht so viel zupfen und zerren, nicht immer was neues an sie heranziehen soll; so trag ich das lieber, ja ich überwinde die unangenehme Empfindung, wenn meine Tochter, welche recht gut weiß, daß die arme Ottilie ganz von uns abhängt, sich ihrer Vorteile übermütig gegen sie bedient, und unsre Wohltat dadurch gewissermaßen vernichtet.

Doch wer ist so gebildet, daß er nicht seine Vorzüge gegen andre manchmal auf eine grausame Weise geltend machte? Wer steht so hoch, daß er unter einem solchen Druck nicht manchmal leiden müßte? Durch diese Prüfungen wächst Ottiliens Wert; aber seitdem ich den peinlichen Zustand recht deutlich einsehe, habe ich mir Mühe gegeben, sie anderwärts unterzubringen. Stündlich soll mir eine Antwort kommen, und alsdann will ich nicht zaudern. So steht es mit mir, mein Bester. Du siehst, wir tragen beiderseits dieselben Sorgen in einem treuen freundschaftlichen Herzen. Laß uns sie gemeinsam tragen, da sie sich nicht gegeneinander aufheben.

Wir sind wunderliche Menschen, sagte Eduard lächelnd. Wenn wir nur etwas das uns Sorge macht, aus unserer Gegenwart verbannen können, da glauben wir schon, nun sei es abgetan. Im Ganzen können wir vieles aufopfern, aber uns im Einzelnen herzugeben, ist eine Forderung, der wir selten gewachsen sind. So war meine Mutter. So lange ich als Knabe oder Jüngling bei ihr lebte, konnte sie der augenblicklichen Besorgnisse nicht los werden. Verspätete ich mich bei einem Ausritt, so mußte mir ein Unglück begegnet sein; durchnetzte mich ein Regenschauer, so war das Fieber mir gewiß. Ich verreiste, ich entfernte mich von ihr, und nun schien ich ihr kaum anzugehören.

Betrachten wir es genauer, fuhr er fort, so handeln wir beide töricht und unverantwortlich, zwei der edelsten Naturen, die unser Herz so nahe angehen, im Kummer und im Druck zu lassen, nur um uns keiner Gefahr auszusetzen. Wenn dies nicht selbstsüchtig genannt werden soll, was will man so nennen! Nimm Ottilien, laß mir den Hauptmann, und in Gottes Namen sei der Versuch gemacht!

Es möchte noch zu wagen sein, sagte Charlotte bedenklich, wenn die Gefahr für uns allein wäre. Glaubst du denn aber, daß es rätlich sei, den Hauptmann mit Ottilien als Hausgenossen zu sehen, einen Mann ohngefähr in deinen Jahren, in den Jahren – daß ich dir dieses Schmeichelhafte nur gerade unter die Augen sage – wo der Mann erst liebefähig und erst der Liebe wert wird, und ein Mädchen von Ottiliens Vorzügen? –

Ich weiß doch auch nicht, versetzte Eduard, wie du Ottilien so hoch stellen kannst! Nur dadurch erkläre ich mir's, daß sie deine Neigung zu ihrer Mutter geerbt hat. Hübsch ist sie, das ist wahr, und ich erinnre mich, daß der Hauptmann mich auf sie aufmerksam machte, als wir vor einem Jahre zurückkamen und sie mit dir bei deiner Tante trafen. Hübsch ist sie, besonders hat sie schöne Augen; aber ich wüßte doch nicht, daß sie den mindesten Eindruck auf mich gemacht hätte.

Das ist löblich an dir, sagte Charlotte, denn ich war ja gegenwärtig; und ob sie gleich viel jünger ist als ich, so hatte doch die Gegenwart der ältern Freundin so viele Reize für dich, daß du über die aufblühende versprechende Schönheit hinaussahest. Es gehört auch dies zu deiner Art zu sein, deshalb ich so gern das Leben mit dir teile.

Charlotte, so aufrichtig sie zu sprechen schien, verhehlte doch etwas. Sie hatte nämlich damals dem von Reisen zurückkehrenden Eduard Ottilien absichtlich vorgeführt, um dieser geliebten Pflegetochter eine so große Partie zuzuwenden: denn an sich selbst, in Bezug auf Eduard, dachte sie nicht mehr. Der Hauptmann war auch angestiftet, Eduarden aufmerksam zu machen; aber dieser, der seine frühe Liebe zu Charlotten hartnäckig im Sinne behielt, sah weder rechts noch links, und war nur glücklich in dem Gefühl, daß es

möglich sei, eines so lebhaft gewünschten und durch eine
Reihe von Ereignissen scheinbar auf immer versagten Gutes
endlich doch teilhaft zu werden.

Eben stand das Ehpaar im Begriff die neuen Anlagen herunter nach dem Schlosse zu gehen, als ein Bedienter ihnen
hastig entgegen stieg und mit lachendem Munde sich schon
von unten herauf vernehmen ließ. Kommen Ew. Gnaden
doch ja schnell herüber! Herr Mittler ist in den Schloßhof
gesprengt. Er hat uns alle zusammengeschrien, wir sollen Sie
aufsuchen, wir sollen Sie fragen, ob es Not tue? Ob es Not
tut, rief er uns nach: Hört ihr? aber geschwind, geschwind!

Der drollige Mann! rief Eduard aus: kommt er nicht gerade zur rechten Zeit, Charlotte? Geschwind zurück! befahl
er dem Bedienten: sage ihm: es tue Not, sehr Not! Er soll nur
absteigen. Versorgt sein Pferd, führt ihn in den Saal, setzt
ihm ein Frühstück vor; wir kommen gleich.

Laß uns den nächsten Weg nehmen, sagte er zu seiner
Frau, und schlug den Pfad über den Kirchhof ein, den er
sonst zu vermeiden pflegte. Aber wie verwundert war er, als
er fand, daß Charlotte auch hier für das Gefühl gesorgt habe.
Mit möglichster Schonung der alten Denkmäler hatte sie
alles so zu vergleichen und zu ordnen gewußt, daß es ein
angenehmer Raum erschien, auf dem das Auge und die Einbildungskraft gern verweilte.

Auch dem ältesten Stein hatte sie seine Ehre gegönnt. Den
Jahren nach waren sie an der Mauer aufgerichtet, eingefügt
oder sonst angebracht; der hohe Sockel der Kirche selbst war
damit vermannigfaltigt und geziert. Eduard fühlte sich
sonderbar überrascht, wie er durch die kleine Pforte herein
trat; er drückte Charlotten die Hand und im Auge stand ihm
eine Träne.

Aber der närrische Gast verscheuchte sie gleich. Denn dieser hatte keine Ruh im Schloß gehabt, war spornstreichs
durchs Dorf bis an das Kirchhoftor geritten, wo er still hielt
und seinen Freunden entgegen rief: Ihr habt mich doch nicht
zum besten? Tut's wirklich Not, so bleibe ich zu Mittage hier.
Haltet mich nicht auf: ich habe heute noch viel zu tun.

Da Ihr Euch so weit bemüht habt, rief ihm Eduard entgegen; so reitet noch vollends herein, wir kommen an einem ernsthaften Orte zusammen, und seht wie schön Charlotte diese Trauer ausgeschmückt hat.

5 Hier herein, rief der Reiter, komm' ich weder zu Pferde, noch zu Wagen, noch zu Fuße. Diese da ruhen in Frieden, mit ihnen habe ich nichts zu schaffen. Gefallen muß ich mir's lassen, wenn man mich einmal die Füße voran hereinschleppt. Also ist's Ernst?

10 Ja, rief Charlotte, recht Ernst! Es ist das erstemal, daß wir neue Gatten in Not und Verwirrung sind, woraus wir uns nicht zu helfen wissen.

Ihr seht nicht darnach aus, versetzte er: doch will ich's glauben. Führt Ihr mich an, so laß ich Euch künftig stecken.
15 Folgt geschwinde nach; meinem Pferde mag die Erholung zu gut kommen.

Bald fanden sich die Dreie im Saale zusammen; das Essen ward aufgetragen, und Mittler erzählte von seinen heutigen Taten und Vorhaben. Dieser seltsame Mann war früherhin
20 Geistlicher gewesen und hatte sich bei einer rastlosen Tätigkeit in seinem Amte dadurch ausgezeichnet, daß er alle Streitigkeiten, sowohl die häuslichen, als die nachbarlichen, erst der einzelnen Bewohner, sodann ganzer Gemeinden und mehrerer Gutsbesitzer, zu stillen und zu schlichten wußte. So
25 lange er im Dienste war, hatte sich kein Ehpaar scheiden lassen, und die Landeskollegien wurden mit keinen Händeln und Prozessen von dorther behelliget. Wie nötig ihm die Rechtskunde sei, ward er zeitig gewahr. Er warf sein ganzes Studium darauf, und fühlte sich bald den geschicktesten
30 Advokaten gewachsen. Sein Wirkungskreis dehnte sich wunderbar aus, und man war im Begriff ihn nach der Residenz zu ziehen, um das von oben herein zu vollenden, was er von unten herauf begonnen hatte, als er einen ansehnlichen Lotteriegewinst tat, sich ein mäßiges Gut kaufte, es verpach-
35 tete und zum Mittelpunkt seiner Wirksamkeit machte, mit dem festen Vorsatz, oder vielmehr nach alter Gewohnheit und Neigung, in keinem Hause zu verweilen, wo nichts zu

schlichten und nichts zu helfen wäre. Diejenigen die auf Na-
mensbedeutungen abergläubisch sind, behaupten, der Name
Mittler habe ihn genötigt, diese seltsamste aller Bestimmun-
gen zu ergreifen.

Der Nachtisch war aufgetragen, als der Gast seine Wirte 5
ernstlich vermahnte, nicht weiter mit ihren Entdeckungen
zurückzuhalten, weil er gleich nach dem Kaffee fortmüsse.
Die beiden Eheleute machten umständlich ihre Bekenntnisse;
aber kaum hatte er den Sinn der Sache vernommen, als er
verdrießlich vom Tische auffuhr, ans Fenster sprang und sein 10
Pferd zu satteln befahl.

Entweder Ihr kennt mich nicht, rief er aus, Ihr versteht
mich nicht, oder Ihr seid sehr boshaft. Ist denn hier ein Streit?
ist denn hier eine Hülfe nötig? Glaubt Ihr, daß ich in der Welt
bin, um Rat zu geben? Das ist das dümmste Handwerk das 15
einer treiben kann. Rate sich jeder selbst und tue was er nicht
lassen kann. Gerät es gut, so freue er sich seiner Weisheit und
seines Glücks; läuft's übel ab, dann bin ich bei der Hand. Wer
ein Übel los sein will, der weiß immer was er will; wer was
bessers will als er hat, der ist ganz starblind – Ja ja! lacht nur – 20
er spielt Blindekuh, er ertappt's vielleicht; aber was? Tut was
Ihr wollt: es ist ganz einerlei! Nehmt die Freunde zu Euch,
laßt sie weg: alles einerlei! Das Vernünftigste habe ich mißlingen sehen, das Abgeschmackteste gelingen. Zerbrecht
Euch die Köpfe nicht, und wenn's auf eine oder die andre 25
Weise übel abläuft, zerbrecht sie Euch auch nicht. Schickt nur
nach mir, und Euch soll geholfen sein. Bis dahin Euer Diener!

Und so schwang er sich aufs Pferd, ohne den Kaffee abzuwarten. 30

Hier siehst du, sagte Charlotte, wie wenig eigentlich ein
Dritter fruchtet, wenn es zwischen zwei nah verbundenen
Personen nicht ganz im Gleichgewicht steht. Gegenwärtig
sind wir doch wohl noch verworrner und ungewisser,
wenn's möglich ist, als vorher. 35

Beide Gatten würden auch wohl noch eine Zeit lang ge-
schwankt haben, wäre nicht ein Brief des Hauptmanns im

Wechsel gegen Eduards letzten angekommen. Er hatte sich
entschlossen, eine der ihm angebotenen Stellen anzunehmen,
ob sie ihm gleich keineswegs gemäß war. Er sollte mit vornehmen und reichen Leuten die Langeweile teilen, indem
man auf ihn das Zutrauen setzte, daß er sie vertreiben würde.

Eduard übersah das ganze Verhältnis recht deutlich und
malte es noch recht scharf aus. Wollen wir unsern Freund in
einem solchen Zustande wissen? rief er: Du kannst nicht so
grausam sein, Charlotte!

Der wunderliche Mann, unser Mittler, versetzte Charlotte, hat am Ende doch Recht. Alle solche Unternehmungen
sind Wagestücke. Was daraus werden kann sieht kein Mensch
voraus. Solche neue Verhältnisse können fruchtbar sein an
Glück und an Unglück, ohne daß wir uns dabei Verdienst
oder Schuld sonderlich zurechnen dürfen. Ich fühle mich
nicht stark genug dir länger zu widerstehen. Laß uns den
Versuch machen. Das einzige was ich dich bitte: es sei nur auf
kurze Zeit angesehen. Erlaube mir, daß ich mich tätiger als
bisher für ihn verwende, und meinen Einfluß, meine Verbindungen eifrig benutze und aufrege, ihm eine Stelle zu
verschaffen, die ihm nach seiner Weise einige Zufriedenheit
gewähren kann.

Eduard versicherte seine Gattin auf die anmutigste Weise
der lebhaftesten Dankbarkeit. Er eilte mit freiem frohen Gemüt seinem Freunde Vorschläge schriftlich zu tun. Charlotte
mußte in einer Nachschrift ihren Beifall eigenhändig hinzufügen, ihre freundschaftlichen Bitten mit den seinen vereinigen. Sie schrieb mit gewandter Feder gefällig und verbindlich, aber doch mit einer Art von Hast, die ihr sonst nicht
gewöhnlich war; und was ihr nicht leicht begegnete, sie ver-
unstaltete das Papier zuletzt mit einem Tintenfleck, der sie
ärgerlich machte und nur größer wurde, indem sie ihn weg-
wischen wollte.

Eduard scherzte darüber, und weil noch Platz war fügte er
eine zweite Nachschrift hinzu: der Freund solle aus diesen
Zeichen die Ungeduld sehen womit er erwartet werde, und
nach der Eile womit der Brief geschrieben, die Eilfertigkeit
seiner Reise einrichten.

Der Bote war fort und Eduard glaubte seine Dankbarkeit nicht überzeugender ausdrücken zu können, als indem er aber und abermals darauf bestand: Charlotte solle sogleich Ottilien aus der Pension holen lassen.

Sie bat um Aufschub und wußte diesen Abend bei Eduard die Lust zu einer musikalischen Unterhaltung aufzuregen. Charlotte spielte sehr gut Klavier; Eduard nicht eben so bequem die Flöte: denn ob er sich gleich zu Zeiten viel Mühe gegeben hatte, so war ihm doch nicht die Geduld, die Ausdauer verliehen, die zur Ausbildung eines solchen Talentes gehört. Er führte deshalb seine Partie sehr ungleich aus, einige Stellen gut, nur vielleicht zu geschwind; bei andern wieder hielt er an, weil sie ihm nicht geläufig waren, und so wär' es für jeden Andern schwer gewesen ein Duett mit ihm durchzubringen. Aber Charlotte wußte sich darein zu finden; sie hielt an und ließ sich wieder von ihm fortreißen, und versah also die doppelte Pflicht eines guten Kapellmeisters und einer klugen Hausfrau, die im Ganzen immer das Maß zu erhalten wissen, wenn auch die einzelnen Passagen nicht immer im Takt bleiben sollten.

DRITTES KAPITEL

Der Hauptmann kam. Er hatte einen sehr verständigen Brief vorausgeschickt, der Charlotten völlig beruhigte. So viel Deutlichkeit über sich selbst, so viel Klarheit über seinen eigenen Zustand, über den Zustand seiner Freunde, gab eine heitere und fröhliche Aussicht.

Die Unterhaltungen der ersten Stunden waren, wie unter Freunden zu geschehen pflegt die sich eine Zeit lang nicht gesehen haben, lebhaft, ja fast erschöpfend. Gegen Abend veranlaßte Charlotte einen Spaziergang auf die neuen Anlagen. Der Hauptmann gefiel sich sehr in der Gegend und bemerkte jede Schönheit welche durch die neuen Wege erst sichtbar und genießbar geworden. Er hatte ein geübtes Auge und dabei ein genügsames; und ob er gleich das wünschens-

werte sehr wohl kannte, machte er doch nicht, wie es öfters
zu geschehen pflegt, Personen die ihn in dem Ihrigen herum-
führten, dadurch einen üblen Humor, daß er mehr verlangte
als die Umstände zuließen, oder auch wohl gar an etwas
5 Vollkommneres erinnerte das er anderswo gesehen.

Als sie die Mooshütte erreichten, fanden sie solche auf das
lustigste ausgeschmückt, zwar nur mit künstlichen Blumen
und Wintergrün, doch darunter so schöne Büschel natürlichen Weizens und anderer Feld- und Baumfrüchte ange-
10 bracht, daß sie dem Kunstsinn der Anordnenden zur Ehre
gereichten. Obschon mein Mann nicht liebt, daß man seinen
Geburts- oder Namenstag feire, so wird er mir doch heute
nicht verargen, einem dreifachen Feste diese wenigen Kränze
zu widmen.

15 Ein dreifaches? rief Eduard. Ganz gewiß! versetzte Charlotte: unseres Freundes Ankunft behandeln wir billig als ein
Fest; und dann habt Ihr beide wohl nicht daran gedacht, daß
heute Euer Namenstag ist. Heißt nicht einer Otto so gut als
der andere?

20 Beide Freunde reichten sich die Hände über den kleinen
Tisch. Du erinnerst mich, sagte Eduard, an dieses jugendliche Freundschaftsstück. Als Kinder hießen wir beide so;
doch als wir in der Pension zusammenlebten und manche
Irrung daraus entstand, so trat ich ihm freiwillig diesen hüb-
25 schen lakonischen Namen ab.

Wobei du denn doch nicht gar zu großmütig warst, sagte
der Hauptmann. Denn ich erinnere mich recht wohl, daß dir
der Name Eduard besser gefiel, wie er denn auch von angenehmen Lippen ausgesprochen einen besonders guten Klang
30 hat.

Nun saßen sie also zu dreien um dasselbige Tischchen, wo
Charlotte so eifrig gegen die Ankunft des Gastes gesprochen
hatte. Eduard in seiner Zufriedenheit wollte die Gattin nicht
an jene Stunden erinnern; doch enthielt er sich nicht zu sagen:
35 für ein Viertes wäre auch noch recht gut Platz.

Waldhörner ließen sich in diesem Augenblick vom Schloß
herüber vernehmen, bejahten gleichsam und bekräftigten die

guten Gesinnungen und Wünsche der beisammen ver-
weilenden Freunde. Stillschweigend hörten sie zu, indem
jedes in sich selbst zurückkehrte, und sein eigen Glück in so
schöner Verbindung doppelt empfand.

Eduard unterbrach die Pause zuerst, indem er aufstand
und vor die Mooshütte hinaustrat. Laß uns, sagte er zu Charlotten, den Freund gleich völlig auf die Höhe führen, damit
er nicht glaube, dieses beschränkte Tal nur sei unser Erbgut
und Aufenthalt; der Blick wird oben freier und die Brust
erweitert sich.

So müssen wir diesmal noch, versetzte Charlotte, den alten, etwas beschwerlichen Fußpfad erklimmen; doch, hoffe
ich, sollen meine Stufen und Steige nächstens bequemer bis
ganz hinauf leiten.

Und so gelangte man denn über Felsen, durch Busch und
Gesträuch zur letzten Höhe, die zwar keine Fläche, doch
fortlaufende fruchtbare Rücken bildete. Dorf und Schloß
hinterwärts waren nicht mehr zu sehen. In der Tiefe erblickte
man ausgebreitete Teiche; drüben bewachsene Hügel, an denen sie sich hinzogen; endlich steile Felsen, welche senkrecht
den letzten Wasserspiegel entschieden begrenzten und ihre
bedeutenden Formen auf der Oberfläche desselben abbilde-
ten. Dort in der Schlucht, wo ein starker Bach den Teichen
zufiel, lag eine Mühle halb versteckt, die mit ihren Umgebungen als ein freundliches Ruheplätzchen erschien. Mannigfaltig wechselten im ganzen Halbkreise den man übersah,
Tiefen und Höhen, Büsche und Wälder, deren erstes Grün
für die Folge den füllereichsten Anblick versprach. Auch
einzelne Baumgruppen hielten an mancher Stelle das Auge
fest. Besonders zeichnete zu den Füßen der schauenden
Freunde sich eine Masse Pappeln und Platanen zunächst an
dem Rande des mittleren Teiches vorteilhaft aus. Sie stand in
ihrem besten Wachstum, frisch, gesund, empor und in die
Breite strebend.

Eduard lenkte besonders auf diese die Aufmerksamkeit
seines Freundes. Diese habe ich, rief er aus, in meiner Jugend
selbst gepflanzt. Es waren junge Stämmchen, die ich rettete,

als mein Vater, bei der Anlage zu einem neuen Teil des gro-
ßen Schloßgartens, sie mitten im Sommer ausroden ließ.
Ohne Zweifel werden sie auch dieses Jahr sich durch neue
Triebe wieder dankbar hervortun.

5   Man kehrte zufrieden und heiter zurück. Dem Gaste ward
auf dem rechten Flügel des Schlosses ein freundliches geräu-
miges Quartier angewiesen, wo er sehr bald Bücher, Papiere
und Instrumente aufgestellt und geordnet hatte, um in seiner
gewohnten Tätigkeit fortzufahren. Aber Eduard ließ ihm in
10 den ersten Tagen keine Ruhe; er führte ihn überall herum,
bald zu Pferde bald zu Fuße, und machte ihn mit der Gegend,
mit dem Gute bekannt; wobei er ihm zugleich die Wünsche
mitteilte, die er zu besserer Kenntnis und vorteilhafterer Benutzung desselben seit langer Zeit bei sich hegte.

15 Das erste was wir tun sollten, sagte der Hauptmann, wäre,
daß ich die Gegend mit der Magnetnadel aufnähme. Es ist
das ein leichtes heiteres Geschäft, und wenn es auch nicht die
größte Genauigkeit gewährt, so bleibt es doch immer nützlich und für den Anfang erfreulich; auch kann man es ohne
20 große Beihülfe leisten und weiß gewiß, daß man fertig wird.
Denkst du einmal an eine genauere Ausmessung, so läßt sich
dazu wohl auch noch Rat finden.

Der Hauptmann war in dieser Art des Aufnehmens sehr
geübt. Er hatte die nötige Gerätschaft mitgebracht und fing
25 sogleich an. Er unterrichtete Eduarden, einige Jäger und
Bauern, die ihm bei dem Geschäft behülflich sein sollten. Die
Tage waren günstig; die Abende und die frühsten Morgen
brachte er mit Aufzeichnen und Schraffieren zu. Schnell war
auch alles laviert und illuminiert, und Eduard sah seine Be-
30 sitzungen auf das deutlichste, aus dem Papier, wie eine neue
Schöpfung, hervorgewachsen. Er glaubte sie jetzt erst kennen zu lernen; sie schienen ihm jetzt erst recht zu gehören.

Es gab Gelegenheit über die Gegend, über Anlagen zu
sprechen, die man nach einer solchen Übersicht viel besser zu
35 Stande bringe, als wenn man nur einzeln, nach zufälligen
Eindrücken, an der Natur herumversuche.

Das müssen wir meiner Frau deutlich machen, sagte
Eduard.

Tue das nicht! versetzte der Hauptmann, der die Überzeugungen anderer nicht gern mit den seinigen durchkreuzte, den die Erfahrung gelehrt hatte, daß die Ansichten der Menschen viel zu mannigfaltig sind, als daß sie, selbst durch die vernünftigsten Vorstellungen, auf einen Punkt versammelt werden könnten. Tue es nicht! rief er: sie dürfte leicht irre werden. Es ist ihr, wie allen denen, die sich nur aus Liebhaberei mit solchen Dingen beschäftigen, mehr daran gelegen, daß sie etwas tue, als daß etwas getan werde. Man tastet an der Natur, man hat Vorliebe für dieses oder jenes Plätzchen; man wagt nicht dieses oder jenes Hindernis wegzuräumen, man ist nicht kühn genug etwas aufzuopfern; man kann sich voraus nicht vorstellen was entstehen soll, man probiert, es gerät, es mißrät, man verändert, verändert vielleicht was man lassen sollte, läßt was man verändern sollte, und so bleibt es zuletzt immer ein Stückwerk, das gefällt und anregt, aber nicht befriedigt.

Gesteh mir aufrichtig, sagte Eduard, du bist mit ihren Anlagen nicht zufrieden.

Wenn die Ausführung den Gedanken erschöpfte, der sehr gut ist, so wäre nichts zu erinnern. Sie hat sich mühsam durch das Gestein hinaufgequält und quält nun jeden, wenn du willst, den sie hinaufführt. Weder neben einander, noch hinter einander schreitet man mit einer gewissen Freiheit. Der Takt des Schrittes wird jeden Augenblick unterbrochen; und was ließe sich nicht noch alles einwenden.

Wäre es denn leicht anders zu machen gewesen? fragte Eduard.

Gar leicht, versetzte der Hauptmann; sie durfte nur die eine Felsenecke, die noch dazu unscheinbar ist, weil sie aus kleinen Teilen besteht, wegbrechen; so erlangte sie eine schön geschwungene Wendung zum Aufstieg und zugleich überflüssige Steine, um die Stellen heraufzumauern, wo der Weg schmal und verkrüppelt geworden wäre. Doch sei dies im engsten Vertrauen unter uns gesagt: sie wird sonst irre und verdrießlich. Auch muß man was gemacht ist, bestehen lassen. Will man weiter Geld und Mühe aufwenden, so wäre

von der Mooshütte hinaufwärts und über die Anhöhe noch
mancherlei zu tun und viel angenehmes zu leisten.

Hatten auf diese Weise die beiden Freunde am Gegenwärtigen manche Beschäftigung, so fehlte es nicht an lebhafter
und vergnüglicher Erinnerung vergangener Tage, woran
Charlotte wohl Teil zu nehmen pflegte. Auch setzte man sich
vor, wenn nur die nächsten Arbeiten erst getan wären, an die
Reisejournale zu gehen und auch auf diese Weise die Vergangenheit hervorzurufen.

Übrigens hatte Eduard mit Charlotten allein weniger Stoff
zur Unterhaltung, besonders seitdem er den Tadel ihrer
Parkanlagen, der ihm so gerecht schien, auf dem Herzen
fühlte. Lange verschwieg er was ihm der Hauptmann vertraut hatte; aber als er seine Gattin zuletzt beschäftigt sah,
von der Mooshütte hinauf zur Anhöhe wieder mit Stüfchen
und Pfädchen sich empor zu arbeiten; so hielt er nicht länger
zurück, sondern machte sie nach einigen Umschweifen mit
seinen neuen Einsichten bekannt.

Charlotte stand betroffen. Sie war geistreich genug, um
schnell einzusehen, daß jene Recht hatten; aber das Getane
widersprach, es war nun einmal so gemacht; sie hatte es recht,
sie hatte es wünschenswert gefunden, selbst das Getadelte
war ihr in jedem einzelnen Teile lieb; sie widerstrebte der
Überzeugung, sie verteidigte ihre kleine Schöpfung, sie
schalt auf die Männer, die gleich ins Weite und Große gingen,
aus einem Scherz, aus einer Unterhaltung gleich ein Werk
machen wollten, nicht an die Kosten denken, die ein erwei-
teter Plan durchaus nach sich zieht. Sie war bewegt, verletzt,
verdrießlich; sie konnte das Alte nicht fahren lassen, das
Neue nicht ganz abweisen; aber entschlossen wie sie war,
stellte sie sogleich die Arbeit ein und nahm sich Zeit, die
Sache zu bedenken und bei sich reif werden zu lassen.

Indem sie nun auch diese tätige Unterhaltung vermißte, da
indes die Männer ihr Geschäft immer geselliger betrieben
und besonders die Kunstgärten und Glashäuser mit Eifer
besorgten, auch dazwischen die gewöhnlichen ritterlichen
Übungen fortsetzten, als Jagen, Pferde Kaufen, Tauschen,

Bereiten und Einfahren; so fühlte sich Charlotte täglich einsamer. Sie führte ihren Briefwechsel, auch um des Hauptmanns willen, lebhafter, und doch gab es manche einsame
Stunde. Desto angenehmer und unterhaltender waren ihr die
Berichte, die sie aus der Pensionsanstalt erhielt.   5

Einem weitläuftigen Briefe der Vorsteherin, welcher sich
wie gewöhnlich über der Tochter Fortschritte mit Behagen
verbreitete, war eine kurze Nachschrift hinzugefügt, nebst
einer Beilage von der Hand eines männlichen Gehülfen am
Institut, die wir beide mitteilen.   10

Nachschrift der Vorsteherin

Von Ottilien, meine Gnädige, hätte ich eigentlich nur zu
wiederholen, was in meinen vorigen Berichten enthalten ist.
Ich wüßte sie nicht zu schelten und doch kann ich nicht zufrieden mit ihr sein. Sie ist nach wie vor bescheiden und   15
gefällig gegen andre; aber dieses Zurücktreten, diese Dienst-
barkeit will mir nicht gefallen. Ew. Gnaden haben ihr neulich Geld und verschiedene Zeuge geschickt. Das erste hat sie
nicht angegriffen; die andern liegen auch noch da, unberührt.
Sie hält freilich ihre Sachen sehr reinlich und gut, und scheint   20
nur in diesem Sinn die Kleider zu wechseln. Auch kann ich
ihre große Mäßigkeit im Essen und Trinken nicht loben. An
unserm Tisch ist kein Überfluß; doch sehe ich nichts lieber als
wenn die Kinder sich an schmackhaften und gesunden Speisen satt essen. Was mit Bedacht und Überzeugung aufge-   25
tragen und vorgelegt ist, soll auch aufgegessen werden.
Dazu kann ich Ottilien niemals bringen. Ja sie macht sich
irgend ein Geschäft, um eine Lücke auszufüllen, wo die Die-
nerinnen etwas versäumen, nur um eine Speise oder den
Nachtisch zu übergehen. Bei diesem allen kommt jedoch in   30
Betrachtung, daß sie manchmal, wie ich erst spät erfahren
habe, Kopfweh auf der linken Seite hat, das zwar vorübergeht, aber schmerzlich und bedeutend sein mag. So viel von
diesem übrigens so schönen und lieben Kinde.

Beilage des Gehülfen

Unsre vortreffliche Vorsteherin läßt mich gewöhnlich die Briefe lesen, in welchen sie Beobachtungen über ihre Zöglinge den Eltern und Vorgesetzten mitteilt. Diejenigen die an Ew. Gnaden gerichtet sind lese ich immer mit doppelter Aufmerksamkeit, mit doppeltem Vergnügen: denn indem wir Ihnen zu einer Tochter Glück zu wünschen haben, die alle jene glänzenden Eigenschaften vereinigt, wodurch man in der Welt emporsteigt; so muß ich wenigstens Sie nicht minder glücklich preisen, daß Ihnen in Ihrer Pflegetochter ein Kind beschert ist, das zum Wohl, zur Zufriedenheit anderer und gewiß auch zu seinem eigenen Glück geboren ward. Ottilie ist fast unser einziger Zögling, über den ich mit unserer so sehr verehrten Vorsteherin nicht einig werden kann. Ich verarge dieser tätigen Frau keinesweges, daß sie verlangt, man soll die Früchte ihrer Sorgfalt äußerlich und deutlich sehen; aber es gibt auch verschlossene Früchte, die erst die rechten kernhaften sind, und die sich früher oder später zu einem schönen Leben entwickeln. Dergleichen ist gewiß Ihre Pflegetochter. So lange ich sie unterrichte sehe ich sie immer gleichen Schrittes gehen, langsam, langsam vorwärts, nie zurück. Wenn es bei einem Kinde nötig ist, vom Anfange anzufangen, so ist es gewiß bei ihr. Was nicht aus dem Vorhergehenden folgt, begreift sie nicht. Sie steht unfähig, ja stöckisch vor einer leicht faßlichen Sache, die für sie mit nichts zusammenhängt. Kann man aber die Mittelglieder finden und ihr deutlich machen, so ist ihr das schwerste begreiflich.

Bei diesem langsamen Vorschreiten bleibt sie gegen ihre Mitschülerinnen zurück, die mit ganz andern Fähigkeiten immer vorwärts eilen, alles, auch das Unzusammenhängende, leicht fassen, leicht behalten und bequem wieder anwenden. So lernt sie, so vermag sie bei einem beschleunigten Lehrvortrage gar nichts; wie es der Fall in einigen Stunden ist, welche von trefflichen, aber raschen und ungeduldigen

Lehrern gegeben werden. Man hat über ihre Handschrift geklagt, über ihre Unfähigkeit die Regeln der Grammatik zu fassen. Ich habe diese Beschwerde näher untersucht: es ist wahr, sie schreibt langsam und steif wenn man so will, doch nicht zaghaft und ungestalt. Was ich ihr von der französischen Sprache, die zwar mein Fach nicht ist, schrittweise mitteilte, begriff sie leicht. Freilich ist es wunderbar, sie weiß vieles und recht gut, nur wenn man sie fragt, scheint sie nichts zu wissen.

Soll ich mit einer allgemeinen Bemerkung schließen, so möchte ich sagen: sie lernt nicht als eine die erzogen werden soll, sondern als eine die erziehen will; nicht als Schülerin, sondern als künftige Lehrerin. Vielleicht kommt es Ew. Gnaden sonderbar vor, daß ich selbst als Erzieher und Lehrer jemanden nicht mehr zu loben glaube, als wenn ich ihn für meines gleichen erkläre. Ew. Gnaden bessre Einsicht, tiefere Menschen- und Weltkenntnis wird aus meinen beschränkten wohlgemeinten Worten das Beste nehmen. Sie werden sich überzeugen, daß auch an diesem Kinde viel Freude zu hoffen ist. Ich empfehle mich zu Gnaden und bitte um die Erlaubnis wieder zu schreiben, sobald ich glaube, daß mein Brief etwas Bedeutendes und Angenehmes enthalten werde.

Charlotte freute sich über dieses Blatt. Sein Inhalt traf ganz nahe mit den Vorstellungen zusammen, welche sie von Ottilien hegte; dabei konnte sie sich eines Lächelns nicht enthalten, indem der Anteil des Lehrers herzlicher zu sein schien, als ihn die Einsicht in die Tugenden eines Zöglings hervorzubringen pflegt. Bei ihrer ruhigen, vorurteilsfreien Denkweise ließ sie auch ein solches Verhältnis, wie so viele andre, vor sich liegen; die Teilnahme des verständigen Mannes an Ottilien hielt sie wert: denn sie hatte in ihrem Leben genugsam einsehen gelernt, wie hoch jede wahre Neigung zu schätzen sei, in einer Welt wo Gleichgültigkeit und Abneigung eigentlich recht zu Hause sind.

VIERTES KAPITEL

Die topographische Charte, auf welcher das Gut mit seinen
Umgebungen, nach einem ziemlich großen Maßstabe, charakteristisch und faßlich durch Federstriche und Farben dargestellt war, und welche der Hauptmann durch einige tri-
gonometrische Messungen sicher zu gründen wußte, war
bald fertig: denn weniger Schlaf, als dieser tätige Mann, bedurfte kaum Jemand, so wie sein Tag stets dem augenblicklichen Zwecke gewidmet und deswegen jederzeit am Abende
etwas getan war.

      Laß uns nun, sagte er zu seinem Freunde, an das Übrige
gehen, an die Gutsbeschreibung, wozu schon genugsame
Vorarbeit da sein muß, aus der sich nachher Pachtanschläge
und anderes schon entwickeln werden. Nur eines laß uns
festsetzen und einrichten: trenne alles was eigentlich Geschäft ist vom Leben. Das Geschäft verlangt Ernst und
Strenge, das Leben Willkür; das Geschäft die reinste Folge,
dem Leben tut eine Inkonsequenz oft not, ja sie ist liebenswürdig und erheiternd. Bist du bei dem einen sicher, so
kannst du in dem andern desto freier sein; anstatt daß bei
einer Vermischung das Sichre durch das Freie weggerissen
und aufgehoben wird.

      Eduard fühlte in diesen Vorschlägen einen leisen Vor-
wurf. Zwar von Natur nicht unordentlich, konnte er doch
niemals dazu kommen, seine Papiere nach Fächern abzutei-
len. Das was er mit andern abzutun hatte, was bloß von ihm
selbst abhing, es war nicht geschieden; so wie er auch Geschäfte und Beschäftigung, Unterhaltung und Zerstreuung
nicht genugsam von einander absonderte. Jetzt wurde es ihm
leicht, da ein Freund diese Bemühung übernahm, ein zweites
Ich die Sonderung bewirkte, in die das eine Ich nicht immer
sich spalten mag.

      Sie errichteten auf dem Flügel des Hauptmanns eine Re-
positur für das Gegenwärtige, ein Archiv für das Vergangene; schafften alle Dokumente, Papiere, Nachrichten, aus

verschiedenen Behältnissen, Kammern, Schränken und Kisten herbei, und auf das geschwindeste war der Wust in eine
erfreuliche Ordnung gebracht, lag rubriziert in bezeichneten
Fächern. Was man wünschte ward vollständiger gefunden als
man gehofft hatte. Hierbei ging ihnen ein alter Schreiber sehr ₅
an die Hand, der den Tag über, ja einen Teil der Nacht, nicht
vom Pulte kam, und mit dem Eduard bisher immer unzufrieden gewesen war.

Ich kenne ihn nicht mehr, sagte Eduard zu seinem Freund,
wie tätig und brauchbar der Mensch ist. Das macht, versetzte ₁₀
der Hauptmann, wir tragen ihm nichts Neues auf, als bis er
das Alte nach seiner Bequemlichkeit vollendet hat, und so
leistet er, wie du siehst, sehr viel; sobald man ihn stört, vermag er gar nichts.

Brachten die Freunde auf diese Weise ihre Tage zusammen ₁₅
zu, so versäumten sie Abends nicht Charlotten regelmäßig zu
besuchen. Fand sich keine Gesellschaft von benachbarten
Orten und Gütern, welches öfter geschah; so war das Gespräch, wie das Lesen, meist solchen Gegenständen gewidmet, welche den Wohlstand, die Vorteile und das Behagen ₂₀
der bürgerlichen Gesellschaft vermehren.

Charlotte, ohnehin gewohnt die Gegenwart zu nutzen,
fühlte sich, indem sie ihren Mann zufrieden sah, auch persönlich gefördert. Verschiedene häusliche Anstalten, die sie
längst gewünscht, aber nicht recht einleiten können, wurden ₂₅
durch die Tätigkeit des Hauptmanns bewirkt. Die Haus-
apotheke, die bisher nur aus wenigen Mitteln bestanden,
ward bereichert, und Charlotte, sowohl durch faßliche Bücher als durch Unterredung, in den Stand gesetzt ihr tätiges
und hülfreiches Wesen öfter und wirksamer als bisher in ₃₀
Übung zu bringen.

Da man auch die gewöhnlichen und demungeachtet nur zu
oft überraschenden Notfälle durchdachte; so wurde alles was
zur Rettung der Ertrunkenen nötig sein möchte um so mehr
angeschafft, als bei der Nähe so mancher Teiche, Gewässer ₃₅
und Wasserwerke, öfters ein und der andre Unfall dieser Art
vorkam. Diese Rubrik besorgte der Hauptmann sehr aus-

führlich, und Eduarden entschlüpfte die Bemerkung, daß ein
solcher Fall in dem Leben seines Freundes auf die seltsamste
Weise Epoche gemacht. Doch als dieser schwieg und einer
traurigen Erinnerung auszuweichen schien, hielt Eduard
5 gleichfalls an, so wie auch Charlotte, die nicht weniger im
Allgemeinen davon unterrichtet war, über jene Äußerungen
hinausging.

Wir wollen alle diese vorsorglichen Anstalten loben, sagte
eines Abends der Hauptmann; nun geht uns aber das Not-
10 wendigste noch ab, ein tüchtiger Mann, der das alles zu hand-
haben weiß. Ich kann hiezu einen mir bekannten Feld-
chirurgus vorschlagen, der jetzt um leidliche Bedingung zu
haben ist, ein vorzüglicher Mann in seinem Fache, und der
mir auch in Behandlung heftiger innerer Übel öfters mehr
15 Genüge getan hat als ein berühmter Arzt; und augenblick-
liche Hülfe ist doch immer das, was auf dem Lande am meisten vermißt wird.

Auch dieser wurde sogleich verschrieben und beide Gatten freuten sich, daß sie so manche Summe, die ihnen zu
20 willkürlichen Ausgaben übrig blieb, auf die nötigsten zu verwenden Anlaß gefunden.

So benutzte Charlotte die Kenntnisse, die Tätigkeit des
Hauptmanns auch nach ihrem Sinne und fing an mit seiner
Gegenwart völlig zufrieden und über alle Folgen beruhigt zu
25 werden. Sie bereitete sich gewöhnlich vor, manches zu fragen, und da sie gern leben mochte, so suchte sie alles Schädliche, alles Tödliche zu entfernen. Die Bleiglasur der Töp-
ferwaren, der Grünspan kupferner Gefäße hatte ihr schon
manche Sorge gemacht. Sie ließ sich hierüber belehren, und
30 natürlicherweise mußte man auf die Grundbegriffe der Phy-
sik und Chemie zurückgehen.

Zufälligen aber immer willkommenen Anlaß zu solchen
Unterhaltungen gab Eduards Neigung, der Gesellschaft vorzulesen. Er hatte eine sehr wohlklingende tiefe Stimme und
35 war früher, wegen lebhafter gefühlter Rezitation dich-
terischer und rednerischer Arbeiten, angenehm und berühmt
gewesen. Nun waren es andre Gegenstände die ihn beschäf-

tigten, andre Schriften woraus er vorlas und eben seit einiger
Zeit vorzüglich Werke physischen, chemischen und technischen Inhalts.

Eine seiner besondern Eigenheiten, die er jedoch vielleicht mit mehrern Menschen teilt, war die, daß es ihm unerträglich fiel, wenn Jemand ihm beim Lesen in das Buch sah.
In früherer Zeit, beim Vorlesen von Gedichten, Schau-
spielen, Erzählungen, war es die natürliche Folge der lebhaften Absicht, die der Vorlesende so gut als der Dichter, der
Schauspieler, der Erzählende hat, zu überraschen, Pausen zu
machen, Erwartungen zu erregen; da es denn freilich dieser
beabsichtigten Wirkung sehr zuwider ist, wenn ihm ein Dritter wissentlich mit den Augen vorspringt. Er pflegte sich
auch deswegen in solchem Falle immer so zu setzen, daß er
Niemand im Rücken hatte. Jetzt zu dreien war diese Vorsicht
unnötig; und da es diesmal nicht auf Erregung des Gefühls,
auf Überraschung der Einbildungskraft angesehen war; so
dachte er selbst nicht daran, sich sonderlich in Acht zu nehmen.

Nur eines Abends fiel es ihm auf, als er sich nachlässig
gesetzt hatte, daß Charlotte ihm in das Buch sah. Seine alte
Ungeduld erwachte und er verwies es ihr, gewissermaßen
unfreundlich. Wollte man sich doch solche Unarten, wie so
manches andre was der Gesellschaft lästig ist, ein für allemal
abgewöhnen. Wenn ich Jemand vorlese, ist es denn nicht als
wenn ich ihm mündlich etwas vortrüge? Das Geschriebene,
das Gedruckte tritt an die Stelle meines eigenen Sinnes, meines eigenen Herzens; und würde ich mich wohl zu reden
bemühen, wenn ein Fensterchen vor meiner Stirn, vor meiner Brust angebracht wäre, so daß der, dem ich meine Gedanken einzeln zuzählen, meine Empfindungen einzeln zu-
reichen will, immer schon lange vorher wissen könnte, wo es
mit mir hinaus wollte? Wenn mir Jemand ins Buch sieht, so
ist mir immer als wenn ich in zwei Stücke gerissen würde.

Charlotte, deren Gewandtheit sich in größeren und kleineren Zirkeln besonders dadurch bewies, daß sie jede unangenehme, jede heftige, ja selbst nur lebhafte Äußerung zu

beseitigen, ein sich verlängerndes Gespräch zu unterbrechen, ein stockendes anzuregen wußte, war auch diesmal
von ihrer guten Gabe nicht verlassen. Du wirst mir meinen
Fehler gewiß verzeihen, wenn ich bekenne was mir diesen
Augenblick begegnet ist. Ich hörte von Verwandtschaften
lesen, und da dacht' ich eben gleich an meine Verwandten, an
ein Paar Vettern, die mir gerade in diesem Augenblick zu
schaffen machen. Meine Aufmerksamkeit kehrt zu deiner
Vorlesung zurück; ich höre daß von ganz leblosen Dingen
die Rede ist, und blicke dir ins Buch, um mich wieder zurecht
zu finden.

Es ist eine Gleichnisrede, die dich verführt und verwirrt
hat, sagte Eduard. Hier wird freilich nur von Erden und
Mineralien gehandelt, aber der Mensch ist ein wahrer Narziß; er bespiegelt sich überall gern selbst; er legt sich als Folie
der ganzen Welt unter.

Ja wohl! fuhr der Hauptmann fort: so behandelt er alles
was er außer sich findet; seine Weisheit wie seine Torheit,
seinen Willen wie seine Willkür leiht er den Tieren, den
Pflanzen, den Elementen und den Göttern.

Möchtet Ihr mich, versetzte Charlotte, da ich Euch nicht
zu weit von dem augenblicklichen Interesse wegführen will,
nur kürzlich belehren, wie es eigentlich hier mit den Verwandtschaften gemeint sei.

Das will ich wohl gerne tun, erwiderte der Hauptmann,
gegen den sich Charlotte gewendet hatte; freilich nur so gut
als ich es vermag, wie ich es etwa vor zehn Jahren gelernt,
wie ich es gelesen habe. Ob man in der wissenschaftlichen
Welt noch so darüber denkt, ob es zu den neuern Lehren
paßt, wüßte ich nicht zu sagen.

Es ist schlimm genug, rief Eduard, daß man jetzt nichts
mehr für sein ganzes Leben lernen kann. Unsre Vorfahren
hielten sich an den Unterricht, den sie in ihrer Jugend empfangen; wir aber müssen jetzt alle fünf Jahre umlernen, wenn
wir nicht ganz aus der Mode kommen wollen.

Wir Frauen, sagte Charlotte, nehmen es nicht so genau;
und wenn ich aufrichtig sein soll, so ist es mir eigentlich nur

um den Wortverstand zu tun: denn es macht in der Gesellschaft nichts lächerlicher, als wenn man ein fremdes, ein
Kunst-Wort falsch anwendet. Deshalb möchte ich nur wissen, in welchem Sinne dieser Ausdruck eben bei diesen Gegenständen gebraucht wird. Wie es wissenschaftlich damit 5
zusammenhänge, wollen wir den Gelehrten überlassen, die
übrigens, wie ich habe bemerken können, sich wohl schwerlich jemals vereinigen werden.

Wo fangen wir aber nun an, um am schnellsten in die Sache
zu kommen? fragte Eduard nach einer Pause den Haupt- 10
mann, der sich ein wenig bedenkend bald darauf erwiderte:

Wenn es mir erlaubt ist, dem Scheine nach weit auszuho-
len, so sind wir bald am Platze.

Sein Sie meiner ganzen Aufmerksamkeit versichert, sagte
Charlotte, indem sie ihre Arbeit bei Seite legte. 15

Und so begann der Hauptmann: an allen Naturwesen, die
wir gewahr werden, bemerken wir zuerst, daß sie einen Bezug auf sich selbst haben. Es klingt freilich wunderlich, wenn
man etwas ausspricht was sich ohnehin versteht; doch nur
indem man sich über das Bekannte völlig verständigt hat, 20
kann man mit einander zum Unbekannten fortschreiten.

Ich dächte, fiel ihm Eduard ein, wir machten ihr und uns
die Sache durch Beispiele bequem. Stelle dir nur das Wasser,
das Öl, das Quecksilber vor, so wirst du eine Einigkeit, einen
Zusammenhang ihrer Teile finden. Diese Einung verlassen 25
sie nicht, außer durch Gewalt oder sonstige Bestimmung. Ist
diese beseitigt, so treten sie gleich wieder zusammen.

Ohne Frage, sagte Charlotte beistimmend. Regentropfen
vereinigen sich schnell zu Strömen. Und schon als Kinder
spielen wir erstaunt mit dem Quecksilber, indem wir es in 30
Kügelchen trennen und es wieder zusammenlaufen lassen.

Und so darf ich wohl, fügte der Hauptmann hinzu, eines
bedeutenden Punktes im flüchtigen Vorbeigehen erwähnen,
daß nämlich dieser völlig reine, durch Flüssigkeit mögliche
Bezug sich entschieden und immer durch die Kugelgestalt 35
auszeichnet. Der fallende Wassertropfen ist rund; von den
Quecksilberkügelchen haben Sie selbst gesprochen; ja ein

fallendes geschmolzenes Blei, wenn es Zeit hat völlig zu erstarren, kommt unten in Gestalt einer Kugel an.

Lassen Sie mich voreilen, sagte Charlotte, ob ich treffe, wo
Sie hinwollen. Wie jedes gegen sich selbst einen Bezug hat,
so muß es auch gegen andere ein Verhältnis haben.

Und das wird nach Verschiedenheit der Wesen verschieden
sein, fuhr Eduard eilig fort. Bald werden sie sich als Freunde
und alte Bekannte begegnen, die schnell zusammentreten,
sich vereinigen, ohne an einander etwas zu verändern, wie
sich Wein mit Wasser vermischt. Dagegen werden andre
fremd neben einander verharren und selbst durch mechani-
sches Mischen und Reiben sich keinesweges verbinden; wie
Öl und Wasser zusammengerüttelt sich den Augenblick wieder aus einander sondert.

Es fehlt nicht viel, sagte Charlotte, so sieht man in diesen
einfachen Formen die Menschen, die man gekannt hat; besonders aber erinnert man sich dabei der Sozietäten, in denen
man lebte. Die meiste Ähnlichkeit jedoch mit diesen seelen-
losen Wesen haben die Massen, die in der Welt sich einander
gegenüber stellen, die Stände, die Berufsbestimmungen, der
Adel und der dritte Stand, der Soldat und der Zivilist.

Und doch, versetzte Eduard, wie diese durch Sitten und
Gesetze vereinbar sind, so gibt es auch in unserer chemischen
Welt Mittelglieder, dasjenige zu verbinden, was sich einan-
der abweist.

So verbinden wir, fiel der Hauptmann ein, das Öl durch
Laugensalz mit dem Wasser.

Nur nicht zu geschwind mit Ihrem Vortrag, sagte Charlotte, damit ich zeigen kann, daß ich Schritt halte. Sind wir
nicht hier schon zu den Verwandtschaften gelangt?

Ganz richtig, erwiderte der Hauptmann, und wir werden
sie gleich in ihrer vollen Kraft und Bestimmtheit kennen
lernen. Diejenigen Naturen, die sich beim Zusammentreffen
einander schnell ergreifen und wechselseitig bestimmen,
nennen wir verwandt. An den Alkalien und Säuren, die,
obgleich einander entgegengesetzt und vielleicht eben deswegen, weil sie einander entgegengesetzt sind, sich am ent-

schiedensten suchen und fassen, sich modifizieren und zusammen einen neuen Körper bilden, ist diese Verwandtschaft auffallend genug. Gedenken wir nur des Kalks, der zu allen Säuren eine große Neigung, eine entschiedene Vereinigungslust äußert. Sobald unser chemisches Cabinet ankommt, wollen wir Sie verschiedene Versuche sehen lassen, die sehr unterhaltend sind und einen bessern Begriff geben als Worte, Namen und Kunstausdrücke.

Lassen Sie mich gestehen, sagte Charlotte, wenn Sie diese Ihre wunderlichen Wesen verwandt nennen, so kommen sie mir nicht sowohl als Blutsverwandte, vielmehr als Geistes- und Seelenverwandte vor. Auf eben diese Weise können unter Menschen wahrhaft bedeutende Freundschaften entstehen: denn entgegengesetzte Eigenschaften machen eine innigere Vereinigung möglich. Und so will ich denn abwarten, was Sie mir von diesen geheimnisvollen Wirkungen vor die Augen bringen werden. Ich will dich – sagte sie zu Eduard gewendet – jetzt im Vorlesen nicht weiter stören, und um so viel besser unterrichtet, deinen Vortrag mit Aufmerksamkeit vernehmen.

Da du uns einmal aufgerufen hast, versetzte Eduard; so kommst du so leicht nicht los: denn eigentlich sind die verwickelten Fälle die interessantesten. Erst bei diesen lernt man die Grade der Verwandtschaften, die nähern, stärkern, entferntern, geringern Beziehungen kennen; die Verwandtschaften werden erst interessant, wenn sie Scheidungen bewirken.

Kommt das traurige Wort, rief Charlotte, das man leider in der Welt jetzt so oft hört, auch in der Naturlehre vor?

Allerdings, erwiderte Eduard. Es war sogar ein bezeichnender Ehrentitel der Chemiker, daß man sie Scheidekünstler nannte.

Das tut man also nicht mehr, versetzte Charlotte, und tut sehr wohl daran. Das Vereinigen ist eine größere Kunst, ein größeres Verdienst. Ein Einungskünstler wäre in jedem Fache der ganzen Welt willkommen. – Nun so laßt mich denn, weil Ihr doch einmal im Zuge seid, ein Paar solche Fälle wissen.

So schließen wir uns denn gleich, sagte der Hauptmann, an dasjenige wieder an, was wir oben schon benannt und besprochen haben. Z. B. was wir Kalkstein nennen ist eine mehr oder weniger reine Kalkerde, innig mit einer zarten Säure verbunden, die uns in Luftform bekannt geworden ist. Bringt man ein Stück solchen Steines in verdünnte Schwefelsäure, so ergreift diese den Kalk und erscheint mit ihm als Gips; jene zarte luftige Säure hingegen entflieht. Hier ist eine Trennung, eine neue Zusammensetzung entstanden und man glaubt sich nunmehr berechtigt, sogar das Wort Wahlverwandtschaft anzuwenden, weil es wirklich aussieht als wenn ein Verhältnis dem andern vorgezogen, eins vor dem andern erwählt würde.

Verzeihen Sie mir, sagte Charlotte, wie ich dem Naturforscher verzeihe; aber ich würde hier niemals eine Wahl, eher eine Naturnotwendigkeit erblicken, und diese kaum: denn es ist am Ende vielleicht gar nur die Sache der Gelegenheit. Gelegenheit macht Verhältnisse wie sie Diebe macht; und wenn von Ihren Naturkörpern die Rede ist, so scheint mir die Wahl bloß in den Händen des Chemikers zu liegen, der diese Wesen zusammenbringt. Sind sie aber einmal beisammen, dann gnade ihnen Gott! In dem gegenwärtigen Falle dauert mich nur die arme Luftsäure, die sich wieder im Unendlichen herumtreiben muß.

Es kommt nur auf sie an, versetzte der Hauptmann, sich mit dem Wasser zu verbinden und als Mineralquelle Gesunden und Kranken zur Erquickung zu dienen.

Der Gips hat gut reden, sagte Charlotte, der ist nun fertig, ist ein Körper, ist versorgt, anstatt daß jenes ausgetriebene Wesen noch manche Not haben kann bis es wieder unterkommt.

Ich müßte sehr irren, sagte Eduard lächelnd, oder es steckt eine kleine Tücke hinter deinen Reden. Gesteh' nur deine Schalkheit! Am Ende bin ich in deinen Augen der Kalk, der vom Hauptmann, als einer Schwefelsäure ergriffen, deiner anmutigen Gesellschaft entzogen und in einen refraktären Gips verwandelt wird.

Wenn das Gewissen, versetzte Charlotte, dich solche Betrachtungen machen heißt; so kann ich ohne Sorge sein. Diese Gleichnisreden sind artig und unterhaltend, und wer spielt nicht gern mit Ähnlichkeiten? Aber der Mensch ist doch um so manche Stufe über jene Elemente erhöht, und wenn er hier mit den schönen Worten Wahl und Wahlverwandtschaft etwas freigebig gewesen; so tut er wohl, wieder in sich selbst zurückzukehren und den Wert solcher Ausdrücke bei diesem Anlaß recht zu bedenken. Mir sind leider Fälle genug bekannt, wo eine innige unauflöslich scheinende Verbindung zweier Wesen, durch gelegentliche Zugesellung eines Dritten, aufgehoben, und eins der erst so schön verbundenen ins lose Weite hinausgetrieben ward.

Da sind die Chemiker viel galanter, sagte Eduard: sie gesellen ein viertes dazu, damit keines leer ausgehe.

Ja wohl! versetzte der Hauptmann: diese Fälle sind allerdings die bedeutendsten und merkwürdigsten, wo man das Anziehen, das Verwandtsein, dieses Verlassen, dieses Vereinigen gleichsam übers Kreuz, wirklich darstellen kann; wo vier, bisher je zwei zu zwei verbundene Wesen in Berührung gebracht, ihre bisherige Vereinigung verlassen und sich aufs neue verbinden. In diesem Fahrenlassen und Ergreifen, in diesem Fliehen und Suchen, glaubt man wirklich eine höhere Bestimmung zu sehen; man traut solchen Wesen eine Art von Wollen und Wählen zu, und hält das Kunstwort Wahlverwandtschaften vollkommen gerechtfertigt.

Beschreiben Sie mir einen solchen Fall, sagte Charlotte.

Man sollte dergleichen, versetzte der Hauptmann, nicht mit Worten abtun. Wie schon gesagt! sobald ich Ihnen die Versuche selbst zeigen kann, wird alles anschaulicher und angenehmer werden. Jetzt müßte ich Sie mit schrecklichen Kunstworten hinhalten, die Ihnen doch keine Vorstellung gäben. Man muß diese totscheinenden und doch zur Tätigkeit innerlich immer bereiten Wesen wirkend vor seinen Augen sehen, mit Teilnahme schauen, wie sie einander suchen, sich anziehen, ergreifen, zerstören, verschlingen, aufzehren und sodann aus der innigsten Verbindung wieder in erneu-

ter, neuer, unerwarteter Gestalt hervortreten: dann traut
man ihnen erst ein ewiges Leben, ja wohl gar Sinn und Verstand zu, weil wir unsere Sinne kaum genügend fühlen, sie
recht zu beobachten, und unsre Vernunft kaum hinlänglich,
sie zu fassen.

Ich leugne nicht, sagte Eduard, daß die seltsamen Kunstwörter demjenigen der nicht durch sinnliches Anschauen,
durch Begriffe mit ihnen versöhnt ist, beschwerlich, ja lächerlich werden müssen. Doch könnten wir leicht mit
Buchstaben einstweilen das Verhältnis ausdrücken, wovon
hier die Rede war.

Wenn Sie glauben, daß es nicht pedantisch aussieht, versetzte der Hauptmann, so kann ich wohl in der Zeichen-
sprache mich kürzlich zusammenfassen. Denken Sie sich ein
A, das mit einem B innig verbunden ist, durch viele Mittel
und durch manche Gewalt nicht von ihm zu trennen; denken
Sie sich ein C, das sich eben so zu einem D verhält; bringen
Sie nun die beiden Paare in Berührung: A wird sich zu D, C
zu B werfen, ohne daß man sagen kann, wer das andere
zuerst verlassen, wer sich mit dem andern zuerst wieder verbunden habe.

Nun denn! fiel Eduard ein: bis wir alles dieses mit Augen
sehen, wollen wir diese Formel als Gleichnisrede betrachten,
woraus wir uns eine Lehre zum unmittelbaren Gebrauch
ziehen. Du stellst das A vor, Charlotte, und ich dein B: denn
eigentlich hänge ich doch nur von dir ab und folge dir, wie
dem A das B. Das C ist ganz deutlich der Capitain, der mich
für diesmal dir einigermaßen entzieht. Nun ist es billig, daß
wenn du nicht ins Unbestimmte entweichen sollst, dir für ein
D gesorgt werde, und das ist ganz ohne Frage das liebenswürdige Dämchen Ottilie, gegen deren Annäherung du dich
nicht länger verteidigen darfst.

Gut! versetzte Charlotte, wenn auch das Beispiel, wie mir
scheint, nicht ganz auf unsern Fall paßt; so halte ich es doch
für ein Glück, daß wir heute einmal völlig zusammentreffen,
und daß diese Natur- und Wahlverwandtschaften unter uns
eine vertrauliche Mitteilung beschleunigen. Ich will es also

nur gestehen, daß ich seit diesem Nachmittage entschlossen bin, Ottilien zu berufen: denn meine bisherige treue Beschließerin und Haushälterin wird abziehen, weil sie heiratet. Dies wäre von meiner Seite und um meinetwillen; was mich um Ottiliens willen bestimmt, das wirst du uns vorlesen. Ich will dir nicht ins Blatt sehen, aber freilich ist mir der Inhalt schon bekannt. Doch lies nur, lies! Mit diesen Worten zog sie einen Brief hervor und reichte ihn Eduarden.

FÜNFTES KAPITEL

Brief der Vorsteherin 10

Ew. Gnaden werden verzeihen, wenn ich mich heute ganz kurz fasse: denn ich habe nach vollendeter öffentlicher Prüfung dessen was wir im vergangenen Jahr an unsern Zöglingen geleistet haben, an die sämtlichen Eltern und Vorgesetzten den Verlauf zu melden; auch darf ich wohl kurz sein, 15 weil ich mit Wenigem Viel sagen kann. Ihre Fräulein Tochter hat sich in jedem Sinne als die erste bewiesen. Die beiliegenden Zeugnisse, ihr eigner Brief, der die Beschreibung der Preise enthält die ihr geworden sind, und zugleich das Vergnügen ausdrückt das sie über ein so glückliches Gelin- 20 gen empfindet, wird Ihnen zur Beruhigung, ja zur Freude gereichen. Die meinige wird dadurch einigermaßen gemindert, daß ich voraussehe, wir werden nicht lange mehr Ursache haben ein so weit vorgeschrittenes Frauenzimmer bei uns zurück zu halten. Ich empfehle mich zu Gnaden und 25 nehme mir die Freiheit nächstens meine Gedanken über das was ich am vorteilhaftesten für sie halte, zu eröffnen. Von Ottilien schreibt mein freundlicher Gehülfe.

Brief des Gehülfen

Von Ottilien läßt mich unsre ehrwürdige Vorsteherin schreiben, teils weil es ihr, nach ihrer Art zu denken, peinlich wäre
dasjenige was zu melden ist zu melden, teils auch weil sie
5 selbst einer Entschuldigung bedarf, die sie lieber mir in den
Mund legen mag.

Da ich nur allzuwohl weiß, wie wenig die gute Ottilie das
zu äußern im Stande ist, was in ihr liegt und was sie vermag;
so war mir vor der öffentlichen Prüfung einigermaßen
10 bange, um so mehr als überhaupt dabei keine Vorbereitung
möglich ist, und auch, wenn es nach der gewöhnlichen Weise
sein könnte, Ottilie auf den Schein nicht vorzubereiten wäre.
Der Ausgang hat meine Sorge nur zu sehr gerechtfertigt; sie
hat keinen Preis erhalten und ist auch unter denen die kein
15 Zeugnis empfangen haben. Was soll ich viel sagen? Im
Schreiben hatten andere kaum so wohlgeformte Buchstaben,
doch viel freiere Züge; im Rechnen waren alle schneller, und
an schwierige Aufgaben, welche sie besser löst, kam es bei
der Untersuchung nicht. Im Französischen überparlierten
20 und überexponierten sie manche; in der Geschichte waren ihr
Namen und Jahrzahlen nicht gleich bei der Hand; bei der
Geographie vermißte man Aufmerksamkeit auf die politische Einteilung. Zum musikalischen Vortrag ihrer wenigen
bescheidenen Melodien fand sich weder Zeit noch Ruhe. Im
25 Zeichnen hätte sie gewiß den Preis davon getragen: ihre Umrisse waren rein und die Ausführung bei vieler Sorgfalt geistreich. Leider hatte sie etwas zu Großes unternommen und
war nicht fertig geworden.

Als die Schülerinnen abgetreten waren, die Prüfenden zu-
30 sammen Rat hielten und uns Lehrern wenigstens einiges
Wort dabei gönnten, merkte ich wohl bald, daß von Ottilien
gar nicht, und wenn es geschah, wo nicht mit Mißbilligung
doch mit Gleichgültigkeit gesprochen wurde. Ich hoffte
durch eine offne Darstellung ihrer Art zu sein, einige Gunst
35 zu erregen, und wagte mich daran mit doppeltem Eifer, ein-

mal weil ich nach meiner Überzeugung sprechen konnte, und
sodann weil ich mich in jüngeren Jahren in eben demselben
traurigen Fall befunden hatte. Man hörte mich mit Aufmerksamkeit an; doch als ich geendigt hatte, sagte mir der
vorsitzende Prüfende zwar freundlich aber lakonisch: Fähigkeiten werden vorausgesetzt, sie sollen zu Fertigkeiten werden. Dies ist der Zweck aller Erziehung, dies ist die laute
deutliche Absicht der Eltern und Vorgesetzten, die stille nur
halbbewußte der Kinder selbst. Dies ist auch der Gegenstand
der Prüfung, wobei zugleich Lehrer und Schüler beurteilt
werden. Aus dem was wir von Ihnen vernehmen, schöpfen
wir gute Hoffnung von dem Kinde, und Sie sind allerdings
lobenswürdig, indem Sie auf die Fähigkeiten der Schülerinnen genau Acht geben. Verwandeln Sie solche bis übers
Jahr in Fertigkeiten, so wird es Ihnen und Ihrer begünstigten Schülerin nicht an Beifall mangeln.

In das was hierauf folgte hatte ich mich schon ergeben;
aber ein noch Übleres nicht befürchtet, das sich bald darauf
zutrug. Unsere gute Vorsteherin, die wie ein guter Hirte
auch nicht eins von ihren Schäfchen verloren, oder wie es hier
der Fall war, ungeschmückt sehen möchte, konnte, nachdem
die Herren sich entfernt hatten, ihren Unwillen nicht bergen
und sagte zu Ottilien, die ganz ruhig, indem die andern sich
über ihre Preise freuten, am Fenster stand: aber sagen Sie
mir, ums Himmelswillen! wie kann man so dumm aussehen,
wenn man es nicht ist? Ottilie versetzte ganz gelassen: verzeihen Sie, liebe Mutter; ich habe gerade heute wieder mein
Kopfweh und ziemlich stark. Das kann niemand wissen! versetzte die sonst so teilnehmende Frau und kehrte sich verdrießlich um.

Nun es ist wahr: Niemand kann es wissen; denn Ottilie
verändert das Gesicht nicht, und ich habe auch nicht gesehen,
daß sie einmal die Hand nach dem Schlafe zu bewegt hätte.

Das war noch nicht alles. Ihre Fräulein Tochter, gnädige
Frau, sonst lebhaft und freimütig, war im Gefühl ihres heutigen Triumphs ausgelassen und übermütig. Sie sprang mit
ihren Preisen und Zeugnissen in den Zimmern herum, und

schüttelte sie auch Ottilien vor dem Gesicht. Du bist heute
schlecht gefahren! rief sie aus. Ganz gelassen antwortete Ottilie: es ist noch nicht der letzte Prüfungstag. Und doch wirst
du immer die letzte bleiben! rief die Fräulein und sprang
hinweg.

Ottilie schien gelassen für jeden andern, nur nicht für
mich. Eine innre unangenehme lebhafte Bewegung, der sie
widersteht, zeigt sich durch eine ungleiche Farbe des Gesichts. Die linke Wange wird auf einen Augenblick rot, indem die rechte bleich wird. Ich sah dies Zeichen und meine
Teilnehmung konnte sich nicht zurückhalten. Ich führte
unsre Vorsteherin bei Seite, sprach ernsthaft mit ihr über die
Sache. Die treffliche Frau erkannte ihren Fehler. Wir berie-
ten, wir besprachen uns lange, und ohne deshalb weitläufiger
zu sein, will ich Ew. Gnaden unsern Beschluß und unsre
Bitte vortragen: Ottilien auf einige Zeit zu sich zu nehmen.
Die Gründe werden Sie sich selbst am besten entfalten. Bestimmen Sie sich hiezu, so sage ich mehr über die Behandlung des guten Kindes. Verläßt uns dann Ihre Fräulein Tochter, wie zu vermuten steht; so sehen wir Ottilien mit Freuden
zurückkehren.

Noch eins, das ich vielleicht in der Folge vergessen
könnte: ich habe nie gesehen, daß Ottilie etwas verlangt,
oder gar um etwas dringend gebeten hätte. Dagegen kommen Fälle, wiewohl selten, daß sie etwas abzulehnen sucht
was man von ihr fordert. Sie tut das mit einer Gebärde, die
für den der den Sinn davon gefaßt hat unwiderstehlich ist.
Sie drückt die flachen Hände, die sie in die Höhe hebt, zusammen und führt sie gegen die Brust, indem sie sich nur
wenig vorwärts neigt und den dringend Fordernden mit einem solchen Blick ansieht, daß er gern von allem absteht was
er verlangen oder wünschen möchte. Sehen Sie jemals diese
Gebärde, gnädige Frau, wie es bei Ihrer Behandlung nicht
wahrscheinlich ist; so gedenken Sie meiner und schonen Ottilien.

Eduard hatte diese Briefe vorgelesen, nicht ohne Lächeln und Kopfschütteln. Auch konnte es an Bemerkungen über die Personen und über die Lage der Sache nicht fehlen.

Genug! rief Eduard endlich aus: es ist entschieden, sie kommt! Für dich wäre gesorgt, meine Liebe, und wir dürfen nun auch mit unserm Vorschlag hervorrücken. Es wird höchst nötig, daß ich zu dem Hauptmann auf den rechten Flügel hinüber ziehe. Sowohl Abends als Morgens ist erst die rechte Zeit zusammen zu arbeiten. Du erhältst dagegen für dich und Ottilien auf deiner Seite den schönsten Raum.

Charlotte ließ sich's gefallen, und Eduard schilderte ihre künftige Lebensart. Unter andern rief er aus: es ist doch recht zuvorkommend von der Nichte, ein wenig Kopfweh auf der linken Seite zu haben; ich habe es manchmal auf der rechten. Trifft es zusammen und wir sitzen gegeneinander, ich auf den rechten Elbogen, sie auf den linken gestützt, und die Köpfe nach verschiedenen Seiten in die Hand gelegt; so muß das ein Paar artige Gegenbilder geben.

Der Hauptmann wollte das gefährlich finden; Eduard hingegen rief aus: nehmen Sie sich nur, lieber Freund, vor dem D in Acht! Was sollte B denn anfangen, wenn ihm C entrissen würde?

Nun, ich dächte doch, versetzte Charlotte, das verstünde sich von selbst.

Freilich, rief Eduard: es kehrte zu seinem A zurück, zu seinem A und O! rief er, indem er aufsprang und Charlotten fest an seine Brust drückte.

SECHSTES KAPITEL

Ein Wagen der Ottilien brachte war angefahren. Charlotte ging ihr entgegen; das liebe Kind eilte sich ihr zu nähern, warf sich ihr zu Füßen und umfaßte ihre Knie.

Wozu die Demütigung! sagte Charlotte, die einigermaßen verlegen war und sie aufheben wollte. Es ist so demütig nicht gemeint, versetzte Ottilie, die in ihrer vorigen Stellung blieb.

Ich mag mich nur so gern jener Zeit erinnern, da ich noch nicht höher reichte als bis an Ihre Knie und Ihrer Liebe schon so gewiß war.

Sie stand auf und Charlotte umarmte sie herzlich. Sie ward den Männern vorgestellt und gleich mit besonderer Achtung als Gast behandelt. Schönheit ist überall ein gar willkommner Gast. Sie schien aufmerksam auf das Gespräch, ohne daß sie daran Teil genommen hätte.

Den andern Morgen sagte Eduard zu Charlotten: es ist ein angenehmes unterhaltendes Mädchen.

Unterhaltend? versetzte Charlotte mit Lächeln: sie hat ja den Mund noch nicht aufgetan.

So? erwiderte Eduard, indem er sich zu besinnen schien: das wäre doch wunderbar!

Charlotte gab dem neuen Ankömmling nur wenige Winke, wie es mit dem Hausgeschäfte zu halten sei. Ottilie hatte schnell die ganze Ordnung eingesehen, ja was noch mehr ist, empfunden. Was sie für alle, für einen Jeden insbesondre zu besorgen hatte, begriff sie leicht. Alles geschah pünktlich. Sie wußte anzuordnen, ohne daß sie zu befehlen schien, und wo Jemand säumte, verrichtete sie das Geschäft gleich selbst.

Sobald sie gewahr wurde, wie viel Zeit ihr übrig blieb, bat sie Charlotten ihre Stunden einteilen zu dürfen, die nun genau beobachtet wurden. Sie arbeitete das Vorgesetzte auf eine Art, von der Charlotte durch den Gehülfen unterrichtet war. Man ließ sie gewähren. Nur zuweilen suchte Charlotte sie anzuregen. So schob sie ihr manchmal abgeschriebene Federn unter, um sie auf einen freieren Zug der Handschrift zu leiten; aber auch diese waren bald wieder scharf geschnitten.

Die Frauenzimmer hatten untereinander festgesetzt, französisch zu reden wenn sie allein wären; und Charlotte beharrte um so mehr dabei, als Ottilie gesprächiger in der fremden Sprache war, indem man ihr die Übung derselben zur Pflicht gemacht hatte. Hier sagte sie oft mehr als sie zu wollen schien. Besonders ergetzte sich Charlotte an einer zufälligen, zwar genauen aber doch liebevollen Schilderung der ganzen Pensionsanstalt. Ottilie ward ihr eine liebe Gesellschafterin, und sie hoffte dereinst an ihr eine zuverlässige Freundin zu finden.

Charlotte nahm indes die älteren Papiere wieder vor, die sich auf Ottilien bezogen, um sich in Erinnerung zu bringen, was die Vorsteherin, was der Gehülfe über das gute Kind geurteilt, um es mit ihrer Persönlichkeit selbst zu vergleichen. Denn Charlotte war der Meinung, man könne nicht geschwind genug mit dem Charakter der Menschen bekannt werden, mit denen man zu leben hat, um zu wissen, was sich von ihnen erwarten, was sich an ihnen bilden läßt, oder was man ihnen ein für allemal zugestehen und verzeihen muß.

Sie fand zwar bei dieser Untersuchung nichts neues, aber manches Bekannte ward ihr bedeutender und auffallender. So konnte ihr z. B. Ottiliens Mäßigkeit im Essen und Trinken wirklich Sorge machen.

Das nächste was die Frauen beschäftigte war der Anzug. Charlotte verlangte von Ottilien, sie solle in Kleidern reicher und mehr ausgesucht erscheinen. Sogleich schnitt das gute tätige Kind die ihr früher geschenkten Stoffe selbst zu und wußte sie sich, mit geringer Beihülfe anderer, schnell und höchst zierlich anzupassen. Die neuen, modischen Gewänder erhöhten ihre Gestalt: denn indem das Angenehme einer Person sich auch über ihre Hülle verbreitet, so glaubt man sie immer wieder von neuem und anmutiger zu sehen, wenn sie ihre Eigenschaften einer neuen Umgebung mitteilt.

Dadurch ward sie den Männern, wie von Anfang so immer mehr, daß wir es nur mit dem rechten Namen nennen, ein wahrer Augentrost. Denn wenn der Smaragd durch seine herrliche Farbe dem Gesicht wohl tut, ja sogar einige Heilkraft an diesem edlen Sinn ausübt; so wirkt die menschliche Schönheit noch mit weit größerer Gewalt auf den äußern und inneren Sinn. Wer sie erblickt, den kann nichts übles anwehen; er fühlt sich mit sich selbst und mit der Welt in Übereinstimmung.

Auf manche Weise hatte daher die Gesellschaft durch Ot-

tiliens Ankunft gewonnen. Die beiden Freunde hielten regelmäßiger die Stunden, ja die Minuten der Zusammen-
künfte. Sie ließen weder zum Essen, noch zum Tee, noch zum
Spaziergang länger als billig auf sich warten. Sie eilten, besonders Abends, nicht sobald von Tische weg. Charlotte bemerkte das wohl und ließ beide nicht unbeobachtet. Sie
suchte zu erforschen, ob einer vor dem andern hiezu den
Anlaß gäbe; aber sie konnte keinen Unterschied bemerken.
Beide zeigten sich überhaupt geselliger. Bei ihren Unterhaltungen schienen sie zu bedenken, was Ottiliens Teilnahme zu
erregen geeignet sein möchte, was ihren Einsichten, ihren
übrigen Kenntnissen gemäß wäre. Beim Lesen und Erzählen
hielten sie inne, bis sie wiederkam. Sie wurden milder und im
Ganzen mitteilender.

In Erwiderung dagegen wuchs die Dienstbeflissenheit
Ottiliens mit jedem Tage. Je mehr sie das Haus, die Menschen, die Verhältnisse kennen lernte, desto lebhafter griff sie
ein, desto schneller verstand sie jeden Blick, jede Bewegung,
ein halbes Wort, einen Laut. Ihre ruhige Aufmerksamkeit
blieb sich immer gleich, so wie ihre gelassene Regsamkeit.
Und so war ihr Sitzen, Aufstehen, Gehen, Kommen, Holen,
Bringen, wieder Niedersitzen, ohne einen Schein von Unruhe ein ewiger Wechsel, eine ewige angenehme Bewegung.
Dazu kam, daß man sie nicht gehen hörte, so leise trat sie
auf.

Diese anständige Dienstfertigkeit Ottiliens machte Charlotten viele Freude. Ein einziges was ihr nicht ganz angemessen vorkam, verbarg sie Ottilien nicht. Es gehört, sagte
sie eines Tages zu ihr, unter die lobenswürdigen Aufmerksamkeiten, daß wir uns schnell bücken, wenn Jemand
etwas aus der Hand fallen läßt, und es eilig aufzuheben suchen. Wir bekennen uns dadurch ihm gleichsam dienst-
pflichtig; nur ist in der größern Welt dabei zu bedenken,
wem man eine solche Ergebenheit bezeigt. Gegen Frauen
will ich dir darüber keine Gesetze vorschreiben. Du bist
jung. Gegen Höhere und Ältere ist es Schuldigkeit, gegen
deines Gleichen Artigkeit, gegen Jüngere und Niedere zeigt

man sich dadurch menschlich und gut; nur will es einem
Frauenzimmer nicht wohl geziemen, sich Männern auf diese
Weise ergeben und dienstbar zu bezeigen.

Ich will es mir abzugewöhnen suchen, versetzte Ottilie.
Indessen werden Sie mir diese Unschicklichkeit vergeben, 5
wenn ich Ihnen sage, wie ich dazu gekommen bin. Man hat
uns die Geschichte gelehrt; ich habe nicht so viel daraus behalten, als ich wohl gesollt hätte: denn ich wußte nicht wozu
ich's brauchen würde. Nur einzelne Begebenheiten sind mir
sehr eindrücklich gewesen; so folgende: 10

Als Carl der Erste von England vor seinen sogenannten
Richtern stand, fiel der goldne Knopf des Stöckchens das er
trug herunter. Gewohnt, daß bei solchen Gelegenheiten sich
alles für ihn bemühte, schien er sich umzusehen und zu erwarten, daß ihm Jemand auch diesmal den kleinen Dienst 15
erzeigen sollte. Es regte sich Niemand; er bückte sich selbst,
um den Knopf aufzuheben. Mir kam das so schmerzlich vor,
ich weiß nicht ob mit Recht, daß ich von jenem Augenblick
an Niemanden kann etwas aus den Händen fallen sehn, ohne
mich darnach zu bücken. Da es aber freilich nicht immer 20
schicklich sein mag, und ich, fuhr sie lächelnd fort, nicht
jederzeit meine Geschichte erzählen kann; so will ich mich
künftig mehr zurückhalten.

Indessen hatten die guten Anstalten, zu denen sich die
beiden Freunde berufen fühlten, ununterbrochenen Fort- 25
gang. Ja täglich fanden sie neuen Anlaß etwas zu bedenken
und zu unternehmen.

Als sie eines Tages zusammen durch das Dorf gingen,
bemerkten sie mißfällig, wie weit es an Ordnung und Reinlichkeit hinter jenen Dörfern zurückstehe, wo die Bewohner 30
durch die Kostbarkeit des Raums auf beides hingewiesen
werden.

Du erinnerst dich, sagte der Hauptmann, wie wir auf unserer Reise durch die Schweiz den Wunsch äußerten, eine
ländliche sogenannte Parkanlage recht eigentlich zu ver- 35
schönern, indem wir ein so gelegenes Dorf, nicht zur
Schweizer-Bauart, sondern zur Schweizer-Ordnung und

Sauberkeit, welche die Benutzung so sehr befördern, ein-
richteten.

Hier z. B., versetzte Eduard, ginge das wohl an. Der
Schloßberg verläuft sich in einen vorspringenden Winkel
herunter; das Dorf ist ziemlich regelmäßig im Halbzirkel
gegenüber gebaut; dazwischen fließt der Bach, gegen dessen
Anschwellen sich der eine mit Steinen, der andre mit Pfählen,
wieder einer mit Balken, und der Nachbar sodann mit Planken verwahren will, keiner aber den andern fördert, vielmehr sich und den übrigen Schaden und Nachteil bringt. So
geht der Weg auch in ungeschickter Bewegung bald herauf,
bald herab, bald durchs Wasser, bald über Steine. Wollten die
Leute mit Hand anlegen, so würde kein großer Zuschuß
nötig sein, um hier eine Mauer im Halbkreis aufzuführen,
den Weg dahinter bis an die Häuser zu erhöhen, den schönsten Raum herzustellen, der Reinlichkeit Platz zu geben und
durch eine ins Große gehende Anstalt alle kleine unzulängliche Sorge auf einmal zu verbannen.

Laß es uns versuchen, sagte der Hauptmann, indem er die
Lage mit den Augen überlief und schnell beurteilte.

Ich mag mit Bürgern und Bauern nichts zu tun haben,
wenn ich ihnen nicht geradezu befehlen kann, versetzte
Eduard.

Du hast so Unrecht nicht, erwiderte der Hauptmann: denn
auch mir machten dergleichen Geschäfte im Leben schon viel
Verdruß. Wie schwer ist es, daß der Mensch recht abwäge,
was man aufopfern muß gegen das was zu gewinnen ist! wie
schwer, den Zweck zu wollen und die Mittel nicht zu verschmähen! Viele verwechseln gar die Mittel und den Zweck,
erfreuen sich an jenen, ohne diesen im Auge zu behalten.
Jedes Übel soll an der Stelle geheilt werden, wo es zum
Vorschein kommt, und man bekümmert sich nicht um jenen
Punkt, wo es eigentlich seinen Ursprung nimmt, woher es
wirkt. Deswegen ist es so schwer Rat zu pflegen, besonders
mit der Menge, die im Täglichen ganz verständig ist, aber
selten weiter sieht als auf Morgen. Kommt nun gar dazu, daß
der eine bei einer gemeinsamen Anstalt gewinnen, der andre

verlieren soll, da ist mit Vergleich nun gar nichts auszurichten. Alles eigentlich gemeinsame Gute muß durch das unum-
schränkte Majestätsrecht gefördert werden.

Indem sie standen und sprachen, bettelte sie ein Mensch
an, der mehr frech als bedürftig aussah. Eduard, ungern unterbrochen und beunruhigt, schalt ihn, nachdem er ihn einigemal vergebens gelassener abgewiesen hatte; als aber der
Kerl sich murrend, ja gegenscheltend, mit kleinen Schritten
entfernte, auf die Rechte des Bettlers trotzte, dem man wohl
ein Almosen versagen, ihn aber nicht beleidigen dürfe, weil
er so gut wie jeder andere unter dem Schutze Gottes und der
Obrigkeit stehe, kam Eduard ganz aus der Fassung.

Der Hauptmann, ihn zu begütigen, sagte darauf: laß uns
diesen Vorfall als eine Aufforderung annehmen, unsere ländliche Polizei auch hierüber zu erstrecken. Almosen muß man
einmal geben; man tut aber besser, wenn man sie nicht selbst
gibt, besonders zu Hause. Da sollte man mäßig und gleich-
förmig in allem sein, auch im Wohltun. Eine allzureichliche
Gabe lockt Bettler herbei, anstatt sie abzufertigen; dagegen
man wohl auf der Reise, im Vorbeifliegen, einem Armen an
der Straße in der Gestalt des zufälligen Glücks erscheinen
und ihm eine überraschende Gabe zuwerfen mag. Uns macht
die Lage des Dorfes, des Schlosses, eine solche Anstalt sehr
leicht; ich habe schon früher darüber nachgedacht.

An dem einen Ende des Dorfes liegt das Wirtshaus, an
dem andern wohnen ein Paar alte gute Leute; an beiden Orten mußt du eine kleine Geldsumme niederlegen. Nicht der
ins Dorf hereingehende, sondern der hinausgehende erhält
etwas; und da die beiden Häuser zugleich an den Wegen
stehen die auf das Schloß führen, so wird auch alles was sich
hinaufwenden wollte, an die beiden Stellen gewiesen.

Komm, sagte Eduard, wir wollen das gleich abmachen;
das Genauere können wir immer noch nachholen.

Sie gingen zum Wirt und zu dem alten Paare, und die
Sache war abgetan.

Ich weiß recht gut, sagte Eduard, indem sie zusammen den
Schloßberg wieder hinaufstiegen, daß alles in der Welt an-

kommt auf einen gescheiden Einfall und auf einen festen
Entschluß. So hast du die Parkanlagen meiner Frau sehr
richtig beurteilt, und mir auch schon einen Wink zum Bessern gegeben, den ich ihr, wie ich gar nicht leugnen will,
5 sogleich mitgeteilt habe.

Ich konnte es vermuten, versetzte der Hauptmann, aber
nicht billigen. Du hast sie irre gemacht; sie läßt alles liegen
und trutzt in dieser einzigen Sache mit uns: denn sie vermeidet davon zu reden und hat uns nicht wieder zur Moos-
10 hütte geladen, ob sie gleich mit Ottilien in den Zwischen-
stunden hinaufgeht.

Dadurch müssen wir uns, versetzte Eduard, nicht ab-
schrecken lassen. Wenn ich von etwas Gutem überzeugt bin,
was geschehen könnte und sollte, so habe ich keine Ruhe bis
15 ich es getan sehe. Sind wir doch sonst klug etwas einzuleiten.
Laß uns die englischen Parkbeschreibungen mit Kupfern zur
Abendunterhaltung vornehmen, nachher deine Guts-
Charte. Man muß es erst problematisch und nur wie zum
Scherz behandeln, der Ernst wird sich schon finden.

20 Nach dieser Verabredung wurden die Bücher aufgeschlagen, worin man jedesmal den Grundriß der Gegend
und ihre landschaftliche Ansicht in ihrem ersten rohen Naturzustande gezeichnet sah, sodann auf andern Blättern die
Veränderung vorgestellt fand, welche die Kunst daran
25 vorgenommen, um alles das bestehende Gute zu nutzen und
zu steigern. Hievon war der Übergang zur eigenen Besitzung, zur eignen Umgebung, und zu dem was man daran
ausbilden könnte, sehr leicht.

Die von dem Hauptmann entworfene Charte zum Grunde
30 zu legen war nunmehr eine angenehme Beschäftigung, nur
konnte man sich von jener ersten Vorstellung, nach der Charlotte die Sache einmal angefangen hatte, nicht ganz losreißen.
Doch erfand man einen leichtern Aufgang auf die Höhe; man
wollte oberwärts am Abhange vor einem angenehmen Hölz-
35 chen ein Lustgebäude aufführen; dieses sollte einen Bezug
aufs Schloß haben, aus den Schloßfenstern sollte man es
übersehen, von dorther Schloß und Gärten wieder bestreichen können.

Der Hauptmann hatte alles wohl überlegt und gemessen, und brachte jenen Dorfweg, jene Mauer am Bache her, jene Ausfüllung wieder zur Sprache. Ich gewinne, sagte er, indem ich einen bequemen Weg zur Anhöhe hinauf führe, gerade soviel Steine, als ich zu jener Mauer bedarf. Sobald eins ins andre greift, wird beides wohlfeiler und geschwinder bewerkstelligt.

Nun aber, sagte Charlotte, kommt meine Sorge. Notwendig muß etwas Bestimmtes ausgesetzt werden; und wenn man weiß, wieviel zu einer solchen Anlage erforderlich ist, dann teilt man es ein, wo nicht auf Wochen, doch wenigstens auf Monate. Die Kasse ist unter meinem Beschluß; ich zahle die Zettel, und die Rechnung führe ich selbst.

Du scheinst uns nicht sonderlich viel zu vertrauen, sagte Eduard.

Nicht viel in willkürlichen Dingen, versetzte Charlotte. Die Willkür wissen wir besser zu beherrschen als ihr.

Die Einrichtung war gemacht, die Arbeit rasch angefangen, der Hauptmann immer gegenwärtig, und Charlotte nunmehr fast täglich Zeuge seines ernsten und bestimmten Sinnes. Auch er lernte sie näher kennen, und beiden wurde es leicht, zusammen zu wirken und etwas zu Stande zu bringen.

Es ist mit den Geschäften wie mit dem Tanze; Personen die gleichen Schritt halten, müssen sich unentbehrlich werden; ein wechselseitiges Wohlwollen muß notwendig daraus entspringen, und daß Charlotte dem Hauptmann, seitdem sie ihn näher kennen gelernt, wirklich wohlwollte, davon war ein sicherer Beweis, daß sie ihn einen schönen Ruheplatz, den sie bei ihren ersten Anlagen besonders ausgesucht und verziert hatte, der aber seinem Plane entgegenstand, ganz gelassen zerstören ließ, ohne auch nur die mindeste unangenehme Empfindung dabei zu haben.

SIEBENTES KAPITEL

Indem nun Charlotte mit dem Hauptmann eine gemeinsame
Beschäftigung fand, so war die Folge, daß sich Eduard mehr
zu Ottilien gesellte. Für sie sprach ohnehin seit einiger Zeit
eine stille freundliche Neigung in seinem Herzen. Gegen
Jedermann war sie dienstfertig und zuvorkommend; daß sie
es gegen ihn am meisten sei, das wollte seiner Selbstliebe
scheinen. Nun war keine Frage: was für Speisen und wie er
sie liebte, hatte sie schon genau bemerkt; wieviel er Zucker
zum Tee zu nehmen pflegte, und was dergleichen mehr ist,
entging ihr nicht. Besonders war sie sorgfältig, alle Zugluft
abzuwehren, gegen die er eine übertriebene Empfindlichkeit
zeigte, und deshalb mit seiner Frau, der es nicht luftig genug
sein konnte, manchmal in Widerspruch geriet. Eben so
wußte sie im Baum- und Blumengarten Bescheid. Was er
wünschte suchte sie zu befördern, was ihn ungeduldig machen konnte, zu verhüten, dergestalt, daß sie in kurzem wie
ein freundlicher Schutzgeist ihm unentbehrlich ward und er
anfing ihre Abwesenheit schon peinlich zu empfinden. Hiezu
kam noch, daß sie gesprächiger und offner schien sobald sie
sich allein trafen.

Eduard hatte bei zunehmenden Jahren immer etwas
Kindliches behalten, das der Jugend Ottiliens besonders zu-
sagte. Sie erinnerten sich gern früherer Zeiten, wo sie einander gesehen; es stiegen diese Erinnerungen bis in die ersten
Epochen der Neigung Eduards zu Charlotten. Ottilie wollte
sich der beiden noch als des schönsten Hofpaares erinnern;
und wenn Eduard ihr ein solches Gedächtnis aus ganz früher
Jugend absprach, so behauptete sie doch besonders einen
Fall noch vollkommen gegenwärtig zu haben, wie sie sich
einmal, bei seinem Hereintreten, in Charlottens Schoß versteckt, nicht aus Furcht, sondern aus kindischer Überraschung. Sie hätte dazu setzen können: weil er so lebhaften
Eindruck auf sie gemacht, weil er ihr gar so wohl gefallen.

Bei solchen Verhältnissen waren manche Geschäfte, wel-

che die beiden Freunde zusammen früher vorgenommen,
gewissermaßen in Stocken geraten, so daß sie für nötig fanden sich wieder eine Übersicht zu verschaffen, einige Aufsätze zu entwerfen, Briefe zu schreiben. Sie bestellten sich
deshalb auf ihre Kanzlei, wo sie den alten Kopisten müßig 5
fanden. Sie gingen an die Arbeit und gaben ihm bald zu tun,
ohne zu bemerken, daß sie ihm manches aufbürdeten, was sie
sonst selbst zu verrichten gewohnt waren. Gleich der erste
Aufsatz wollte dem Hauptmann, gleich der erste Brief
Eduarden nicht gelingen. Sie quälten sich eine Zeit lang mit 10
Konzipieren und Umschreiben, bis endlich Eduard, dem es
am wenigsten von statten ging, nach der Zeit fragte.

Da zeigte sich denn, daß der Hauptmann vergessen hatte
seine chronometrische Sekunden-Uhr aufzuziehen, das erstemal seit vielen Jahren; und sie schienen, wo nicht zu emp- 15
finden, doch zu ahnden, daß die Zeit anfange ihnen gleichgültig zu werden.

Indem so die Männer einigermaßen in ihrer Geschäftigkeit nachließen, wuchs vielmehr die Tätigkeit der Frauen.
Überhaupt nimmt die gewöhnliche Lebensweise einer Fa- 20
milie, die aus den gegebenen Personen und aus notwendigen
Umständen entspringt, auch wohl eine außerordentliche
Neigung, eine werdende Leidenschaft, in sich wie in ein Gefäß auf, und es kann eine ziemliche Zeit vergehen, ehe dieses
neue Ingredienz eine merkliche Gärung verursacht und 25
schäumend über den Rand schwillt.

Bei unsern Freunden waren die entstehenden wechselseitigen Neigungen von der angenehmsten Wirkung. Die Gemüter öffneten sich, und ein allgemeines Wohlwollen entsprang aus dem besonderen. Jeder Teil fühlte sich glücklich 30
und gönnte dem andern sein Glück.

Ein solcher Zustand erhebt den Geist, indem er das Herz
erweitert, und alles was man tut und vornimmt, hat eine
Richtung gegen das Unermeßliche. So waren auch die
Freunde nicht mehr in ihrer Wohnung befangen. Ihre Spa- 35
ziergänge dehnten sich weiter aus, und wenn dabei Eduard
mit Ottilien, die Pfade zu wählen, die Wege zu bahnen, vor-

auseilte; so folgte der Hauptmann mit Charlotten in bedeutender Unterhaltung, teilnehmend an manchem neuentdeck-
ten Plätzchen, an mancher unerwarteten Aussicht, geruhig
der Spur jener rascheren Vorgänger.

Eines Tages leitete sie ihr Spaziergang durch die Schloß-
pforte des rechten Flügels hinunter nach dem Gasthofe, über
die Brücke gegen die Teiche zu, an denen sie hingingen, so
weit man gewöhnlich das Wasser verfolgte, dessen Ufer sodann von einem buschigen Hügel und weiterhin von Felsen
eingeschlossen aufhörte gangbar zu sein.

Aber Eduard, dem von seinen Jagdwanderungen her die
Gegend bekannt war, drang mit Ottilien auf einem bewachsenen Pfade weiter vor, wohl wissend, daß die alte, zwischen
Felsen versteckte Mühle nicht weit abliegen konnte. Allein
der wenig betretene Pfad verlor sich bald, und sie fanden sich
im dichten Gebüsch zwischen moosigem Gestein verirrt,
doch nicht lange: denn das Rauschen der Räder verkündigte
ihnen sogleich die Nähe des gesuchten Ortes.

Auf eine Klippe vorwärts tretend sahen sie das alte
schwarze wunderliche Holzgebäude im Grunde vor sich,
von steilen Felsen so wie von hohen Bäumen umschattet. Sie
entschlossen sich kurz und gut über Moos und Felstrümmer
hinabzusteigen: Eduard voran; und wenn er nun in die Höhe
sah, und Ottilie leicht schreitend, ohne Furcht und Ängstlichkeit, im schönsten Gleichgewicht von Stein zu Stein ihm
folgte, glaubte er ein himmlisches Wesen zu sehen, das über
ihm schwebte. Und wenn sie nun manchmal an unsicherer
Stelle seine ausgestreckte Hand ergriff, ja sich auf seine
Schulter stützte, dann konnte er sich nicht verleugnen, daß es
das zarteste weibliche Wesen sei, das ihn berührte. Fast hätte
er gewünscht, sie möchte straucheln, gleiten, daß er sie in
seine Arme auffangen, sie an sein Herz drücken könnte.
Doch dies hätte er unter keiner Bedingung getan, aus mehr
als einer Ursache: er fürchtete sie zu beleidigen, sie zu beschädigen.

Wie dies gemeint sei, erfahren wir sogleich. Denn als er
nun herabgelangt, ihr unter den hohen Bäumen am länd-

lichen Tische gegenüber saß, die freundliche Müllerin nach
Milch, der bewillkommende Müller Charlotten und dem
Hauptmann entgegen gesandt war, fing Eduard mit einigem
Zaudern zu sprechen an.

Ich habe eine Bitte, liebe Ottilie: verzeihen Sie mir die,
wenn Sie mir sie auch versagen. Sie machen kein Geheimnis
daraus, und es braucht es auch nicht, daß Sie unter Ihrem
Gewand, auf Ihrer Brust ein Miniaturbild tragen. Es ist das
Bild Ihres Vaters, des braven Mannes, den Sie kaum gekannt,
und der in jedem Sinne eine Stelle an Ihrem Herzen verdient.
Aber vergeben Sie mir: das Bild ist ungeschickt groß, und
dieses Metall, dieses Glas macht mir tausend Ängsten, wenn
Sie ein Kind in die Höhe heben, etwas vor sich hintragen,
wenn die Kutsche schwankt, wenn wir durchs Gebüsch dringen, eben jetzt, wie wir vom Felsen herabstiegen. Mir ist die
Möglichkeit schrecklich, daß irgend ein unvorgesehener
Stoß, ein Fall, eine Berührung Ihnen schädlich und verderblich sein könnte. Tun Sie es mir zu Liebe, entfernen Sie das
Bild, nicht aus Ihrem Andenken, nicht aus Ihrem Zimmer; ja
geben Sie ihm den schönsten, den heiligsten Ort Ihrer Wohnung: nur von Ihrer Brust entfernen Sie etwas, dessen Nähe
mir, vielleicht aus übertriebener Ängstlichkeit, so gefährlich
scheint.

Ottilie schwieg, und hatte während er sprach vor sich hin-
gesehen; dann, ohne Übereilung und ohne Zaudern, mit einem Blick mehr gen Himmel als auf Eduard gewendet, löste
sie die Kette, zog das Bild hervor, drückte es gegen ihre Stirn
und reichte es dem Freunde hin, mit den Worten: heben Sie
mir es auf, bis wir nach Hause kommen. Ich vermag Ihnen
nicht besser zu bezeigen, wie sehr ich Ihre freundliche Sorgfalt zu schätzen weiß.

Der Freund wagte nicht das Bild an seine Lippen zu drükken, aber er faßte ihre Hand und drückte sie an seine Augen.
Es waren vielleicht die zwei schönsten Hände, die sich jemals
zusammenschlossen. Ihm war, als wenn ihm ein Stein vom
Herzen gefallen wäre, als wenn sich eine Scheidewand zwischen ihm und Ottilien niedergelegt hätte.

Vom Müller geführt langten Charlotte und der Hauptmann auf einem bequemeren Pfade herunter. Man begrüßte
sich, man erfreute und erquickte sich. Zurück wollte man
denselben Weg nicht kehren, und Eduard schlug einen Fels-
pfad auf der andern Seite des Baches vor, auf welchem die
Teiche wieder zu Gesicht kamen, indem man ihn mit einiger
Anstrengung zurücklegte. Nun durchstrich man abwech-
selndes Gehölz und erblickte, nach dem Lande zu, mancherlei Dörfer, Flecken, Meiereien mit ihren grünen und fruchtbaren Umgebungen; zunächst ein Vorwerk, das an der Höhe,
mitten im Holze gar vertraulich lag. Am schönsten zeigte
sich der größte Reichtum der Gegend, vor und rückwärts,
auf der sanfterstiegenen Höhe, von da man zu einem lustigen
Wäldchen gelangte, und beim Heraustreten aus demselben
sich auf dem Felsen dem Schlosse gegenüber befand.

Wie froh waren sie, als sie daselbst gewissermaßen unver-
mutet ankamen. Sie hatten eine kleine Welt umgangen; sie
standen auf dem Platze wo das neue Gebäude hinkommen
sollte, und sahen wieder in die Fenster ihrer Wohnung.

Man stieg zur Mooshütte hinunter, und saß zum erstenmal
darin zu vieren. Nichts war natürlicher, als daß einstimmig
der Wunsch ausgesprochen wurde, dieser heutige Weg, den
sie langsam und nicht ohne Beschwerlichkeit gemacht,
möchte dergestalt geführt und eingerichtet werden, daß man
ihn gesellig, schlendernd und mit Behaglichkeit zurücklegen
könnte. Jedes tat Vorschläge, und man berechnete, daß der
Weg, zu welchem sie mehrere Stunden gebraucht hatten,
wohl gebahnt in einer Stunde zum Schloß zurückführen
müßte. Schon legte man in Gedanken, unterhalb der Mühle,
wo der Bach in die Teiche fließt, eine Wegverkürzende und
die Landschaft zierende Brücke an, als Charlotte der er-
findenden Einbildungskraft einigen Stillstand gebot, indem
sie an die Kosten erinnerte, welche zu einem solchen Unternehmen erforderlich sein würden.

Hier ist auch zu helfen, versetzte Eduard. Jenes Vorwerk
im Walde, das so schön zu liegen scheint, und so wenig ein-
trägt, dürfen wir nur veräußern und das daraus Gelöste zu

diesen Anlagen verwenden; so genießen wir vergnüglich auf
einem unschätzbaren Spaziergange die Interessen eines
wohlangelegten Kapitals, da wir jetzt mit Mißmut, bei letzter Berechnung am Schlusse des Jahrs, eine kümmerliche
Einnahme davon ziehen.   5

Charlotte selbst konnte als gute Haushälterin nicht viel
dagegen erinnern. Die Sache war schon früher zur Sprache
gekommen. Nun wollte der Hauptmann einen Plan zu Zer-
schlagung der Grundstücke unter die Waldbauern machen;
Eduard aber wollte kürzer und bequemer verfahren wissen.   10
Der gegenwärtige Pachter, der schon Vorschläge getan hatte,
sollte es erhalten, Terminweise zahlen und so Terminweise
wollte man die planmäßigen Anlagen von Strecke zu Strecke
vornehmen.

So eine vernünftige gemäßigte Einrichtung mußte durch-   15
aus Beifall finden, und schon sah die ganze Gesellschaft im
Geiste die neuen Wege sich schlängeln, auf denen und in
deren Nähe man noch die angenehmsten Ruhe- und Aus-
sichtsplätze zu entdecken hoffte.

Um sich alles mehr im Einzelnen zu vergegenwärtigen   20
nahm man Abends zu Hause sogleich die neue Charte vor.
Man übersah den zurückgelegten Weg und wie er vielleicht
an einigen Stellen noch vorteilhafter zu führen wäre. Alle
früheren Vorsätze wurden nochmals durchgesprochen und
mit den neuesten Gedanken verbunden, der Platz des neuen   25
Hauses, gegen dem Schloß über, nochmals gebilligt und der
Kreislauf der Wege bis dahin abgeschlossen.

Ottilie hatte zu dem allen geschwiegen, als Eduard zuletzt
den Plan, der bisher vor Charlotten gelegen, vor sie hin-
wandte und sie zugleich einlud, ihre Meinung zu sagen, und   30
als sie einen Augenblick anhielt, sie liebevoll ermunterte,
doch ja nicht zu schweigen: alles sei ja noch gleichgültig, alles
noch im Werden.

Ich würde, sagte Ottilie, indem sie den Finger auf die
höchste Fläche der Anhöhe setzte, das Haus hieher bauen.   35
Man sähe zwar das Schloß nicht: denn es wird von dem
Wäldchen bedeckt; aber man befände sich auch dafür wie in

einer andern und neuen Welt, indem zugleich das Dorf und alle Wohnungen verborgen wären. Die Aussicht auf die Teiche, nach der Mühle, auf die Höhen, in die Gebirge, nach dem Lande zu, ist außerordentlich schön; ich habe es im Vorbeigehen bemerkt.

Sie hat Recht! rief Eduard: wie konnte uns das nicht einfallen? Nicht wahr, so ist es gemeint, Ottilie? – Er nahm einen Bleistift und strich ein längliches Viereck recht stark und derb auf die Anhöhe.

Dem Hauptmann fuhr das durch die Seele: denn er sah einen sorgfältigen, reinlich gezeichneten Plan ungern auf diese Weise verunstaltet; doch faßte er sich nach einer leisen Mißbilligung und ging auf den Gedanken ein. Ottilie hat Recht, sagte er: Macht man nicht gern eine entfernte Spazierfahrt, um einen Kaffee zu trinken, einen Fisch zu genießen, der uns zu Hause nicht so gut geschmeckt hätte. Wir verlangen Abwechselung und fremde Gegenstände. Das Schloß haben die Alten mit Vernunft hieher gebaut: denn es liegt geschützt vor den Winden, und nah an allen täglichen Bedürfnissen; ein Gebäude hingegen, mehr zum geselligen Aufenthalt als zur Wohnung, wird sich dorthin recht wohl schicken und in der guten Jahrszeit die angenehmsten Stunden gewähren.

Jemehr man die Sache durchsprach desto günstiger erschien sie, und Eduard konnte seinen Triumph nicht bergen, daß Ottilie den Gedanken gehabt. Er war so stolz darauf als ob die Erfindung sein gewesen wäre.

ACHTES KAPITEL

Der Hauptmann untersuchte gleich am frühsten Morgen den Platz, entwarf erst einen flüchtigen, und als die Gesellschaft an Ort und Stelle sich nochmals entschieden hatte, einen genauen Riß nebst Anschlag und allem Erforderlichen. Es fehlte nicht an der nötigen Vorbereitung. Jenes Geschäft wegen Verkauf des Vorwerks ward auch sogleich wieder angegriffen. Die Männer fanden zusammen neuen Anlaß zur Tätigkeit.

Der Hauptmann machte Eduarden bemerklich, daß es eine Artigkeit, ja wohl gar eine Schuldigkeit sei, Charlottens Geburtstag durch Legung des Grundsteins zu feiern. Es bedurfte nicht viel, die alte Abneigung Eduards gegen solche Feste zu überwinden: denn es kam ihm schnell in den Sinn, Ottiliens Geburtstag, der später fiel, gleichfalls recht feierlich zu begehen.

Charlotte, der die neuen Anlagen, und was deshalb geschehen sollte, bedeutend, ernstlich, ja fast bedenklich vorkamen, beschäftigte sich damit, die Anschläge, Zeit- und Geldeinteilungen nochmals für sich durchzugehen. Man sah sich des Tages weniger, und mit desto mehr Verlangen suchte man sich des Abends auf.

Ottilie war indessen schon völlig Herrin des Haushaltes, und wie konnte es anders sein, bei ihrem stillen und sichern Betragen. Auch war ihre ganze Sinnesweise dem Hause und dem Häuslichen mehr als der Welt, mehr als dem Leben im Freien zugewendet. Eduard bemerkte bald, daß sie eigentlich nur aus Gefälligkeit in die Gegend mitging, daß sie nur aus geselliger Pflicht Abends länger draußen verweilte, auch wohl manchmal einen Vorwand häuslicher Tätigkeit suchte, um wieder hinein zu gehen. Sehr bald wußte er daher die gemeinschaftlichen Wanderungen so einzurichten, daß man vor Sonnenuntergang wieder zu Hause war, und fing an, was er lange unterlassen hatte, Gedichte vorzulesen, solche besonders, in deren Vortrag der Ausdruck einer reinen doch leidenschaftlichen Liebe zu legen war.

Gewöhnlich saßen sie Abends um einen kleinen Tisch, auf hergebrachten Plätzen: Charlotte auf dem Sofa, Ottilie auf einem Sessel gegen ihr über, und die Männer nahmen die beiden andern Seiten ein. Ottilie saß Eduarden zur Rechten, wohin er auch das Licht schob, wenn er las. Alsdann rückte sich Ottilie wohl näher, um ins Buch zu sehen: denn auch sie traute ihren eigenen Augen mehr als fremden Lippen; und Eduard gleichfalls rückte zu, um es ihr auf alle Weise bequem

zu machen; ja er hielt oft längere Pausen als nötig, damit er
nur nicht eher umwendete, bis auch sie zu Ende der Seite
gekommen.

Charlotte und der Hauptmann bemerkten es wohl und
5 sahen manchmal einander lächelnd an; doch wurden beide
von einem andern Zeichen überrascht, in welchem sich Ottiliens stille Neigung gelegentlich offenbarte.

An einem Abende, welcher der kleinen Gesellschaft durch
einen lästigen Besuch zum Teil verloren gegangen, tat
10 Eduard den Vorschlag noch beisammen zu bleiben. Er fühlte
sich aufgelegt seine Flöte vorzunehmen, welche lange nicht
an die Tagesordnung gekommen war. Charlotte suchte nach
den Sonaten, die sie zusammen gewöhnlich auszuführen
pflegten, und da sie nicht zu finden waren, gestand Ottilie
15 nach einigem Zaudern, daß sie solche mit auf ihr Zimmer
genommen.

Und Sie können, Sie wollen mich auf dem Flügel begleiten? rief Eduard, dem die Augen vor Freude glänzten. Ich
glaube wohl, versetzte Ottilie, daß es gehn wird. Sie brachte
20 die Noten herbei und setzte sich ans Klavier. Die Zuhörenden waren aufmerksam und überrascht, wie vollkommen
Ottilie das Musikstück für sich selbst eingelernt hatte, aber
noch mehr überrascht, wie sie es der Spielart Eduards anzupassen wußte. Anzupassen wußte ist nicht der rechte Aus-
25 druck: denn wenn es von Charlottens Geschicklichkeit und
freiem Willen abhing, ihrem bald zögernden bald voreilen-
den Gatten zu Liebe, hier anzuhalten, dort mitzugehen; so
schien Ottilie, welche die Sonate von jenen einigemal spielen
gehört, sie nur in dem Sinne eingelernt zu haben, wie jener
30 sie begleitete. Sie hatte seine Mängel so zu den ihrigen gemacht, daß daraus wieder eine Art von lebendigem Ganzen
entsprang, das sich zwar nicht taktgemäß bewegte, aber doch
höchst angenehm und gefällig lautete. Der Komponist selbst
hätte sein Freude daran gehabt, sein Werk auf eine so liebe-
35 volle Weise entstellt zu sehen.

Auch diesem wundersamen, unerwarteten Begegnis sahen
der Hauptmann und Charlotte stillschweigend mit einer

Empfindung zu, wie man oft kindische Handlungen betrachtet, die man wegen ihrer besorglichen Folgen gerade
nicht billigt und doch nicht schelten kann, ja vielleicht beneiden muß. Denn eigentlich war die Neigung dieser beiden
eben so gut im Wachsen als jene, und vielleicht nur noch
gefährlicher dadurch, daß beide ernster, sicherer von sich
selbst, sich zu halten fähiger waren.

Schon fing der Hauptmann an zu fühlen, daß eine unwiderstehliche Gewohnheit ihn an Charlotten zu fesseln
drohte. Er gewann es über sich, den Stunden auszuweichen,
in denen Charlotte nach den Anlagen zu kommen pflegte,
indem er schon am frühsten Morgen aufstand, alles anord-
nete und sich dann zur Arbeit auf seinen Flügel ins Schloß
zurückzog. Die ersten Tage hielt es Charlotte für zufällig; sie
suchte ihn an allen wahrscheinlichen Stellen; dann glaubte sie
ihn zu verstehen und achtete ihn nur um desto mehr.

Vermied nun der Hauptmann mit Charlotten allein zu
sein, so war er desto emsiger, zur glänzenden Feier des her-
annahenden Geburtsfestes die Anlagen zu betreiben und zu
beschleunigen: denn indem er von unten hinauf, hinter dem
Dorfe her, den bequemen Weg führte, so ließ er, vorgeblich
um Steine zu brechen, auch von oben herunter arbeiten, und
hatte alles so eingerichtet und berechnet, daß erst in der letzten Nacht die beiden Teile des Weges sich begegnen sollten.
Zum neuen Hause oben war auch schon der Keller mehr
gebrochen als gegraben, und ein schöner Grundstein mit
Fächern und Deckplatten zugehauen.

Die äußere Tätigkeit, diese kleinen freundlichen geheimnisvollen Absichten, bei innern mehr oder weniger zurück-
gedrängten Empfindungen, ließen die Unterhaltung der Gesellschaft, wenn sie beisammen war, nicht lebhaft werden,
dergestalt daß Eduard, der etwas lückenhaftes empfand, den
Hauptmann eines Abends aufrief, seine Violine hervorzu-
nehmen und Charlotten bei dem Klavier zu begleiten. Der
Hauptmann konnte dem allgemeinen Verlangen nicht widerstehen, und so führten beide, mit Empfindung, Behagen
und Freiheit, eins der schwersten Musikstücke zusammen

auf, daß es ihnen und dem zuhörenden Paar zum größten
Vergnügen gereichte. Man versprach sich öftere Wiederholung und mehrere Zusammenübung.

Sie machen es besser, als wir, Ottilie! sagte Eduard. Wir
5 wollen sie bewundern, aber uns doch zusammen freuen.

NEUNTES KAPITEL

Der Geburtstag war herbeigekommen und alles fertig geworden: die ganze Mauer die den Dorfweg gegen das Wasser
zu einfaßte und erhöhte, eben so der Weg an der Kirche
10 vorbei, wo er eine Zeit lang in dem von Charlotten angelegten Pfade fortlief, sich dann die Felsen hinaufwärts schlang,
die Mooshütte links über sich, dann nach einer völligen Wendung links unter sich ließ und so allmählich auf die Höhe
gelangte.

15 Es hatte sich diesen Tag viel Gesellschaft eingefunden.
Man ging zur Kirche, wo man die Gemeinde im festlichen
Schmuck versammelt antraf. Nach dem Gottesdienste zogen
Knaben, Jünglinge und Männer, wie es angeordnet war,
voraus; dann kam die Herrschaft mit ihrem Besuch und Ge-
20 folge; Mädchen, Jungfrauen und Frauen machten den Beschluß.

Bei der Wendung des Weges war ein erhöhter Felsenplatz
eingerichtet; dort ließ der Hauptmann Charlotten und die
Gäste ausruhen. Hier übersahen sie den ganzen Weg, die
25 hinaufgeschrittene Männerschar, die nachwandelnden
Frauen, welche nun vorbeizogen. Es war bei dem herrlichen
Wetter ein wunderschöner Anblick. Charlotte fühlte sich
überrascht, gerührt und drückte dem Hauptmann herzlich
die Hand.

30 Man folgte der sachte fortschreitenden Menge, die nun
schon einen Kreis um den künftigen Hausraum gebildet
hatte. Der Bauherr, die Seinigen und die vornehmsten Gäste
wurden eingeladen in die Tiefe hinabzusteigen, wo der
Grundstein an einer Seite unterstützt eben zum Niederlassen

bereit lag. Ein wohlgeputzter Maurer, die Kelle in der einen, den Hammer in der andern Hand, hielt in Reimen eine anmutige Rede, die wir in Prosa nur unvollkommen wiedergeben können.

Drei Dinge, fing er an, sind bei einem Gebäude zu beobachten: daß es am rechten Fleck stehe, daß es wohl gegründet, daß es vollkommen ausgeführt sei. Das erste ist eigentlich die Sache des Bauherrn: denn wie in der Stadt nur der Fürst und die Gemeine bestimmen können, wohin gebaut werden soll; so ist es auf dem Lande das Vorrecht des Grundherren, daß er sage: hier soll meine Wohnung stehen und nirgends anders.

Eduard und Ottilie wagten nicht bei diesen Worten einander anzusehen, ob sie gleich nahe gegen einander über standen.

Das dritte, die Vollendung, ist die Sorge gar vieler Gewerken; ja wenige sind, die nicht dabei beschäftigt wären. Aber das zweite, die Gründung, ist des Maurers Angelegenheit, und daß wir es nur keck heraussagen, die Hauptangelegenheit des ganzen Unternehmens. Es ist ein ernstes Geschäft und unsre Einladung ist ernsthaft: denn diese Feierlichkeit wird in der Tiefe begangen. Hier innerhalb dieses engen ausgegrabenen Raums erweisen Sie uns die Ehre als Zeugen unseres geheimnisvollen Geschäftes zu erscheinen. Gleich werden wir diesen wohl zugehauenen Stein niederlegen und bald werden diese mit schönen und würdigen Personen gezierten Erdwände nicht mehr zugänglich, sie werden ausgefüllt sein.

Diesen Grundstein, der mit seiner Ecke die rechte Ecke des Gebäudes, mit seiner Rechtwinklikeit die Regelmäßigkeit desselben, mit seiner wasser- und senkrechten Lage, Lot und Waage aller Mauern und Wände bezeichnet, könnten wir ohne weiteres niederlegen: denn er ruhte wohl auf seiner eignen Schwere. Aber auch hier soll es am Kalk, am Bindungsmittel nicht fehlen: denn so wie Menschen die einander von Natur geneigt sind, noch besser zusammenhalten, wenn das Gesetz sie verkittet; so werden auch Steine deren Form

schon zusammenpaßt, noch besser durch diese bindenden
Kräfte vereinigt: und da es sich nicht ziemen will unter den
Tätigen müßig zu sein, so werden Sie nicht verschmähen
auch hier Mitarbeiter zu werden.

Er überreichte hierauf seine Kelle Charlotten, welche damit Kalk unter den Stein warf. Mehreren wurde ein Gleiches
zu tun angesonnen und der Stein alsobald niedergesenkt;
worauf denn Charlotten und den übrigen sogleich der Hammer gereicht wurde, um durch ein dreimaliges Pochen die
Verbindung des Steins mit dem Grunde ausdrücklich zu segnen.

Des Maurers Arbeit, fuhr der Redner fort, zwar jetzt unter
freiem Himmel, geschieht wo nicht immer im Verborgnen
doch zum Verborgnen. Der regelmäßig aufgeführte Grund
wird verschüttet, und sogar bei den Mauern die wir am Tage
aufführen, ist man unser am Ende kaum eingedenk. Die Arbeiten des Steinmetzen und Bildhauers fallen mehr in die
Augen, und wir müssen es sogar noch gut heißen, wenn der
Tüncher die Spur unserer Hände völlig auslöscht und sich
unser Werk zueignet, indem er es überzieht, glättet und färbt.

Wem muß also mehr daran gelegen sein, das was er tut sich
selbst recht zu machen, indem er es recht macht, als dem
Maurer? Wer hat mehr als er das Selbstbewußtsein zu nähren
Ursach? Wenn das Haus aufgeführt, der Boden geplattet und
gepflastert, die Außenseite mit Zieraten überdeckt ist; so
sieht er durch alle Hüllen immer noch hinein und erkennt
noch jene regelmäßigen sorgfältigen Fugen, denen das
Ganze sein Dasein und seinen Halt zu danken hat.

Aber wie Jeder, der eine Übeltat begangen, fürchten muß,
daß ungeachtet alles Abwehrens, sie dennoch ans Licht kommen werde; so muß derjenige erwarten, der ins Geheim das
Gute getan, daß auch dieses wider seinen Willen an den Tag
komme. Deswegen machen wir diesen Grundstein zugleich
zum Denkstein. Hier in diese unterschiedlichen gehauenen
Vertiefungen soll verschiedenes eingesenkt werden, zum
Zeugnis für eine entfernte Nachwelt. Diese metallnen zuge-
löteten Köcher enthalten schriftliche Nachrichten; auf diese

Metall-Platten ist allerlei Merkwürdiges eingegraben; in diesen schönen gläsernen Flaschen versenken wir den besten alten Wein, mit Bezeichnung seines Geburtsjahrs; es fehlt nicht an Münzen verschiedener Art, in diesem Jahre geprägt: alles dieses erhielten wir durch die Freigebigkeit unsers Bauherrn. Auch ist hier noch mancher Platz, wenn irgend ein Gast und Zuschauer etwas der Nachwelt zu übergeben Belieben trüge.

Nach einer kleinen Pause sah der Geselle sich um; aber wie es in solchen Fällen zu gehen pflegt, Niemand war vorbereitet, Jedermann überrascht, bis endlich ein junger munterer Offizier anfing und sagte: wenn ich etwas beitragen soll, das in dieser Schatzkammer noch nicht niedergelegt ist; so muß ich ein Paar Knöpfe von der Uniform schneiden, die doch wohl auch verdienen auf die Nachwelt zu kommen. Gesagt, getan! und nun hatte mancher einen ähnlichen Einfall. Die Frauenzimmer säumten nicht von ihren kleinen Haarkämmen hineinzulegen; Riechfläschchen und andre Zierden wurden nicht geschont: nur Ottilie zauderte, bis Eduard sie durch ein freundliches Wort aus der Betrachtung aller der beigesteuerten und eingelegten Dinge herausriß. Sie löste darauf die goldne Kette vom Halse, an der das Bild ihres Vaters gehangen hatte, und legte sie mit leiser Hand über die anderen Kleinode hin, worauf Eduard mit einiger Hast veranstaltete, daß der wohlgefugte Deckel sogleich aufgestürzt und eingekittet wurde.

Der junge Gesell, der sich dabei am tätigsten erwiesen, nahm seine Rednermiene wieder an und fuhr fort: wir gründen diesen Stein für ewig, zur Sicherung des längsten Genusses der gegenwärtigen und künftigen Besitzer dieses Hauses. Allein indem wir hier gleichsam einen Schatz vergraben, so denken wir zugleich, bei dem gründlichsten aller Geschäfte, an die Vergänglichkeit der menschlichen Dinge: wir denken uns eine Möglichkeit, daß dieser festversiegelte Deckel wieder aufgehoben werden könne, welches nicht anders geschehen dürfte, als wenn das alles wieder zerstört wäre, was wir noch nicht einmal aufgeführt haben.

Aber eben, damit dieses aufgeführt werde, zurück mit den
Gedanken aus der Zukunft, zurück ins Gegenwärtige! Laßt
uns, nach begangenem heutigen Feste, unsre Arbeit sogleich
fördern, damit keiner von den Gewerken, die auf unserm
Grunde fortarbeiten, zu feiern brauche, daß der Bau eilig in
die Höhe steige und vollendet werde, und aus den Fenstern,
die noch nicht sind, der Hausherr mit den Seinigen und seinen Gästen sich fröhlich in der Gegend umschaue, deren aller
so wie sämtlicher Anwesenden Gesundheit hiermit getrunken sei!

Und so leerte er ein wohlgeschliffenes Kelchglas auf Einen
Zug aus und warf es in die Luft: denn es bezeichnet das
Übermaß einer Freude, das Gefäß zu zerstören, dessen man
sich in der Fröhlichkeit bedient. Aber diesmal ereignete es
sich anders: das Glas kam nicht wieder auf den Boden, und
zwar ohne Wunder.

Man hatte nämlich, um mit dem Bau vorwärts zu kommen, bereits an der entgegengesetzten Ecke den Grund völlig herausgeschlagen, ja schon angefangen die Mauern aufzuführen, und zu dem Endzweck das Gerüst erbaut, so hoch
als es überhaupt nötig war.

Daß man es besonders zu dieser Feierlichkeit mit Brettern
belegt und eine Menge Zuschauer hinaufgelassen hatte, war
zum Vorteil der Arbeitsleute geschehen. Dort hinauf flog das
Glas und wurde von Einem aufgefangen, der diesen Zufall
als ein glückliches Zeichen für sich ansah. Er wies es zuletzt
herum, ohne es aus der Hand zu lassen, und man sah darauf
die Buchstaben E und O in sehr zierlicher Verschlingung
eingeschnitten: es war eins der Gläser, die für Eduarden in
seiner Jugend verfertigt worden.

Die Gerüste standen wieder leer, und die leichtesten unter
den Gästen stiegen hinauf, sich umzusehen, und konnten die
schöne Aussicht nach allen Seiten nicht genugsam rühmen:
denn was entdeckt der nicht alles, der auf einem hohen
Punkte nur um ein Geschoß höher steht. Nach dem Innern
des Landes zu kamen mehrere neue Dörfer zum Vorschein;
den silbernen Streifen des Flusses erblickte man deutlich; ja

selbst die Türme der Hauptstadt wollte Einer gewahr werden. An der Rückseite, hinter den waldigen Hügeln, erhoben sich die blauen Gipfel eines fernen Gebirges, und die nächste Gegend übersah man im Ganzen. Nun sollten nur noch, rief einer, die drei Teiche zu einem See vereinigt werden; dann hätte der Anblick alles was groß und wünschenswert ist.

Das ließe sich wohl machen, sagte der Hauptmann: denn sie bildeten schon vor Zeiten einen Bergsee.

Nur bitte ich meine Platanen- und Pappelgruppe zu schonen, sagte Eduard, die so schön am mittelsten Teich steht. Sehen Sie – wandte er sich zu Ottilien, die er einige Schritte vorführte, indem er hinabwies – diese Bäume habe ich selbst gepflanzt.

Wie lange stehen sie wohl schon? fragte Ottilie. Etwa so lange, versetzte Eduard, als Sie auf der Welt sind. Ja, liebes Kind, ich pflanzte schon, da Sie noch in der Wiege lagen.

Die Gesellschaft begab sich wieder in das Schloß zurück. Nach aufgehobener Tafel wurde sie zu einem Spaziergang durch das Dorf eingeladen, um auch hier die neuen Anstalten in Augenschein zu nehmen. Dort hatten sich, auf des Hauptmanns Veranlassung, die Bewohner vor ihren Häusern versammelt; sie standen nicht in Reihen, sondern Familienweise natürlich gruppiert, teils wie es der Abend forderte beschäftigt, teils auf neuen Bänken ausruhend. Es ward ihnen zur angenehmen Pflicht gemacht, wenigstens jeden Sonntag und Festtag, diese Reinlichkeit, diese Ordnung zu erneuen.

Eine innre Geselligkeit mit Neigung, wie sie sich unter unseren Freunden erzeugt hatte, wird durch eine größere Gesellschaft immer nur unangenehm unterbrochen. Alle viere waren zufrieden sich wieder im großen Saale allein zu finden; doch ward dieses häusliche Gefühl einigermaßen gestört, indem ein Brief, der Eduarden überreicht wurde, neue Gäste auf morgen ankündigte.

Wie wir vermuteten, rief Eduard Charlotten zu: der Graf wird nicht ausbleiben, er kommt morgen.

Da ist also auch die Baronesse nicht weit, versetzte Charlotte.

Gewiß nicht! antwortete Eduard: sie wird auch morgen von ihrer Seite anlangen. Sie bitten um ein Nachtquartier und wollen übermorgen zusammen wieder fortreisen.

Da müssen wir unsre Anstalten bei Zeiten machen, Ottilie! sagte Charlotte.

Wie befehlen Sie die Einrichtung? fragte Ottilie.

Charlotte gab es im Allgemeinen an, und Ottilie entfernte sich.

Der Hauptmann erkundigte sich nach dem Verhältnis dieser beiden Personen, das er nur im Allgemeinsten kannte. Sie hatten früher, beide schon anderwärts verheiratet, sich leidenschaftlich liebgewonnen. Eine doppelte Ehe war nicht ohne Aufsehn gestört; man dachte an Scheidung. Bei der Baronesse war sie möglich geworden, bei dem Grafen nicht. Sie mußten sich zum Scheine trennen, allein ihr Verhältnis blieb; und wenn sie Winters in der Residenz nicht zusammensein konnten, so entschädigten sie sich Sommers auf Lustreisen und in Bädern. Sie waren beide um etwas älter als Eduard und Charlotte und sämtlich genaue Freunde aus früher Hofzeit her. Man hatte immer ein gutes Verhältnis erhalten, ob man gleich nicht alles an seinen Freunden billigte. Nur diesmal war Charlotten ihre Ankunft gewissermaßen ganz ungelegen, und wenn sie die Ursache genau untersucht hätte, es war eigentlich um Ottiliens willen. Das gute reine Kind sollte ein solches Beispiel so früh nicht gewahr werden.

Sie hätten wohl noch ein paar Tage wegbleiben können, sagte Eduard als eben Ottilie wieder hereintrat, bis wir den Vorwerksverkauf in Ordnung gebracht. Der Aufsatz ist fertig; die eine Abschrift habe ich hier, nun fehlt es aber an der zweiten und unser alter Kanzellist ist recht krank. Der Hauptmann bot sich an, auch Charlotte; dagegen waren einige Einwendungen zu machen. Geben Sie mir's nur! rief Ottilie, mit einiger Hast.

Du wirst nicht damit fertig, sagte Charlotte.

Freilich müßte ich es übermorgen früh haben und es ist viel, sagte Eduard. Es soll fertig sein, rief Ottilie, und hatte das Blatt schon in Händen.

Des andern Morgens, als sie sich aus dem obern Stock nach den Gästen umsahen, denen sie entgegen zu gehen nicht verfehlen wollten, sagte Eduard: wer reitet denn so langsam dort die Straße her? Der Hauptmann beschrieb die Figur des Reiters genauer. So ist er's doch, sagte Eduard: denn das Einzelne, das du besser siehst als ich, paßt sehr gut zu dem Ganzen, das ich recht wohl sehe. Es ist Mittler. Wie kommt er aber dazu, langsam und so langsam zu reiten?

Die Figur kam näher und Mittler war es wirklich. Man empfing ihn freundlich, als er langsam die Treppe herauf-stieg. Warum sind Sie nicht gestern gekommen? rief ihm Eduard entgegen.

Laute Feste lieb' ich nicht, versetzte jener. Heute komm' ich aber den Geburtstag meiner Freundin mit Euch im Stillen nachzufeiern.

Wie können Sie denn so viel Zeit gewinnen? fragte Eduard scherzend.

Meinen Besuch, wenn er Euch etwas wert ist, seid Ihr einer Betrachtung schuldig, die ich gestern gemacht habe. Ich freute mich recht herzlich den halben Tag in einem Hause wo ich Frieden gestiftet hatte, und dann hörte ich, daß hier Ge-burtstag gefeiert werde. Das kann man doch am Ende selbst-isch nennen, dachte ich bei mir, daß du dich nur mit denen freuen willst die du zum Frieden bewogen hast. Warum freust du dich nicht auch einmal mit Freunden die Frieden halten und hegen? Gesagt, getan! Hier bin ich, wie ich mir vorgenommen hatte.

Gestern hätten Sie große Gesellschaft gefunden, heute fin-den Sie nur kleine, sagte Charlotte. Sie finden den Grafen und die Baronesse, die Ihnen auch schon zu schaffen gemacht haben.

Aus der Mitte der vier Hausgenossen, die den seltsamen willkommenen Mann umgeben hatten, fuhr er mit verdrieß-licher Lebhaftigkeit heraus, indem er sogleich nach Hut und Reitgerte suchte. Schwebt doch immer ein Unstern über mir, sobald ich einmal ruhen und mir wohltun will! Aber warum gehe ich auch aus meinem Charakter heraus! Ich hätte nicht

kommen sollen, und nun werd' ich vertrieben. Denn mit
Jenen will ich nicht unter Einem Dache bleiben; und nehmt
Euch in Acht: sie bringen nichts als Unheil! Ihr Wesen ist wie
ein Sauerteig, der seine Ansteckung fortpflanzt.

Man suchte ihn zu begütigen; aber vergebens. Wer mir den
Ehstand angreift, rief er aus, wer mir durch Wort, ja durch
Tat, diesen Grund aller sittlichen Gesellschaft untergräbt,
der hat es mit mir zu tun; oder wenn ich ihn nicht Herr
werden kann, habe ich nichts mit ihm zu tun. Die Ehe ist der
Anfang und der Gipfel aller Kultur. Sie macht den Rohen
mild, und der Gebildetste hat keine bessre Gelegenheit seine
Milde zu beweisen. Unauflöslich muß sie sein: denn sie
bringt so vieles Glück, daß alles einzelne Unglück dagegen
gar nicht zu rechnen ist. Und was will man von Unglück
reden? Ungeduld ist es, die den Menschen von Zeit zu Zeit
anfällt, und dann beliebt er sich unglücklich zu finden. Lasse
man den Augenblick vorübergehen, und man wird sich
glücklich preisen, daß ein so lange Bestandenes noch besteht.
Sich zu trennen gibt's gar keinen hinlänglichen Grund. Der
menschliche Zustand ist so hoch in Leiden und Freuden gesetzt, daß gar nicht berechnet werden kann, was ein Paar
Gatten einander schuldig werden. Es ist eine unendliche
Schuld, die nur durch die Ewigkeit abgetragen werden kann.
Unbequem mag es manchmal sein, das glaub' ich wohl, und
das ist eben Recht. Sind wir nicht auch mit dem Gewissen
verheiratet? das wir oft gerne los sein möchten, weil es unbequemer ist als uns je ein Mann oder eine Frau werden
könnte.

So sprach er lebhaft und hätte wohl noch lange fortge-
sprochen, wenn nicht blasende Postillions die Ankunft der
Herrschaften verkündigt hätten, welche wie abgemessen von
beiden Seiten zu gleicher Zeit in den Schloßhof herein-
fuhren. Als ihnen die Hausgenossen entgegen eilten, versteckte sich Mittler, ließ sich das Pferd an den Gasthof bringen, und ritt verdrießlich davon.

ZEHNTES KAPITEL

Die Gäste waren bewillkommt und eingeführt; sie freuten sich das Haus, die Zimmer wieder zu betreten, wo sie früher so manchen guten Tag erlebt und die sie eine lange Zeit nicht gesehn hatten. Höchst angenehm war auch den Freunden 5 ihre Gegenwart. Den Grafen so wie die Baronesse konnte man unter jene hohen schönen Gestalten zählen, die man in einem mittlern Alter fast lieber als in der Jugend sieht: denn wenn ihnen auch etwas von der ersten Blüte abgehn möchte, so erregen sie doch nun mit der Neigung ein entschiedenes 10 Zutrauen. Auch dieses Paar zeigte sich höchst bequem in der Gegenwart. Ihre freie Weise die Zustände des Lebens zu nehmen und zu behandlen, ihre Heiterkeit und scheinbare Unbefangenheit teilte sich sogleich mit, und ein hoher Anstand begrenzte das Ganze, ohne daß man irgend einen 15 Zwang bemerkt hätte.

Diese Wirkung ließ sich augenblicks in der Gesellschaft empfinden. Die Neueintretenden, welche unmittelbar aus der Welt kamen, wie man sogar an ihren Kleidern, Gerätschaften und allen Umgebungen sehen konnte, machten ge- 20 wissermaßen mit unsern Freunden, ihrem ländlichen und heimlich leidenschaftlichen Zustande, eine Art von Gegensatz, der sich jedoch sehr bald verlor, indem alte Erinnerungen und gegenwärtige Teilnahme sich vermischten, und ein schnelles lebhaftes Gespräch alle geschwind zusammenver- 25 band.

Es währte indessen nicht lange, als schon eine Sonderung vorging. Die Frauen zogen sich auf ihren Flügel zurück und fanden daselbst, indem sie sich mancherlei vertrauten und zugleich die neusten Formen und Zuschnitte von Frühklei- 30 dern, Hüten und dergleichen zu mustern anfingen, genugsame Unterhaltung; während die Männer sich um die neuen Reisewägen, mit vorgeführten Pferden, beschäftigten und gleich zu handeln und zu tauschen anfingen.

Erst zu Tische kam man wieder zusammen. Die Umklei- 35

dung war geschehen und auch hier zeigte sich das angekom-
mene Paar zu seinem Vorteile. Alles was sie an sich trugen
war neu und gleichsam ungesehen und doch schon durch den
Gebrauch zur Gewohnheit und Bequemlichkeit eingeweiht.

5   Das Gespräch war lebhaft und abwechselnd, wie denn in
Gegenwart solcher Personen alles und nichts zu interessieren
scheint. Man bediente sich der französischen Sprache, um die
Aufwartenden von dem Mitverständnis auszuschließen, und
schweifte mit mutwilligem Behagen über hohe und mittlere

10   Weltverhältnisse hin. Auf einem einzigen Punkt blieb die
Unterhaltung länger als billig haften, indem Charlotte nach
einer Jugendfreundin sich erkundigte und mit einiger Be-
fremdung vernahm, daß sie ehestens geschieden werden
sollte.

15   Es ist unerfreulich, sagte Charlotte, wenn man seine abwesenden Freunde irgend einmal geborgen, eine Freundin,
die man liebt, versorgt glaubt; eh' man sich's versieht, muß
man wieder hören, daß ihr Schicksal im Schwanken ist und
daß sie erst wieder neue und vielleicht abermals unsichre

20   Pfade des Lebens betreten soll.

Eigentlich, meine Beste, versetzte der Graf, sind wir selbst
Schuld, wenn wir auf solche Weise überrascht werden. Wir
mögen uns die irdischen Dinge, und besonders auch die ehlichen Verbindungen gern so recht dauerhaft vorstellen, und

25   was den letzten Punkt betrifft, so verführen uns die Lust-
spiele, die wir immer wiederholen sehen, zu solchen Einbil-
dungen, die mit dem Gange der Welt nicht zusammentreffen.
In der Komödie sehen wir eine Heirat als das letzte Ziel eines
durch die Hindernisse mehrerer Akte verschobenen Wun-

30   sches, und im Augenblick, da es erreicht ist, fällt der Vorhang
und die momentane Befriedigung klingt bei uns nach. In der
Welt ist es anders; da wird hinten immer fort gespielt, und
wenn der Vorhang wieder aufgeht, mag man gern nichts
weiter davon sehen noch hören.

35   Es muß doch so schlimm nicht sein, sagte Charlotte lächelnd, da man sieht, daß auch Personen die von diesem
Theater abgetreten sind, wohl gern darauf wieder eine Rolle
spielen mögen.

Dagegen ist nichts einzuwenden, sagte der Graf. Eine neue Rolle mag man gern wieder übernehmen, und wenn man die Welt kennt, so sieht man wohl, auch bei dem Ehestande ist es nur diese entschiedene ewige Dauer zwischen so viel Beweglichem in der Welt, die etwas Ungeschicktes an sich trägt. Einer von meinen Freunden, dessen gute Laune sich meist in Vorschlägen zu neuen Gesetzen hervortat, behauptete: eine jede Ehe solle nur auf fünf Jahre geschlossen werden. Es sei, sagte er, dies eine schöne ungrade heilige Zahl und ein solcher Zeitraum eben hinreichend um sich kennen zu lernen, einige Kinder heran zu bringen, sich zu entzweien und, was das schönste sei, sich wieder zu versöhnen. Gewöhnlich rief er aus: wie glücklich würde die erste Zeit verstreichen! Zwei, drei Jahre wenigstens gingen vergnüglich hin. Dann würde doch wohl dem einen Teil daran gelegen sein, das Verhältnis länger dauern zu sehen, die Gefälligkeit würde wachsen, jemehr man sich dem Termin der Aufkündigung näherte. Der gleichgültige, ja selbst der unzufriedene Teil würde durch ein solches Betragen begütigt und eingenommen. Man vergäße, wie man in guter Gesellschaft die Stunden vergißt, daß die Zeit verfließe, und fände sich aufs angenehmste überrascht, wenn man nach verlaufnem Termin erst bemerkte, daß er schon stillschweigend verlängert sei.

So artig und lustig dies klang und so gut man, wie Charlotte wohl empfand, diesem Scherz eine tiefe moralische Deutung geben konnte, so waren ihr dergleichen Äußerungen, besonders um Ottiliens willen, nicht angenehm. Sie wußte recht gut, daß nichts gefährlicher sei, als ein allzufreies Gespräch, das einen strafbaren oder halbstrafbaren Zustand als einen gewöhnlichen, gemeinen, ja löblichen behandelt; und dahin gehört doch gewiß alles was die eheliche Verbindung antastet. Sie suchte daher nach ihrer gewandten Weise das Gespräch abzulenken; da sie es nicht vermochte, tat es ihr leid, daß Ottilie alles so gut eingerichtet hatte um nicht aufstehen zu dürfen. Das ruhig aufmerksame Kind verstand sich mit dem Haushofmeister durch Blick und Wink, daß alles auf das trefflichste geriet, obgleich ein paar neue ungeschickte Bedienten in der Livree staken.

Und so fuhr der Graf, Charlottens Ablenken nicht empfindend, über diesen Gegenstand sich zu äußern fort. Ihm, der sonst nicht gewohnt war im Gespräch irgend lästig zu sein, lastete diese Sache zu sehr auf dem Herzen, und die Schwierigkeiten, sich von seiner Gemahlin getrennt zu sehen, machten ihn bitter gegen alles was eheliche Verbindung betraf, die er doch selbst mit der Baronesse so eifrig wünschte.

Jener Freund, so fuhr er fort, tat noch einen andern Gesetzvorschlag. Eine Ehe sollte nur alsdann für unauflöslich gehalten werden, wenn entweder beide Teile, oder wenigstens der eine Teil, zum drittenmal verheiratet wäre. Denn was eine solche Person betreffe, so bekenne sie unwidersprechlich, daß sie die Ehe für etwas unentbehrliches halte. Nun sei auch schon bekannt geworden, wie sie sich in ihren frühern Verbindungen betragen, ob sie Eigenheiten habe, die oft mehr zur Trennung Anlaß geben als üble Eigenschaften. Man habe sich also wechselseitig zu erkundigen; man habe eben so gut auf Verheiratete wie auf Unverheiratete Acht zu geben, weil man nicht wisse, wie die Fälle kommen können.

Das würde freilich das Interesse der Gesellschaft sehr vermehren, sagte Eduard: denn in der Tat jetzt, wenn wir verheiratet sind, fragt Niemand weiter mehr nach unsern Tugenden, noch unsern Mängeln.

Bei einer solchen Einrichtung, fiel die Baronesse lächelnd ein, hätten unsre lieben Wirte schon zwei Stufen glücklich überstiegen, und könnten sich zu der dritten vorbereiten.

Ihnen ist's wohl geraten, sagte der Graf: hier hat der Tod willig getan, was die Konsistorien sonst nur ungern zu tun pflegen.

Lassen wir die Toten ruhen, versetzte Charlotte, mit einem halb ernsten Blicke.

Warum? versetzte der Graf, da man ihrer in Ehren gedenken kann. Sie waren bescheiden genug sich mit einigen Jah-

ren zu begnügen, für mannigfaltiges Gute das sie zurücklie-
ßen.

Wenn nur nicht gerade, sagte die Baronesse mit einem
verhaltenen Seufzer, in solchen Fällen das Opfer der besten
Jahre gebracht werden müßte.

Ja wohl, versetzte der Graf: man müßte darüber verzweifeln, wenn nicht überhaupt in der Welt so weniges eine ge-
hoffte Folge zeigte. Kinder halten nicht was sie versprechen;
junge Leute sehr selten, und wenn sie Wort halten, hält es
ihnen die Welt nicht.

Charlotte, welche froh war, daß das Gespräch sich wendete, versetzte heiter: Nun! wir müssen uns ja ohnehin bald
genug gewöhnen, das Gute stück- und teilweise zu genießen.

Gewiß, versetzte der Graf, Sie haben beide sehr schöner
Zeiten genossen. Wenn ich mir die Jahre zurückerinnere, da
Sie und Eduard das schönste Paar bei Hof waren; weder von
so glänzenden Zeiten noch von so hervorleuchtenden Gestalten ist jetzt die Rede mehr. Wenn Sie beide zusammen
tanzten, aller Augen waren auf Sie gerichtet und wie um-
worben beide, indem Sie sich nur in einander bespiegelten.

Da sich so manches verändert hat, sagte Charlotte, können
wir wohl so viel Schönes mit Bescheidenheit anhören.

Eduarden habe ich doch oft im Stillen getadelt, sagte der
Graf, daß er nicht beharrlicher war: denn am Ende hätten
seine wunderlichen Eltern wohl nachgegeben; und zehn
frühe Jahre gewinnen ist keine Kleinigkeit.

Ich muß mich seiner annehmen, fiel die Baronesse ein.
Charlotte war nicht ganz ohne Schuld, nicht ganz rein von
allem Umhersehen, und ob sie gleich Eduarden von Herzen
liebte und sich ihn auch heimlich zum Gatten bestimmte; so
war ich doch Zeuge, wie sehr sie ihn manchmal quälte, so daß
man ihn leicht zu dem unglücklichen Entschluß drängen
konnte, zu reisen, sich zu entfernen, sich von ihr zu entwöh-
nen.

Eduard nickte der Baronesse zu und schien dankbar für
ihre Vorsprache.

Und dann muß ich eins, fuhr sie fort, zu Charlottens Entschuldigung beifügen: der Mann der zu jener Zeit um sie warb, hatte sich schon lange durch Neigung zu ihr ausgezeichnet und war, wenn man ihn näher kannte, gewiß liebenswürdiger als ihr andern gern zugestehen mögt.

5 Liebe Freundin, versetzte der Graf etwas lebhaft: bekennen wir nur, daß er Ihnen nicht ganz gleichgültig war, und daß Charlotte von Ihnen mehr zu befürchten hatte als von einer andern. Ich finde das einen sehr hübschen Zug an den Frauen, daß sie ihre Anhänglichkeit an irgend einen Mann so 10 lange noch fortsetzen, ja durch keine Art von Trennung stören oder aufheben lassen.

Diese gute Eigenschaft besitzen vielleicht die Männer noch mehr, versetzte die Baronesse; wenigstens an Ihnen, lieber Graf, habe ich bemerkt, daß Niemand mehr Gewalt 15 über Sie hat als ein Frauenzimmer dem Sie früher geneigt waren. So habe ich gesehen, daß Sie auf die Vorsprache einer solchen sich mehr Mühe gaben, um etwas auszuwirken, als vielleicht die Freundin des Augenblicks von Ihnen erlangt hätte.

20 Einen solchen Vorwurf darf man sich wohl gefallen lassen, versetzte der Graf; doch was Charlottens ersten Gemahl betrifft, so konnte ich ihn deshalb nicht leiden, weil er mir das schöne Paar auseinander sprengte, ein wahrhaft prädestiniertes Paar, das einmal zusammengegeben weder fünf Jahre 25 zu scheuen, noch auf eine zweite oder gar dritte Verbindung hinzusehen brauchte.

Wir wollen versuchen, sagte Charlotte, wieder einzubringen was wir versäumt haben.

Da müssen Sie sich dazu halten, sagte der Graf. Ihre ersten 30 Heiraten, fuhr er mit einiger Heftigkeit fort, waren doch so eigentlich rechte Heiraten von der verhaßten Art; und leider haben überhaupt die Heiraten – verzeihen Sie mir einen lebhaften Ausdruck – etwas Tölpelhaftes; sie verderben die zartesten Verhältnisse, und es liegt doch eigentlich nur an der 35 plumpen Sicherheit, auf die sich wenigstens ein Teil etwas zu Gute tut. Alles versteht sich von selbst, und man scheint sich nur verbunden zu haben damit eins wie das andre nunmehr seiner Wege gehe.

In diesem Augenblick machte Charlotte, die ein für allemal dies Gespräch abbrechen wollte, von einer kühnen Wendung Gebrauch; es gelang ihr. Die Unterhaltung ward allgemeiner, die beiden Gatten und der Hauptmann konnten daran Teil nehmen; selbst Ottilie ward veranlaßt sich zu äußern, und der Nachtisch ward mit der besten Stimmung genossen, woran der in zierlichen Fruchtkörben aufgestellte Obstreichtum, die bunteste in Prachtgefäßen schön verteilte Blumenfülle, den vorzüglichsten Anteil hatte.

Auch die neuen Parkanlagen kamen zur Sprache, die man sogleich nach Tische besuchte. Ottilie zog sich unter dem Vorwande häuslicher Beschäftigungen zurück; eigentlich aber setzte sie sich wieder zur Abschrift. Der Graf wurde von dem Hauptmann unterhalten; später gesellte sich Charlotte zu ihm. Als sie oben auf die Höhe gelangt waren, und der Hauptmann gefällig hinunter eilte um den Plan zu holen, sagte der Graf zu Charlotten: dieser Mann gefällt mir außerordentlich. Er ist sehr wohl und im Zusammenhang unterrichtet. Eben so scheint seine Tätigkeit sehr ernst und folgerecht. Was er hier leistet, würde in einem höhern Kreise von viel Bedeutung sein.

Charlotte vernahm des Hauptmanns Lob mit innigem Behagen. Sie faßte sich jedoch und bekräftigte das Gesagte mit Ruhe und Klarheit. Wie überrascht war sie aber, als der Graf fortfuhr: diese Bekanntschaft kommt mir sehr zu gelegener Zeit. Ich weiß eine Stelle, an die der Mann vollkommen paßt, und ich kann mir durch eine solche Empfehlung, indem ich ihn glücklich mache, einen hohen Freund auf das allerbeste verbinden.

Es war wie ein Donnerschlag der auf Charlotten herabfiel. Der Graf bemerkte nichts: denn die Frauen, gewohnt sich jederzeit zu bändigen, behalten in den außerordentlichsten Fällen immer noch eine Art von scheinbarer Fassung. Doch hörte sie schon nicht mehr was der Graf sagte, indem er fortfuhr: Wenn ich von etwas überzeugt bin, geht es bei mir geschwind her. Ich habe schon meinen Brief im Kopfe zusammengestellt, und mich drängt's ihn zu schreiben. Sie verschaffen mir einen reitenden Boten, den ich noch heute Abend wegschicken kann.

Charlotte war innerlich zerrissen. Von diesen Vorschlägen so wie von sich selbst überrascht, konnte sie kein Wort hervorbringen. Der Graf fuhr glücklicherweise fort von seinen Planen für den Hauptmann zu sprechen, deren Günstiges Charlotten nur allzusehr in die Augen fiel. Es war Zeit, daß der Hauptmann herauftrat und seine Rolle vor dem Grafen entfaltete. Aber mit wie andern Augen sah sie den Freund an, den sie verlieren sollte! Mit einer notdürftigen Verbeugung wandte sie sich weg und eilte hinunter nach der Mooshütte. Schon auf halbem Wege stürzten ihr die Tränen aus den Augen, und nun warf sie sich in den engen Raum der kleinen Einsiedelei und überließ sich ganz einem Schmerz, einer Leidenschaft, einer Verzweiflung, von deren Möglichkeit sie wenig Augenblicke vorher auch nicht die leiseste Ahndung gehabt hatte.

Auf der andern Seite war Eduard mit der Baronesse an den Teichen hergegangen. Die kluge Frau, die gern von allem unterrichtet sein mochte, bemerkte bald in einem tastenden Gespräch, daß Eduard sich zu Ottiliens Lobe weitläuftig herausließ, und wußte ihn auf eine so natürliche Weise nach und nach in den Gang zu bringen, daß ihr zuletzt kein Zweifel übrig blieb, hier sei eine Leidenschaft nicht auf dem Wege, sondern wirklich angelangt.

Verheiratete Frauen, wenn sie sich auch untereinander nicht lieben, stehen doch stillschweigend mit einander, besonders gegen junge Mädchen, im Bündnis. Die Folgen einer solchen Zuneigung stellten sich ihrem weltgewandten Geiste nur allzugeschwind dar. Dazu kam noch, daß sie schon heute früh mit Charlotten über Ottilien gesprochen und den Aufenthalt dieses Kindes auf dem Lande, besonders bei seiner stillen Gemütsart, nicht gebilligt und den Vorschlag getan hatte, Ottilien in die Stadt zu einer Freundin zu bringen, die sehr viel an die Erziehung ihrer einzigen Tochter wende, und sich nur nach einer gutartigen Gespielin umsehe, die an die zweite Kindesstatt eintreten und alle Vorteile mitgenießen solle. Charlotte hatte sich's zur Überlegung genommen.

Nun aber brachte der Blick in Eduards Gemüt diesen Vorschlag bei der Baronesse ganz zur vorsätzlichen Festigkeit,
und um so schneller dieses in ihr vorging, um desto mehr
schmeichelte sie äußerlich Eduards Wünschen. Denn Niemand besaß sich mehr als diese Frau, und diese Selbstbeherr-
schung in außerordentlichen Fällen gewöhnt uns sogar einen
gemeinen Fall mit Verstellung zu behandeln, macht uns geneigt, indem wir so viel Gewalt über uns selbst üben, unsre
Herrschaft auch über die andern zu verbreiten, um uns durch
das was wir äußerlich gewinnen, für dasjenige was wir innerlich entbehren, gewissermaßen schadlos zu halten.

An diese Gesinnung schließt sich meist eine Art heimlicher Schadenfreude über die Dunkelheit der andern, über das
Bewußtlose, womit sie in eine Falle gehen. Wir freuen uns
nicht allein über das gegenwärtige Gelingen, sondern zugleich auch auf die künftig überraschende Beschämung. Und
so war die Baronesse boshaft genug, Eduarden zur Weinlese
auf ihre Güter mit Charlotten einzuladen und die Frage
Eduards: ob sie Ottilien mitbringen dürften, auf eine Weise
die er beliebig zu seinen Gunsten auslegen konnte, zu beantworten.

Eduard sprach schon mit Entzücken von der herrlichen
Gegend, dem großen Flusse, den Hügeln, Felsen und Wein-
bergen, von alten Schlössern, von Wasserfahrten, von dem
Jubel der Weinlese, des Kelterns u. s. w. wobei er in der
Unschuld seines Herzens sich schon zum Voraus laut über
den Eindruck freute, den dergleichen Szenen auf das frische
Gemüt Ottiliens machen würden. In diesem Augenblick sah
man Ottilien heran kommen, und die Baronesse sagte schnell
zu Eduard: Er möchte von dieser vorhabenden Herbstreise
ja nichts reden: denn gewöhnlich geschähe das nicht worauf
man sich so lange voraus freue. Eduard versprach, nötigte sie
aber Ottilien entgegen geschwinder zu gehen, und eilte ihr
endlich, dem lieben Kinde zu, mehrere Schritte voran. Eine
herzliche Freude drückte sich in seinem ganzen Wesen aus.
Er küßte ihr die Hand, in die er einen Strauß Feldblumen
drückte, die er unterwegs zusammengepflückt hatte. Die Ba-

ronesse fühlte sich bei diesem Anblick in ihrem Innern fast
erbittert. Denn wenn sie auch das was an dieser Neigung
strafbar sein mochte, nicht billigen durfte, so konnte sie das
was daran liebenswürdig und angenehm war, jenem unbedeutenden Neuling von Mädchen keineswegs gönnen.

Als man sich zum Abendessen zusammen gesetzt hatte,
war eine völlig andre Stimmung in der Gesellschaft verbreitet. Der Graf, der schon vor Tische geschrieben und den
Boten fortgeschickt hatte, unterhielt sich mit dem Hauptmann, den er auf eine verständige und bescheidene Weise
immer mehr ausforschte, indem er ihn diesen Abend an seine
Seite gebracht hatte. Die zur Rechten des Grafen sitzende
Baronesse fand von daher wenig Unterhaltung; eben so wenig an Eduard, der erst durstig, dann aufgeregt, des Weines
nicht schonte und sich sehr lebhaft mit Ottilien unterhielt die
er an sich gezogen hatte, wie von der andern Seite neben dem
Hauptmann Charlotte saß, der es schwer, ja beinahe unmöglich ward, die Bewegungen ihres Innren zu verbergen.

Die Baronesse hatte Zeit genug, Beobachtungen anzustellen. Sie bemerkte Charlottens Unbehagen, und weil sie
nur Eduards Verhältnis zu Ottilien im Sinn hatte; so überzeugte sie sich leicht, auch Charlotte sei bedenklich und verdrießlich über ihres Gemahls Benehmen, und überlegte, wie
sie nunmehr am besten zu ihren Zwecken gelangen könne.

Auch nach Tische fand sich ein Zwiespalt in der Gesellschaft. Der Graf, der den Hauptmann recht ergründen
wollte, brauchte bei einem so ruhigen, keineswegs eitlen und
überhaupt lakonischen Manne verschiedene Wendungen,
um zu erfahren was er wünschte. Sie gingen miteinander an
der einen Seite des Saals auf und ab, indes Eduard, aufgeregt
von Wein und Hoffnung, mit Ottilien an einem Fenster
scherzte, Charlotte und die Baronesse aber stillschweigend
an der andern Seite des Saals nebeneinander hin und wieder
gingen. Ihr Schweigen und müßiges Umherstehen brachte
denn auch zuletzt eine Stockung in die übrige Gesellschaft.
Die Frauen zogen sich zurück auf ihren Flügel, die Männer
auf den andern, und so schien dieser Tag abgeschlossen.

ELFTES KAPITEL

Eduard begleitete den Grafen auf sein Zimmer und ließ sich recht gern durchs Gespräch verführen, noch eine Zeit lang bei ihm zu bleiben. Der Graf verlor sich in vorige Zeiten, gedachte mit Lebhaftigkeit an die Schönheit Charlottens, die er als ein Kenner mit vielem Feuer entwickelte. Ein schöner Fuß ist eine große Gabe der Natur. Diese Anmut ist unverwüstlich. Ich habe sie heute im Gehen beobachtet; noch immer möchte man ihren Schuh küssen, und die zwar etwas barbarische aber doch tief gefühlte Ehrenbezeugung der Sarmaten wiederholen, die sich nichts besseres kennen, als aus dem Schuh einer geliebten und verehrten Person ihre Gesundheit zu trinken.

Die Spitze des Fußes blieb nicht allein der Gegenstand des Lobes unter zwei vertrauten Männern. Sie gingen von der Person auf alte Geschichten und Abenteuer zurück, und kamen auf die Hindernisse, die man ehemals den Zusammenkünften dieser beiden Liebenden entgegengesetzt, welche Mühe sie sich gegeben, welche Kunstgriffe sie erfunden, nur um sich sagen zu können, daß sie sich liebten.

Erinnerst du dich, fuhr der Graf fort, welch Abenteuer ich dir recht freundschaftlich und uneigennützig bestehen helfen, als unsre höchsten Herrschaften ihren Oheim besuchten und auf dem weitläuftigen Schlosse zusammenkamen? Der Tag war in Feierlichkeiten und Feierkleidern hingegangen, ein Teil der Nacht sollte wenigstens unter freiem liebevollen Gespräch verstreichen.

Den Hinweg zu dem Quartier der Hofdamen hatten Sie sich wohl gemerkt, sagte Eduard. Wir gelangten glücklich zu meiner Geliebten.

Die, versetzte der Graf, mehr an den Anstand als an meine Zufriedenheit gedacht und eine sehr häßliche Ehrenwächterin bei sich behalten hatte; da mir denn, indessen ihr euch mit Blicken und Worten sehr gut unterhieltet, ein höchst unerfreuliches Los zu Teil ward.

Ich habe mich noch gestern, versetzte Eduard, als Sie sich anmelden ließen, mit meiner Frau an die Geschichte erinnert, besonders an unsern Rückzug. Wir verfehlten den Weg und kamen an den Vorsaal der Garden. Weil wir uns nun von da recht gut zu finden wußten, so glaubten wir auch hier ganz ohne Bedenken hindurch und an dem Posten, wie an den übrigen, vorbei gehen zu können. Aber wie groß war beim Eröffnen der Türe unsere Verwunderung! Der Weg war mit Matratzen verlegt, auf denen die Riesen in mehreren Reihen ausgestreckt lagen und schliefen. Der einzige Wachende auf dem Posten sah uns verwundert an; wir aber im jugendlichen Mut und Mutwillen stiegen ganz gelassen über die ausgestreckten Stiefel weg, ohne daß auch nur einer von diesen schnarchenden Enakskindern erwacht wäre.

Ich hatte große Lust zu stolpern, sagte der Graf, damit es Lärm gegeben hätte: denn welch eine seltsame Auferstehung würden wir gesehen haben!

In diesem Augenblick schlug die Schloßglocke Zwölf.

Es ist hoch Mitternacht, sagte der Graf lächelnd, und eben gerechte Zeit. Ich muß Sie, lieber Baron, um eine Gefälligkeit bitten: führen Sie mich heute wie ich Sie damals führte; ich habe der Baronesse das Versprechen gegeben sie noch zu besuchen. Wir haben uns den ganzen Tag nicht allein gesprochen, wir haben uns so lange nicht gesehen, und nichts ist natürlicher als daß man sich nach einer vertraulichen Stunde sehnt. Zeigen Sie mir den Hinweg, den Rückweg will ich schon finden und auf alle Fälle werde ich über keine Stiefel wegzustolpern haben.

Ich will Ihnen recht gern diese gastliche Gefälligkeit erzeigen, versetzte Eduard; nur sind die drei Frauenzimmer drüben zusammen auf dem Flügel. Wer weiß, ob wir sie nicht noch beieinander finden, oder was wir sonst für Händel anrichten, die irgend ein wunderliches Ansehn gewinnen.

Nur ohne Sorge! sagte der Graf: die Baronesse erwartet mich. Sie ist um diese Zeit gewiß auf ihrem Zimmer und allein.

Die Sache ist übrigens leicht, versetzte Eduard, und nahm

ein Licht, dem Grafen vorleuchtend eine geheime Treppe hinunter, die zu einem langen Gang führte. Am Ende desselben öffnete Eduard eine kleine Türe. Sie erstiegen eine Wendeltreppe; oben auf einem engen Ruheplatz deutete Eduard dem Grafen, dem er das Licht in die Hand gab, nach einer Tapetentüre rechts, die beim ersten Versuch sogleich sich öffnete, den Grafen aufnahm und Eduard in dem dunklen Raum zurückließ.

Eine andre Türe links ging in Charlottens Schlafzimmer. Er hörte reden und horchte. Charlotte sprach zu ihrem Kammermädchen: ist Ottilie schon zu Bette? Nein, versetzte jene; sie sitzt noch unten und schreibt. So zünde Sie das Nachtlicht an, sagte Charlotte, und gehe Sie nur hin: es ist spät. Die Kerze will ich selbst auslöschen und für mich zu Bette gehen.

Eduard hörte mit Entzücken, daß Ottilie noch schreibe. Sie beschäftigt sich für mich! dachte er triumphierend. Durch die Finsternis ganz in sich selbst geengt sah er sie sitzen, schreiben; er glaubte zu ihr zu treten, sie zu sehen, wie sie sich nach ihm umkehrte; er fühlte ein unüberwindliches Verlangen ihr noch einmal nahe zu sein. Von hier aber war kein Weg in das Halbgeschoß wo sie wohnte. Nun fand er sich unmittelbar an seiner Frauen Türe, eine sonderbare Verwechselung ging in seiner Seele vor, er suchte die Türe aufzudrehen, er fand sie verschlossen, er pochte leise an, Charlotte hörte nicht.

Sie ging in dem größeren Nebenzimmer lebhaft auf und ab. Sie wiederholte sich aber und abermals was sie seit jenem unerwarteten Vorschlag des Grafen oft genug bei sich um und um gewendet hatte. Der Hauptmann schien vor ihr zu stehen. Er füllte noch das Haus, er belebte noch die Spaziergänge und er sollte fort, das alles sollte leer werden! Sie sagte sich alles was man sich sagen kann, ja sie antizipierte, wie man gewöhnlich pflegt, den leidigen Trost, daß auch solche Schmerzen durch die Zeit gelindert werden. Sie verwünschte die Zeit, die es braucht um sie zu lindern; sie verwünschte die totenhafte Zeit, wo sie würden gelindert sein.

Da war denn zuletzt die Zuflucht zu den Tränen um so

willkommner, als sie bei ihr selten statt fand. Sie warf sich auf
den Sofa und überließ sich ganz ihrem Schmerz. Eduard
seinerseits konnte von der Türe nicht weg; er pochte nochmals, und zum drittenmal etwas stärker, so daß Charlotte
durch die Nachtstille es ganz deutlich vernahm und erschreckt auffuhr. Der erste Gedanke war: es könne, es müsse
der Hauptmann sein; der zweite: das sei unmöglich! Sie hielt
es für Täuschung; aber sie hatte es gehört, sie wünschte, sie
fürchtete es gehört zu haben. Sie ging ins Schlafzimmer, trat
leise zu der verriegelten Tapetentüre. Sie schalt sich über ihre
Furcht: wie leicht kann die Gräfin etwas bedürfen! sagte sie
zu sich selbst und rief gefaßt und gesetzt: Ist jemand da? Eine
leise Stimme antwortete: Ich bins. Wer? entgegnete Charlotte, die den Ton nicht unterscheiden konnte. Ihr stand des
Hauptmanns Gestalt vor der Türe. Etwas lauter klang es ihr
entgegen: Eduard! Sie öffnete und ihr Gemahl stand vor ihr.
Er begrüßte sie mit einem Scherz. Es ward ihr möglich in
diesem Tone fortzufahren. Er verwickelte den rätselhaften
Besuch in rätselhafte Erklärungen. Warum ich denn aber eigentlich komme, sagte er zuletzt, muß ich dir nur gestehen.
Ich habe ein Gelübde getan, heute Abend noch deinen Schuh
zu küssen.

Das ist dir lange nicht eingefallen, sagte Charlotte. Desto
schlimmer, versetzte Eduard, und desto besser!

Sie hatte sich in einen Sessel gesetzt, um ihre leichte Nacht-
kleidung seinen Blicken zu entziehen. Er warf sich vor ihr
nieder und sie konnte sich nicht erwehren, daß er nicht ihren
Schuh küßte, und daß, als dieser ihm in der Hand blieb, er
den Fuß ergriff und ihn zärtlich an seine Brust drückte.

Charlotte war eine von den Frauen, die von Natur mäßig,
im Ehestande, ohne Vorsatz und Anstrengung, die Art und
Weise der Liebhaberinnen fortführen. Niemals reizte sie den
Mann, ja seinem Verlangen kam sie kaum entgegen; aber
ohne Kälte und abstoßende Strenge glich sie immer einer
liebevollen Braut, die selbst vor dem Erlaubten noch innige
Scheu trägt. Und so fand sie Eduard diesen Abend in doppeltem Sinne. Wie sehnlich wünschte sie den Gatten weg:

denn die Luftgestalt des Freundes schien ihr Vorwürfe zu
machen. Aber das was Eduarden hätte entfernen sollen, zog
ihn nur mehr an. Eine gewisse Bewegung war an ihr sichtbar. Sie hatte geweint, und wenn weiche Personen dadurch
meist an Anmut verlieren, so gewinnen diejenigen dadurch   5
unendlich, die wir gewöhnlich als stark und gefaßt kennen.
Eduard war so liebenswürdig, so freundlich, so dringend; er
bat sie, bei ihr bleiben zu dürfen, er forderte nicht, bald ernst
bald scherzhaft suchte er sie zu bereden, er dachte nicht daran, daß er Rechte habe und löschte zuletzt mutwillig die   10
Kerze aus.

  In der Lampendämmerung sogleich behauptete die innre
Neigung, behauptete die Einbildungskraft ihre Rechte über
das Wirkliche. Eduard hielt nur Ottilien in seinen Armen;
Charlotten schwebte der Hauptmann näher oder ferner vor   15
der Seele, und so verwebten, wundersam genug, sich Ab-
wesendes und Gegenwärtiges reizend und wonnevoll durcheinander.

  Und doch läßt sich die Gegenwart ihr ungeheures Recht
nicht rauben. Sie brachten einen Teil der Nacht unter allerlei   20
Gesprächen und Scherzen zu, die um desto freier waren als
das Herz leider keinen Teil daran nahm. Aber als Eduard des
andern Morgens an dem Busen seiner Frau erwachte, schien
ihm der Tag ahndungsvoll hereinzublicken, die Sonne schien
ihm ein Verbrechen zu beleuchten; er schlich sich leise von   25
ihrer Seite, und sie fand sich, seltsam genug, allein als sie
erwachte.

ZWÖLFTES KAPITEL

Als die Gesellschaft zum Frühstück wieder zusammen kam,
hätte ein aufmerksamer Beobachter an dem Betragen der   30
Einzelnen die Verschiedenheit der innern Gesinnungen und
Empfindungen abnehmen können. Der Graf und die Baro-
nesse begegneten sich mit dem heitern Behagen, das ein paar
Liebende empfinden, die sich, nach erduldeter Trennung,

ihrer wechselseitigen Neigung abermals versichert halten;
dagegen Charlotte und Eduard gleichsam beschämt und
reuig dem Hauptmann und Ottilien entgegen traten. Denn
so ist die Liebe beschaffen, daß sie allein Recht zu haben
glaubt und alle anderen Rechte vor ihr verschwinden. Ottilie
war kindlich heiter, nach ihrer Weise konnte man sie offen
nennen. Ernst erschien der Hauptmann; ihm war bei der
Unterredung mit dem Grafen, indem dieser alles in ihm auf-
regte was einige Zeit geruht und geschlafen hatte, nur zu
fühlbar geworden, daß er eigentlich hier seine Bestimmung
nicht erfülle und im Grunde bloß in einem halbtätigen
Müßiggang hinschlendere. Kaum hatten sich die beiden Gäste entfernt, als schon wieder neuer Besuch eintraf, Charlotten willkommen, die aus sich selbst heraus zu gehen, sich zu
zerstreuen wünschte; Eduarden ungelegen, der eine doppelte Neigung fühlte sich mit Ottilien zu beschäftigen; Ottilien gleichfalls unerwünscht, die mit ihrer auf morgen früh
so nötigen Abschrift noch nicht fertig war. Und so eilte sie
auch, als die Fremden sich spät entfernten, sogleich auf ihr
Zimmer.

Es war Abend geworden. Eduard, Charlotte und der
Hauptmann, welche die Fremden, ehe sie sich in den Wagen
setzten, eine Strecke zu Fuß begleitet hatten, wurden einig
noch einen Spaziergang nach den Teichen zu machen. Ein
Kahn war angekommen, den Eduard mit ansehnlichen Kosten aus der Ferne verschrieben hatte. Man wollte versuchen,
ob er sich leicht bewegen und lenken lasse.

Er war am Ufer des mittelsten Teiches nicht weit von einigen alten Eichbäumen angebunden, auf die man schon bei
künftigen Anlagen gerechnet hatte. Hier sollte ein Landungsplatz angebracht, unter den Bäumen ein architektoni-
scher Ruhesitz aufgeführt werden, wonach diejenigen die
über den See fahren, zu steuern hätten.

Wo wird man denn nun drüben die Landung am besten
anlegen? fragte Eduard. Ich sollte denken bei meinen Platanen.

Sie stehen ein wenig zu weit rechts, sagte der Hauptmann.

Landet man weiter unten, so ist man dem Schlosse näher; doch muß man es überlegen.

Der Hauptmann stand schon im Hinterteile des Kahns und hatte ein Ruder ergriffen. Charlotte stieg ein, Eduard gleichfalls und faßte das andre Ruder; aber als er eben im Abstoßen begriffen war, gedachte er Ottiliens, gedachte daß ihn diese Wasserfahrt verspäten, wer weiß erst wann zurück-führen würde. Er entschloß sich kurz und gut, sprang wieder ans Land, reichte dem Hauptmann das andre Ruder und eilte, sich flüchtig entschuldigend, nach Hause.

Dort vernahm er: Ottilie habe sich eingeschlossen, sie schreibe. Bei dem angenehmen Gefühle, daß sie für ihn etwas tue, empfand er das lebhafteste Mißbehagen sie nicht gegen-wärtig zu sehen. Seine Ungeduld vermehrte sich mit jedem Augenblicke. Er ging in dem großen Saale auf und ab, ver-suchte allerlei und nichts vermochte seine Aufmerksamkeit zu fesseln. Sie wünschte er zu sehen, allein zu sehen, ehe noch Charlotte mit dem Hauptmann zurückkäme. Es ward Nacht, die Kerzen wurden angezündet.

Endlich trat sie herein, glänzend von Liebenswürdigkeit. Das Gefühl etwas für den Freund getan zu haben, hatte ihr ganzes Wesen über sich selbst gehoben. Sie legte das Original und die Abschrift vor Eduard auf den Tisch. Wollen wir kollationieren? sagte sie lächelnd. Eduard wußte nicht was er erwidern sollte. Er sah sie an, er besah die Abschrift. Die ersten Blätter waren mit der größten Sorgfalt, mit einer zar-ten weiblichen Hand geschrieben; dann schienen sich die Züge zu verändern, leichter und freier zu werden: aber wie erstaunt war er, als er die letzten Seiten mit den Augen überlief! Um Gotteswillen! rief er aus, was ist das? Das ist meine Hand! Er sah Ottilien an und wieder auf die Blätter; besonders der Schluß war ganz als wenn er ihn selbst ge-schrieben hätte. Ottilie schwieg, aber sie blickte ihm mit der größten Zufriedenheit in die Augen. Eduard hob seine Arme empor: Du liebst mich! rief er aus: Ottilie du liebst mich! und sie hielten einander umfaßt. Wer das andere zuerst ergriffen, wäre nicht zu unterscheiden gewesen.

Von diesem Augenblick an war die Welt für Eduarden umgewendet, er nicht mehr was er gewesen, die Welt nicht mehr was sie gewesen. Sie standen vor einander, er hielt ihre Hände, sie sahen einander in die Augen, im Begriff sich wieder zu umarmen.

Charlotte mit dem Hauptmann trat herein. Zu den Entschuldigungen eines längeren Außenbleibens lächelte Eduard heimlich. O wie viel zu früh kommt ihr! sagte er zu sich selbst.

Sie setzten sich zum Abendessen. Die Personen des heutigen Besuchs wurden beurteilt. Eduard liebevoll aufgeregt sprach gut von einem Jeden, immer schonend, oft billigend. Charlotte, die nicht durchaus seiner Meinung war, bemerkte diese Stimmung und scherzte mit ihm, daß er, der sonst über die scheidende Gesellschaft immer das strengste Zungengericht ergehen lasse, heute so mild und nachsichtig sei.

Mit Feuer und herzlicher Überzeugung rief Eduard: Man muß nur Ein Wesen recht von Grund aus lieben, da kommen einem die übrigen alle liebenswürdig vor! Ottilie schlug die Augen nieder, und Charlotte sah vor sich hin.

Der Hauptmann nahm das Wort und sagte: Mit den Gefühlen der Hochachtung, der Verehrung, ist es doch auch etwas ähnliches. Man erkennt nur erst das Schätzenswerte in der Welt, wenn man solche Gesinnungen an Einem Gegenstande zu üben Gelegenheit findet.

Charlotte suchte bald in ihr Schlafzimmer zu gelangen, um sich der Erinnerung dessen zu überlassen, was diesen Abend zwischen ihr und dem Hauptmann vorgegangen war.

Als Eduard ans Ufer springend den Kahn vom Lande stieß, Gattin und Freund dem schwankenden Element selbst überantwortete, sah nunmehr Charlotte den Mann, um den sie im Stillen schon so viel gelitten hatte, in der Dämmerung vor sich sitzen und durch die Führung zweier Ruder das Fahrzeug in beliebiger Richtung fortbewegen. Sie empfand eine tiefe, selten gefühlte Traurigkeit. Das Kreisen des Kahns, das Plätschern der Ruder, der über den Wasserspiegel hinschauernde Windhauch, das Säuseln der Rohre, das

letzte Schweben der Vögel, das Blinken und Wiederblinken
der ersten Sterne, alles hatte etwas Geisterhaftes in dieser
allgemeinen Stille. Es schien ihr, der Freund führe sie weit
weg, um sie auszusetzen, sie allein zu lassen. Eine wunderbare Bewegung war in ihrem Innern, und sie konnte nicht 5
weinen.

Der Hauptmann beschrieb ihr unterdessen, wie nach seiner Absicht die Anlagen werden sollten. Er rühmte die guten
Eigenschaften des Kahns, daß er sich leicht mit zwei Rudern
von Einer Person bewegen und regieren lasse. Sie werde das 10
selbst lernen, es sei eine angenehme Empfindung manchmal
allein auf dem Wasser hinzuschwimmen und sein eigner
Fähr- und Steuermann zu sein.

Bei diesen Worten fiel der Freundin die bevorstehende
Trennung aufs Herz. Sagt er das mit Vorsatz? dachte sie bei 15
sich selbst: Weiß er schon davon? vermutet er's? oder sagt er
es zufällig? so daß er mir bewußtlos mein Schicksal voraus-
verkündigt. Es ergriff sie eine große Wehmut, eine Ungeduld; sie bat ihn, baldmöglichst zu landen und mit ihr nach
dem Schlosse zurückzukehren.   20

Es war das erstemal, daß der Hauptmann die Teiche be-
fuhr, und ob er gleich im Allgemeinen ihre Tiefe untersucht
hatte, so waren ihm doch die einzelnen Stellen unbekannt.
Dunkel fing es an zu werden, er richtete seinen Lauf dahin,
wo er einen bequemen Ort zum Aussteigen vermutete und 25
den Fußpfad nicht entfernt wußte, der nach dem Schlosse
führte. Aber auch von dieser Bahn wurde er einigermaßen
abgelenkt, als Charlotte mit einer Art von Ängstlichkeit den
Wunsch wiederholte, bald am Lande zu sein. Er näherte sich
mit erneuten Anstrengungen dem Ufer, aber leider fühlte er 30
sich in einiger Entfernung davon angehalten; er hatte sich
fest gefahren und seine Bemühungen wieder los zu kommen
waren vergebens. Was war zu tun? Ihm blieb nichts übrig als
in das Wasser zu steigen, das seicht genug war, und die
Freundin an das Land zu tragen. Glücklich brachte er die 35
liebe Bürde hinüber, stark genug um nicht zu schwanken
oder ihr einige Sorge zu geben, aber doch hatte sie ängstlich

ihre Arme um seinen Hals geschlungen. Er hielt sie fest und
drückte sie an sich. Erst auf einem Rasenabhang ließ er sie
nieder, nicht ohne Bewegung und Verwirrung. Sie lag noch
an seinem Halse; er schloß sie aufs neue in seine Arme und
drückte einen lebhaften Kuß auf ihre Lippen; aber auch im
Augenblick lag er zu ihren Füßen, drückte seinen Mund auf
ihre Hand und rief: Charlotte, werden Sie mir vergeben?

Der Kuß, den der Freund gewagt, den sie ihm beinahe
zurück gegeben, brachte Charlotten wieder zu sich selbst. Sie
drückte seine Hand, aber sie hob ihn nicht auf. Doch indem
sie sich zu ihm hinunterneigte und eine Hand auf seine Schultern legte, rief sie aus: Daß dieser Augenblick in unserm
Leben Epoche mache, können wir nicht verhindern; aber daß
sie unser wert sei, hängt von uns ab. Sie müssen scheiden,
lieber Freund, und Sie werden scheiden. Der Graf macht
Anstalt Ihr Schicksal zu verbessern; es freut und schmerzt
mich. Ich wollte es verschweigen bis es gewiß wäre; der Augenblick nötigt mich dies Geheimnis zu entdecken. Nur in
sofern kann ich Ihnen, kann ich mir verzeihen, wenn wir den
Mut haben unsre Lage zu ändern, da es von uns nicht abhängt unsre Gesinnung zu ändern. Sie hub ihn auf und ergriff seinen Arm um sich darauf zu stützen, und so kamen sie
stillschweigend nach dem Schlosse.

Nun aber stand sie in ihrem Schlafzimmer, wo sie sich als
Gattin Eduards empfinden und betrachten mußte. Ihr kam
bei diesen Widersprüchen ihr tüchtiger und durchs Leben
mannigfaltig geübter Charakter zu Hülfe. Immer gewohnt
sich ihrer selbst bewußt zu sein, sich selbst zu gebieten, ward
es ihr auch jetzt nicht schwer, durch ernste Betrachtung sich
dem erwünschten Gleichgewichte zu nähern; ja sie mußte
über sich selbst lächeln, indem sie des wunderlichen Nacht-
besuches gedachte. Doch schnell ergriff sie eine seltsame
Ahndung, ein freudig bängliches Erzittern, das in fromme
Wünsche und Hoffnungen sich auflöste. Gerührt kniete sie
nieder, sie wiederholte den Schwur den sie Eduarden vor
dem Altar getan. Freundschaft, Neigung, Entsagen gingen
vor ihr in heitern Bildern vorüber. Sie fühlte sich innerlich

wieder hergestellt. Bald ergreift sie eine süße Müdigkeit und ruhig schläft sie ein.

DREIZEHNTES KAPITEL

Eduard von seiner Seite ist in einer ganz verschiedenen Stimmung. Zu schlafen denkt er so wenig, daß es ihm nicht einmal einfällt sich auszuziehen. Die Abschrift des Dokuments küßt er tausendmal, den Anfang von Ottiliens kindlich schüchterner Hand; das Ende wagt er kaum zu küssen, weil er seine eigene Hand zu sehen glaubt. O daß es ein andres Dokument wäre! sagt er sich im Stillen; und doch ist es ihm auch so schon die schönste Versicherung, daß sein höchster Wunsch erfüllt sei. Bleibt es ja doch in seinen Händen, und wird er es nicht immerfort an sein Herz drücken, obgleich entstellt durch die Unterschrift eines Dritten!

Der abnehmende Mond steigt über den Wald hervor. Die warme Nacht lockt Eduarden ins Freie; er schweift umher, er ist der unruhigste und der glücklichste aller Sterblichen. Er wandelt durch die Gärten; sie sind ihm zu enge; er eilt auf das Feld, und es wird ihm zu weit. Nach dem Schlosse zieht es ihn zurück; er findet sich unter Ottiliens Fenstern. Dort setzt er sich auf eine Terrassentreppe. Mauern und Riegel, sagt er zu sich selbst, trennen uns jetzt, aber unsre Herzen sind nicht getrennt. Stünde sie vor mir, in meine Arme würde sie fallen, ich in die ihrigen, und was bedarf es weiter als diese Gewißheit! Alles war still um ihn her, kein Lüftchen regte sich, so still war's, daß er das wühlende Arbeiten emsiger Tiere unter der Erde vernehmen konnte, denen Tag und Nacht gleich sind. Er hing ganz seinen glücklichen Träumen nach, schlief endlich ein und erwachte nicht eher wieder als bis die Sonne mit herrlichem Blick heraufstieg und die frühsten Nebel gewältigte.

Nun fand er sich den ersten Wachenden in seinen Besitzungen. Die Arbeiter schienen ihm zu lange auszubleiben. Sie kamen; es schienen ihm ihrer zu wenig, und die vorge-

setzte Tagesarbeit für seine Wünsche zu gering. Er fragte
nach mehreren Arbeitern: man versprach sie und stellte sie
im Laufe des Tages. Aber auch diese sind ihm nicht genug,
um seine Vorsätze schleunig ausgeführt zu sehen. Das
Schaffen macht ihm keine Freude mehr: es soll schon alles
fertig sein, und für wen? Die Wege sollen gebahnt sein, damit
Ottilie bequem sie gehen, die Sitze schon an Ort und Stelle,
damit Ottilie dort ruhen könne. Auch an dem neuen Hause
treibt er was er kann: es soll an Ottiliens Geburtstage gerichtet werden. In Eduards Gesinnungen, wie in seinen Handlungen ist kein Maß mehr. Das Bewußtsein zu lieben und
geliebt zu werden treibt ihn ins Unendliche. Wie verändert
ist ihm die Ansicht von allen Zimmern, von allen Umgebungen! Er findet sich in seinem eigenen Hause nicht
mehr. Ottiliens Gegenwart verschlingt ihm alles: er ist ganz
in ihr versunken; keine andre Betrachtung steigt vor ihm auf,
kein Gewissen spricht ihm zu; alles was in seiner Natur gebändigt war bricht los, sein ganzes Wesen strömt gegen Ottilien.

Der Hauptmann beobachtet dieses leidenschaftliche Treiben und wünscht den traurigen Folgen zuvorzukommen.
Alle diese Anlagen, die jetzt mit einem einseitigen Triebe
übermäßig gefördert werden, hatte er auf ein ruhig freundliches Zusammenleben berechnet. Der Verkauf des Vorwerks war durch ihn zu Stande gebracht, die erste Zahlung
geschehen, Charlotte hatte sie der Abrede nach in ihre Kasse
genommen. Aber sie muß gleich in der ersten Woche Ernst
und Geduld und Ordnung mehr als sonst üben und im Auge
haben: denn nach der übereilten Weise wird das Ausgesetzte
nicht lange reichen.

Es war viel angefangen und viel zu tun. Wie soll er Charlotten in dieser Lage lassen! Sie beraten sich und kommen
überein, man wolle die planmäßigen Arbeiten lieber selbst
beschleunigen, zu dem Ende Gelder aufnehmen, und zu deren Abtragung die Zahlungstermine anweisen, die vom Vorwerksverkauf zurückgeblieben waren. Es ließ sich fast ohne
Verlust, durch Zession der Gerechtsame tun; man hatte

freiere Hand; man leistete, da alles im Gange, Arbeiter genug
vorhanden waren, mehr auf Einmal und gelangte gewiß und
bald zum Zweck. Eduard stimmte gern bei, weil es mit seinen Absichten übereintraf.

Im innern Herzen beharrt indessen Charlotte bei dem was
sie bedacht und sich vorgesetzt, und männlich steht ihr der
Freund mit gleichem Sinn zur Seite. Aber eben dadurch wird
ihre Vertraulichkeit nur vermehrt. Sie erklären sich wechselseitig über Eduards Leidenschaft; sie beraten sich darüber.
Charlotte schließt Ottilien näher an sich, beobachtet sie strenger, und jemehr sie ihr eigen Herz gewahr worden, desto
tiefer blickt sie in das Herz des Mädchens. Sie sieht keine
Rettung, als sie muß das Kind entfernen.

Nun scheint es ihr eine glückliche Fügung, daß Luciane
ein so ausgezeichnetes Lob in der Pension erhalten: denn die
Großtante, davon unterrichtet, will sie nun ein für allemal zu
sich nehmen, sie um sich haben, sie in die Welt einführen.
Ottilie konnte in die Pension zurückkehren; der Hauptmann
entfernte sich, wohlversorgt; und alles stand wie vor wenigen Monaten, ja um so viel besser. Ihr eigenes Verhältnis
hoffte Charlotte zu Eduard bald wieder herzustellen, und sie
legte das alles so verständig bei sich zurecht, daß sie sich nur
immer mehr in dem Wahn bestärkte: in einen frühern be-
schränktern Zustand könne man zurückkehren, ein gewaltsam Entbundenes lasse sich wieder ins Enge bringen.

Eduard empfand indessen die Hindernisse sehr hoch, die
man ihm in den Weg legte. Er bemerkte gar bald, daß man
ihn und Ottilien auseinander hielt, daß man ihm erschwerte
sie allein zu sprechen, ja sich ihr zu nähern, außer in Gegenwart von mehreren; und indem er hierüber verdrießlich war,
ward er es über manches andere. Konnte er Ottilien flüchtig
sprechen, so war es nicht nur sie seiner Liebe zu versichern,
sondern sich auch über seine Gattin, über den Hauptmann zu
beschweren. Er fühlte nicht, daß er selbst durch sein heftiges
Treiben die Kasse zu erschöpfen auf dem Wege war; er tadelte bitter Charlotten und den Hauptmann, daß sie bei dem
Geschäft gegen die erste Abrede handelten, und doch hatte er

in die zweite Abrede gewilligt, ja er hatte sie selbst veranlaßt und notwendig gemacht.

Der Haß ist parteiisch, aber die Liebe ist es noch mehr. Auch Ottilie entfremdete sich einigermaßen von Charlotten und dem Hauptmann. Als Eduard sich einst gegen Ottilien über den letztern beklagte, daß er als Freund und in einem solchen Verhältnisse nicht ganz aufrichtig handle, versetzte Ottilie unbedachtsam: es hat mir schon früher mißfallen, daß er nicht ganz redlich gegen Sie ist. Ich hörte ihn einmal zu Charlotten sagen, wenn uns nur Eduard mit seiner Flötendudelei verschonte: es kann daraus nichts werden und ist für die Zuhörer so lästig. Sie können denken, wie mich das geschmerzt hat, da ich Sie so gern akkompagniere.

Kaum hatte sie es gesagt, als ihr schon der Geist zuflüsterte, daß sie hätte schweigen sollen; aber es war heraus. Eduards Gesichtszüge verwandelten sich. Nie hatte ihn etwas mehr verdrossen: er war in seinen liebsten Forderungen angegriffen, er war sich eines kindlichen Strebens ohne die mindeste Anmaßung bewußt. Was ihn unterhielt, was ihn erfreute, sollte doch mit Schonung von Freunden behandelt werden. Er dachte nicht, wie schrecklich es für einen Dritten sei, sich die Ohren durch ein unzulängliches Talent verletzen zu lassen. Er war beleidigt, wütend um nicht wieder zu vergeben. Er fühlte sich von allen Pflichten losgesprochen.

Die Notwendigkeit mit Ottilien zu sein, sie zu sehen, ihr etwas zuzuflüstern, ihr zu vertrauen, wuchs mit jedem Tage. Er entschloß sich ihr zu schreiben, sie um einen geheimen Briefwechsel zu bitten. Das Streifchen Papier, worauf er dies lakonisch genug getan hatte, lag auf dem Schreibtisch und ward vom Zugwind heruntergeführt, als der Kammerdiener hereintrat, ihm die Haare zu kräuseln. Gewöhnlich, um die Hitze des Eisens zu versuchen, bückte sich dieser nach Papierschnitzeln auf der Erde; diesmal ergriff er das Billet, zwickte es eilig und es war versengt. Eduard den Mißgriff bemerkend riß es ihm aus der Hand. Bald darauf setzte er sich hin, es noch einmal zu schreiben; es wollte nicht ganz so zum zweitenmal aus der Feder. Er fühlte einiges Bedenken, einige

Besorgnis, die er jedoch überwand. Ottilien wurde das Blättchen in die Hand gedrückt, den ersten Augenblick wo er sich ihr nähern konnte.

Ottilie versäumte nicht ihm zu antworten. Ungelesen steckte er das Zettelchen in die Weste, die modisch kurz es nicht gut verwahrte. Es schob sich heraus und fiel, ohne von ihm bemerkt zu werden, auf den Boden. Charlotte sah es und hob es auf, und reichte es ihm mit einem flüchtigen Überblick. Hier ist etwas von deiner Hand, sagte sie, das du vielleicht ungern verlörest.

Er war betroffen. Verstellt sie sich? dachte er. Ist sie den Inhalt des Blättchens gewahr geworden, oder irrt sie sich an der Ähnlichkeit der Hände? Er hoffte, er dachte das letztre. Er war gewarnt, doppelt gewarnt, aber diese sonderbaren zufälligen Zeichen, durch die ein höheres Wesen mit uns zu sprechen scheint, waren seiner Leidenschaft unverständlich; vielmehr indem sie ihn immer weiter führte, empfand er die Beschränkung in der man ihn zu halten schien, immer unangenehmer. Die freundliche Geselligkeit verlor sich. Sein Herz war verschlossen, und wenn er mit Freund und Frau zusammen zu sein genötigt war, so gelang es ihm nicht, seine frühere Neigung zu ihnen in seinem Busen wieder aufzufinden, zu beleben. Der stille Vorwurf, den er sich selbst hierüber machen mußte, war ihm unbequem und er suchte sich durch eine Art von Humor zu helfen, der aber, weil er ohne Liebe war, auch der gewohnten Anmut ermangelte.

Über alle diese Prüfungen half Charlotten ihr inneres Gefühl hinweg. Sie war sich ihres ernsten Vorsatzes bewußt, auf eine so schöne edle Neigung Verzicht zu tun.

Wie sehr wünscht sie jenen beiden auch zu Hülfe zu kommen. Entfernung, fühlte sie wohl, wird nicht allein hinreichend sein, ein solches Übel zu heilen. Sie nimmt sich vor die Sache gegen das gute Kind zur Sprache zu bringen; aber sie vermag es nicht; die Erinnerung ihres eignen Schwankens steht ihr im Wege. Sie sucht sich darüber im Allgemeinen auszudrücken; das Allgemeine paßt auch auf ihren eignen Zustand, den sie auszusprechen scheut. Ein jeder Wink, den sie Ottilien geben will, deutet zurück in ihr eignes Herz. Sie will warnen und fühlt, daß sie wohl selbst noch einer Warnung bedürfen könnte.

Schweigend hält sie daher die Liebenden noch immer aus
5 einander, und die Sache wird dadurch nicht besser. Leise Andeutungen, die ihr manchmal entschlüpfen, wirken auf Ottilien nicht: denn Eduard hatte diese von Charlottens Neigung zum Hauptmann überzeugt, sie überzeugt, daß Charlotte selbst eine Scheidung wünsche, die er nun auf eine an
10 ständige Weise zu bewirken denke.

Ottilie getragen durch das Gefühl ihrer Unschuld, auf dem Wege zu dem erwünschtesten Glück, lebt nur für Eduard. Durch die Liebe zu ihm in allem Guten gestärkt, um seinetwillen freudiger in ihrem Tun, aufgeschlossener gegen
15 andre, findet sie sich in einem Himmel auf Erden.

So setzen alle zusammen, jeder auf seine Weise, das tägliche Leben fort, mit und ohne Nachdenken; alles scheint seinen gewöhnlichen Gang zu gehen, wie man auch in ungeheuren Fällen, wo alles auf dem Spiele steht, noch immer so
20 fort lebt, als wenn von nichts die Rede wäre.

VIERZEHNTES KAPITEL

Von dem Grafen war indessen ein Brief an den Hauptmann angekommen, und zwar ein doppelter, einer zum Vorzeigen, der sehr schöne Aussichten in die Ferne darwies, der andre
25 hingegen, der ein entschiedenes Anerbieten für die Gegenwart enthielt, eine bedeutende Hof- und Geschäftsstelle, den Charakter als Major, ansehnlichen Gehalt, und andre Vorteile, sollte wegen verschiedener Nebenumstände noch geheim gehalten werden. Auch unterrichtete der Hauptmann
30 seine Freunde nur von jenen Hoffnungen und verbarg was so nahe bevorstand.

Indessen setzte er die gegenwärtigen Geschäfte lebhaft fort und machte in der Stille Einrichtungen, wie alles in seiner Abwesenheit ungehinderten Fortgang haben könnte. Es ist ihm nun selbst daran gelegen, daß für manches ein Termin bestimmt werde, daß Ottiliens Geburtstag manches beschleunige. Nun wirken die beiden Freunde, obschon ohne ausdrückliches Einverständnis, gern zusammen. Eduard ist nun recht zufrieden, daß man durch das Vorauserheben der Gelder die Kasse verstärkt hat; die ganze Anstalt rückt auf das rascheste vorwärts.

Die drei Teiche in einen See zu verwandeln hätte jetzt der Hauptmann am liebsten ganz widerraten. Der untere Damm war zu verstärken, die mittlern abzutragen, und die ganze Sache in mehr als einem Sinne wichtig und bedenklich. Beide Arbeiten aber, wie sie ineinander wirken konnten, waren schon angefangen, und hier kam ein junger Architekt, ein ehemaliger Zögling des Hauptmanns, sehr erwünscht, der teils mit Anstellung tüchtiger Meister, teils mit Verdingen der Arbeit, wo sich's tun ließ, die Sache förderte und dem Werke Sicherheit und Dauer versprach; wobei sich der Hauptmann im Stillen freute, daß man seine Entfernung nicht fühlen würde. Denn er hatte den Grundsatz, aus einem übernommenen unvollendeten Geschäft nicht zu scheiden, bis er seine Stelle genugsam ersetzt sähe. Ja er verachtete diejenigen, die, um ihren Abgang fühlbar zu machen, erst noch Verwirrung in ihrem Kreise anrichten, indem sie als ungebildete Selbstler das zu zerstören wünschen, wobei sie nicht mehr fortwirken sollen.

So arbeitete man immer mit Anstrengung, um Ottiliens Geburtstag zu verherrlichen, ohne daß man es aussprach, oder sich's recht aufrichtig bekannte. Nach Charlottens obgleich neidlosen Gesinnungen konnte es doch kein entschiedenes Fest werden. Die Jugend Ottiliens, ihre Glücksumstände, das Verhältnis zur Familie berechtigten sie nicht als Königin eines Tages zu erscheinen. Und Eduard wollte nicht davon gesprochen haben, weil alles wie von selbst entspringen, überraschen und natürlich erfreuen sollte.

Alle kamen daher stillschweigend in dem Vorwande überein, als wenn an diesem Tage, ohne weitere Beziehung, jenes Lusthaus gerichtet werden sollte, und bei diesem Anlaß

konnte man dem Volke so wie den Freunden ein Fest ankündigen.

Eduards Neigung war aber grenzenlos. Wie er sich Ottilien zuzueignen begehrte; so kannte er auch kein Maß des
Hingebens, Schenkens, Versprechens. Zu einigen Gaben, die
er Ottilien an diesem Tage verehren wollte, hatte ihm Charlotte viel zu ärmliche Vorschläge getan. Er sprach mit seinem
Kammerdiener, der seine Garderobe besorgte und mit
Handelsleuten und Modehändlern in beständigem Verhältnis blieb; dieser, nicht unbekannt sowohl mit den angenehmsten Gaben selbst als mit der besten Art sie zu überreichen, bestellte sogleich in der Stadt den niedlichsten
Koffer mit rotem Saffian überzogen, mit Stahlnägeln beschlagen, und angefüllt mit Geschenken einer solchen Schale
würdig.

Noch einen andern Vorschlag tat er Eduarden. Es war ein
kleines Feuerwerk vorhanden, das man immer abzubrennen
versäumt hatte. Dies konnte man leicht verstärken und erweitern. Eduard ergriff den Gedanken und jener versprach
für die Ausführung zu sorgen. Die Sache sollte ein Geheimnis bleiben.

Der Hauptmann hatte unterdessen, je näher der Tag heranrückte, seine polizeilichen Einrichtungen getroffen, die er
für so nötig hielt, wenn eine Masse Menschen zusammen
berufen oder gelockt wird. Ja sogar hatte er wegen des Bet-
telns, und andrer Unbequemlichkeiten, wodurch die Anmut
eines Festes gestört wird, durchaus Vorsorge genommen.

Eduard und sein Vertrauter dagegen beschäftigten sich
vorzüglich mit dem Feuerwerk. Am mittelsten Teiche vor
jenen großen Eichbäumen sollte es abgebrannt werden; gegenüber unter den Platanen sollte die Gesellschaft sich aufhalten, um die Wirkung aus gehöriger Ferne, die Abspie-
gelung im Wasser, und was auf dem Wasser selbst brennend
zu schwimmen bestimmt war, mit Sicherheit und Bequemlichkeit anzuschauen.

Unter einem andern Vorwand ließ daher Eduard den
Raum unter den Platanen von Gesträuch, Gras und Moos

säubern, und nun erschien erst die Herrlichkeit des Baum-
wuchses sowohl an Höhe als Breite auf dem gereinigten Boden. Eduard empfand darüber die größte Freude. – Es war
ungefähr um diese Jahreszeit als ich sie pflanzte. Wie lange
mag es her sein? sagte er zu sich selbst. – Sobald er nach
Hause kam, schlug er in alten Tagebüchern nach, die sein
Vater, besonders auf dem Lande, sehr ordentlich geführt
hatte. Zwar diese Pflanzung konnte nicht darin erwähnt sein,
aber eine andre häuslich wichtige Begebenheit an demselben
Tage, deren sich Eduard noch wohl erinnerte, mußte notwendig darin angemerkt stehen. Er durchblättert einige
Bände; der Umstand findet sich: aber wie erstaunt, wie erfreut ist Eduard, als er das wunderbarste Zusammentreffen
bemerkt. Der Tag, das Jahr jener Baumpflanzung ist zugleich der Tag, das Jahr von Ottiliens Geburt.

FUNFZEHNTES KAPITEL

Endlich leuchtete Eduarden der sehnlich erwartete Morgen
und nach und nach stellten viele Gäste sich ein: denn man
hatte die Einladungen weit umher geschickt, und manche die
das Legen des Grundsteins versäumt hatten, wovon man so
viel artiges erzählte, wollten diese zweite Feierlichkeit um so
weniger verfehlen.

Vor Tafel erschienen die Zimmerleute mit Musik im
Schloßhofe, ihren reichen Kranz tragend, der aus vielen stufenweise übereinander schwankenden Laub- und Blumen-
reifen zusammengesetzt war. Sie sprachen ihren Gruß, und
erbaten sich zur gewöhnlichen Ausschmückung seidene Tücher und Bänder von dem schönen Geschlecht. Indes die
Herrschaft speiste, setzten sie ihren jauchzenden Zug weiter
fort, und nachdem sie sich eine Zeit lang im Dorfe aufgehalten und daselbst Frauen und Mädchen gleichfalls um manches Band gebracht; so kamen sie endlich, begleitet und erwartet von einer großen Menge, auf die Höhe wo das ge-
richtete Haus stand.

Charlotte hielt nach der Tafel die Gesellschaft einigermaßen zurück. Sie wollte keinen feierlichen förmlichen Zug und
man fand sich daher in einzelnen Partien, ohne Rang und
Ordnung, auf dem Platz gemächlich ein. Charlotte zögerte
5 mit Ottilien und machte dadurch die Sache nicht besser: denn
weil Ottilie wirklich die letzte war die herantrat, so schien es
als wenn Trompeten und Pauken nur auf sie gewartet hätten,
als wenn die Feierlichkeit bei ihrer Ankunft nun gleich beginnen müßte.

10 Dem Hause das rohe Ansehn zu nehmen, hatte man es mit
grünem Reisig und Blumen, nach Angabe des Hauptmanns,
architektonisch ausgeschmückt, allein ohne dessen Mitwis-
sen hatte Eduard den Architekten veranlaßt, in dem Gesims
das Datum mit Blumen zu bezeichnen. Das mochte noch
15 hingehen; allein zeitig genug langte der Hauptmann an, um
zu verhindern, daß nicht auch der Name Ottiliens im Gie-
belfelde glänzte. Er wußte dieses Beginnen auf eine geschickte Weise abzulehnen und die schon fertigen Blumen-
buchstaben bei Seite zu bringen.

20 Der Kranz war aufgesteckt und weit umher in der Gegend
sichtbar. Bunt flatterten die Bänder und Tücher in der Luft
und eine kurze Rede verscholl zum größten Teil im Winde.
Die Feierlichkeit war zu Ende, der Tanz auf dem geebneten
und mit Lauben umkreiseten Platze vor dem Gebäude sollte
25 nun angehen. Ein schmucker Zimmergeselle führte Eduarden ein flinkes Bauermädchen zu, und forderte Ottilien auf,
welche daneben stand. Die beiden Paare fanden sogleich ihre
Nachfolger und bald genug wechselte Eduard, indem er Ottilien ergriff und mit ihr die Runde machte. Die jüngere Ge-
30 sellschaft mischte sich fröhlich in den Tanz des Volks, indes
die älteren beobachteten.

Sodann, ehe man sich auf den Spaziergängen zerstreute,
ward abgeredet, daß man sich mit Untergang der Sonne bei
den Platanen wieder versammeln wolle. Eduard fand sich
35 zuerst ein, ordnete alles und nahm Abrede mit dem Kammerdiener, der auf der andern Seite, in Gesellschaft des
Feuerwerkers, die Lusterscheinungen zu besorgen hatte.

Der Hauptmann bemerkte die dazu getroffenen Vorrichtungen nicht mit Vergnügen; er wollte wegen des zu erwartenden Andrangs der Zuschauer mit Eduard sprechen, als ihn derselbe etwas hastig bat, er möge ihm diesen Teil der Feierlichkeit doch allein überlassen.

Schon hatte sich das Volk auf die oberwärts abgestochenen und vom Rasen entblößten Dämme gedrängt, wo das Erdreich uneben und unsicher war. Die Sonne ging unter, die Dämmerung trat ein, und in Erwartung größerer Dunkelheit wurde die Gesellschaft unter den Platanen mit Erfrischungen bedient. Man fand den Ort unvergleichlich und freute sich in Gedanken, künftig von hier die Aussicht auf einen weiten und so mannigfaltig begrenzten See zu genießen.

Ein ruhiger Abend, eine vollkommene Windstille versprachen das nächtliche Fest zu begünstigen, als auf einmal ein entsetzliches Geschrei entstand. Große Schollen hatten sich vom Damme losgetrennt, man sah mehrere Menschen ins Wasser stürzen. Das Erdreich hatte nachgegeben unter dem Drängen und Treten der immer zunehmenden Menge. Jeder wollte den besten Platz haben und nun konnte Niemand vorwärts noch zurück.

Jedermann sprang auf und hinzu, mehr um zu schauen als zu tun: denn was war da zu tun wo Niemand hinreichen konnte. Nebst einigen Entschlossenen eilte der Hauptmann, trieb sogleich die Menge von dem Damm herunter nach den Ufern, um den Hülfreichen freie Hand zu geben, welche die Versinkenden herauszuziehen suchten. Schon waren alle, teils durch eignes, teils durch fremdes Bestreben, wieder auf dem Trocknen, bis auf einen Knaben, der durch allzu ängstliches Bemühen, statt sich dem Damm zu nähern, sich davon entfernt hatte. Die Kräfte schienen ihn zu verlassen, nur einigemal kam noch eine Hand, ein Fuß in die Höhe. Unglücklicher Weise war der Kahn auf der andern Seite, mit Feuerwerk gefüllt, nur langsam konnte man ihn ausladen und die Hülfe verzögerte sich. Des Hauptmanns Entschluß war gefaßt, er warf die Oberkleider weg, aller Augen richte-

ten sich auf ihn, und seine tüchtige kräftige Gestalt flößte
Jedermann Zutrauen ein; aber ein Schrei der Überraschung
drang aus der Menge hervor, als er sich ins Wasser stürzte.
Jedes Auge begleitete ihn, der als geschickter Schwimmer
den Knaben bald erreichte und ihn, jedoch für tot, an den
Damm brachte.

Indessen ruderte der Kahn herbei, der Hauptmann bestieg
ihn und forschte genau von den Anwesenden, ob denn auch
wirklich alle gerettet seien. Der Chirurgus kommt und
übernimmt den totgeglaubten Knaben; Charlotte tritt hinzu,
sie bittet den Hauptmann nur für sich zu sorgen, nach dem
Schlosse zurückzukehren und die Kleider zu wechseln. Er
zaudert, bis ihm gesetzte verständige Leute, die ganz nahe
gegenwärtig gewesen, die selbst zur Rettung der einzelnen
beigetragen, auf das heiligste versichern, daß alle gerettet
seien.

Charlotte sieht ihn nach Hause gehen, sie denkt, daß Wein
und Tee, und was sonst nötig wäre, verschlossen ist, daß in
solchen Fällen die Menschen gewöhnlich verkehrt handeln;
sie eilt durch die zerstreute Gesellschaft, die sich noch unter
den Platanen befindet; Eduard ist beschäftigt Jedermann zuzureden: man soll bleiben; in kurzem gedenkt er das Zeichen
zu geben und das Feuerwerk soll beginnen; Charlotte tritt
hinzu und bittet ihn, ein Vergnügen zu verschieben das jetzt
nicht am Platze sei, das in dem gegenwärtigen Augenblick
nicht genossen werden könne; sie erinnert ihn, was man dem
Geretteten und dem Retter schuldig sei. Der Chirurgus wird
schon seine Pflicht tun, versetzte Eduard. Er ist mit allem
versehen und unser Zudringen wäre nur eine hinderliche
Teilnahme.

Charlotte bestand auf ihrem Sinne und winkte Ottilien,
die sich sogleich zum Weggehn anschickte. Eduard ergriff
ihre Hand und rief: Wir wollen diesen Tag nicht im Lazarett
endigen! Zur barmherzigen Schwester ist sie zu gut. Auch
ohne uns werden die Scheintoten erwachen und die Lebendigen sich abtrocknen.

Charlotte schwieg und ging. Einige folgten ihr, andere

diesen; endlich wollte Niemand der letzte sein und so folgten alle. Eduard und Ottilie fanden sich allein unter den Platanen. Er bestand darauf zu bleiben, so dringend, so ängstlich sie ihn auch bat, mit ihr nach dem Schlosse zurückzukehren. Nein, Ottilie! rief er: das Außerordentliche geschieht nicht auf glattem gewöhnlichen Wege. Dieser überraschende Vorfall von heute Abend bringt uns schneller zusammen. Du bist die meine! Ich habe dir's schon so oft gesagt und geschworen; wir wollen es nicht mehr sagen und schwören, nun soll es werden!

Der Kahn von der andern Seite schwamm herüber. Es war der Kammerdiener, der verlegen anfragte: was nunmehr mit dem Feuerwerk werden sollte. Brennt es ab! rief er ihm entgegen. Für dich allein war es bestellt, Ottilie, und nun sollst du es auch allein sehen! Erlaube mir an deiner Seite sitzend, es mit zu genießen. Zärtlich bescheiden setzte er sich neben sie ohne sie zu berühren.

Raketen rauschten auf, Kanonenschläge donnerten, Leuchtkugeln stiegen, Schwärmer schlängelten und platzten, Räder gischten, jedes erst einzeln, dann gepaart, dann alle zusammen, und immer gewaltsamer hintereinander und zusammen. Eduard dessen Busen brannte, verfolgte mit lebhaft zufriedenem Blick diese feurigen Erscheinungen. Ottiliens zartem, aufgeregtem Gemüt war dieses rauschende blitzende Entstehen und Verschwinden eher ängstlich als angenehm. Sie lehnte sich schüchtern an Eduard, dem diese Annäherung, dieses Zutrauen das volle Gefühl gab, daß sie ihm ganz angehöre.

Die Nacht war kaum in ihre Rechte wieder eingetreten, als der Mond aufging und die Pfade der beiden Rückkehrenden beleuchtete. Eine Figur, den Hut in der Hand, vertrat ihnen den Weg, und sprach sie um ein Almosen an, da er an diesem festlichen Tage versäumt worden sei. Der Mond schien ihm ins Gesicht und Eduard erkannte die Züge jenes zudringlichen Bettlers. Aber so glücklich wie er war, konnte er nicht ungehalten sein, konnte es ihm nicht einfallen, daß besonders für heute das Betteln höchlich verpönt worden. Er forschte

nicht lange in der Tasche und gab ein Goldstück hin. Er hätte
jeden gern glücklich gemacht, da sein Glück ohne Grenzen
schien.

Zu Hause war indes alles erwünscht gelungen. Die Tätigkeit des Chirurgen, die Bereitschaft alles Nötigen, der Beistand Charlottens, alles wirkte zusammen und der Knabe
ward wieder zum Leben hergestellt. Die Gäste zerstreuten
sich, sowohl um noch etwas vom Feuerwerk aus der Ferne zu
sehen, als auch, um nach solchen verworrnen Szenen ihre
ruhige Heimat wieder zu betreten.

Auch hatte der Hauptmann, geschwind umgekleidet, an
der nötigen Vorsorge tätigen Anteil genommen; alles war
beruhigt und er fand sich mit Charlotten allein. Mit zutrau-
licher Freundlichkeit erklärte er nun, daß seine Abreise nahe
bevorstehe. Sie hatte diesen Abend so viel erlebt, daß diese
Entdeckung wenig Eindruck auf sie machte; sie hatte gesehen, wie der Freund sich aufopferte, wie er rettete und selbst
gerettet war. Diese wunderbaren Ereignisse schienen ihr
eine bedeutende Zukunft aber keine unglückliche zu weis-
sagen.

Eduarden, der mit Ottilien hereintrat, wurde die bevorstehende Abreise des Hauptmanns gleichfalls angekündigt.
Er argwohnte, daß Charlotte früher um das Nähere gewußt
habe, war aber viel zu sehr mit sich und seinen Absichten
beschäftigt, als daß er es hätte übel empfinden sollen.

Im Gegenteil vernahm er aufmerksam und zufrieden die
gute und ehrenvolle Lage in die der Hauptmann versetzt
werden sollte. Unbändig drangen seine geheimen Wünsche
den Begebenheiten vor. Schon sah er jenen mit Charlotten
verbunden, sich mit Ottilien. Man hätte ihm zu diesem Fest
kein größeres Geschenk machen können.

Aber wie erstaunt war Ottilie, als sie auf ihr Zimmer trat
und den köstlichen kleinen Koffer auf ihrem Tische fand. Sie
säumte nicht ihn zu eröffnen. Da zeigte sich alles so schön
gepackt und geordnet, daß sie es nicht auseinander zu nehmen, ja kaum zu lüften wagte. Musselin, Battist, Seide,
Shawls und Spitzen wetteiferten an Feinheit, Zierlichkeit

und Kostbarkeit. Auch war der Schmuck nicht vergessen. Sie begriff wohl die Absicht, sie mehr als einmal vom Kopf bis auf den Fuß zu kleiden: es war aber alles so kostbar und fremd, daß sie sich's in Gedanken nicht zuzueignen getraute.

SECHZEHNTES KAPITEL

Des andern Morgens war der Hauptmann verschwunden, und ein dankbar gefühltes Blatt an die Freunde von ihm zurückgeblieben. Er und Charlotte hatten Abends vorher schon halben und einsylbigen Abschied genommen. Sie empfand eine ewige Trennung und ergab sich darein: denn in dem zweiten Briefe des Grafen, den ihr der Hauptmann zuletzt mitteilte, war auch von einer Aussicht auf eine vorteilhafte Heirat die Rede; und obgleich er diesem Punkt keine Aufmerksamkeit schenkte, so hielt sie doch die Sache schon für gewiß und entsagte ihm rein und völlig.

Dagegen glaubte sie nun auch die Gewalt, die sie über sich selbst ausgeübt, von andern fordern zu können. Ihr war es nicht unmöglich gewesen, andern sollte das Gleiche möglich sein. In diesem Sinne begann sie das Gespräch mit ihrem Gemahl, um somehr offen und zuversichtlich, als sie empfand, daß die Sache ein für allemal abgetan werden müsse.

Unser Freund hat uns verlassen, sagte sie: wir sind nun wieder gegen einander über wie vormals, und es käme nun wohl auf uns an, ob wir wieder völlig in den alten Zustand zurückkehren wollten.

Eduard, der nichts vernahm als was seiner Leidenschaft schmeichelte, glaubte daß Charlotte durch diese Worte den früheren Witwenstand bezeichnen und, obgleich auf unbestimmte Weise, zu einer Scheidung Hoffnung machen wolle. Er antwortete deshalb mit Lächeln: Warum nicht? Es käme nur darauf an, daß man sich verständigte.

Er fand sich daher gar sehr betrogen, als Charlotte versetzte: Auch Ottilien in eine andre Lage zu bringen, haben wir gegenwärtig nur zu wählen; denn es findet sich eine dop-

pelte Gelegenheit, ihr Verhältnisse zu geben die für sie wünschenswert sind. Sie kann in die Pension zurückkehren, da
meine Tochter zur Großtante gezogen ist; sie kann in ein
angesehenes Haus aufgenommen werden, um mit einer einzigen Tochter alle Vorteile einer standesmäßigen Erziehung
zu genießen.

Indessen, versetzte Eduard ziemlich gefaßt, hat Ottilie
sich in unserer freundlichen Gesellschaft so verwöhnt, daß
ihr eine andre wohl schwerlich willkommen sein möchte.

Wir haben uns alle verwöhnt, sagte Charlotte, und du
nicht zum letzten. Indessen ist es eine Epoche, die uns zur
Besinnung auffordert, die uns ernstlich ermahnt, an das Beste
sämtlicher Mitglieder unseres kleinen Zirkels zu denken und
auch irgend eine Aufopferung nicht zu versagen.

Wenigstens finde ich es nicht billig, versetzte Eduard, daß
Ottilie aufgeopfert werde, und das geschähe doch wenn man
sie gegenwärtig unter fremde Menschen hinunter stieße.
Den Hauptmann hat sein gutes Geschick hier aufgesucht; wir
dürfen ihn mit Ruhe, ja mit Behagen von uns wegscheiden
lassen. Wer weiß was Ottilien bevorsteht; warum sollten wir
uns übereilen?

Was uns bevorsteht ist ziemlich klar, versetzte Charlotte
mit einiger Bewegung, und da sie die Absicht hatte ein für
allemal sich auszusprechen, fuhr sie fort: Du liebst Ottilien,
du gewöhnst dich an sie. Neigung und Leidenschaft entspringt und nährt sich auch von ihrer Seite. Warum sollen wir
nicht mit Worten aussprechen, was uns jede Stunde gesteht
und bekennt? Sollen wir nicht soviel Vorsicht haben, uns zu
fragen, was das werden wird?

Wenn man auch sogleich darauf nicht antworten kann,
versetzte Eduard, der sich zusammennahm; so läßt sich doch
soviel sagen, daß man eben alsdann sich am ersten entschließt
abzuwarten was uns die Zukunft lehren wird, wenn man
gerade nicht sagen kann, was aus einer Sache werden soll.

Hier vorauszusehen, versetzte Charlotte, bedarf es wohl
keiner großen Weisheit, und soviel läßt sich auf alle Fälle
gleich sagen, daß wir beide nicht mehr jung genug sind, um

blindlings dahin zu gehen, wohin man nicht möchte oder
nicht sollte. Niemand kann mehr für uns sorgen; wir müssen
unsre eigenen Freunde sein, unsre eigenen Hofmeister. Niemand erwartet von uns, daß wir uns in ein Äußerstes verlieren werden, Niemand erwartet uns tadelnswert oder gar lä- 5
cherlich zu finden.

Kannst du mir's verdenken, versetzte Eduard, der die
offne reine Sprache seiner Gattin nicht zu erwidern vermochte: kannst du mich schelten, wenn mir Ottiliens Glück
am Herzen liegt? und nicht etwa ein künftiges, das immer 10
nicht zu berechnen ist; sondern ein gegenwärtiges. Denke
dir, aufrichtig und ohne Selbstbetrug, Ottilien aus unserer
Gesellschaft gerissen, und fremden Menschen untergeben –
ich wenigstens fühle mich nicht grausam genug, ihr eine solche Veränderung zuzumuten.   15

Charlotte ward gar wohl die Entschlossenheit ihres Gemahls hinter seiner Verstellung gewahr. Erst jetzt fühlte sie,
wie weit er sich von ihr entfernt hatte. Mit einiger Bewegung
rief sie aus: Kann Ottilie glücklich sein, wenn sie uns ent-
zweit! wenn sie mir einen Gatten, seinen Kindern einen Va- 20
ter entreißt!

Für unsere Kinder, dächte ich, wäre gesorgt, sagte Eduard
lächelnd und kalt; etwas freundlicher aber fügte er hinzu:
Wer wird auch gleich das Äußerste denken!

Das Äußerste liegt der Leidenschaft zu allernächst, be- 25
merkte Charlotte. Lehne, so lange es noch Zeit ist, den guten
Rat nicht ab, nicht die Hülfe die ich uns biete. In trüben
Fällen muß derjenige wirken und helfen der am klärsten
sieht. Diesmal bin ich's. Lieber, liebster Eduard, laß mich
gewähren! Kannst du mir zumuten, daß ich auf mein wohl- 30
erworbnes Glück, auf die schönsten Rechte, auf dich so ge-
radehin Verzicht leisten soll?

Wer sagt das? versetzte Eduard mit einiger Verlegenheit.

Du selbst, versetzte Charlotte: indem du Ottilien in der
Nähe behalten willst, gestehst du nicht alles zu, was daraus 35
entspringen muß? Ich will nicht in dich dringen; aber wenn
du dich nicht überwinden kannst, so wirst du wenigstens
dich nicht lange mehr betrügen können.

Eduard fühlte wie Recht sie hatte. Ein ausgesprochnes Wort ist fürchterlich, wenn es das auf einmal ausspricht, was das Herz lange sich erlaubt hat; und um nur für den Augenblick auszuweichen, erwiderte Eduard: Es ist mir ja noch nicht einmal klar, was du vorhast.

Meine Absicht war, versetzte Charlotte, mit dir die beiden Vorschläge zu überlegen. Beide haben viel Gutes. Die Pension würde Ottilien am gemäßesten sein, wenn ich betrachte, wie das Kind jetzt ist. Jene größere und weitere Lage verspricht aber mehr, wenn ich bedenke, was sie werden soll. Sie legte darauf umständlich ihrem Gemahl die beiden Verhältnisse dar und schloß mit den Worten: Was meine Meinung betrifft; so würde ich das Haus jener Dame der Pension vorziehen aus mehreren Ursachen, besonders aber auch, weil ich die Neigung, ja die Leidenschaft des jungen Mannes, den Ottilie dort für sich gewonnen, nicht vermehren will.

Eduard schien ihr Beifall zu geben, nur aber um einigen Aufschub zu suchen. Charlotte, die darauf ausging etwas Entscheidendes zu tun, ergriff sogleich die Gelegenheit, als Eduard nicht unmittelbar widersprach, die Abreise Ottiliens, zu der sie schon alles im Stillen vorbereitet hatte, auf die nächsten Tage festzusetzen.

Eduard schauderte; er hielt sich für verraten und die liebevolle Sprache seiner Frau für ausgedacht, künstlich und planmäßig, um ihn auf ewig von seinem Glücke zu trennen. Er schien ihr die Sache ganz zu überlassen; allein schon war innerlich sein Entschluß gefaßt. Um nur zu Atem zu kommen, um das bevorstehende unabsehliche Unheil der Entfernung Ottiliens abzuwenden, entschied er sich sein Haus zu verlassen, und zwar nicht ganz ohne Vorbewußt Charlottens, die er jedoch durch die Einleitung zu täuschen verstand, daß er bei Ottiliens Abreise nicht gegenwärtig sein, ja sie von diesem Augenblick an nicht mehr sehen wolle. Charlotte, die gewonnen zu haben glaubte, tat ihm allen Vorschub. Er befahl seine Pferde, gab dem Kammerdiener die nötige Anweisung was er einpacken und wie er ihm folgen solle, und so, wie schon im Stegreife, setzte er sich hin und schrieb.

Eduard an Charlotten

Das Übel, meine Liebe, das uns befallen hat, mag heilbar sein oder nicht, dies nur fühl' ich, wenn ich im Augenblicke nicht verzweifeln soll, so muß ich Aufschub finden für mich, für uns alle. Indem ich mich aufopfre kann ich fordern. Ich verlasse mein Haus und kehre nur unter günstigern ruhigern Aussichten zurück. Du sollst es indessen besitzen, aber mit Ottilien. Bei dir will ich sie wissen, nicht unter fremden Menschen. Sorge für sie, behandle sie wie sonst, wie bisher, ja nur immer liebevoller, freundlicher und zarter. Ich verspreche kein heimliches Verhältnis zu Ottilien zu suchen. Laßt mich lieber eine Zeit lang ganz unwissend, wie ihr lebt; ich will mir das Beste denken. Denkt auch so von mir. Nur, was ich dich bitte, auf das innigste, auf das lebhafteste: mache keinen Versuch Ottilien sonst irgendwo unterzugeben, in neue Verhältnisse zu bringen. Außer dem Bezirk deines Schlosses, deines Parks, fremden Menschen anvertraut, gehört sie mir und ich werde mich ihrer bemächtigen. Ehrst du aber meine Neigung, meine Wünsche, meine Schmerzen; schmeichelst du meinem Wahn, meinen Hoffnungen: so will ich auch der Genesung nicht widerstreben, wenn sie sich mir anbietet.

Diese letzte Wendung floß ihm aus der Feder, nicht aus dem Herzen. Ja wie er sie auf dem Papier sah, fing er bitterlich zu weinen an. Er sollte auf irgend eine Weise dem Glück, ja dem Unglück Ottilien zu lieben, entsagen! Jetzt erst fühlte er was er tat. Er entfernte sich, ohne zu wissen was daraus entstehen konnte. Er sollte sie wenigstens jetzt nicht wiedersehen, ob er sie je wiedersähe, welche Sicherheit konnte er sich darüber versprechen? Aber der Brief war geschrieben; die Pferde standen vor der Tür; jeden Augenblick mußte er fürchten Ottilien irgendwo zu erblicken und zugleich seinen Entschluß vereitelt zu sehen. Er faßte sich; er dachte daß es ihm doch möglich sei, jeden Augenblick zurückzukehren und durch die Entfernung gerade seinen Wünschen näher zu

kommen. Im Gegenteil stellte er sich Ottilien vor, aus dem
Hause gedrängt, wenn er bliebe. Er siegelte den Brief, eilte
die Treppe hinab und schwang sich aufs Pferd.

Als er beim Wirtshause vorbeiritt, sah er den Bettler in der
Laube sitzen, den er gestern Nacht so reichlich beschenkt
hatte. Dieser saß behaglich an seinem Mittagsmahle, stand
auf und neigte sich ehrerbietig, ja anbetend vor Eduarden.
Eben diese Gestalt war ihm gestern erschienen, als er Ottilien
am Arm führte; nun erinnerte sie ihn schmerzlich an die
glücklichste Stunde seines Lebens. Seine Leiden vermehrten
sich; das Gefühl dessen was er zurückließ war ihm unerträglich; nochmals blickte er nach dem Bettler: O du Beneidens-
werter! rief er aus: du kannst noch am gestrigen Almosen
zehren, und ich nicht mehr am gestrigen Glücke!

SIEBZEHNTES KAPITEL

Ottilie trat ans Fenster als sie Jemanden wegreiten hörte und
sah Eduarden noch im Rücken. Es kam ihr wunderbar vor,
daß er das Haus verließ, ohne sie gesehen, ohne ihr einen
Morgengruß geboten zu haben. Sie ward unruhig und immer nachdenklicher, als Charlotte sie auf einen weiten Spaziergang mit sich zog und von mancherlei Gegenständen
sprach, aber des Gemahls, und wie es schien, vorsätzlich,
nicht erwähnte. Doppelt betroffen war sie daher, bei ihrer
Zurückkunft den Tisch nur mit zwei Gedecken besetzt zu
finden.

Wir vermissen ungern geringscheinende Gewohnheiten,
aber schmerzlich empfinden wir erst ein solches Entbehren in
bedeutenden Fällen. Eduard und der Hauptmann fehlten,
Charlotte hatte seit langer Zeit zum erstenmal den Tisch
selbst angeordnet, und es wollte Ottilien scheinen als wenn
sie abgesetzt wäre. Die beiden Frauen saßen gegen einander
über; Charlotte sprach ganz unbefangen von der Anstellung
des Hauptmanns und von der wenigen Hoffnung ihn bald
wieder zu sehen. Das einzige tröstete Ottilien in ihrer Lage,

daß sie glauben konnte, Eduard sei, um den Freund noch eine Strecke zu begleiten, ihm nachgeritten.

Allein, da sie von Tische aufstanden, sahen sie Eduards Reisewagen unter dem Fenster, und als Charlotte einigermaßen unwillig fragte: wer ihn hieher bestellt habe; so antwortete man ihr, es sei der Kammerdiener, der hier noch einiges aufpacken wolle. Ottilie brauchte ihre ganze Fassung, um ihre Verwunderung und ihren Schmerz zu verbergen.

Der Kammerdiener trat herein und verlangte noch einiges. Es war eine Mundtasse des Herrn, ein paar silberne Löffel und mancherlei was Ottilien auf eine weitere Reise, auf ein längeres Außenbleiben zu deuten schien. Charlotte verwies ihm sein Begehren ganz trocken: sie verstehe nicht was er damit sagen wolle; denn er habe ja alles was sich auf den Herrn beziehe, selbst im Beschluß. Der gewandte Mann, dem es freilich nur darum zu tun war, Ottilien zu sprechen, und sie deswegen unter irgend einem Vorwande aus dem Zimmer zu locken, wußte sich zu entschuldigen und auf seinem Verlangen zu beharren, das ihm Ottilie auch zu gewähren wünschte; allein Charlotte lehnte es ab, der Kammerdiener mußte sich entfernen, und der Wagen rollte fort.

Es war für Ottilien ein schrecklicher Augenblick. Sie verstand es nicht, sie begriff es nicht; aber daß ihr Eduard auf geraume Zeit entrissen war, konnte sie fühlen. Charlotte fühlte den Zustand mit und ließ sie allein. Wir wagen nicht ihren Schmerz, ihre Tränen zu schildern, sie litt unendlich. Sie bat nur Gott, daß er ihr nur über diesen Tag weghelfen möchte; sie überstand den Tag und die Nacht, und als sie sich wiedergefunden, glaubte sie ein anderes Wesen anzutreffen.

Sie hatte sich nicht gefaßt, sich nicht ergeben, aber sie war, nach so großem Verluste, noch da und hatte noch mehr zu befürchten. Ihre nächste Sorge, nachdem das Bewußtsein wiedergekehrt, war sogleich: sie möchte nun, nach Entfernung der Männer, gleichfalls entfernt werden. Sie ahndete nichts von Eduards Drohungen, wodurch ihr der Aufenthalt neben Charlotten gesichert war; doch diente ihr das Betragen Charlottens zu einiger Beruhigung. Diese suchte das gute

Kind zu beschäftigen und ließ sie nur selten, nur ungern von
sich; und ob sie gleich wohl wußte, daß man mit Worten
nicht viel gegen eine entschiedene Leidenschaft zu wirken
vermag, so kannte sie doch die Macht der Besonnenheit, des
Bewußtseins, und brachte daher manches zwischen sich und
Ottilien zur Sprache.

So war es für diese ein großer Trost, als jene gelegentlich,
mit Bedacht und Vorsatz, die weise Betrachtung anstellte:
Wie lebhaft ist, sagte sie, die Dankbarkeit derjenigen denen
wir mit Ruhe über leidenschaftliche Verlegenheiten hinaus-
helfen. Laß uns freudig und munter in das eingreifen, was die
Männer unvollendet zurückgelassen haben; so bereiten wir
uns die schönste Aussicht auf ihre Rückkehr, indem wir das
was ihr stürmendes ungeduldiges Wesen zerstören möchte,
durch unsre Mäßigung erhalten und fördern.

Da Sie von Mäßigung sprechen, liebe Tante, versetzte
Ottilie; so kann ich nicht bergen, daß mir dabei die Unmäßig-
keit der Männer, besonders was den Wein betrifft, einfällt.
Wie oft hat es mich betrübt und geängstigt, wenn ich bemerken mußte, daß reiner Verstand, Klugheit, Schonung
anderer, Anmut und Liebenswürdigkeit, selbst für mehrere
Stunden, verloren gingen, und oft statt alles des Guten was
ein trefflicher Mann hervorzubringen und zu gewähren vermag, Unheil und Verwirrung hereinzubrechen drohte. Wie
oft mögen dadurch gewaltsame Entschließungen veranlaßt
werden.

Charlotte gab ihr Recht; doch setzte sie das Gespräch nicht
fort: denn sie fühlte nur zu wohl, daß auch hier Ottilie bloß
Eduarden wieder im Sinne hatte, der zwar nicht gewöhnlich,
aber doch öfter als es wünschenswert war, sein Vergnügen,
seine Gesprächigkeit, seine Tätigkeit durch einen gelegentlichen Weingenuß zu steigern pflegte.

Hatte bei jener Äußerung Charlottens sich Ottilie die
Männer, besonders Eduarden, wieder heran denken können;
so war es ihr um desto auffallender, als Charlotte von einer
bevorstehenden Heirat des Hauptmanns, wie von einer ganz
bekannten und gewissen Sache sprach, wodurch denn alles

ein andres Ansehn gewann, als sie nach Eduards frühern Versicherungen sich vorstellen mochte. Durch alles dies vermehrte sich die Aufmerksamkeit Ottiliens auf jede Äußerung, jeden Wink, jede Handlung, jeden Schritt Charlottens. Ottilie war klug, scharfsinnig, argwöhnisch geworden ohne es zu wissen.

Charlotte durchdrang indessen das Einzelne ihrer ganzen Umgebung mit scharfem Blick und wirkte darin mit ihrer klaren Gewandtheit, wobei sie Ottilien beständig Teil zu nehmen nötigte. Sie zog ihren Haushalt, ohne Bänglichkeit, ins Enge; ja, wenn sie alles genau betrachtete, so hielt sie den leidenschaftlichen Vorfall für eine Art von glücklicher Schikkung. Denn auf dem bisherigen Wege wäre man leicht ins Grenzenlose geraten und hätte den schönen Zustand reichlicher Glücksgüter, ohne sich zeitig genug zu besinnen, durch ein vordringliches Leben und Treiben, wo nicht zerstört, doch erschüttert.

Was von Parkanlagen im Gange war, störte sie nicht. Sie ließ vielmehr dasjenige fortsetzen, was zum Grunde künftiger Ausbildung liegen mußte; aber dabei hatte es auch sein Bewenden. Ihr zurückkehrender Gemahl sollte noch genug erfreuliche Beschäftigung finden.

Bei diesen Arbeiten und Vorsätzen konnte sie nicht genug das Verfahren des Architekten loben. Der See lag in kurzer Zeit ausgebreitet vor ihren Augen, und die neu entstandenen Ufer zierlich und mannigfaltig bepflanzt und beraset. An dem neuen Hause ward alle rauhe Arbeit vollbracht, was zur Erhaltung nötig war, besorgt, und dann machte sie einen Abschluß da wo man mit Vergnügen wieder von vorn anfangen konnte. Dabei war sie ruhig und heiter; Ottilie schien es nur: denn in allem beobachtete sie nichts als Symptome, ob Eduard wohl bald erwartet werde, oder nicht. Nichts interessiert sie an allem als diese Betrachtung.

Willkommen war ihr daher eine Anstalt, zu der man die Bauerknaben versammelte und die darauf abzielte, den weitläuftig gewordenen Park immer rein zu erhalten. Eduard hatte schon den Gedanken gehegt. Man ließ den Knaben eine

Art von heitrer Montierung machen, die sie in den Abend-
stunden anzogen, nachdem sie sich durchaus gereinigt und
gesäubert hatten. Die Garderobe war im Schloß; dem ver-
ständigsten, genausten Knaben vertraute man die Aufsicht
an; der Architekt leitete das Ganze, und ehe man sich's versah, so hatten die Knaben alle ein gewisses Geschick. Man
fand an ihnen eine bequeme Dressur und sie verrichteten ihr
Geschäft nicht ohne eine Art von Manöver. Gewiß, wenn sie
mit ihren Scharreisen, gestielten Messerklingen, Rechen,
kleinen Spaden und Hacken und wedelartigen Besen einher-
zogen; wenn andre mit Körben hinterdrein kamen, um Unkraut und Steine bei Seite zu schaffen; andre das hohe große
eiserne Walzenrad hinter sich herzogen: so gab es einen hübschen erfreulichen Aufzug, in welchem der Architekt eine
artige Folge von Stellungen und Tätigkeiten für den Fries
eines Gartenhauses sich anmerkte; Ottilie hingegen sah darin
nur eine Art von Parade welche den rückkehrenden Hausherrn bald begrüßen sollte.

Dies gab ihr Mut und Lust ihn mit etwas Ähnlichem zu
empfangen. Man hatte zeither die Mädchen des Dorfes im
Nähen, Stricken, Spinnen und andern weiblichen Arbeiten
zu ermuntern gesucht. Auch diese Tugenden hatten zugenommen seit jenen Anstalten zu Reinlichkeit und Schönheit
des Dorfes. Ottilie wirkte stets mit ein; aber mehr zufällig,
nach Gelegenheit und Neigung. Nun gedachte sie es vollständiger und folgerechter zu machen. Aber aus einer Anzahl
Mädchen läßt sich kein Chor bilden, wie aus einer Anzahl
Knaben. Sie folgte ihrem guten Sinne, und ohne sich's ganz
deutlich zu machen, suchte sie nichts als einem jeden Mädchen Anhänglichkeit an sein Haus, seine Eltern und seine
Geschwister einzuflößen.

Das gelang ihr mit vielen. Nur über ein kleines, lebhaftes
Mädchen wurde immer geklagt, daß sie ohne Geschick sei,
und im Hause nun ein für allemal nichts tun wolle. Ottilie
konnte dem Mädchen nicht feind sein, denn ihr war es besonders freundlich. Zu ihr zog es sich, mit ihr ging und lief
es, wenn sie es erlaubte. Da war es tätig, munter und uner-

müdet. Die Anhänglichkeit an eine schöne Herrin schien dem Kinde Bedürfnis zu sein. Anfänglich duldete Ottilie die Begleitung des Kindes; dann faßte sie selbst Neigung zu ihm; endlich trennten sie sich nicht mehr und Nanny begleitete ihre Herrin überall hin.

Diese nahm öfters den Weg nach dem Garten und freute sich über das schöne Gedeihen. Die Beeren- und Kirschenzeit ging zu Ende, deren Spätlinge jedoch Nanny sich besonders schmecken ließ. Bei dem übrigen Obste, das für den Herbst eine so reichliche Ernte versprach, gedachte der Gärtner beständig des Herrn und niemals ohne ihn herbeizuwünschen. Ottilie hörte dem guten alten Manne so gern zu. Er verstand sein Handwerk vollkommen und hörte nicht auf, ihr von Eduard vorzusprechen.

Als Ottilie sich freute, daß die Pfropfreiser dieses Frühjahrs alle so gar schön bekommen, erwiderte der Gärtner bedenklich: ich wünsche nur, daß der gute Herr viel Freude daran erleben möge. Wäre er diesen Herbst hier, so würde er sehen, was für köstliche Sorten noch von seinem Herrn Vater her im alten Schloßgarten stehen. Die jetzigen Herren Obstgärtner sind nicht so zuverlässig als sonst die Carthäuser waren. In den Katalogen findet man wohl lauter honette Namen. Man pfropft und erzieht und endlich wenn sie Früchte tragen, so ist es nicht der Mühe wert, daß solche Bäume im Garten stehen.

Am wiederholtesten aber fragte der treue Diener, fast so oft er Ottilien sah, nach der Rückkunft des Herrn, und nach dem Termin derselben. Und wenn Ottilie ihn nicht angeben konnte, so ließ ihr der gute Mann nicht ohne stille Betrübnis merken, daß er glaube sie vertraue ihm nicht, und peinlich war ihr das Gefühl der Unwissenheit, das ihr auf diese Weise recht aufgedrungen ward. Doch konnte sie sich von diesen Rabatten und Beeten nicht trennen. Was sie zusammen zum Teil gesät, alles gepflanzt hatten, stand nun im völligen Flor; kaum bedurfte es noch einer Pflege, außer daß Nanny immer zum Gießen bereit war. Mit welchen Empfindungen betrachtete Ottilie die späteren Blumen, die sich erst anzeigten,

deren Glanz und Fülle dereinst an Eduards Geburtstag, des-
sen Feier sie sich manchmal versprach, prangen, ihre Nei-
gung und Dankbarkeit ausdrücken sollten. Doch war die
Hoffnung dieses Fest zu sehen nicht immer gleich lebendig.
Zweifel und Sorgen umflüsterten stets die Seele des guten
Mädchens.

Zu einer eigentlichen offnen Übereinstimmung mit Charlotten konnte es auch wohl nicht wieder gebracht werden.
Denn freilich war der Zustand beider Frauen sehr verschieden. Wenn alles beim Alten blieb, wenn man in das Gleis des
gesetzmäßigen Lebens zurückkehrte, gewann Charlotte an
gegenwärtigem Glück, und eine frohe Aussicht in die Zukunft öffnete sich ihr; Ottilie hingegen verlor alles, man kann
wohl sagen, alles: denn sie hatte zuerst Leben und Freude in
Eduard gefunden, und in dem gegenwärtigen Zustande
fühlte sie eine unendliche Leere, wovon sie früher kaum etwas geahndet hatte. Denn ein Herz das sucht, fühlt wohl daß
ihm etwas mangle, ein Herz das verloren hat, fühlt daß es
entbehre. Sehnsucht verwandelt sich in Unmut und Ungeduld, und ein weibliches Gemüt, zum Erwarten und Abwarten gewöhnt, möchte nun aus seinem Kreise heraus-
schreiten, tätig werden, unternehmen und auch etwas für
sein Glück tun.

Ottilie hatte Eduarden nicht entsagt. Wie konnte sie es
auch, obgleich Charlotte klug genug, gegen ihre eigne Überzeugung, die Sache für bekannt annahm, und als entschieden
voraussetzte, daß ein freundschaftliches ruhiges Verhältnis
zwischen ihrem Gatten und Ottilien möglich sei. Wie oft
aber lag diese Nachts, wenn sie sich eingeschlossen, auf den
Knien vor dem eröffneten Koffer und betrachtete die Ge-
burtstagsgeschenke, von denen sie noch nichts gebraucht,
nichts zerschnitten, nichts gefertigt. Wie oft eilte das gute
Mädchen mit Sonnenaufgang aus dem Hause, in dem sie
sonst alle ihre Glückseligkeit gefunden hatte, ins Freie hinaus, in die Gegend, die sie sonst nicht ansprach. Auch auf
dem Boden mochte sie nicht verweilen. Sie sprang in den
Kahn, und ruderte sich bis mitten in den See: dann zog sie

eine Reisebeschreibung hervor, ließ sich von den bewegten
Wellen schaukeln, las, träumte sich in die Fremde und immer
fand sie dort ihren Freund; seinem Herzen war sie noch immer nahe geblieben, er dem ihrigen.

ACHTZEHNTES KAPITEL   5

Daß jener wunderlich tätige Mann, den wir bereits kennen
gelernt, daß Mittler, nachdem er von dem Unheil, das unter
diesen Freunden ausgebrochen, Nachricht erhalten, obgleich
kein Teil noch seine Hülfe angerufen, in diesem Falle seine
Freundschaft, seine Geschicklichkeit zu beweisen, zu üben 10
geneigt war, läßt sich denken. Doch schien es ihm rätlich, erst
eine Weile zu zaudern: denn er wußte nur zu wohl, daß es
schwerer sei, gebildeten Menschen bei sittlichen Verworren-
heiten zu Hülfe zu kommen, als ungebildeten. Er überließ sie
deshalb eine Zeit lang sich selbst; allein zuletzt konnte er es 15
nicht mehr aushalten, und eilte Eduarden aufzusuchen, dem
er schon auf die Spur gekommen war.

Sein Weg führte ihn zu einem angenehmen Tal, dessen
anmutig grünen baumreichen Wiesengrund die Wasserfülle
eines immer lebendigen Baches bald durchschlängelte bald 20
durchrauschte. Auf den sanften Anhöhen zogen sich fruchtbare Felder und wohlbestandene Obstpflanzungen hin. Die
Dörfer lagen nicht zu nah an einander, das Ganze hatte einen
friedlichen Charakter und die einzelnen Partien, wenn auch
nicht zum Malen, schienen doch zum Leben vorzüglich 25
geeignet zu sein.

Ein wohlerhaltenes Vorwerk mit einem reinlichen bescheidenen Wohnhause, von Gärten umgeben, fiel ihm endlich in die Augen. Er vermutete, hier sei Eduards gegenwärtiger Aufenthalt, und er irrte nicht.   30

Von diesem einsamen Freunde können wir soviel sagen,
daß er sich im Stillen dem Gefühl seiner Leidenschaft ganz
überließ und dabei mancherlei Plane sich ausdachte, mancherlei Hoffnungen nährte. Er konnte sich nicht leugnen, daß

er Ottilien hier zu sehen wünsche, daß er wünsche sie hieher zu führen, zu locken, und was er sich sonst noch Erlaubtes und Unerlaubtes zu denken nicht verwehrte. Dann schwankte seine Einbildungskraft in allen Möglichkeiten herum. Sollte er sie hier nicht besitzen, nicht rechtmäßig besitzen können, so wollte er ihr den Besitz des Gutes zueignen. Hier sollte sie still für sich, unabhängig leben; sie sollte glücklich sein, und wenn ihn eine selbstquälerische Einbildungskraft noch weiter führte, vielleicht mit einem Andern glücklich sein.

So verflossen ihm seine Tage in einem ewigen Schwanken zwischen Hoffnung und Schmerz, zwischen Tränen und Heiterkeit, zwischen Vorsätzen, Vorbereitungen und Verzweiflung. Der Anblick Mittlers überraschte ihn nicht. Er hatte dessen Ankunft längst erwartet, und so war er ihm auch halb willkommen. Glaubte er ihn von Charlotten gesendet, so hatte er sich schon auf allerlei Entschuldigungen und Verzögerungen und sodann auf entscheidendere Vorschläge bereitet; hoffte er nun aber von Ottilien wieder etwas zu vernehmen, so war ihm Mittler so lieb als ein himmlischer Bote.

Verdrießlich daher und verstimmt war Eduard als er vernahm, Mittler komme nicht von dorther, sondern aus eignem Antriebe. Sein Herz verschloß sich und das Gespräch wollte sich anfangs nicht einleiten. Doch wußte Mittler nur zu gut, daß ein liebevoll beschäftigtes Gemüt das dringende Bedürfnis hat sich zu äußern, das was in ihm vorgeht, vor einem Freunde auszuschütten, und ließ sich daher gefallen, nach einigem Hin- und Widerreden, diesmal aus seiner Rolle herauszugehen, und statt des Vermittlers den Vertrauten zu spielen.

Als er hiernach, auf eine freundliche Weise, Eduarden wegen seines einsamen Lebens tadelte, erwiderte dieser: O ich wüßte nicht, wie ich meine Zeit angenehmer zubringen sollte! Immer bin ich mit ihr beschäftigt, immer in ihrer Nähe. Ich habe den unschätzbaren Vorteil mir denken zu können, wo sich Ottilie befindet, wo sie geht, wo sie steht, wo sie ausruht. Ich sehe sie vor mir tun und handeln wie gewöhnlich, schaffen und vornehmen, freilich immer das was mir am meisten schmeichelt. Dabei bleibt es aber nicht: denn wie kann ich fern von ihr glücklich sein! Nun arbeitet meine Phantasie durch, was Ottilie tun sollte sich mir zu nähern. Ich schreibe süße zutrauliche Briefe in ihrem Namen an mich; ich antworte ihr und verwahre die Blätter zusammen. Ich habe versprochen keinen Schritt gegen sie zu tun, und das will ich halten. Aber was bindet sie, daß sie sich nicht zu mir wendet? Hat etwa Charlotte die Grausamkeit gehabt, Versprechen und Schwur von ihr zu fordern, daß sie mir nicht schreiben, keine Nachricht von sich geben wolle? Es ist natürlich, es ist wahrscheinlich und doch finde ich es unerhört, unerträglich. Wenn sie mich liebt, wie ich glaube, wie ich weiß, warum entschließt sie sich nicht, warum wagt sie es nicht, zu fliehen und sich in meine Arme zu werfen? Sie sollte das, denke ich manchmal, sie könnte das. Wenn sich etwas auf dem Vorsaale regt, sehe ich gegen die Türe. Sie soll hereintreten! denk' ich, hoff' ich. Ach! und da das Mögliche unmöglich ist, bilde ich mir ein, das Unmögliche müsse möglich werden. Nachts wenn ich aufwache, die Lampe einen unsichern Schein durch das Schlafzimmer wirft, da sollte ihre Gestalt, ihr Geist, eine Ahndung von ihr, vorüberschweben, herantreten, mich ergreifen, nur einen Augenblick, daß ich eine Art von Versicherung hätte, sie denke mein, sie sei mein.

Eine einzige Freude bleibt mir noch. Da ich ihr nahe war, träumte ich nie von ihr; jetzt aber in der Ferne sind wir im Traume zusammen, und sonderbar genug, seit ich andre liebenswürdige Personen hier in der Nachbarschaft kennen gelernt, jetzt erst erscheint mir ihr Bild im Traum, als wenn sie mir sagen wollte: siehe nur hin und her! du findest doch nichts schöneres und lieberes als mich. Und so mischt sich ihr Bild in jeden meiner Träume. Alles was mir mit ihr begegnet, schiebt sich durch- und übereinander. Bald unterschreiben wir einen Kontrakt; da ist ihre Hand und die meinige, ihr Name und der meinige, beide löschen einander aus, beide verschlingen sich. Auch nicht ohne Schmerz sind diese wonnevollen Gaukeleien der Phantasie. Manchmal tut sie etwas,

das die reine Idee beleidigt, die ich von ihr habe; dann fühl'
ich erst, wie sehr ich sie liebe, indem ich über alle Beschreibung geängstet bin. Manchmal neckt sie mich ganz gegen
ihre Art und quält mich; aber sogleich verändert sich ihr Bild,
ihr schönes, rundes himmlisches Gesichtchen verlängert
sich: es ist eine andre. Aber ich bin doch gequält, unbefriedigt
und zerrüttet.

Lächeln Sie nicht, lieber Mittler, oder, lächeln Sie auch! O
ich schäme mich nicht dieser Anhänglichkeit, dieser, wenn Sie
wollen, törigen rasenden Neigung. Nein, ich habe noch nie
geliebt; jetzt erfahre ich erst, was das heißt. Bisher war alles in
meinem Leben nur Vorspiel, nur Hinhalten, nur Zeitvertreib, nur Zeitverderb, bis ich sie kennen lernte, bis ich sie
liebte und ganz und eigentlich liebte. Man hat mir, nicht
gerade ins Gesicht, aber doch wohl im Rücken, den Vorwurf
gemacht: ich pfusche, ich stümpere nur in den meisten Dingen. Es mag sein, aber ich hatte das noch nicht gefunden
worin ich mich als Meister zeigen kann. Ich will den sehen,
der mich im Talent des Liebens übertrifft.

Zwar es ist ein jammervolles, ein schmerzen- ein tränen-
reiches; aber ich finde es mir so natürlich, so eigen, daß ich es
wohl schwerlich je wieder aufgebe.

Durch diese lebhaften herzlichen Äußerungen hatte sich
Eduard wohl erleichtert, aber es war ihm auch auf einmal
jeder einzelne Zug seines wunderlichen Zustandes deutlich
vor die Augen getreten, daß er vom schmerzlichen Widerstreit überwältigt in Tränen ausbrach, die um so reichlicher
flossen, als sein Herz durch Mitteilung weich geworden war.

Mittler, der sein rasches Naturell, seinen unerbittlichen
Verstand um so weniger verleugnen konnte, als er sich durch
diesen schmerzlichen Ausbruch der Leidenschaft Eduards
weit von dem Ziel seiner Reise verschlagen sah, äußerte aufrichtig und derb seine Mißbilligung. Eduard – hieß es – solle
sich ermannen, solle bedenken, was er seiner Manneswürde
schuldig sei; solle nicht vergessen, daß dem Menschen zur
höchsten Ehre gereiche im Unglück sich zu fassen, den
Schmerz mit Gleichmut und Anstand zu ertragen, um höchlich geschätzt, verehrt und als Muster aufgestellt zu werden.

Aufgeregt, durchdrungen von den peinlichsten Gefühlen, wie Eduard war, mußten ihm diese Worte hohl und nichtig vorkommen. Der Glückliche, der Behagliche hat gut Reden, fuhr Eduard auf: aber schämen würde er sich, wenn er einsähe, wie unerträglich er dem Leidenden wird. Eine unendliche Geduld soll es geben, einen unendlichen Schmerz will der starre Behagliche nicht anerkennen. Es gibt Fälle, ja es gibt deren! wo jeder Trost niederträchtig und Verzweiflung Pflicht ist. Verschmäht doch ein edler Grieche, der auch Helden zu schildern weiß, keineswegs, die seinigen bei schmerzlichem Drange weinen zu lassen. Selbst im Sprüchwort sagt er: tränenreiche Männer sind gut. Verlasse mich Jeder, der trocknes Herzens, trockner Augen ist! Ich verwünsche die Glücklichen, denen der Unglückliche nur zum Spektakel dienen soll. Er soll sich in der grausamsten Lage körperlicher und geistiger Bedrängnis noch edel gebärden, um ihren Beifall zu erhalten; und damit sie ihm beim Verscheiden noch applaudieren, wie ein Gladiator mit Anstand vor ihren Augen umkommen. Lieber Mittler, ich danke Ihnen für Ihren Besuch; aber Sie erzeigten mir eine große Liebe, wenn Sie sich im Garten, in der Gegend umsähen. Wir kommen wieder zusammen. Ich suche gefaßter und Ihnen ähnlicher zu werden.

Mittler mochte lieber einlenken als die Unterhaltung abbrechen, die er so leicht nicht wieder anknüpfen konnte. Auch Eduarden war es ganz gemäß, das Gespräch weiter fortzusetzen, das ohnehin zu seinem Ziele abzulaufen strebte.

Freilich, sagte Eduard, hilft das Hin- und Widerdenken, das Hin- und Widerreden zu nichts; doch unter diesem Reden bin ich mich selbst erst gewahr worden, habe ich erst entschieden gefühlt, wozu ich mich entschließen sollte, wozu ich entschlossen bin. Ich sehe mein gegenwärtiges, mein zukünftiges Leben vor mir; nur zwischen Elend und Genuß habe ich zu wählen. Bewirken Sie, bester Mann, eine Scheidung die so notwendig, die schon geschehen ist; schaffen Sie mir Charlottens Einwilligung. Ich will nicht weiter ausfüh-

ren, warum ich glaube daß sie zu erlangen sein wird. Gehen
Sie hin, lieber Mann, beruhigen Sie uns alle, machen Sie uns
glücklich!

Mittler stockte. Eduard fuhr fort: Mein Schicksal und Ottiliens ist nicht zu trennen und wir werden nicht zu Grunde
gehen. Sehen Sie dieses Glas! Unsere Namenszüge sind darein geschnitten. Ein fröhlich Jubelnder warf es in die Luft;
Niemand sollte mehr daraus trinken; auf dem felsigen Boden
sollte es zerschellen, aber es ward aufgefangen. Um hohen
Preis habe ich es wieder eingehandelt und ich trinke nun
täglich daraus, um mich täglich zu überzeugen: daß alle Verhältnisse unzerstörlich sind, die das Schicksal beschlossen
hat.

O wehe mir, rief Mittler, was muß ich nicht mit meinen
Freunden für Geduld haben! Nun begegnet mir noch gar der
Aberglaube, der mir als das schädlichste was bei den Menschen einkehren kann, verhaßt bleibt. Wir spielen mit Vor-
aussagungen, Ahndungen und Träumen und machen dadurch das alltägliche Leben bedeutend. Aber wenn das
Leben nun selbst bedeutend wird, wenn alles um uns sich
bewegt und braust, dann wird das Gewitter durch jene
Gespenster nur noch fürchterlicher.

Lassen Sie in dieser Ungewißheit des Lebens, rief Eduard,
zwischen diesem Hoffen und Bangen, dem bedürftigen Herzen doch nur eine Art von Leitstern, nach welchem es hin-
blicke, wenn es auch nicht darnach steuern kann.

Ich ließe mir's wohl gefallen, versetzte Mittler, wenn dabei
nur einige Konsequenz zu hoffen wäre; aber ich habe immer
gefunden, auf die warnenden Symptome achtet kein Mensch,
auf die schmeichelnden und versprechenden allein ist die
Aufmerksamkeit gerichtet und der Glaube für sie ganz allein
lebendig.

Da sich nun Mittler sogar in die dunklen Regionen geführt
sah, in denen er sich immer unbehaglicher fühlte, je länger er
darin verweilte; so nahm er den dringenden Wunsch
Eduards, der ihn zu Charlotten gehen hieß, etwas williger
auf. Denn was wollte er überhaupt Eduarden in diesem Au-

genblicke noch entgegensetzen? Zeit zu gewinnen, zu erforschen wie es um die Frauen stehe, das war es, was ihm selbst
nach seinen eignen Gesinnungen zu tun übrig blieb.

Er eilte zu Charlotten, die er wie sonst gefaßt und heiter
fand. Sie unterrichtete ihn gern von allem was vorgefallen
war: denn aus Eduards Reden konnte er nur die Wirkung
abnehmen. Er trat von seiner Seite behutsam heran, konnte
es aber nicht über sich gewinnen, das Wort Scheidung auch
nur im Vorbeigehn auszusprechen. Wie verwundert, erstaunt und, nach seiner Gesinnung, erheitert war er daher, als
Charlotte ihm, in Gefolg so manches Unerfreulichen, endlich
sagte: Ich muß glauben, ich muß hoffen, daß alles sich wieder
geben, daß Eduard sich wieder nähern werde. Wie kann es
auch wohl anders sein, da Sie mich guter Hoffnung finden.

Versteh' ich Sie recht? fiel Mittler ein – Vollkommen, versetzte Charlotte – Tausendmal gesegnet sei mir diese Nachricht! rief er, die Hände zusammenschlagend. Ich kenne die
Stärke dieses Arguments auf ein männliches Gemüt. Wie
viele Heiraten sah ich dadurch beschleunigt, befestigt, wieder hergestellt! Mehr als tausend Worte wirkt eine solche
gute Hoffnung, die fürwahr die beste Hoffnung ist die wir
haben können. Doch, fuhr er fort, was mich betrifft, so hätte
ich alle Ursache verdrießlich zu sein. In diesem Falle, sehe ich
wohl, wird meiner Eigenliebe nicht geschmeichelt. Bei Euch
kann meine Tätigkeit keinen Dank verdienen. Ich komme
mir vor, wie jener Arzt, mein Freund, dem alle Kuren gelangen, die er um Gottes willen an Armen tat, der aber selten
einen Reichen heilen konnte, der es gut bezahlen wollte.
Glücklicherweise hilft sich hier die Sache von selbst, da
meine Bemühungen, mein Zureden fruchtlos geblieben wären.

Charlotte verlangte nun von ihm, er solle die Nachricht
Eduarden bringen, einen Brief von ihr mitnehmen und sehen, was zu tun, was herzustellen sei. Er wollte das nicht
eingehen. Alles ist schon getan, rief er aus. Schreiben Sie! ein
jeder Bote ist so gut als ich. Muß ich doch meine Schritte
hinwenden wo ich nötiger bin. Ich komme nur wieder, um
Glück zu wünschen, ich komme zur Taufe.

Charlotte war diesmal, wie schon öfters, über Mittlern unzufrieden. Sein rasches Wesen brachte manches Gute hervor, aber seine Übereilung war Schuld an manchem Mißlingen. Niemand war abhängiger von augenblicklich vorgefaßten Meinungen als er.

Charlottens Bote kam zu Eduarden, der ihn mit halbem Schrecken empfing. Der Brief konnte eben so gut für Nein als für Ja entscheiden. Er wagte lange nicht ihn aufzubrechen, und wie stand er betroffen, als er das Blatt gelesen, versteinert bei folgender Stelle, womit es sich endigte.

»Gedenke jener nächtlichen Stunden, in denen du deine Gattin abenteuerlich als Liebender besuchtest, sie unwiderstehlich an dich zogst, sie als eine Geliebte, als eine Braut in die Arme schlossest. Laß uns in dieser seltsamen Zufälligkeit eine Fügung des Himmels verehren, die für ein neues Band unserer Verhältnisse gesorgt hat, in dem Augenblick da das Glück unsres Lebens auseinander zu fallen und zu verschwinden droht.«

Was von dem Augenblick an in der Seele Eduards vorging würde schwer zu schildern sein. In einem solchen Gedränge treten zuletzt alte Gewohnheiten, alte Neigungen wieder hervor, um die Zeit zu töten und den Lebensraum auszufüllen. Jagd und Krieg sind eine solche für den Edelmann immer bereite Aushülfe. Eduard sehnte sich nach äußerer Gefahr, um der innerlichen das Gleichgewicht zu halten. Er sehnte sich nach dem Untergang, weil ihm das Dasein unerträglich zu werden drohte; ja es war ihm ein Trost zu denken, daß er nicht mehr sein werde und eben dadurch seine Geliebten, seine Freunde glücklich machen könne. Niemand stellte seinem Willen ein Hindernis entgegen, da er seinen Entschluß verheimlichte. Mit allen Förmlichkeiten setzte er sein Testament auf: es war ihm eine süße Empfindung, Ottilien das Gut vermachen zu können. Für Charlotten, für das Ungeborne, für den Hauptmann, für seine Dienerschaft war gesorgt. Der wieder ausgebrochne Krieg begünstigte sein Vorhaben. Militärische Halbheiten hatten ihm in seiner Jugend viel zu schaffen gemacht; er hatte deswegen den Dienst verlassen: nun war es ihm eine herrliche Empfindung, mit einem Feldherrn zu ziehen, von dem er sich sagen konnte: unter seiner Anführung ist der Tod wahrscheinlich und der Sieg gewiß.

Ottilie, nachdem auch ihr Charlottens Geheimnis bekannt geworden, betroffen wie Eduard, und mehr, ging in sich zurück. Sie hatte nichts weiter zu sagen. Hoffen konnte sie nicht, und wünschen durfte sie nicht. Einen Blick jedoch in ihr Inneres gewährt uns ihr Tagebuch, aus dem wir einiges mitzuteilen gedenken.

ZWEITER TEIL

ERSTES KAPITEL

Im gemeinen Leben begegnet uns oft was wir in der Epopöe als Kunstgriff des Dichters zu rühmen pflegen, daß nämlich wenn die Hauptfiguren sich entfernen, verbergen, sich der Untätigkeit hingeben, gleich sodann schon ein zweiter, dritter, bisher kaum Bemerkter den Platz füllt, und indem er seine ganze Tätigkeit äußert, uns gleichfalls der Aufmerksamkeit, der Teilnahme, ja des Lobes und Preises würdig erscheint.

So zeigte sich gleich nach der Entfernung des Hauptmanns und Eduards jener Architekt täglich bedeutender, von welchem die Anordnung und Ausführung so manches Unternehmens allein abhing, wobei er sich genau, verständig und tätig erwies, und zugleich den Damen auf mancherlei Art beistand und in stillen langwierigen Stunden sie zu unterhalten wußte. Schon sein Äußeres war von der Art, daß es Zutrauen einflößte und Neigung erweckte. Ein Jüngling im vollen Sinne des Worts, wohlgebaut, schlank, eher ein wenig zu groß, bescheiden ohne ängstlich, zutraulich ohne zudringend zu sein. Freudig übernahm er jede Sorge und Bemühung, und weil er mit großer Leichtigkeit rechnete, so war ihm bald das ganze Hauswesen kein Geheimnis, und überall hin verbreitete sich sein günstiger Einfluß. Die Fremden ließ man ihn gewöhnlich empfangen und er wußte einen unerwarteten Besuch entweder abzulehnen, oder die Frauen wenigstens dergestalt darauf vorzubereiten, daß ihnen keine Unbequemlichkeit daraus entsprang.

Unter andern gab ihm eines Tags ein junger Rechtsgelehrter viel zu schaffen, der von einem benachbarten Edelmann gesendet eine Sache zur Sprache brachte, die zwar von keiner sonderlichen Bedeutung Charlotten dennoch innig berührte. Wir müssen dieses Vorfalls gedenken, weil er verschiedenen Dingen einen Anstoß gab, die sonst vielleicht lange geruht hätten.

Wir erinnern uns jener Veränderung, welche Charlotte mit dem Kirchhofe vorgenommen hatte. Die sämtlichen Monumente waren von ihrer Stelle gerückt und hatten an der Mauer, an dem Sockel der Kirche Platz gefunden. Der übrige Raum war geebnet. Außer einem breiten Wege, der zur Kirche und an derselben vorbei zu dem jenseitigen Pförtchen führte, war das übrige alles mit verschiedenen Arten Klee besät, der auf das schönste grünte und blühte. Nach einer gewissen Ordnung sollten vom Ende heran die neuen Gräber bestellt, doch der Platz jederzeit wieder verglichen und ebenfalls besät werden. Niemand konnte leugnen, daß diese Anstalt beim sonn- und festtägigen Kirchgang eine heitere und würdige Ansicht gewährte. Sogar der betagte und an alten Gewohnheiten haftende Geistliche, der anfänglich mit der Einrichtung nicht sonderlich zufrieden gewesen, hatte nunmehr seine Freude daran, wenn er unter den alten Linden, gleich Philemon, mit seiner Baucis vor der Hintertüre ruhend, statt der holprigen Grabstätten einen schönen, bunten Teppich vor sich sah, der noch überdies seinem Haushalt zu Gute kommen sollte, indem Charlotte die Nutzung dieses Fleckes der Pfarre zusichern lassen.

Allein demungeachtet hatten schon manche Gemeindeglieder früher gemißbilligt, daß man die Bezeichnung der Stelle wo ihre Vorfahren ruhten, aufgehoben und das Andenken dadurch gleichsam ausgelöscht: denn die wohlerhaltenen Monumente zeigten zwar an, wer begraben sei, aber nicht wo er begraben sei, und auf das Wo komme es eigentlich an, wie Viele behaupteten.

Von eben solcher Gesinnung war eine benachbarte Familie, die sich und den Ihrigen einen Raum auf dieser allgemeinen Ruhestätte vor mehreren Jahren ausbedungen und dafür der Kirche eine kleine Stiftung zugewendet hatte. Nun war der junge Rechtsgelehrte abgesendet, um die Stif-

tung zu widerrufen und anzuzeigen, daß man nicht weiter
zahlen werde, weil die Bedingung unter welcher dieses bisher geschehen, einseitig aufgehoben und auf alle Vorstellungen und Widerreden nicht geachtet worden. Charlotte, die
Urheberin dieser Veränderung, wollte den jungen Mann
selbst sprechen, der zwar lebhaft, aber nicht allzu vorlaut,
seine und seines Prinzipals Gründe darlegte und der Gesellschaft manches zu denken gab.

Sie sehen, sprach er, nach einem kurzen Eingang, in welchem er seine Zudringlichkeit zu rechtfertigen wußte: Sie
sehen daß dem Geringsten wie dem Höchsten daran gelegen
ist, den Ort zu bezeichnen der die Seinigen aufbewahrt. Dem
ärmsten Landmann, der ein Kind begräbt, ist es eine Art von
Trost, ein schwaches hölzernes Kreuz auf das Grab zu stellen,
es mit einem Kranze zu zieren, um wenigstens das Andenken
so lange zu erhalten als der Schmerz währt, wenn auch ein
solches Merkzeichen, wie die Trauer selbst, durch die Zeit
aufgehoben wird. Wohlhabende verwandeln diese Kreuze in
eiserne, befestigen und schützen sie auf mancherlei Weise,
und hier ist schon Dauer für mehrere Jahre. Doch weil auch
diese endlich sinken und unscheinbar werden; so haben Begüterte nichts Angelegneres, als einen Stein aufzurichten, der
für mehrere Generationen zu dauern verspricht und von den
Nachkommen erneut und aufgefrischt werden kann. Aber
dieser Stein ist es nicht, der uns anzieht, sondern das darunter
Enthaltene, das daneben der Erde Vertraute. Es ist nicht
sowohl vom Andenken die Rede, als von der Person selbst,
nicht von der Erinnerung, sondern von der Gegenwart. Ein
geliebtes Abgeschiedenes umarme ich weit eher und inniger
im Grabhügel als im Denkmal: denn dieses ist für sich eigentlich nur wenig; aber um dasselbe her sollen sich, wie um
einen Markstein, Gatten, Verwandte, Freunde, selbst nach
ihrem Hinscheiden noch versammeln, und der Lebende soll
das Recht behalten, Fremde und Mißwollende auch von der
Seite seiner geliebten Ruhenden abzuweisen und zu entfernen.

Ich halte deswegen dafür, daß mein Prinzipal völlig Recht

habe, die Stiftung zurückzunehmen; und dies ist noch billig genug, denn die Glieder der Familie sind auf eine Weise verletzt, wofür gar kein Ersatz zu denken ist. Sie sollen das schmerzlich süße Gefühl entbehren, ihren Geliebten ein Totenopfer zu bringen, die tröstliche Hoffnung dereinst unmittelbar neben ihnen zu ruhen.

Die Sache ist nicht von der Bedeutung, versetzte Charlotte, daß man sich deshalb durch einen Rechtshandel beunruhigen sollte. Meine Anstalt reut mich so wenig, daß ich die Kirche gern, wegen dessen was ihr entgeht, entschädigen will. Nur muß ich Ihnen aufrichtig gestehen, Ihre Argumente haben mich nicht überzeugt. Das reine Gefühl einer endlichen allgemeinen Gleichheit, wenigstens nach dem Tode, scheint mir beruhigender als dieses eigensinnige starre Fortsetzen unserer Persönlichkeiten, Anhänglichkeiten und Lebensverhältnisse. Und was sagen Sie hierzu? richtete sie ihre Frage an den Architekten.

Ich möchte, versetzte dieser, in einer solchen Sache weder streiten, noch den Ausschlag geben. Lassen Sie mich das, was meiner Kunst, meiner Denkweise am nächsten liegt, bescheidentlich äußern. Seitdem wir nicht mehr so glücklich sind, die Reste eines geliebten Gegenstandes eingeurnt an unsere Brust zu drücken; da wir weder reich noch heiter genug sind, sie unversehrt in großen wohl ausgezierten Sarkophagen zu verwahren; ja da wir nicht einmal in den Kirchen mehr Platz für uns und für die Unsrigen finden, sondern hinaus ins Freie gewiesen sind: so haben wir alle Ursache, die Art und Weise die Sie, meine gnädige Frau, eingeleitet haben, zu billigen. Wenn die Glieder einer Gemeinde reihenweise neben einander liegen, so ruhen sie bei und unter den Ihrigen; und wenn die Erde uns einmal aufnehmen soll, so finde ich nichts natürlicher und reinlicher, als daß man die zufällig entstandenen nach und nach zusammensinkenden Hügel ungesäumt vergleiche, und so die Decke, indem alle sie tragen, einem Jeden leichter gemacht werde.

Und ohne irgend ein Zeichen des Andenkens, ohne irgend etwas das der Erinnerung entgegen käme, sollte das alles so vorübergehen? versetzte Ottilie.

Keineswegs! fuhr der Architekt fort: nicht vom Andenken, nur vom Platze soll man sich lossagen. Der Baukünstler, der Bildhauer sind höchlich interessiert, daß der Mensch von ihnen, von ihrer Kunst, von ihrer Hand eine Dauer seines Daseins erwarte; und deswegen wünschte ich gut gedachte, gut ausgeführte Monumente, nicht einzeln und zufällig ausgesät, sondern an einem Orte aufgestellt, wo sie sich Dauer versprechen können. Da selbst die Frommen und Hohen auf das Vorrecht Verzicht tun, in den Kirchen persönlich zu ruhen, so stelle man wenigstens dort, oder in schönen Hallen um die Begräbnisplätze, Denkzeichen, Denkschriften auf. Es gibt tausenderlei Formen die man ihnen vorschreiben, tausenderlei Zieraten womit man sie ausschmücken kann.

Wenn die Künstler so reich sind, versetzte Charlotte, so sagen Sie mir doch: wie kann man sich niemals aus der Form eines kleinlichen Obelisken, einer abgestutzten Säule und eines Aschenkrugs herausfinden? Anstatt der tausend Erfindungen, deren Sie sich rühmen, habe ich nur immer tausend Wiederholungen gesehen.

Das ist wohl bei uns so, entgegnete ihr der Architekt, aber nicht überall. Und überhaupt mag es mit der Erfindung und der schicklichen Anwendung eine eigne Sache sein. Besonders hat es in diesem Falle manche Schwierigkeit, einen ernsten Gegenstand zu erheitern und bei einem unerfreulichen nicht ins Unerfreuliche zu geraten. Was Entwürfe zu Monumenten aller Art betrifft, deren habe ich viele gesammelt und zeige sie gelegentlich; doch bleibt immer das schönste Denkmal des Menschen eigenes Bildnis. Dieses gibt mehr als irgend etwas anders einen Begriff von dem was er war; es ist der beste Text zu vielen oder wenigen Noten: nur müßte es aber auch in seiner besten Zeit gemacht sein, welches gewöhnlich versäumt wird. Niemand denkt daran lebende Formen zu erhalten, und wenn es geschieht, so geschieht es auf unzulängliche Weise. Da wird ein Toter geschwind noch abgegossen und eine solche Maske auf einen Block gesetzt, und das heißt man eine Büste. Wie selten ist der Künstler im Stande sie völlig wieder zu beleben!

Sie haben, ohne es vielleicht zu wissen und zu wollen, versetzte Charlotte, dies Gespräch ganz zu meinen Gunsten gelenkt. Das Bild eines Menschen ist doch wohl unabhängig; überall wo es steht, steht es für sich und wir werden von ihm nicht verlangen, daß es die eigentliche Grabstätte bezeichne. Aber soll ich Ihnen eine wunderliche Empfindung bekennen, selbst gegen die Bildnisse habe ich eine Art von Abneigung: denn sie scheinen mir immer einen stillen Vorwurf zu machen; sie deuten auf etwas Entferntes, Abgeschiedenes und erinnern mich, wie schwer es sei, die Gegenwart recht zu ehren. Gedenkt man, wie viel Menschen man gesehen, gekannt, und gesteht sich, wie wenig wir ihnen, wie wenig sie uns gewesen, wie wird uns da zu Mute! Wir begegnen dem Geistreichen ohne uns mit ihm zu unterhalten, dem Gelehrten ohne von ihm zu lernen, dem Gereisten ohne uns zu unterrichten, dem Liebevollen ohne ihm etwas Angenehmes zu erzeigen.

Und leider ereignet sich dies nicht bloß mit den Vorübergehenden. Gesellschaften und Familien betragen sich so gegen ihre liebsten Glieder, Städte gegen ihre würdigsten Bürger, Völker gegen ihre trefflichsten Fürsten, Nationen gegen ihre vorzüglichsten Menschen.

Ich hörte fragen, warum man von den Toten so unbewunden Gutes sage, von den Lebenden immer mit einer gewissen Vorsicht. Es wurde geantwortet: weil wir von jenen nichts zu befürchten haben, und diese uns noch irgendwo in den Weg kommen könnten. So unrein ist die Sorge für das Andenken der andern; es ist meist nur ein selbstischer Scherz, wenn es dagegen ein heiliger Ernst wäre, seine Verhältnisse gegen die Überbliebenen immer lebendig und tätig zu erhalten.

ZWEITES KAPITEL

Aufgeregt durch den Vorfall und die daran sich knüpfenden Gespräche, begab man sich des andern Tages nach dem Be-

gräbnisplatz, zu dessen Verzierung und Erheiterung der Architekt manchen glücklichen Vorschlag tat. Allein auch auf die Kirche sollte sich seine Sorgfalt erstrecken, auf ein Gebäude das gleich anfänglich seine Aufmerksamkeit an sich
5 gezogen hatte.

Diese Kirche stand seit mehreren Jahrhunderten, nach deutscher Art und Kunst, in guten Maßen errichtet und auf eine glückliche Weise verziert. Man konnte wohl nachkommen, daß der Baumeister eines benachbarten Klosters mit
10 Einsicht und Neigung sich auch an diesem kleineren Gebäude bewährt, und es wirkte noch immer ernst und angenehm auf den Betrachter, obgleich die innere neue Einrichtung zum protestantischen Gottesdienste ihm etwas von seiner Ruhe und Majestät genommen hatte.

15 Dem Architekten fiel es nicht schwer, sich von Charlotten eine mäßige Summe zu erbitten, wovon er das Äußere sowohl als das Innere im altertümlichen Sinne herzustellen und mit dem davor liegenden Auferstehungsfelde zur Übereinstimmung zu bringen gedachte. Er hatte selbst viel Hand-
20 geschick, und einige Arbeiter, die noch am Hausbau beschäftigt waren, wollte man gern so lange beibehalten bis auch dieses fromme Werk vollendet wäre.

Man war nunmehr in dem Falle, das Gebäude selbst mit allen Umgebungen und Angebäuden zu untersuchen, und da
25 zeigte sich zum größten Erstaunen und Vergnügen des Architekten eine wenig bemerkte kleine Seitenkapelle von noch geistreichern und leichteren Maßen, von noch gefälligern und fleißigern Zieraten. Sie enthielt zugleich manchen geschnitzten und gemalten Rest jenes älteren Gottesdienstes,
30 der mit mancherlei Gebild und Gerätschaft die verschiedenen Feste zu bezeichnen und jedes auf seine eigne Weise zu feiern wußte.

Der Architekt konnte nicht unterlassen, die Kapelle sogleich in seinen Plan mit hereinzuziehen und besonders die-
35 sen engen Raum als ein Denkmal voriger Zeiten und ihres Geschmacks wieder herzustellen. Er hatte sich die leeren Flächen nach seiner Neigung schon verziert gedacht, und freute

sich dabei sein malerisches Talent zu üben; allein er machte seinen Hausgenossen fürs Erste ein Geheimnis davon.

Vor allem andern zeigte er versprochenermaßen den Frauen die verschiedenen Nachbildungen und Entwürfe von alten Grabmonumenten, Gefäßen und andern dahin sich nähernden Dingen, und als man im Gespräch auf die einfacheren Grabhügel der nordischen Völker zu reden kam, brachte er seine Sammlung von mancherlei Waffen und Gerätschaften die darin gefunden worden, zur Ansicht. Er hatte alles sehr reinlich und tragbar in Schubladen und Fächern auf eingeschnittenen mit Tuch überzogenen Brettern, so daß diese alten ernsten Dinge durch seine Behandlung etwas Putzhaftes annahmen und man mit Vergnügen darauf, wie auf die Kästchen eines Modehändlers hinblickte. Und da er einmal im Vorzeigen war, da die Einsamkeit eine Unterhaltung forderte, so pflegte er jeden Abend mit einem Teil seiner Schätze hervorzutreten. Sie waren meistenteils deutschen Ursprungs: Brakteaten, Dickmünzen, Siegel und was sonst sich noch anschließen mag. Alle diese Dinge richteten die Einbildungskraft gegen die ältere Zeit hin, und da er zuletzt mit den Anfängen des Drucks, Holzschnitten und den ältesten Kupfern seine Unterhaltung zierte, und die Kirche täglich auch, jenem Sinne gemäß, an Farbe und sonstiger Auszierung gleichsam der Vergangenheit entgegenwuchs; so mußte man sich beinahe selbst fragen: ob man denn wirklich in der neueren Zeit lebe, ob es nicht ein Traum sei, daß man nunmehr in ganz andern Sitten, Gewohnheiten, Lebensweisen und Überzeugungen verweile.

Auf solche Art vorbereitet tat ein größeres Portefeuille, das er zuletzt herbeibrachte, die beste Wirkung. Es enthielt zwar meist nur umrißne Figuren, die aber, weil sie auf die Bilder selbst durchgezeichnet waren, ihren altertümlichen Charakter vollkommen erhalten hatten, und diesen, wie einnehmend fanden ihn die Beschauenden! Aus allen Gestalten blickte nur das reinste Dasein hervor, alle mußte man, wo nicht für edel, doch für gut ansprechen. Heitere Sammlung, willige Anerkennung eines Ehrwürdigen über uns, stille

Hingebung in Liebe und Erwartung war auf allen Gesichtern, in allen Gebärden ausgedrückt. Der Greis mit dem kah-
len Scheitel, der reichlockige Knabe, der muntere Jüngling,
der ernste Mann, der verklärte Heilige, der schwebende Engel, alle schienen selig in einem unschuldigen Genügen, in
einem frommen Erwarten. Das gemeinste was geschah hatte
einen Zug von himmlischem Leben, und eine gottesdienst-
liche Handlung schien ganz jeder Natur angemessen.

Nach einer solchen Region blicken wohl die meisten wie
nach einem verschwundenen goldenen Zeitalter, nach einem
verlorenen Paradiese hin. Nur vielleicht Ottilie war in dem
Fall sich unter ihres Gleichen zu fühlen.

Wer hätte nun widerstehen können als der Architekt sich
erbot, nach dem Anlaß dieser Urbilder, die Räume zwischen
den Spitzbogen der Kapelle auszumalen und dadurch sein
Andenken entschieden an einem Orte zu stiften, wo es ihm so
gut gegangen war. Er erklärte sich hierüber mit einiger Wehmut: denn er konnte nach der Lage der Sache wohl einsehen,
daß sein Aufenthalt in so vollkommener Gesellschaft nicht
immer dauern könne, ja vielleicht bald abgebrochen werden
müsse.

Übrigens waren diese Tage zwar nicht reich an Begebenheiten, doch voller Anlässe zu ernsthafter Unterhaltung. Wir
nehmen daher Gelegenheit von demjenigen was Ottilie sich
daraus in ihren Heft angemerkt, einiges mitzuteilen, wozu
wir keinen schicklichern Übergang finden als durch ein
Gleichnis, das sich uns beim Betrachten ihrer liebenswürdigen Blätter aufdringt.

Wir hören von einer besondern Einrichtung bei der englischen Marine. Sämtliche Tauwerke der königlichen Flotte,
vom stärksten bis zum schwächsten, sind dergestalt gespon-
nen, daß ein roter Faden durch das Ganze durchgeht, den
man nicht herauswinden kann ohne alles aufzulösen, und
woran auch die kleinsten Stücke kenntlich sind, daß sie der
Krone gehören.

Eben so zieht sich durch Ottiliens Tagebuch ein Faden der
Neigung und Anhänglichkeit, der alles verbindet und das

Ganze bezeichnet. Dadurch werden diese Bemerkungen, Betrachtungen, ausgezogenen Sinnsprüche und was sonst vorkommen mag, der Schreibenden ganz besonders eigen und für sie von Bedeutung. Selbst jede einzelne von uns ausgewählte und mitgeteilte Stelle gibt davon das entschiedenste Zeugnis.

Aus Ottiliens Tagebuche

»Neben denen dereinst zu ruhen die man liebt, ist die angenehmste Vorstellung welche der Mensch haben kann, wenn er einmal über das Leben hinausdenkt. Zu den Seinigen versammelt werden, ist ein so herzlicher Ausdruck.«

»Es gibt mancherlei Denkmale und Merkzeichen, die uns Entfernte und Abgeschiedene näher bringen. Keins ist von der Bedeutung des Bildes. Die Unterhaltung mit einem geliebten Bilde, selbst wenn es unähnlich ist, hat was Reizendes, wie es manchmal etwas Reizendes hat, sich mit einem Freunde streiten. Man fühlt auf eine angenehme Weise, daß man zu zweien ist und doch nicht auseinander kann.«

»Man unterhält sich manchmal mit einem gegenwärtigen Menschen als mit einem Bilde. Er braucht nicht zu sprechen, uns nicht anzusehen, sich nicht mit uns zu beschäftigen: wir sehen ihn, wir fühlen unser Verhältnis zu ihm, ja sogar unsere Verhältnisse zu ihm können wachsen, ohne daß er etwas dazu tut, ohne daß er etwas davon empfindet, daß er sich eben bloß zu uns wie ein Bild verhält.«

»Man ist niemals mit einem Porträt zufrieden von Personen die man kennt. Deswegen habe ich die Porträtmaler immer bedauert. Man verlangt so selten von den Leuten das Unmögliche, und gerade von diesen fordert man's. Sie sollen einem Jeden sein Verhältnis zu den Personen, seine Neigung und Abneigung mit in ihr Bild aufnehmen; sie sollen nicht bloß darstellen, wie sie einen Menschen fassen, sondern wie Jeder ihn fassen würde. Es nimmt mich nicht Wunder, wenn solche Künstler nach und nach verstockt, gleichgültig und

eigensinnig werden. Daraus möchte denn entstehen was
wollte, wenn man nur nicht gerade darüber die Abbildungen
so mancher lieben und teueren Menschen entbehren müßte.«

»Es ist wohl wahr, die Sammlung des Architekten von
Waffen und alten Gerätschaften, die nebst dem Körper mit
hohen Erdhügeln und Felsenstücken zugedeckt waren, bezeugt uns, wie unnütz die Vorsorge des Menschen sei für die
Erhaltung seiner Persönlichkeit nach dem Tode. Und so wi-
dersprechend sind wir! Der Architekt gesteht, selbst solche
Grabhügel der Vorfahren geöffnet zu haben und fährt dennoch fort sich mit Denkmälern für die Nachkommen zu beschäftigen.«

»Warum soll man es aber so streng nehmen? Ist denn alles
was wir tun für die Ewigkeit getan? Ziehen wir uns nicht
Morgens an, um uns Abends wieder auszuziehen? Verreisen
wir nicht, um wiederzukehren? Und warum sollten wir nicht
wünschen, neben den Unsrigen zu ruhen, und wenn es auch
nur für ein Jahrhundert wäre.«

»Wenn man die vielen versunkenen, die durch Kirchgän-
ger abgetretenen Grabsteine, die über ihren Grabmälern
selbst zusammengestürzten Kirchen erblickt; so kann einem
das Leben nach dem Tode doch immer wie ein zweites Leben
vorkommen, in das man nun im Bilde, in der Überschrift
eintritt und länger darin verweilt als in dem eigentlichen
lebendigen Leben. Aber auch dieses Bild, dieses zweite Dasein verlischt früher oder später. Wie über die Menschen so
auch über die Denkmäler läßt sich die Zeit ihr Recht nicht
nehmen.«

DRITTES KAPITEL

Es ist eine so angenehme Empfindung sich mit etwas zu
beschäftigen was man nur halb kann, daß Niemand den Di-
lettanten schelten sollte, wenn er sich mit einer Kunst abgibt,
die er nie lernen wird, noch den Künstler tadeln dürfte, wenn
er über die Grenze seiner Kunst hinaus, in einem benachbarten Felde sich zu ergehen Lust hat.

Mit so billigen Gesinnungen betrachten wir die Anstalten des Architekten zum Ausmalen der Kapelle. Die Farben waren bereitet, die Maße genommen, die Kartone gezeichnet; allen Anspruch auf Erfindung hatte er aufgegeben; er hielt sich an seine Umrisse: nur die sitzenden und schwebenden Figuren geschickt auszuteilen, den Raum damit geschmackvoll auszuzieren, war seine Sorge.

Das Gerüste stand, die Arbeit ging vorwärts, und da schon einiges was in die Augen fiel erreicht war, konnte es ihm nicht zuwider sein, daß Charlotte mit Ottilien ihn besuchte. Die lebendigen Engelsgesichter, die lebhaften Gewänder auf dem blauen Himmelsgrunde erfreuten das Auge, indem ihr stilles frommes Wesen das Gemüt zur Sammlung berief und eine sehr zarte Wirkung hervorbrachte.

Die Frauen waren zu ihm aufs Gerüst gestiegen, und Ottilie bemerkte kaum, wie abgemessen leicht und bequem das alles zuging, als sich in ihr das durch frühern Unterricht Empfangene mit einmal zu entwickeln schien, sie nach Farbe und Pinsel griff und auf erhaltene Anweisung ein faltenreiches Gewand mit soviel Reinlichkeit als Geschicklichkeit anlegte.

Charlotte, welche gern sah wenn Ottilie sich auf irgend eine Weise beschäftigte und zerstreute, ließ die beiden gewähren und ging, um ihren eigenen Gedanken nachzuhängen, um ihre Betrachtungen und Sorgen, die sie niemanden mitteilen konnte, für sich durchzuarbeiten.

Wenn gewöhnliche Menschen, durch gemeine Verlegenheiten des Tags zu einem leidenschaftlich ängstlichen Betragen aufgeregt, uns ein mitleidiges Lächeln abnötigen; so betrachten wir dagegen mit Ehrfurcht ein Gemüt, in welchem die Saat eines großen Schicksals ausgesäet worden, das die Entwickelung dieser Empfängnis abwarten muß, und weder das Gute noch das Böse, weder das Glückliche noch das Unglückliche was daraus entspringen soll, beschleunigen darf und kann.

Eduard hatte durch Charlottens Boten, den sie ihm in seine Einsamkeit gesendet, freundlich und teilnehmend, aber

doch eher gefaßt und ernst als zutraulich und liebevoll, geantwortet. Kurz darauf war Eduard verschwunden, und
seine Gattin konnte zu keiner Nachricht von ihm gelangen,
bis sie endlich von ungefähr seinen Namen in den Zeitungen
5 fand, wo er unter denen, die sich bei einer bedeutenden
Kriegsgelegenheit hervorgetan hatten, mit Auszeichnung
genannt war. Sie wußte nun, welchen Weg er genommen
hatte, sie erfuhr daß er großen Gefahren entronnen war;
allein sie überzeugte sich zugleich, daß er größere aufsuchen
10 würde, und sie konnte sich daraus nur allzusehr deuten, daß
er in jedem Sinne schwerlich vom Äußersten würde zurückzuhalten sein. Sie trug diese Sorgen für sich allein immer in
Gedanken, und mochte sie hin und wieder legen wie sie
wollte, so konnte sie doch bei keiner Ansicht Beruhigung
15 finden.

Ottilie, von alle dem nichts ahndend, hatte indessen zu
jener Arbeit die größte Neigung gefaßt, und von Charlotten
gar leicht die Erlaubnis erhalten, regelmäßig darin fortfahren
zu dürfen. Nun ging es rasch weiter und der azurne Himmel
20 war bald mit würdigen Bewohnern bevölkert. Durch eine
anhaltende Übung gewannen Ottilie und der Architekt bei
den letzten Bildern mehr Freiheit, sie wurden zusehends besser. Auch die Gesichter, welche dem Architekten zu malen
allein überlassen war, zeigten nach und nach eine ganz be-
25 sondere Eigenschaft: sie fingen sämtlich an Ottilien zu gleichen. Die Nähe des schönen Kindes mußte wohl in die Seele
des jungen Mannes, der noch keine natürliche oder künstlerische Physiognomie vorgefaßt hatte, einen so lebhaften
Eindruck machen, daß ihm nach und nach, auf dem Wege
30 vom Auge zur Hand, nichts verloren ging, ja daß beide zuletzt ganz gleichstimmig arbeiteten. Genug, eins der letzten
Gesichtchen glückte vollkommen, so daß es schien als wenn
Ottilie selbst aus den himmlischen Räumen heruntersähe.

An dem Gewölbe war man fertig; die Wände hatte man
35 sich vorgenommen einfach zu lassen und nur mit einer hel-
lern bräunlichen Farbe zu überziehen; die zarten Säulen und
künstlichen bildhauerischen Zieraten sollten sich durch eine

dunklere auszeichnen. Aber wie in solchen Dingen immer
eins zum andern führt, so wurden noch Blumen und Frucht-
gehänge beschlossen, welche Himmel und Erde gleichsam
zusammenknüpfen sollten. Hier war nun Ottilie ganz in ihrem Felde. Die Gärten lieferten die schönsten Muster, und   5
obschon die Kränze sehr reich ausgestattet wurden; so kam
man doch früher als man gedacht hatte, damit zu Stande.

Noch sah aber alles wüste und roh aus. Die Gerüste waren
durch einander geschoben, die Bretter über einander geworfen, der ungleiche Fußboden durch mancherlei vergossene   10
Farben noch mehr verunstaltet. Der Architekt erbat sich
nunmehr, daß die Frauenzimmer ihm acht Tage Zeit lassen
und bis dahin die Kapelle nicht betreten möchten. Endlich
ersuchte er sie an einem schönen Abende, sich beiderseits
dahin zu verfügen; doch wünschte er sie nicht begleiten zu   15
dürfen und empfahl sich sogleich.

Was er uns auch für eine Überraschung zugedacht haben
mag, sagte Charlotte als er weggegangen war; so habe ich
doch gegenwärtig keine Lust hinunter zu gehen. Du nimmst
es wohl allein über dich und gibst mir Nachricht. Gewiß hat   20
er etwas Angenehmes zu Stande gebracht. Ich werde es erst
in deiner Beschreibung und dann gern in der Wirklichkeit
genießen.

Ottilie, die wohl wußte, daß Charlotte sich in manchen
Stücken in Acht nahm, alle Gemütsbewegungen vermied,   25
und besonders nicht überrascht sein wollte, begab sich sogleich allein auf den Weg und sah sich unwillkürlich nach
dem Architekten um, der aber nirgends erschien und sich
mochte verborgen haben. Sie trat in die Kirche, die sie offen
fand. Diese war schon früher fertig, gereinigt und einge-   30
weiht. Sie trat zur Türe der Kapelle, deren schwere mit Erz
beschlagene Last sich leicht vor ihr auftat und sie in einem
bekannten Raume mit einem unerwarteten Anblick überraschte.

Durch das einzige hohe Fenster fiel ein ernstes buntes   35
Licht herein: denn es war von farbigen Gläsern anmutig
zusammengesetzt. Das Ganze erhielt dadurch einen fremden

Ton und bereitete zu einer eigenen Stimmung. Die Schönheit des Gewölbes und der Wände ward durch die Zierde des
Fußbodens erhöht, der aus besonders geformten, nach einem
schönen Muster gelegten, durch eine gegossene Gipsfläche
verbundenen Ziegelsteinen bestand. Diese sowohl als die
farbigen Scheiben hatte der Architekt heimlich bereiten lassen, und konnte nun in kurzer Zeit alles zusammenfügen.
Auch für Ruheplätze war gesorgt. Es hatten sich unter jenen
kirchlichen Altertümern einige schöngeschnitzte Chorstühle
vorgefunden, die nun gar schicklich an den Wänden angebracht umherstanden.

Ottilie freute sich der bekannten ihr als ein unbekanntes
Ganze entgegentretenden Teile. Sie stand, ging hin und wieder, sah und besah; endlich setzte sie sich auf einen der Stühle
und es schien ihr, indem sie auf und umherblickte, als wenn
sie wäre und nicht wäre, als wenn sie sich empfände und nicht
empfände, als wenn dies alles vor ihr, sie vor sich selbst
verschwinden sollte, und nur als die Sonne das bisher sehr
lebhaft beschienene Fenster verließ, erwachte Ottilie vor sich
selbst und eilte nach dem Schlosse.

Sie verbarg sich nicht in welche sonderbare Epoche diese
Überraschung gefallen sei. Es war der Abend vor Eduards
Geburtstage. Diesen hatte sie freilich ganz anders zu feiern
gehofft: wie sollte nicht alles zu diesem Feste geschmückt
sein? Aber nunmehr stand der ganze herbstliche Blumen-
reichtum ungepflückt. Diese Sonnenblumen wendeten noch
immer ihr Angesicht gen Himmel; diese Astern sahen noch
immer still bescheiden vor sich hin, und was allenfalls davon
zu Kränzen gebunden war, hatte zum Muster gedient einen
Ort auszuschmücken, der wenn er nicht bloß eine Künstler-
Grille bleiben, wenn er zu irgend etwas genutzt werden
sollte, nur zu einer gemeinsamen Grabstätte geeignet schien.

Sie mußte sich dabei der geräuschvollen Geschäftigkeit
erinnern, mit welcher Eduard ihr Geburtsfest gefeiert, sie
mußte des neugerichteten Hauses gedenken, unter dessen
Decke man sich soviel Freundliches versprach. Ja das Feuerwerk rauschte ihr wieder vor Augen und Ohren, je einsamer

sie war, desto mehr vor der Einbildungskraft; aber sie fühlte sich auch nur um desto mehr allein. Sie lehnte sich nicht mehr auf seinen Arm, und hatte keine Hoffnung, an ihm jemals wieder eine Stütze zu finden.

Aus Ottiliens Tagebuch 5

»Eine Bemerkung des jungen Künstlers muß ich aufzeichnen: wie am Handwerker so am bildenden Künstler kann man auf das deutlichste gewahr werden, daß der Mensch sich das am wenigsten zuzueignen vermag was ihm ganz eigens angehört. Seine Werke verlassen ihn, so wie die Vögel das 10 Nest worin sie ausgebrütet worden.«

»Der Baukünstler vor allen hat hierin das wunderlichste Schicksal. Wie oft wendet er seinen ganzen Geist, seine ganze Neigung auf, um Räume hervorzubringen, von denen er sich selbst ausschließen muß. Die königlichen Säle sind ihm ihre 15 Pracht schuldig, deren größte Wirkung er nicht mitgenießt. In den Tempeln zieht er eine Grenze zwischen sich und dem Allerheiligsten; er darf die Stufen nicht mehr betreten, die er zur Herz erhebenden Feierlichkeit gründete, so wie der Goldschmied die Monstranz nur von fern anbetet, deren 20 Schmelz und Edelsteine er zusammengeordnet hat. Dem Reichen übergibt der Baumeister mit dem Schlüssel des Palastes alle Bequemlichkeit und Behäbigkeit, ohne irgend etwas davon mitzugenießen. Muß sich nicht allgemach auf diese Weise die Kunst von dem Künstler entfernen, wenn das 25 Werk, wie ein ausgestattetes Kind, nicht mehr auf den Vater zurückwirkt? und wie sehr mußte die Kunst sich selbst befördern, als sie fast allein mit dem Öffentlichen, mit dem was allen und also auch dem Künstler gehörte, sich zu beschäftigen bestimmt war!« 30

»Eine Vorstellung der alten Völker ist ernst und kann furchtbar scheinen. Sie dachten sich ihre Vorfahren in großen Höhlen rings umher auf Thronen sitzend in stummer Unterhaltung. Dem neuen der hereintrat, wenn er würdig genug war, standen sie auf und neigten ihm einen Willkommen. Gestern als ich in der Kapelle saß und meinem geschnitzten Stuhle gegenüber noch mehrere umhergestellt sah, erschien mir jener Gedanke gar freundlich und anmutig. Warum kannst du nicht sitzen bleiben? dachte ich bei mir selbst, still und in dich gekehrt sitzen bleiben, lange lange, bis endlich die Freunde kämen, denen du aufstündest und ihren Platz mit freundlichem Neigen anwiesest. Die farbigen Scheiben machen den Tag zur ernsten Dämmerung und Jemand müßte eine ewige Lampe stiften, damit auch die Nacht nicht ganz finster bliebe.«

»Man mag sich stellen wie man will, und man denkt sich immer sehend. Ich glaube der Mensch träumt nur, damit er nicht aufhöre zu sehen. Es könnte wohl sein, daß das innere Licht einmal aus uns herausträte, so daß wir keines andern mehr bedürften.«

»Das Jahr klingt ab. Der Wind geht über die Stoppeln und findet nichts mehr zu bewegen; nur die roten Beeren jener schlanken Bäume scheinen uns noch an etwas Munteres erinnern zu wollen, so wie uns der Taktschlag des Dreschers den Gedanken erweckt, daß in der abgesichelten Ähre soviel Nährendes und Lebendiges verborgen liegt.«

VIERTES KAPITEL

Wie seltsam mußte, nach solchen Ereignissen, nach diesem aufgedrungenen Gefühl von Vergänglichkeit und Hinschwinden, Ottilie durch die Nachricht getroffen werden, die ihr nicht länger verborgen bleiben konnte, daß Eduard sich dem wechselnden Kriegsglück überliefert habe. Es entging ihr leider keine von den Betrachtungen, die sie dabei zu machen Ursache hatte. Glücklicherweise kann der Mensch nur einen gewissen Grad des Unglücks fassen; was darüber hinausgeht vernichtet ihn oder läßt ihn gleichgültig. Es gibt Lagen, in denen Furcht und Hoffnung Eins werden, sich einander wechselseitig aufheben und in eine dunkle Fühllosigkeit verlieren. Wie könnten wir sonst die entfernten Geliebtesten in stündlicher Gefahr wissen und dennoch unser tägliches gewöhnliches Leben immer so forttreiben.

Es war daher als wenn ein guter Geist für Ottilien gesorgt hätte, indem er auf einmal in diese Stille, in der sie einsam und unbeschäftigt zu versinken schien, ein wildes Heer hereinbrachte, das, indem es ihr von außen genug zu schaffen gab und sie aus sich selbst führte, zugleich in ihr das Gefühl eigener Kraft anregte.

Charlottens Tochter, Luciane, war kaum aus der Pension in die große Welt getreten, hatte kaum in dem Hause ihrer Tante sich von zahlreicher Gesellschaft umgeben gesehen, als ihr Gefallenwollen wirklich Gefallen erregte, und ein junger, sehr reicher Mann gar bald eine heftige Neigung empfand, sie zu besitzen. Sein ansehnliches Vermögen gab ihm ein Recht, das Beste jeder Art sein eigen zu nennen, und es schien ihm nichts weiter abzugehen als eine vollkommene Frau, um die ihn die Welt so wie um das übrige zu beneiden hätte.

Diese Familienangelegenheit war es, welche Charlotten bisher sehr viel zu tun gab, der sie ihre ganze Überlegung, ihre Korrespondenz widmete, insofern diese nicht darauf gerichtet war, von Eduard nähere Nachricht zu erhalten; deswegen auch Ottilie mehr als sonst in der letzten Zeit allein blieb. Diese wußte zwar um die Ankunft Lucianens; im Hause hatte sie deshalb die nötigsten Vorkehrungen getroffen; allein so nahe stellte man sich den Besuch nicht vor. Man wollte vorher noch schreiben, abreden, näher bestimmen, als der Sturm auf einmal über das Schloß und Ottilien hereinbrach.

Angefahren kamen nun Kammerjungfern und Bediente, Brancards mit Koffern und Kisten; man glaubte schon eine doppelte und dreifache Herrschaft im Hause zu haben; aber nun erschienen erst die Gäste selbst: Die Großtante mit Lucianen und einigen Freundinnen, der Bräutigam gleichfalls nicht unbegleitet. Da lag das Vorhaus voll Vachen, Mantelsäcke und anderer ledernen Gehäuse. Mit Mühe sonderte man die vielen Kästchen und Futterale auseinander.

Des Gepäckes und Geschleppes war kein Ende. Dazwischen regnete es mit Gewalt, woraus manche Unbequemlichkeit entstand. Diesem ungestümen Treiben begegnete Ottilie mit gleichmütiger Tätigkeit, ja ihr heiteres Geschick erschien im schönsten Glanze: denn sie hatte in kurzer Zeit alles untergebracht und angeordnet. Jedermann war logiert, Jedermann nach seiner Art bequem, und glaubte gut bedient zu sein, weil er nicht gehindert war sich selbst zu bedienen.

Nun hätten alle gern, nach einer höchst beschwerlichen Reise, einige Ruhe genossen; der Bräutigam hätte sich seiner Schwiegermutter gern genähert, um ihr seine Liebe, seinen guten Willen zu beteuern: aber Luciane konnte nicht rasten. Sie war nun einmal zu dem Glücke gelangt, ein Pferd besteigen zu dürfen. Der Bräutigam hatte schöne Pferde, und sogleich mußte man aufsitzen. Wetter und Wind, Regen und Sturm kamen nicht in Anschlag; es war als wenn man nur lebte um naß zu werden und sich wieder zu trocknen. Fiel es ihr ein, zu Fuße auszugehen, so fragte sie nicht, was für Kleider sie anhatte und wie sie beschuht war; sie mußte die Anlagen besichtigen von denen sie vieles gehört hatte. Was nicht zu Pferde geschehen konnte, wurde zu Fuß durchrannt. Bald hatte sie alles gesehen und abgeurteilt. Bei der Schnelligkeit ihres Wesens war ihr nicht leicht zu widersprechen. Die Gesellschaft hatte manches zu leiden, am meisten aber die Kammermädchen, die mit Waschen und Bügeln, Auftrennen und Annähen, nicht fertig werden konnten.

Kaum hatte sie das Haus und die Gegend erschöpft, als sie sich verpflichtet fühlte, rings in der Nachbarschaft Besuch abzulegen. Weil man sehr schnell ritt und fuhr, so reichte die Nachbarschaft ziemlich fern umher. Das Schloß ward mit Gegenbesuchen überschwemmt, und damit man sich ja nicht verfehlen möchte, wurden bald bestimmte Tage angesetzt.

Indessen Charlotte mit der Tante und dem Geschäftsträger des Bräutigams die innern Verhältnisse festzustellen bemüht war, und Ottilie mit ihren Untergebenen dafür zu sorgen wußte, daß es an nichts, bei so großem Zudrang, fehlen möchte, da denn Jäger und Gärtner, Fischer und Krämer in

Bewegung gesetzt wurden; zeigte sich Luciane immer wie
ein brennender Kometenkern, der einen langen Schweif
nach sich zieht. Die gewöhnlichen Besuchsunterhaltungen
dünkten ihr bald ganz unschmackhaft. Kaum daß sie den
ältesten Personen eine Ruhe am Spieltisch gönnte; wer noch ₅
einigermaßen beweglich war – und wer ließ sich nicht durch
ihre reizenden Zudringlichkeiten in Bewegung setzen? –
mußte herbei, wo nicht zum Tanze, doch zum lebhaften
Pfand- Straf- und Vexierspiel. Und obgleich das Alles, so wie
hernach die Pfänderlösung, auf sie selbst berechnet war, so ₁₀
ging doch von der andern Seite Niemand, besonders kein
Mann, er mochte von einer Art sein von welcher er wollte,
ganz leer aus; ja es glückte ihr, einige ältere Personen von
Bedeutung ganz für sich zu gewinnen, indem sie ihre eben
einfallenden Geburts- und Namenstage ausgeforscht hatte ₁₅
und besonders feierte. Dabei kam ihr ein ganz eignes Geschick zu Statten, so daß, indem alle sich begünstigt sahen,
jeder sich für den am meisten begünstigten hielt: eine
Schwachheit deren sich sogar der Älteste in der Gesellschaft
am allermerklichsten schuldig machte. ₂₀

Schien es bei ihr Plan zu sein, Männer die etwas vor-
stellten, Rang, Ansehen, Ruhm oder sonst etwas Bedeutendes vor sich hatten, für sich zu gewinnen, Weisheit und Besonnenheit zu Schanden zu machen, und ihrem wilden
wunderlichen Wesen selbst bei der Bedächtlichkeit Gunst zu ₂₅
erwerben; so kam die Jugend doch dabei nicht zu kurz: Jeder
hatte sein Teil, seinen Tag, seine Stunde, in der sie ihn zu
entzücken und zu fesseln wußte. So hatte sie den Architekten
schon bald ins Auge gefaßt, der jedoch aus seinem schwarzen
langlockigen Haar so unbefangen heraussah, so gerad und ₃₀
ruhig in der Entfernung stand, auf alle Fragen kurz und
verständig antwortete, sich aber auf nichts weiter einzulassen
geneigt schien, daß sie sich endlich einmal, halb unwillig halb
listig, entschloß ihn zum Helden des Tages zu machen und
dadurch auch für ihren Hof zu gewinnen. ₃₅

Nicht umsonst hatte sie so vieles Gepäcke mitgebracht, ja
es war ihr noch manches gefolgt. Sie hatte sich auf eine un-

endliche Abwechselung in Kleidern vorgesehen. Wenn es ihr
Vergnügen machte, sich des Tags drei viermal umzuziehen
und mit gewöhnlichen, in der Gesellschaft üblichen Kleidern
vom Morgen bis in die Nacht zu wechseln; so erschien sie
dazwischen wohl auch einmal im wirklichen Maskenkleid,
als Bäuerin und Fischerin, als Fee und Blumenmädchen. Sie
verschmähte nicht, sich als alte Frau zu verkleiden, um desto
frischer ihr junges Gesicht aus der Kutte hervorzuzeigen;
und wirklich verwirrte sie dadurch das Gegenwärtige und
das Eingebildete dergestalt, daß man sich mit der Saalnixe
verwandt und verschwägert zu sein glaubte.

Wozu sie aber diese Verkleidungen hauptsächlich benutzte, waren pantomimische Stellungen und Tänze, in denen sie verschiedene Charakter auszudrücken gewandt war.
Ein Kavalier aus ihrem Gefolge hatte sich eingerichtet, auf
dem Flügel ihre Gebärden mit der wenigen nötigen Musik
zu begleiten; es bedurfte nur einer kurzen Abrede und sie
waren sogleich in Einstimmung.

Eines Tages, als man sie bei der Pause eines lebhaften
Balls, auf ihren eigenen heimlichen Antrieb, gleichsam aus
dem Stegereife, zu einer solchen Darstellung aufgefordert
hatte; schien sie verlegen und überrascht und ließ sich wider
ihre Gewohnheit lange bitten. Sie zeigte sich unentschlossen,
ließ die Wahl, bat wie ein Improvisator um einen Gegenstand, bis endlich jener Klavier spielende Gehülfe, mit
dem es abgeredet sein mochte, sich an den Flügel setzte,
einen Trauermarsch zu spielen anfing und sie aufforderte,
jene Artemisia zu geben, welche sie so vortrefflich einstudiert
habe. Sie ließ sich erbitten, und nach einer kurzen Abwesenheit erschien sie, bei den zärtlich traurigen Tönen des
Totenmarsches, in Gestalt der königlichen Witwe, mit ge-
messenem Schritt, einen Aschenkrug vor sich hertragend.
Hinter ihr brachte man eine große schwarze Tafel und in
einer goldenen Reißfeder ein wohl zugeschnitztes Stück
Kreide.

Einer ihrer Verehrer und Adjutanten, dem sie etwas ins
Ohr sagte, ging sogleich den Architekten aufzufordern, zu

nötigen und gewissermaßen herbeizuschieben, daß er als
Baumeister das Grab des Mausolus zeichnen, und also
keineswegs einen Statisten, sondern einen ernstlich Mit-
spielenden vorstellen sollte. Wie verlegen der Architekt auch
äußerlich erschien – denn er machte in seiner ganz schwarzen
knappen modernen Zivilgestalt einen wunderlichen Kontrast mit jenen Flören, Kreppen, Franzen, Schmelzen, Qua-
sten und Kronen – so faßte er sich doch gleich innerlich,
allein um so wunderlicher war es anzusehen. Mit dem größten Ernst stellte er sich vor die große Tafel, die von ein paar
Pagen gehalten wurde, und zeichnete mit viel Bedacht und
Genauigkeit ein Grabmal, das zwar eher einem longobardischen als einem carischen König wäre gemäß gewesen, aber
doch in so schönen Verhältnissen, so ernst in seinen Teilen, so
geistreich in seinen Zieraten, daß man es mit Vergnügen
entstehen sah und als es fertig war bewunderte.

Er hatte sich in diesem ganzen Zeitraum fast nicht gegen
die Königin gewendet, sondern seinem Geschäft alle Aufmerksamkeit gewidmet. Endlich als er sich vor ihr neigte
und andeutete, daß er nun ihre Befehle vollzogen zu haben
glaube, hielt sie ihm noch die Urne hin, und bezeichnete das
Verlangen, diese oben auf dem Gipfel abgebildet zu sehen.
Er tat es, obgleich ungern, weil sie zu dem Charakter seines
übrigen Entwurfs nicht passen wollte. Was Lucianen betraf,
so war sie endlich von ihrer Ungeduld erlöst: denn ihre Absicht war keineswegs eine gewissenhafte Zeichnung von ihm
zu haben. Hätte er mit wenigen Strichen nur hinskizziert,
was etwa einem Monument ähnlich gesehen, und sich die
übrige Zeit mit ihr abgegeben; so wäre das wohl dem Endzweck und ihren Wünschen gemäßer gewesen. Bei seinem
Benehmen dagegen kam sie in die größte Verlegenheit: denn
ob sie gleich in ihrem Schmerz, ihren Anordnungen und
Andeutungen, ihrem Beifall über das nach und nach Ent-
stehende, ziemlich abzuwechseln suchte und sie ihn einigemal beinahe herumzerrte, um nur mit ihm in eine Art von
Verhältnis zu kommen; so erwies er sich doch gar zu steif,
dergestalt daß sie allzuoft ihre Zuflucht zur Urne nehmen, sie

an ihr Herz drücken und zum Himmel schauen mußte, ja
zuletzt, weil sich doch dergleichen Situationen immer steigern, mehr einer Witwe von Ephesus als einer Königin von
Carien ähnlich sah. Die Vorstellung zog sich daher in die
5 Länge, der Klavierspieler, der sonst Geduld genug hatte,
wußte nicht mehr in welchen Ton er ausweichen sollte. Er
dankte Gott als er die Urne auf der Pyramide stehn sah und
fiel unwillkürlich, als die Königin ihren Dank ausdrücken
wollte, in ein lustiges Thema; wodurch die Vorstellung zwar
10 ihren Charakter verlor, die Gesellschaft jedoch völlig aufge-
heitert wurde, die sich denn sogleich teilte, der Dame für
ihren vortrefflichen Ausdruck, und dem Architekten für
seine künstliche und zierliche Zeichnung eine freudige Bewunderung zu beweisen.

15   Besonders der Bräutigam unterhielt sich mit dem Architekten. Es tut mir leid, sagte jener, daß die Zeichnung so
vergänglich ist. Sie erlauben wenigstens, daß ich sie mir auf
mein Zimmer bringen lasse und mich mit Ihnen darüber
unterhalte. Wenn es Ihnen Vergnügen macht, sagte der Ar-
20 chitekt, so kann ich Ihnen sorgfältige Zeichnungen von dergleichen Gebäuden und Monumenten vorlegen, wovon dieses nur ein zufälliger flüchtiger Entwurf ist.

Ottilie stand nicht fern und trat zu den beiden. Versäumen
Sie nicht, sagte sie zum Architekten, den Herrn Baron ge-
25 legentlich Ihre Sammlung sehn zu lassen: er ist ein Freund
der Kunst und des Altertums; ich wünsche daß Sie sich näher
kennen lernen.

Luciane kam herbeigefahren und fragte: Wovon ist die
Rede? Von einer Sammlung Kunstwerke, antwortete der
30 Baron, welche dieser Herr besitzt und die er uns gelegentlich
zeigen will.

Er mag sie nur gleich bringen, rief Luciane. Nicht wahr,
Sie bringen sie gleich? setzte sie schmeichelnd hinzu, indem
sie ihn mit beiden Händen freundlich anfaßte.

35   Es möchte jetzt der Zeitpunkt nicht sein, versetzte der
Architekt.

Was! rief Luciane gebieterisch: Sie wollen dem Befehl Ih-

rer Königin nicht gehorchen? Dann legte sie sich auf ein
neckisches Bitten.

Sein Sie nicht eigensinnig, sagte Ottilie halb leise.

Der Architekt entfernte sich mit einer Beugung, sie war
weder bejahend noch verneinend.

Kaum war er fort, als Luciane sich mit einem Windspiel im
Saale herumjagte. Ach! rief sie aus, indem sie zufällig an ihre
Mutter stieß: wie bin ich nicht unglücklich! Ich habe meinen
Affen nicht mitgenommen; man hat mir es abgeraten, es ist
aber nur die Bequemlichkeit meiner Leute, die mich um dieses Vergnügen bringt. Ich will ihn aber nachkommen lassen,
es soll mir Jemand hin ihn zu holen. Wenn ich nur sein Bildnis sehen könnte, so wäre ich schon vergnügt. Ich will ihn
aber gewiß auch malen lassen und er soll mir nicht von der
Seite kommen.

Vielleicht kann ich dich trösten, versetzte Charlotte, wenn
ich dir aus der Bibliothek einen ganzen Band der wunderlichsten Affenbilder kommen lasse. Luciane schrie vor
Freuden laut auf, und der Folioband wurde gebracht. Der
Anblick dieser menschenähnlichen und durch den Künstler
noch mehr vermenschlichten abscheulichen Geschöpfe
machte Lucianen die größte Freude. Ganz glücklich aber
fühlte sie sich, bei einem jeden dieser Tiere die Ähnlichkeit
mit bekannten Menschen zu finden. Sieht der nicht aus wie
der Onkel? rief sie unbarmherzig: der wie der Galanterie-
händler M–, der wie der Pfarrer S– und dieser ist der Dings –
der – leibhaftig. Im Grunde sind doch die Affen die eigentlichen Incroyables und es ist unbegreiflich, wie man sie aus
der besten Gesellschaft ausschließen mag.

Sie sagte das in der besten Gesellschaft, doch Niemand
nahm es ihr übel. Man war so gewohnt ihrer Anmut vieles zu
erlauben, daß man zuletzt ihrer Unart alles erlaubte.

Ottilie unterhielt sich indessen mit dem Bräutigam. Sie
hoffte auf die Rückkunft des Architekten, dessen ernstere,
geschmackvollere Sammlungen die Gesellschaft von diesem
Affenwesen befreien sollten. In dieser Erwartung hatte sie
sich mit dem Baron besprochen und ihn auf manches auf-

merksam gemacht. Allein der Architekt blieb aus, und als er
endlich wiederkam, verlor er sich unter der Gesellschaft,
ohne etwas mit zu bringen, und ohne zu tun als ob von etwas
die Frage gewesen wäre. Ottilie ward einen Augenblick – wie
soll man's nennen? – verdrießlich, ungehalten, betroffen; sie
hatte ein gutes Wort an ihn gewendet, sie gönnte dem Bräutigam eine vergnügte Stunde nach seinem Sinne, der bei seiner unendlichen Liebe für Lucianen doch von ihrem Betragen zu leiden schien.

Die Affen mußten einer Kollation Platz machen. Gesellige
Spiele, ja sogar noch Tänze, zuletzt ein freudeloses Her-
umsitzen und Wiederaufjagen einer schon gesunkenen Lust
dauerten diesmal, wie sonst auch, weit über Mitternacht.
Denn schon hatte sich Luciane gewöhnt, Morgens nicht aus
dem Bette und Abends nicht ins Bette gelangen zu können.

Um diese Zeit finden sich in Ottiliens Tagebuch Ereignisse
seltner angemerkt, dagegen häufiger auf das Leben be-
zügliche und vom Leben abgezogene Maximen und Sentenzen. Weil aber die meisten derselben wohl nicht durch ihre
eigene Reflexion entstanden sein können; so ist es wahrscheinlich, daß man ihr irgend einen Heft mitgeteilt, aus dem
sie sich was ihr gemütlich war, ausgeschrieben. Manches eigene von innigerem Bezug wird an dem roten Faden wohl zu
erkennen sein.

Aus Ottiliens Tagebuche

»Wir blicken so gern in die Zukunft, weil wir das Ungefähre
was sich in ihr hin und her bewegt, durch stille Wünsche so
gern zu unsern Gunsten heranleiten möchten.«

»Wir befinden uns nicht leicht in großer Gesellschaft, ohne
zu denken: der Zufall, der so viele zusammenbringt, solle
uns auch unsre Freunde herbeiführen.«

»Man mag noch so eingezogen leben, so wird man ehe
man sich's versieht, ein Schuldner oder ein Gläubiger.«

»Begegnet uns Jemand der uns Dank schuldig ist, gleich fällt es uns ein. Wie oft können wir Jemand begegnen, dem wir Dank schuldig sind, ohne daran zu denken.«

»Sich mitzuteilen ist Natur; Mitgeteiltes aufzunehmen wie es gegeben wird, ist Bildung.«

»Niemand würde viel in Gesellschaften sprechen, wenn er sich bewußt wäre, wie oft er die andern mißversteht.«

»Man verändert fremde Reden beim Wiederholen wohl nur darum so sehr, weil man sie nicht verstanden hat.«

»Wer vor andern lange allein spricht, ohne den Zuhörern zu schmeicheln, erregt Widerwillen.«

»Jedes ausgesprochene Wort erregt den Gegensinn.«

»Widerspruch und Schmeichelei machen beide ein schlechtes Gespräch.«

»Die angenehmsten Gesellschaften sind die, in welchen eine heitere Ehrerbietung der Glieder gegen einander obwaltet.«

»Durch nichts bezeichnen die Menschen mehr ihren Charakter als durch das was sie lächerlich finden.«

»Das Lächerliche entspringt aus einem sittlichen Kontrast, der, auf eine unschädliche Weise, für die Sinne in Verbindung gebracht wird.«

»Der sinnliche Mensch lacht oft wo nichts zu lachen ist. Was ihn auch anregt, sein inneres Behagen kommt zum Vorschein.«

»Der Verständige findet fast alles lächerlich, der Vernünftige fast nichts.«

»Einem bejahrten Manne verdachte man, daß er sich noch um junge Frauenzimmer bemühte. Es ist das einzige Mittel, versetzte er, sich zu verjüngen und das will doch Jedermann.«

»Man läßt sich seine Mängel vorhalten, man läßt sich strafen, man leidet manches um ihrer willen mit Geduld; aber ungeduldig wird man, wenn man sie ablegen soll.«

»Gewisse Mängel sind notwendig zum Dasein des Einzelnen. Es würde uns unangenehm sein, wenn alte Freunde gewisse Eigenheiten ablegten.«

»Man sagt: er stirbt bald, wenn einer etwas gegen seine Art
und Weise tut.«

»Was für Mängel dürfen wir behalten, ja an uns kultivie-
ren? Solche die den andern eher schmeicheln als sie verletzen.«

»Die Leidenschaften sind Mängel oder Tugenden, nur gesteigerte.«

»Unsre Leidenschaften sind wahre Phönixe. Wie der alte
verbrennt, steigt der neue sogleich wieder aus der Asche
hervor.«

»Große Leidenschaften sind Krankheiten ohne Hoffnung.
Was sie heilen könnte, macht sie erst recht gefährlich.«

»Die Leidenschaft erhöht und mildert sich durchs Bekennen. In nichts wäre die Mittelstraße vielleicht wün-
schenswerter als im Vertrauen und Verschweigen gegen die
die wir lieben.«

FÜNFTES KAPITEL

So peitschte Luciane den Lebensrausch im geselligen Strudel
immer vor sich her. Ihr Hofstaat vermehrte sich täglich, teils
weil ihr Treiben so manchen anregte und anzog, teils weil sie
sich andre durch Gefälligkeit und Wohltun zu verbinden
wußte. Mitteilend war sie im höchsten Grade: denn da ihr
durch die Neigung der Tante und des Bräutigams so viel
Schönes und Köstliches auf einmal zugeflossen war; so
schien sie nichts eigenes zu besitzen, und den Wert der Dinge
nicht zu kennen, die sich um sie gehäuft hatten. So zauderte
sie nicht einen Augenblick einen kostbaren Shawl abzuneh-
men und ihn einem Frauenzimmer umzuhängen, das ihr gegen die übrigen zu ärmlich gekleidet schien, und sie tat das
auf eine so neckische, geschickte Weise, daß Niemand eine
solche Gabe ablehnen konnte. Einer von ihrem Hofstaat
hatte stets eine Börse und den Auftrag, in den Orten wo sie
einkehrten, sich nach den Ältesten und Kränksten zu erkundigen, und ihren Zustand wenigstens für den Augen-

blick zu erleichtern. Dadurch entstand ihr in der ganzen Gegend ein Name von Vortrefflichkeit, der ihr doch auch manchmal unbequem ward, weil er allzuviel lästige Notleidende an sie heranzog.

Durch nichts aber vermehrte sie so sehr ihren Ruf, als durch ein auffallendes gutes beharrliches Benehmen gegen einen unglücklichen jungen Mann, der die Gesellschaft floh, weil er, übrigens schön und wohlgebildet, seine rechte Hand, obgleich rühmlich, in der Schlacht verloren hatte. Diese Verstümmlung erregte ihm einen solchen Mißmut; es war ihm so verdrießlich, daß jede neue Bekanntschaft sich auch immer mit seinem Unfall bekannt machen sollte, daß er sich lieber versteckte, sich dem Lesen und andern Studien ergab und ein für allemal mit der Gesellschaft nichts wollte zu schaffen haben.

Das Dasein dieses jungen Mannes blieb ihr nicht verborgen. Er mußte herbei, erst in kleiner Gesellschaft, dann in größerer, dann in der größten. Sie benahm sich anmutiger gegen ihn als gegen irgend einen andern, besonders wußte sie durch zudringliche Dienstfertigkeit ihm seinen Verlust wert zu machen, indem sie geschäftig war ihn zu ersetzen. Bei Tafel mußte er neben ihr seinen Platz nehmen, sie schnitt ihm vor, so daß er nur die Gabel gebrauchen durfte. Nahmen Ältere, Vornehmere ihm ihre Nachbarschaft weg, so erstreckte sie ihre Aufmerksamkeit über die ganze Tafel hin, und die eilenden Bedienten mußten das ersetzen was ihm die Entfernung zu rauben drohte. Zuletzt munterte sie ihn auf, mit der linken Hand zu schreiben: er mußte alle seine Versuche an sie richten, und so stand sie, entfernt oder nah, immer mit ihm in Verhältnis. Der junge Mann wußte nicht wie ihm geworden war, und wirklich fing er von diesem Augenblick ein neues Leben an.

Vielleicht sollte man denken, ein solches Betragen wäre dem Bräutigam mißfällig gewesen; allein es fand sich das Gegenteil. Er rechnete ihr diese Bemühungen zu großem Verdienst an, und war um so mehr darüber ganz ruhig, als er ihre fast übertriebenen Eigenheiten kannte, wodurch sie alles

was im mindesten verfänglich schien, von sich abzulehnen
wußte. Sie wollte mit Jedermann nach Belieben umspringen,
Jeder war in Gefahr, von ihr einmal angestoßen, gezerrt oder
sonst geneckt zu werden; Niemand aber durfte sich gegen sie
ein Gleiches erlauben, Niemand sie nach Willkür berühren,
Niemand auch nur im entferntesten Sinne, eine Freiheit die
sie sich nahm, erwidern; und so hielt sie die andern in den
strengsten Grenzen der Sittlichkeit gegen sich, die sie gegen
andere jeden Augenblick zu übertreten schien.

Überhaupt hätte man glauben können, es sei bei ihr Maxime gewesen, sich dem Lobe und dem Tadel, der Neigung
und der Abneigung gleichmäßig auszusetzen. Denn wenn sie
die Menschen auf mancherlei Weise für sich zu gewinnen
suchte; so verdarb sie es wieder mit ihnen gewöhnlich durch
eine böse Zunge, die Niemanden schonte. So wurde kein
Besuch in der Nachbarschaft abgelegt, nirgends sie und ihre
Gesellschaft in Schlössern und Wohnungen freundlich aufgenommen, ohne daß sie bei der Rückkehr auf das ausge-
lassenste merken ließ, wie sie alle menschlichen Verhältnisse
nur von der lächerlichen Seite zu nehmen geneigt sei. Da
waren drei Brüder, welche unter lauter Komplimenten, wer
zuerst heiraten sollte, das Alter übereilt hatte; hier eine kleine
junge Frau mit einem großen alten Manne; dort umgekehrt
ein kleiner munterer Mann und eine unbehülfliche Riesin. In
dem einen Hause stolperte man bei jedem Schritte über ein
Kind; das andre wollte ihr bei der größten Gesellschaft nicht
voll erscheinen, weil keine Kinder gegenwärtig waren. Alte
Gatten sollten sich nur schnell begraben lassen, damit doch
wieder einmal Jemand im Hause zum Lachen käme, da ihnen
keine Noterben gegeben waren. Junge Eheleute sollten reisen, weil das Haushalten sie gar nicht kleide. Und wie mit den
Personen, so machte sie es auch mit den Sachen, mit den
Gebäuden, wie mit dem Haus- und Tischgeräte. Besonders
alle Wandverzierungen reizten sie zu lustigen Bemerkungen.
Von dem ältesten Hautelißteppich bis zu der neusten Pa-
piertapete, vom ehrwürdigsten Familienbilde bis zum frivol-
sten neuen Kupferstich, eins wie das andre mußte leiden, eins

wie das andre wurde durch ihre spöttischen Bemerkungen
gleichsam aufgezehrt, so daß man sich hätte verwundern sollen, wie fünf Meilen umher irgend etwas nur noch existierte.

Eigentliche Bosheit war vielleicht nicht in diesem verneinenden Bestreben; ein selbstischer Mutwille mochte sie
gewöhnlich anreizen: aber eine wahrhafte Bitterkeit hatte
sich in ihrem Verhältnis zu Ottilien erzeugt. Auf die ruhige
ununterbrochene Tätigkeit des lieben Kindes, die von Jedermann bemerkt und gepriesen wurde, sah sie mit Verachtung herab, und als zur Sprache kam, wie sehr sich Ottilie der
Gärten und der Treibhäuser annehme, spottete sie nicht allein darüber, indem sie, uneingedenk des tiefen Winters in
dem man lebte, sich zu verwundern schien, daß man weder
Blumen noch Früchte gewahr werde; sondern sie ließ auch
von nun an so viel Grünes, so viel Zweige und was nur
irgend keimte, herbeiholen und zur täglichen Zierde der
Zimmer und des Tisches verschwenden, daß Ottilie und der
Gärtner nicht wenig gekränkt waren, ihre Hoffnungen für
das nächste Jahr und vielleicht auf längere Zeit zerstört zu
sehen.

Eben so wenig gönnte sie Ottilien die Ruhe des häuslichen
Ganges, worin sie sich mit Bequemlichkeit fortbewegte. Ottilie sollte mit auf die Lust- und Schlittenfahrten; sie sollte
mit auf die Bälle die in der Nachbarschaft veranstaltet wurden; sie sollte weder Schnee noch Kälte noch gewaltsame
Nachtstürme scheuen, da ja soviel andre nicht davon stürben.
Das zarte Kind litt nicht wenig darunter, aber Luciane gewann nichts dabei: denn obgleich Ottilie sehr einfach gekleidet ging, so war sie doch, oder so schien sie wenigstens
immer den Männern die schönste. Ein sanftes Anziehen versammelte alle Männer um sie her, sie mochte sich in den
großen Räumen am ersten oder am letzten Platze befinden, ja
der Bräutigam Lucianens selbst unterhielt sich oft mit ihr,
und zwar um so mehr, als er in einer Angelegenheit die ihn
beschäftigte, ihren Rat, ihre Mitwirkung verlangte.

Er hatte den Architekten näher kennen lernen, bei Gelegenheit seiner Kunstsammlung viel über das Geschichtliche

mit ihm gesprochen, in andern Fällen auch, besonders bei
Betrachtung der Kapelle, sein Talent schätzen gelernt. Der
Baron war jung, reich; er sammelte, er wollte bauen; seine
Liebhaberei war lebhaft, seine Kenntnisse schwach; er
glaubte in dem Architekten seinen Mann zu finden, mit dem
er mehr als einen Zweck zugleich erreichen könnte. Er hatte
seiner Braut von dieser Absicht gesprochen; sie lobte ihn
darum und war höchlich mit dem Vorschlag zufrieden, doch
vielleicht mehr, um diesen jungen Mann Ottilien zu entziehen – denn sie glaubte so etwas von Neigung bei ihm zu
bemerken – als daß sie gedacht hätte, sein Talent zu ihren
Absichten zu benutzen. Denn ob er gleich bei ihren extem-
porierten Festen sich sehr tätig erwiesen und manche Res-
sourcen bei dieser und jener Anstalt dargeboten, so glaubte
sie es doch immer selbst besser zu verstehen; und da ihre
Erfindungen gewöhnlich gemein waren, so reichte, um sie
auszuführen, die Geschicklichkeit eines gewandten Kam-
merdieners eben so gut hin, als die des vorzüglichsten Künstlers. Weiter als zu einem Altar, worauf geopfert ward, und zu
einer Bekränzung, es mochte nun ein gipsernes oder ein le-
bendes Haupt sein, konnte ihre Einbildungskraft sich nicht
versteigen, wenn sie irgend Jemand zum Geburts- und Eh-
rentage ein festliches Kompliment zu machen gedachte.

Ottilie konnte dem Bräutigam, der sich nach dem Verhältnis des Architekten zum Hause erkundigte, die beste
Auskunft geben. Sie wußte daß Charlotte sich schon früher
nach einer Stelle für ihn umgetan hatte: denn wäre die Gesellschaft nicht gekommen, so hätte sich der junge Mann
gleich nach Vollendung der Kapelle entfernt, weil alle Bauten
den Winter über stillstehn sollten und mußten; und es war
daher sehr erwünscht, wenn der geschickte Künstler durch
einen neuen Gönner wieder genutzt und befördert wurde.

Das persönliche Verhältnis Ottiliens zum Architekten war
ganz rein und unbefangen. Seine angenehme und tätige Gegenwart hatte sie, wie die Nähe eines ältern Bruders, unterhalten und erfreut. Ihre Empfindungen für ihn blieben auf
der ruhigen leidenschaftslosen Oberfläche der Blutsver-

wandtschaft: denn in ihrem Herzen war kein Raum mehr; es war von der Liebe zu Eduard ganz gedrängt ausgefüllt, und nur die Gottheit, die alles durchdringt, konnte dieses Herz zugleich mit ihm besitzen.

Indessen je tiefer der Winter sich senkte, je wilderes Wetter, je unzugänglicher die Wege, desto anziehender schien es, in so guter Gesellschaft die abnehmenden Tage zuzubringen. Nach kurzen Ebben überflutete die Menge von Zeit zu Zeit das Haus. Offiziere von entfernteren Garnisonen, die gebildeten zu ihrem großen Vorteil, die roheren zur Unbequemlichkeit der Gesellschaft, zogen sich herbei; am Zivilstande fehlte es auch nicht, und ganz unerwartet kamen eines Tages der Graf und die Baronesse zusammen angefahren.

Ihre Gegenwart schien erst einen wahren Hof zu bilden. Die Männer von Stand und Sitten umgaben den Grafen, und die Frauen ließen der Baronesse Gerechtigkeit widerfahren. Man verwunderte sich nicht lange, sie beide zusammen und so heiter zu sehen: denn man vernahm, des Grafen Gemahlin sei gestorben, und eine neue Verbindung werde geschlossen sein sobald es die Schicklichkeit nur erlaube. Ottilie erinnerte sich jenes ersten Besuchs, jedes Worts was über Ehestand und Scheidung, über Verbindung und Trennung, über Hoffnung, Erwartung, Entbehren und Entsagen gesprochen ward. Beide Personen, damals noch ganz ohne Aussichten, standen nun vor ihr, dem gehofften Glück so nahe, und ein unwillkürlicher Seufzer drang aus ihrem Herzen.

Luciane hörte kaum, daß der Graf ein Liebhaber von Musik sei, so wußte sie ein Konzert zu veranstalten; sie wollte sich dabei mit Gesang zur Guitarre hören lassen. Es geschah. Das Instrument spielte sie nicht ungeschickt, ihre Stimme war angenehm; was aber die Worte betraf, so verstand man sie so wenig als wenn sonst eine deutsche Schöne zur Guitarre singt. Indes versicherte Jedermann, sie habe mit viel Ausdruck gesungen, und sie konnte mit dem lauten Beifall zufrieden sein. Nur ein wunderliches Unglück begegnete bei dieser Gelegenheit. In der Gesellschaft befand sich ein Dichter, den sie auch besonders zu verbinden hoffte, weil sie

einige Lieder von ihm an sie gerichtet wünschte, und deshalb
diesen Abend meist nur von seinen Liedern vortrug. Er war
überhaupt, wie alle, höflich gegen sie, aber sie hatte mehr
erwartet. Sie legte es ihm einigemal nahe, konnte aber weiter
nichts von ihm vernehmen, bis sie endlich aus Ungeduld
einen ihrer Hofleute an ihn schickte und sondieren ließ, ob er
denn nicht entzückt gewesen sei, seine vortrefflichen Gedichte so vortrefflich vortragen zu hören. Meine Gedichte?
versetzte dieser mit Erstaunen. Verzeihen Sie, mein Herr,
fügte er hinzu: ich habe nichts als Vokale gehört und die nicht
einmal alle. Unterdessen ist es meine Schuldigkeit mich für
eine so liebenswürdige Intention dankbar zu erweisen. Der
Hofmann schwieg und verschwieg. Der andre suchte sich
durch einige wohltönende Komplimente aus der Sache zu
ziehen. Sie ließ ihre Absicht nicht undeutlich merken, auch
etwas eigens für sie gedichtetes zu besitzen. Wenn es nicht
allzu unfreundlich gewesen wäre, so hätte er ihr das Alphabet
überreichen können, um sich daraus ein beliebiges Lobge-
dicht zu irgend einer vorkommenden Melodie selbst einzu-
bilden. Doch sollte sie nicht ohne Kränkung aus dieser Begebenheit scheiden. Kurze Zeit darauf erfuhr sie: er habe
noch selbigen Abend einer von Ottiliens Lieblingsmelodien
ein allerliebstes Gedicht untergelegt, das noch mehr als verbindlich sei.

Luciane, wie alle Menschen ihrer Art, die immer durcheinander mischen was ihnen vorteilhaft und was ihnen nachtei-
lig ist, wollte nun ihr Glück im Rezitieren versuchen. Ihr
Gedächtnis war gut, aber wenn man aufrichtig reden sollte,
ihr Vortrag geistlos und heftig ohne leidenschaftlich zu sein.
Sie rezitierte Balladen, Erzählungen und was sonst in Dekla-
matorien vorzukommen pflegt. Dabei hatte sie die unglückliche Gewohnheit angenommen, das was sie vortrug mit
Gesten zu begleiten, wodurch man das was eigentlich episch
und lyrisch ist, auf eine unangenehme Weise mit dem Dra-
matischen mehr verwirrt als verbindet.

Der Graf, ein einsichtsvoller Mann, der gar bald die Gesellschaft, ihre Neigungen, Leidenschaften und Unterhal-

tungen übersah, brachte Lucianen, glücklicher oder unglücklicher Weise, auf eine neue Art von Darstellung, die
ihrer Persönlichkeit sehr gemäß war. Ich finde, sagte er, hier
so manche wohlgestaltete Personen, denen es gewiß nicht
fehlt, malerische Bewegungen und Stellungen nachzuahm-
men. Sollten sie es noch nicht versucht haben, wirkliche bekannte Gemälde vorzustellen? Eine solche Nachbildung,
wenn sie auch manche mühsame Anordnung erfordert,
bringt dagegen auch einen unglaublichen Reiz hervor.

Schnell ward Luciane gewahr, daß sie hier ganz in ihrem
Fach sein würde. Ihr schöner Wuchs, ihre volle Gestalt, ihr
regelmäßiges und doch bedeutendes Gesicht, ihre lichtbrau-
nen Haarflechten, ihr schlanker Hals, alles war schon wie aufs
Gemälde berechnet; und hätte sie nun gar gewußt, daß sie
schöner aussah wenn sie still stand als wenn sie sich bewegte,
indem ihr im letzten Falle manchmal etwas störendes Un-
graziöses entschlüpfte, so hätte sie sich mit noch mehrerem
Eifer dieser natürlichen Bildnerei ergeben.

Man suchte nun Kupferstiche nach berühmten Gemälden;
man wählte zuerst den Belisar nach van Dyk. Ein großer und
wohlgebauter Mann von gewissen Jahren sollte den sitzenden blinden General, der Architekt den vor ihm teilnehmend
traurig stehenden Krieger nachbilden, dem er wirklich etwas
ähnlich sah. Luciane hatte sich, halb bescheiden, das junge
Weibchen im Hintergrunde gewählt, das reichliche Almosen
aus einem Beutel in die flache Hand zählt, indes eine Alte sie
abzumahnen und ihr vorzustellen scheint, daß sie zu viel tue.
Eine andre ihm wirklich Almosen reichende Frauensperson
war nicht vergessen.

Mit diesen und andern Bildern beschäftigte man sich sehr
ernstlich. Der Graf gab dem Architekten über die Art der
Einrichtung einige Winke, der sogleich ein Theater dazu
aufstellte und wegen der Beleuchtung die nötige Sorge trug.
Man war schon tief in die Anstalten verwickelt, als man erst
bemerkte, daß ein solches Unternehmen einen ansehnlichen
Aufwand verlangte, und daß auf dem Lande mitten im Winter gar manches Erfordernis abging. Deshalb ließ, damit

ja nichts stocken möge, Luciane beinah ihre sämtliche
Garderobe zerschneiden, um die verschiedenen Kostüme zu
liefern, die jene Künstler willkürlich genug angegeben hatten.

Der Abend kam herbei und die Darstellung wurde vor
einer großen Gesellschaft und zu allgemeinem Beifall ausgeführt. Eine bedeutende Musik spannte die Erwartung. Jener
Belisar eröffnete die Bühne. Die Gestalten waren so passend,
die Farben so glücklich ausgeteilt, die Beleuchtung so kunst-
reich, daß man fürwahr in einer andern Welt zu sein glaubte;
nur daß die Gegenwart des Wirklichen statt des Scheins eine
Art von ängstlicher Empfindung hervorbrachte.

Der Vorhang fiel, und ward auf Verlangen mehr als einmal
wieder aufgezogen. Ein musikalisches Zwischenspiel unterhielt die Gesellschaft, die man durch ein Bild höherer Art
überraschen wollte. Es war die bekannte Vorstellung von
Poussin: Ahasverus und Esther. Diesmal hatte sich Luciane
besser bedacht. Sie entwickelte in der ohnmächtig hingesun-
kenen Königin alle ihre Reize, und hatte sich kluger Weise zu
den umgebenden unterstützenden Mädchen lauter hübsche
wohlgebildete Figuren ausgesucht, worunter sich jedoch
keine mit ihr auch nur im mindesten messen konnte. Ottilie
blieb von diesem Bilde wie von den übrigen ausgeschlossen.
Auf den goldnen Thron hatten sie, um den Zevs gleichen
König vorzustellen, den rüstigsten und schönsten Mann der
Gesellschaft gewählt, so daß dieses Bild wirklich eine un-
vergleichliche Vollkommenheit gewann.

Als drittes hatte man die sogenannte väterliche Ermahnung von Terburg gewählt, und wer kennt nicht den herrlichen Kupferstich unseres Wille von diesem Gemälde. Einen Fuß über den andern geschlagen, sitzt ein edler ritterli-
cher Vater und scheint seiner vor ihm stehenden Tochter ins
Gewissen zu reden. Diese, eine herrliche Gestalt, im falten-
reichen weißen Atlaskleide, wird zwar nur von hinten gesehen, aber ihr ganzes Wesen scheint anzudeuten, daß sie sich
zusammennimmt. Daß jedoch die Ermahnung nicht heftig
und beschämend sei, sieht man aus der Miene und Gebärde

des Vaters; und was die Mutter betrifft, so scheint diese eine kleine Verlegenheit zu verbergen, indem sie in ein Glas Wein blickt, das sie eben auszuschlürfen im Begriff ist.

Bei dieser Gelegenheit nun sollte Luciane in ihrem höchsten Glanze erscheinen. Ihre Zöpfe, die Form ihres Kopfes, Hals und Nacken, waren über alle Begriffe schön, und die Taille, von der bei den modernen antikisierenden Bekleidungen der Frauenzimmer wenig sichtbar wird, höchst zierlich, schlank und leicht zeigte sich an ihr in dem älteren Kostüm äußerst vorteilhaft; und der Architekt hatte gesorgt, die reichen Falten des weißen Atlasses mit der künstlichsten Natur zu legen, so daß ganz ohne Frage diese lebendige Nachbildung weit über jenes Originalbildnis hinausreichte und ein allgemeines Entzücken erregte. Man konnte mit dem Wiederverlangen nicht endigen, und der ganz natürliche Wunsch, einem so schönen Wesen, das man genugsam von der Rückseite gesehen, auch ins Angesicht zu schauen, nahm dergestalt überhand, daß ein lustiger ungeduldiger Vogel die Worte, die man manchmal an das Ende einer Seite zu schreiben pflegt: tournez s'il vous plait laut ausrief und eine allgemeine Beistimmung erregte. Die Darstellenden aber kannten ihren Vorteil zu gut, und hatten den Sinn dieser Kunststücke zu wohl gefaßt, als daß sie dem allgemeinen Ruf hätten nachgeben sollen. Die beschämt scheinende Tochter blieb ruhig stehen, ohne den Zuschauern den Ausdruck ihres Angesichts zu gönnen; der Vater blieb in seiner ermahnenden Stellung sitzen, und die Mutter brachte Nase und Augen nicht aus dem durchsichtigen Glase, worin sich, ob sie gleich zu trinken schien, der Wein nicht verminderte. – Was sollen wir noch viel von kleinen Nachstücken sagen, wozu man niederländische Wirtshaus- und Jahrmarktsszenen gewählt hatte.

Der Graf und die Baronesse reisten ab und versprachen in den ersten glücklichen Wochen ihrer nahen Verbindung wiederzukehren, und Charlotte hoffte nunmehr, nach zwei mühsam überstandenen Monaten, die übrige Gesellschaft gleichfalls los zu werden. Sie war des Glücks ihrer Tochter

gewiß, wenn bei dieser der erste Braut- und Jugendtaumel
sich würde gelegt haben: denn der Bräutigam hielt sich für
den glücklichsten Menschen von der Welt. Bei großem Vermögen und gemäßigter Sinnesart schien er auf eine wunderbare Weise von dem Vorzuge geschmeichelt, ein Frauenzimmer zu besitzen, das der ganzen Welt gefallen mußte. Er hatte
einen so ganz eigenen Sinn, alles auf sie und erst durch sie auf
sich zu beziehen, daß es ihm eine unangenehme Empfindung
machte, wenn sich nicht gleich ein Neuankommender mit
aller Aufmerksamkeit auf sie richtete, und mit ihm, wie es
wegen seiner guten Eigenschaften besonders von älteren
Personen oft geschah, eine nähere Verbindung suchte ohne
sich sonderlich um sie zu bekümmern. Wegen des Architekten kam es bald zur Richtigkeit. Aufs Neujahr sollte ihm
dieser folgen und das Carneval mit ihm in der Stadt zubringen, wo Luciane sich von der Wiederholung der so schön
eingerichteten Gemälde, so wie von hundert andern Dingen,
die größte Glückseligkeit versprach, um so mehr als Tante
und Bräutigam jeden Aufwand für gering zu achten schienen, der zu ihrem Vergnügen erfordert wurde.

Nun sollte man scheiden, aber das konnte nicht auf eine
gewöhnliche Weise geschehen. Man scherzte einmal ziemlich
laut, daß Charlottens Wintervorräte nun bald aufgezehrt
seien, als der Ehrenmann, der den Belisar vorgestellt hatte,
und freilich reich genug war, von Lucianens Vorzügen hingerissen, denen er nun schon so lange huldigte, unbedachtsam ausrief: so lassen Sie es uns auf polnische Art halten!
Kommen Sie nun und zehren mich auch auf, und so gehet es
dann weiter in der Runde herum. Gesagt, getan: Luciane
schlug ein. Den andern Tag war gepackt und der Schwarm
warf sich auf ein anderes Besitztum. Dort hatte man auch
Raum genug, aber weniger Bequemlichkeit und Einrichtung. Daraus entstand manches Unschickliche, das erst Lucianen recht glücklich machte. Das Leben wurde immer wü-
ster und wilder. Treibjagen im tiefsten Schnee, und was man
sonst nur unbequemes auffinden konnte, wurde veranstaltet.
Frauen so wenig als Männer durften sich ausschließen, und

so zog man, jagend und reitend, schlittenfahrend und lär-
mend, von einem Gute zum andern, bis man sich endlich der
Residenz näherte; da denn die Nachrichten und Erzählungen, wie man sich bei Hofe und in der Stadt vergnüge, der
Einbildungskraft eine andre Wendung gaben, und Lucianen
mit ihrer sämtlichen Begleitung, indem die Tante schon vorausgegangen war, unaufhaltsam in einen andern Lebenskreis
hineinzogen.

Aus Ottiliens Tagebuche

»Man nimmt in der Welt Jeden wofür er sich gibt; aber er
muß sich auch für etwas geben. Man erträgt die Unbequemen
lieber als man die Unbedeutenden duldet.«

»Man kann der Gesellschaft alles aufdringen, nur nicht
was eine Folge hat.«

»Wir lernen die Menschen nicht kennen, wenn sie zu uns
kommen; wir müssen zu ihnen gehen, um zu erfahren wie es
mit ihnen steht.«

»Ich finde es beinahe natürlich, daß wir an Besuchenden
mancherlei auszusetzen haben, daß wir sogleich wenn sie
weg sind, über sie nicht zum liebevollsten urteilen: denn wir
haben so zu sagen ein Recht, sie nach unserm Maßstabe zu
messen. Selbst verständige und billige Menschen enthalten
sich in solchen Fällen kaum einer scharfen Zensur.«

»Wenn man dagegen bei andern gewesen ist und hat sie
mit ihren Umgebungen, Gewohnheiten, in ihren notwendigen unausweichlichen Zuständen gesehen, wie sie um
sich wirken, oder wie sie sich fügen; so gehört schon Unver-
stand und böser Wille dazu, um das lächerlich zu finden, was
uns in mehr als einem Sinne ehrwürdig scheinen müßte.«

»Durch das was wir Betragen und gute Sitten nennen, soll
das erreicht werden, was außerdem nur durch Gewalt, oder
auch nicht einmal durch Gewalt zu erreichen ist.«

»Der Umgang mit Frauen ist das Element guter Sitten.«

»Wie kann der Charakter, die Eigentümlichkeit des Menschen, mit der Lebensart bestehen?«

»Das Eigentümliche müßte durch die Lebensart erst recht hervorgehoben werden. Das Bedeutende will Jedermann, nur soll es nicht unbequem sein.«

»Die größten Vorteile im Leben überhaupt wie in der Gesellschaft hat ein gebildeter Soldat.«

»Rohe Kriegsleute gehen wenigstens nicht aus ihrem Charakter, und weil doch meist hinter der Stärke eine Gutmütigkeit verborgen liegt, so ist im Notfall auch mit ihnen auszukommen.«

»Niemand ist lästiger als ein täppischer Mensch vom Zivilstande. Von ihm könnte man die Feinheit fordern, da er sich mit nichts Rohem zu beschäftigen hat.«

»Wenn wir mit Menschen leben, die ein zartes Gefühl für das Schickliche haben, so wird es uns Angst um ihretwillen, wenn etwas Ungeschicktes begegnet. So fühle ich immer für und mit Charlotten, wenn Jemand mit dem Stuhle schaukelt, weil sie das in den Tod nicht leiden kann.«

»Es käme Niemand mit der Brille auf der Nase in ein vertrauliches Gemach, wenn er wüßte, daß uns Frauen sogleich die Lust vergeht ihn anzusehen und uns mit ihm zu unterhalten.«

»Zutraulichkeit an der Stelle der Ehrfurcht ist immer lächerlich. Es würde Niemand den Hut ablegen, nachdem er kaum das Kompliment gemacht hat, wenn er wüßte, wie komisch das aussieht.«

»Es gibt kein äußeres Zeichen der Höflichkeit das nicht einen tiefen sittlichen Grund hätte. Die rechte Erziehung wäre, welche dieses Zeichen und den Grund zugleich überlieferte.«

»Das Betragen ist ein Spiegel, in welchem jeder sein Bild zeigt.«

»Es gibt eine Höflichkeit des Herzens; sie ist der Liebe verwandt. Aus ihr entspringt die bequemste Höflichkeit des äußern Betragens.«

»Freiwillige Abhängigkeit ist der schönste Zustand und wie wäre der möglich ohne Liebe.«

»Wir sind nie entfernter von unsern Wünschen, als wenn wir uns einbilden das Gewünschte zu besitzen.«

»Niemand ist mehr Sklave als der sich für frei hält ohne es zu sein.«

»Es darf sich einer nur für frei erklären, so fühlt er sich den Augenblick als bedingt. Wagt er es sich für bedingt zu erklären, so fühlt er sich frei.«

»Gegen große Vorzüge eines Andern gibt es kein Rettungsmittel als die Liebe.«

»Es ist was schreckliches um einen vorzüglichen Mann, auf den sich die Dummen was zu Gute tun.«

»Es gibt, sagt man, für den Kammerdiener keinen Helden. Das kommt aber bloß daher, weil der Held nur vom Helden anerkannt werden kann. Der Kammerdiener wird aber wahrscheinlich seines Gleichen zu schätzen wissen.«

»Es gibt keinen größern Trost für die Mittelmäßigkeit als daß das Genie nicht unsterblich sei.«

»Die größten Menschen hängen immer mit ihrem Jahrhundert durch eine Schwachheit zusammen.«

»Man hält die Menschen gewöhnlich für gefährlicher als sie sind.«

»Toren und gescheide Leute sind gleich unschädlich. Nur die Halbnarren und Halbweisen, das sind die gefährlichsten.«

»Man weicht der Welt nicht sicherer aus als durch die Kunst, und man verknüpft sich nicht sicherer mit ihr als durch die Kunst.«

»Selbst im Augenblick des höchsten Glücks und der höchsten Not bedürfen wir des Künstlers.«

»Die Kunst beschäftigt sich mit dem Schweren und Guten.«

»Das Schwierige leicht behandelt zu sehen gibt uns das Anschauen des Unmöglichen.«

»Die Schwierigkeiten wachsen je näher man dem Ziele kommt.«

»Säen ist nicht so beschwerlich als ernten.«

SECHSTES KAPITEL

Die große Unruhe welche Charlotten durch diesen Besuch
erwuchs, ward ihr dadurch vergütet, daß sie ihre Tochter
völlig begreifen lernte, worin ihr die Bekanntschaft mit der
Welt sehr zu Hülfe kam. Es war nicht zum erstenmal, daß ihr
ein so seltsamer Charakter begegnete, ob er ihr gleich noch
niemals auf dieser Höhe erschien. Und doch hatte sie aus der
Erfahrung, daß solche Personen durchs Leben, durch mancherlei Ereignisse, durch elterliche Verhältnisse gebildet eine
sehr angenehme und liebenswürdige Reife erlangen können,
indem die Selbstigkeit gemildert wird und die schwärmende
Tätigkeit eine entschiedene Richtung erhält. Charlotte ließ
als Mutter sich um desto eher eine für andere vielleicht unangenehme Erscheinung gefallen, als es Eltern wohl geziemt
da zu hoffen, wo Fremde nur zu genießen wünschen, oder
wenigstens nicht belästigt sein wollen.

Auf eine eigne und unerwartete Weise jedoch sollte Charlotte nach ihrer Tochter Abreise getroffen werden, indem
diese nicht sowohl durch das Tadelnswerte in ihrem Betragen, als durch das was man daran lobenswürdig hätte finden
können, eine üble Nachrede hinter sich gelassen hatte. Luciane schien sich's zum Gesetz gemacht zu haben, nicht allein
mit den Fröhlichen fröhlich, sondern auch mit den Traurigen
traurig zu sein, und um den Geist des Widerspruchs recht zu
üben, manchmal die Fröhlichen verdrießlich und die Traurigen heiter zu machen. In allen Familien wo sie hinkam,
erkundigte sie sich nach den Kranken und Schwachen, die
nicht in Gesellschaft erscheinen konnten. Sie besuchte sie auf
ihren Zimmern, machte den Arzt und drang einem Jeden aus
ihrer Reiseapotheke, die sie beständig im Wagen mit sich
führte, energische Mittel auf; da denn eine solche Kur, wie
sich vermuten läßt, gelang oder mißlang, wie es der Zufall
herbeiführte.

In dieser Art von Wohltätigkeit war sie ganz grausam und
ließ sich gar nicht einreden, weil sie fest überzeugt war, daß

sie vortrefflich handle. Allein es mißriet ihr auch ein Versuch
von der sittlichen Seite, und dieser war es, der Charlotten viel
zu schaffen machte, weil er Folgen hatte, und Jedermann
darüber sprach. Erst nach Lucianens Abreise hörte sie davon; Ottilie, die gerade jene Partie mitgemacht hatte, mußte
ihr umständlich davon Rechenschaft geben.

Eine der Töchter eines angesehnen Hauses hatte das Unglück gehabt, an dem Tode eines ihrer jüngeren Geschwister
schuld zu sein, und sich darüber nicht beruhigen noch wieder
finden können. Sie lebte auf ihrem Zimmer beschäftigt und
still, und ertrug selbst den Anblick der Ihrigen nur wenn sie
einzeln kamen: denn sie argwohnte sogleich, wenn mehrere
beisammen waren, daß man untereinander über sie und ihren
Zustand reflektiere. Gegen Jedes allein äußerte sie sich vernünftig und unterhielt sich stundenlang mit ihm.

Luciane hatte davon gehört und sich sogleich im Stillen
vorgenommen, wenn sie in das Haus käme, gleichsam ein
Wunder zu tun und das Frauenzimmer der Gesellschaft wie-
derzugeben. Sie betrug sich dabei vorsichtiger als sonst,
wußte sich allein bei der Seelenkranken einzuführen, und
soviel man merken konnte, durch Musik ihr Vertrauen zu
gewinnen. Nur zuletzt versah sie es: denn eben weil sie Aufsehn erregen wollte, so brachte sie das schöne blasse Kind,
das sie genug vorbereitet wähnte, eines Abends plötzlich in
die bunte glänzende Gesellschaft; und vielleicht wäre auch
das noch gelungen, wenn nicht die Sozietät selbst, aus Neugierde und Apprehension, sich ungeschickt benommen, sich
um die Kranke versammelt, sie wieder gemieden, sie durch
Flüstern, Köpfe zusammenstecken irre gemacht und aufgeregt hätte. Die zart Empfindende ertrug das nicht. Sie entwich unter fürchterlichem Schreien, das gleichsam ein Entsetzen vor einem eindringenden Ungeheuren auszudrücken
schien. Erschreckt fuhr die Gesellschaft nach allen Seiten auseinander, und Ottilie war unter denen, welche die völlig
Ohnmächtige wieder auf ihr Zimmer begleiteten.

Indessen hatte Luciane eine starke Strafrede nach ihrer
Weise an die Gesellschaft gehalten, ohne im mindesten daran

zu denken, daß sie allein alle Schuld habe, und ohne sich
durch dieses und andres Mißlingen von ihrem Tun und Treiben abhalten zu lassen.

Der Zustand der Kranken war seit jener Zeit bedenklicher
geworden, ja das Übel hatte sich so gesteigert, daß die Eltern
das arme Kind nicht im Hause behalten konnten, sondern
einer öffentlichen Anstalt überantworten mußten. Charlotten blieb nichts übrig als durch ein besonder zartes Benehmen gegen jene Familie den von ihrer Tochter verursachten
Schmerz einigermaßen zu lindern. Auf Ottilien hatte die Sache einen tiefen Eindruck gemacht; sie bedauerte das arme
Mädchen um so mehr als sie überzeugt war, wie sie auch
gegen Charlotten nicht leugnete, daß bei einer konsequenten
Behandlung die Kranke gewiß herzustellen gewesen wäre.

So kam auch, weil man sich gewöhnlich vom vergangenen
Unangenehmen mehr als vom Angenehmen unterhält, ein
kleines Mißverständnis zur Sprache, das Ottilien an dem
Architekten irre gemacht hatte, als er jenen Abend seine
Sammlung nicht vorzeigen wollte, ob sie ihn gleich so
freundlich darum ersuchte. Es war ihr dieses abschlägige Betragen immer in der Seele geblieben und sie wußte selbst
nicht warum. Ihre Empfindungen waren sehr richtig: denn
was ein Mädchen wie Ottilie verlangen kann, sollte ein Jüngling wie der Architekt nicht versagen. Dieser brachte jedoch
auf ihre gelegentlichen leisen Vorwürfe ziemlich gültige Entschuldigungen zur Sprache.

Wenn Sie wüßten, sagte er, wie roh selbst gebildete Menschen sich gegen die schätzbarsten Kunstwerke verhalten, sie
würden mir verzeihen, wenn ich die meinigen nicht unter die
Menge bringen mag. Niemand weiß eine Medaille am Rand
anzufassen; sie betasten das schönste Gepräge, den reinsten
Grund, lassen die köstlichsten Stücke zwischen dem Daumen
und Zeigefinger hin und hergehen, als wenn man Kunstfor-
men auf diese Weise prüfte. Ohne daran zu denken, daß man
ein großes Blatt mit zwei Händen anfassen müsse, greifen sie
mit Einer Hand nach einem unschätzbaren Kupferstich, einer unersetzlichen Zeichnung, wie ein anmaßlicher Politiker

eine Zeitung faßt und durch das Zerknittern des Papiers schon im Voraus sein Urteil über die Weltbegebenheiten zu erkennen gibt. Niemand denkt daran, daß wenn nur zwanzig Menschen mit einem Kunstwerke hintereinander eben so verführen, der Einundzwanzigste nicht mehr viel daran zu sehen hätte.

Habe ich Sie nicht auch manchmal, fragte Ottilie, in solche Verlegenheit gesetzt? habe ich nicht etwan Ihre Schätze, ohne es zu ahnden, gelegentlich einmal beschädigt?

Niemals, versetzte der Architekt: niemals! Ihnen wäre es unmöglich: das Schickliche ist mit Ihnen geboren.

Auf alle Fälle, versetzte Ottilie, wäre es nicht übel, wenn man künftig in das Büchlein von guten Sitten, nach den Kapiteln, wie man sich in Gesellschaft beim Essen und Trinken benehmen soll, ein recht umständliches einschöbe, wie man sich in Kunstsammlungen und Museen zu betragen habe.

Gewiß, versetzte der Architekt, würden alsdann Kustoden und Liebhaber ihre Seltenheiten fröhlicher mitteilen.

Ottilie hatte ihm schon lange verziehen, als er sich aber den Vorwurf sehr zu Herzen zu nehmen schien und immer aufs Neue beteuerte, daß er gewiß gerne mitteile, gern für Freunde tätig sei; so empfand sie, daß sie sein zartes Gemüt verletzt habe, und fühlte sich als seine Schuldnerin. Nicht wohl konnte sie ihm daher eine Bitte rund abschlagen, die er in Gefolg dieses Gesprächs an sie tat, ob sie gleich, indem sie schnell ihr Gefühl zu Rate zog, nicht einsah wie sie ihm seine Wünsche gewähren könne.

Die Sache verhielt sich also. Daß Ottilie durch Lucianens Eifersucht von den Gemäldedarstellungen ausgeschlossen worden, war ihm höchst empfindlich gewesen; daß Charlotte diesem glänzenden Teil der geselligen Unterhaltung nur·unterbrochen beiwohnen können, weil sie sich nicht wohl befand, hatte er gleichfalls mit Bedauern bemerkt: nun wollte er sich nicht entfernen, ohne seine Dankbarkeit auch dadurch zu beweisen, daß er zur Ehre der einen und zur Unterhaltung der andern, eine weit schönere Darstellung veranstaltete als die bisherigen gewesen waren. Vielleicht kam hierzu, ihm

selbst unbewußt, ein andrer geheimer Antrieb: es ward ihm
so schwer, dieses Haus, diese Familie zu verlassen, ja es
schien ihm unmöglich von Ottiliens Augen zu scheiden, von
deren ruhig freundlich gewogenen Blicken er die letzte Zeit
fast ganz allein gelebt hatte.

Die Weihnachtsfeiertage nahten sich und es wurde ihm auf
einmal klar, daß eigentlich jene Gemäldedarstellungen durch
runde Figuren von dem sogenannten Presepe ausgegangen,
von der frommen Vorstellung, die man in dieser heiligen
Zeit der göttlichen Mutter und dem Kinde widmete, wie sie
in ihrer scheinbaren Niedrigkeit erst von Hirten bald darauf
von Königen verehrt werden.

Er hatte sich die Möglichkeit eines solchen Bildes vollkommen vergegenwärtigt. Ein schöner frischer Knabe war
gefunden; an Hirten und Hirtinnen konnte es auch nicht
fehlen; aber ohne Ottilien war die Sache nicht auszuführen.
Der junge Mann hatte sie in seinem Sinne zur Mutter Gottes
erhoben, und wenn sie es abschlug, so war bei ihm keine
Frage, daß das Unternehmen fallen müsse. Ottilie halb verlegen über seinen Antrag wies ihn mit seiner Bitte an Charlotten. Diese erteilte ihm gern die Erlaubnis, und auch durch
sie ward die Scheu Ottiliens, sich jener heiligen Gestalt an-
zumaßen, auf eine freundliche Weise überwunden. Der Architekt arbeitete Tag und Nacht, damit am Weihnachtsabend
nichts fehlen möge.

Und zwar Tag und Nacht im eigentlichen Sinne. Er hatte
ohnehin wenig Bedürfnisse, und Ottiliens Gegenwart schien
ihm statt alles Labsals zu sein; indem er um ihretwillen arbeitete, war es als wenn er keines Schlafs, indem er sich um sie
beschäftigte, keiner Speise bedürfte. Zur feierlichen Abend-
stunde war deshalb alles fertig und bereit. Es war ihm möglich gewesen wohltönende Blasinstrumente zu versammeln,
welche die Einleitung machten und die gewünschte Stimmung hervorzubringen wußten. Als der Vorhang sich hob,
war Charlotte wirklich überrascht. Das Bild das sich ihr vorstellte, war so oft in der Welt wiederholt, daß man kaum
einen neuen Eindruck davon erwarten sollte. Aber hier hatte

die Wirklichkeit als Bild ihre besondern Vorzüge. Der ganze
Raum war eher nächtlich als dämmernd, und doch nichts
undeutlich im Einzelnen der Umgebung. Den unübertrefflichen Gedanken, daß alles Licht vom Kinde ausgehe,
hatte der Künstler durch einen klugen Mechanismus der Be- 5
leuchtung auszuführen gewußt, der durch die beschatteten,
nur von Streiflichtern erleuchteten Figuren im Vorder-
grunde zugedeckt wurde. Frohe Mädchen und Knaben standen umher; die frischen Gesichter scharf von unten beleuchtet. Auch an Engeln fehlte es nicht, deren eigener Schein von 10
dem göttlichen verdunkelt, deren ätherischer Leib vor dem
göttlich-menschlichen verdichtet und lichtsbedürftig schien.

Glücklicherweise war das Kind in der anmutigsten Stellung eingeschlafen, so daß nichts die Betrachtung störte,
wenn der Blick auf der scheinbaren Mutter verweilte, die mit 15
unendlicher Anmut einen Schleier aufgehoben hatte, um den
verborgenen Schatz zu offenbaren. In diesem Augenblick
schien das Bild festgehalten und erstarrt zu sein. Physisch
geblendet, geistig überrascht, schien das umgebende Volk
sich eben bewegt zu haben, um die getroffnen Augen weg- 20
zuwenden, neugierig erfreut wieder hinzublinzen und mehr
Verwunderung und Lust, als Bewunderung und Verehrung
anzuzeigen; obgleich diese auch nicht vergessen und einigen
ältern Figuren der Ausdruck derselben übertragen war.

Ottiliens Gestalt, Gebärde, Miene, Blick übertraf aber al- 25
les was je ein Maler dargestellt hat. Der gefühlvolle Kenner,
der diese Erscheinung gesehen hätte, wäre in Furcht geraten,
es möge sich nur irgend etwas bewegen, er wäre in Sorge
gestanden, ob ihm jemals etwas wieder so gefallen könne.
Unglücklicherweise war Niemand da, der diese ganze Wir- 30
kung aufzufassen vermocht hätte. Der Architekt allein, der
als langer schlanker Hirt von der Seite über die Knienden
hereinsah, hatte, obgleich nicht in dem genausten Standpunkt, noch den größten Genuß. Und wer beschreibt auch
die Miene der neugeschaffenen Himmelskönigin? Die reinste 35
Demut, das liebenswürdigste Gefühl von Bescheidenheit bei
einer großen unverdient erhaltenen Ehre, einem unbegreif-

lich unermeßlichen Glück, bildete sich in ihren Zügen, sowohl indem sich ihre eigene Empfindung, als indem sich die Vorstellung ausdrückte, die sie sich von dem machen konnte was sie spielte.

⁵ Charlotten erfreute das schöne Gebilde, doch wirkte hauptsächlich das Kind auf sie. Ihre Augen strömten von Tränen und sie stellte sich auf das lebhafteste vor, daß sie ein ähnliches liebes Geschöpf bald auf ihrem Schoße zu hoffen habe.

¹⁰ Man hatte den Vorhang niedergelassen, teils um den Vorstellenden einige Erleichterung zu geben, teils eine Veränderung in dem Dargestellten anzubringen. Der Künstler hatte sich vorgenommen, das erste Nacht- und Niedrigkeitsbild in ein Tag- und Glorienbild zu verwandeln, und deswegen von allen Seiten eine unmäßige Erleuchtung vorbereitet, die in der Zwischenzeit angezündet wurde.

Ottilien war in ihrer halb theatralischen Lage bisher die größte Beruhigung gewesen, daß außer Charlotten und wenigen Hausgenossen Niemand dieser frommen Kunstmummerei zugesehen. Sie wurde daher einigermaßen betroffen, als sie in der Zwischenzeit vernahm, es sei ein Fremder angekommen, im Saale von Charlotten freundlich begrüßt. Wer es war, konnte man ihr nicht sagen. Sie ergab sich darein, um keine Störung zu verursachen. Lichter und Lampen brannten und eine ganz unendliche Hellung umgab sie. Der Vorhang ging auf, für die Zuschauenden ein überraschender Anblick: das ganze Bild war alles Licht, und statt des völlig aufgehobenen Schattens blieben nur die Farben übrig, die bei der klugen Auswahl eine liebliche Mäßigung hervorbrachten. Unter ihren langen Augenwimpern hervorblickend bemerkte Ottilie eine Mannsperson neben Charlotten sitzend. Sie erkannte ihn nicht, aber sie glaubte die Stimme des Gehülfen aus der Pension zu hören. Eine wunderbare Empfindung ergriff sie. Wie vieles war begegnet, seitdem sie die Stimme dieses treuen Lehrers nicht vernommen! Wie im zackigen Blitz fuhr die Reihe ihrer Freuden und Leiden schnell vor ihrer Seele vorbei und regte die Frage

auf: darfst du ihm alles bekennen und gestehen? Und wie
wenig wert bist du unter dieser heiligen Gestalt vor ihm zu
erscheinen, und wie seltsam muß es ihm vorkommen, dich
die er nur natürlich gesehen, als Maske zu erblicken? Mit
einer Schnelligkeit die keines gleichen hat, wirkten Gefühl 5
und Betrachtung in ihr gegeneinander. Ihr Herz war befangen, ihre Augen füllten sich mit Tränen, indem sie sich zwang
immerfort als ein starres Bild zu erscheinen; und wie froh war
sie, als der Knabe sich zu regen anfing, und der Künstler sich
genötigt sah das Zeichen zu geben, daß der Vorhang wieder 10
fallen sollte.

Hatte das peinliche Gefühl, einem werten Freunde nicht
entgegeneilen zu können, sich schon die letzten Augenblicke
zu den übrigen Empfindungen Ottiliens gesellt, so war sie
jetzt in noch größerer Verlegenheit. Sollte sie in diesem frem- 15
den Anzug und Schmuck ihm entgegengehn? sollte sie sich
umkleiden? Sie wählte nicht, sie tat das letzte und suchte sich
in der Zwischenzeit zusammenzunehmen, sich zu beruhigen,
und war nur erst wieder mit sich selbst in Einstimmung als
sie endlich im gewohnten Kleide den Angekommenen be- 20
grüßte.

SIEBENTES KAPITEL

Insofern der Architekt seinen Gönnerinnen das Beste
wünschte, war es ihm angenehm, da er doch endlich scheiden
mußte, sie in der guten Gesellschaft des schätzbaren Gehül- 25
fen zu wissen; indem er jedoch ihre Gunst auf sich selbst
bezog, empfand er es einigermaßen schmerzhaft, sich sobald,
und wie es seiner Bescheidenheit dünken mochte, so gut, ja
vollkommen, ersetzt zu sehen. Er hatte noch immer gezaudert, nun aber drängte es ihn hinweg: denn was er sich nach 30
seiner Entfernung mußte gefallen lassen, das wollte er wenigstens gegenwärtig nicht erleben.

Zu großer Erheiterung dieser halb traurigen Gefühle
machten ihm die Damen beim Abschiede noch ein Geschenk

mit einer Weste, an der er sie beide lange Zeit hatte stricken
sehen, mit einem stillen Neid über den unbekannten Glücklichen dem sie dereinst werden könnte. Eine solche Gabe ist
die angenehmste die ein liebender, verehrender Mann erhalten mag: denn wenn er dabei des unermüdeten Spiels der
schönen Finger gedenkt, so kann er nicht umhin sich zu
schmeicheln, das Herz werde bei einer so anhaltenden Arbeit
doch auch nicht ganz ohne Teilnahme geblieben sein.

Die Frauen hatten nun einen neuen Mann zu bewirten,
dem sie wohlwollten und dem es bei ihnen wohl werden
sollte. Das weibliche Geschlecht hegt ein eignes inneres un-
wandelbares Interesse, von dem sie nichts in der Welt ab-
trünnig macht; im äußern geselligen Verhältnis hingegen lassen sie sich gern und leicht durch den Mann bestimmen der
sie eben beschäftigt, und so durch Abweisen wie durch Emp-
fänglichkeit, durch Beharren und Nachgiebigkeit führen sie
eigentlich das Regiment, dem sich in der gesitteten Welt kein
Mann zu entziehen wagt.

Hatte der Architekt, gleichsam nach eigener Lust und Belieben, seine Talente vor den Freundinnen zum Vergnügen
und zu den Zwecken derselben geübt und bewiesen; war
Beschäftigung und Unterhaltung in diesem Sinne und nach
solchen Absichten eingerichtet: so machte sich in kurzer Zeit
durch die Gegenwart des Gehülfen eine andre Lebensweise.
Seine große Gabe war, gut zu sprechen und menschliche
Verhältnisse, besonders in Bezug auf Bildung der Jugend, in
der Unterredung zu behandeln. Und so entstand gegen die
bisherige Art zu leben ein ziemlich fühlbarer Gegensatz, um
so mehr als der Gehülfe nicht ganz dasjenige billigte, womit
man sich die Zeit über ausschließlich beschäftigt hatte.

Von dem lebendigen Gemälde das ihn bei seiner Ankunft
empfing, sprach er gar nicht. Als man ihm hingegen Kirche,
Kapelle und was sich darauf bezog, mit Zufriedenheit sehen
ließ, konnte er seine Meinung, seine Gesinnungen darüber
nicht zurückhalten. Was mich betrifft, sagte er, so will mir
diese Annäherung, diese Vermischung des Heiligen zu und
mit dem Sinnlichen keineswegs gefallen, nicht gefallen, daß

man sich gewisse besondre Räume widmet, weihet und auf-
schmückt, um erst dabei ein Gefühl der Frömmigkeit zu
hegen und zu unterhalten. Keine Umgebung, selbst die gemeinste nicht, soll in uns das Gefühl des Göttlichen stören,
das uns überall hin begleiten und jede Stätte zu einem Tempel einweihen kann. Ich mag gern einen Hausgottesdienst in
dem Saale gehalten sehen, wo man zu speisen, sich gesellig zu
versammeln, mit Spiel und Tanz zu ergetzen pflegt. Das
Höchste, das Vorzüglichste am Menschen ist gestaltlos, und
man soll sich hüten es anders als in edler Tat zu gestalten.

Charlotte, die seine Gesinnungen schon im Ganzen kannte
und sie noch mehr in kurzer Zeit erforschte, brachte ihn
gleich in seinem Fache zur Tätigkeit, indem sie ihre Garten-
knaben, welche der Architekt vor seiner Abreise eben gemustert hatte, in dem großen Saal aufmarschieren ließ; da sie
sich denn in ihren heitern reinlichen Uniformen, mit gesetzlichen Bewegungen und einem natürlichen lebhaften
Wesen, sehr gut ausnahmen. Der Gehülfe prüfte sie nach
seiner Weise, und hatte durch mancherlei Fragen und Wendungen gar bald die Gemütsarten und Fähigkeiten der Kinder zu Tage gebracht, und ohne daß es so schien, in Zeit von
weniger als einer Stunde, sie wirklich bedeutend unterrichtet
und gefördert.

Wie machen Sie das nur? sagte Charlotte, indem die Knaben wegzogen. Ich habe sehr aufmerksam zugehört; es sind
nichts als ganz bekannte Dinge vorgekommen, und doch
wüßte ich nicht, wie ich es anfangen sollte, sie in so kurzer
Zeit, bei so vielem Hin- und Wiederreden, in solcher Folge
zur Sprache zu bringen.

Vielleicht sollte man, versetzte der Gehülfe, aus den Vorteilen seines Handwerks ein Geheimnis machen. Doch kann
ich Ihnen die ganz einfache Maxime nicht verbergen, nach
der man dieses und noch viel mehr zu leisten vermag. Fassen
Sie einen Gegenstand, eine Materie, einen Begriff, wie man es
nennen will; halten Sie ihn recht fest; machen Sie sich ihn in
allen seinen Teilen recht deutlich, und dann wird es Ihnen
leicht sein, Gesprächsweise, an einer Masse Kinder zu erfah-

ren was sich davon schon in ihnen entwickelt hat, was noch
anzuregen, zu überliefern ist. Die Antworten auf Ihre Fragen
mögen noch so ungehörig sein, mögen noch so sehr ins
Weite gehen, wenn nur sodann Ihre Gegenfrage Geist und
5 Sinn wieder hereinwärts zieht, wenn Sie sich nicht von Ihrem
Standpunkte verrücken lassen; so müssen die Kinder zuletzt
denken, begreifen, sich überzeugen, nur von dem was und
wie es der Lehrende will. Sein größter Fehler ist der, wenn er
sich von den Lernenden mit in die Weite reißen läßt, wenn er
10 sie nicht auf dem Punkte festzuhalten weiß den er eben jetzt
behandelt. Machen Sie nächstens einen Versuch und es wird
zu Ihrer großen Unterhaltung dienen.

Das ist artig, sagte Charlotte: die gute Pädagogik ist also
gerade das Umgekehrte von der guten Lebensart. In der
15 Gesellschaft soll man auf nichts verweilen, und bei dem Unterricht wäre das höchste Gebot, gegen alle Zerstreuung zu
arbeiten.

Abwechselung ohne Zerstreuung wäre für Lehre und Leben der schönste Wahlspruch, wenn dieses löbliche Gleich-
20 gewicht nur so leicht zu erhalten wäre! sagte der Gehülfe,
und wollte weiter fortfahren als ihn Charlotte aufrief, die
Knaben nochmals zu betrachten, deren munterer Zug sich so
eben über den Hof bewegte. Er bezeigte seine Zufriedenheit,
daß man die Kinder in Uniform zu gehen anhalte. Männer –
25 so sagte er – sollten von Jugend auf Uniform tragen, weil sie
sich gewöhnen müssen zusammen zu handeln, sich unter
ihres Gleichen zu verlieren, in Masse zu gehorchen und ins
Ganze zu arbeiten. Auch befördert jede Art von Uniform
einen militärischen Sinn, so wie ein knapperes strackeres Be-
30 tragen, und alle Knaben sind ja ohnehin geborne Soldaten:
man sehe nur ihre Kampf- und Streitspiele, ihr Erstürmen
und Erklettern.

So werden Sie mich dagegen nicht tadeln, versetzte Ottilie, daß ich meine Mädchen nicht überein kleide. Wenn ich sie
35 Ihnen vorführe, hoffe ich Sie durch ein buntes Gemisch zu
ergetzen.

Ich billige das sehr, versetzte jener. Frauen sollten durch-

aus mannigfaltig gekleidet gehen; jede nach eigner Art und
Weise, damit eine Jede fühlen lernte, was ihr eigentlich gut
stehe und wohl zieme. Eine wichtigere Ursache ist noch die:
weil sie bestimmt sind, ihr ganzes Leben allein zu stehen und
allein zu handeln.

Das scheint mir sehr paradox, versetzte Charlotte; sind wir
doch fast niemals für uns.

O ja! versetzte der Gehülfe, in Absicht auf andre Frauen
ganz gewiß. Man betrachte ein Frauenzimmer als Liebende,
als Braut, als Frau, Hausfrau und Mutter, immer steht sie
isoliert, immer ist sie allein, und will allein sein. Ja die Eitle
selbst ist in dem Falle. Jede Frau schließt die andre aus, ihrer
Natur nach: denn von Jeder wird alles gefordert, was dem
ganzen Geschlechte zu leisten obliegt. Nicht so verhält es
sich mit den Männern. Der Mann verlangt den Mann; er
würde sich einen zweiten erschaffen, wenn es keinen gäbe:
eine Frau könnte eine Ewigkeit leben, ohne daran zu denken,
sich ihres Gleichen hervorzubringen.

Man darf, sagte Charlotte, das Wahre nur wunderlich sagen; so scheint zuletzt das Wunderliche auch wahr. Wir wollen uns aus Ihren Bemerkungen das Beste herausnehmen und
doch als Frauen mit Frauen zusammenhalten, und auch gemeinsam wirken, um den Männern nicht allzu große Vorzüge über uns einzuräumen. Ja Sie werden uns eine kleine
Schadenfreude nicht übel nehmen, die wir künftig um desto
lebhafter empfinden müssen, wenn sich die Herren untereinander auch nicht sonderlich vertragen.

Mit vieler Sorgfalt untersuchte der verständige Mann
nunmehr die Art, wie Ottilie ihre kleinen Zöglinge behandelte, und bezeigte darüber seinen entschiedenen Beifall.
Sehr richtig heben Sie, sagte er, Ihre Untergebenen nur zur
nächsten Brauchbarkeit heran. Reinlichkeit veranlaßt die
Kinder mit Freuden etwas auf sich selbst zu halten, und alles
ist gewonnen, wenn sie das was sie tun, mit Munterkeit und
Selbstgefühl zu leisten angeregt sind.

Übrigens fand er zu seiner großen Befriedigung nichts auf
den Schein und nach außen getan, sondern alles nach innen

und für die unerläßlichen Bedürfnisse. Mit wie wenig Worten, rief er aus, ließe sich das ganze Erziehungsgeschäft aussprechen, wenn Jemand Ohren hätte zu hören.

Mögen Sie es nicht mit mir versuchen, sagte freundlich Ottilie.

Recht gern, versetzte Jener, nur müssen Sie mich nicht verraten. Man erziehe die Knaben zu Dienern und die Mädchen zu Müttern, so wird es überall wohl stehn.

Zu Müttern, versetzte Ottilie, das könnten die Frauen noch hingehen lassen, da sie sich, ohne Mütter zu sein, doch immer einrichten müssen, Wärterinnen zu werden; aber freilich zu Dienern würden sich unsre jungen Männer viel zu gut halten, da man Jedem leicht ansehen kann, daß er sich zum Gebieten fähiger dünkt.

Deswegen wollen wir es ihnen verschweigen, sagte der Gehülfe. Man schmeichelt sich ins Leben hinein, aber das Leben schmeichelt uns nicht. Wie viel Menschen mögen denn das freiwillig zugestehen, was sie am Ende doch müssen? Lassen wir aber diese Betrachtungen, die uns hier nicht berühren.

Ich preise Sie glücklich, daß Sie bei Ihren Zöglingen ein richtiges Verfahren anwenden können. Wenn Ihre kleinsten Mädchen sich mit Puppen herumtragen und einige Läppchen für sie zusammenflicken; wenn ältere Geschwister alsdann für die jüngeren sorgen, und das Haus sich in sich selbst bedient und aufhilft: dann ist der weitere Schritt ins Leben nicht groß, und ein solches Mädchen findet bei ihrem Gatten, was sie bei ihren Eltern verließ.

Aber in den gebildeten Ständen ist die Aufgabe sehr verwickelt. Wir haben auf höhere, zartere, feinere, besonders auf gesellschaftliche Verhältnisse Rücksicht zu nehmen. Wir andern sollen daher unsre Zöglinge nach außen bilden; es ist notwendig, es ist unerläßlich und möchte recht gut sein, wenn man dabei nicht das Maß überschritte: denn indem man die Kinder für einen weiteren Kreis zu bilden gedenkt, treibt man sie leicht ins Grenzenlose, ohne im Auge zu behalten was denn eigentlich die innere Natur fordert. Hier liegt die

Aufgabe, welche mehr oder weniger von den Erziehern gelöst oder verfehlt wird.

Bei Manchem womit wir unsere Schülerinnen in der
Pension ausstatten, wird mir bange, weil die Erfahrung mir
sagt, von wie geringem Gebrauch es künftig sein werde. Was
wird nicht gleich abgestreift, was nicht gleich der Vergessenheit überantwortet sobald ein Frauenzimmer sich im Stande
der Hausfrau, der Mutter befindet!

Indessen kann ich mir den frommen Wunsch nicht versagen, da ich mich einmal diesem Geschäft gewidmet habe, daß
es mir dereinst in Gesellschaft einer treuen Gehülfin gelingen
möge, an meinen Zöglingen dasjenige rein auszubilden was
sie bedürfen, wenn sie in das Feld eigener Tätigkeit und
Selbständigkeit hinüberschreiten; daß ich mir sagen könnte:
in diesem Sinne ist an ihnen die Erziehung vollendet. Freilich schließt sich eine andre immer wieder an, die beinahe mit
jedem Jahre unsers Lebens, wo nicht von uns selbst, doch
von den Umständen veranlaßt wird.

Wie wahr fand Ottilie diese Bemerkung! Was hatte nicht
eine ungeahndete Leidenschaft im vergangenen Jahr an ihr
erzogen! was sah sie nicht alles für Prüfungen vor sich schweben, wenn sie nur aufs nächste, aufs nächst künftige hinblickte!

Der junge Mann hatte nicht ohne Vorbedacht, einer Gehülfin, einer Gattin erwähnt: denn bei aller seiner Bescheidenheit konnte er nicht unterlassen, seine Absichten auf eine
entfernte Weise anzudeuten; ja er war durch mancherlei Umstände und Vorfälle aufgeregt worden, bei diesem Besuch
einige Schritte seinem Ziele näher zu tun.

Die Vorsteherin der Pension war bereits in Jahren, sie
hatte sich unter ihren Mitarbeitern und Mitarbeiterinnen
schon lange nach einer Person umgesehen, die eigentlich mit
ihr in Gesellschaft träte, und zuletzt dem Gehülfen, dem sie
zu vertrauen höchlich Ursache hatte, den Antrag getan: er
solle mit ihr die Lehranstalt fortführen, darin als in dem
Seinigen mitwirken, und nach ihrem Tode als Erbe und einziger Besitzer eintreten. Die Hauptsache schien hiebei, daß er

eine einstimmende Gattin finden müsse. Er hatte im Stillen
Ottilien vor Augen und im Herzen; allein es regten sich mancherlei Zweifel, die wieder durch günstige Ereignisse einiges
Gegengewicht erhielten. Luciane hatte die Pension verlassen: Ottilie konnte freier zurückkehren; von dem Verhältnisse zu Eduard hatte zwar etwas verlautet; allein man nahm
die Sache, wie ähnliche Vorfälle mehr, gleichgültig auf, und
selbst dieses Ereignis konnte zu Ottiliens Rückkehr beitragen. Doch wäre man zu keinem Entschluß gekommen, kein
Schritt wäre geschehen, hätte nicht ein unvermuteter Besuch
auch hier eine besondere Anregung gegeben. Wie denn die
Erscheinung von bedeutenden Menschen in irgend einem
Kreise niemals ohne Folgen bleiben kann.

Der Graf und die Baronesse, welche so oft in den Fall
kamen, über den Wert verschiedener Pensionen befragt zu
werden, weil fast Jedermann um die Erziehung seiner Kinder verlegen ist, hatten sich vorgenommen, diese besonders
kennen zu lernen, von der so viel Gutes gesagt wurde, und
konnten nunmehr in ihren neuen Verhältnissen zusammen
eine solche Untersuchung anstellen. Allein die Baronesse
beabsichtigte noch etwas anderes. Während ihres letzten
Aufenthalts bei Charlotten hatte sie mit dieser alles umständlich durchgesprochen was sich auf Eduarden und Ottilien
bezog. Sie bestand aber und abermals darauf: Ottilie müsse
entfernt werden. Sie suchte Charlotten hiezu Mut einzu-
sprechen, welche sich vor Eduards Drohungen noch immer
fürchtete. Man sprach über die verschiedenen Auswege, und
bei Gelegenheit der Pension war auch von der Neigung des
Gehülfen die Rede, und die Baronesse entschloß sich um so
mehr zu dem gedachten Besuch.

Sie kommt an, lernt den Gehülfen kennen, man beobachtet die Anstalt und spricht von Ottilien. Der Graf selbst
unterhält sich gern über sie, indem er sie bei dem neulichen
Besuch genauer kennen gelernt. Sie hatte sich ihm genähert,
ja sie ward von ihm angezogen, weil sie durch sein gehalt-
volles Gespräch dasjenige zu sehen und zu kennen glaubte,
was ihr bisher ganz unbekannt geblieben war. Und wie sie in

dem Umgange mit Eduard die Welt vergaß, so schien ihr an der Gegenwart des Grafen die Welt erst recht wünschenswert zu sein. Jede Anziehung ist wechselseitig. Der Graf empfand eine Neigung für Ottilien, daß er sie gern als seine Tochter betrachtete. Auch hier war sie der Baronesse zum zweitenmal und mehr als das erstemal im Wege. Wer weiß was diese, in Zeiten lebhafterer Leidenschaft, gegen sie angestiftet hätte; jetzt war es ihr genug, sie durch eine Verheiratung den Ehefrauen unschädlicher zu machen.

Sie regte daher den Gehülfen auf eine leise doch wirksame Art klüglich an, daß er sich zu einer kleinen Exkursion auf das Schloß einrichten und seinen Planen und Wünschen, von denen er der Dame kein Geheimnis gemacht, sich ungesäumt nähern solle.

Mit vollkommner Beistimmung der Vorsteherin trat er daher seine Reise an, und hegte in seinem Gemüt die besten Hoffnungen. Er weiß, Ottilie ist ihm nicht ungünstig, und wenn zwischen ihnen einiges Mißverhältnis des Standes war, so glich sich dieses gar leicht durch die Denkart der Zeit aus. Auch hatte die Baronesse ihm wohl fühlen lassen, daß Ottilie immer ein armes Mädchen bleibe. Mit einem reichen Hause verwandt zu sein, hieß es, kann Niemanden helfen: denn man würde sich, selbst bei dem größten Vermögen, ein Gewissen daraus machen, denjenigen eine ansehnliche Summe zu entziehen, die dem näheren Grade nach ein vollkommneres Recht auf ein Besitztum zu haben scheinen. Und gewiß bleibt es wunderbar, daß der Mensch das große Vorrecht, nach seinem Tode noch über seine Habe zu disponieren, sehr selten zu Gunsten seiner Lieblinge gebraucht, und wie es scheint, aus Achtung für das Herkommen, nur diejenigen begünstigt, die nach ihm sein Vermögen besitzen würden, wenn er auch selbst keinen Willen hätte.

Sein Gefühl setzte ihn auf der Reise Ottilien völlig gleich. Eine gute Aufnahme erhöhte seine Hoffnungen. Zwar fand er gegen sich Ottilien nicht ganz so offen wie sonst; aber sie war auch erwachsener, gebildeter und wenn man will, im Allgemeinen mitteilender als er sie gekannt hatte. Vertrau-

lich ließ man ihn in manches Einsicht nehmen, was sich besonders auf sein Fach bezog. Doch wenn er seinem Zwecke
sich nähern wollte; so hielt ihn immer eine gewisse innere
Scheu zurück.

5   Einst gab ihm jedoch Charlotte hierzu Gelegenheit indem
sie, in Beisein Ottiliens, zu ihm sagte: Nun, Sie haben alles
was in meinem Kreise heranwächst, so ziemlich geprüft; wie
finden Sie denn Ottilien? Sie dürfen es wohl in ihrer Gegenwart aussprechen.

10   Der Gehülfe bezeichnete hierauf, mit sehr viel Einsicht
und ruhigem Ausdruck, wie er Ottilien in Absicht eines freieren Betragens, einer bequemeren Mitteilung, eines höhern
Blicks in die weltlichen Dinge, der sich mehr in ihren Handlungen als in ihren Worten betätige, sehr zu ihrem Vorteil
15   verändert finde; daß er aber doch glaube, es könne ihr sehr
zum Nutzen gereichen, wenn sie auf einige Zeit in die
Pension zurückkehre, um das in einer gewissen Folge gründlich und für immer sich zuzueignen, was die Welt nur stückweise und eher zur Verwirrung als zur Befriedigung, ja
20   manchmal nur allzuspät überliefere. Er wolle darüber nicht
weitläuftig sein: Ottilie wisse selbst am besten aus was für
zusammenhängenden Lehrvorträgen sie damals herausgerissen worden.

Ottilie konnte das nicht leugnen; aber sie konnte nicht
25   gestehen, was sie bei diesen Worten empfand, weil sie sich es
kaum selbst auszulegen wußte. Es schien ihr in der Welt
nichts mehr unzusammenhängend, wenn sie an den geliebten
Mann dachte, und sie begriff nicht, wie ohne ihn noch irgend
etwas zusammenhängen könne.

30   Charlotte beantwortete den Antrag mit kluger Freundlichkeit. Sie sagte, daß sowohl sie als Ottilie eine Rückkehr
nach der Pension längst gewünscht hätten. In dieser Zeit nur
sei ihr die Gegenwart einer so lieben Freundin und Helferin
unentbehrlich gewesen; doch wolle sie in der Folge nicht
35   hinderlich sein, wenn es Ottiliens Wunsch bliebe, wieder auf
so lange dorthin zurückzukehren, bis sie das Angefangene
geendet und das Unterbrochene sich vollständig zugeeignet.

Der Gehülfe nahm diese Anerbietung freudig auf; Ottilie durfte nichts dagegen sagen, ob es ihr gleich vor dem Gedanken schauderte. Charlotte hingegen dachte Zeit zu gewinnen; sie hoffte Eduard sollte sich erst als glücklicher Vater wieder finden und einfinden, dann, war sie überzeugt, würde sich alles geben und auch für Ottilien auf eine oder die andere Weise gesorgt werden.

Nach einem bedeutenden Gespräch, über welches alle Teilnehmende nachzudenken haben, pflegt ein gewisser Stillstand einzutreten, der einer allgemeinen Verlegenheit ähnlich sieht. Man ging im Saale auf und ab, der Gehülfe blätterte in einigen Büchern und kam endlich an den Folioband, der noch von Lucianens Zeiten her liegen geblieben war. Als er sah, daß darin nur Affen enthalten waren, schlug er ihn gleich wieder zu. Dieser Vorfall mag jedoch zu einem Gespräch Anlaß gegeben haben, wovon wir die Spuren in Ottiliens Tagebuch finden.

Aus Ottiliens Tagebuche

»Wie man es nur über das Herz bringen kann, die garstigen Affen so sorgfältig abzubilden. Man erniedrigt sich schon, wenn man sie nur als Tiere betrachtet; man wird aber wirklich bösartiger, wenn man dem Reize folgt, bekannte Menschen unter dieser Maske aufzusuchen.«

»Es gehört durchaus eine gewisse Verschrobenheit dazu, um sich gern mit Karikaturen und Zerrbildern abzugeben. Unserm guten Gehülfen danke ich's, daß ich nicht mit der Naturgeschichte gequält worden bin: ich konnte mich mit den Würmern und Käfern niemals befreunden.«

»Diesmal gestand er mir, daß es ihm eben so gehe. Von der Natur, sagte er, sollten wir nichts kennen, als was uns unmittelbar lebendig umgibt. Mit den Bäumen die um uns blühen, grünen, Frucht tragen, mit jeder Staude an der wir vorbeigehen, mit jedem Grashalm über den wir hinwandeln, haben wir ein wahres Verhältnis, sie sind unsre echten Kompatrioten. Die Vögel die auf unsern Zweigen hin und wieder hüpfen, die in unserm Laube singen, gehören uns an, sie sprechen zu uns, von Jugend auf, und wir lernen ihre Sprache verstehen. Man frage sich, ob nicht ein jedes fremde, aus seiner Umgebung gerissene Geschöpf einen gewissen ängstlichen Eindruck auf uns macht, der nur durch Gewohnheit abgestumpft wird. Es gehört schon ein buntes geräuschvolles Leben dazu, um Affen, Papageien und Mohren um sich zu ertragen.«

»Manchmal wenn mich ein neugieriges Verlangen nach solchen abenteuerlichen Dingen anwandelte, habe ich den Reisenden beneidet, der solche Wunder mit andern Wundern in lebendiger alltäglicher Verbindung sieht. Aber auch er wird ein anderer Mensch. Es wandelt niemand ungestraft unter Palmen, und die Gesinnungen ändern sich gewiß in einem Lande wo Elephanten und Tiger zu Hause sind.«

»Nur der Naturforscher ist verehrungswert, der uns das Fremdeste, Seltsamste, mit seiner Lokalität, mit aller Nachbarschaft, jedesmal in dem eigensten Elemente zu schildern und darzustellen weiß. Wie gern möchte ich nur einmal Humboldten erzählen hören.«

»Ein Naturalien-Cabinet kann uns vorkommen wie eine ägyptische Grabstätte, wo die verschiedenen Tier- und Pflanzengötzen balsamiert umherstehen. Einer Priester-Kaste geziemt es wohl, sich damit in geheimnisvollem Halbdunkel abzugeben; aber in den allgemeinen Unterricht sollte dergleichen nicht einfließen, um so weniger, als etwas Näheres und Würdigeres sich dadurch leicht verdrängt sieht.«

»Ein Lehrer, der das Gefühl an einer einzigen guten Tat, an einem einzigen guten Gedicht erwecken kann, leistet mehr als einer der uns ganze Reihen untergeordneter Naturbildungen der Gestalt und dem Namen nach überliefert: denn das ganze Resultat davon ist, was wir ohnedies wissen können, daß das Menschengebild am vorzüglichsten und einzigsten das Gleichnis der Gottheit an sich trägt.«

»Dem Einzelnen bleibe die Freiheit sich mit dem zu beschäftigen, was ihn anzieht, was ihm Freude macht, was ihm

nützlich deucht; aber das eigentliche Studium der Menschheit ist der Mensch.«

ACHTES KAPITEL

Es gibt wenig Menschen, die sich mit dem Nächstvergan-
genen zu beschäftigen wissen. Entweder das Gegenwärtige
hält uns mit Gewalt an sich, oder wir verlieren uns in die
Vergangenheit und suchen das völlig Verlorene, wie es nur
möglich sein will, wieder hervorzurufen und herzustellen.
Selbst in großen und reichen Familien, die ihren Vorfahren
vieles schuldig sind, pflegt es so zu gehen, daß man des Großvaters mehr als des Vaters gedenkt.

Zu solchen Betrachtungen ward unser Gehülfe aufgefordert, als er an einem der schönen Tage, an welchen der
scheidende Winter den Frühling zu lügen pflegt, durch
den großen alten Schloßgarten gegangen war und die
hohen Lindenalleen, die regelmäßigen Anlagen, die sich von
Eduards Vater herschrieben, bewundert hatte. Sie waren
vortrefflich gediehen, in dem Sinne desjenigen der sie
pflanzte, und nun, da sie erst anerkannt und genossen werden sollten, sprach Niemand mehr von ihnen; man besuchte
sie kaum und hatte Liebhaberei und Aufwand gegen eine
andere Seite hin ins Freie und Weite gerichtet.

Er machte bei seiner Rückkehr Charlotten die Bemerkung, die sie nicht ungünstig aufnahm. Indem uns das Leben
fortzieht, versetzte sie, glauben wir aus uns selbst zu handeln, unsre Tätigkeit, unsre Vergnügungen zu wählen; aber
freilich, wenn wir es genau ansehen, so sind es nur die Plane,
die Neigungen der Zeit, die wir mit auszuführen genötigt
sind.

Gewiß, sagte der Gehülfe: und wer widersteht dem
Strome seiner Umgebungen. Die Zeit rückt fort und in ihr
Gesinnungen, Meinungen, Vorurteile und Liebhabereien.
Fällt die Jugend eines Sohnes gerade in die Zeit der Um-
wendung, so kann man versichert sein, daß er mit seinem

Vater nichts gemein haben wird. Wenn dieser in einer Periode lebte, wo man Lust hatte sich manches zuzueignen, dieses Eigentum zu sichern, zu beschränken, einzuengen und in
der Absonderung von der Welt seinen Genuß zu befestigen;
so wird jener sodann sich auszudehnen suchen, mitteilen,
verbreiten und das Verschlossene eröffnen.

Ganze Zeiträume, versetzte Charlotte, gleichen diesem
Vater und Sohn, den Sie schildern. Von jenen Zuständen, da
jede kleine Stadt ihre Mauern und Gräben haben mußte, da
man jeden Edelhof noch in einen Sumpf baute, und die geringsten Schlösser nur durch eine Zugbrücke zugänglich
waren, davon können wir uns kaum einen Begriff machen.
Sogar größere Städte tragen jetzt ihre Wälle ab, die Gräben
selbst fürstlicher Schlösser werden ausgefüllt, die Städte bilden nur große Flecken, und wenn man so auf Reisen das
ansieht, sollte man glauben: der allgemeine Friede sei befestigt und das goldne Zeitalter vor der Türe. Niemand glaubt
sich in einem Garten behaglich, der nicht einem freien Lande
ähnlich sieht; an Kunst, an Zwang soll nichts erinnern, wir
wollen völlig frei und unbedingt Atem schöpfen. Haben Sie
wohl einen Begriff, mein Freund, daß man aus diesem in
einen andern, in den vorigen Zustand zurückkehren könne?

Warum nicht? versetzte der Gehülfe: jeder Zustand hat
seine Beschwerlichkeit, der beschränkte sowohl als der los-
gebundene. Der letztere setzt Überfluß voraus und führt zur
Verschwendung. Lassen Sie uns bei Ihrem Beispiel bleiben,
das auffallend genug ist. Sobald der Mangel eintritt, sogleich
ist die Selbstbeschränkung wiedergegeben. Menschen die ihren Grund und Boden zu nutzen genötigt sind, führen schon
wieder Mauern um ihre Gärten auf, damit sie ihrer Erzeug-
nisse sicher seien. Daraus entsteht nach und nach eine neue
Ansicht der Dinge. Das Nützliche erhält wieder die Oberhand und selbst der Vielbesitzende meint zuletzt auch das
alles nutzen zu müssen. Glauben Sie mir: es ist möglich, daß
Ihr Sohn die sämtlichen Parkanlagen vernachlässigt und sich
wieder hinter die ernsten Mauern und unter die hohen Linden seines Großvaters zurückzieht.

Charlotte war im Stillen erfreut, sich einen Sohn verkündigt zu hören, und verzieh dem Gehülfen deshalb die etwas unfreundliche Prophezeiung, wie es dereinst ihrem lieben schönen Park ergehen könne. Sie versetzte deshalb ganz freundlich: Wir sind beide noch nicht alt genug um dergleichen Widersprüche mehrmals erlebt zu haben; allein wenn man sich in seine frühe Jugend zurückdenkt, sich erinnert worüber man von älteren Personen klagen gehört, Länder und Städte mit in die Betrachtung aufnimmt: so möchte wohl gegen die Bemerkung nichts einzuwenden sein. Sollte man denn aber einem solchen Naturgang nichts entgegensetzen, sollte man Vater und Sohn, Eltern und Kinder nicht in Übereinstimmung bringen können? Sie haben mir freundlich einen Knaben geweissagt; müßte denn der gerade mit seinem Vater im Widerspruch stehen? zerstören was seine Eltern erbaut haben? anstatt es zu vollenden und zu erheben wenn er in demselben Sinne fortfährt.

Dazu gibt es auch wohl ein vernünftiges Mittel, versetzte der Gehülfe, das aber von den Menschen selten angewandt wird. Der Vater erhebe seinen Sohn zum Mitbesitzer, er lasse ihn mitbauen, pflanzen, und erlaube ihm, wie sich selbst, eine unschädliche Willkür. Eine Tätigkeit läßt sich in die andre verweben, keine an die andre anstückeln. Ein junger Zweig verbindet sich mit einem alten Stamme gar leicht und gern, an den kein erwachsener Ast mehr anzufügen ist.

Es freute den Gehülfen, in dem Augenblick da er Abschied zu nehmen sich genötigt sah, Charlotten zufälligerweise etwas Angenehmes gesagt und ihre Gunst aufs neue dadurch befestigt zu haben. Schon allzulange war er von Hause weg, doch konnte er zur Rückreise sich nicht eher entschließen, als nach völliger Überzeugung, er müsse die herannahende Epoche von Charlottens Niederkunft erst vorbeigehn lassen, bevor er wegen Ottiliens irgend eine Entscheidung hoffen könne. Er fügte sich deshalb in die Umstände und kehrte mit diesen Aussichten und Hoffnungen wieder zur Vorsteherin zurück.

Charlottens Niederkunft nahte heran. Sie hielt sich mehr

in ihren Zimmern. Die Frauen, die sich um sie versammelt hatten, waren ihre geschlossenere Gesellschaft. Ottilie besorgte das Hauswesen indem sie kaum daran denken durfte was sie tat. Sie hatte sich zwar völlig ergeben, sie wünschte für Charlotten, für das Kind, für Eduarden, sich auch noch ferner auf das dienstlichste zu bemühen, aber sie sah nicht ein, wie es möglich werden wollte. Nichts konnte sie vor völliger Verworrenheit retten, als daß sie jeden Tag ihre Pflicht tat.

Ein Sohn war glücklich zur Welt gekommen, und die Frauen versicherten sämtlich, es sei der ganze leibhafte Vater. Nur Ottilie konnte es im Stillen nicht finden, als sie der Wöchnerin Glück wünschte und das Kind auf das herzlichste begrüßte. Schon bei den Anstalten zur Verheiratung ihrer Tochter war Charlotten die Abwesenheit ihres Gemahls höchst fühlbar gewesen; nun sollte der Vater auch bei der Geburt des Sohnes nicht gegenwärtig sein; er sollte den Namen nicht bestimmen, bei dem man ihn künftig rufen würde.

Der erste von allen Freunden die sich glückwünschend sehen ließen, war Mittler, der seine Kundschafter ausgestellt hatte um von diesem Ereignis sogleich Nachricht zu erhalten. Er fand sich ein und zwar sehr behaglich. Kaum daß er seinen Triumph in Gegenwart Ottiliens verbarg, so sprach er sich gegen Charlotten laut aus, und war der Mann alle Sorgen zu heben und alle augenblicklichen Hindernisse bei Seite zu bringen. Die Taufe sollte nicht lange aufgeschoben werden. Der alte Geistliche, mit einem Fuß schon im Grabe, sollte durch seinen Segen das Vergangene mit dem Zukünftigen zusammenknüpfen; Otto sollte das Kind heißen: es konnte keinen andern Namen führen als den Namen des Vaters und des Freundes.

Es bedurfte der entschiedenen Zudringlichkeit dieses Mannes, um die hunderterlei Bedenklichkeiten, das Widerreden, Zaudern, Stocken, Besser- und Anderswissen, das Schwanken, Meinen, Um- und Wiedermeinen zu beseitigen; da gewöhnlich bei solchen Gelegenheiten aus einer gehobenen Bedenklichkeit immer wieder neue entstehen, und in-

dem man alle Verhältnisse schonen will, immer der Fall eintritt, einige zu verletzen.

Alle Meldungsschreiben und Gevatterbriefe übernahm
Mittler; sie sollten gleich ausgefertigt sein: denn ihm war
selbst höchlich daran gelegen, ein Glück das er für die Familie so bedeutend hielt, auch der übrigen mit unter mißwollenden und mißredenden Welt bekannt zu machen. Und
freilich waren die bisherigen leidenschaftlichen Vorfälle dem
Publikum nicht entgangen, das ohnehin in der Überzeugung
steht, alles was geschieht, geschehe nur dazu, damit es etwas
zu reden habe.

Die Feier des Taufaktes sollte würdig aber beschränkt und
kurz sein. Man kam zusammen, Ottilie und Mittler sollten
das Kind als Taufzeugen halten. Der alte Geistliche, unterstützt vom Kirchdiener, trat mit langsamen Schritten heran.
Das Gebet war verrichtet, Ottilien das Kind auf die Arme
gelegt, und als sie mit Neigung auf dasselbe heruntersah,
erschrak sie nicht wenig an seinen offenen Augen: denn sie
glaubte in ihre eigenen zu sehen, eine solche Übereinstimmung hätte Jeden überraschen müssen. Mittler, der
zunächst das Kind empfing, stutzte gleichfalls, indem er in
der Bildung desselben eine so auffallende Ähnlichkeit, und
zwar mit dem Hauptmann erblickte, dergleichen ihm sonst
noch nie vorgekommen war.

Die Schwäche des guten alten Geistlichen hatte ihn gehindert, die Taufhandlung mit mehrerem als der gewöhnlichen
Liturgie zu begleiten. Mittler indessen, voll von dem Gegenstande, gedachte seiner frühern Amtsverrichtungen und
hatte überhaupt die Art, sich sogleich in jedem Falle zu denken, wie er nun reden, wie er sich äußern würde. Diesmal
konnte er sich um so weniger zurückhalten, als es nur eine
kleine Gesellschaft von lauter Freunden war, die ihn umgab.
Er fing daher an, gegen das Ende des Akts, mit Behaglichkeit
sich an die Stelle des Geistlichen zu versetzen, in einer muntern Rede seine Patenpflichten und Hoffnungen zu äußern
und um so mehr dabei zu verweilen, als er Charlottens Beifall
in ihrer zufriedenen Miene zu erkennen glaubte.

Daß der gute alte Mann sich gern gesetzt hätte, entging dem rüstigen Redner, der noch viel weniger dachte, daß er ein größeres Übel hervorzubringen auf dem Wege war: denn nachdem er das Verhältnis eines jeden Anwesenden zum Kinde mit Nachdruck geschildert und Ottiliens Fassung dabei ziemlich auf die Probe gestellt hatte; so wandte er sich zuletzt gegen den Greis mit diesen Worten: Und Sie, mein würdiger Altvater, können nunmehr mit Simeon sprechen: Herr laß deinen Diener in Frieden fahren; denn meine Augen haben den Heiland dieses Hauses gesehen.

Nun war er im Zuge recht glänzend zu schließen, aber er bemerkte bald, daß der Alte, dem er das Kind hinhielt, sich zwar erst gegen dasselbe zu neigen schien, nachher aber schnell zurücksank. Vom Fall kaum abgehalten ward er in einen Sessel gebracht und man mußte ihn, ungeachtet aller augenblicklichen Beihülfe, für tot ansprechen.

So unmittelbar Geburt und Tod, Sarg und Wiege neben einander zu sehen und zu denken, nicht bloß mit der Einbildungskraft, sondern mit den Augen diese ungeheuern Gegensätze zusammenzufassen, war für die Umstehenden eine schwere Aufgabe, je überraschender sie vorgelegt wurde. Ottilie allein betrachtete den Eingeschlummerten, der noch immer seine freundliche einnehmende Miene behalten hatte, mit einer Art von Neid. Das Leben ihrer Seele war getötet, warum sollte der Körper noch erhalten werden?

Führten sie auf diese Weise gar manchmal die unerfreulichen Begebenheiten des Tags auf die Betrachtung der Vergänglichkeit, des Scheidens, des Verlierens; so waren ihr dagegen wundersame nächtliche Erscheinungen zum Trost gegeben, die ihr das Dasein des Geliebten versicherten und ihr eigenes befestigten und belebten. Wenn sie sich Abends zur Ruhe gelegt, und im süßen Gefühl noch zwischen Schlaf und Wachen schwebte, schien es ihr, als wenn sie in einen ganz hellen doch mild erleuchteten Raum hineinblickte. In diesem sah sie Eduarden ganz deutlich und zwar nicht gekleidet wie sie ihn sonst gesehen, sondern im kriegerischen Anzug, jedesmal in einer andern Stellung, die aber vollkommen natürlich war und nichts Phantastisches an sich hatte: stehend, gehend, liegend, reitend. Die Gestalt bis aufs kleinste ausgemalt bewegte sich willig vor ihr, ohne daß sie das mindeste dazu tat, ohne daß sie wollte oder die Einbildungskraft anstrengte. Manchmal sah sie ihn auch umgeben, besonders von etwas Beweglichem, das dunkler war als der helle Grund; aber sie unterschied kaum Schattenbilder, die ihr zuweilen als Menschen, als Pferde, als Bäume und Gebirge vorkommen konnten. Gewöhnlich schlief sie über der Erscheinung ein, und wenn sie nach einer ruhigen Nacht morgens wieder erwachte; so war sie erquickt, getröstet, sie fühlte sich überzeugt: Eduard lebe noch, sie stehe mit ihm noch in dem innigsten Verhältnis.

NEUNTES KAPITEL

Der Frühling war gekommen, später aber auch rascher und freudiger als gewöhnlich. Ottilie fand nun im Garten die Frucht ihres Vorsehens: alles keimte, grünte und blühte zur rechten Zeit; manches was hinter wohl angelegten Glashäusern und Beeten vorbereitet worden, trat nun sogleich der endlich von außen wirkenden Natur entgegen, und alles was zu tun und zu besorgen war, blieb nicht bloß hoffnungsvolle Mühe wie bisher, sondern ward zum heitern Genusse.

An dem Gärtner aber hatte sie zu trösten über manche durch Lucianens Wildheit entstandene Lücke unter den Topfgewächsen, über die zerstörte Symmetrie mancher Baumkrone. Sie machte ihm Mut, daß sich das alles bald wieder herstellen werde; aber er hatte zu ein tiefes Gefühl, zu einen reinen Begriff von seinem Handwerk, als daß diese Trostgründe viel bei ihm hätten fruchten sollen. So wenig der Gärtner sich durch andere Liebhabereien und Neigungen zerstreuen darf, so wenig darf der ruhige Gang unterbrochen werden, den die Pflanze zur dauernden oder zur vorübergehenden Vollendung nimmt. Die Pflanze gleicht den eigensinnigen Menschen, von denen man alles erhalten kann,

wenn man sie nach ihrer Art behandelt. Ein ruhiger Blick,
eine stille Konsequenz, in jeder Jahrszeit, in jeder Stunde das
ganz Gehörige zu tun, wird vielleicht von Niemand mehr als
vom Gärtner verlangt.

Diese Eigenschaften besaß der gute Mann in einem hohen
Grade, deswegen auch Ottilie so gern mit ihm wirkte; aber
sein eigentliches Talent konnte er schon einige Zeit nicht
mehr mit Behaglichkeit ausüben. Denn ob er gleich alles was
die Baum- und Küchengärtnerei betraf, auch die Erforder-
nisse eines älteren Ziergartens, vollkommen zu leisten verstand – wie denn überhaupt einem vor dem andern dieses
oder jenes gelingt – ob er schon in Behandlung der Oran-
gerie, der Blumenzwiebeln, der Nelken- und Aurikeln-
stöcke, die Natur selbst hätte herausfordern können: so waren ihm doch die neuen Zierbäume und Modeblumen einigermaßen fremd geblieben, und er hatte vor dem unendlichen Felde der Botanik, das sich nach der Zeit auftat, und den
darin herumsummenden fremden Namen, eine Art von
Scheu, die ihn verdrießlich machte. Was die Herrschaft vo-
riges Jahr zu verschreiben angefangen, hielt er um so mehr
für unnützen Aufwand und Verschwendung, als er gar manche kostbare Pflanze ausgehen sah, und mit den Handelsgärt-
nern die ihn, wie er glaubte, nicht redlich genug bedienten, in
keinem sonderlichen Verhältnisse stand.

Er hatte sich darüber, nach mancherlei Versuchen, eine Art
von Plan gemacht, in welchem ihn Ottilie um so mehr bestärkte, als er auf die Wiederkehr Eduards eigentlich gegründet war, dessen Abwesenheit man in diesem wie in manchem andern Falle täglich nachteiliger empfinden mußte.

Indem nun die Pflanzen immer mehr Wurzel schlugen und
Zweige trieben, fühlte sich auch Ottilie immer mehr an diese
Räume gefesselt. Gerade vor einem Jahre trat sie als Fremdling, als ein unbedeutendes Wesen hier ein; wie viel hatte sie
sich seit jener Zeit nicht erworben! aber leider wie viel hatte
sie nicht auch seit jener Zeit wieder verloren! Sie war nie so
reich und nie so arm gewesen. Das Gefühl von beidem wechselte augenblicklich mit einander ab, ja durchkreuzte sich

aufs innigste, so daß sie sich nicht anders zu helfen wußte, als
daß sie immer wieder das Nächste mit Anteil, ja mit Leidenschaft ergriff.

Daß alles was Eduarden besonders lieb war, auch ihre
Sorgfalt am stärksten an sich zog, läßt sich denken; ja warum
sollte sie nicht hoffen, daß er selbst nun bald wiederkommen,
daß er die vorsorgliche Dienstlichkeit, die sie dem Abwesenden geleistet, dankbar gegenwärtig bemerken werde.

Aber noch auf eine viel andre Weise war sie veranlaßt für
ihn zu wirken. Sie hatte vorzüglich die Sorge für das Kind
übernommen, dessen unmittelbare Pflegerin sie um so mehr
werden konnte, als man es keiner Amme zu übergeben, sondern mit Milch und Wasser aufzuziehen sich entschieden
hatte. Es sollte in jener schönen Zeit der freien Luft genießen; und so trug sie es am liebsten selbst heraus, trug das
schlafende unbewußte zwischen Blumen und Blüten her, die
dereinst seiner Kindheit so freundlich entgegen lachen sollten, zwischen jungen Sträuchen und Pflanzen, die mit ihm in
die Höhe zu wachsen durch ihre Jugend bestimmt schienen.
Wenn sie um sich her sah, so verbarg sie sich nicht, zu welchem großen reichen Zustande das Kind geboren sei: denn
fast alles wohin das Auge blickte, sollte dereinst ihm gehören. Wie wünschenswert war es zu diesem allen, daß es vor
den Augen des Vaters, der Mutter, aufwüchse und eine erneute frohe Verbindung bestätigte.

Ottilie fühlte dies alles so rein, daß sie sich's als entschieden wirklich dachte und sich selbst dabei gar nicht empfand.
Unter diesem klaren Himmel, bei diesem hellen Sonnenschein, ward es ihr auf einmal klar, daß ihre Liebe, um sich zu
vollenden, völlig uneigennützig werden müsse; ja in manchen Augenblicken glaubte sie diese Höhe schon erreicht zu
haben. Sie wünschte nur das Wohl ihres Freundes, sie glaubte
sich fähig ihm zu entsagen, sogar ihn niemals wieder zu sehen, wenn sie ihn nur glücklich wisse. Aber ganz entschieden
war sie für sich, niemals einem andern anzugehören.

Daß der Herbst eben so herrlich würde wie der Frühling,
dafür war gesorgt. Alle sogenannte Sommergewächse, alles

was im Herbst mit Blühen nicht enden kann und sich der
Kälte noch keck entgegen entwickelt, Astern besonders, waren in der größten Mannigfaltigkeit gesät und sollten nun
überallhin verpflanzt, einen Sternhimmel über die Erde bil-
5   den.

Aus Ottiliens Tagebuche

»Einen guten Gedanken den wir gelesen, etwas Auffallendes
das wir gehört, tragen wir wohl in unser Tagebuch. Nähmen
wir uns aber zugleich die Mühe, aus den Briefen unserer
10   Freunde eigentümliche Bemerkungen, originelle Ansichten,
flüchtige geistreiche Worte auszuzeichnen, so würden wir
sehr reich werden. Briefe hebt man auf, um sie nie wieder zu
lesen; man zerstört sie zuletzt einmal aus Diskretion, und so
verschwindet der schönste unmittelbarste Lebenshauch un-
15   wiederbringlich für uns und andre. Ich nehme mir vor, dieses
Versäumnis wieder gut zu machen.«

»So wiederholt sich denn abermals das Jahresmärchen von
vorn. Wir sind nun wieder, Gott sei Dank! an seinem artig-
sten Kapitel. Veilchen und Maiblumen sind wie Überschrif-
20   ten oder Vignetten dazu. Es macht uns immer einen angenehmen Eindruck, wenn wir sie in dem Buche des Lebens
wieder aufschlagen.«

»Wir schelten die Armen, besonders die Unmündigen,
wenn sie sich an den Straßen herumlegen und betteln. Be-
25   merken wir nicht, daß sie gleich tätig sind, sobald es was zu
tun gibt? Kaum entfaltet die Natur ihre freundlichen
Schätze, so sind die Kinder dahinterher um ein Gewerbe zu
eröffnen; keines bettelt mehr; jedes reicht dir einen Strauß; es
hat ihn gepflückt ehe du vom Schlaf erwachtest, und das
30   Bittende sieht dich so freundlich an wie die Gabe. Niemand
sieht erbärmlich aus, der sich einiges Recht fühlt, fordern zu
dürfen.«

»Warum nur das Jahr manchmal so kurz, manchmal so
lang ist, warum es so kurz scheint und so lang in der Erinn-

rung! Mir ist es mit dem vergangenen so, und nirgends auffallender als im Garten, wie vergängliches und dauerndes in
einander greift. Und doch ist nichts so flüchtig das nicht eine
Spur, das nicht seines Gleichen zurücklasse.«

»Man läßt sich den Winter auch gefallen. Man glaubt sich
freier auszubreiten, wenn die Bäume so geisterhaft, so durchsichtig vor uns stehen. Sie sind nichts, aber sie decken auch
nichts zu. Wie aber einmal Knospen und Blüten kommen,
dann wird man ungeduldig bis das volle Laub hervortritt, bis
die Landschaft sich verkörpert und der Baum sich als eine
Gestalt uns entgegen drängt.«

»Alles Vollkommene in seiner Art muß über seine Art
hinausgehen, es muß etwas anderes unvergleichbares werden. In manchen Tönen ist die Nachtigall noch Vogel; dann
steigt sie über ihre Klasse hinüber und scheint jedem Gefie-
derten andeuten zu wollen, was eigentlich singen heiße.«

»Ein Leben ohne Liebe, ohne die Nähe des Geliebten, ist
nur eine Comédie à tiroir, ein schlechtes Schubladenstück.
Man schiebt eine nach der anderen heraus und wieder hinein
und eilt zur folgenden. Alles was auch gutes und bedeutendes vorkommt, hängt nur kümmerlich zusammen. Man muß
überall von vorn anfangen und möchte überall enden.«

ZEHNTES KAPITEL

Charlotte von ihrer Seite befindet sich munter und wohl. Sie
freut sich an dem tüchtigen Knaben, dessen viel versprechende Gestalt ihr Auge und Gemüt stündlich beschäftigt. Sie erhält durch ihn einen neuen Bezug auf die Welt und
auf den Besitz. Ihre alte Tätigkeit regt sich wieder; sie erblickt, wo sie auch hinsieht, im vergangenen Jahre vieles
getan und empfindet Freude am Getanen. Von einem eigenen Gefühl belebt steigt sie zur Mooshütte mit Ottilien und
dem Kinde, und indem sie dieses auf den kleinen Tisch, als
auf einen häuslichen Altar niederlegt, und noch zwei Plätze
leer sieht, gedenkt sie der vorigen Zeiten und eine neue Hoffnung für sie und Ottilien dringt hervor.

Junge Frauenzimmer sehen sich bescheiden vielleicht nach diesem oder jenem Jüngling um, mit stiller Prüfung, ob sie ihn wohl zum Gatten wünschten; wer aber für eine Tochter oder einen weiblichen Zögling zu sorgen hat, schaut in einem weitern Kreis umher. So ging es auch in diesem Augenblick Charlotten, der eine Verbindung des Hauptmanns mit Ottilien nicht unmöglich schien, wie sie doch auch schon ehemals in dieser Hütte neben einander gesessen hatten. Ihr war nicht unbekannt geblieben, daß jene Aussicht auf eine vorteilhafte Heirat wieder verschwunden sei.

Charlotte stieg weiter und Ottilie trug das Kind. Jene überließ sich mancherlei Betrachtungen. Auch auf dem festen Lande gibt es wohl Schiffbruch; sich davon auf das schnellste zu erholen und herzustellen, ist schön und preiswürdig. Ist doch das Leben nur auf Gewinn und Verlust berechnet. Wer macht nicht irgend eine Anlage und wird darin gestört! Wie oft schlägt man einen Weg ein und wird davon abgeleitet! Wie oft werden wir von einem scharf ins Auge gefaßten Ziel abgelenkt, um ein höheres zu erreichen! Der Reisende bricht unterwegs zu seinem höchsten Verdruß ein Rad und gelangt durch diesen unangenehmen Zufall zu den erfreulichsten Bekanntschaften und Verbindungen, die auf sein ganzes Leben Einfluß haben. Das Schicksal gewährt uns unsre Wünsche, aber auf seine Weise, um uns etwas über unsere Wünsche geben zu können.

Diese und ähnliche Betrachtungen waren es, unter denen Charlotte zum neuen Gebäude auf der Höhe gelangte, wo sie vollkommen bestätigt wurden. Denn die Umgebung war viel schöner als man sich's hatte denken können. Alles störende Kleinliche war rings umher entfernt; alles Gute der Landschaft, was die Natur, was die Zeit daran getan hatte, trat reinlich hervor und fiel ins Auge, und schon grünten die jungen Pflanzungen, die bestimmt waren, einige Lücken auszufüllen und die abgesonderten Teile angenehm zu verbinden.

Das Haus selbst war nahezu bewohnbar; die Aussicht, besonders aus den obern Zimmern, höchst mannigfaltig. Je

länger man sich umsah, desto mehr Schönes entdeckte man.
Was mußten nicht hier die verschiedenen Tagszeiten, was
Mond und Sonne für Wirkungen hervorbringen! Hier zu
verweilen war höchst wünschenswert, und wie schnell ward
die Lust zu bauen und zu schaffen in Charlotten wieder er-   5
weckt, da sie alle grobe Arbeit getan fand. Ein Tischer, ein
Tapezierer, ein Maler, der mit Patronen und leichter Vergoldung sich zu helfen wußte, nur dieser bedurfte man, und
in kurzer Zeit war das Gebäude im Stande. Keller und Küche
wurden schnell eingerichtet: denn in der Entfernung vom   10
Schlosse mußte man alle Bedürfnisse um sich versammeln.
So wohnten die Frauenzimmer mit dem Kinde nun oben,
und von diesem Aufenthalt, als von einem neuen Mittelpunkt, eröffneten sich ihnen unerwartete Spaziergänge. Sie
genossen vergnüglich in einer höheren Region der freien   15
frischen Luft bei dem schönsten Wetter.

Ottiliens liebster Weg, teils allein, teils mit dem Kinde,
ging herunter nach den Platanen auf einem bequemen Fuß-
steig, der sodann zu dem Punkte leitete, wo einer der Kähne
angebunden war, mit denen man überzufahren pflegte. Sie   20
erfreute sich manchmal einer Wasserfahrt; allein ohne das
Kind, weil Charlotte deshalb einige Besorgnis zeigte. Doch
verfehlte sie nicht, täglich den Gärtner im Schloßgarten zu
besuchen und an seiner Sorgfalt für die vielen Pflanzen-
zöglinge, die nun alle der freien Luft genossen, freundlich   25
Teil zu nehmen.

In dieser schönen Zeit kam Charlotten der Besuch eines
Engländers sehr gelegen, der Eduarden auf Reisen kennen
gelernt, einigemal getroffen hatte und nunmehr neugierig
war, die schönen Anlagen zu sehen, von denen er so viel   30
Gutes erzählen hörte. Er brachte ein Empfehlungsschreiben
vom Grafen mit und stellte zugleich einen stillen aber sehr
gefälligen Mann als seinen Begleiter vor. Indem er nun bald
mit Charlotten und Ottilien, bald mit Gärtnern und Jägern,
öfters mit seinem Begleiter, und manchmal allein die Gegend   35
durchstrich; so konnte man seinen Bemerkungen wohl ansehen, daß er ein Liebhaber und Kenner solcher Anlagen

war, der wohl auch manche dergleichen selbst ausgeführt
hatte. Obgleich in Jahren nahm er auf eine heitere Weise an
allem Teil, was dem Leben zur Zierde gereichen und es bedeutend machen kann.

In seiner Gegenwart genossen die Frauenzimmer erst
vollkommen ihrer Umgebung. Sein geübtes Auge empfing
jeden Effekt ganz frisch, und er hatte um somehr Freude an
dem Entstandenen, als er die Gegend vorher nicht gekannt,
und was man daran getan, von dem was die Natur geliefert,
kaum zu unterscheiden wußte.

Man kann wohl sagen, daß durch seine Bemerkungen der
Park wuchs und sich bereicherte. Schon zum voraus erkannte
er, was die neuen heranstrebenden Pflanzungen versprachen.
Keine Stelle blieb ihm unbemerkt, wo noch irgend eine
Schönheit hervorzuheben oder anzubringen war. Hier deu-
tete er auf eine Quelle, welche gereinigt, die Zierde einer
ganzen Buschpartie zu werden versprach; hier auf eine
Höhle, die ausgeräumt und erweitert, einen erwünschten
Ruheplatz geben konnte, indessen man nur wenige Bäume
zu fällen brauchte, um von ihr aus herrliche Felsenmassen
aufgetürmt zu erblicken. Er wünschte den Bewohnern
Glück, daß ihnen so manches nachzuarbeiten übrig blieb,
und ersuchte sie, damit nicht zu eilen, sondern für folgende
Jahre sich das Vergnügen des Schaffens und Einrichtens vor-
zubehalten.

Übrigens war er außer den geselligen Stunden keineswegs
lästig: denn er beschäftigte sich die größte Zeit des Tags, die
malerischen Aussichten des Parks in einer tragbaren dunklen
Kammer aufzufangen und zu zeichnen, um dadurch sich und
andern von seinen Reisen eine schöne Frucht zu gewinnen.
Er hatte dieses, schon seit mehreren Jahren, in allen bedeutenden Gegenden getan und sich dadurch die angenehmste
und interessanteste Sammlung verschafft. Ein großes Portefeuille das er mit sich führte, zeigte er den Damen vor und
unterhielt sie, teils durch das Bild, teils durch die Auslegung.
Sie freuten sich, hier in ihrer Einsamkeit die Welt so bequem
zu durchreisen, Ufer und Häfen, Berge, Seen und Flüsse,

Städte, Kastelle und manches andre Lokal, das in der Geschichte einen Namen hat, vor sich vorbeiziehen zu sehen.

Jede von beiden Frauen hatte ein besonderes Interesse; Charlotte das allgemeinere, gerade an dem, wo sich etwas historisch merkwürdiges fand, während Ottilie sich vorzüglich bei den Gegenden aufhielt, wovon Eduard viel zu erzählen pflegte, wo er gern verweilt, wohin er öfters zurückgekehrt: denn jeder Mensch hat in der Nähe und in der Ferne gewisse örtliche Einzelnheiten die ihn anziehen, die ihm, seinem Charakter nach, um des ersten Eindrucks, gewisser Umstände, der Gewohnheit willen, besonders lieb und aufregend sind.

Sie fragte daher den Lord, wo es ihm denn am besten gefalle, und wo er nun seine Wohnung aufschlagen würde, wenn er zu wählen hätte. Da wußte er denn mehr als Eine schöne Gegend vorzuzeigen, und was ihm dort widerfahren, um sie ihm lieb und wert zu machen, in seinem eigens akzentuierten Französisch gar behaglich mitzuteilen.

Auf die Frage hingegen, wo er sich denn jetzt gewöhnlich aufhalte, wohin er am liebsten zurückkehre, ließ er sich ganz unbewunden, doch den Frauen unerwartet, also vernehmen.

Ich habe mir nun angewöhnt überall zu Hause zu sein und finde zuletzt nichts bequemer, als daß andre für mich bauen, pflanzen und sich häuslich bemühen. Nach meinen eigenen Besitzungen sehne ich mich nicht zurück, teils aus politischen Ursachen, vorzüglich aber weil mein Sohn, für den ich alles eigentlich getan und eingerichtet, dem ich es zu übergeben, mit dem ich es noch zu genießen hoffte, an allem keinen Teil nimmt, sondern nach Indien gegangen ist, um sein Leben dort, wie mancher andere, höher zu nutzen, oder gar zu vergeuden.

Gewiß wir machen viel zu viel vorarbeitenden Aufwand aufs Leben. Anstatt daß wir gleich anfingen uns in einem mäßigen Zustand behaglich zu finden, so gehen wir immer mehr ins Breite, um es uns immer unbequemer zu machen. Wer genießt jetzt meine Gebäude, meinen Park, meine Gärten? Nicht ich, nicht einmal die Meinigen; fremde Gäste, Neugierige, unruhige Reisende.

Selbst bei vielen Mitteln sind wir immer nur halb und halb zu Hause, besonders auf dem Lande, wo uns manches Gewohnte der Stadt fehlt. Das Buch das wir am eifrigsten wünschten, ist nicht zur Hand, und gerade was wir am meisten bedürften, ist vergessen. Wir richten uns immer häuslich ein, um wieder auszuziehen, und wenn wir es nicht mit Willen und Willkür tun; so wirken Verhältnisse, Leidenschaften, Zufälle, Notwendigkeit und was nicht alles.

Der Lord ahndete nicht, wie tief durch seine Betrachtungen die Freundinnen getroffen wurden. Und wie oft kommt nicht Jeder in diese Gefahr, der eine allgemeine Betrachtung selbst in einer Gesellschaft deren Verhältnisse ihm sonst bekannt sind, ausspricht. Charlotten war eine solche zufällige Verletzung auch durch Wohlwollende und Gutmeinende nichts Neues; und die Welt lag ohnehin so deutlich vor ihren Augen, daß sie keinen besondern Schmerz empfand, wenn gleich Jemand sie unbedachtsam und unvorsichtig nötigte, ihren Blick da oder dorthin auf eine unerfreuliche Stelle zu richten. Ottilie hingegen, die in halbbewußter Jugend mehr ahndete als sah, und ihren Blick wegwenden durfte ja mußte von dem was sie nicht sehen mochte und sollte, Ottilie ward durch diese traulichen Reden in den schrecklichsten Zustand versetzt: denn es zerriß mit Gewalt vor ihr der anmutige Schleier, und es schien ihr, als wenn alles was bisher für Haus und Hof, für Garten, Park und die ganze Umgebung geschehen war, ganz eigentlich umsonst sei, weil der dem es alles gehörte, es nicht genösse, weil auch der, wie der gegenwärtige Gast, zum Herumschweifen in der Welt und zwar zu dem gefährlichsten, durch die Liebsten und Nächsten gedrängt worden. Sie hatte sich an Hören und Schweigen gewöhnt, aber sie saß diesmal in der peinlichsten Lage, die durch des Fremden weiteres Gespräch eher vermehrt als vermindert wurde, das er mit heiterer Eigenheit und Bedächtlichkeit fortsetzte.

Nun glaub' ich, sagte er, auf dem rechten Wege zu sein, da ich mich immerfort als einen Reisenden betrachte, der vielem entsagt, um vieles zu genießen. Ich bin an den Wechsel gewöhnt, ja er wird mir Bedürfnis, wie man in der Oper immer wieder auf eine neue Dekoration wartet, gerade weil schon so viele da gewesen. Was ich mir von dem besten und dem schlechtesten Wirtshause versprechen darf, ist mir bekannt: es mag so gut oder schlimm sein als es will, nirgends find' ich das Gewohnte, und am Ende läuft es auf Eins hinaus, ganz von einer notwendigen Gewohnheit, oder ganz von der willkürlichsten Zufälligkeit abzuhangen. Wenigstens habe ich jetzt nicht den Verdruß, daß etwas verlegt oder verloren ist, daß mir ein tägliches Wohnzimmer unbrauchbar wird, weil ich es muß reparieren lassen, daß man mir eine liebe Tasse zerbricht und es mir eine ganze Zeit aus keiner andern schmecken will. Alles dessen bin ich überhoben, und wenn mir das Haus über dem Kopf zu brennen anfängt, so packen meine Leute gelassen ein und auf, und wir fahren zu Hofraum und Stadt hinaus. Und bei allen diesen Vorteilen, wenn ich es genau berechne, habe ich am Ende des Jahrs nicht mehr ausgegeben, als es mich zu Hause gekostet hätte.

Bei dieser Schilderung sah Ottilie nur Eduarden vor sich, wie er nun auch, mit Entbehren und Beschwerde, auf ungebahnten Straßen hinziehe, mit Gefahr und Not zu Felde liege, und bei so viel Unbestand und Wagnis sich gewöhne heimatlos und freundlos zu sein, alles wegzuwerfen nur um nicht verlieren zu können. Glücklicherweise trennte sich die Gesellschaft für einige Zeit. Ottilie fand Raum sich in der Einsamkeit auszuweinen. Gewaltsamer hatte sie kein dumpfer Schmerz ergriffen, als diese Klarheit, die sie sich noch klarer zu machen strebte, wie man es zu tun pflegt, daß man sich selbst peinigt, wenn man einmal auf dem Wege ist gepeinigt zu werden.

Der Zustand Eduards kam ihr so kümmerlich, so jämmerlich vor, daß sie sich entschloß, es koste was es wolle, zu seiner Wiedervereinigung mit Charlotten alles beizutragen, ihren Schmerz und ihre Liebe an irgend einem stillen Orte zu verbergen und durch irgend eine Art von Tätigkeit zu betriegen.

Indessen hatte der Begleiter des Lords, ein verständiger,

ruhiger Mann und guter Beobachter, den Mißgriff in der
Unterhaltung bemerkt und die Ähnlichkeit der Zustände seinem Freunde offenbart. Dieser wußte nichts von den Verhältnissen der Familie; allein jener, den eigentlich auf der
Reise nichts mehr interessierte als die sonderbaren Ereignisse, welche durch natürliche und künstliche Verhältnisse,
durch den Konflikt des Gesetzlichen und des Ungebändig-
ten, des Verstandes und der Vernunft, der Leidenschaft und
des Vorurteils hervorgebracht werden, jener hatte sich schon
früher, und mehr noch im Hause selbst, mit allem bekannt
gemacht was vorgegangen war und noch vorging.

Dem Lord tat es leid, ohne daß er darüber verlegen gewesen wäre. Man müßte ganz in Gesellschaft schweigen,
wenn man nicht manchmal in den Fall kommen sollte: denn
nicht allein bedeutende Bemerkungen, sondern die trivial-
sten Äußerungen können auf eine so mißklingende Weise
mit dem Interesse der Gegenwärtigen zusammentreffen. Wir
wollen es heute Abend wieder gut machen, sagte der Lord,
und uns aller allgemeinen Gespräche enthalten. Geben Sie
der Gesellschaft etwas von den vielen angenehmen und bedeutenden Anekdoten und Geschichten zu hören, womit Sie
Ihr Portefeuille und Ihr Gedächtnis auf unserer Reise bereichert haben.

Allein auch mit dem besten Vorsatze gelang es den Fremden nicht, die Freunde diesmal mit einer unverfänglichen
Unterhaltung zu erfreuen. Denn nachdem der Begleiter
durch manche sonderbare, bedeutende, heitere, rührende,
furchtbare Geschichten die Aufmerksamkeit erregt und die
Teilnahme aufs höchste gespannt hatte; so dachte er mit einer
zwar sonderbaren, aber sanfteren Begebenheit zu schließen,
und ahndete nicht, wie nahe diese seinen Zuhörern verwandt
war.

Die wunderlichen Nachbarskinder
Novelle

Zwei Nachbarskinder von bedeutenden Häusern, Knabe und Mädchen, in verhältnismäßigem Alter, um dereinst Gatten zu werden, ließ man in dieser angenehmen Aussicht mit einander aufwachsen, und die beiderseitigen Eltern freuten sich einer künftigen Verbindung. Doch man bemerkte gar bald, daß die Absicht zu mißlingen schien, indem sich zwischen den beiden trefflichen Naturen ein sonderbarer Widerwille hervortat. Vielleicht waren sie einander zu ähnlich. Beide in sich selbst gewendet, deutlich in ihrem Wollen, fest in ihren Vorsätzen; jedes einzeln geliebt und geehrt von seinen Gespielen; immer Widersacher wenn sie zusammen waren, immer aufbauend für sich allein, immer wechselsweise zerstörend wo sie sich begegneten; nicht wetteifernd nach Einem Ziel, aber immer kämpfend um Einen Zweck; gutartig durchaus und liebenswürdig, und nur hassend, ja bösartig, indem sie sich auf einander bezogen.

Dieses wunderliche Verhältnis zeigte sich schon bei kindischen Spielen, es zeigte sich bei zunehmenden Jahren. Und wie die Knaben Krieg zu spielen, sich in Parteien zu sondern, einander Schlachten zu liefern pflegen, so stellte sich das trotzig mutige Mädchen einst an die Spitze des einen Heers, und focht gegen das andre mit solcher Gewalt und Erbitterung, daß dieses schimpflich wäre in die Flucht geschlagen worden, wenn ihr einzelner Widersacher sich nicht sehr brav gehalten und seine Gegnerin doch noch zuletzt entwaffnet und gefangen genommen hätte. Aber auch da noch wehrte sie sich so gewaltsam, daß er, um seine Augen zu erhalten, und die Feindin doch nicht zu beschädigen, sein seidenes Halstuch abreißen und ihr die Hände damit auf den Rücken binden mußte.

Dies verzieh sie ihm nie, ja sie machte so heimliche Anstalten und Versuche ihn zu beschädigen, daß die Eltern, die auf diese seltsamen Leidenschaften schon längst Acht gehabt,

sich mit einander verständigten und beschlossen, die beiden
feindlichen Wesen zu trennen und jene lieblichen Hoffnungen aufzugeben.

Der Knabe tat sich in seinen neuen Verhältnissen bald
hervor. Jede Art von Unterricht schlug bei ihm an. Gönner
und eigene Neigung bestimmten ihn zum Soldatenstande.
Überall wo er sich fand, war er geliebt und geehrt. Seine
tüchtige Natur schien nur zum Wohlsein, zum Behagen anderer zu wirken, und er war in sich, ohne deutliches Bewußtsein, recht glücklich, den einzigen Widersacher verloren zu
haben, den die Natur ihm zugedacht hatte.

Das Mädchen dagegen trat auf einmal in einen veränderten Zustand. Ihre Jahre, eine zunehmende Bildung, und
mehr noch ein gewisses inneres Gefühl zogen sie von den
heftigen Spielen hinweg, die sie bisher in Gesellschaft der
Knaben auszuüben pflegte. Im Ganzen schien ihr etwas zu
fehlen, nichts war um sie herum, das wert gewesen wäre,
ihren Haß zu erregen. Liebenswürdig hatte sie noch Niemanden gefunden.

Ein junger Mann, älter als ihr ehemaliger nachbarlicher
Widersacher, von Stand, Vermögen und Bedeutung, beliebt
in der Gesellschaft, gesucht von Frauen, wendete ihr seine
ganze Neigung zu. Es war das erstemal, daß sich ein Freund,
ein Liebhaber, ein Diener um sie bemühte. Der Vorzug den
er ihr vor vielen gab, die älter, gebildeter, glänzender und
anspruchsreicher waren als sie, tat ihr gar zu wohl. Seine
fortgesetzte Aufmerksamkeit, ohne daß er zudringlich gewesen wäre, sein treuer Beistand bei verschiedenen unangenehmen Zufällen, sein gegen ihre Eltern zwar ausgesprochnes, doch ruhiges und nur hoffnungsvolles Werben,
da sie freilich noch sehr jung war: das alles nahm sie für ihn
ein, wozu die Gewohnheit, die äußern nun von der Welt als
bekannt angenommenen Verhältnisse, das ihrige beitrugen.
Sie war so oft Braut genannt worden, daß sie sich endlich
selbst dafür hielt, und weder sie noch irgend Jemand dachte
daran, daß noch eine Prüfung nötig sei, als sie den Ring mit
demjenigen wechselte, der so lange Zeit für ihren Bräutigam
galt.

Der ruhige Gang den die ganze Sache genommen hatte, war auch durch das Verlöbnis nicht beschleunigt worden. Man ließ eben von beiden Seiten alles so fortgewähren; man freute sich des Zusammenlebens und wollte die gute Jahreszeit durchaus noch als einen Frühling des künftigen ernsteren Lebens genießen.

Indessen hatte der entfernte sich zum schönsten ausgebildet, eine verdiente Stufe seiner Lebensbestimmung erstiegen, und kam mit Urlaub die Seinigen zu besuchen. Auf eine ganz natürliche aber doch sonderbare Weise stand er seiner schönen Nachbarin abermals entgegen. Sie hatte in der letzten Zeit nur freundliche, bräutliche Familienempfindungen bei sich genährt, sie war mit allem was sie umgab in Übereinstimmung; sie glaubte glücklich zu sein und war es auch auf gewisse Weise. Aber nun stand ihr zum erstenmal seit langer Zeit wieder etwas entgegen: es war nicht hassenswert, sie war des Hasses unfähig geworden; ja der kindische Haß, der eigentlich nur ein dunkles Anerkennen des inneren Wertes gewesen, äußerte sich nun in frohem Erstaunen, erfreulichem Betrachten, gefälligem Eingestehen, halb willigem halb unwilligem und doch notwendigem Annahen, und das alles war wechselseitig. Eine lange Entfernung gab zu längeren Unterhaltungen Anlaß. Selbst jene kindische Unvernunft diente den Aufgeklärteren zu scherzhafter Erinnerung, und es war als wenn man sich jenen neckischen Haß wenigstens durch eine freundschaftliche aufmerksame Behandlung vergüten müsse, als wenn jenes gewaltsame Verkennen nunmehr nicht ohne ein ausgesprochnes Anerkennen bleiben dürfe.

Von seiner Seite blieb alles in einem verständigen, wünschenswerten Maß. Sein Stand, seine Verhältnisse, sein Streben, sein Ehrgeiz beschäftigten ihn so reichlich, daß er die Freundlichkeit der schönen Braut als eine dankenswerte Zugabe mit Behaglichkeit aufnahm, ohne sie deshalb in irgend einem Bezug auf sich zu betrachten, oder sie ihrem Bräutigam zu mißgönnen, mit dem er übrigens in den besten Verhältnissen stand.

Bei ihr hingegen sah es ganz anders aus. Sie schien sich wie aus einem Traum erwacht. Der Kampf gegen ihren jungen Nachbar war die erste Leidenschaft gewesen, und dieser heftige Kampf war doch nur, unter der Form des Widerstrebens, eine heftige gleichsam angeborene Neigung. Auch kam es ihr in der Erinnerung nicht anders vor, als daß sie ihn immer geliebt habe. Sie lächelte über jenes feindliche Suchen mit den Waffen in der Hand; sie wollte sich des angenehmsten Gefühls erinnern, als er sie entwaffnete; sie bildete sich ein die größte Seligkeit empfunden zu haben, da er sie band, und alles was sie zu seinem Schaden und Verdruß unternommen hatte, kam ihr nur als unschuldiges Mittel vor, seine Aufmerksamkeit auf sich zu ziehen. Sie verwünschte jene Trennung, sie bejammerte den Schlaf in den sie verfallen, sie verfluchte die schleppende, träumerische Gewohnheit, durch die ihr ein so unbedeutender Bräutigam hatte werden können, sie war verwandelt, doppelt verwandelt, vorwärts und rückwärts wie man es nehmen will.

Hätte Jemand ihre Empfindungen, die sie ganz geheim hielt, entwickeln und mit ihr teilen können, so würde er sie nicht gescholten haben: denn freilich konnte der Bräutigam die Vergleichung mit dem Nachbar nicht aushalten, sobald man sie neben einander sah. Wenn man dem einen ein gewisses Zutrauen nicht versagen konnte, so erregte der andere das vollste Vertrauen; wenn man den einen gern zur Gesellschaft mochte, so wünschte man sich den andern zum Gefährten; und dachte man gar an höhere Teilnahme, an außerordentliche Fälle: so hätte man wohl an dem einen gezweifelt, wenn einem der andere vollkommene Gewißheit gab. Für solche Verhältnisse ist den Weibern ein besonderer Takt angeboren und sie haben Ursache so wie Gelegenheit ihn auszubilden.

Jemehr die schöne Braut solche Gesinnungen bei sich ganz heimlich nährte, je weniger nur irgend Jemand dasjenige auszusprechen im Fall war, was zu Gunsten des Bräutigams gelten konnte, was Verhältnisse, was Pflicht anzuraten und zu gebieten, ja was eine unabänderliche Notwendigkeit un-

widerruflich zu fordern schien; desto mehr begünstigte das
schöne Herz seine Einseitigkeit, und indem sie von der einen
Seite durch Welt und Familie, Bräutigam und eigne Zusage
unauflöslich gebunden war, von der andern der emporstre-
bende Jüngling gar kein Geheimnis von seinen Gesinnun- 5
gen, Planen und Aussichten machte, sich nur als ein treuer
und nicht einmal zärtlicher Bruder gegen sie bewies, und nun
gar von seiner unmittelbaren Abreise die Rede war; so schien
es als ob ihr früher kindischer Geist mit allen seinen Tücken
und Gewaltsamkeiten wieder erwachte, und sich nun auf 10
einer höheren Lebensstufe mit Unwillen rüstete, bedeutender und verderblicher zu wirken. Sie beschloß zu sterben,
um den ehmals Gehaßten und nun so heftig Geliebten für
seine Unteilnahme zu strafen und sich, indem sie ihn nicht
besitzen sollte, wenigstens mit seiner Einbildungskraft, sei- 15
ner Reue auf ewig zu vermählen. Er sollte ihr totes Bild nicht
loswerden, er sollte nicht aufhören sich Vorwürfe zu machen,
daß er ihre Gesinnungen nicht erkannt, nicht erforscht, nicht
geschätzt habe.

 Dieser seltsame Wahnsinn begleitete sie überall hin. Sie 20
verbarg ihn unter allerlei Formen, und ob sie den Menschen
gleich wunderlich vorkam; so war Niemand aufmerksam
oder klug genug, die innere wahre Ursache zu entdecken.

 Indessen hatten sich Freunde, Verwandte, Bekannte in
Anordnungen von mancherlei Festen erschöpft. Kaum ver- 25
ging ein Tag, daß nicht irgend etwas neues und unerwartetes
angestellt worden wäre. Kaum war ein schöner Platz der
Landschaft, den man nicht ausgeschmückt und zum Empfang vieler frohen Gäste bereitet hätte. Auch wollte unser
junger Ankömmling noch vor seiner Abreise das Seinige 30
tun, und lud das junge Paar mit einem engeren Familienkreise zu einer Wasserlustfahrt. Man bestieg ein großes schönes wohlausgeschmücktes Schiff, eine der Jachten die einen
kleinen Saal und einige Zimmer anbieten und auf das Wasser
die Bequemlichkeit des Landes überzutragen suchen. 35

 Man fuhr auf dem großen Strome mit Musik dahin, die
Gesellschaft hatte sich bei heißer Tageszeit in den untern

Räumen versammelt, um sich an Geistes- und Glücksspielen
zu ergetzen. Der junge Wirt, der niemals untätig bleiben
konnte, hatte sich ans Steuer gesetzt, den alten Schiffsmeister
abzulösen, der an seiner Seite eingeschlafen war; und eben
brauchte der Wachende alle seine Vorsicht, da er sich einer
Stelle nahte, wo zwei Inseln das Flußbette verengten und
indem sie ihre flachen Kiesufer, bald an der einen bald an der
andern Seite hereinstreckten, ein gefährliches Fahrwasser zu-
bereiteten. Fast war der sorgsame und scharfblickende Steu-
rer in Versuchung den Meister zu wecken, aber er getraute
sich's zu und fuhr gegen die Enge. In dem Augenblick erschien auf dem Verdeck seine schöne Feindin mit einem Blu-
menkranz in den Haaren. Sie nahm ihn ab und warf ihn auf
den Steuernden. Nimm dies zum Andenken! rief sie aus.
Störe mich nicht! rief er ihr entgegen, indem er den Kranz
auffing: ich bedarf aller meiner Kräfte und meiner Aufmerksamkeit. Ich störe dich nicht weiter, rief sie: du siehst
mich nicht wieder! Sie sprach's und eilte nach dem Vorderteil
des Schiffs, von da sie ins Wasser sprang. Einige Stimmen
riefen: rettet! rettet! sie ertrinkt. Er war in der entsetzlichsten
Verlegenheit. Über dem Lärm erwacht der alte Schiffsmeister, will das Ruder ergreifen, der jüngere es ihm übergeben;
aber es ist keine Zeit die Herrschaft zu wechseln: das Schiff
strandet, und in eben dem Augenblick, die lästigsten Klei-
dungsstücke wegwerfend, stürzte er sich ins Wasser, und
schwamm der schönen Feindin nach.

Das Wasser ist ein freundliches Element für den der damit
bekannt ist und es zu behandeln weiß. Es trug ihn, und der
geschickte Schwimmer beherrschte es. Bald hatte er die vor
ihm fortgerissene Schöne erreicht; er faßte sie, wußte sie zu
heben und zu tragen; beide wurden vom Strom gewaltsam
fortgerissen bis sie die Inseln, die Werder, weit hinter sich
hatten und der Fluß wieder breit und gemächlich zu fließen
anfing. Nun erst ermannte, nun erholte er sich aus der ersten
zudringenden Not, in der er ohne Besinnung nur mecha-
nisch gehandelt; er blickte mit emporstrebendem Haupt umher und ruderte nach Vermögen einer flachen buschigten

Stelle zu, die sich angenehm und gelegen in den Fluß verlief. Dort brachte er seine schöne Beute aufs Trockne; aber kein Lebenshauch war in ihr zu spüren. Er war in Verzweiflung, als ihm ein betretener Pfad der durchs Gebüsch lief, in die Augen leuchtete. Er belud sich aufs neue mit der teuren Last, er erblickte bald eine einsame Wohnung und erreichte sie. Dort fand er gute Leute, ein junges Ehepaar. Das Unglück, die Not sprach sich geschwind aus. Was er nach einiger Besinnung forderte, ward geleistet. Ein lichtes Feuer brannte; wollne Decken wurden über ein Lager gebreitet; Pelze, Felle und was Erwärmendes vorrätig war, schnell herbeigetragen. Hier überwand die Begierde zu retten jede andre Betrachtung. Nichts ward versäumt, den schönen halbstarren nackten Körper wieder ins Leben zu rufen. Es gelang. Sie schlug die Augen auf, sie erblickte den Freund, umschlang seinen Hals mit ihren himmlischen Armen. So blieb sie lange; ein Tränenstrom stürzte aus ihren Augen und vollendete ihre Genesung. Willst du mich verlassen, rief sie aus: da ich dich so wiederfinde? Niemals, rief er, niemals! und wußte nicht was er sagte noch was er tat. Nur schone dich, rief er hinzu: schone dich! denke an dich um deinet- und meinetwillen.

Sie dachte nun an sich und bemerkte jetzt erst den Zustand in dem sie war. Sie konnte sich vor ihrem Liebling, ihrem Retter nicht schämen; aber sie entließ ihn gern, damit er für sich sorgen möge: denn noch war was ihn umgab, naß und triefend.

Die jungen Eheleute beredeten sich: er bot dem Jüngling, und sie der Schönen das Hochzeitkleid an, das noch vollständig da hing, um ein Paar von Kopf zu Fuß und von innen heraus zu bekleiden. In kurzer Zeit waren die beiden Abenteurer nicht nur angezogen sondern geputzt. Sie sahen allerliebst aus, staunten einander an, als sie zusammentraten, und fielen sich mit unmäßiger Leidenschaft, und doch halb lächelnd über die Vermummung, gewaltsam in die Arme. Die Kraft der Jugend und die Regsamkeit der Liebe stellten sie in wenigen Augenblicken völlig wieder her, und es fehlte nur die Musik um sie zum Tanz aufzufordern.

Sich vom Wasser zur Erde, vom Tode zum Leben, aus dem
Familienkreise in eine Wildnis, aus der Verzweiflung zum
Entzücken, aus der Gleichgültigkeit zur Neigung, zur Leidenschaft gefunden zu haben, alles in einem Augenblick –
der Kopf wäre nicht hinreichend das zu fassen, er würde
zerspringen oder sich verwirren. Hiebei muß das Herz das
beste tun, wenn eine solche Überraschung ertragen werden
soll.

Ganz verloren eins ins andre, konnten sie erst nach einiger
Zeit an die Angst, an die Sorgen der Zurückgelassenen denken, und fast konnten sie selbst nicht ohne Angst, ohne
Sorge daran denken, wie sie jenen wieder begegnen wollten.
Sollen wir fliehen? sollen wir uns verbergen? sagte der Jüngling. Wir wollen zusammen bleiben, sagte sie, indem sie an
seinem Hals hing.

Der Landmann, der von ihnen die Geschichte des ge-
strandeten Schiffs vernommen hatte, eilte ohne weiter zu
fragen nach dem Ufer. Das Fahrzeug kam glücklich einher-
geschwommen; es war mit vieler Mühe losgebracht worden.
Man fuhr aufs Ungewisse fort, in Hoffnung die Verlornen
wieder zu finden. Als daher der Landmann mit Rufen und
Winken die Schiffenden aufmerksam machte, an eine Stelle
lief, wo ein vorteilhafter Landungsplatz sich zeigte, und mit
Winken und Rufen nicht aufhörte, wandte sich das Schiff
nach dem Ufer, und welch ein Schauspiel ward es, da sie
landeten! Die Eltern der beiden Verlobten drängten sich
zuerst ans Ufer; den liebenden Bräutigam hatte fast die Besinnung verlassen. Kaum hatten sie vernommen, daß die
lieben Kinder gerettet seien, so traten diese in ihrer sonderbaren Verkleidung aus dem Busch hervor. Man erkannte sie
nicht eher, als bis sie ganz herangetreten waren. Wen seh' ich?
riefen die Mütter: was seh' ich? riefen die Väter. Die Geretteten warfen sich vor ihnen nieder. Eure Kinder! riefen sie
aus: ein Paar. Verzeiht! rief das Mädchen. Gebt uns Euren
Segen! rief der Jüngling. Gebt uns Euren Segen! riefen
beide, da alle Welt staunend verstummte. Euren Segen! er-
tönte es zum drittenmal, und wer hätte den versagen können.

ELFTES KAPITEL

Der Erzählende machte eine Pause, oder hatte vielmehr
schon geendigt als er bemerken mußte, daß Charlotte höchst
bewegt sei; ja sie stand auf und verließ mit einer stummen
Entschuldigung das Zimmer: denn die Geschichte war ihr 5
bekannt. Diese Begebenheit hatte sich mit dem Hauptmann
und einer Nachbarin wirklich zugetragen, zwar nicht ganz
wie sie der Engländer erzählte, doch war sie in den Haupt-
zügen nicht entstellt, nur im Einzelnen mehr ausgebildet und
ausgeschmückt, wie es dergleichen Geschichten zu gehen 10
pflegt, wenn sie erst durch den Mund der Menge und sodann
durch die Phantasie eines geist- und geschmackreichen Erzählers durchgehen. Es bleibt zuletzt meist alles und nichts
wie es war.

Ottilie folgte Charlotten, wie es die beiden Fremden selbst 15
verlangten, und nun kam der Lord an die Reihe zu bemerken, daß vielleicht abermals ein Fehler begangen, etwas dem
Hause Bekanntes oder gar Verwandtes erzählt worden. Wir
müssen uns hüten, fuhr er fort, daß wir nicht noch mehr
Übles stiften. Für das viele Gute und Angenehme das wir 20
hier genossen, scheinen wir den Bewohnerinnen wenig
Glück zu bringen; wir wollen uns auf eine schickliche Weise
zu empfehlen suchen.

Ich muß gestehen, versetzte der Begleiter, daß mich hier
noch etwas anderes festhält, ohne dessen Aufklärung und 25
nähere Kenntnis ich dieses Haus nicht gern verlassen
möchte. Sie waren gestern, Mylord, als wir mit der tragbaren
dunklen Kammer durch den Park zogen, viel zu beschäftigt,
sich einen wahrhaft malerischen Standpunkt auszuwählen,
als daß sie hätten bemerken sollen was nebenher vorging. Sie 30
lenkten vom Hauptwege ab, um zu einem wenig besuchten
Platze am See zu gelangen, der Ihnen ein reizendes Gegenüber anbot. Ottilie die uns begleitete, stand an zu folgen, und
bat, sich auf dem Kahne dorthin begeben zu dürfen. Ich
setzte mich mit ihr ein und hatte meine Freude an der Ge- 35

wandtheit der schönen Schifferin. Ich versicherte ihr, daß ich
seit der Schweiz, wo auch die reizendsten Mädchen die Stelle
des Fuhrmanns vertreten, nicht so angenehm sei über die
Wellen geschaukelt worden; konnte mich aber nicht enthalten sie zu fragen, warum sie eigentlich abgelehnt jenen Sei-
tenweg zu machen: denn wirklich war in ihrem Ausweichen
eine Art von ängstlicher Verlegenheit. Wenn Sie mich nicht
auslachen wollen, versetzte sie freundlich; so kann ich Ihnen
darüber wohl einige Auskunft geben, obgleich selbst für
mich dabei ein Geheimnis obwaltet. Ich habe jenen Neben-
weg niemals betreten, ohne daß mich ein ganz eigener Schauder überfallen hätte, den ich sonst nirgends empfinde und
den ich mir nicht zu erklären weiß. Ich vermeide daher lieber,
mich einer solchen Empfindung auszusetzen, um somehr als
sich gleich darauf ein Kopfweh an der linken Seite einstellt,
woran ich sonst auch manchmal leide. Wir landeten, Ottilie
unterhielt sich mit Ihnen, und ich untersuchte indes die
Stelle, die sie mir aus der Ferne deutlich angegeben hatte.
Aber wie groß war meine Verwunderung, als ich eine sehr
deutliche Spur von Steinkohlen entdeckte, die mich überzeugt, man würde bei einigem Nachgraben vielleicht ein er-
giebiges Lager in der Tiefe finden.

Verzeihen Sie, Mylord: ich sehe Sie lächeln und weiß recht
gut, daß Sie mir meine leidenschaftliche Aufmerksamkeit auf
diese Dinge, an die Sie keinen Glauben haben, nur als weiser
Mann und als Freund nachsehen; aber es ist mir unmöglich
von hier zu scheiden, ohne das schöne Kind auch die
Pendelschwingungen versuchen zu lassen.

Es konnte niemals fehlen, wenn die Sache zur Sprache
kam, daß der Lord nicht seine Gründe dagegen abermals
wiederholte, welche der Begleiter bescheiden und geduldig
aufnahm, aber doch zuletzt bei seiner Meinung, bei seinen
Wünschen verharrte. Auch er gab wiederholt zu erkennen,
daß man deswegen, weil solche Versuche nicht Jedermann
gelängen, die Sache nicht aufgeben, ja vielmehr nur desto
ernsthafter und gründlicher untersuchen müßte; da sich gewiß noch manche Bezüge und Verwandtschaften unorgani-

scher Wesen untereinander, organischer gegen sie und abermals untereinander, offenbaren würden, die uns gegenwärtig
verborgen seien.

Er hatte seinen Apparat von goldnen Ringen, Markasiten
und andern metallischen Substanzen, den er in einem schönen Kästchen immer bei sich führte, schon ausgebreitet und
ließ nun Metalle, an Fäden schwebend, über liegende Metalle
zum Versuche nieder. Ich gönne Ihnen die Schadenfreude,
Mylord, sagte er dabei, die ich auf Ihrem Gesichte lese, daß
sich bei mir und für mich nichts bewegen will. Meine Operation ist aber auch nur ein Vorwand. Wenn die Damen zurückkehren, sollen sie neugierig werden was wir wunderliches hier beginnen.

Die Frauenzimmer kamen zurück. Charlotte verstand sogleich was vorging. Ich habe manches von diesen Dingen
gehört, sagte sie, aber niemals eine Wirkung gesehen. Da Sie
alles so hübsch bereit haben, lassen Sie mich versuchen, ob es
mir nicht auch anschlägt.

Sie nahm den Faden in die Hand; und da es ihr Ernst war,
hielt sie ihn stet und ohne Gemütsbewegung; allein auch
nicht das mindeste Schwanken war zu bemerken. Darauf
ward Ottilie veranlaßt. Sie hielt den Pendel noch ruhiger,
unbefangner, unbewußter über die unterliegenden Metalle.
Aber in dem Augenblicke ward das schwebende wie in einem
entschiedenen Wirbel fortgerissen und drehte sich, je nachdem man die Unterlage wechselte, bald nach der einen, bald
nach der andern Seite, jetzt in Kreisen, jetzt in Ellipsen, oder
nahm seinen Schwung in graden Linien, wie es der Begleiter
nur erwarten konnte, ja über alle seine Erwartung.

Der Lord selbst stutzte eingermaßen, aber der andere
konnte vor Lust und Begierde gar nicht enden und bat immer um Wiederholung und Vermannigfaltigung der Versuche. Ottilie war gefällig genug sich in sein Verlangen zu
finden, bis sie ihn zuletzt freundlich ersuchte, er möge sie
entlassen, weil ihr Kopfweh sich wieder einstelle. Er darüber
verwundert, ja entzückt, versicherte ihr mit Enthusiasmus,
daß er sie von diesem Übel völlig heilen wolle, wenn sie sich

seiner Kurart anvertraue. Man war einen Augenblick unge-
wiß; Charlotte aber die geschwind begriff wovon die Rede
sei, lehnte den wohlgesinnten Antrag ab, weil sie nicht gemeint war, in ihrer Umgebung etwas zuzulassen, wovor sie
5 immerfort eine starke Apprehension gefühlt hatte.

Die Fremden hatten sich entfernt, und ungeachtet man
von ihnen auf eine sonderbare Weise berührt worden war,
doch den Wunsch zurückgelassen, daß man sie irgendwo
wieder antreffen möchte. Charlotte benutzte nunmehr die
10 schönen Tage, um in der Nachbarschaft ihre Gegenbesuche
zu enden, womit sie kaum fertig werden konnte, indem sich
die ganze Landschaft umher, einige wahrhaft teilnehmend,
andre bloß der Gewohnheit wegen, bisher fleißig um sie
bekümmert hatten. Zu Hause belebte sie der Anblick des
15 Kindes; es war gewiß jeder Liebe, jeder Sorgfalt wert. Man
sah in ihm ein wunderbares, ja ein Wunderkind, höchst erfreulich dem Anblick, an Größe, Ebenmaß, Stärke und Gesundheit, und was noch mehr in Verwunderung setzte, war
jene doppelte Ähnlichkeit die sich immer mehr entwickelte.
20 Den Gesichtszügen und der ganzen Form nach glich das
Kind immer mehr dem Hauptmann, die Augen ließen sich
immer weniger von Ottiliens Augen unterscheiden.

Durch diese sonderbare Verwandtschaft und vielleicht
noch mehr durch das schöne Gefühl der Frauen geleitet, wel-
25 che das Kind eines geliebten Mannes auch von einer Andern
mit zärtlicher Neigung umfangen, ward Ottilie dem heran-
wachsenden Geschöpf so viel als eine Mutter, oder vielmehr
eine andre Art von Mutter. Entfernte sich Charlotte, so blieb
Ottilie mit dem Kinde und der Wärterin allein. Nanny hatte
30 sich seit einiger Zeit, eifersüchtig auf den Knaben, dem ihre
Herrin alle Neigung zuzuwenden schien, trotzig von ihr entfernt und war zu ihren Eltern zurückgekehrt. Ottilie fuhr
fort, das Kind in die freie Luft zu tragen, und gewöhnte sich
an immer weitere Spaziergänge. Sie hatte das Milchfläsch-
35 chen bei sich, um dem Kinde, wenn es nötig, seine Nahrung
zu reichen. Selten unterließ sie dabei ein Buch mitzunehmen,
und so bildete sie, das Kind auf dem Arm, lesend und wandelnd, eine gar anmutige Penserosa.

ZWÖLFTES KAPITEL

Der Hauptzweck des Feldzugs war erreicht, und Eduard mit Ehrenzeichen geschmückt, rühmlich entlassen. Er begab sich sogleich wieder auf jenes kleine Gut, wo er genaue Nachrichten von den Seinigen fand, die er, ohne daß sie es bemerkten und wußten, scharf hatte beobachten lassen. Sein stiller Aufenthalt blickte ihm aufs freundlichste entgegen: denn man hatte indessen nach seiner Anordnung manches eingerichtet, gebessert und gefördert, so daß die Anlagen und Umgebungen, was ihnen an Weite und Breite fehlte, durch das Innere und zunächst Genießbare ersetzten.

Eduard, durch einen rascheren Lebensgang an entschiedenere Schritte gewöhnt, nahm sich nunmehr vor dasjenige auszuführen, was er lange genug zu überdenken Zeit gehabt hatte. Vor allen Dingen berief er den Major. Die Freude des Wiedersehens war groß. Jugendfreundschaften, wie Blutsverwandtschaften, haben den bedeutenden Vorteil, daß ihnen Irrungen und Mißverständnisse, von welcher Art sie auch seien, niemals von Grund aus schaden, und die alten Verhältnisse sich nach einiger Zeit wieder herstellen.

Zum frohen Empfang erkundigte sich Eduard nach dem Zustande des Freundes, und vernahm, wie vollkommen nach seinen Wünschen ihn das Glück begünstigt habe. Halb scherzend vertraulich fragte Eduard sodann, ob nicht auch eine schöne Verbindung im Werke sei. Der Freund verneinte es, mit bedeutendem Ernst.

Ich kann und darf nicht hinterhaltig sein, fuhr Eduard fort: ich muß dir meine Gesinnungen und Vorsätze sogleich entdecken. Du kennst meine Leidenschaft für Ottilien und hast längst begriffen, daß sie es ist, die mich in diesen Feldzug gestürzt hat. Ich leugne nicht, daß ich gewünscht hatte, ein Leben los zu werden, das mir ohne sie nichts weiter nütze war; allein zugleich muß ich dir gestehen, daß ich es nicht über mich gewinnen konnte, vollkommen zu verzweifeln. Das Glück mit ihr war so schön, so wünschenswert, daß es mir unmöglich blieb, völlig Verzicht darauf zu tun. So manche tröstliche Ahndung, so manches heitere Zeichen hatte mich in dem Glauben, in dem Wahn bestärkt, Ottilie könne die meine werden. Ein Glas mit unserm Namenszug bezeichnet, bei der Grundsteinlegung in die Lüfte geworfen, ging nicht zu Trümmern; es ward aufgefangen und ist wieder in meinen Händen. So will ich mich denn selbst, rief ich mir zu, als ich an diesem einsamen Orte so viel zweifelhafte Stunden verlebt hatte: mich selbst will ich an die Stelle des Glases zum Zeichen machen, ob unsre Verbindung möglich sei oder nicht. Ich gehe hin und suche den Tod, nicht als ein Rasender, sondern als einer der zu leben hofft. Ottilie soll der Preis sein, um den ich kämpfe; sie soll es sein, die ich hinter jeder feindlichen Schlachtordnung, in jeder Verschanzung, in jeder belagerten Festung zu gewinnen, zu erobern hoffe. Ich will Wunder tun, mit dem Wunsche verschont zu bleiben, im Sinne Ottilien zu gewinnen, nicht sie zu verlieren. Diese Gefühle haben mich geleitet, sie haben mir durch alle Gefahren beigestanden; aber nun finde ich mich auch wie einen der zu seinem Ziele gelangt ist, der alle Hindernisse überwunden hat, dem nun nichts mehr im Wege steht. Ottilie ist mein, und was noch zwischen diesem Gedanken und der Ausführung liegt, kann ich nur für nichts bedeutend ansehen.

Du löschest, versetzte der Major, mit wenig Zügen alles aus, was man dir entgegensetzen könnte und sollte; und doch muß es wiederholt werden. Das Verhältnis zu deiner Frau in seinem ganzen Werte dir zurückzurufen, überlasse ich dir selbst; aber du bist es ihr, du bist es dir schuldig, dich hierüber nicht zu verdunkeln. Wie kann ich aber nur gedenken, daß Euch ein Sohn gegeben ist, ohne zugleich auszusprechen, daß ihr einander auf immer angehört, daß ihr um dieses Wesens willen schuldig seid, vereint zu leben, damit ihr vereint für seine Erziehung und für sein künftiges Wohl sorgen möget.

Es ist bloß ein Dünkel der Eltern, versetzte Eduard, wenn sie sich einbilden, daß ihr Dasein für die Kinder so nötig sei. Alles was lebt findet Nahrung und Beihülfe, und wenn der

Sohn, nach dem frühen Tode des Vaters, keine so bequeme, so begünstigte Jugend hat; so gewinnt er vielleicht eben deswegen an schnellerer Bildung für die Welt, durch zeitiges Anerkennen, daß er sich in andere schicken muß; was wir denn doch früher oder später alle lernen müssen. Und hievon ist ja die Rede gar nicht: wir sind reich genug, um mehrere Kinder zu versorgen, und es ist keineswegs Pflicht noch Wohltat, auf Ein Haupt so viele Güter zu häufen.

Als der Major mit einigen Zügen Charlottens Wert und Eduards lange bestandenes Verhältnis zu ihr anzudeuten gedachte, fiel ihm Eduard hastig in die Rede: Wir haben eine Torheit begangen, die ich nur allzuwohl einsehe. Wer in einem gewissen Alter frühere Jugendwünsche und Hoffnungen realisieren will, betriegt sich immer: denn jedes Jahrzehend des Menschen hat sein eigenes Glück, seine eigenen Hoffnungen und Aussichten. Wehe dem Menschen der vorwärts oder rückwärts zu greifen, durch Umstände oder durch Wahn veranlaßt wird! Wir haben eine Torheit begangen; soll sie es denn fürs ganze Leben sein? Sollen wir uns, aus irgend einer Art von Bedenklichkeit, dasjenige versagen, was uns die Sitten der Zeit nicht absprechen? In wie vielen Dingen nimmt der Mensch seinen Vorsatz, seine Tat zurück, und hier gerade sollte es nicht geschehen, wo vom Ganzen und nicht vom Einzelnen, wo nicht von dieser oder jener Bedingung des Lebens, wo vom ganzen Komplex des Lebens die Rede ist!

Der Major verfehlte nicht auf eine eben so geschickte als nachdrückliche Weise Eduarden die verschiedenen Bezüge zu seiner Gemahlin, zu den Familien, zu der Welt, zu seinen Besitzungen vorzustellen; aber es gelang ihm nicht, irgend eine Teilnahme zu erregen.

Alles dieses, mein Freund, erwiderte Eduard, ist mir vor der Seele vorbeigegangen, mitten im Gewühl der Schlacht, wenn die Erde vom anhaltenden Donner bebte, wenn die Kugeln sausten und pfiffen, rechts und links die Gefährten niederfielen, mein Pferd getroffen, mein Hut durchlöchert ward; es hat mir vorgeschwebt beim stillen nächtlichen Feuer

unter dem gestirnten Gewölbe des Himmels. Dann traten
mir alle meine Verbindungen vor die Seele; ich habe sie
durchgedacht, durchgefühlt; ich habe mir zugeeignet, ich
habe mich abgefunden, zu wiederholten Malen, und nun für
immer.

In solchen Augenblicken, wie kann ich dir's verschweigen, warst auch du mir gegenwärtig, auch du gehör-
test in meinen Kreis; und gehören wir denn nicht schon so
lange zueinander? Wenn ich dir etwas schuldig geworden, so
komme ich jetzt in den Fall dir es mit Zinsen abzutragen;
wenn du mir je etwas schuldig geworden, so siehst du dich
nun im Stande, mir es zu vergelten. Ich weiß du liebst Charlotten, und sie verdient es; ich weiß du bist ihr nicht gleichgültig, und warum sollte sie deinen Wert nicht erkennen!
Nimm sie von meiner Hand! führe mir Ottilien zu! und wir
sind die glücklichsten Menschen auf der Erde.

Eben weil du mich mit so hohen Gaben bestechen willst,
versetzte der Major, muß ich desto vorsichtiger, desto strenger sein. Anstatt daß dieser Vorschlag, den ich still verehre,
die Sache erleichtern möchte, erschwert er sie vielmehr. Es
ist, wie von dir, nun auch von mir die Rede, und so wie von
dem Schicksal, so auch von dem guten Namen, von der Ehre
zweier Männer, die bis jetzt unbescholten, durch diese
wunderliche Handlung, wenn wir sie auch nicht anders nennen wollen, in Gefahr kommen, vor der Welt in einem höchst
seltsamen Lichte zu erscheinen.

Eben daß wir unbescholten sind, versetzte Eduard, gibt
uns das Recht uns auch einmal schelten zu lassen. Wer sich
sein ganzes Leben als einen zuverlässigen Mann bewiesen,
der macht eine Handlung zuverlässig, die bei andern zweideutig erscheinen würde. Was mich betrifft, ich fühle mich
durch die letzten Prüfungen die ich mir auferlegt, durch die
schwierigen gefahrvollen Taten die ich für andere getan, berechtigt auch etwas für mich zu tun. Was dich und Charlotten
betrifft, so sei es der Zukunft anheim gegeben; mich aber
wirst du, wird Niemand von meinem Vorsatze zurückhalten.
Will man mir die Hand bieten, so bin ich auch wieder zu

allem erbötig; will man mich mir selbst überlassen, oder mir wohl gar entgegen sein: so muß ein Extrem entstehen, es werde auch wie es wolle.

Der Major hielt es für seine Pflicht, dem Vorsatz Eduards so lange als möglich Widerstand zu leisten, und er bediente sich nun gegen seinen Freund einer klugen Wendung, indem er nachzugeben schien und nur die Form, den Geschäftsgang zur Sprache brachte, durch welchen man diese Trennung, diese Verbindungen erreichen sollte. Da trat denn so manches Unerfreuliche, Beschwerliche, Unschickliche hervor, daß sich Eduard in die schlimmste Laune versetzt fühlte.

Ich sehe wohl, rief dieser endlich, nicht allein von Feinden, sondern auch von Freunden muß was man wünscht, erstürmt werden. Das was ich will, was mir unentbehrlich ist, halte ich fest im Auge; ich werde es ergreifen und gewiß bald und behende. Dergleichen Verhältnisse, weiß ich wohl, heben sich nicht auf und bilden sich nicht, ohne daß manches falle was steht, ohne daß manches weiche was zu beharren Lust hat. Durch Überlegung wird so etwas nicht geendet; vor dem Verstande sind alle Rechte gleich, und auf die steigende Waagschale läßt sich immer wieder ein Gegengewicht legen. Entschließe dich also, mein Freund, für mich, für dich zu handeln, für mich, für dich diese Zustände zu entwirren, aufzulösen, zu verknüpfen. Laß dich durch keine Betrachtungen abhalten; wir haben die Welt ohnehin schon von uns reden machen, sie wird noch einmal von uns reden, uns sodann, wie alles übrige was aufhört neu zu sein, vergessen und uns gewähren lassen wie wir können, ohne weitern Teil an uns zu nehmen.

Der Major hatte keinen andern Ausweg und mußte endlich zugeben, daß Eduard ein für allemal die Sache als etwas Bekanntes und Vorausgesetztes behandelte, daß er wie alles anzustellen sei, im Einzelnen durchsprach und sich über die Zukunft auf das heiterste, sogar in Scherzen erging.

Dann wieder ernsthaft und nachdenklich fuhr er fort: Wollten wir uns der Hoffnung, der Erwartung überlassen, daß alles sich von selbst wieder finden, daß der Zufall uns

leiten und begünstigen solle; so wäre dies ein sträflicher
Selbstbetrug. Auf diese Weise können wir uns unmöglich
retten, unsre allseitige Ruhe nicht wiederherstellen; und wie
sollte ich mich trösten können, da ich unschuldig die Schuld
an allem bin! Durch meine Zudringlichkeit habe ich Charlotten vermocht, dich ins Haus zu nehmen, und auch Ottilie
ist nur in Gefolg von dieser Veränderung bei uns eingetreten. Wir sind nicht mehr Herr über das was daraus entsprungen ist, aber wir sind Herr, es unschädlich zu machen,
die Verhältnisse zu unserm Glücke zu leiten. Magst du die
Augen von den schönen und freundlichen Aussichten ab-
wenden, die ich uns eröffne, magst du mir, magst du uns allen
ein trauriges Entsagen gebieten, insofern du dir's möglich
denkst, insofern es möglich wäre: ist denn nicht auch alsdann, wenn wir uns vornehmen in die alten Zustände zurückzukehren, manches Unschickliche, Unbequeme, Ver-
drießliche zu übertragen, ohne daß irgend etwas Gutes, etwas Heiteres daraus entspränge? Würde der glückliche Zustand in dem du dich befindest, dir wohl Freude machen,
wenn du gehindert wärst, mich zu besuchen, mit mir zu leben? Und nach dem was vorgegangen ist, würde es doch
immer peinlich sein. Charlotte und ich würden mit allem
unserm Vermögen uns nur in einer traurigen Lage befinden.
Und wenn du mit andern Weltmenschen glauben magst, daß
Jahre, daß Entfernung solche Empfindungen abstumpfen,
so tief eingegrabene Züge auslöschen; so ist ja eben von
diesen Jahren die Rede, die man nicht in Schmerz und Entbehren sondern in Freude und Behagen zubringen will. Und
nun zuletzt noch das Wichtigste auszusprechen: wenn wir
auch, unserm äußern und innern Zustande nach, das allenfalls abwarten könnten, was soll aus Ottilien werden, die
unser Haus verlassen, in der Gesellschaft unserer Vorsorge
entbehren und sich in der verruchten kalten Welt jämmerlich
herumdrücken müßte! Male mir einen Zustand worin Ottilie, ohne mich, ohne uns, glücklich sein könnte, dann sollst
du ein Argument ausgesprochen haben, das stärker ist als
jedes andre, das ich, wenn ich's auch nicht zugeben, mich ihm

nicht ergeben kann, dennoch recht gern aufs neue in Betrachtung und Überlegung ziehen will.

Diese Aufgabe war so leicht nicht zu lösen, wenigstens fiel dem Freunde hierauf keine hinlängliche Antwort ein, und es blieb ihm nichts übrig, als wiederholt einzuschärfen, wie wichtig, wie bedenklich und in manchem Sinne gefährlich das ganze Unternehmen sei, und daß man wenigstens wie es anzugreifen wäre, auf das ernstlichste zu bedenken habe. Eduard ließ sich's gefallen, doch nur unter der Bedingung, daß ihn der Freund nicht eher verlassen wolle, als bis sie über die Sache völlig einig geworden, und die ersten Schritte getan seien.

DREIZEHNTES KAPITEL

Völlig fremde und gegen einander gleichgültige Menschen, wenn sie eine Zeit lang zusammen leben, kehren ihr Inneres wechselseitig heraus, und es muß eine gewisse Vertraulichkeit entstehen. Um so mehr läßt sich erwarten, daß unsern beiden Freunden, indem sie wieder neben einander wohnten, täglich und stündlich zusammen umgingen, gegenseitig nichts verborgen blieb. Sie wiederholten das Andenken ihrer früheren Zustände, und der Major verhehlte nicht, daß Charlotte Eduarden, als er von Reisen zurückgekommen, Ottilien zugedacht, daß sie ihm das schöne Kind in der Folge zu vermählen gemeint habe. Eduard bis zur Verwirrung entzückt über diese Entdeckung, sprach ohne Rückhalt von der gegenseitigen Neigung Charlottens und des Majors, die er, weil es ihm gerade bequem und günstig war, mit lebhaften Farben ausmalte.

Ganz leugnen konnte der Major nicht und nicht ganz eingestehen; aber Eduard befestigte, bestimmte sich nur mehr. Er dachte sich alles nicht als möglich, sondern als schon geschehen. Alle Teile brauchten nur in das zu willigen was sie wünschten; eine Scheidung war gewiß zu erlangen; eine baldige Verbindung sollte folgen, und Eduard wollte mit Ottilien reisen.

Unter allem was die Einbildungskraft sich Angenehmes
ausmalt, ist vielleicht nichts Reizenderes, als wenn Liebende,
wenn junge Gatten, ihr neues frisches Verhältnis in einer
neuen frischen Welt zu genießen, und einen dauernden Bund
5 an so viel wechselnden Zuständen zu prüfen und zu bestä-
tigen hoffen. Der Major und Charlotte sollten unterdessen
unbeschränkte Vollmacht haben, alles was sich auf Besitz,
Vermögen und die irdischen wünschenswerten Einrichtungen bezieht, dergestalt zu ordnen und nach Recht und Billig-
10 keit einzuleiten, daß alle Teile zufrieden sein könnten. Worauf jedoch Eduard am allermeisten zu fußen, wovon er sich
den größten Vorteil zu versprechen schien, war dies: Da das
Kind bei der Mutter bleiben sollte, so würde der Major den
Knaben erziehen, ihn nach seinen Einsichten leiten, seine
15 Fähigkeiten entwickeln können. Nicht umsonst hatte man
ihm dann in der Taufe ihren beiderseitigen Namen Otto gegeben.

Das alles war bei Eduarden so fertig geworden, daß er
keinen Tag länger anstehen mochte, der Ausführung näher
20 zu treten. Sie gelangten auf ihrem Wege nach dem Gute zu
einer kleinen Stadt, in der Eduard ein Haus besaß, wo er
verweilen und die Rückkunft des Majors abwarten wollte.
Doch konnte er sich nicht überwinden, daselbst sogleich ab-
zusteigen, und begleitete den Freund noch durch den Ort.
25 Sie waren beide zu Pferde, und in bedeutendem Gespräch
verwickelt ritten sie zusammen weiter.

Auf einmal erblickten sie in der Ferne das neue Haus auf
der Höhe, dessen rote Ziegeln sie zum erstenmal blinken
sahn. Eduarden ergreift eine unwiderstehliche Sehnsucht; es
30 soll noch diesen Abend alles abgetan sein. In einem ganz
nahen Dorfe will er sich verborgen halten; der Major soll die
Sache Charlotten dringend vorstellen, ihre Vorsicht überraschen und durch den unerwarteten Antrag sie zu freier Eröffnung ihrer Gesinnung nötigen. Denn Eduard, der seine
35 Wünsche auf sie übergetragen hatte, glaubte nicht anders als
daß er ihren entschiedenen Wünschen entgegen komme, und
hoffte eine so schnelle Einwilligung von ihr, weil er keinen
andern Willen haben konnte.

Er sah den glücklichen Ausgang freudig vor Augen, und damit dieser dem Lauernden schnell verkündigt würde, sollten einige Kanonenschläge losgebrannt werden, und wäre es Nacht geworden, einige Raketen steigen.

Der Major ritt nach dem Schlosse zu. Er fand Charlotten nicht, sondern erfuhr vielmehr, daß sie gegenwärtig oben auf dem neuen Gebäude wohne, jetzt aber einen Besuch in der Nachbarschaft ablege, von welchem sie heute wahrscheinlich nicht sobald nach Hause komme. Er ging in das Wirtshaus zurück, wohin er sein Pferd gestellt hatte.

Eduard indessen von unüberwindlicher Ungeduld getrieben, schlich aus seinem Hinterhalte durch einsame Pfade, nur Jägern und Fischern bekannt, nach seinem Park, und fand sich gegen Abend im Gebüsch in der Nachbarschaft des Sees, dessen Spiegel er zum erstenmal vollkommen und rein erblickte.

Ottilie hatte diesen Nachmittag einen Spaziergang an den See gemacht. Sie trug das Kind und las im Gehen nach ihrer Gewohnheit. So gelangte sie zu den Eichen bei der Überfahrt. Der Knabe war eingeschlafen; sie setzte sich, legte ihn neben sich nieder und fuhr fort zu lesen. Das Buch war eins von denen die ein zartes Gemüt an sich ziehen und nicht wieder los lassen. Sie vergaß Zeit und Stunde, und dachte nicht, daß sie zu Lande noch einen weiten Rückweg nach dem neuen Gebäude habe; aber sie saß versenkt in ihr Buch, in sich selbst, so liebenswürdig anzusehen, daß die Bäume, die Sträuche rings umher hätten belebt, mit Augen begabt sein sollen, um sie zu bewundern und sich an ihr zu erfreuen. Und eben fiel ein rötliches Streiflicht der sinkenden Sonne hinter ihr her und vergoldete Wange und Schulter.

Eduard, dem es bisher gelungen war, unbemerkt so weit vorzudringen, der seinen Park leer, die Gegend einsam fand, wagte sich immer weiter. Endlich bricht er durch das Gebüsch bei den Eichen; er sieht Ottilien, sie ihn; er fliegt auf sie zu und liegt zu ihren Füßen. Nach einer langen stummen Pause, in der sich beide zu fassen suchen, erklärt er ihr mit wenig Worten, warum und wie er hieher gekommen. Er

habe den Major an Charlotten abgesendet, ihr gemeinsames
Schicksal werde vielleicht in diesem Augenblick entschieden.
Nie habe er an ihrer Liebe gezweifelt, sie gewiß auch nie an
der seinigen. Er bitte sie um ihre Einwilligung. Sie zauderte,
5 er beschwur sie; er wollte seine alten Rechte geltend machen
und sie in seine Arme schließen; sie deutete auf das Kind hin.
   Eduard erblickt es und staunt. Großer Gott! ruft er aus:
wenn ich Ursache hätte an meiner Frau, an meinem Freunde
zu zweifeln, so würde diese Gestalt fürchterlich gegen sie
10 zeugen. Ist dies nicht die Bildung des Majors? Solch ein Gleichen habe ich nie gesehen.
   Nicht doch! versetzte Ottilie: alle Welt sagt, es gleiche mir.
Wär' es möglich? versetzte Eduard, und in dem Augenblick
schlug das Kind die Augen auf, zwei große, schwarze, durch-
15 dringende Augen, tief und freundlich. Der Knabe sah die
Welt schon so verständig an; er schien die beiden zu kennen,
die vor ihm standen. Eduard warf sich bei dem Kinde nieder,
er kniete zweimal vor Ottilien. Du bists! rief er aus: deine
Augen sind's. Ach! aber laß mich nur in die deinigen schaun.
20 Laß mich einen Schleier werfen über jene unselige Stunde,
die diesem Wesen das Dasein gab. Soll ich deine reine Seele
mit dem unglücklichen Gedanken erschrecken, daß Mann
und Frau entfremdet sich einander ans Herz drücken und
einen gesetzlichen Bund durch lebhafte Wünsche entheiligen
25 können! Oder ja, da wir einmal so weit sind, da mein Verhältnis zu Charlotten getrennt werden muß, da du die
meinige sein wirst, warum soll ich es nicht sagen! Warum soll
ich das harte Wort nicht aussprechen: dies Kind ist aus einem
doppelten Ehbruch erzeugt! es trennt mich von meiner Gat-
30 tin und meine Gattin von mir, wie es uns hätte verbinden
sollen. Mag es denn gegen mich zeugen, mögen diese herrlichen Augen den deinigen sagen, daß ich in den Armen einer
andern dir gehörte; mögest du fühlen, Ottilie, recht fühlen,
daß ich jenen Fehler, jenes Verbrechen nur in deinen Armen
35 abbüßen kann!
   Horch! rief er aus, indem er aufsprang und einen Schuß zu
hören glaubte, als das Zeichen das der Major geben sollte. Es

war ein Jäger, der im benachbarten Gebirg geschossen hatte. Es erfolgte nichts weiter; Eduard war ungeduldig.

Nun erst sah Ottilie, daß die Sonne sich hinter die Berge gesenkt hatte. Noch zuletzt blinkte sie von den Fenstern des obern Gebäudes zurück. Entferne dich, Eduard! rief Ottilie. So lange haben wir entbehrt, so lange geduldet. Bedenke was wir beide Charlotten schuldig sind. Sie muß unser Schicksal entscheiden, laß uns ihr nicht vorgreifen. Ich bin die Deine, wenn sie es vergönnt; wo nicht, so muß ich dir entsagen. Da du die Entscheidung so nah glaubst, so laß uns erwarten. Geh in das Dorf zurück, wo der Major dich vermutet. Wie manches kann vorkommen, das eine Erklärung fordert. Ist es wahrscheinlich, daß ein roher Kanonenschlag dir den Erfolg seiner Unterhandlungen verkünde? Vielleicht sucht er dich auf in diesem Augenblick. Er hat Charlotten nicht getroffen, das weiß ich: er kann ihr entgegen gegangen sein, denn man wußte wo sie hin war. Wie vielerlei Fälle sind möglich! Laß mich! Jetzt muß sie kommen. Sie erwartet mich mit dem Kinde dort oben.

Ottilie sprach in Hast. Sie rief sich alle Möglichkeiten zusammen. Sie war glücklich in Eduards Nähe und fühlte, daß sie ihn jetzt entfernen müsse. Ich bitte, ich beschwöre dich, Geliebter! rief sie aus: Kehre zurück und erwarte den Major! Ich gehorche deinen Befehlen, rief Eduard, indem er sie erst leidenschaftlich anblickte und sie dann fest in seine Arme schloß. Sie umschlang ihn mit den ihrigen und drückte ihn auf das zärtlichste an ihre Brust. Die Hoffnung fuhr wie ein Stern, der vom Himmel fällt, über ihre Häupter weg. Sie wähnten, sie glaubten einander anzugehören; sie wechselten zum erstenmal entschiedene, freie Küsse und trennten sich gewaltsam und schmerzlich.

Die Sonne war untergegangen und es dämmerte schon und duftete feucht um den See. Ottilie stand verwirrt und bewegt; sie sah nach dem Berghause hinüber und glaubte Charlottens weißes Kleid auf dem Altan zu sehen. Der Umweg war groß am See hin; sie kannte Charlottens ungeduldiges Harren nach dem Kinde. Die Platanen sieht sie

gegen sich über, nur ein Wasserraum trennt sie von dem
Pfade, der sogleich zu dem Gebäude hinaufführt. Mit Gedanken ist sie schon drüben, wie mit den Augen. Die Bedenklichkeit, mit dem Kinde sich aufs Wasser zu wagen, ver-
5 schwindet in diesem Drange. Sie eilt nach dem Kahn, sie
fühlt nicht daß ihr Herz pocht, daß ihre Füße schwanken, daß
ihr die Sinne zu vergehen drohn.

Sie springt in den Kahn, ergreift das Ruder und stößt ab.
Sie muß Gewalt brauchen, sie wiederholt den Stoß, der Kahn
10 schwankt und gleitet eine Strecke Seewärts. Auf dem linken
Arme das Kind, in der linken Hand das Buch, in der rechten
das Ruder, schwankt auch sie und fällt in den Kahn. Das
Ruder entfährt ihr, nach der einen Seite, und wie sie sich
erhalten will, Kind und Buch, nach der andern, alles ins Was-
15 ser. Sie ergreift noch des Kindes Gewand; aber ihre unbequeme Lage hindert sie selbst am Aufstehen. Die freie rechte
Hand ist nicht hinreichend sich umzuwenden, sich aufzurichten; endlich gelingt's, sie zieht das Kind aus dem Wasser, aber
seine Augen sind geschlossen, es hat aufgehört zu atmen.

20 In dem Augenblicke kehrt ihre ganze Besonnenheit zurück, aber um desto größer ist ihr Schmerz. Der Kahn treibt
fast in der Mitte des Sees, das Ruder schwimmt fern, sie
erblickt Niemanden am Ufer und auch was hätte es ihr geholfen, Jemanden zu sehen! Von allem abgesondert schwebt
25 sie auf dem treulosen unzugänglichen Elemente.

Sie sucht Hülfe bei sich selbst. So oft hatte sie von Rettung
der Ertrunkenen gehört. Noch am Abend ihres Geburtstags
hatte sie es erlebt. Sie entkleidet das Kind, und trocknet's mit
ihrem Musselingewand. Sie reißt ihren Busen auf und zeigt
30 ihn zum erstenmal dem freien Himmel; zum erstenmal
drückt sie ein Lebendiges an ihre reine nackte Brust, ach! und
kein Lebendiges. Die kalten Glieder des unglücklichen Geschöpfs verkälten ihren Busen bis ins innerste Herz. Unendliche Tränen entquellen ihren Augen und erteilen der Ober-
35 fläche des Erstarrten einen Schein von Wärm' und Leben. Sie
läßt nicht nach, sie überhüllt es mit ihrem Shawl, und durch
Streicheln, Andrücken, Anhauchen, Küssen, Tränen glaubt

sie jene Hülfsmittel zu ersetzen, die ihr in dieser Abgeschnittenheit versagt sind.

Alles vergebens! Ohne Bewegung liegt das Kind in ihren Armen, ohne Bewegung steht der Kahn auf der Wasserfläche; aber auch hier läßt ihr schönes Gemüt sie nicht hülflos. Sie wendet sich nach oben. Kniend sinkt sie in dem Kahne nieder und hebt das erstarrte Kind mit beiden Armen über ihre unschuldige Brust, die an Weiße und leider auch an Kälte dem Marmor gleicht. Mit feuchtem Blick sieht sie empor und ruft Hülfe von daher, wo ein zartes Herz die größte Fülle zu finden hofft, wenn es überall mangelt.

Auch wendet sie sich nicht vergebens zu den Sternen, die schon einzeln hervorzublinken anfangen. Ein sanfter Wind erhebt sich und treibt den Kahn nach den Platanen.

VIERZEHNTES KAPITEL

Sie eilt nach dem neuen Gebäude, sie ruft den Chirurgus hervor, sie übergibt ihm das Kind. Der auf alles gefaßte Mann behandelt den zarten Leichnam stufenweise nach gewohnter Art. Ottilie steht ihm in allem bei; sie schafft, sie bringt, sie sorgt, zwar wie in einer andern Welt wandelnd: denn das höchste Unglück wie das höchste Glück verändert die Ansicht aller Gegenstände; und nur, als nach allen durchgegangenen Versuchen der wackere Mann den Kopf schüttelt, auf ihre hoffnungsvollen Fragen erst schweigend, dann mit einem leisen Nein antwortet, verläßt sie das Schlafzimmer Charlottens, worin dies alles geschehen, und kaum hat sie das Wohnzimmer betreten, so fällt sie, ohne den Sofa erreichen zu können, erschöpft aufs Angesicht über den Teppich hin.

Eben hört man Charlotten vorfahren. Der Chirurg bittet die Umstehenden dringend zurück zu bleiben, er will ihr entgegen, sie vorbereiten; aber schon betritt sie ihr Zimmer. Sie findet Ottilien an der Erde, und ein Mädchen des Hauses stürzt ihr mit Geschrei und Weinen entgegen. Der Chirurg

tritt herein und sie erfährt alles auf einmal. Wie sollte sie aber
jede Hoffnung mit einmal aufgeben! Der erfahrne, kunstreiche, kluge Mann bittet sie nur das Kind nicht zu sehen; er
entfernt sich, sie mit neuen Anstalten zu täuschen. Sie hat
sich auf ihren Sofa gesetzt, Ottilie liegt noch an der Erde,
aber an der Freundin Knie herangehoben, über die ihr schönes Haupt hingesenkt ist. Der ärztliche Freund geht ab und
zu; er scheint sich um das Kind zu bemühen, er bemüht sich
um die Frauen. So kommt die Mitternacht herbei, die Toten-
stille wird immer tiefer. Charlotte verbirgt sich's nicht mehr,
daß das Kind nie wieder ins Leben zurückkehre; sie verlangt
es zu sehen. Man hat es in warme wollne Tücher reinlich
eingehüllt, in einen Korb gelegt, den man neben sie auf den
Sofa setzt; nur das Gesichtchen ist frei; ruhig und schön liegt
es da.

Von dem Unfall war das Dorf bald erregt worden und die
Kunde sogleich bis nach dem Gasthof erschollen. Der Major
hatte sich die bekannten Wege hinaufbegeben; er ging um
das Haus herum, und indem er einen Bedienten anhielt, der
in dem Angebäude etwas zu holen lief, verschaffte er sich
nähere Nachricht und ließ den Chirurgen herausrufen. Dieser kam, erstaunt über die Erscheinung seines alten Gönners,
berichtete ihm die gegenwärtige Lage und übernahm es,
Charlotten auf seinen Anblick vorzubereiten. Er ging hinein,
fing ein ableitendes Gespräch an und führte die Einbildungskraft von einem Gegenstand auf den andern, bis er endlich
den Freund Charlotten vergegenwärtigte, dessen gewisse
Teilnahme, dessen Nähe dem Geiste, der Gesinnung nach,
die er denn bald in eine wirkliche übergehen ließ. Genug sie
erfuhr, der Freund stehe vor der Tür, er wisse alles und
wünsche eingelassen zu werden.

Der Major trat herein; ihn begrüßte Charlotte mit einem
schmerzlichen Lächeln. Er stand vor ihr. Sie hub die grün-
seidne Decke auf, die den Leichnam verbarg, und bei dem
dunklen Schein einer Kerze erblickte er, nicht ohne geheimes
Grausen, sein erstarrtes Ebenbild. Charlotte deutete auf einen Stuhl, und so saßen sie gegen einander über, schwei-

gend, die Nacht hindurch. Ottilie lag noch ruhig auf den Knien Charlottens; sie atmete sanft, sie schlief, oder sie schien zu schlafen.

Der Morgen dämmerte, das Licht verlosch, beide Freunde schienen aus einem dumpfen Traum zu erwachen. Charlotte blickte den Major an und sagte gefaßt: erklären Sie mir, mein Freund, durch welche Schickung kommen Sie hieher, um Teil an dieser Trauerszene zu nehmen?

Es ist hier, antwortete der Major ganz leise wie sie gefragt hatte, – als wenn sie Ottilien nicht aufwecken wollten – es ist hier nicht Zeit und Ort, zurückzuhalten, Einleitungen zu machen und sachte heran zu treten. Der Fall, in dem ich Sie finde, ist so ungeheuer, daß das Bedeutende selbst weshalb ich komme, dagegen seinen Wert verliert.

Er gestand ihr darauf, ganz ruhig und einfach, den Zweck seiner Sendung, in so fern Eduard ihn abgeschickt hatte; den Zweck seines Kommens, in so fern sein freier Wille, sein eigenes Interesse dabei war. Er trug beides sehr zart, doch aufrichtig vor; Charlotte hörte gelassen zu, und schien weder darüber zu staunen, noch unwillig zu sein.

Als der Major geendigt hatte, antwortete Charlotte mit ganz leiser Stimme, so daß er genötigt war seinen Stuhl heranzurücken: In einem Falle wie dieser ist, habe ich mich noch nie befunden; aber in ähnlichen habe ich mir immer gesagt: wie wird es morgen sein? Ich fühle recht wohl, daß das Los von mehreren jetzt in meinen Händen liegt; und was ich zu tun habe ist bei mir außer Zweifel und bald ausgesprochen. Ich willige in die Scheidung. Ich hätte mich früher dazu entschließen sollen; durch mein Zaudern, mein Widerstreben habe ich das Kind getötet. Es sind gewisse Dinge, die sich das Schicksal hartnäckig vornimmt. Vergebens, daß Vernunft und Tugend, Pflicht und alles Heilige sich ihm in den Weg stellen; es soll etwas geschehen was ihm recht ist, was uns nicht recht scheint; und so greift es zuletzt durch, wir mögen uns gebärden wie wir wollen.

Doch was sag' ich! Eigentlich will das Schicksal meinen eigenen Wunsch, meinen eigenen Vorsatz, gegen die ich un-

bedachtsam gehandelt, wieder in den Weg bringen. Habe ich
nicht selbst schon Ottilien und Eduarden mir als das schick-
lichste Paar zusammengedacht? Habe ich nicht selbst beide
einander zu nähern gesucht? Waren Sie nicht selbst, mein
Freund, Mitwisser dieses Plans? Und warum konnt' ich den
Eigensinn eines Mannes nicht von wahrer Liebe unterscheiden? Warum nahm ich seine Hand an? da ich als Freundin ihn
und eine andre Gattin glücklich gemacht hätte. Und betrachten Sie nur diese unglückliche Schlummernde! Ich zittere vor
dem Augenblicke, wenn sie aus ihrem halben Totenschlafe
zum Bewußtsein erwacht. Wie soll sie leben, wie soll sie sich
trösten, wenn sie nicht hoffen kann, durch ihre Liebe Eduarden das zu ersetzen, was sie ihm als Werkzeug des wunder-
barsten Zufalls geraubt hat. Und sie kann ihm alles wiedergeben nach der Neigung, nach der Leidenschaft mit der sie
ihn liebt. Vermag die Liebe alles zu dulden, so vermag sie
noch vielmehr alles zu ersetzen. An mich darf in diesem Augenblick nicht gedacht werden.

Entfernen Sie sich in der Stille, lieber Major. Sagen Sie
Eduarden, daß ich in die Scheidung willige, daß ich ihm,
Ihnen, Mittlern die ganze Sache einzuleiten überlasse; daß
ich um meine künftige Lage unbekümmert bin und es in
jedem Sinne sein kann. Ich will jedes Papier unterschreiben,
das man mir bringt; aber man verlange nur nicht von mir,
daß ich mitwirke, daß ich bedenke, daß ich berate.

Der Major stand auf. Sie reichte ihm ihre Hand über Ottilien weg. Er drückte seine Lippen auf diese liebe Hand.
Und für mich, was darf ich hoffen? lispelte er leise.

Lassen Sie mich Ihnen die Antwort schuldig bleiben, versetzte Charlotte. Wir haben nicht verschuldet unglücklich zu
werden; aber auch nicht verdient zusammen glücklich zu
sein.

Der Major entfernte sich, Charlotten tief im Herzen be-
klagend, ohne jedoch das arme abgeschiedene Kind bedauern zu können. Ein solches Opfer schien ihm nötig zu
ihrem allseitigen Glück. Er dachte sich Ottilien mit einem
eignen Kind auf dem Arm, als den vollkommensten Ersatz

für das, was sie Eduarden geraubt; er dachte sich einen Sohn auf dem Schoße, der mit mehrerem Recht sein Ebenbild trüge, als der abgeschiedene.

So schmeichelnde Hoffnungen und Bilder gingen ihm durch die Seele, als er auf dem Rückwege nach dem Gasthofe Eduarden fand, der die ganze Nacht im Freien den Major erwartet hatte, da ihm kein Feuerzeichen, kein Donnerlaut ein glückliches Gelingen verkünden wollte. Er wußte bereits von dem Unglück und auch er, anstatt das arme Geschöpf zu bedauern, sah diesen Fall, ohne sich's ganz gestehen zu wollen, als eine Fügung an, wodurch jedes Hindernis an seinem Glück auf einmal beseitigt wäre. Gar leicht ließ er sich daher durch den Major bewegen, der ihm schnell den Entschluß seiner Gattin verkündigte, wieder nach jenem Dorfe, und sodann nach der kleinen Stadt zurückzukehren, wo sie das Nächste überlegen und einleiten wollten.

Charlotte saß, nachdem der Major sie verlassen hatte, nur wenige Minuten in ihre Betrachtungen versenkt: denn sogleich richtete Ottilie sich auf, ihre Freundin mit großen Augen anblickend. Erst erhob sie sich von dem Schoße, dann von der Erde und stand vor Charlotten.

Zum zweitenmal – so begann das herrliche Kind mit einem unüberwindlichen anmutigen Ernst – zum zweitenmal widerfährt mir dasselbige. Du sagtest mir einst: es begegne den Menschen in ihrem Leben oft Ähnliches auf ähnliche Weise, und immer in bedeutenden Augenblicken. Ich finde nun die Bemerkung wahr, und bin gedrungen dir ein Bekenntnis zu machen. Kurz nach meiner Mutter Tode, als ein kleines Kind, hatte ich meinen Schemmel an dich gerückt; du saßest auf dem Sofa wie jetzt; mein Haupt lag auf deinen Knien, ich schlief nicht, ich wachte nicht; ich schlummerte. Ich vernahm alles was um mich vorging, besonders alle Reden, sehr deutlich; und doch konnte ich mich nicht regen, mich nicht äußern, und wenn ich auch gewollt hätte, nicht andeuten, daß ich meiner selbst mich bewußt fühlte. Damals sprachst du mit einer Freundin über mich; du bedauertest mein Schicksal, als eine arme Waise in der Welt geblieben zu

sein; du schildertest meine abhängige Lage und wie mißlich
es um mich stehen könne, wenn nicht ein besondrer Glücks-
stern über mich walte. Ich faßte alles wohl und genau, vielleicht zu streng, was du für mich zu wünschen, was du von
mir zu fordern schienst. Ich machte mir nach meinen beschränkten Einsichten hierüber Gesetze; nach diesen habe
ich lange gelebt, nach ihnen war mein Tun und Lassen eingerichtet, zu der Zeit da du mich liebtest, für mich sorgtest, da
du mich in dein Haus aufnahmest, und auch noch eine Zeit
hernach.

   Aber ich bin aus meiner Bahn geschritten, ich habe meine
Gesetze gebrochen, ich habe sogar das Gefühl derselben verloren, und nach einem schrecklichen Ereignis klärst du mich
wieder über meinen Zustand auf, der jammervoller ist als der
erste. Auf deinem Schoße ruhend, halb erstarrt, wie aus einer
fremden Welt vernehm' ich abermals deine leise Stimme über
meinem Ohr; ich vernehme, wie es mit mir selbst aussieht;
ich schaudere über mich selbst: aber wie damals habe ich auch
diesmal in meinem halben Totenschlaf mir meine neue Bahn
vorgezeichnet.

   Ich bin entschlossen, wie ich's war, und wozu ich entschlossen bin, mußt du gleich erfahren. Eduardens werd' ich
nie! Auf eine schreckliche Weise hat Gott mir die Augen
geöffnet, in welchem Verbrechen ich befangen bin. Ich will es
büßen; und Niemand gedenke mich von meinem Vorsatz
abzubringen! Darnach, Liebe, Beste, nimm deine Maßre-
geln. Laß den Major zurückkommen; schreibe ihm, daß
keine Schritte geschehen. Wie ängstlich war mir, daß ich
mich nicht rühren und regen konnte, als er ging. Ich wollte
auffahren, aufschreien: du solltest ihn nicht mit so frevelhaf-
ten Hoffnungen entlassen.

   Charlotte sah Ottiliens Zustand, sie empfand ihn; aber sie
hoffte durch Zeit und Vorstellungen etwas über sie zu gewinnen. Doch als sie einige Worte aussprach, die auf eine
Zukunft, auf eine Milderung des Schmerzes, auf Hoffnung
deuteten: Nein! rief Ottilie mit Erhebung: sucht mich nicht
zu bewegen, nicht zu hintergehen! In dem Augenblick, in

dem ich erfahre: du habest in die Scheidung gewilligt, büße
ich in demselbigen See meine Vergehen, meine Verbrechen.

FUNFZEHNTES KAPITEL

Wenn sich in einem glücklichen friedlichen Zusammenleben
Verwandte, Freunde, Hausgenossen, mehr als nötig und bil- 5
lig ist, von dem unterhalten was geschieht oder geschehen
soll; wenn sie sich einander ihre Vorsätze, Unternehmungen,
Beschäftigungen wiederholt mitteilen, und ohne gerade
wechselseitigen Rat anzunehmen, doch immer das ganze Leben gleichsam ratschlagend behandeln: so findet man dage- 10
gen, in wichtigen Momenten, eben da wo es scheinen sollte,
der Mensch bedürfe fremden Beistandes, fremder Bestäti-
gung am allermeisten, daß sich die einzelnen auf sich selbst
zurückziehen, jedes für sich zu handeln, jedes auf seine Weise
zu wirken strebt, und indem man sich einander die einzelnen 15
Mittel verbirgt, nur erst der Ausgang, die Zwecke, das Erreichte wieder zum Gemeingut werden.

Nach soviel wundervollen und unglücklichen Ereignissen
war denn auch ein gewisser stiller Ernst über die Freundinnen gekommen, der sich in einer liebenswürdigen Schonung 20
äußerte. Ganz in der Stille hatte Charlotte das Kind nach der
Kapelle gesendet. Es ruhte dort als das erste Opfer eines
ahndungsvollen Verhängnisses.

Charlotte kehrte sich, so viel es ihr möglich war, gegen das
Leben zurück, und hier fand sie Ottilien zuerst, die ihres 25
Beistandes bedurfte. Sie beschäftigte sich vorzüglich mit ihr,
ohne es jedoch merken zu lassen. Sie wußte wie sehr das
himmlische Kind Eduarden liebte; sie hatte nach und nach
die Szene die dem Unglück vorher gegangen war, heraus-
geforscht, und jeden Umstand, teils von Ottilien selbst, teils 30
durch Briefe des Majors erfahren.

Ottilie von ihrer Seite erleichterte Charlotten sehr das au-
genblickliche Leben. Sie war offen, ja gesprächig, aber niemals war von dem Gegenwärtigen oder kurz Vergangenen

die Rede. Sie hatte stets aufgemerkt, stets beobachtet, sie
wußte viel; das kam jetzt alles zum Vorschein. Sie unterhielt,
sie zerstreute Charlotten, die noch immer die stille Hoffnung
nährte, ein ihr so wertes Paar verbunden zu sehen.

Allein bei Ottilien hing es anders zusammen. Sie hatte das
Geheimnis ihres Lebensganges der Freundin entdeckt; sie
war von ihrer frühen Einschränkung, von ihrer Dienstbar-
keit entbunden. Durch ihre Reue, durch ihren Entschluß
fühlte sie sich auch befreit von der Last jenes Vergehens,
jenes Mißgeschicks. Sie bedurfte keiner Gewalt mehr über
sich selbst; sie hatte sich in der Tiefe ihres Herzens nur unter
der Bedingung des völligen Entsagens verziehen, und diese
Bedingung war für alle Zukunft unerläßlich.

So verfloß einige Zeit, und Charlotte fühlte, wie sehr Haus
und Park, Seen, Felsen- und Baumgruppen, nur traurige
Empfindungen täglich in ihnen beiden erneuerten. Daß man
den Ort verändern müsse, war allzu deutlich; wie es geschehen solle, nicht so leicht zu entscheiden.

Sollten die beiden Frauen zusammenbleiben? Eduards
früherer Wille schien es zu gebieten, seine Erklärung, seine
Drohung es nötig zu machen: allein wie war es zu verkennen,
daß beide Frauen, mit allem guten Willen, mit aller Vernunft, mit aller Anstrengung, sich in einer peinlichen Lage
neben einander befanden. Ihre Unterhaltungen waren vermeidend. Manchmal mochte man gern etwas nur halb verstehen, öfters wurde aber doch ein Ausdruck, wo nicht durch
den Verstand wenigstens durch die Empfindung, mißdeutet.
Man fürchtete sich zu verletzen, und gerade die Furcht war
am ersten verletzbar und verletzte am ersten.

Wollte man den Ort verändern und sich zugleich, wenigstens auf einige Zeit, von einander trennen; so trat die alte
Frage wieder hervor: wo sich Ottilie hinbegeben solle? Jenes
große reiche Haus hatte vergebliche Versuche gemacht, einer
hoffnungsvollen Erbtochter unterhaltende und wetteifernde
Gespielinnen zu verschaffen. Schon bei der letzten Anwesen-
heit der Baronesse, und neuerlich durch Briefe, war Charlotte
aufgefordert worden, Ottilien dorthin zu senden; jetzt

brachte sie es abermals zur Sprache. Ottilie verweigerte aber ausdrücklich dahin zu gehen, wo sie dasjenige finden würde, was man große Welt zu nennen pflegt.

Lassen Sie mich, liebe Tante, sagte sie, damit ich nicht eingeschränkt und eigensinnig erscheine, dasjenige aussprechen was zu verschweigen, zu verbergen in einem andern Falle Pflicht wäre. Ein seltsam unglücklicher Mensch, und wenn er auch schuldlos wäre, ist auf eine fürchterliche Weise gezeichnet. Seine Gegenwart erregt in allen die ihn sehen, die ihn gewahr werden, ein Art von Entsetzen. Jeder will das Ungeheure ihm ansehen was ihm auferlegt ward; jeder ist neugierig und ängstlich zugleich. So bleibt ein Haus, eine Stadt, worin eine ungeheure Tat geschehen, jedem furchtbar der sie betritt. Dort leuchtet das Licht des Tages nicht so hell, und die Sterne scheinen ihren Glanz zu verlieren.

Wie groß, und doch vielleicht zu entschuldigen, ist gegen solche Unglückliche die Indiskretion der Menschen, ihre alberne Zudringlichkeit und ungeschickte Gutmütigkeit. Verzeihen Sie mir, daß ich so rede; aber ich habe unglaublich mit jenem armen Mädchen gelitten, als es Luciane aus den verborgenen Zimmern des Hauses hervorzog, sich freundlich mit ihm beschäftigte, es in der besten Absicht zu Spiel und Tanz nötigen wollte. Als das arme Kind bange und immer bänger zuletzt floh und in Ohnmacht sank, ich es in meine Arme faßte, die Gesellschaft erschreckt aufgeregt und jeder erst recht neugierig auf die Unglückselige ward: da dachte ich nicht, daß mir ein gleiches Schicksal bevorstehe; aber mein Mitgefühl, so wahr und lebhaft; ist noch lebendig. Jetzt kann ich mein Mitleiden gegen mich selbst wenden und mich hüten, daß ich nicht zu ähnlichen Auftritten Anlaß gebe.

Du wirst aber, liebes Kind, versetzte Charlotte, dem Anblick der Menschen dich nirgends entziehen können. Klöster haben wir nicht, in denen sonst eine Freistatt für solche Gefühle zu finden war.

Die Einsamkeit macht nicht die Freistatt, liebe Tante, versetzte Ottilie. Die schätzenswerteste Freistatt ist da zu su-

chen, wo wir tätig sein können. Alle Büßungen, alle Entbehrungen sind keineswegs geeignet uns einem ahndungsvollen Geschick zu entziehen, wenn es uns zu verfolgen entschieden ist. Nur, wenn ich im müßigen Zustande der Welt zur Schau
5 dienen soll, dann ist sie mir widerwärtig und ängstigt mich. Findet man mich aber freudig bei der Arbeit, unermüdet in meiner Pflicht, dann kann ich die Blicke eines Jeden aushalten, weil ich die göttlichen nicht zu scheuen brauche.

Ich müßte mich sehr irren, versetzte Charlotte, wenn deine
10 Neigung dich nicht zur Pension zurückzöge.

Ja, versetzte Ottilie, ich leugne es nicht: ich denke es mir als eine glückliche Bestimmung, andre auf dem gewöhnlichen Wege zu erziehen, wenn wir auf dem sonderbarsten erzogen worden. Und sehen wir nicht in der Geschichte, daß
15 Menschen, die wegen großer sittlicher Unfälle sich in die Wüsten zurückzogen, dort keineswegs, wie sie hofften, verborgen und gedeckt waren. Sie wurden zurückgerufen in die Welt, um die Verirrten auf den rechten Weg zu führen; und wer konnte es besser als die in den Irrgängen des Lebens
20 schon Eingeweihten! Sie wurden berufen den Unglücklichen beizustehen, und wer vermochte das eher als sie, denen kein irdisches Unheil mehr begegnen konnte!

Du wählst eine sonderbare Bestimmung, versetzte Charlotte. Ich will dir nicht widerstreben: es mag sein, wenn auch
25 nur, wie ich hoffe, auf kurze Zeit.

Wie sehr danke ich Ihnen, sagte Ottilie, daß Sie mir diesen Versuch, diese Erfahrung gönnen wollen. Schmeichle ich mir nicht zu sehr, so soll es mir glücken. An jenem Orte will ich mich erinnern, wie manche Prüfungen ich ausgestanden, und
30 wie klein, wie nichtig sie waren gegen die, die ich nachher erfahren mußte. Wie heiter werde ich die Verlegenheiten der jungen Aufschößlinge betrachten, bei ihren kindlichen Schmerzen lächeln und sie mit leiser Hand aus allen kleinen Verirrungen herausführen. Der Glückliche ist nicht geeignet
35 Glücklichen vorzustehen: es liegt in der menschlichen Natur, immer mehr von sich und von andern zu fordern je mehr man empfangen hat. Nur der Unglückliche der sich erholt,

weiß für sich und andre das Gefühl zu nähren, daß auch ein mäßiges Gute mit Entzücken genossen werden soll.

Laß mich gegen deinen Vorsatz, sagte Charlotte zuletzt nach einigem Bedenken, noch einen Einwurf anführen, der mir der wichtigste scheint. Es ist nicht von dir, es ist von einem Dritten die Rede. Die Gesinnungen des guten vernünftigen frommen Gehülfen sind dir bekannt; auf dem Wege den du gehst, wirst du ihm jeden Tag werter und unentbehrlicher sein. Da er schon jetzt, seinem Gefühl nach, nicht gern ohne dich leben mag, so wird er auch künftig, wenn er einmal deine Mitwirkung gewohnt ist, ohne dich sein Geschäft nicht mehr verwalten können. Du wirst ihm anfangs darin beistehen, um es ihm hernach zu verleiden.

Das Geschick ist nicht sanft mit mir verfahren, versetzte Ottilie; und wer mich liebt hat vielleicht nicht viel besseres zu erwarten. So gut und verständig als der Freund ist, eben so, hoffe ich, wird sich in ihm auch die Empfindung eines reinen Verhältnisses zu mir entwickeln; er wird in mir eine geweihte Person erblicken, die nur dadurch ein ungeheures Übel für sich und andre vielleicht aufzuwiegen vermag, wenn sie sich dem Heiligen widmet, das uns unsichtbar umgebend allein gegen die ungeheuren zudringenden Mächte beschirmen kann.

Charlotte nahm alles was das liebe Kind so herzlich geäußert, zur stillen Überlegung. Sie hatte verschiedentlich, obgleich auf das leiseste, angeforscht, ob nicht eine Annäherung Ottiliens zu Eduard denkbar sei; aber auch nur die leiseste Erwähnung, die mindeste Hoffnung, der kleinste Verdacht schien Ottilien aufs tiefste zu rühren; ja sie sprach sich einst, da sie es nicht umgehen konnte, hierüber ganz deutlich aus.

Wenn dein Entschluß, entgegnete ihr Charlotte, Eduarden zu entsagen, so fest und unveränderlich ist, so hüte dich nur vor der Gefahr des Wiedersehens. In der Entfernung von dem geliebten Gegenstande scheinen wir, je lebhafter unsere Neigung ist, desto mehr Herr von uns selbst zu werden, indem wir die ganze Gewalt der Leidenschaft, wie sie sich nach außen erstreckte, nach innen wenden; aber wie bald, wie geschwind sind wir aus diesem Irrtum gerissen, wenn dasjenige was wir entbehren zu können glaubten, auf einmal wieder als unentbehrlich vor unsern Augen steht. Tue jetzt was du deinen Zuständen am gemäßesten hältst; prüfe dich, ja verändre lieber deinen gegenwärtigen Entschluß: aber aus dir selbst, aus freiem, wollenden Herzen. Laß dich nicht zufällig, nicht durch Überraschung, in die vorigen Verhältnisse wieder hineinziehen: dann gibt es erst einen Zwiespalt im Gemüt der unerträglich ist. Wie gesagt, ehe du diesen Schritt tust, ehe du dich von mir entfernst und ein neues Leben anfängst, das dich wer weiß auf welche Wege leitet; so bedenke noch einmal, ob du denn wirklich für alle Zukunft Eduarden entsagen kannst. Hast du dich aber hierzu bestimmt; so schließen wir einen Bund, daß du dich mit ihm nicht einlassen willst, selbst nicht in eine Unterredung, wenn er dich aufsuchen, wenn er sich zu dir drängen sollte. Ottilie besann sich nicht einen Augenblick, sie gab Charlotten das Wort, das sie sich schon selbst gegeben hatte.

Nun aber schwebte Charlotten immer noch jene Drohung Eduards vor der Seele, daß er Ottilien nur so lange entsagen könne, als sie sich von Charlotten nicht trennte. Es hatten sich zwar seit der Zeit die Umstände so verändert, es war so mancherlei vorgefallen, daß jenes vom Augenblick ihm abgedrungene Wort gegen die folgenden Ereignisse für aufgehoben zu achten war; dennoch wollte sie auch im entferntesten Sinne weder etwas wagen, noch etwas vornehmen das ihn verletzen könnte, und so sollte Mittler in diesem Falle Eduards Gesinnungen erforschen.

Mittler hatte seit dem Tode des Kindes Charlotten öfters, obgleich nur auf Augenblicke, besucht. Dieser Unfall, der ihm die Wiedervereinigung beider Gatten höchst unwahrscheinlich machte, wirkte gewaltsam auf ihn; aber immer nach seiner Sinnesweise hoffend und strebend, freute er sich nun im Stillen über den Entschluß Ottiliens. Er vertraute der lindernden vorüberziehenden Zeit, dachte noch immer die beiden Gatten zusammenzuhalten und sah diese leiden-

schaftlichen Bewegungen nur als Prüfungen ehelicher Liebe
und Treue an.

Charlotte hatte gleich anfangs den Major von Ottiliens
erster Erklärung schriftlich unterrichtet, ihn auf das instän-
digste gebeten, Eduarden dahin zu vermögen, daß keine ⁵
weiteren Schritte geschähen, daß man sich ruhig verhalte,
daß man abwarte, ob das Gemüt des schönen Kindes sich
wieder herstelle. Auch von den spätern Ereignissen und Gesinnungen hatte sie das Nötige mitgeteilt, und nun war freilich Mittlern die schwierige Aufgabe übertragen, auf eine ¹⁰
Veränderung des Zustandes Eduarden vorzubereiten. Mittler aber, wohlwissend, daß man das Geschehene sich eher
gefallen läßt, als daß man in ein noch zu Geschehendes ein-
willigt, überredete Charlotten: es sei das beste, Ottilien
gleich nach der Pension zu schicken. ¹⁵

Deshalb wurden, sobald er weg war, Anstalten zur Reise
gemacht. Ottilie packte zusammen, aber Charlotte sah wohl,
daß sie weder das schöne Köfferchen, noch irgend etwas daraus mitzunehmen sich anschickte. Die Freundin schwieg und
ließ das schweigende Kind gewähren. Der Tag der Abreise ²⁰
kam herbei; Charlottens Wagen sollte Ottilien den ersten
Tag bis in ein bekanntes Nachtquartier, den zweiten bis in die
Pension bringen; Nanny sollte sie begleiten und ihre Dienerin bleiben. Das leidenschaftliche Mädchen hatte sich
gleich nach dem Tode des Kindes wieder an Ottilien zurück- ²⁵
gefunden und hing nun an ihr wie sonst durch Natur und
Neigung; ja sie schien, durch unterhaltende Redseligkeit, das
bisher Versäumte wieder nachbringen und sich ihrer geliebten Herrin völlig widmen zu wollen. Ganz außer sich war sie
nun über das Glück mitzureisen, fremde Gegenden zu sehen, ³⁰
da sie noch niemals außer ihrem Geburtsort gewesen, und
rannte vom Schlosse ins Dorf, zu ihren Eltern, Verwandten,
um ihr Glück zu verkündigen und Abschied zu nehmen.
Unglücklicherweise traf sie dabei in die Zimmer der Maser-
kranken und empfand sogleich die Folgen der Ansteckung. ³⁵
Man wollte die Reise nicht aufschieben; Ottilie drang selbst
darauf: sie hatte den Weg schon gemacht, sie kannte die

Wirtsleute bei denen sie einkehren sollte, der Kutscher vom
Schlosse führte sie; es war nichts zu besorgen.

   Charlotte widersetzte sich nicht; auch sie eilte schon in
Gedanken aus diesen Umgebungen weg, nur wollte sie noch
5 die Zimmer die Ottilie im Schloß bewohnt hatte, wieder für
Eduarden einrichten, gerade so wie sie vor der Ankunft des
Hauptmanns gewesen. Die Hoffnung ein altes Glück wie-
derherzustellen flammt immer einmal wieder in dem Menschen auf, und Charlotte war zu solchen Hoffnungen aber-
10 mals berechtigt, ja genötigt.

SECHZEHNTES KAPITEL

Als Mittler gekommen war, sich mit Eduarden über die Sache zu unterhalten, fand er ihn allein, den Kopf in die rechte
Hand gelehnt, den Arm auf den Tisch gestemmt. Er schien
15 sehr zu leiden. Plagt Ihr Kopfweh Sie wieder? fragte Mittler.
Es plagt mich, versetzte jener; und doch kann ich es nicht
hassen: denn es erinnert mich an Ottilien. Vielleicht leidet
auch sie jetzt, denk' ich, auf ihren linken Arm gestützt, und
leidet wohl mehr als ich. Und warum soll ich es nicht tragen,
20 wie sie? Diese Schmerzen sind mir heilsam, sind mir, ich kann
beinah sagen, wünschenswert: denn nur mächtiger, deutlicher, lebhafter schwebt mir das Bild ihrer Geduld, von allen
ihren übrigen Vorzügen begleitet, vor der Seele; nur im Leiden empfinden wir recht vollkommen alle die großen Eigen-
25 schaften, die nötig sind um es zu ertragen.
   Als Mittler den Freund in diesem Grade resigniert fand,
hielt er mit seinem Anbringen nicht zurück, das er jedoch
stufenweise, wie der Gedanke bei den Frauen entsprungen,
wie er nach und nach zum Vorsatz gereift war, historisch
30 vortrug. Eduard äußerte sich kaum dagegen. Aus dem wenigen was er sagte, schien hervorzugehen, daß er jenen alles
überlasse; sein gegenwärtiger Schmerz schien ihn gegen alles
gleichgültig gemacht zu haben.
   Kaum aber war er allein, so stand er auf und ging in dem

Zimmer hin und wieder. Er fühlte seinen Schmerz nicht mehr, er war ganz außer sich beschäftigt. Schon unter Mittlers Erzählung hatte die Einbildungskraft des Liebenden sich lebhaft ergangen. Er sah Ottilien, allein oder so gut als allein, auf wohlbekanntem Wege, in einem gewohnten Wirtshause, dessen Zimmer er so oft betreten; er dachte, er überlegte, oder vielmehr, er dachte, er überlegte nicht; er wünschte, er wollte nur. Er mußte sie sehn, sie sprechen. Wozu, warum, was daraus entstehen sollte? davon konnte die Rede nicht sein. Er widerstand nicht, er mußte.

Der Kammerdiener ward ins Vertrauen gezogen, und erforschte sogleich Tag und Stunde, wann Ottilie reisen würde. Der Morgen brach an; Eduard säumte nicht, unbegleitet sich zu Pferde dahin zu begeben, wo Ottilie übernachten sollte. Er kam nur allzuzeitig dort an; die überraschte Wirtin empfing ihn mit Freuden: sie war ihm ein großes Familienglück schuldig geworden. Er hatte ihrem Sohn, der als Soldat sich sehr brav gehalten, ein Ehrenzeichen verschafft, indem er dessen Tat, wobei er allein gegenwärtig gewesen, heraushob, mit Eifer bis vor den Feldherrn brachte und die Hindernisse einiger Mißwollenden überwand. Sie wußte nicht, was sie ihm alles zu Liebe tun sollte. Sie räumte schnell in ihrer Putzstube, die freilich auch zugleich Garderobe und Vorratskammer war, möglichst zusammen; allein er kündigte ihr die Ankunft eines Frauenzimmers an, die hier hereinziehen sollte, und ließ für sich eine Kammer hinten auf dem Gange notdürftig einrichten. Der Wirtin erschien die Sache geheimnisvoll, und es war ihr angenehm, ihrem Gönner, der sich dabei sehr interessiert und tätig zeigte, etwas gefälliges zu erweisen. Und er, mit welcher Empfindung brachte er die lange lange Zeit bis zum Abend hin! Er betrachtete das Zimmer rings umher, in dem er sie sehen sollte; es schien ihm in seiner ganzen häuslichen Seltsamkeit ein himmlischer Aufenthalt. Was dachte er sich nicht alles aus, ob er Ottilien überraschen, ob er sie vorbereiten sollte! Endlich gewann die letztere Meinung Oberhand; er setzte sich hin und schrieb. Dies Blatt sollte sie empfangen.

Eduard an Ottilien

Indem du diesen Brief liesest, Geliebteste, bin ich in deiner Nähe. Du mußt nicht erschrecken, dich nicht entsetzen; du hast von mir nichts zu befürchten. Ich werde mich nicht zu
5 dir drängen. Du siehst mich nicht eher als du es erlaubst.

Bedenke vorher deine Lage, die meinige. Wie sehr danke ich dir, daß du keinen entscheidenden Schritt zu tun vorhast; aber bedeutend genug ist er: tu ihn nicht! Hier, auf einer Art von Scheideweg, überlege nochmals: kannst du mein sein,
10 willst du mein sein? O du erzeigst uns allen eine große Wohltat und mir eine überschwängliche.

Laß mich dich wiedersehen, dich mit Freuden wiedersehen. Laß mich die schöne Frage mündlich tun, und beantworte sie mir mit deinem schönen Selbst. An meine Brust,
15 Ottilie! hieher, wo du manchmal geruht hast und wo du immer hingehörst!

Indem er schrieb, ergriff ihn das Gefühl, sein Höchstersehntes nahe sich, es werde nun gleich gegenwärtig sein. Zu dieser Türe wird sie hereintreten, diesen Brief wird sie lesen,
20 wirklich wird sie wie sonst vor mir dastehen, deren Erscheinung ich mir so oft herbeisehnte. Wird sie noch dieselbe sein? Hat sich ihre Gestalt, haben sich ihre Gesinnungen verändert? Er hielt die Feder noch in der Hand, er wollte schreiben wie er dachte; aber der Wagen rollte in den Hof.
25 Mit flüchtiger Feder setzte er noch hinzu: Ich höre dich kommen. Auf einen Augenblick leb wohl!

Er faltete den Brief, überschrieb ihn; zum Siegeln war es zu spät. Er sprang in die Kammer, durch die er nachher auf den Gang zu gelangen wußte, und Augenblicks fiel ihm ein,
30 daß er die Uhr mit dem Petschaft noch auf dem Tisch gelassen. Sie sollte diese nicht zuerst sehen; er sprang zurück und holte sie glücklich weg. Vom Vorsaal her vernahm er schon die Wirtin, die auf das Zimmer losging, um es dem Gast anzuweisen. Er eilte gegen die Kammertür, aber sie war

zugefahren. Den Schlüssel hatte er beim Hineinspringen herunter geworfen, der lag inwendig; das Schloß war zuge-
schnappt und er stund gebannt. Heftig drängte er an der
Türe; sie gab nicht nach. O wie hätte er gewünscht als ein
Geist durch die Spalten zu schlüpfen! Vergebens! Er verbarg ₅
sein Gesicht an den Türpfosten. Ottilie trat herein, die Wirtin, als sie ihn erblickte, zurück. Auch Ottilien konnte er
nicht einen Augenblick verborgen bleiben. Er wendete sich
gegen sie, und so standen die Liebenden abermals auf die
seltsamste Weise gegen einander. Sie sah ihn ruhig und ernst- ₁₀
haft an, ohne vor oder zurückzugehen, und als er eine Bewegung machte, sich ihr zu nähern, trat sie einige Schritte
zurück bis an den Tisch. Auch er trat wieder zurück. Ottilie,
rief er aus, laß mich das furchtbare Schweigen brechen! Sind
wir nur Schatten, die einander gegenüber stehen? Aber vor ₁₅
allen Dingen höre! es ist Zufall, daß du mich gleich jetzt hier
findest. Neben dir liegt ein Brief, der dich vorbereiten sollte.
Lies, ich bitte dich, lies ihn! und dann beschließe was du
kannst.

Sie blickte herab auf den Brief und nach einigem Besinnen ₂₀
nahm sie ihn auf, erbrach und las ihn. Ohne die Miene zu
verändern, hatte sie ihn gelesen und so legte sie ihn leise weg;
dann drückte sie die flachen, in die Höhe gehobenen Hände
zusammen, führte sie gegen die Brust, indem sie sich nur
wenig vorwärts neigte, und sah den dringend Fordernden ₂₅
mit einem solchen Blick an, daß er von allem abzustehen
genötigt war, was er verlangen oder wünschen mochte.
Diese Bewegung zerriß ihm das Herz. Er konnte den Anblick, er konnte die Stellung Ottiliens nicht ertragen. Es sah
völlig aus, als würde sie in die Knie sinken, wenn er beharrte. ₃₀
Er eilte verzweiflend zur Tür hinaus und schickte die Wirtin
zu der Einsamen.

Er ging auf dem Vorsaal auf und ab. Es war Nacht geworden, im Zimmer blieb es stille. Endlich trat die Wirtin
heraus, und zog den Schlüssel ab. Die gute Frau war gerührt, ₃₅
war verlegen, sie wußte nicht was sie tun sollte. Zuletzt im
Weggehen bot sie den Schlüssel Eduarden an, der ihn ablehnte. Sie ließ das Licht stehen und entfernte sich.

Eduard im tiefsten Kummer warf sich auf Ottiliens
Schwelle, die er mit seinen Tränen benetzte. Jammervoller
brachten kaum jemals in solcher Nähe Liebende eine Nacht
zu.

5   Der Tag brach an; der Kutscher trieb, die Wirtin schloß auf
und trat in das Zimmer. Sie fand Ottilien angekleidet eingeschlafen, sie ging zurück und winkte Eduarden mit einem
teilnehmenden Lächeln. Beide traten vor die Schlafende;
aber auch diesen Anblick vermochte Eduard nicht auszuhal-
10 ten. Die Wirtin wagte nicht das ruhende Kind zu wecken, sie
setzte sich gegenüber. Endlich schlug Ottilie die schönen
Augen auf und richtete sich auf ihre Füße. Sie lehnt das
Frühstück ab, und nun tritt Eduard vor sie. Er bittet sie
inständig, nur ein Wort zu reden, ihren Willen zu erklären: er
15 wolle allen ihren Willen, schwört er; aber sie schweigt. Nochmals fragt er sie liebevoll und dringend, ob sie ihm angehören wolle? Wie lieblich bewegt sie, mit niedergeschlagnen
Augen, ihr Haupt zu einem sanften Nein. Er fragt, ob sie
nach der Pension wolle? Gleichgültig verneint sie das. Aber
20 als er fragt, ob er sie zu Charlotten zurückführen dürfe? be-
jaht sie's mit einem getrosten Neigen des Hauptes. Er eilt ans
Fenster dem Kutscher Befehle zu geben; aber hinter ihm
weg, ist sie wie der Blitz zur Stube hinaus, die Treppe hinab
in dem Wagen. Der Kutscher nimmt den Weg nach dem
25 Schlosse zurück; Eduard folgt zu Pferde in einiger Entfernung.

SIEBZEHNTES KAPITEL

Wie höchst überrascht war Charlotte als sie Ottilien vorfahren und Eduarden zu Pferde sogleich in den Schloßhof her-
30 einsprengen sah. Sie eilte bis zur Türschwelle: Ottilie steigt
aus und nähert sich mit Eduarden. Mit Eifer und Gewalt faßt
sie die Hände beider Ehegatten, drückt sie zusammen und
eilt auf ihr Zimmer. Eduard wirft sich Charlotten um den
Hals und zerfließt in Tränen; er kann sich nicht erklären,

bittet Geduld mit ihm zu haben, Ottilien beizustehen, ihr zu helfen. Charlotte eilt auf Ottiliens Zimmer und ihr schaudert da sie hineintritt: es war schon ganz ausgeräumt, nur die leeren Wände standen da. Es erschien so weitläuftig als unerfreulich. Man hatte alles weggetragen, nur das Köfferchen, unschlüssig wo man es hinstellen sollte, in der Mitte des Zimmers stehen gelassen. Ottilie lag auf dem Boden, Arm und Haupt über den Koffer gestreckt. Charlotte bemüht sich um sie, fragt was vorgegangen, und erhält keine Antwort.

Sie läßt ihr Mädchen, das mit Erquickungen kommt, bei Ottilien und eilt zu Eduarden. Sie findet ihn im Saal; auch er belehrt sie nicht. Er wirft sich vor ihr nieder, er badet ihre Hände in Tränen, er flieht auf sein Zimmer, und als sie ihm nachfolgen will, begegnet ihr der Kammerdiener, der sie aufklärt soweit er vermag. Das Übrige denkt sie sich zusammen, und dann sogleich mit Entschlossenheit an das was der Augenblick fordert. Ottiliens Zimmer ist aufs baldigste wieder eingerichtet. Eduard hat die seinigen angetroffen, bis auf das letzte Papier, wie er sie verlassen.

Die Dreie scheinen sich wieder gegeneinander zu finden; aber Ottilie fährt fort zu schweigen, und Eduard vermag nichts als seine Gattin um Geduld zu bitten, die ihm selbst zu fehlen scheint. Charlotte sendet Boten an Mittlern und an den Major. Jener war nicht anzutreffen; dieser kommt. Gegen ihn schüttet Eduard sein Herz aus, ihm gesteht er jeden kleinsten Umstand, und so erfährt Charlotte was begegnet, was die Lage so sonderbar verändert, was die Gemüter aufgeregt.

Sie spricht aufs liebevollste mit ihrem Gemahl. Sie weiß keine andere Bitte zu tun als nur, daß man das Kind gegenwärtig nicht bestürmen möge. Eduard fühlt den Wert, die Liebe, die Vernunft seiner Gattin; aber seine Neigung beherrscht ihn ausschließlich. Charlotte macht ihm Hoffnung, verspricht ihm in die Scheidung zu willigen. Er traut nicht; er ist so krank, daß ihn Hoffnung und Glaube abwechselnd verlassen; er dringt in Charlotten, sie soll dem Major ihre Hand zusagen; eine Art von wahnsinnigem Unmut hat ihn ergriffen. Charlotte, ihn zu besänftigen, ihn zu erhalten, tut was er fordert. Sie sagt dem Major ihre Hand zu, auf den Fall, daß Ottilie sich mit Eduarden verbinden wolle, jedoch unter ausdrücklicher Bedingung, daß die beiden Männer für den Augenblick zusammen eine Reise machen. Der Major hat für seinen Hof ein auswärtiges Geschäft, und Eduard verspricht ihn zu begleiten. Man macht Anstalten und man beruhigt sich einigermaßen, indem wenigstens etwas geschieht.

Unterdessen kann man bemerken, daß Ottilie kaum Speise noch Trank zu sich nimmt, indem sie immerfort bei ihrem Schweigen verharrt. Man redet ihr zu, sie wird ängstlich; man unterläßt es. Denn haben wir nicht meistenteils die Schwäche, daß wir Jemanden auch zu seinem Besten nicht gern quälen mögen. Charlotte sann alle Mittel durch, endlich geriet sie auf den Gedanken, jenen Gehülfen aus der Pension kommen zu lassen, der über Ottilien viel vermochte, der wegen ihres unvermuteten Außenbleibens sich sehr freundlich geäußert, aber keine Antwort erhalten hatte.

Man spricht, um Ottilien nicht zu überraschen, von diesem Vorsatz in ihrer Gegenwart. Sie scheint nicht einzustimmen; sie bedenkt sich; endlich scheint ein Entschluß in ihr zu reifen, sie eilt nach ihrem Zimmer und sendet noch vor Abend an die Versammelten folgendes Schreiben.

Ottilie den Freunden

Warum soll ich ausdrücklich sagen, meine Geliebten, was sich von selbst versteht. Ich bin aus meiner Bahn geschritten und ich soll nicht wieder hinein. Ein feindseliger Dämon, der Macht über mich gewonnen, scheint mich von außen zu hindern, hätte ich mich auch mit mir selbst wieder zur Einigkeit gefunden.

Ganz rein war mein Vorsatz, Eduarden zu entsagen, mich von ihm zu entfernen. Ihm hofft' ich nicht wieder zu begegnen. Es ist anders geworden; er stand selbst gegen seinen eigenen Willen vor mir. Mein Versprechen mich mit ihm in keine Unterredung einzulassen, habe ich vielleicht zu buchstäblich genommen und gedeutet. Nach Gefühl und Gewissen des Augenblicks schwieg ich, verstummt' ich vor dem Freunde, und nun habe ich nichts mehr zu sagen. Ein strenges Ordensgelübde, welches den der es mit Überlegung eingeht, vielleicht unbequem ängstiget, habe ich zufällig, vom Gefühl gedrungen, über mich genommen. Laßt mich darin beharren, so lange mir das Herz gebietet. Beruft keine Mittelsperson! Dringt nicht in mich, daß ich reden, daß ich mehr Speise und Trank genießen soll, als ich höchstens bedarf. Helft mir durch Nachsicht und Geduld über diese Zeit hinweg. Ich bin jung, die Jugend stellt sich unversehens wieder her. Duldet mich in eurer Gegenwart, erfreut mich durch eure Liebe, belehrt mich durch eure Unterhaltung; aber mein Innres überlaßt mir selbst.

Die längst vorbereitete Abreise der Männer unterblieb, weil jenes auswärtige Geschäft des Majors sich verzögerte: wie erwünscht für Eduard! Nun durch Ottiliens Blatt aufs neue angeregt, durch ihre trostvollen hoffnunggebenden Worte wieder ermutigt und zu standhaftem Ausharren berechtigt, erklärte er auf einmal: er werde sich nicht entfernen. Wie töricht! rief er aus, das Unentbehrlichste, Notwendigste vorsätzlich, voreilig wegzuwerfen, das, wenn uns auch der Verlust bedroht, vielleicht noch zu erhalten wäre. Und was soll es heißen? Doch nur, daß der Mensch ja scheine wollen, wählen zu können. So habe ich oft, beherrscht von solchem albernen Dünkel, Stunden ja Tage zu früh, mich von Freunden losgerissen, um nur nicht von dem letzten unausweichlichen Termin entschieden gezwungen zu werden. Diesmal aber will ich bleiben. Warum soll ich mich entfernen? Ist sie nicht schon von mir entfernt? Es fällt mir nicht ein, ihre Hand zu fassen, sie an mein Herz zu drücken; sogar darf ich es nicht denken, es schaudert mir. Sie hat sich nicht von mir weg, sie hat sich über mich weggehoben.

Und so blieb er, wie er wollte, wie er mußte. Aber auch dem Behagen glich nichts, wenn er sich mit ihr zusammen-

fand. Und so war auch ihr dieselbe Empfindung geblieben;
auch sie konnte sich dieser seligen Notwendigkeit nicht entziehen. Nach wie vor übten sie eine unbeschreibliche, fast
magische Anziehungskraft gegen einander aus. Sie wohnten
unter Einem Dache; aber selbst ohne gerade an einander zu
denken, mit andern Dingen beschäftigt, von der Gesellschaft
hin und her gezogen, näherten sie sich einander. Fanden sie
sich in Einem Saale, so dauerte es nicht lange und sie standen,
sie saßen neben einander. Nur die nächste Nähe konnte sie
beruhigen, aber auch völlig beruhigen, und diese Nähe war
genug; nicht eines Blickes, nicht eines Wortes, keiner Gebärde, keiner Berührung bedurfte es, nur des reinen Zusam-
menseins. Dann waren es nicht zwei Menschen, es war nur
Ein Mensch im bewußtlosen vollkommnen Behagen, mit
sich selbst zufrieden und mit der Welt. Ja, hätte man eins von
beiden am letzten Ende der Wohnung festgehalten, das andere hätte sich nach und nach von selbst, ohne Vorsatz, zu
ihm hinbewegt. Das Leben war ihnen ein Rätsel, dessen Auf-
lösung sie nur mit einander fanden.

Ottilie war durchaus heiter und gelassen, so daß man sich
über sie völlig beruhigen konnte. Sie entfernte sich wenig
aus der Gesellschaft, nur hatte sie es erlangt, allein zu speisen.
Niemand als Nanny bediente sie.

Was einem jeden Menschen gewöhnlich begegnet, wiederholt sich mehr als man glaubt, weil seine Natur hiezu die
nächste Bestimmung gibt. Charakter, Individualität, Neigung, Richtung, Örtlichkeit, Umgebungen und Gewohnheiten bilden zusammen ein Ganzes, in welchem jeder
Mensch, wie in einem Elemente, in einer Atmosphäre,
schwimmt, worin es ihm allein bequem und behaglich ist.
Und so finden wir die Menschen, über deren Veränderlichkeit so viele Klage geführt wird, nach vielen Jahren zu unserm Erstaunen unverändert, und nach äußern und innern
unendlichen Anregungen unveränderlich.

So bewegte sich auch in dem täglichen Zusammenleben
unserer Freunde fast alles wieder in dem alten Gleise. Noch
immer äußerte Ottilie stillschweigend durch manche Gefäl-

ligkeit ihr zuvorkommendes Wesen; und so jedes nach seiner Art. Auf diese Weise zeigte sich der häusliche Zirkel als ein Scheinbild des vorigen Lebens, und der Wahn, als ob noch alles beim alten sei, war verzeihlich.

Die herbstlichen Tage, an Länge jenen Frühlingstagen gleich, riefen die Gesellschaft um eben die Stunde aus dem Freien ins Haus zurück. Der Schmuck an Früchten und Blumen, der dieser Zeit eigen ist, ließ glauben als wenn es der Herbst jenes ersten Frühlings wäre; die Zwischenzeit war ins Vergessen gefallen. Denn nun blühten die Blumen, dergleichen man in jenen ersten Tagen auch gesät hatte; nun reiften Früchte an den Bäumen, die man damals blühen gesehen.

Der Major ging ab und zu; auch Mittler ließ sich öfter sehen. Die Abendsitzungen waren meistens regelmäßig.

Eduard las gewöhnlich; lebhafter, gefühlvoller, besser, ja sogar heiterer, wenn man will, als jemals. Es war als wenn er, so gut durch Fröhlichkeit als durch Gefühl, Ottiliens Erstarren wieder beleben, ihr Schweigen wieder auflösen wollte. Er setzte sich wie vormals, daß sie ihm ins Buch sehen konnte, ja er ward unruhig, zerstreut, wenn sie nicht hineinsah, wenn er nicht gewiß war, daß sie seinen Worten mit ihren Augen folgte.

Jedes unerfreuliche unbequeme Gefühl der mittleren Zeit war ausgelöscht. Keines trug mehr dem andern etwas nach; jede Art von Bitterkeit war verschwunden. Der Major begleitete mit der Violine das Klavierspiel Charlottens, so wie Eduards Flöte mit Ottiliens Behandlung des Saiteninstruments wieder wie vormals zusammentraf. So rückte man dem Geburtstage Eduards näher, dessen Feier man vor einem Jahre nicht erreicht hatte. Er sollte ohne Festlichkeit in stillem freundlichen Behagen diesmal gefeiert werden. So war man, halb stillschweigend halb ausdrücklich, mit einander übereingekommen. Doch je näher diese Epoche heranrückte, vermehrte sich das Feierliche in Ottiliens Wesen, das man bisher mehr empfunden als bemerkt hatte. Sie schien im Garten oft die Blumen zu mustern; sie hatte dem Gärtner angedeutet, die Sommergewächse aller Art zu schonen, und

sich besonders bei den Astern aufgehalten, die gerade dieses
Jahr in unmäßiger Menge blühten.

ACHTZEHNTES KAPITEL

Das Bedeutendste jedoch was die Freunde mit stiller Aufmerksamkeit beobachteten, war, daß Ottilie den Koffer zum
erstenmal ausgepackt und daraus verschiedenes gewählt und
abgeschnitten hatte, was zu einem einzigen aber ganzen und
vollen Anzug hinreichte. Als sie das Übrige mit Beihülfe
Nannys wieder einpacken wollte, konnte sie kaum damit zu
Stande kommen; der Raum war übervoll, obgleich schon ein
Teil herausgenommen war. Das junge habgierige Mädchen
konnte sich nicht satt sehen, besonders da sie auch für alle
kleineren Stücke des Anzugs gesorgt fand. Schuhe,
Strümpfe, Strumpfbänder mit Devisen, Handschuhe und so
manches andere war noch übrig. Sie bat Ottilien, ihr nur
etwas davon zu schenken. Diese verweigerte es; zog aber
sogleich die Schublade einer Kommode heraus und ließ das
Kind wählen, das hastig und ungeschickt zugriff und mit der
Beute gleich davon lief, um den übrigen Hausgenossen ihr
Glück zu verkünden und vorzuzeigen.

Zuletzt gelang es Ottilien alles sorgfältig wieder einzu-
schichten; sie öffnete hierauf ein verborgenes Fach das im
Deckel angebracht war. Dort hatte sie kleine Zettelchen und
Briefe Eduards, mancherlei aufgetrocknete Blumenerinne-
rungen früherer Spaziergänge, eine Locke ihres Geliebten,
und was sonst noch verborgen. Noch eins fügte sie hinzu – es
war das Porträt ihres Vaters – und verschloß das Ganze,
worauf sie den zarten Schlüssel an dem goldnen Kettchen
wieder um den Hals an ihre Brust hing.

Mancherlei Hoffnungen waren indes in dem Herzen der
Freunde rege geworden. Charlotte war überzeugt, Ottilie
werde auf jenen Tag wieder zu sprechen anfangen: denn sie
hatte bisher eine heimliche Geschäftigkeit bewiesen, eine Art
von heiterer Selbstzufriedenheit, ein Lächeln wie es demje-

nigen auf dem Gesichte schwebt, der Geliebten etwas Gutes
und Erfreuliches verbirgt. Niemand wußte, daß Ottilie gar
manche Stunde in großer Schwachheit hinbrachte, aus der sie
sich nur für die Zeiten, wo sie erschien, durch Geisteskraft
emporhielt.   5

Mittler hatte sich diese Zeit öfter sehen lassen und war
länger geblieben als sonst gewöhnlich. Der hartnäckige
Mann wußte nur zu wohl, daß es einen gewissen Moment
gibt wo allein das Eisen zu schmieden ist. Ottiliens Schweigen so wie ihre Weigerung legte er zu seinen Gunsten aus. Es   10
war bisher kein Schritt zu Scheidung der Gatten geschehen;
er hoffte das Schicksal des guten Mädchens auf irgend eine
andere günstige Weise zu bestimmen; er horchte, er gab
nach, er gab zu verstehen und führte sich nach seiner Weise
klug genug auf.   15

Allein überwältigt war er stets sobald er Anlaß fand, sein
Räsonnement über Materien zu äußern, denen er eine große
Wichtigkeit beilegte. Er lebte viel in sich, und wenn er mit
andern war, so verhielt er sich gewöhnlich nur handelnd
gegen sie. Brach nun einmal unter Freunden seine Rede los,   20
wie wir schon öfter gesehen haben; so rollte sie ohne Rücksicht fort, verletzte oder heilte, nutzte oder schadete, wie es
sich gerade fügen mochte.

Den Abend vor Eduards Geburtstage saßen Charlotte
und der Major, Eduarden der ausgeritten war, erwartend   25
beisammen; Mittler ging im Zimmer auf und ab; Ottilie war
auf dem ihrigen geblieben, den morgenden Schmuck auseinander legend und ihrem Mädchen manches andeutend, welche sie vollkommen verstand und die stummen Anordnungen geschickt befolgte.   30

Mittler war gerade auf eine seiner Lieblingsmaterien gekommen. Er pflegte gern zu behaupten, daß sowohl bei der
Erziehung der Kinder als bei der Leitung der Völker, nichts
ungeschickter und barbarischer sei als Verbote, als verbie-
tende Gesetze und Anordnungen. Der Mensch ist von Hause   35
aus tätig, sagte er, und wenn man ihm zu gebieten versteht,
so fährt er gleich dahinter her, handelt und richtet aus. Ich für

meine Person mag lieber in meinem Kreise Fehler und Gebrechen so lange dulden, bis ich die entgegengesetzte Tugend gebieten kann, als daß ich den Fehler los würde und
nichts Rechtes an seiner Stelle sähe. Der Mensch tut recht
gern das Gute, das Zweckmäßige, wenn er nur dazu kommen kann; er tut es, damit er was zu tun hat, und sinnt
darüber nicht weiter nach, als über alberne Streiche, die er aus
Müßiggang und langer Weile vornimmt.

Wie verdrießlich ist mir's oft, mit anzuhören, wie man die
Zehngebote in der Kinderlehre wiederholen läßt. Das vierte
ist noch ein ganz hübsches vernünftiges gebietendes Gebot:
Du sollst Vater und Mutter ehren. Wenn sich das die Kinder
recht in den Sinn schreiben, so haben sie den ganzen Tag
daran auszuüben. Nun aber das fünfte, was soll man dazu
sagen? Du sollst nicht töten. Als wenn irgend ein Mensch im
mindesten Lust hätte den andern tot zu schlagen! Man haßt
einen, man erzürnt sich, man übereilt sich und in Gefolg von
dem und manchem andern kann es wohl kommen, daß man
gelegentlich einen tot schlägt. Aber ist es nicht eine barbarische Anstalt, den Kindern Mord und Totschlag zu verbieten? Wenn es hieße: sorge für des Andern Leben, entferne
was ihm schädlich sein kann, rette ihn mit deiner eigenen
Gefahr; wenn du ihn beschädigst, denke daß du dich selbst
beschädigst: das sind Gebote wie sie unter gebildeten vernünftigen Völkern Statt haben, und die man bei der Ka-
techismuslehre nur kümmerlich in dem Wasistdas nach-
schleppt.

Und nun gar das sechste, das finde ich ganz abscheulich!
Was? die Neugierde vorahndender Kinder auf gefährliche
Mysterien reizen, ihre Einbildungskraft zu wunderlichen
Bildern und Vorstellungen aufregen, die gerade das was man
entfernen will, mit Gewalt heranbringen! Weit besser wäre
es, daß dergleichen von einem heimlichen Gericht willkürlich bestraft würde, als daß man vor Kirch' und Gemeinde
davon plappern läßt.

In dem Augenblick trat Ottilie herein – Du sollst nicht
ehebrechen, fuhr Mittler fort: Wie grob, wie unanständig!

Klänge es nicht ganz anders wenn es hieße: Du sollst Ehrfurcht haben vor der ehelichen Verbindung; wo du Gatten
siehst die sich lieben, sollst du dich darüber freuen und Teil
daran nehmen wie an dem Glück eines heitern Tages. Sollte
sich irgend in ihrem Verhältnis etwas trüben, so sollst du
suchen es aufzuklären; du sollst suchen sie zu begütigen, sie
zu besänftigen, ihnen ihre wechselseitigen Vorteile deutlich
zu machen, und mit schöner Uneigennützigkeit das Wohl der
andern fördern, indem du ihnen fühlbar machst was für ein
Glück aus jeder Pflicht und besonders aus dieser entspringt,
welche Mann und Weib unauflöslich verbindet.

Charlotte saß wie auf Kohlen, und der Zustand war ihr um
so ängstlicher als sie überzeugt war, daß Mittler nicht wußte
was und wo er's sagte, und ehe sie ihn noch unterbrechen
konnte, sah sie schon Ottilien, deren Gestalt sich verwandelt
hatte, aus dem Zimmer gehen.

Sie erlassen uns wohl das siebente Gebot, sagte Charlotte
mit erzwungenem Lächeln. Alle die übrigen, versetzte Mittler, wenn ich nur das rette, worauf die andern beruhen.

Mit entsetzlichem Schrei hereinstürzend rief Nanny: Sie
stirbt! Die Fräulein stirbt! Kommen Sie! kommen Sie!

Als Ottilie nach ihrem Zimmer schwankend zurückgekommen war, lag der morgende Schmuck auf mehreren
Stühlen völlig ausgebreitet, und das Mädchen, das betrachtend und bewundernd daran hin und herging, rief jubelnd
aus: Sehen Sie nur, liebste Fräulein, das ist ein Brautschmuck
ganz Ihrer wert!

Ottilie vernahm diese Worte und sank auf den Sofa.
Nanny sieht ihre Herrin erblassen, erstarren; sie läuft zu
Charlotten; man kommt. Der ärztliche Hausfreund eilt herbei; es scheint ihm nur eine Erschöpfung. Er läßt etwas
Kraftbrühe bringen; Ottilie weist sie mit Abscheu weg, ja sie
fällt fast in Zuckungen als man die Tasse dem Munde nähert.
Er fragt mit Ernst und Hast, wie es ihm der Umstand eingab:
was Ottilie heute genossen habe? Das Mädchen stockt; er
wiederholt seine Frage, das Mädchen bekennt, Ottilie habe
nichts genossen.

Nanny erscheint ihm ängstlicher als billig. Er reißt sie in ein Nebenzimmer, Charlotte folgt, das Mädchen wirft sich auf die Knie, sie gesteht, daß Ottilie schon lange so gut wie nichts genieße. Auf Andringen Ottiliens habe sie die Speisen an ihrer Statt genossen; verschwiegen habe sie es wegen bittender und drohender Gebärden ihrer Gebieterin, und auch, setzte sie unschuldig hinzu: weil es ihr gar so gut geschmeckt.

Der Major und Mittler kamen heran, sie fanden Charlotten tätig in Gesellschaft des Arztes. Das bleiche himmlische Kind saß, sich selbst bewußt wie es schien, in der Ecke des Sofas. Man bittet sie sich niederzulegen; sie verweigert's, winkt aber daß man das Köfferchen herbeibringe. Sie setzt ihre Füße darauf und findet sich in einer halb liegenden bequemen Stellung. Sie scheint Abschied nehmen zu wollen, ihre Gebärden drücken den Umstehenden die zarteste Anhänglichkeit aus, Liebe, Dankbarkeit, Abbitte und das herzlichste Lebewohl.

Eduard der vom Pferde steigt, vernimmt den Zustand, er stürzt in das Zimmer, er wirft sich an ihre Seite nieder, faßt ihre Hand und überschwemmt sie mit stummen Tränen. So bleibt er lange. Endlich ruft er aus: Soll ich deine Stimme nicht wiederhören? wirst du nicht mit einem Wort für mich ins Leben zurückkehren? Gut, gut! ich folge dir hinüber: da werden wir mit andern Sprachen reden!

Sie drückt ihm kräftig die Hand, sie blickt ihn lebevoll und liebevoll an, und nach einem tiefen Atemzug, nach einer himmlischen, stummen Bewegung der Lippen: Versprich mir zu leben! ruft sie aus, mit holder zärtlicher Anstrengung, doch gleich sinkt sie zurück. Ich versprech' es! rief er ihr entgegen, doch er rief es ihr nur nach; sie war schon abgeschieden.

Nach einer tränenvollen Nacht fiel die Sorge, die geliebten Reste zu bestatten, Charlotten anheim. Der Major und Mittler standen ihr bei. Eduards Zustand war zu bejammern. Wie er sich aus seiner Verzweiflung nur hervorheben und einigermaßen besinnen konnte, bestand er darauf: Ottilie sollte

nicht aus dem Schlosse gebracht, sie sollte gewartet, gepflegt,
als eine Lebende behandelt werden; denn sie sei nicht tot, sie
könne nicht tot sein. Man tat ihm seinen Willen, insofern
man wenigstens das unterließ was er verboten hatte. Er verlangte sie nicht zu sehen.   5

Noch ein anderer Schreck ergriff, noch eine andre Sorge
beschäftigte die Freunde. Nanny von dem Arzt heftig gescholten, durch Drohungen zum Bekenntnis genötigt, und
nach dem Bekenntnis mit Vorwürfen überhäuft, war entflohen. Nach langem Suchen fand man sie wieder; sie schien 10
außer sich zu sein. Ihre Eltern nahmen sie zu sich. Die beste
Begegnung schien nicht anzuschlagen, man mußte sie einsperren, weil sie wieder zu entfliehen drohte.

Stufenweise gelang es, Eduarden der heftigsten Verzweiflung zu entreißen, aber nur zu seinem Unglück: denn es 15
ward ihm deutlich, es ward ihm gewiß, daß er das Glück
seines Lebens für immer verloren habe. Man wagte es ihm
vorzustellen, daß Ottilie in jener Kapelle beigesetzt, noch
immer unter den Lebendigen bleiben und einer freundlichen
stillen Wohnung nicht entbehren würde. Es fiel schwer seine 20
Einwilligung zu erhalten, und nur unter der Bedingung, daß
sie im offenen Sarge hinausgetragen, und in dem Gewölbe
allenfalls nur mit einem Glasdeckel zugedeckt und eine immerbrennende Lampe gestiftet werden sollte, ließ er sichs
zuletzt gefallen und schien sich in alles ergeben zu haben.   25

Man kleidete den holden Körper in jenen Schmuck den sie
sich selbst vorbereitet hatte; man setzte ihr einen Kranz von
Asterblumen auf das Haupt, die wie traurige Gestirne ahndungsvoll glänzten. Die Bahre, die Kirche, die Kapelle zu
schmücken, wurden alle Gärten ihres Schmucks beraubt. Sie 30
lagen verödet als wenn bereits der Winter alle Freude aus den
Beeten weggetilgt hätte. Beim frühsten Morgen wurde sie im
offnen Sarge aus dem Schloß getragen und die aufgehende
Sonne rötete nochmals das himmlische Gesicht. Die Beglei-
tenden drängten sich um die Träger, Niemand wollte voraus- 35
gehn, Niemand folgen, Jedermann sie umgeben, Jedermann
noch zum letztenmale ihre Gegenwart genießen. Knaben,

Männer und Frauen, keins blieb ungerührt. Untröstlich waren die Mädchen, die ihren Verlust am unmittelbarsten empfanden.

Nanny fehlte. Man hatte sie zurückgehalten oder vielmehr man hatte ihr den Tag und die Stunde des Begräbnisses verheimlicht. Man bewachte sie bei ihren Eltern in einer Kammer, die nach dem Garten ging. Als sie aber die Glocken läuten hörte, ward sie nur allzubald inne was vorging, und da ihre Wächterin, aus Neugierde den Zug zu sehen, sie verließ, entkam sie zum Fenster hinaus auf einen Gang und von da, weil sie alle Türen verschlossen fand, auf den Oberboden.

Eben schwankte der Zug den reinlichen mit Blättern bestreuten Weg durchs Dorf hin. Nanny sah ihre Gebieterin deutlich unter sich, deutlicher, vollständiger, schöner als alle die dem Zuge folgten. Überirdisch, wie auf Wolken oder Wogen getragen, schien sie ihrer Dienerin zu winken, und diese verworren schwankend taumelnd stürzte hinab.

Auseinander fuhr die Menge mit einem entsetzlichen Schrei nach allen Seiten. Vom Drängen und Getümmel waren die Träger genötigt die Bahre niederzusetzen. Das Kind lag ganz nahe daran; es schien an allen Gliedern zerschmettert. Man hob es auf; und zufällig oder aus besonderer Fügung lehnte man es über die Leiche, ja es schien selbst noch mit dem letzten Lebensrest seine geliebte Herrin erreichen zu wollen. Kaum aber hatten ihre schlotternden Glieder Ottiliens Gewand, ihre kraftlosen Finger Ottiliens gefaltete Hände berührt, als das Mädchen aufsprang, Arme und Augen zuerst gen Himmel erhob, dann auf die Knie vor dem Sarge niederstürzte und andächtig entzückt zu der Herrin hinauf staunte.

Endlich sprang sie wie begeistert auf und rief mit heiliger Freude: Ja, sie hat mir vergeben! Was mir kein Mensch, was ich mir selbst nicht vergeben konnte, vergibt mir Gott durch ihren Blick, ihre Gebärde, ihren Mund. Nun ruht sie wieder so still und sanft; aber Ihr habt gesehen wie sie sich aufrichtete und mit entfalteten Händen mich segnete, wie sie mich freundlich anblickte! Ihr habt es alle gehört, Ihr seid Zeugen, daß sie zu mir sagte: Dir ist vergeben! – Ich bin nun keine Mörderin mehr unter Euch; sie hat mir verziehen, Gott hat mir verziehen, und Niemand kann mir mehr etwas anhaben.

Umhergedrängt stand die Menge; sie waren erstaunt, sie horchten und sahen hin und wieder, und kaum wußte Jemand was er beginnen sollte. Tragt sie nun zur Ruhe! sagte das Mädchen: sie hat das Ihrige getan und gelitten, und kann nicht mehr unter uns wohnen. Die Bahre bewegte sich weiter, Nanny folgte zuerst und man gelangte zur Kirche, zur Kapelle.

So stand nun der Sarg Ottiliens, zu ihren Häupten der Sarg des Kindes, zu ihren Füßen das Köfferchen, in ein starkes eichenes Behältnis eingeschlossen. Man hatte für eine Wächterin gesorgt, welche in der ersten Zeit des Leichnams wahrnehmen sollte, der unter seiner Glasdecke gar liebenswürdig dalag. Aber Nanny wollte sich dieses Amt nicht nehmen lassen; sie wollte allein, ohne Gesellin bleiben und der zum erstenmal angezündeten Lampe fleißig warten. Sie verlangte dies so eifrig und hartnäckig, daß man ihr nachgab, um ein größeres Gemütsübel das sich befürchten ließ, zu verhüten.

Aber sie blieb nicht lange allein: denn gleich mit sinkender Nacht, als das schwebende Licht sein volles Recht ausübend einen helleren Schein verbreitete, öffnete sich die Türe und es trat der Architekt in die Kapelle, deren fromm verzierte Wände, bei so mildem Schimmer, altertümlicher und ahndungsvoller, als er je hätte glauben können, ihm entgegen drangen.

Nanny saß an der einen Seite des Sarges. Sie erkannte ihn gleich; aber schweigend deutete sie auf die verblichene Herrin. Und so stand er auf der andern Seite, in jugendlicher Kraft und Anmut, auf sich selbst zurückgewiesen, starr, in sich gekehrt, mit niedergesenkten Armen, gefalteten, mitleidig gerungenen Händen, Haupt und Blick nach der Entseelten hingeneigt.

Schon einmal hatte er so vor Belisar gestanden. Unwillkürlich geriet er jetzt in die gleiche Stellung; und wie natür-

lich war sie auch diesmal! Auch hier war etwas unschätzbar
Würdiges von seiner Höhe herabgestürzt; und wenn dort
Tapferkeit, Klugheit, Macht, Rang und Vermögen in einem
Manne als unwiederbringlich verloren bedauert wurden;
wenn Eigenschaften, die der Nation, dem Fürsten, in entscheidenden Momenten unentbehrlich sind, nicht geschätzt,
vielmehr verworfen und ausgestoßen worden: so waren hier
so viel andere stille Tugenden, von der Natur erst kurz aus
ihren gehaltreichen Tiefen hervorgerufen, durch ihre gleichgültige Hand schnell wieder ausgetilgt: seltene, schöne, liebenswürdige Tugenden, deren friedliche Einwirkung die
bedürftige Welt zu jeder Zeit mit wonnevollem Genügen
umfängt und mit sehnsüchtiger Trauer vermißt.

Der Jüngling schwieg, auch das Mädchen eine Zeit lang;
als sie ihm aber die Tränen häufig aus dem Auge quellen sah,
als er sich im Schmerz ganz aufzulösen schien, sprach sie mit
so viel Wahrheit und Kraft, mit so viel Wohlwollen und
Sicherheit ihm zu, daß er über den Fluß ihrer Rede erstaunt,
sich zu fassen vermochte, und seine schöne Freundin ihm in
einer höhern Region lebend und wirkend vorschwebte.
Seine Tränen trockneten, seine Schmerzen linderten sich;
kniend nahm er von Ottilien, mit einem herzlichen Händedruck von Nanny Abschied, und noch in der Nacht ritt er
vom Orte weg ohne Jemand weiter gesehen zu haben.

Der Wundarzt war die Nacht über, ohne des Mädchens
Wissen, in der Kirche geblieben, und fand als er sie des Morgens besuchte, sie heiter und getrosten Mutes. Er war auf
mancherlei Verirrungen gefaßt; er dachte schon, sie werde
ihm von nächtlichen Unterredungen mit Ottilien und von
andern solchen Erscheinungen sprechen: aber sie war natürlich, ruhig und sich völlig selbstbewußt. Sie erinnerte sich
vollkommen aller früheren Zeiten, aller Zustände mit großer
Genauigkeit, und nichts in ihren Reden schritt aus dem gewöhnlichen Gange des Wahren und Wirklichen heraus, als
nur die Begebenheit beim Leichenbegängnis, die sie mit
Freudigkeit oft wiederholte: wie Ottilie sich aufgerichtet, sie
gesegnet, ihr verziehen, und sie dadurch für immer beruhigt
habe.

Der fortdauernd schöne, mehr schlaf- als todähnliche Zustand Ottiliens zog mehrere Menschen herbei. Die Bewohner und Anwohner wollten sie noch sehen, und Jeder
mochte gern aus Nanny's Munde das Unglaubliche hören;
manche um darüber zu spotten, die meisten um daran zu
zweifeln, und wenige um sich glaubend dagegen zu verhalten.

Jedes Bedürfnis dessen wirkliche Befriedigung versagt ist,
nötigt zum Glauben. Die vor den Augen aller Welt zerschmetterte Nanny war durch Berührung des frommen Körpers wieder gesund geworden: warum sollte nicht auch ein
ähnliches Glück hier andern bereitet sein? Zärtliche Mütter
brachten zuerst heimlich ihre Kinder, die von irgend einem
Übel behaftet waren, und sie glaubten eine plötzliche Besserung zu spüren. Das Zutrauen vermehrte sich, und zuletzt
war Niemand so alt und so schwach, der sich nicht an dieser
Stelle eine Erquickung und Erleichterung gesucht hätte. Der
Zudrang wuchs und man sah sich genötigt die Kapelle, ja
außer den Stunden des Gottesdienstes, die Kirche zu verschließen.

Eduard wagte sich nicht wieder zu der Abgeschiedenen.
Er lebte nur vor sich hin, er schien keine Träne mehr zu
haben, keines Schmerzes weiter fähig zu sein. Seine Teilnahme an der Unterhaltung, sein Genuß von Speis' und
Trank vermindert sich mit jedem Tage. Nur noch einige Erquickung scheint er aus dem Glase zu schlürfen, das ihm
freilich kein wahrhafter Prophet gewesen. Er betrachtet
noch immer gern die verschlungenen Namenszüge und sein
ernstheiterer Blick dabei scheint anzudeuten, daß er auch
jetzt noch auf eine Vereinigung hoffe. Und wie den Glücklichen jeder Nebenumstand zu begünstigen, jedes Ungefähr
mit emporzuheben scheint; so mögen sich auch gern die
kleinsten Vorfälle zur Kränkung, zum Verderben des Unglücklichen vereinigen. Denn eines Tages, als Eduard das
geliebte Glas zum Munde brachte, entfernte er es mit Entsetzen wieder: es war dasselbe und nicht dasselbe; er vermißt
ein kleines Kennzeichen. Man dringt in den Kammerdiener

und dieser muß gestehen: das echte Glas sei unlängst zerbrochen, und ein gleiches, auch aus Eduards Jugendzeit,
untergeschoben worden. Eduard kann nicht zürnen, sein
Schicksal ist ausgesprochen durch die Tat: wie soll ihn das
Gleichnis rühren? Aber doch drückt es ihn tief. Der Trank
scheint ihm von nun an zu widerstehen; er scheint sich mit
Vorsatz der Speise, des Gesprächs zu enthalten.

Aber von Zeit zu Zeit überfällt ihn eine Unruhe. Er verlangt wieder etwas zu genießen, er fängt wieder an zu sprechen. Ach! sagte er einmal zum Major, der ihm wenig von der
Seite kam: was bin ich unglücklich, daß mein ganzes Bestreben nur immer eine Nachahmung, ein falsches Bemühen
bleibt! Was ihr Seligkeit gewesen, wird mir Pein; und doch,
um dieser Seligkeit willen, bin ich genötigt diese Pein zu
übernehmen. Ich muß ihr nach, auf diesem Wege nach; aber
meine Natur hält mich zurück und mein Versprechen. Es ist
eine schreckliche Aufgabe, das Unnachahmliche nachzuahmen. Ich fühle wohl, Bester, es gehört Genie zu allem, auch
zum Märtyrertum.

Was sollen wir, bei diesem hoffnungslosen Zustande, der
ehegattlichen, freundschaftlichen, ärztlichen Bemühungen
gedenken, in welchen sich Eduards Angehörige eine Zeit
lang hin und herwogten. Endlich fand man ihn tot. Mittler
machte zuerst diese traurige Entdeckung. Er berief den Arzt
und beobachtete, nach seiner gewöhnlichen Fassung, genau
die Umstände in denen man den Verblichenen angetroffen
hatte. Charlotte stürzte herbei: ein Verdacht des Selbstmor-
des regte sich in ihr; sie wollte sich, sie wollte die andern einer
unverzeihlichen Unvorsichtigkeit anklagen. Doch der Arzt
aus natürlichen, und Mittler aus sittlichen Gründen, wußten
sie bald vom Gegenteil zu überzeugen. Ganz deutlich war
Eduard von seinem Ende überrascht worden. Er hatte, was
er bisher sorgfältig zu verbergen pflegte, das ihm von Ottilien übrig gebliebene, in einem stillen Augenblick, vor sich
aus einem Kästchen, aus einer Brieftasche ausgebreitet: eine
Locke, Blumen in glücklicher Stunde gepflückt, alle Blättchen die sie ihm geschrieben, von jenem ersten an das ihm

seine Gattin so zufällig ahndungsreich übergeben hatte. Das alles konnte er nicht einer ungefähren Entdeckung mit Willen preisgeben. Und so lag denn auch dieses vor kurzem zu unendlicher Bewegung aufgeregte Herz in unstörbarer Ruhe; und wie er in Gedanken an die Heilige eingeschlafen war, so konnte man wohl ihn selig nennen. Charlotte gab ihm seinen Platz neben Ottilien und verordnete, daß Niemand weiter in diesem Gewölbe beigesetzt werde. Unter dieser Bedingung machte sie für Kirche und Schule, für den Geistlichen und den Schullehrer ansehnliche Stiftungen.

So ruhen die Liebenden neben einander. Friede schwebt über ihrer Stätte, heitere verwandte Engelsbilder schauen vom Gewölbe auf sie herab, und welch ein freundlicher Augenblick wird es sein, wenn sie dereinst wieder zusammen erwachen.

NOVELLE

Ein dichter Herbstnebel verhüllte noch in der Frühe die weiten Räume des fürstlichen Schloßhofes, als man schon mehr oder weniger durch den sich lichtenden Schleier die ganze Jägerei zu Pferde und zu Fuß durch einander bewegt sah. Die eiligen Beschäftigungen der nächsten ließen sich erkennen, man verlängerte, man verkürzte die Steigbügel, man reichte sich Büchse und Patrontäschchen, man schob die Dachsranzen zurecht, indes die Hunde ungeduldig am Riemen den Zurückhaltenden mit fortzuschleppen drohten. Auch hie und da gebärdete ein Pferd sich mutiger, von feuriger Natur getrieben oder von dem Sporn des Reiters angeregt, der selbst hier in der Halbhelle eine gewisse Eitelkeit sich zu zeigen nicht verleugnen konnte. Alle jedoch warteten auf den Fürsten, der von seiner jungen Gemahlin Abschied nehmend allzulange zauderte.

Erst vor kurzer Zeit zusammen-getraut empfanden sie schon das Glück übereinstimmender Gemüter, beide waren von tätig lebhaftem Charakter, eines nahm gern an des andern Neigungen und Bestrebungen Anteil. Des Fürsten Vater hatte noch den Zeitpunkt erlebt und genutzt, wo es deutlich wurde daß alle Staatsglieder in gleicher Betriebsamkeit ihre Tage zubringen, in gleichem Wirken und Schaffen, jeder nach seiner Art, erst gewinnen und dann genießen sollte.

Wie sehr dieses gelungen war ließ sich in diesen Tagen gewahr werden, als eben der Hauptmarkt sich versammelte, den man gar wohl eine Messe nennen konnte. Der Fürst hatte seine Gemahlin gestern durch das Gewimmel der aufgehäuften Waren zu Pferde geführt und sie bemerken lassen, wie gerade hier das Gebirgsland mit dem flachen Lande einen glücklichen Umtausch treffe; er wußte sie an Ort und Stelle auf die Betriebsamkeit seines Länderkreises aufmerksam zu machen.

Wenn sich nun der Fürst fast ausschließlich in diesen Tagen mit den Seinigen über diese zudringenden Gegenstände unterhielt, auch besonders mit dem Finanzminister anhaltend arbeitete, so behielt doch auch der Landjägermeister sein Recht, auf dessen Vorstellung es unmöglich war, der Versuchung zu widerstehen, an diesen günstigen Herbsttagen eine schon verschobene Jagd zu unternehmen, sich selbst und den vielen angekommenen Fremden ein eignes und seltnes Fest zu eröffnen.

Die Fürstin blieb ungern zurück; man hatte sich vorgenommen, weit in das Gebirg hineinzudringen, um die friedlichen Bewohner der dortigen Wälder durch einen unerwarteten Kriegszug zu beunruhigen.

Scheidend versäumte der Gemahl nicht einen Spazierritt vorzuschlagen, den sie im Geleit Friedrichs des Fürstlichen Oheims unternehmen sollte: auch lasse ich, sagte er, dir unsern Honorio, als Stall- und Hofjunker, der für alles sorgen wird; und in Gefolg dieser Worte gab er im Hinabsteigen einem wohlgebildeten jungen Mann die nötigen Aufträge, verschwand sodann bald mit Gästen und Gefolge.

Die Fürstin, die ihrem Gemahl noch in den Schloßhof hinab mit dem Schnupftuch nachgewinkt hatte, begab sich in die hinteren Zimmer, welche nach dem Gebirg eine freie Aussicht ließen, die um desto schöner war als das Schloß selbst von dem Flusse herauf in einiger Höhe stand und so vor- als hinterwärts mannigfaltige bedeutende Ansichten gewährte. Sie fand das treffliche Teleskop noch in der Stellung wo man es gestern Abend gelassen hatte als man, über Busch, Berg und Waldgipfel die hohen Ruinen der uralten Stammburg betrachtend, sich unterhielt, die in der Abendbeleuchtung merkwürdig hervortraten, indem alsdann die größten Licht- und Schattenmassen den deutlichsten Begriff von einem so ansehnlichen Denkmal alter Zeit verleihen konnten. Auch zeigte sich heute früh durch die annähernden Gläser recht auffallend die herbstliche Färbung, jener mannigfaltigen Baumarten, die zwischen dem Gemäuer ungehindert und ungestört durch lange Jahre emporstrebten. Die schöne Dame richtete jedoch das Fernrohr etwas tiefer nach einer öden, steinigen Fläche, über welche der Jagdzug weggehen

mußte; sie erharrte den Augenblick mit Geduld und betrog
sich nicht: denn bei der Klarheit und Vergrößerungsfähig-
keit des Instrumentes, erkannten ihre glänzenden Augen
deutlich den Fürsten und den Oberstallmeister; ja sie enthielt
sich nicht abermals mit dem Schnupftuche zu winken, als sie   5
ein augenblickliches Stillhalten und Rückblicken mehr vermutete als gewahr ward.

Fürst Oheim, Friedrich mit Namen, trat sodann, ange-
meldet, mit seinem Zeichner herein, der ein großes Portefeuille unter dem Arm trug. Liebe Cousine, sagte der alte   10
rüstige Herr, hier legen wir die Ansichten der Stammburg
vor, gezeichnet um von verschiedenen Seiten anschaulich zu
machen, wie der mächtige Trutz- und Schutzbau von alten
Zeiten her dem Jahr und seiner Witterung sich entgegen
stemmte und wie doch hie und da sein Gemäuer weichen, da   15
und dort in wüste Ruinen zusammenstürzen mußte. Nun
haben wir manches getan um diese Wildnis zugänglicher zu
machen, denn mehr bedarf es nicht um jeden Wanderer, jeden
Besuchenden in Erstaunen zu setzen, zu entzücken.

Indem nun der Fürst die einzelnen Blätter deutete sprach   20
er weiter: Hier, wo man, den Hohlweg durch die äußern
Ringmauern heraufkommend, vor die eigentliche Burg gelangt, steigt uns ein Felsen entgegen von den festesten des
ganzen Gebirgs; hierauf nun steht gemauert ein Turm, doch
niemand wüßte zu sagen wo die Natur aufhört, Kunst und   25
Handwerk aber anfangen. Ferner sieht man seitwärts
Mauern angeschlossen und Zwinger terrassenmäßig herab
sich erstreckend. Doch ich sage nicht recht, denn es ist eigentlich ein Wald der diesen uralten Gipfel umgibt; seit hundert
und funfzig Jahren hat keine Axt hier geklungen und überall   30
sind die mächtigsten Stämme emporgewachsen; wo ihr euch
an den Mauern hindrängt stellt sich der glatte Ahorn, die
rauhe Eiche, die schlanke Fichte mit Schaft und Wurzeln
entgegen, um diese müssen wir uns herumschlängeln und
unsere Fußpfade verständig führen. Seht nur wie trefflich   35
unser Meister dies Charakteristische auf dem Papier ausgedrückt hat, wie kenntlich die verschiedenen Stamm- und

Wurzelarten zwischen das Mauerwerk verflochten und die mächtigen Äste durch die Lücken durchgeschlungen sind. Es ist eine Wildnis wie keine, ein zufällig-einziges Lokal, wo die alten Spuren längst verschwundener Menschenkraft mit der
5 ewig lebenden und fortwirkenden Natur sich in dem ernstesten Streit erblicken lassen.

Ein anderes Blatt aber vorlegend fuhr er fort: Was sagt Ihr nun zum Schloßhofe, der, durch das Zusammenstürzen des alten Torturmes unzugänglich, seit undenklichen Jahren von
10 niemand betreten ward. Wir suchten ihm von der Seite beizukommen, haben Mauern durchbrochen, Gewölbe gesprengt und so einen bequemen aber geheimen Weg bereitet. Inwendig bedurft' es keines Aufräumens, hier findet sich ein flacher Felsgipfel von der Natur geplättet, aber doch haben
15 mächtige Bäume hie und da zu Wurzeln Glück und Gelegenheit gefunden; sie sind sachte aber entschieden aufgewachsen, nun erstrecken sie ihre Äste bis in die Galerien hinein, auf denen der Ritter sonst auf und ab schritt; ja durch Türen durch und Fenster in die gewölbten Säle, aus denen wir sie
20 nicht vertreiben wollen, sie sind eben Herr geworden und mögens bleiben. Tiefe Blätterschichten wegräumend haben wir den merkwürdigsten Platz geebnet gefunden, dessen Gleichen in der Welt vielleicht nicht wieder zu sehen ist.

Nach allem diesem aber ist es immer noch bemerkenswert
25 und an Ort und Stelle zu beschauen, daß auf den Stufen die in den Hauptturm hinaufführen ein Ahorn Wurzel geschlagen und sich zu einem so tüchtigen Baume gebildet hat, daß man nur mit Not daran vorbeidringen kann um die Zinne, der unbegrenzten Aussicht wegen, zu besteigen. Aber auch hier
30 verweilt man bequem im Schatten, denn dieser Baum ist es der sich über das Ganze wunderbar hoch in die Luft hebt.

Danken wir also dem wackern Künstler, der uns so löblich in verschiedenen Bildern von allem überzeugt als wenn wir gegenwärtig wären; er hat die schönsten Stunden des Tages
35 und der Jahrszeit dazu angewendet und sich wochenlang um diese Gegenstände herumbewegt. In dieser Ecke ist für ihn und den Wächter den wir ihm zugegeben eine kleine ange-

nehme Wohnung eingerichtet. Sie sollten nicht glauben, meine Beste, welch eine schöne Aus- und Ansicht er ins Land, in Hof und Gemäuer sich dort bereitet hat. Nun aber da alles so rein und charakteristisch umrissen ist, wird er es hier unten mit Bequemlichkeit ausführen. Wir wollen mit diesen Bildern unsern Gartensaal zieren und niemand soll über unsere regelmäßigen Parterre, Lauben und schattigen Gänge, seine Augen spielen lassen, der nicht wünschte sich dort oben in dem wirklichen Anschauen des Alten und Neuen, des Starren, Unnachgiebigen, Unzerstörlichen und des Frischen, Schmiegsamen, Unwiderstehlichen seine Betrachtungen anzustellen.

Honorio trat ein und meldete die Pferde seien vorgeführt, da sagte die Fürstin, zum Oheim gewendet: reiten wir hinauf und lassen Sie mich in der Wirklichkeit sehen was Sie mir hier im Bilde zeigten. Seit ich hier bin hör' ich von diesem Unternehmen und werde jetzt erst recht verlangend mit Augen zu sehen was mir in der Erzählung unmöglich schien und in der Nachbildung unwahrscheinlich bleibt – Noch nicht, meine Liebe, versetzte der Fürst: was Sie hier sahen ist was es werden kann und wird; jetzt stockt noch manches im Beginnen; die Kunst muß erst vollenden, wenn sie sich vor der Natur nicht schämen soll – Und so reiten wir wenigstens hinaufwärts, und wär' es nur bis an den Fuß; ich habe große Lust mich heute weit in der Welt umzusehen. – Ganz nach Ihrem Willen, versetzte der Fürst – Lassen Sie uns aber durch die Stadt reiten, fuhr die Dame fort, über den großen Marktplatz, wo eine zahllose Menge von Buden die Gestalt einer kleinen Stadt, eines Feldlagers angenommen hat. Es ist als wären die Bedürfnisse und Beschäftigungen sämtlicher Familien des Landes umher, nach außen gekehrt, in diesem Mittelpunkt versammelt, an das Tageslicht gebracht worden. Denn hier sieht der aufmerksame Beobachter alles was der Mensch leistet und bedarf, man bildet sich einen Augenblick ein, es sei kein Geld nötig, jedes Geschäft könne hier durch Tausch abgetan werden; und so ist es auch im Grunde. Seitdem der Fürst gestern mir Anlaß zu diesen Übersichten ge-

geben, ist es mir gar angenehm zu denken, wie hier, wo
Gebirg und flaches Land aneinander grenzen, beide so deutlich aussprechen was sie brauchen und was sie wünschen. Wie
nun der Hochländer das Holz seiner Wälder in hundert Formen umzubilden weiß, das Eisen zu einem jeden Gebrauch
zu vermannigfaltigen, so kommen jene drüben mit den viel-
fältigsten Waren ihm entgegen, an denen man den Stoff kaum
zu unterscheiden und den Zweck oft nicht erkennen mag.

Ich weiß, versetzte der Fürst, daß mein Neffe hierauf die
größte Aufmerksamkeit wendet; denn gerade zu dieser
Jahrszeit kommt es hauptsächlich darauf an, daß man mehr
empfange als gebe; dies zu bewirken ist am Ende die Summe
des ganzen Staatshaushaltes, so wie der kleinsten häuslichen
Wirtschaft. Verzeihen Sie aber, meine Beste, ich reite niemals
gern durch Markt und Messe, bei jedem Schritt ist man gehindert und aufgehalten und dann flammt mir das ungeheure
Unglück wieder in die Einbildungskraft, das sich mir gleichsam in die Augen eingebrannt, als ich eine solche Güter- und
Warenbreite in Feuer aufgehen sah. Ich hatte mich kaum –

Lassen Sie uns die schönen Stunden nicht versäumen, fiel
ihm die Fürstin ein, da der würdige Mann sie schon einigemal mit ausführlicher Beschreibung jenes Unheils geängstigt
hatte, wie er sich nämlich, auf einer großen Reise begriffen,
Abends im besten Wirtshause auf dem Markte, der eben von
einer Hauptmesse wimmelte, höchst ermüdet zu Bette gelegt, und Nachts durch Geschrei und Flammen, die sich gegen seine Wohnung wälzten, gräßlich aufgeweckt worden.

Die Fürstin eilte das Lieblingspferd zu besteigen, und
führte, statt zum Hintertore bergauf, zum Vordertore bergunter ihren widerwillig-bereiten Begleiter; denn wer wäre
nicht gern an ihrer Seite geritten, wer wäre ihr nicht gern
gefolgt. Und so war auch Honorio von der sonst so ersehn-
ten Jagd willig zurückgeblieben, um ihr ausschließlich
dienstbar zu sein.

Wie voraus zu sehen durften sie auf dem Markte nur
Schritt vor Schritt reiten; aber die schöne Liebenswürdige
erheiterte jeden Aufenthalt durch eine geistreiche Bemer-

kung. Ich wiederhole, sagte sie, meine gestrige Lektion, da
denn doch die Notwendigkeit unsere Geduld prüfen will.
Und wirklich drängte sich die ganze Menschenmasse dergestalt an die Reitenden heran, daß sie ihren Weg nur langsam
fortsetzen konnten. Das Volk schaute mit Freuden die junge ⁵
Dame und auf so viel lächelnden Gesichtern zeigte sich das
entschiedene Behagen, zu sehen, daß die erste Frau im Lande
auch die schönste und anmutigste sei.

Untereinander gemischt standen Bergbewohner, die zwischen Felsen, Fichten und Föhren ihre stillen Wohnsitze heg- ¹⁰
ten, Flachländer von Hügeln, Auen und Wiesen her, Ge-
werbsleute der kleinen Städte und was sich alles versammelt
hatte. Nach einem ruhigen Überblick bemerkte die Fürstin
ihrem Begleiter, wie alle diese, woher sie auch seien, mehr
Stoff als nötig zu ihren Kleidern genommen, mehr Tuch und ¹⁵
Leinwand, mehr Band zum Besatz. Ist es doch als ob die
Weiber nicht brauschig und die Männer nicht pauschig genug
sich gefallen könnten.

Wir wollen ihnen das ja lassen, versetzte der Oheim, wo
auch der Mensch seinen Überfluß hinwendet, ihm ist wohl ²⁰
dabei, am wohlsten wenn er sich damit schmückt und auf-
putzt. Die schöne Dame winkte Beifall.

So waren sie nach und nach auf einen freien Platz gelangt,
der zur Vorstadt hinführte, wo am Ende vieler kleiner Buden
und Kramstände ein größeres Brettergebäude in die Augen ²⁵
fiel, das sie kaum erblickten als ein ohrzerreißendes Gebrülle
ihnen entgegen tönte. Die Fütterungsstunde der dort zur
Schau stehenden wilden Tiere schien herangekommen; der
Löwe ließ seine Wald- und Wüstenstimme aufs kräftigste
hören, die Pferde schauderten und man konnte der Bemer- ³⁰
kung nicht entgehen, wie in dem friedlichen Wesen und Wirken der gebildeten Welt der König der Einöde sich so furchtbar verkündige. Zur Bude näher gelangt durften sie die bunten kolossalen Gemälde nicht übersehen, die mit heftigen
Farben und kräftigen Bildern jene fremden Tiere darstellten, ³⁵
welche der friedliche Staatsbürger zu schauen unüberwindliche Lust empfinden sollte. Der grimmig ungeheure Tiger

sprang auf einen Mohren los, im Begriff ihn zu zerreißen; ein
Löwe stand ernsthaft majestätisch, als wenn er keine Beute
seiner würdig vor sich sähe; andere wunderliche bunte Geschöpfe verdienten neben diesen mächtigen weniger Aufmerksamkeit.

Wir wollen, sagte die Fürstin bei unserer Rückkehr doch
absteigen und die seltenen Gäste näher betrachten – Es ist
wunderbar, versetzte der Fürst, daß der Mensch durch
Schreckliches immer aufgeregt sein will. Drinnen liegt der
Tiger ganz ruhig in seinem Kerker, und hier muß er grimmig
auf einen Mohren losfahren, damit man glaube dergleichen
inwendig ebenfalls zu sehen; es ist an Mord und Todschlag
noch nicht genug, an Brand und Untergang, die Bänkelsän-
ger müssen es an jeder Ecke wiederholen. Die guten Menschen wollen eingeschüchtert sein, um hinterdrein erst recht
zu fühlen wie schön und löblich es sei frei Atem zu holen.

Was denn aber auch bängliches von solchen Schreckens-
bildern mochte übrig geblieben sein, alles und jedes war sogleich ausgelöscht, als man, zum Tore hinausgelangt, in die
heiterste Gegend eintrat. Der Weg führte zuerst am Flusse
hinan, einem zwar noch schmalen, nur leichte Kähne tragen-
den Wasser, das aber nach und nach als größter Strom seinen
Namen behalten und ferne Länder beleben sollte. Dann ging
es weiter durch wohlversorgte Frucht- und Lustgärten
sachte hinaufwärts, und man sah sich nach und nach in der
aufgetanen wohlbewohnten Gegend um, bis erst ein Busch,
sodann ein Wäldchen die Gesellschaft aufnahm, und die anmutigsten Örtlichkeiten ihren Blick begrenzten und erquickten. Ein aufwärts leitendes Wiesental, erst vor kurzem zum
zweitenmale gemäht, sammetähnlich anzusehen, von einer
oberwärts, lebhaft auf einmal reich entspringenden Quelle
gewässert, empfing sie freundlich und so zogen sie einem
höheren, freieren Standpunkt entgegen, den sie, aus dem
Walde sich bewegend, nach einem lebhaften Stieg erreichten,
alsdann aber vor sich noch in bedeutender Entfernung über
neuen Baumgruppen das alte Schloß, den Zielpunkt ihrer
Wallfahrt, als Fels- und Waldgipfel hervorragen sahen.

Rückwärts aber – denn niemals gelangte man hierher ohne sich umzukehren – erblickten sie durch zufällige Lücken der hohen Bäume, das fürstliche Schloß links, von der Morgensonne beleuchtet, den wohlgebauten höhern Teil der Stadt von leichten Rauchwolken gedämpft, und sofort nach der rechten zu die untere Stadt, den Fluß in einigen Krümmungen, mit seinen Wiesen und Mühlen; gegenüber eine weite nahrhafte Gegend.

Nachdem sie sich an dem Anblick ersättigt, oder vielmehr, wie es uns bei dem Umblick auf so hoher Stelle zu geschehen pflegt, erst recht verlangend geworden nach einer weitern, weniger begrenzten Aussicht, ritten sie eine steinichte breite Fläche hinan, wo ihnen die mächtige Ruine als ein grüngekrönter Gipfel entgegen stand, wenig alte Bäume tief unten um seinen Fuß; sie ritten hindurch und so fanden sie sich gerade vor der steilsten unzugänglichsten Seite. Mächtige Felsen standen von Urzeiten her, jedem Wechsel unangetastet, fest, wohlgegründet voran, und so türmte sich's aufwärts; das dazwischen Herabgestürzte lag in mächtigen Platten und Trümmern unregelmäßig übereinander und schien dem Kühnsten jeden Angriff zu verbieten. Aber das Steile, Jähe scheint der Jugend zuzusagen; dies zu unternehmen, zu erstürmen, zu erobern ist jungen Gliedern ein Genuß. Die Fürstin bezeigte Neigung zu einem Versuch, Honorio war bei der Hand, der fürstliche Oheim, wenn schon bequemer; ließ sich's gefallen und wollte sich doch auch nicht unkräftig zeigen; die Pferde sollten am Fuß unter den Bäumen halten, und man wollte bis zu einem gewissen Punkte gelangen, wo ein vorstehender mächtiger Fels einen Flächenraum darbot, von wo man eine Aussicht hatte, die zwar schon in den Blick des Vogels überging aber sich doch noch malerisch genug hinter einander schob.

Die Sonne, beinahe auf ihrer höchsten Stelle, verlieh die klarste Beleuchtung, das fürstliche Schloß mit seinen Teilen, Hauptgebäuden, Flügeln, Kuppeln und Türmen erschien gar stattlich; die obere Stadt in ihrer völligen Ausdehnung, auch in die untere konnte man bequem hineinsehen, ja durch

das Fernrohr auf dem Markte sogar die Buden unterscheiden. Honorio war immer gewohnt ein so förderliches Werkzeug überzuschnallen; man schaute den Fluß hinauf und hinab, diesseits das bergartig terrassenweis unterbrochene,
5 jenseits das aufgleitende flache und in mäßigen Hügeln abwechselnde fruchtbare Land; Ortschaften unzählige; denn es war längst herkömmlich über die Zahl zu streiten wie viel man deren von hier oben gewahr werde.

Über die große Weite lag eine heitere Stille, wie es am
10 Mittag zu sein pflegt, wo die Alten sagten, der Pan schlafe, und alle Natur halte den Atem an, um ihn nicht aufzuwecken.

Es ist nicht das erstemal, sagte die Fürstin, daß ich auf so hoher weitumschauender Stelle die Betrachtung mache, wie doch die klare Natur so reinlich und friedlich aussieht, und
15 den Eindruck verleiht als wenn garnichts Widerwärtiges in der Welt sein könne; und wenn man dann wieder in die Menschenwohnung zurückkehrt, sie sei hoch oder niedrig, weit oder eng, so gibts immer etwas zu kämpfen, zu streiten, zu schlichten und zurecht zu legen.

20 Honorio, der indessen durch das Sehrohr nach der Stadt geschaut hatte, rief: Seht hin! Seht hin! auf dem Markte fängt es an zu brennen. Sie sahen hin und bemerkten wenigen Rauch, die Flamme dämpfte der Tag. Das Feuer greift weiter um sich! rief man, immer durch die Gläser schauend; auch
25 wurde das Unheil den guten unbewaffneten Augen der Fürstin bemerklich; von Zeit zu Zeit erkannte man eine rote Flammenglut, der Dampf stieg empor und Fürst Oheim sprach: Laßt uns zurückkehren! das ist nicht gut; ich fürchtete immer das Unglück zum zweitenmale zu erleben. Als sie,
30 herabgekommen, den Pferden wieder zugingen, sagte die Fürstin zu dem alten Herrn: reiten Sie hinein, eilig, aber nicht ohne den Reitknecht, lassen Sie mir Honorio, wir folgen sogleich. Der Oheim fühlte das Vernünftige, ja das Notwendige dieser Worte und ritt, so eilig als der Boden er-
35 laubte, den wüsten steinigen Hang hinunter.

Als die Fürstin aufsaß, sagte Honorio, reiten Ew: Durchlaucht, ich bitte, langsam! in der Stadt wie auf dem Schloß

sind die Feueranstalten in bester Ordnung, man wird sich
durch einen so unerwartet außerordentlichen Fall nicht irre
machen lassen. Hier aber ist ein böser Boden, kleine Steine
und kurzes Gras, schnelles Reiten ist unsicher; ohnehin, bis
wir hineinkommen, wird das Feuer schon nieder sein. Die ₅
Fürstin glaubte nicht daran, sie sah den Rauch sich verbreiten, sie glaubte einen aufflammenden Blitz gesehen, ein
Schlag gehört zu haben und nun bewegten sich in ihrer Einbildungskraft alle die Schreckbilder welche des trefflichen
Oheims wiederholte Erzählung von dem erlebten Jahr- ₁₀
markts-Brande leider nur zu tief eingesenkt hatte.

Fürchterlich wohl war jener Fall, überraschend und eindringlich genug, um zeitlebens eine Ahnung und Vorstellung wiederkehrenden Unglücks ängstlich zurückzulassen,
als zur Nachtzeit auf dem großen budenreichen Marktraum ₁₅
ein plötzlicher Brand Laden auf Laden ergriffen hatte, ehe
noch die in und an diesen leichten Hütten Schlafenden aus
tiefen Träumen geschüttelt wurden; der Fürst selbst als ein
ermüdet angelangter erst eingeschlafener Fremder ans Fenster sprang, alles fürchterlich erleuchtet sah, Flamme nach ₂₀
Flamme, rechts und links sich überspringend, ihm entgegen
züngelte. Die Häuser des Marktes, vom Widerschein gerö-
tet, schienen schon zu glühen, drohend sich jeden Augenblick zu entzünden und in Flammen aufzuschlagen; unten
wütete das Element unaufhaltsam, die Bretter prasselten, die ₂₅
Latten knackten, Leinwand flog auf und ihre düstern an den
Enden flammend ausgezackten Fetzen trieben in der Höhe
sich umher, als wenn die bösen Geister in ihrem Elemente
um und um gestaltet sich, mutwillig tanzend, verzehren und
da und dort aus den Gluten wieder auftauchen wollten. Dann ₃₀
aber mit kreischendem Geheul rettete jeder was zur Hand
lag; Diener und Knechte mit den Herren bemühten sich von
Flammen ergriffene Ballen fortzuschleppen, von dem brennenden Gestell noch einiges wegzureißen um es in die Kiste
zu packen, die sie denn doch zuletzt den eilenden Flammen ₃₅
zum Raube lassen mußten. Wie mancher wünschte nur einen
Augenblick Stillstand dem heranprasselnden Feuer, nach der

Möglichkeit einer Besinnung sich umsehend, und er war mit
aller seiner Habe schon ergriffen; an der einen Seite brannte,
glühte schon, was an der andern noch in finsterer Nacht
stand. Hartnäckige Charaktere, willenstarke Menschen wi-
dersetzten sich grimmig dem grimmigen Feinde und retteten
manches, mit Verlust ihrer Augenbrauen und Haare. Leider
nun erneuerte sich vor dem schönen Geiste der Fürstin der
wüste Wirrwar, nun schien der heitere morgendliche Ge-
sichtskreis umnebelt, ihre Augen verdüstert, Wald und
Wiese hatten einen wunderbaren bänglichen Anschein.

In das friedliche Tal einreitend, seiner labenden Kühle
nicht achtend, waren sie kaum einige Schritte von der lebhaften Quelle des nahen fließenden Baches herab, als die Fürstin ganz unten im Gebüsche des Wiesentals etwas seltsames
erblickte, das sie alsobald für den Tiger erkannte; heranspringend, wie sie ihn vor kurzem gemalt gesehen, kam er
entgegen; und dieses Bild zu den furchtbaren Bildern die sie
so eben beschäftigten machte den wundersamsten Eindruck.
Flieht! gnädige Frau, rief Honorio, flieht! Sie wandte das
Pferd um, dem steilen Berg zu wo sie herabgekommen waren. Der Jüngling aber, dem Untier entgegen, zog die Pistole
und schoß, als er sich nahe genug glaubte; leider jedoch war
gefehlt, der Tiger sprang seitwärts, das Pferd stutzte, das
ergrimmte Tier aber verfolgte seinen Weg, aufwärts unmittelbar der Fürstin nach. Sie sprengte was das Pferd vermochte die steile, steinige Strecke hinan, kaum fürchtend,
daß ein zartes Geschöpf, solcher Anstrengung ungewohnt,
sie nicht aushalten werde. Es übernahm sich, von der bedrängten Reiterin angeregt, stieß am kleinen Gerölle des
Hanges an und wieder an, und stürzte zuletzt nach heftigem
Bestreben kraftlos zu Boden. Die schöne Dame, entschlossen
und gewandt, verfehlte nicht sich strack auf ihre Füße zu
stellen, auch das Pferd richtete sich auf, aber der Tiger nahte
schon, obgleich nicht mit heftiger Schnelle; der ungleiche
Boden, die scharfen Steine schienen seinen Antrieb zu hindern und nur daß Honorio unmittelbar hinter ihm herflog,
neben ihm gemäßigt heraufritt, schien seine Kraft aufs neue

anzuspornen und zu reizen. Beide Renner erreichten zugleich den Ort wo die Fürstin am Pferde stand, der Ritter beugte sich herab, schoß und traf mit der zweiten Pistole das Ungeheuer durch den Kopf, daß es sogleich niederstürzte, und ausgestreckt in seiner Länge erst recht die Macht und Furchtbarkeit sehen ließ, von der nur noch das Körperliche übrig geblieben da lag. Honorio war vom Pferde gesprungen und kniete schon auf dem Tiere, dämpfte seine letzten Bewegungen und hielt den gezogenen Hirschfänger in der rechten Hand. Der Jüngling war schön, er war herangesprengt, wie ihn die Fürstin oft im Lanzen- und Ringelspiel gesehen hatte. Eben so traf in der Reitbahn seine Kugel im Vorbeisprengen den Türkenkopf auf dem Pfahl, gerade unter dem Turban in die Stirne, eben so spießte er, flüchtig heransprengend, mit dem blanken Säbel das Mohrenhaupt vom Boden auf. In allen solchen Künsten war er gewandt und glücklich, hier kam beides zu statten.

Gebt ihm den Rest, sagte die Fürstin, ich fürchte er beschädigt Euch noch mit den Krallen. – Verzeiht! erwiderte der Jüngling, er ist schon tot genug, und ich mag das Fell nicht verderben, das nächsten Winter auf Eurem Schlitten glänzen soll. – Frevelt nicht! sagte die Fürstin; alles was von Frömmigkeit im tiefen Herzen wohnt, entfaltet sich in solchem Augenblick. – Auch ich, rief Honorio, war nicht frömmer als jetzt eben, deshalb aber denke ich an's freudigste, ich blicke dieses Fell nur an wie es Euch zur Lust begleiten kann. – Es würde mich immer an diesen schrecklichen Augenblick erinnern, versetzte sie. – Ist es doch, erwiderte der Jüngling mit glühender Wange, ein unschuldiges Triumphzeichen, als wenn die Waffen erschlagener Feinde vor dem Sieger her zur Schau getragen wurden – Ich werde mich an Eure Kühnheit und Gewandtheit dabei erinnern, und darf nicht hinzusetzen, daß Ihr auf meinen Dank und auf die Gnade des Fürsten lebenslänglich rechnen könnt. Aber steht auf; schon ist kein Leben mehr im Tiere, bedenken wir das Weitere; vor allen Dingen steht auf! – Da ich nun einmal knie, versetzte der Jüngling, da ich mich in einer Stellung befinde, die mir auf

jede andere Weise untersagt wäre, so laßt mich bitten von der
Gunst, von der Gnade die ihr mir zuwendet, in diesem Augenblick versichert zu werden. Ich habe schon so oft Euren
hohen Gemahl gebeten um Urlaub und Vergünstigung einer
weitern Reise. Wer das Glück hat an Eurer Tafel zu sitzen,
wen Ihr beehrt Eure Gesellschaft unterhalten zu dürfen, der
muß die Welt gesehen haben. Reisende strömen von allen
Orten her, und wenn von einer Stadt, von einem wichtigen
Punkte irgend eines Weltteils gesprochen wird, ergeht an den
Eurigen jedesmal die Frage, ob er daselbst gewesen sei. Niemanden traut man Verstand zu, als wer das alles gesehen hat;
es ist als wenn man sich nur für andere zu unterrichten hätte.

Steht auf! wiederholte die Fürstin, ich möchte nicht gern
gegen die Überzeugung meines Gemahls irgend etwas wünschen und bitten; allein wenn ich nicht irre, so ist die Ursache
warum er Euch bisher zurückhielt bald gehoben. Seine Absicht war, Euch zum selbständigen Edelmann herangereift
zu sehen, der sich und ihm auch auswärts Ehre machte, wie
bisher am Hofe, und ich dächte Eure Tat wäre ein so emp-
fehlender Reisepaß als ein junger Mann nur in die Welt mitnehmen kann.

Daß anstatt einer jugendlichen Freude eine gewisse
Trauer über sein Gesicht zog, hatte die Fürstin nicht Zeit zu
bemerken, noch er seiner Empfindung Raum zu geben, denn
hastig den Berg herauf, einen Knaben an der Hand, kam eine
Frau, geradezu auf die Gruppe los, die wir kennen, und
kaum war Honorio sich besinnend aufgestanden, als sie sich
heulend und schreiend über den Leichnam her warf, und an
dieser Handlung, so wie an einer, obgleich reinlich anständigen, doch bunten und seltsamen Kleidung sogleich erraten
ließ, sie sei die Meisterin und Wärterin dieses dahingestreck-
ten Geschöpfes, wie denn der schwarzaugige, schwarz-
lockige Knabe, der eine Flöte in der Hand hielt, gleich der
Mutter weinend, weniger heftig, aber tief gerührt, neben ihr
kniete.

Den gewaltsamen Ausbrüchen der Leidenschaft dieses unglücklichen Weibes folgte, zwar unterbrochen stoßweise, ein

Strom von Worten, wie ein Bach sich in Absätzen von Felsen zu Felsen stürzt. Eine natürliche Sprache, kurz und abgebrochen, machte sich eindringlich und rührend; vergebens würde man sie in unsern Mundarten übersetzen wollen, den ohngefähren Inhalt dürfen wir nicht verhehlen. Sie haben Dich ermordet, armes Tier! ermordet ohne Not! Du warst zahm und hättest Dich gern ruhig niedergelassen und auf uns gewartet; denn Deine Fußballen schmerzten Dich, und Deine Krallen hatten keine Kraft mehr! Die heiße Sonne fehlte Dir, sie zu reifen. Du warst der Schönste Deines Gleichen; wer hat je einen königlichen Tiger so herrlich ausgestreckt im Schlafe gesehen, wie Du nun hier liegst, tot um nicht wieder aufzustehen. Wenn Du des Morgens aufwachtest beim frühen Tagschein und den Rachen aufsperrtest, ausstreckend die rote Zunge, so schienst Du uns zu lächeln, und, wenn schon brüllend, nahmst Du doch spielend Dein Futter aus den Händen einer Frau, von den Fingern eines Kindes! Wie lange begleiteten wir Dich auf Deinen Fahrten, wie lange war Deine Gesellschaft uns wichtig und fruchtbar! Uns! uns, ganz eigentlich kam die Speise von den Fressern, und süße Labung von den Starken. So wird es nicht mehr sein! Wehe wehe!

Sie hatte nicht ausgeklagt, als über die mittlere Höhe des Bergs am Schlosse herab Reiter heransprengten, die alsobald für das Jagdgefolge des Fürsten erkannt wurden, er selbst voran. Sie hatten, in den hintern Gebirgen jagend, die Brandwolken aufsteigen sehen und durch Täler und Schluchten, wie auf gewaltsam hetzender Jagd, den geraden Weg nach diesem traurigen Zeichen genommen. Über die steinige Blöße einhersprengend stutzten und starrten sie, nun die unerwartete Gruppe gewahr werdend, die sich auf der leeren Fläche merkwürdig auszeichnete. Nach dem ersten Erkennen verstummte man, und nach einigem Erholen ward, was der Anblick nicht selbst ergab, mit wenigen Worten erläutert. So stand der Fürst vor dem seltsamen unerhörten Ereignis, einen Kreis umher von Reitern und Nacheilenden zu Fuße. Unschlüssig war man nicht was zu tun sei;

anzuordnen, auszuführen war der Fürst beschäftigt, als ein
Mann sich in den Kreis drängte, groß von Gestalt, bunt und
wunderlich gekleidet wie Frau und Kind. Und nun gab die
Familie zusammen Schmerz und Überraschung zu erkennen.
5 Der Mann aber gefaßt, stand in Ehrfurchtsvoller Entfernung
vor dem Fürsten und sagte: Es ist nicht Klagenszeit; ach,
mein Herr und mächtiger Jäger, auch der Löwe ist los, auch
hier nach dem Gebirg ist er hin, aber schont ihn, habt Barmherzigkeit, daß er nicht umkomme, wie dies gute Tier.
10 Der Löwe? sagte der Fürst, hast du seine Spur? – Ja Herr!
Ein Bauer dort unten, der sich ohne Not auf einen Baum
gerettet hatte, wies mich weiter hier links hinauf, aber ich sah
den großen Trupp Menschen und Pferde vor mir, neugierig
und hülfsbedürftig eilt' ich hierher. »Also, – beorderte der
15 Fürst – muß die Jagd sich auf diese Seite ziehen; ihr ladet
Eure Gewehre, geht sachte zu Werk, es ist kein Unglück,
wenn ihr ihn in die tiefen Wälder treibt; aber am Ende, guter
Mann, werden wir Euer Geschöpf nicht schonen können;
warum wart ihr unvorsichtig genug sie entkommen zu las-
20 sen? – Das Feuer brach aus, versetzte jener, wir hielten uns
still und gespannt es verbreitete sich schnell aber fern von
uns, wir hatten Wasser genug zu unserer Verteidigung, aber
ein Pulverschlag flog auf, und warf die Brände bis an uns
heran; über uns weg; wir übereilten uns und sind nun un-
25 glückliche Leute.

Noch war der Fürst mit Anordnungen beschäftigt, aber
einen Augenblick schien alles zu stocken, als oben vom alten
Schloß herab, eilig ein Mann heranspringend gesehen ward,
den man bald für den angestellten Wächter erkannte, der die
30 Werkstätte des Malers bewachte indem er darin seine Wohnung nahm und die Arbeiter beaufsichtigte. Er kam außer
Atem springend, doch hatte er bald mit wenigen Worten
angezeigt: oben hinter der höhern Ringmauer habe sich der
Löwe im Sonnenschein gelagert, am Fuße einer hundertjäh-
35 rigen Buche, und verhalte sich ganz ruhig. Ärgerlich aber
schloß der Mann: warum habe ich gestern meine Büchse in
die Stadt getragen um sie ausputzen zu lassen, er wäre nicht

wieder aufgestanden, das Fell wäre doch mein gewesen, und ich hätte mich dessen, wie billig, zeitlebens gebrüstet.

Der Fürst, dem seine militärischen Erfahrungen auch hier zu statten kamen, da er sich wohl schon in Fällen gefunden hatte, wo von mehreren Seiten unvermeidliches Übel heran- drohte, sagte hierauf: welche Bürgschaft gebt ihr mir, daß wenn wir eures Löwen schonen, er nicht im Lande unter den Meinigen Verderben anrichtet?

Hier diese Frau und dieses Kind, erwiderte der Vater ha- stig, erbieten sich ihn zu zähmen, ihn ruhig zu erhalten, bis ich den beschlagenen Kasten heraufschaffe, da wir ihn denn unschädlich und unbeschädigt wieder zurückbringen wer- den.

Der Knabe schien seine Flöte versuchen zu wollen, ein Instrument von der Art, das man sonst die sanfte, süße Flöte zu nennen pflegte, sie war kurz geschnäbelt wie die Pfeifen; wer es verstand wußte die anmutigsten Töne daraus hervor- zulocken. Indes hatte der Fürst den Wärtel gefragt, wie der Löwe hinaufgekommen. Dieser aber versetzte: Durch den Hohlweg, der, auf beiden Seiten vermauert, von jeher der einzige Zugang war, und der einzige bleiben soll; zwei Fuß- pfade die noch hinaufführten haben wir dergestalt entstellt daß niemand als durch jenen ersten engen Anweg, zu dem Zauberschlosse gelangen könne, wozu es Fürst Friedrichs Geist und Geschmack ausbilden will.

Nach einigem Nachdenken, wobei sich der Fürst nach dem Kinde umsah, das immer sanft gleichsam zu präludieren fort- gefahren hatte, wendete er sich zu Honorio und sagte: du hast heute viel geleistet, vollende das Tagwerk. Besetze den schmalen Weg, haltet Eure Büchsen bereit, aber schießt nicht eher als bis ihr das Geschöpf nicht sonst zurückscheuchen könnt; allenfalls macht ein Feuer an, vor dem er sich fürchtet wenn er herunter will. Mann und Frau möge für das Übrige stehen. Eilig schickte Honorio sich an die Befehle zu voll- führen.

Das Kind verfolgte seine Melodie, die keine war, eine Tonfolge ohne Gesetz, und vielleicht eben deswegen so herz-

ergreifend; die Umstehenden schienen wie bezaubert von der
Bewegung einer liederartigen Weise, als der Vater mit anständigem Enthusiasmus zu reden anfing und fortfuhr:

Gott hat dem Fürsten Weisheit gegeben, und zugleich die
Erkenntnis, daß alle Gotteswerke weise sind, jedes nach seiner Art. Seht den Felsen wie er fest steht und sich nicht rührt,
der Witterung trotzt und dem Sonnenschein, uralte Bäume
zieren sein Haupt und so gekrönt schaut er, weit umher;
stürzt aber ein Teil herunter, so will es nicht bleiben was es
war, es fällt zertrümmert in viele Stücke und bedeckt die
Seite des Hanges. Aber auch da wollen sie nicht verharren,
mutwillig springen sie tief hinab, der Bach nimmt sie auf,
zum Flusse trägt er sie. Nicht widerstehend, nicht wider-
spenstig-eckig, nein, glatt und abgerundet gewinnen sie
schneller ihren Weg und gelangen von Fluß zu Fluß, endlich
zum Ozean, wo die Riesen in Scharen daher ziehen und in der
Tiefe die Zwerge wimmeln.

Doch wer preis't den Ruhm des Herrn, den die Sterne
loben von Ewigkeit zu Ewigkeit! Warum seht ihr aber im
Fernen umher? betrachtet hier die Biene, noch spät im Herbst
sammlet sie emsig und baut sich ein Haus, winkel- und waa-
gerecht, als Meister und Geselle; schaut die Ameise da! sie
kennt ihren Weg und verliert ihn nicht, sie baut sich eine
Wohnung aus Grashalmen, Erdbröslein und Kiefernadeln,
sie baut es in die Höhe und wölbet es zu; aber sie hat umsonst
gearbeitet, denn das Pferd stampft und scharrt alles auseinander seht hin! es zertritt ihre Balken und zerstreut ihre Planken, ungeduldig schnaubt es und kann nicht rasten; denn der
Herr hat das Roß zum Gesellen des Windes gemacht und
zum Gefährten des Sturms, daß es den Mann dahin trage
wohin er will und die Frau wohin sie begehrt. Aber im Palmenwald trat er auf, der Löwe, ernsten Schrittes durchzog er
die Wüste, dort herrscht er über alles Getier und nichts widersteht ihm. Doch der Mensch weiß ihn zu zähmen und das
grausamste der Geschöpfe hat Ehrfurcht vor dem Ebenbilde
Gottes, wornach auch die Engel gemacht sind, die dem
Herrn dienen und seinen Dienern. Denn in der Löwengrube

scheute sich Daniel nicht; er blieb fest und getrost und das
wilde Brüllen unterbrach nicht seinen frommen Gesang.

Diese mit dem Ausdruck eines natürlichen Enthusiasmus
gehaltene Rede begleitete das Kind hie und da mit anmutigen Tönen; als aber der Vater geendigt hatte fing es mit
reiner Kehle, heller Stimme und geschickten Läufen zu in-
tonieren an, worauf der Vater die Flöte ergriff, im Einklang
sich hören ließ, das Kind aber sang:

> Aus den Gruben, hier im Graben,
> Hör' ich des Propheten Sang;
> Engel schweben ihn zu laben,
> Wäre da dem Guten bang?
> Löw' und Löwin, hin und wieder,
> Schmiegen sich um ihn heran;
> Ja, die sanften, frommen Lieder
> Haben's ihnen angetan!

Der Vater fuhr fort die Strophe mit der Flöte zu begleiten,
die Mutter trat hie und da als zweite Stimme mit ein.

Eindringlich aber ganz besonders war, daß das Kind die
Zeilen der Strophe nunmehr zu anderer Ordnung durcheinanderschob, und dadurch wo nicht einen neuen Sinn hervorbrachte, doch das Gefühl in und durch sich selbst aufregend erhöhte.

> Engel schweben auf und nieder
> Uns in Tönen zu erlaben,
> Welch ein himmlischer Gesang:
> In den Gruben, in dem Graben
> Wäre da dem Kinde bang?
> Diese sanften frommen Lieder
> Lassen Unglück nicht heran;
> Engel schweben hin und wieder
> Und so ist es schon getan.

Hierauf mit Kraft und Erhebung begannen alle drei:

> Denn der Ewige herrscht auf Erden,
> Über Meere herrscht sein Blick;
> Löwen sollen Lämmer werden,
> Und die Welle schwankt zurück.

> Blankes Schwert erstarrt im Hiebe;
> Glaub' und Hoffnung sind erfüllt;
> Wundertätig ist die Liebe,
> Die sich im Gebet enthüllt.

5 Alles war still, hörte, horchte und nur erst als die Töne ver-
hallten konnte man den Eindruck bemerken und allenfalls
beobachten. Alles war wie beschwichtigt; jeder in seiner Art
gerührt. Der Fürst, als wenn er erst jetzt das Unheil übersähe
das ihn vor Kurzem bedroht hatte, blickte nieder auf seine
10 Gemahlin, die, an ihn gelehnt, sich nicht versagte das ge-
stickte Tüchlein hervorzuziehen und die Augen damit zu
bedecken. Es tat ihr wohl die jugendliche Brust von dem
Druck erleichtert zu fühlen mit dem die vorhergehenden
Minuten sie belastet hatten. Eine vollkommene Stille be-
15 herrschte die Menge, man schien die Gefahren vergessen zu
haben, unten den Brand und von oben das Erstehen eines
bedenklich ruhenden Löwen.

Durch einen Wink, die Pferde näher herbei zu führen,
brachte der Fürst zuerst wieder in die Gruppe Bewegung,
20 dann wendete er sich zu dem Weibe und sagte: Ihr glaubt
also, daß ihr den entsprungenen Löwen, wo ihr ihn antrefft
durch euren Gesang, durch den Gesang dieses Kindes, mit
Hülfe dieser Flötentöne beschwichtigen und ihn sodann unschädlich, so wie unbeschädigt in seinen Verschluß wieder
25 zurückbringen könntet? Sie bejahten es, versichernd und be-
teuernd; der Kastellan wurde ihnen als Wegweiser zugegeben. Nun entfernte der Fürst mit Wenigen sich eiligst, die
Fürstin folgte langsamer mit dem übrigen Gefolge; Mutter
aber und Sohn stiegen, von dem Wärtel, der sich eines Ge-
30 wehrs bemächtigt hatte, ⟨begleitet⟩, steiler gegen den Berg
hinan.

Vor dem Eintritt in den Hohlweg, der den Zugang zu dem
Schloß eröffnete, fanden sie die Jäger beschäftigt dürres Reisig zu häufen, damit sie auf jeden Fall ein großes Feuer an-
35 zünden könnten. – Es ist nicht Not, sagte die Frau, es wird
ohne das alles in Güte geschehen.

Weiter hin, auf einem Mauerstücke sitzend, erblickten sie

Honorio, seine Doppelbüchse in den Schoß gelegt, auf einem
Posten als wie zu jedem Ereignis gefaßt. Aber die Heran-
kommenden schien er kaum zu bemerken, er saß wie in tiefen
Gedanken versunken, er sah umher wie zerstreut. Die Frau
sprach ihn an mit Bitte, das Feuer nicht anzünden zu lassen,
er schien jedoch ihrer Rede wenig Aufmerksamkeit zu schenken; sie redete lebhaft fort und rief: »Schöner junger Mann,
du hast meinen Tiger erschlagen, ich fluche Dir nicht, schone
meinen Löwen, guter junger Mann, ich segne Dich.

Honorio schaute grad vor sich hin, dorthin wo die Sonne
auf ihrer Bahn sich zu senken begann – Du schaust nach
Abend, rief die Frau, du tust wohl daran dort gibt's viel zu
tun; eile nur, säume nicht, du wirst überwinden. Aber zuerst
überwinde dich selbst. Hierauf schien er zu lächeln, die Frau
stieg weiter, konnte sich aber nicht enthalten nach dem Zu-
rückbleibenden nochmals umzublicken; eine rötliche Sonne
überschien sein Gesicht, sie glaubte nie ein schönern Jüngling gesehen zu haben.

»Wenn Euer Kind, sagte nunmehr der Wärtel, flötend und
singend, wie ihr überzeugt seid, den Löwen anlocken und
beruhigen kann, so werden wir uns desselben sehr leicht
bemeistern, da sich das gewaltige Tier ganz nah an die durch-
brochenen Gewölbe hingelagert hat, durch die wir, da das
Haupttor verschüttet ist einen Eingang in den Schloßhof
gewonnen haben. Lockt ihn das Kind dahinein, so kann ich
die Öffnung mit leichter Mühe schließen und der Knabe
wenn es ihm gut deucht, durch eine der kleinen Wendeltreppen, die er in der Ecke sieht, dem Tiere entschlüpfen. Wir
wollen uns verbergen, aber ich werde mich so stellen, daß
meine Kugel jeden Augenblick dem Kinde zu Hülfe kommen kann.

Diese Umstände sind alle nicht nötig, Gott und Kunst,
Frömmigkeit und Glück müssen das Beste tun. Es sei, versetzte der Wärtel, aber ich kenne meine Pflichten. Erst führ'
ich Euch durch einen beschwerlichen Stieg auf das Gemäuer
hinauf, gerade dem Eingang gegenüber den ich erwähnt
habe, das Kind mag hinabsteigen, gleichsam in die Arena des

Schauspiels und das besänftigte Tier dort hereinlocken. Das geschah; Wärtel und Mutter sahen versteckt von oben herab, wie das Kind die Wendeltreppen hinunter in dem klaren Hofraum sich zeigte, in der düstern Öffnung gegenüber ver-
5 schwand, aber sogleich seinen Flötenton hören ließ, der sich nach und nach verlor und endlich verstummte. Die Pause war ahnungsvoll genug, den alten mit Gefahr bekannten Jäger beengte der seltene menschliche Fall. Er sagte sich daß er lieber persönlich dem gefährlichen Tiere entgegen ginge;
10 die Mutter jedoch, mit heiterm Gesicht, übergebogen horchend, ließ nicht die mindeste Unruhe bemerken.

Endlich hörte man die Flöte wieder, das Kind trat aus der Höhle hervor mit glänzend befriedigten Augen, der Löwe hinter ihm drein, aber langsam und wie es schien mit einiger
15 Beschwerde. Er zeigte hie und da Lust sich niederzulegen, doch der Knabe führte ihn im Halbkreise durch die wenig entblätterten, buntbelaubten Bäume, bis er sich endlich in den letzten Strahlen der Sonne, die sie durch eine Ruinen-lücke hereinsandte, wie verklärt niedersetzte und sein be-
20 schwichtigendes Lied abermals begann, dessen Wiederho-lung wir uns auch nicht entziehen können.

> Aus den Gruben, hier im Graben
> Hör' ich des Propheten Sang;
> Engel schweben ihn zu laben,
25 > Wäre da dem Guten bang?
> Löw' und Löwin hin und wieder,
> Schmiegen sich um ihn heran;
> Ja, die sanften frommen Lieder
> Haben's ihnen angetan.

30 Indessen hatte sich der Löwe ganz knapp an das Kind hinge-legt und ihm die schwere rechte Vordertatze auf den Schoß gehoben, die der Knabe fortsingend anmutig streichelte, aber gar bald bemerkte, daß ein scharfer Dornzweig zwi-schen die Ballen eingestochen war. Sorgfältig zog er die ver-
35 letzende Spitze hervor, nahm lächelnd sein buntseidenes Halstuch vom Nacken, und verband die greuliche Tatze des Untiers, so daß die Mutter sich vor Freuden mit ausgestreck-

ten Armen zurückbog und vielleicht angewohnter Weise Beifall gerufen und geklatscht hätte wäre sie nicht durch einen derben Faustgriff des Wärtels erinnert worden daß die Gefahr nicht vorüber sei.

Glorreich sang das Kind weiter, nachdem es mit wenigen Tönen vorgespielt hatte:

> Denn der Ewige herrscht auf Erden,
> Über Meere herrscht sein Blick;
> Löwen sollen Lämmer werden,
> Und die Welle schwankt zurück.
> Blankes Schwert erstarrt im Hiebe,
> Glaub' und Hoffnung sind erfüllt;
> Wundertätig ist die Liebe,
> Die sich im Gebet enthüllt.

Ist es möglich zu denken, daß man in den Zügen eines so grimmigen Geschöpfes, des Tyrannen der Wälder, des Despoten des Tierreiches einen Ausdruck von Freundlichkeit von dankbarer Zufriedenheit, habe spüren können so geschah es hier, und wirklich sah das Kind in seiner Verklärung aus wie ein mächtiger siegreicher Überwinder, jener zwar nicht wie der Überwundene, denn seine Kraft blieb in ihm verborgen, aber doch wie der Gezähmte, wie der dem eigenen friedlichen Willen anheimgegebene. Das Kind flötete und sang so weiter, nach seiner Art die Zeilen verschränkend und neue hinzufügend:

> Und so geht mit guten Kindern
> Seliger Engel gern zu Rat,
> Böses Wollen zu verhindern,
> Zu befördern schöne Tat.
> So beschwören, fest zu bannen
> Liebem Sohn an's zarte Knie
> Ihn des Waldes Hochtyrannen
> Frommer Sinn und Melodie.

KLEINE PROSA

JUDENPREDIGT

Sagen de Goyen wer hätten kä König, kä Käser, kä Zepter kä Cron; do will ich äch aber beweise daß geschrieben stäht: daß wer haben äh König, äh Käsr, äh Zepter äh Kron. Aber wo haben wer denn unsern Käser? Das will äch och sage. Do drüben über de grose grause rothe Meer. Und do wäre dreymalhunerttausend Johr vergange sey, do werd äh groser Mann, mit Stiefle und Spore grad aus, sporenstrechs gegange komme übers grose grause rothe Meer, und werd in der Hand habe äh Horn, und was denn ver äh Horn? äh DütHorn. Und wenn der werd in's Hörn düte, do wären alle Jüdlich die in hunerttausend Johren gepöckert sind, die wären alle gegange komme an's grose grause rothe Meer. No was sogt ehr dozu? Un was äh gros Wonner sey werd, das will ich äch och sage: Er werd geritte komme of äh grose schneeweise Schimmel; un was äh Wonner wenn dreymalhunertunneununneunzigtausend Jüdlich wäre of den Schimmel sitze, do wären se alle Platz habe; un wenn äh enziger Goye sich werd ach drof setze wolle, do werd äh kenen Platz finne. No was sogt ehr dozu? Aber was noch ver äh greser Wonner sey werd, das well ich äch och sage: Un wenn de Jüdlich alle wäre of de Schimmel sitze, do werd der Schimmel Kertze gerode seine grose grose Wätel ausstrecke, do wären de Goye denke: kennen mer nich of de Schimmel setze wer uns of de Wätel. Und denn wäre sich alle of de Wätel nuf hocke; Un wenn se alle traf setzen, un der grose schnee weise Schimmel werd gegange komme dorchs grause rothe Meer zorick, do werd äh de Wätel falle lasse, un de Goye werde alle ronder falle in's grose grause rothe Meer.

No was sogt ehr dozu?

ARIANNE AN WETTY

Ich kann Waltern nicht widerlegen, Wetty, aber ich wollte schwören daß er unrecht hat; ihm mögen seine Gedanken genug tun, wenn ich damit zufrieden wäre, so wäre ich Wal-
5 ter. Nein Wetty, unsere Empfindungen liegen tiefer, als daß man sie mit einer superfiziellen Erkenntnis, so kavalierement durch Stolz und Eigennutz erklären könnte. Es ist mit der Liebe wie mit dem Leben, wie mit dem Atemholen. Freilich ziehe ich die Luft in mich; willst du das auch Eigennutz
10 nennen? Aber ich hauche sie wieder aus, und sage mir, wenn du in der Frühlingssonne sitzest, und für Wonne dein Busen stärker atmet, ist das Hauchen nicht eine größere Wonne als das Atemholen, denn das ist Mühe, jens ist Ruhe; und wenn uns die Entzückung manchmal aus voller Brust die Früh-
15 lingsluft einziehen macht, so ist es doch nur um sie von ganzen Herzen wieder ausgeben zu dürfen. Und ebenso ist s mit der Liebe, und ihr meint leben und nicht leben wäre eins. O meine Freundin was nicht lebt hat keine anziehende Kraft, es fließt keine Atmosphäre von ihm aus deren Wirbel uns hin-
20 reißen könnten. Der kälteste Sinn ist das Sehen, Erkenntnis ist sein Gefühl, und drum behaupte ich, daß man das nie mit einem zärtlichen Herzen lieben kann, was allein Ansprache macht unsern Augen zu gefallen. Ein Edelstein, ist das herrlichste Werk der toten Natur, aber er ist tot; und die eifrigste
25 Betrachtung davon ist doch immer kalt; man muß ein Holländer sein um mit einer Tulpe zu sympathisieren, und dann ist auch die Sympathie dieser Wassermänner sehr phlegmatisch.

Ich habe heute früh eine sonderliche Erfahrung hierüber
30 gehabt.

Und so meine liebe halt ich das Sehen für eine Vorbereitung der übrigen Sinne denn der Geruch ist Genuß und das

Gehör und der Geschmack, das Sehen nicht. Aber das *Haben wollen* wovon ich rede, ist nicht Geiz, der wäre geizig der eine Tulpe, ein Edelgestein, oder Dukaten *lieben* könnte. Ich, was mir nicht antwortet damit rede ich nicht.

Grüße Deinen Walter, und sag ihm wir wollten Freunde bleiben. Leb wohl.

Auf einer Stube mit ihrem W. an einem Tische sogar, in einerlei Beschäftigung, an Sie zu schreiben, aber wahrhaftig nicht mit gleicher Empfindung. Einen Brief, ohne zweifel mit Gedanken, mit Worten die ohngefähr sein werden was man Vorwürfe nennt, werden Sie von seiner Feder zu erwarten haben die mit aufgebrachter Eilfertigkeit über das Papier schnorrt. Ich weiß nicht was er schreibt, aber ich kanns raten; ein Brief wie der Ihrige – Sie konnten vermuten daß er mir kommuniziert werden würde – ist eben nicht dasjenige Dessert, das unserm Gaumen sonderlich gefällt, und unsern Kopf und unser Blut in Ruhe läßt. Er empfindet, was ich auch empfunden habe. Ich habe Mitleiden mit ihm. Mitleiden wie man es mit einem Kranken hat, dem man um größere Schmerzen zu lindern, Blasen ziehen muß. Ich bin ruhig, wie er bewegt ist, und doch war eine Zeit da ich bewegter war als er ist, Eh nun die Zeit wird auch den Sturm in seinem Herzen legen; die Zeit – und – wenn er klug ist – ein ander Mittel, das noch probater gefunden wird als das.

Es ist bitter, sehr bitter, meine zärtliche Freundin eine so liebliche Aussicht empfindungsvoller Hoffnungen so verfinstert zu sehen. Verfinstert? O da wäre noch Hoffnung daß es wieder Tag werden könnte. Verschwunden! Unwiederbringlicher verschwunden als die Jahre der Jugend, und die Blüten der Schönheit. Und doch muß man einmal erfahren daß Mädchen – Mädchen sind, und daß ihnen ein Mann ein Mann ist. Lieber Gott, fühlte Ihr armer Liebhaber, diese Wahrheit so lebendig als ich, er würde über Ihren Brief so wenig erstaunt sein als ich. Er ist ein guter Mensch, und wundert sich sehr da seine Ca – o Beständigkeit wir kennen einander. Ich bin auch verlassen worden. Manche Träne, manches Leid hat mich

mein Unglück gekostet. Aber wieviel Dank bin ich Ihnen schuldig, daß Sie mich an Ihrem Busen allen Trost finden ließen, den ein Verlaßner wünschen kann. Denn was konnte ich verloren haben, da die Liebeswürdige xxx, in die feurig-
5 sten Umarmungen versunken auf meinem Schoß zitterte. Nelly war mein süßes Mädchen, das einzige das ich je geliebt habe, aber gewiß meine Freundin, unsre gestohlnen freund-schaftlichen Augenblicke in der dämmernden kleine Stube, haben mich überzeugt, daß ich Netten verzeihen muß wenn
10 sie mich in den Armen eines andern vergißt. Und Sie hatten mich auch so vergessen, das war natürlich; mein Freund war mein Nachfolger, das war mir angenehm; aber leid war mir's, daß Sie ihm eine ewige Liebe hoffen ließen, ich dächte doch sie hätten Ihr Herz besser kennen sollen.
15 Nun das ist vorbei; Ihr Liebhaber rast, aber das wird sich geben. Sie werden sehen, wie er ehstens in einen sitt- und tugendsamen Freund verwandelt sein, und auf den Fuß mit Ihnen stehen wird wie ich jetzt stehe. Unverbrüchlich, und heilig wird das schöne Bündnis sein, denn abgedankte Lieb-
20 haber, sind die besten Freunde, wenn man sie menaschieren kann.
Nun an Freunden kann es Ihnen nicht fehlen. Nur hüten Sie sich, es sind nicht alle Liebhaber so geduldig. Und ich bitte Sie, erinnern Sie sich oft des Vergangnen, um auf die
25 Zukunft nichts zu versprechen. Und wenn Ihr kleines Stüb-gen, das so oft der Zeuge unsrer seligen Trunkenheit war, das wie ich nicht zweifle, auch meinen Freund oft glücklich gesehen hat, wenn diese liebe romantische Höhle, nun auch künftig den Schauplatz der Freuden, eines neuen Liebhabers
30 abgibt; ô möchte sich der betrogne Glückliche nicht schmei-cheln, ein Frauenzimmer könne uns mehr gewähren, als den gegenwärtigen Genuß.
Leben Sie wohl meine liebste Freundin.

Das Lachen ist der Empfindung feindseliger als die Kälte
dem Mai. –

Lieber schlimm aus Empfindung als gut aus Verstand.

Wie die Sicherheit des Ausdrucks dem Gedanken des Red-
ners Flügel gibt, so die Musik der Empfindung.   5

Was ist die Harmonie anders, als die Regeln, und die Melodie
anders als die Ausübung.

Die ganze Natur ist eine Melodie, in der eine tiefe Harmonie
verborgen ist.

Ich bin vergnügt; ich bin glücklich! Das fühle ich, und doch   10
ist der ganze Inhalt meiner Freude ein wallendes Sehnen
nach etwas, das ich nicht habe, nach etwas, das ich nicht
kenne.

ÜBER DAS WAS MAN IST

Leßing ist nichts und alles was er sein will.

Wenn das Herz das Gute freiwillig annehmen kann, so för-
derts sich immer mehr als wenn man ihm aufdringen will.
Man adoptiert einen Gedanken, eine Meinung eines Freundes, ohne dran zu denken, da man gegen die herrlichste Sentenz einer Strafpredigt einen unüberwindlichen Widerwillen
fühlt. Ja der Haß gegen die Hofmeister ist ein ewiges Grund-
gesetz der Natur.

⟨BESCHREIBUNG
EINER SCHWEIZER LANDSCHAFT⟩

Das nächste hell un⟨d⟩ deutlich Alp
Schnee im Vorgrund und weiße Runsen
Tanne⟨n⟩ auf dem Rücken ab   5
Berge gegen über mit Tan⟨nen⟩ reihen
deutlich in der Sonne schwarz die ⟨der?⟩ Tann⟨en⟩
Seen grün u dunklich⟨?⟩
Zwischen allem Wolken
Über allem Wolken   10
Der Abstich des Trüben und klaren
Das Trübe hell das klare schwarz fest bestim⟨mt⟩
NB NB die Kontraste die Waldbewachsen⟨en⟩ finstren Gip-
fel des Berges die Wolke licht die sich drauf aufhebt.
Der See heller als der Nebel hoch   15
            dunkler   ab
Das Buschig Gehaune der Berge
Das brocklige Absinken des Rasen durch Schnee und Gewäs-
ser.
An den Tag komm⟨en⟩ Felsen zusammen gebacken von   20
Fluß stein⟨en⟩
Fichten die Wurzelfassen und stürzen von den Felsen wenn
der Rasen nicht mehr halten kann
Meist kleine Fichten halbwüchsige viel gestürzte starke
Das streifigte der bewachsnen Felsen vom Ablaufen des   25
Wassers. Die Entdeckung der festen Felsen vom gesunkenen
Rasen
Oben Fichten tiefer ab Buchen, Ahorn, tiefe⟨r⟩ Nußbäume.

DRITTE WALLFAHRT
nach Erwins Grabe im Juli 1775.

Vorbereitung.

Wieder an deinem Grabe und dem Denkmal des ewigen Lebens in dir über deinem Grabe, heiliger Erwin! fühle ich,
Gott sei Dank, daß ich bin wie ich war, noch immer so kräftig, gerührt von dem Großen, und o Wonne, noch einziger,
ausschließender gerührt von dem Wahren, als ehemals, da ich
oft aus kindlicher Ergebenheit das zu ehren mich bestrebte,
wofür ich nichts fühlte und, mich selbst betrügend, den Kraft
und Wahrheitsleeren Gegenstand mit liebevoller Ahndung
übertünchte. Wie viel Nebel sind von meinen Augen gefallen
und doch bist du nicht aus meinem Herzen gewichen, alles
belebende Liebe! Die du mit der Wahrheit wohnst, ob sie
gleich sagen, du seist lichtscheu und entfliehend im Nebel.

Gebet.

Du bist Eins und lebendig, gezeugt und entfaltet, nicht zu-
sammengetragen und geflickt. Vor dir, wie vor dem Schaum
stürmenden Sturze des gewaltigen Rheins, wie vor der glänzenden Krone der ewigen Schneegebürge, wie vor dem Anblick des heiter ausgebreiteten Sees, und deiner Wolken-
felsen und wüsten Täler, grauer Gotthard! Wie vor jedem
großen Gedanken der Schöpfung, wird in der Seele reg was auch
Schöpfungskraft in ihr ist. In Dichtung stammelt sie über, in
krützlenden Strichen wühlt sie auf dem Papier Anbetung
dem Schaffenden, ewiges Leben, umfassendes unauslösch-
liches Gefühl des, das da ist und da war und da sein wird.

Erste Station.

Ich will schreiben, denn mir ists wohl, und so oft ich da schrieb, ists auch andern wohl worden die's lasen, wenn ihnen das Blut rein durch die Adern floß und die Augen ihnen hell waren. Mög es euch wohl sein meine Freunde, wie mir in 5 der Luft, die mir über alle Dächer der verzerrten Stadt morgendlich auf diesem Umgange entgegen weht.

Zweite Station.

Höher in der Luft, hinabschauend, schon überschauend die herrliche Ebne, vaterlandwärts, liebwärts und doch voll blei- 10 benden Gefühls des gegenwärtigen Augenblicks.

Ich schrieb ehmals ein Blatt verhüllter Innigkeit, das wenige lasen, buchstabenweise nicht verstanden, und worin gute Seelen nur Funken wehen sahen des was sie unaussprechlich, und unausgesprochen glücklich macht. Wunder- 15 lich war's von einem Gebäude geheimnisvoll reden, Tatsachen in Rätsel hüllen, und von Maßverhältnissen poetisch lallen! Und doch geht mir's jetzt nicht besser. So sei es denn mein Schicksal, wie es dein Schicksal ist, himmelan strebender Turn und deins, weitverbreitete Welt Gottes! angegafft 20 und läppchensweise in den Gehirnchen der Welschen aller Völker auftapeziert zu werden.

Dritte Station.

Hätt ich euch bei mir, schöpfungsvolle Künstler, gefühlvolle Kenner! deren ich auf meinen kleinen Wanderungen so viele 25 fand, und auch euch, die ich nicht fand und die sind. Wenn euch dies Blatt reichen wird, laßt es euch Stärkung sein gegen das flache unermüdete Anspulen unbedeutender Mittelmäßigkeit, und solltet ihr an diesen Platz kommen, gedenkt mein in Liebe. 30

Tausend Menschen ist die Welt ein Raritätenkasten, die Bilder gaukeln vorüber und verschwinden, die Eindrücke bleiben flach und einzeln in der Seele, drum lassen sie sich so leicht durch fremdes Urteil leiten, sie sind willig die Eindrücke anders ordnen, verschieben und ihren Wert auf und ab bestimmen zu lassen.

Hier ward durch Lenzens Ankunft die Andacht des Schreibers unterbrochen, die Empfindung ging in Gespräche über, unter welchen die übrigen Stationen vollendet wurden. Mit jedem Tritte überzeugte man sich mehr: daß Schöpfungskraft im Künstler sei aufschwellendes Gefühl der Verhältnisse, Maße und des Gehörigen, und daß nur durch diese ein selbstständig Werk, wie andere Geschöpfe durch ihre individuelle Keimkraft hervorgetrieben werden.

SALOMONS KÖNIGS VON ISRAEL
UND JUDA GÜLDNE WORTE
VON DER ZEDER BIS ZUM ISSOP.

1.

Es stand eine herrliche Zeder auf Libanon, in ihrer Kraft vor
dem Antlitz des Himmels. Und daß sie so strack dastund des
ergrimmten die Dornsträuche umher und riefen: wehe dem
Stolzen er überhebt sich seines Wuchses! Und wie die Winde
die Macht seiner Äste bewegten, und balsamgeruch das Land
erfüllte wandten sich die Dörner und schrien: wehe dem
Übermütigen, sein Stolz braust auf wie Wellen des Meers,
verdirb ihn Heiliger vom Himmel!

2.

Eine Zeder wuchs auf zwischen Tannen, sie teilten mit ihr
Regen und Sonnenschein. Und sie wuchs, und wuchs über
ihre Häupter und schaute weit ins Tal umher. Da riefen die
Tannen: ist das der Dank daß du dich nun überhebest, dich
die du so klein warest, dich die wir genährt haben! Und die
Zeder sprach rechtet mit dem der mich wachsen hieß.

3.

Und um die Zeder stunden Sträucher. Da nun die Männer
kamen vom Meer, und die Axt ihr an die Wurzel legten, da
erhub sich ein Frohlocken: Also strafet der Herr die Stolzen,
also demütigt er die Gewaltigen!

4.

Und sie stürzte und zerschmetterte die Frohlocker, die ver-
zettelt wurden unter dem Reisig.

5.

Und sie stürzte und rief: Ich habe gestanden, und ich werde stehen! Und die Männer richteten sie auf zum Maste im Schiffe des Königs, und die Segel wehten von ihm her, und brachte die Schätze aus Ophir in des Königs Kammer.

6.

Eine junge Zeder wuchs schlank auf und schnell und drohte die andern zu überwachsen. Da beneideten sie alle. Und ein Held kam und hieb sie nieder, und stutzte ihre Äste, sich zur Lanze wider die Riesen. Da riefen ihre Brüder! Schade! schade!

7.

Die Eiche sprach: ich gleiche dir Zeder! Tor! sagte die Zeder: als wollt ich sagen ich gleiche dir.

8.

Zwei Birken stritten: wer der Zeder am nächsten käme. Birken seid ihr! sagt die Zeder.

9

Uns ist wohl sagte ein brüderlich gleicher Tannenwald zur Zeder, wir sind so viel und du stehst allein. Ich habe auch Brüder, sagt die Zeder wenn gleich nicht auf diesem Berge.

10.

Ein Wald ward ausgehauen, die Vögel vermißten ihre Wohnungen, flatterten umher und klagten: Was mag der Fürst für Absichten haben! den Wald! den schönen Wald! Unsre Nester! Da sprach einer der aus der Residenz kam ein Papagei: Absicht Brüder! Er weiß nichts drum.

11.

Ein Mädchen brach Rosen vom Strauch und kränzte ihr Haupt mit. Das verdroß die Zeder und sprach, warum nimmt sie nicht von meinen Zweigen. Stolzer sagte der Rosenstock, laß mir die Meinen!

12.

Ein Wandrer der unter der Eiche Mittagsruh gehalten hatte,
erwachte, streckte sich stand auf, und wollte weiter. Der
Baum rief ihm zu: Undankbarer! Hab ich dir nicht meinen
Schatten ausgebreitet, und nun nicht einen Blick! Du! mir!   5
Lächelte der Wandrer zurück schauend.

13

Das Gräslein da der Wind drüber spielte, ergötzte sich und
rief: bin ich doch auch da, bin ich doch auch gebildet klein
aber schön, und bin! – Gräslein in Gottes Namen sagte die   10
Zeder.

14.

Ein Waldstrom stürzte die Tannen drunter und drüber in⟨s⟩
Tal herab und Sträucher und Sprößling und Gräser und Eichen. Ein Prophete rief zuschauend vom Fels: Alles ist gleich   15
vor dem Herrn.

15.

Ha sagte die Zeder wer von meinen Zweigen brechen will
muß hoch steigen! Ich sagte die Rose habe Dornen.

DER HAUSBALL
Eine Deutsche Nationalgeschichte

AN DEN LESER

Die neusten literarischen Nachrichten aus der Hauptstadt
unseres Vaterlandes, versichern alle einmütiglich daß daselbst die Morgenröte des schönsten Tages einzubrechen anfange, und ob wir gleich uns ziemlich entfernt von jenen
Gegenden befinden, so sind wir doch auch geneigt eben dasselbe zu glauben. Denn gewiß es kann eine Schar von wilden
Sonnenverehrern nicht mit einer größerern Inbrunst, mit
einem gewaltsameren Jauchzen und durch alle Glieder laufenden Entzücken die Ankunft der Himmelskönigin begrüßen, als unsere Wiener, freilich auf eine gleichfalls rohe
Art die ersten Strahlen einer gesegneten Regierung Joseph
des II. versehren. Wir wünschen Ihm und Ihnen den schönsten Tag. Die gegenwärtigen Augenblick⟨e⟩ aber gleichen
jenen Stunden des Morgens wo aus allen Tiefen und von
allen Bächen, aufsteigende Nebel die nächste Ankunft der
Sonne verkündigen. Unter vielen unlesbaren fliegenden
Schriftchen haben wir eine, gleichfalls unlesbare vorgefunden deren Inhalt dennoch lustig und unterhaltend genug
scheint um unsern Lesern im Auszuge mitgeteilt zu werden.

In der Klasse von Menschen die ohne Einfluß auf die Großen, und ohne von ihnen bemerkt zu sein ihr eignes oft
behagliches oft unbehagliches Leben führen ließ sich ein
Hauswirt einfallen im Hornung einen Ball bei sich auf Sub-
skription zu geben. Er wollte nicht, wie er sagte, dadurch
irgend einen Profit machen sondern bloß seine gute Freunde
zusammen in seinem Quartiere vergnügen.
    Er bat die Erlaubnis hierzu von der Polizei und erhielt sie.

Unser Mann hatte viele Bekanntschaft und einen leidlich bürgerlichen Ruf. In kurzer Zeit unterzeich⟨n⟩eten sich eine Menge Gäste beiderlei Geschlechts, sein enges Quartier, das durch mancherlei Meubles noch völlig verstellt war machte die Bewirtung so vieler Personen unmöglich, er sah sich um und fand hinten im Hause einen großen zweideutigen Raum, der das Holz, die Hausgefäße und was man sonst sich von dieser Art denken mag bisher in sich gefaßt hatte, ließ geschwind alles auf die Seite schaffen, den Boden aufs möglichste säubern, die Wände abkehren und brachte nach seiner Art einen ganz schicklichen Platz zurechte.

Jeder von der Gesellschaft hatte zwei Gulden ausgezahlt und unser Ballwerber versicherte dagegen, daß er den Saal wohl beleuchten, das Orchester stark besetzen und für ein gut zugerichtetes Souper sorgen wolle. Kaffee Tee und Limonade sollten auch bereit sein. Maskenkleider könne ein jedes nach Belieben anziehen nur die Larven müsse man entbehren, damit der Wirt hierüber nicht zur Verantwortung gezogen und gestraft werden möchte. Auf solche Art war die Anzahl auf 106 Personen festgesetzt, die Kasse aus 212 Gulden bestehend, war in seinen Händen, als auf einmal ein großes Unheil den gänzlichen Umsturz derselben drohte.

Ein ausgelernter Wucherer hatte unserm teuren Wirt vor einem halben Jahr 100 fl dargeliehen wofür er ihm 150 verschreiben mußte, das Präsent einer Pinsbekenen Uhr nicht mit gerechnet, welches er ihm vorher abgereicht hatte. Dieser Wechsel war zur Klage gekommen, die Klage war bis zum Arrest getrieben und der aufmerksame Gläubiger, erhielte Nachricht von dem schönen baren Gelde das sich in des Schuldners Händen befand. Er dringt auf den Gerichtsdiener, und dieser trifft unsern Unternehmer in der Haustüre, als er eben im Begriff ist mit der Magd auszugehen um selbst diesmal den Markt zu besuchen, er kündigt ihm den Arrest an wenn er die 150 fl nicht im Augenblicke erlegt.

Da wir vermuten können daß alle unsere Leser sich einen solchen Vorfall vergegenwärtigen können, wo ein Mann der 212 fl in der Tasche hat sich mit 150 fl vom Arreste befreien

kann, so begeben wir uns des rühmlichen Vorteils der Darstellung und sagen nur daß er diese Summe nach manchem
Kampf mit Tränen erlegte und noch dazu 43 fl vorläufig moderierte Kosten bezahlte.

Unser lieber Wirt saß voller Verzweifelung auf seinem
Stuhle, als eben ein junger Mensch voll Respekt hereintrat
und um 6 Billets zu dem Ball bat. Er legte einen Souverain
d'or demütig auf das Tischeck, nahm 6 Billets und empfahl
sich ohne auf die Verhaltungsordnung, und erlaubten Gebrauch der Masken viel zu hören.

Der Anblick des Souverains d'or den der junge Geck gebracht hatte, in dem Augenblick daß der Unglückliche von
den Dienern der gesetzlichen Ordnung ausgezogen worden
war, brachte den halb verzweifelten wieder zu sich selbst, er
zählte sein Geld. Es belief sich noch auf 31 fl 40 Kr. Jetzt
wohin damit? sprach er, und dachte nach. Könnt ich nur so
viel erborgen um meinen Ball zu geben! wär der Kredit hier
zu Lande nicht so auf Schrauben gesetzt, lieh' mir nur einer
50 fl auf mein ehrlich Gesicht ich wollte ihm gern zweimal so
viel davor verschreiben.

Und sogleich sprangen zwei lustige junge Bürschchen ins
Zimmer, fragten um Erlaubnis von dem Ball sein zu dürfen,
legten Geld hin. Er gab die Billets dagegen erlaubte ihnen in
Maskenkleidern zu kommen, sie eilten fort und er wünschte
sich noch viel solcher Gäste.

Das Glück das unsern Patron wieder anlächelte, ermunterte seinen Geist, zu neuen Gedanken und Erfindungen, wie er sich weiter helfen könne. Es fiel ihm ein, jedermann werde en masque erscheinen und er bedürfe also seines
Galakleids mit goldnen Tressen nicht, womit er sich heraus-
zuputzen gedacht hatte. Vielmehr würde es anständiger sein,
wenn er sich gleichfalls masquiert sehen ließe. Seinen Rock,
dem er Uhr und Schnallen nebst einer Dose zur Gesellschaft
zu geben sich entschloß, wollte er bei einem benachbarten
diensthülflichen Manne versetzen und hoffte mit dem darauf
erhaltenen Gelde hinlänglich zu reichen. Die Magd wird gerufen, die Stücke werden ihr eingehändigt. Eilt was ihr

könnt, sagt der Patron, sie behende zur Tür hinaus, und
stürzt unvorsichtig die dunkle Treppe hinunter. Ein entsetzliches Geschrei macht ihren Unfall und ein übel verrenktes
Bein der ganzen Nachbarschaft kund. Und ehe der Hausherr
es gewahr wird und hinabeilt hat man sie schon aufgehoben ⁵
und zurecht gebracht. Er übernimmt sie aus den mitleidigen
Händen und fragt eifrig nach den zu verpfändenden Sachen.
Wehe ihm! Sie waren der Unglücklichen im Schröck aus den
Händen gefallen und nicht mehr zu finden. Den Rock erblickte er noch als ihn eben einer unter den Mantel schieben ¹⁰
und forttragen wollte. Er fiel den Räuber mit großer Wut an
und als er die übrigen Sachen von den Umstehenden gleichfalls mit Heftigkeit verlangte und sie als Diebe behandelte, so
entstund ein großes Murren, das sich bald in Schelten verwandelte und mit Schlägen zu endigen drohte, wenn nicht ¹⁵
ein vorübergehender Prokurator ein guter Freund sich drein
gemischt und die aufgebrachten besänftigt hätte.

Mit großer Heftigkeit und gewaltsamer Betrübnis erzählte nun unser Ballmeister den Unfall dem neuen Ankömmling. Die Knaben durch die Neugierde herbei gelockt ²⁰
hielten das pathetische des Ausdrucks für Würkung der
Trunkenheit, sie zischten und lachten ihn aus wodurch die
beiden Freunde genötigt sich in das obere Zimmer zu begeben. Hier wurde dem Prokurator der Vorfall umständlich
erzählt und ihm zuletzt das Kleid mit der Bitte vorgewiesen ²⁵
60 fl, so viel als es unter Brüdern wert seie darauf nur acht
Tage lang zu borgen. Der Freund bedachte sich und willigte
endlich ein unter der Bedingung daß ihm noch für seine
Familie gratis die nötige Billets abgegeben werden sollten.
Der gedrängte Ballgeber dem das Gewissen wegen der zu ³⁰
viel ausgegebenen Billets erwachte, der einen Augenblick die
Menge der Personen und die Enge des Platzes gegen einander maß willigte nur gezwungen drein⟨.⟩ Er ging nach dem
Kästchen und glaubte seinen Freund mit drei oder vieren
abzufertigen, wie erschrak und erstaunte er aber als dieser für ³⁵
sich, seine Frau, sieben Kinder, drei Dienstboten, eine
Schwester ihren Mann, Hausleute und einige Bekannte, in

allem 36 Billets verlangte. Der Verdruß den der Meister beim Darzählen empfand, die Angst die ihn überfiel da er wieder allein war wurden bald durch die 60 fl verscheucht die der Prokurator in lauter Groschen überschickte. Mit so viel barem Gelde versehen, ging er von einen alten Knechte begleitet, denn die Magd konnte noch nicht wieder auftreten in die Gewürz- Kram- und Zuckerläden, bezahlte das eine, ließ das andere aufschreiben und bestellte Wein in einem Kloster wo er bekannt war. Nachmittags erschien ein abgedankter Hofkoch mit seiner Frau, die das nötige zu der Mahlzeit vorbereiten sollten. Sie brachten in kurzer Zeit eine Menge Eßwaren zusammen, man rupfte die Vögel, spickte die Braten sott Schinken ab und beschäftigte sich eine Unzahl Backwerk und viele Pasteten hervorzubringen. Die Krankheit der Magd, die Ungeschicklichkeit des Knechts hatten unsern Herrn genötigt selbst eine Schürze vorzubinden und bald hier bald da behülflich zu sein. Es war schon zwei Uhr nach Mitternacht und die Pfanne hatte noch nicht geruhet. Die alte Kochfrau die sie bisher traktieret hatte wurde auf eine andere Seite hingerufen und vertraute unserm Herrn auf einen Augenblick den heißen Stiel. Es schmerzte ihn an seinen zarten Händen, die Butter lief ins Feuer und in dem Augenblick stand das übrige Fett in Flammen. Es sprützte platzte, er warf die Pfanne weg, und sah mit Entsetzen den Ruß in der übelgeputzen Össe brennen⟨.⟩ Er hielte nun alles für verloren. Die strenge Polizei und die akkurate Feuerordnung fielen auf seine bewegte Einbildungskraft. Er hörte die Trommeln schon gehen, sahe sein Haus umringt, das Wasser triefte ihm um die Ohren, und da er das eifrige Gießen der Spritzenleute kannte so sah er schon seinen schön aufgetischten Vorrat in gleichem Augenblick in Gefahr zu brennen und zu schwimmen.

Die resolutere Kochfrau hatte indes einen Össenkehrer herbeigeholt, man versiegelte seinen Mund mit einem Dukaten und ein Junge, der auf einem nassen Pfuhl die brennenden Rußstücke und viel Qualm und Unrat herunter auf den Herd brachte endigte das ganze Übel auf einmal.

Die neue Arbeit, die nunmehr entstand die Küche zu reinigen und die Ordnung herzustellen brachte zugleich mit dem
Schröcken unsern Hausherrn so außer sich, daß er gegen
6 Uhr halb ohnmächtig auf das Bette sinken mußte und dort
in einem Zustande einschlummerte den wir unsern Lesern 5
sich vorzustellen überlassen.

REISE DER SÖHNE MEGAPRAZONS

I

ERSTES KAPITEL.

Die Söhne Megaprazons überstehen eine harte Prüfung.

Die Reise ging glücklich von Statten, schon mehrere Tage
schwellte ein günstiger Wind die Segel des kleinen, wohl-
ausgerüsteten Schiffes und in der Hoffnung bald Land zu
sehen beschäftigten sich die trefflichen Brüder ein jeder nach
seiner Art. Die Sonne hatte den größten Teil ihres täglichen
Laufes zurückgelegt, *Epistemon* saß an dem Steuerruder und
betrachtete mit Aufmerksamkeit die Windrose und die Karten, *Panurg* strickte Netze mit denen er schmackhafte Fische
aus dem Meere hervorzuziehen hoffte, *Euphemon* hielt seine
Schreibtafel und schrieb, wahrscheinlich eine Rede die er bei
der ersten Landung zu halten gedachte, *Alkides* lauerte am
Voderteil, mit dem Wurfspieß in der Hand, Delphinen auf
die das Schiff von Zeit zu Zeit begleiteten, *Alciphron* trocknete Meerpflanzen und *Eutyches* der der jüngste lag auf einer
Matte in sanftem Schlafe.

Wecket den Bruder! Rief Epistemon, und versammelt
euch bei mir, unterbrecht einen Augenblick eure Geschäfte
ich habe euch etwas wichtiges vorzutragen. Eutyches erwache! Setzet euch nieder⟨.⟩ Schließt einen Kreis.

Die Brüder gehorchten dem Worte des ältesten u. schlossen einen Kreis um ihn, Eutyches der schöne war schnell auf
den Füßen öffnete seine großen blauen Augen, schüttelte
seine blonde Locken und setzte sich mit in die Reihe.

Der Kompaß und die Karte, fuhr Epistemon fort deuten
mir einen wichtigen Punkt unsrer Fahrt an, wir sind auf die
Höhe gelangt die unser Vater beim Abschied anzeichnete

und ich habe nun einen Auftrag auszurichten den er mir damals anvertraute. Wir sind neugierig zu hören sagten die Geschwister untereinander.

Epistemon eröffnete den Busen seines Kleides und brachte ein zusammengefaltetes buntes seidnes Tuch hervor, man konnte bemerken daß etwas darein gewickelt war, an allen Seiten hingen Schnüre und Franzen herunter künstlich genug in viele Knoten geschlungen, farbig, prächtig und lieblich anzusehen.

Es eröffne jeder seinen Knoten, sagte Epistemon, wie es ihn der Vater gelehrt hat! Und so ließ er das Tuch herumgehen, jeder küßte es, jeder öffnete den Knoten den er allein zu lösen verstand, der älteste küßte es zuletzt, zog die letzte Schleife auseinander, enfaltete das Tuch und brachte einen Brief hervor den er auseinander schlug und las.

Megaprazon an seine Söhne, Glück und Wohlfahrt, guten Mut und frohen Gebrauch eurer Kräfte! Die großen Güter mit den mich der Himmel gesegnet hat würden mir nur eine Last sein ohne die Kinder die mich erst zum glücklichen Manne machen. Jeder von Euch hat durch den Einfluß eines eignen günstigen Gestirns, eigne Gaben von der Natur erhalten, ich habe jeden nach seiner Art von Jugend auf gepflegt, ich habe es euch an nichts fehlen lassen, Ich habe den ältesten zur rechten Zeit eine Frau gegeben, Ihr seid wackre und brave Leute geworden. Nun habe ich euch zu einer Wanderschaft ausgerüstet die Euch und Eurem Hause Ehre bringen muß. Die merkwürdigen und schönen Inseln und Länder sind berühmt die mein Urgroßvater Pantagruel teils besucht teils entdeckt hat, als da ist die Insel der Papimanen, Papefiguen, die Laternen Insel und das Orakel der Heiligen Flasche daß ich von den übrigen Ländern und Völkern schweige. Denn sonderbar ist es *berühmt* sind jene Länder aber *unbekannt* und scheinen jeden Tag mehr in Vergessenheit zu geraten. Alle Völker Europens schiffen aus Entdeckungsreisen zu machen, alle Gegenden des Ozeans sind durchsucht und auf keiner Karte finde ich die Inseln bezeichnet deren erste Kenntnis wir meinem unermüdlichen Urgroßvater

schuldig sind, entweder also gelangten die berühmtesten
neuen Seefahrer nicht in jene Gegenden, oder sie haben uneingedenk jener ersten Entdeckungen die Küsten mit neuen
Namen belegt, die Inseln umgetauft die Sitten der Völker
nur obenhin betrachtet und die Spuren veränderter Zeiten
unbemerkt gelassen. Euch ist es vorbehalten, meine Söhne,
eine glänzende Nachlese zu halten, die Ehre eures Ältervaters wieder aufzufrischen und euch selbst einen unsterblichen
Ruhm zu erwerben. Euer kleines, künstlich gebautes Schiff
ist mit allem ausgerüstet und Euch selbst kann es an nichts
fehlen. Denn vor Eurer Abreise gab ich einem jeden zu bedenken daß man sich auf mancherlei Art in der Fremde angenehm machen, daß man sich die Gunst der Menschen auf
verschiedenen Wegen erwerben könn⟨e⟩; ich riet euch daher
wohl zu bedenken womit ihr außer dem Proviant, der Mu-
nition, den Schiffsgerätschaften euer Fahrzeug beladen, was
für Waren ihr mitnehmen mit was für Hülfsmitteln ihr euch
versehen wolltet. Ihr habt nachgedacht, ihr habt mehr als
eine Kiste auf das Schiff getragen, ich habe nicht gefragt was
sie enthalten. – – Zuletzt verlangtet ihr Geld zur Reise und
ich ließ euch sechs Fäßchen einschiffen, ihr nahmt sie in Ver-
wahrung und fuhrt unter meinen Segenswünschen unter den
Tränen eurer Mutter und eurer Frauen, in Hoffnung glücklicher Rückkehr mit günstigem Winde davon.

Ihr habt hoffe ich den langweiligsten Teil eurer Fahrt
durch das hohe Meer glücklich zurückgelegt, ihr naht euch
den Inseln auf denen ich euch freundlichen Empfang wie
meinem Urgroßvater wünsche.

Nun aber verzeiht mir meine Kinder wenn ich euch einen
Augenblick betrübe – es ist zu eurem Besten.

Epistemon hielt inne die Brüder horchten auf.

Daß ich euch nicht mit Ungewißheit quäle so sei es gerade
herausgesagt: Es ist kein Geld in den Fäßchen.

Kein Geld riefen die Brüder wie mit einer Stimme! »Es ist
kein Geld in den Fäßchen« Wiederholte Epistemon mit halber Stimme und ließ das Blatt sinken. Stillschweigend sahen
sie einander an und jeder wiederholte in seinem eignen Akzente kein Geld! kein Geld?

Epistemon nahm das Blatt wieder auf und las weiter:
»Kein Geld! ruft ihr aus und kaum halten eure Lippen einen
hartenTadel eures Vaters zurück. Faßt euch! Geht in euch
und ihr werdet die Wohltat preisen die ich euch erzeige. Es
steht Geld genug in meinen Gewölben da mag es stehen bis
ihr zurückkommt und der Welt gezeigt habt daß ihr der
Reichtümer wert seid die ich euch hinterlasse.

Epistemon las wohl noch eine halbe Stunde denn der Brief
war lang, er enthielt die trefflichsten Gedanken, die richtig-
sten Bemerkungen, die Heilsamsten Ermahnungen, die
schönsten Aussichten aber nichts war im Stande die Aufmerksamkeit der Geschwister an die Worte des Vaters zu
fesseln, die schöne Beredsamkeit ging verloren jeder kehrte
in sich selbst zurück, jeder überlegte was er zu tun was er zu
erwarten habe.

Die Vorlesung war noch nicht geendigt als schon die Absicht des Vaters erfüllt war, jeder hatte schon bei sich die
Schätze gemustert womit ihn die Natur ausrüstete, jeder fand
sich reich genug, einige glaubten sich mit Waren und andern
Hülfsmitteln wohl versehen man bestimmte schon den Gebrauch voraus und als nun Epistemon den Brief zusammen-
faltete ward das Gespräch laut und allgemein man teilte einander Plane, Projekte mit, man widersprach, man fand Beifall man erdachte Märchen, man ersann Gefahren und Verlegenheiten, man schwätzte bis tief in die Nacht und eh man
sich niederlegte mußte man gestehen daß man sich auf der
ganzen Reise noch nicht so gut unterhalten hatte.

ZWEITES KAPITEL.

Man entdeckt zwei Inseln, es entsteht ein Streit
der durch Mehrheit der Stimmen beigelegt wird.

Des andern Morgens war Eutyches kaum erwacht und hatte
seinen Brüdern einen guten Morgen geboten, als er ausrief:
ich sehe Land! – Wo? riefen die Geschwister. – Dort sagte er

dort! und deutete mit dem Finger nach Nord Osten. Der
schöne Knabe war vor seinen Geschwistern ja vor allen Menschen mit scharfen Sinnen begabt und so machte er überall
wo er war ein Fernrohr entbehrlich. Bruder versetzte Epistemon du siehst recht, erzähle uns weiter was du gewahr
wirst. Ich sehe zwei Inseln fuhr Eutyches fort eine rechts,
lang, flach, in der Mitte scheint sie gebirgig zu sein, die andre
links zeigt sich schmäler und hat höhere Berge. – Richtig!
sagte Epistemon und rief die übrigen Brüder an die Karte.
Sehet diese Insel rechter Hand ist die Insel der Papimanen,
eines frommen, wohltätigen Volkes. Möchten wir bei ihnen
eine so gute Aufnahme als unser Ältervater Pantagruel erleben. Nach unsers Vaters Befehl landen wir zuerst daselbst
erquicken uns mit frischem Obste, Feigen Pfirschen, Trauben, Pomeranzen die zu jeder Jahrzeit daselbst wachsen, wir
genießen des guten frischen Wassers, des köstlichen Weines
wir verbessern unsre Säfte durch schmackhafte Gemüse Blumenkohl, Brokkoli, Artischocken und Carden, denn ihr
müßt wissen daß durch die Gnade des göttlichen Statthalters
auf Erden nicht allein alle gute Frucht von Stunde zu Stunde
reift, sondern daß auch Unkraut und Disteln eine zarte und
säftige Speise werden. – Glückliches Land riefen sie aus!
Wohlversorgtes! Wohlbelohntes Volk! Glückliche Reisende
die in diesem irdischen Paradiese eine gute Aufnahme finden. – Haben wir uns nun völlig erholt und wiederhergestellt alsdann besuchen wir im Vorbeigehn die andre leider
auf ewig verwünschte und unglückliche Insel der Papefiguen, wo wenig wächst und das wenige noch von bösen
Geistern zerstört oder verzehrt wird. Sagt uns nichts von
dieser Insel! rief Panurg, nichts von ihren Kohlrüben und
Kohlrabis, nichts von ihren Weibern, ihr verderbt uns den
Appetit den ihr uns so eben erregt habt.

    Und so lenkte sich das Gespräch wieder auf das selige
Wohlleben das sie auf der Insel der Papimanen zu finden
hofften sie lasen in den Tagebüchern ihres Ältervaters was
ihm dort begegnet, wie er fast göttlich verehrt worden war,
und schmeichelten sich ähnlicher glücklicher Begebenheiten.

Indessen hatte Eutyches von Zeit zu Zeit nach den Inseln hingeblickt, und als sie nun auch den andern Brüdern sichtbar waren, konnte er schon die Gegenstände genau und immer genauer darauf unterscheiden je näher man ihnen kam. Nachdem er beide Inseln lange genau betrachtet und mit einander verglichen rief er aus: Es muß ein Irrtum obwalten, meine Brüder, die beiden Landstrecken die ich vor mir sehe kommen keineswegs mit der Beschreibung überein die Bruder Epistemon davon gemacht hat vielmehr finde ich gerade das umgekehrte und mich dünkt ich sehe gut.

Wie meinst du das? Bruder, sagte einer und der andre.

Die Insel zur rechten Seite auf die wir Zuschiffen, fuhr Eutyches fort ist ein langes flaches Land mit wenigen Hügeln und scheint mir gar nicht bewohnt, ich sehe weder Wälder auf den Höhen noch Bäume in den Gründern, keine Dörfer keine Gärten, keine Saaten, keine Herden an den Hügeln die doch der Sonne so schön entgegen liegen

Ich begreife das nicht sagte Epistemon. – Eutyches fuhr fort: Hie und da seh ich ungeheure Steinmassen von denen ich mich nicht zu sagen unterfange ob es Städte oder Felsenwände sind. Es tut mir herzlich leid daß wir nach einer Küste fahren die sowenig verspricht.

Und jene Insel zur linken? rief Alkides. – Sie scheint ein kleiner Himmel, ein Elysium, ein Wohnsitz der zierlichsten häuslichsten Götter. Alles ist grün, alles gebaut, jedes Eckchen und Winkelchen genutzt. Ihr solltet die Quellen sehen die aus den Felsen sprudeln, Mühlen treiben, Wiesen wässern, Teiche bilden. Büsche auf den Felsen Wälder auf den Bergrücken, Häuser in den Gründern Gärten, Weinberge, Äcker und Ländereien in der Breite wie ich nur sehen und sehen mag.

Man stutzte, man zerbrach sich den Kopf! Endlich rief Panurg: wie können sich ein Halbdutzend kluge Leute solang bei einem Schreibefehler aufhalten weiter ist es nichts. Der Kopiste hat die Namen der beiden Inseln auf der Karte verwechselt, jenes ist Papimanie, diese da ist Papefigue und ohne das gute Gesicht unsers Bruders waren wir im Begriff einen schnöden Irrtum zu begehen. Wir verlangen nach der gesegneten Insel und nicht nach der verwünschten, laßt uns also den Lauf dahin richten wo uns Fülle und Fruchtbarkeit zu empfangen verspricht.

5 Epistemon wollte nicht so gleich seine Karten eines so groben Fehlers beschuldigen lassen er brachte viel zum Beweise ihrer Genauigkeit vor, die Sache war aber den übrigen zu wichtig es war die Sache des Gaumens und des Magens die jeder verteidigte. Man bemerkte daß man mit dem gegen-
10 wärtigen Winde noch bequem nach beiden Inseln kommen könne, daß man aber wenn er anhielte nur schwer von der ersten zur zweiten segeln würde. Man bestand darauf daß man das sichre für das unsichre nehmen und nach der fruchtbaren Insel fahren müsse.

15 Epistemon gab der Mehrheit der Stimmen nach, ein Gesetz das ihnen der Vater vorgeschrieben hatte.

Ich zweifle gar nicht sagte Panurg daß meine Meinung die richtige ist und daß man auf der Karte die Namen verwechselt hat, laßt uns fröhlich sein! Wir schiffen nach der Insel der
20 Papimanen. Laßt uns vorsichtig sein und die nötigen Anstalten treffen.

Er ging nach einem Kasten den er öffnete und allerlei Kleidungs stücke daraus hervor holte. Die Brüder sahen ihm mit Verwunderung zu und konnten sich des Lachens nicht
25 erwehren als er sich auskleidete und wie es schien Anstalt zu einer Maskerade machte. Er zog ein Paar Violettseidne Strümpfe an und als er die Schuhe mit großen silbernen Schnallen geziert hatte, kleidete er sich übrigens ganz in schwarze Seide. Ein kleiner Mantel flog um seine Schultern
30 einen zusammengedrückten Hut mit einem violett und goldnen Bande nahm er in die Hände nachdem er seine Haare in runde Locken gekräuselt hatte. Er begrüßte die Gesellschaft ehrbietig die in ein lautes Gelächter ausbrach.

Ohne sich aus der Fassung zu geben besuchte er den Ka-
35 sten zum zweiten male. Er brachte eine rote Uniform hervor mit weißen Kragen Aufschlägen und Klappen ein großes weißes Kreuz sah man auf der linken Brust. Er verlangte

Bruder Alkides solle diese Uniform anziehen und da sich
dieser weigerte fing er folgender gestalt zu reden an: Ich weiß
nicht was ihr übrigen in denen Kasten gepackt und verwahrt
haltet die ihr von Hause mitnahmt als der Vater unsrer Klugheit überließ womit wir uns den Völkern angenehm machen 5
wollten, soviel kann ich euch gegenwärtig sagen daß meine
Ladung vorzüglich in alten Kleidern besteht die hoffe ich uns
nicht geringe Dienste leisten sollen. Ich habe drei bankrutte
Schauspiel Unternehmer, zwei aufgehobne Klöster, sechs
Kammerdiener und sieben Trödler ausgekauft und zwar 10
habe ich mit den letzten nur getauscht und meine Dubletten
weggegeben. Ich habe mit der größten Sorgfalt meine
Garderobe komplettiert, ausgebessert, gereinigt und geräuchert

11 15

Der Pappimane erzählt was in ihrer Nachbarschaft vorgegangen.

So sehr uns diese Übel quälten, schienen wir sie doch eine zeit
lang über die wunderbaren und schrecklichen Naturbegebenheiten zu vergessen, die sich in unserer Nachbarschaft
zutrugen. Ihr habt von der großen und merkwürdigen Insel 20
der Monarchomanen gehört, die eine Tagreise von uns
Nordwärts gelegen war.
    Wir haben nichts davon gehört sagte Epistemo⟨n⟩, und es
wundert mich um so mehr als einer unserer Ahnherrn in
diesem Meeren auf Entdeckungen ausging. Erzählt uns von 25
dieser Insul was ihr wißt damit wir beurteilen ob es der Mühe
wert ist, selbst hinzu segeln, und uns nach ihr und ihrer
Verfassung zu erkundigen.
    Es wirde schwer sein sie zu finden versetzte der Papimane.
    Ist sie versunken fragte Alciphron? 30
    Sie hat sich auf und davon gemacht versetzte jener.
    Wie ist das zu gegangen fragten die Brüder, fast mit einer
Stimme.

Die Insul der Monarchomanen fuhr der Erzähler fort, war eine der schönsten und merkwürdigste⟨n⟩ und berühmteste⟨n⟩ Insuln unsers Archipelagus, man konnte sie füglich in drei Teile Teilen, auch sprach man gewöhnlich nur von der Residenz, der steilen Küste, und dem Lande. Die Residenz, ein Wunder der Welt, war auf dem Vorgebürge angelegt, und alle Künste hatten sich vereinigt dieses Gebäude zu verherrlichen. Sahet ihr seine Fundamente so waret ihr zweifelhaft ob es auf Mauern oder auf Felsen stand, so oft und viel hatten Menschen Hände der Natur nach geholfen. Sahet ihr seine Gebäude, so glaubtet ihr alle Tempel der Götter wären hier symmetrisch zusammengestellt, um alle Völker zu einer Wallfahrt hier her einzuladen. Betrachtet ihr seine Gipfel und Zinnen; so mußt ihr denken die Riesen hätten hier zum zweiten mal Anstalt gemacht den Himmel zu ersteigen, man konnte es eine Stadt, ja! man konnte es ein Reich nennen. Hier Thronte der König in seiner Herrlichkeit, und niemand schien ihm auf der ganzen Erde gleich zu sein.

Nicht weit von da, fing die steile Küste an sich zu erstrecken, auch hier war die Kunst der Natur mit unendlichen Bemühungen zu Hülfe gekommen, auch hier hatte man Felsen gebauet, um Felsen zu verbinden, die ganze Höhe war Terrassenweis eingeschnitten, man hatte fruchtbar Erdreich auf Maultieren hingeschafft. Alle Pflanzen, besonders der Wein Zitronen und Pomeranzen fand⟨en⟩ ein glückliches Geteihen; denn die Küste lag der Sonne wohl ausgesetzt. Hier wohnten die Vornehmen des Reichs und bauten Paläste, der Schiffer verstummte der sich der Küste näherte.

Der dritte Teil und der größte war meistenteils Ebene und fruchtbarer Boden, diesem bearbeitete das Landvolk mit vieler Sorgfalt.

Es war ein altes Reichs-Gesetz daß der Landmann für seine Mühe, einen Teil der erzeigten Früchte wie billig genießen sollte, es war ihm aber bei schwerer Strafe untersagt sich satt zu essen, und so war diese Insul die glücklichste von der Welt. Der Landman hatte immer Appedit und Lust zur Arbeit. Die Vornehmen deren Magen sich meist in schlechten Umständen befanden hatten Mittel genug ihren Gaumen zu reizen, und der König tat oder glaubte wenigstens immer zu tun was er wollte.

Diese Paradiesische glückseligkeit ward auf eine weise gestört die höchst unerwartet war, ob man sie gleich längst hätte vermuten sollen. Es war denen Naturforschern bekannt; daß die Insul vor alten Zeiten durch die Gewalt des unterirdischen Feuers, sich aus dem Meer empor gehoben hatte. Soviel Jahre auch vorüber sein mochten fanden sich doch noch häufige Spuren ihres alten Zustandes. Schlacken, Pimstein, warme Quellen, und dergleichen Kennzeichen mehr, auch mußte die Insul von innerlichen Erschütterungen oft vieles leiden. Man sahe hier und dort an der Erde bei Tage Tünste schweben, bei Nacht Feuer hüpfen, und der lebhafte Charakter der Einwohner ließ auf die feurigen Eigenschaften des Bodens ganz natürlich schließen.

Es sind nun einige Jahre, daß nach wiederholten Erdbeben an der Mittags seite des Landes zwischen der Ebene und der steilen Küste ein gewaltsamer Vulkan ausbrach der viele Monate die Nachbarschaft verwüstete, die Insul im Innersten erschütterte und sie ganz mit Asche bedeckte.

Wir konnten von unsern Ufer bei Tags den Rauch bei Nacht die Flamme gewahr werden. Es war ensetzlich an zu sehen, wenn in der Finsternis ein brennender Himmel über ihren Horizont schwebte das Meer war in ungewöhnlicher Bewegung, und die Stürme sausten mit fürchterlicher Wut.

Ihr könnt euch die größe unsers Erstaunens denken, als wir eines Morgens nachdem wir in der Nacht ein ensetzlich gepraß gehört, und Himmel und Meer gleichsam in Feuer gesehn, ein großes stück Land auf unsere Insul zuschwimmend erblickten. Es war wie wir uns bald überzeigen konnten, die steile Küste selbst die auf uns zukam. Wir konnten bald ihre Paläste Mauern und Gärten erkennen, und wir fürchteten daß sie an unsere Küste die an jener Seite sehr sandig und untief ist, stranden und zu grunde gehen möchten. Glücklicherweise erhub sich ein Wind und trieb sie etwas mehr Nordwärts, dort läßt sie sich wie ein Schiffer erzählt bald da bald dorten sehen hat aber noch keinen festen Stand gewinnen können.

Wir erfuhren bald daß in jener schrecklichen Nacht die Insul der Monarchoman⟨en⟩ sich in drei Teile gespalten, daß sich diese Teile gewaltsam einander abgestoßen, und daß die beiden andern Teile; die Residenz und das Land nun gleichfalls auf dem offenen Meere herum schwämmen, und von allen Stürmen wie ein Schiff ohne Steuer hin und wieder getrieben werden. Von dem Lande wie man es nennt, haben wir nie etwas wieder gesehen. Die Residenz aber konnten wir noch vor einigen Tagen im Nordosten sehr deutlich am Horizont erkennen.

Es läßt sich denken daß unsere Reisenden durch diese Erzählung sehr ins Feuer gesetzt wurden. Ein wichtiges Land daß ihr Ahnherr unendeckt gelassen ob er gleich so nahe vorbei gekommen, in dem sonderbarsten Zustande von der Welt stückweise auf zu suchen, war ein wichtiges Unternehmen, das ihnen von mehr als einer Seite Nutzen und Ehre versprach. Man zeigte ihnen von weiten die Residenz am Horizont als eine große blaue Masse, und zu ihrer größten Freude ließ sich Westwärts in der Entfernung ein hohes Ufer sehen welches die Papimanen sogleich für die steile Küste erkannten, die mit günstigen Wind obgleich langsam gegen die Residenz zu ihre Richtung zu nehmen schien. Man faßte daher den Schluß gleichfalls dahin zu steuern, zu sehen ob man nicht die schöne Küste unterwegs abschneiden und in ihrer Gesellschaft oder wohl gar in einem der schönen Paläste den Weg nach der Residenz vollenden zu können. Man nahm von den Papimanen Abschied hinterließ ihnen einige Rosenkränze, Scabulier und Agnus Dei die von ihnen ob sie gleich deren genug hatten mit großer Ehrfurcht und Dankbarkeit angenommen wurden.

III

Die Brüder saßen friedlich bei einander sie unterhielten sich
von den neusten Begebenheiten die sie erlebt, von den neusten Geschichten die sie erfahren hatten, das Gespräch
wandte sich, auf einen seltsamen Krieg der Chranige mit   5
denen Pygmenen jeder machte eine Anmerkung über die
Ursachen dieser Händel, und über die Folgen welche aus der
Hartnäckigkeit der Pygmeen entstehen könne⟨n⟩. Jeder ließ
sich von seinem Eifer hinreißen; so daß in kurzer Zeit die
Menschen die wir bisher so Einträchtig kannten sich in zwei   10
Partein spalteten die aufs heftigste gegen einander zu Felde
zogen. *Alkides Alciphron Eutyches* behaupten die Zwerge sein
eben ein so häßliches als unverschämtes Geschöpf, es sei in
der Natur doch einmal eins für das Andere geschaffen, die
Wiese bringe Gras und Kräuter hervor damit sie der Stier   15
genieße, und der Stier werde wie billig wieder vom edlern
Menschen verzehrt, so sei es denn auch ganz wahrscheinlich;
daß die Natur den Zwergen das Vermögen zum Heil des
Crannigs hervorgebracht habe, welches sich um so weniger
leugnen lasse als der Crannig durch ⟨den Genuß⟩ des so-   20
genannten eßbaren Goldes um soviel vollkommener werde.

Die andern Brüder dagegen behaupteten daß solche Beweise, aus der Natur und von ihren Absichten hergenom-
men, sehr ein geringes Gewicht hätten, und daß deswegen
ein Geschöpf nicht gerade zu für das Andere gemacht sei weil   25
eines bequem fände sich des andern zu bedienen.

Diese mäßigen Argumente wurden nicht lange gewechselt, als das Gespräch heftig zu werden anfing, und man von
beiden Seiten mit Scheingründen erst mit anzüglichen bittern Spott die Meinung zu verteidigen suchte welcher man zu   30
getan war. Ein wilder Schwindel ergriff die Brüder, von ihrer
Sanftmut und Verträglichkeit, erschien keine Spur mehr in
ihrem Betragen, sie unterbrachen sich, erhuben die Stimmen
schlugen auf den Tisch die Bitterkeit wuchs, man enthielt
sich kaum jählicher Schimpfreden, und in wenigen Augen-   35

blicken mußte man fürchten das kleine Schiff als ein Schauplatz trauriger Feindseligkeiten zu erblicken.

Sie hatten in der lebhaftigkeit ihres Wortwechsels nicht
bemerket daß ein anderes Schiff von der größe des ihrigen
aber von ganz verschiedener Form sich nahe an sie gelegt
hatte, sie erschraken daher nicht wenig als ihnen wie mitten
aus den Meere eine ernsthafte Stimme zurief: was gibts meine
Herren wie können Männer die in einem Schiffe wohnen sich
bis auf diesem Grad entzwein.

Ihre Streitsucht machte einen Augenblick Pause. Allein
welche seltsame Erscheinung, noch die ehrwürdige Gestalt
dieses Mannes konnte einen neuen Ausbruch verhindern,
man ernannte ihm zum Schieds richter und jede Partei suchte
schon eifrig ihn auf ihre Seite zu ziehen noch ehe sie ihn die
Streitsache selbst deutlich gemacht hatten. Er bat sie alsdenn
lächelnd um einen Augenblick gehör; und sobald er es erlangt hatte, sagte er zu ihnen: Die Sache ist von der größten
Wichtigkeit und sie werden mir erlauben daß ich erst morgen
früh meine Meinung darüber eröffne trinken sie mit mir vor
schlafengehn noch eine Flasche Matera, den ich sehr echt mit
mir führe, und der ihnen gewiß wohl bekommen wird. Die
Brüder ob sie gleich aus einer Familie waren die den Wein
nicht verschmähen hätten dennoch lieber Wein und Schlaf
und alles entbehrt um die Materie nochmals von vorn durch-
zusprechen allein der Fremde wußte ihnen seinen Wein so
artig aufzudringen, daß sie sich ohnmöglich erwehren konnten ihm Bescheid zu tun. Kaum hatten sie die letzten Gläser
von den Lippen gesetzt als sie schon alle ein stilles Vergessen
ihrer selbst ergriff und eine Angenehme hinfälligkeit sie auf
die Unbereiteten Lager ausstreckte. Sie verschliefen das herrliche Schauspiel der Aufgehenden Sonne und wurden endlich durch den Glanz und die Wärme ihrer Strahlen aus dem
Schlaf geweckt. Sie sahen ihren Nachbar beschäftigt an seinem Schiffe etwas auszubessern, sie grüßten einander und er
erinnerte sie lächelnd an den Streit des vorigen Abends sie
wußten sich kaum noch darauf zu besinnen und schämten
sich als er in ihren Gedächtnis die Umstände wie er sie ge-

funden nach und nach hervorrief. Ich will meiner Arzenei
fuhr er fort nicht mehr wert geben als sie hat die ich ihnen
gestern in der Gestalt einiger Gläser matera beibrachte, aber
sie können von Glück sagen daß sie so schnell einer Sorge los
geworden sind, von der so viele Menschen jetzt heftig, ja! bis   5
zum Wahnsinn angegriffen sind.

Sind wir krank gewesen fragte einer? das ist doch sonderbar, ich kann sie versichern versetzte der fremde Schiffer, sie
waren vollkommen angesteckt ich traf sie in einer heftigen
Crysis.   10

Und was für eine Krankheit wäre es denn gewesen fragte
Alciphron? ich verstehe mich doch auch ein wenig auf die
Medizin.

Es ist das Zeitfieber sagte der Fremde das einige auch das
Fieber der Zeit, nennen und glauben sich noch bestimmter   15
auszudrucken, andere nennen es das Zeitungsfieber, denen
ich auch nicht e⟨n⟩tgegen sein will. Es ist eine böse ansteckende Krankheit die sich sogar durch die Luft mitteilt ich
wollte wetten sie haben sie gestern abend in der Atmosphäre
der schwimmenden Insuln gefangen.   20

Was sind denn die Symtome dieses Übels fragte Alciphron.

Sie sind sonderbar und traurig genug versetzte der
fremde, der Mensch vergißt sogleich seine nächsten Verhältnisse, er mißkennt seine wahrsten Vorteile, er   25
opf⟨e⟩rt alles, ja! seine Neigungen und Leidenschaften einer
Meinung auf die nun zur größten Leidenschaft wird, kommt
man nicht bald zu Hülfe hält es gewöhnlich sehr schwer so
setzt sich die Meinung im Kopfe fest und wird gleichsam die
Achse um die sich der blinde Wahnsinn herum dreht, nun   30
vergißt der Mensch die Geschäfte: die sonst den seinigen und
dem Staate nutzen, er sieht Vater und Mutter Brüder und
Schwestern nicht mehr, ihr die ihr so friedfertige vernünftige
Menschen schienet ehr ihr in dem Falle waret

IV

Kaum befanden sich unsere Brüder in dem leidlichen Zustande in welchem wir sie gesehen haben, als sie bald empfanden daß ihnen gerade noch das beste fehlte um ihren Tag
5 fröhlich hinzubringen und zu enden. Alkides erriet ihre Gesinnungen aus den seinigen und sagte: So wohl es uns auch
geht meine Brüder, besser als Reisende sich nur wünschen
dürfen, so können wir doch nicht undankbar gegen das
Schicksal und unsern Wirt genannt werden wenn wir frei
10 gestehen daß wir in diesem königlichen Schlosse, an dieser
üppigen Tafel einen Mangel fühlen, der desto unleidlicher ist
je mehr uns die übrigen Umstände begünstigt haben. Auf
Reisen, im Lager bei Geschäften und Handelschaften und
was sonst den unternehmenden Geist der Männer zu be-
15 schäftigen pflegt⟨.⟩ Vergessen wir eine Zeitlang der liebenswürdigen Gespielinnen unsres Lebens und wir scheinen die
unentbehrliche Gegenwart der Schönen einen Augenblick
nicht zu vermissen. Haben wir aber nur wieder Grund und
Boden erreicht, bedeckt uns ein Dach schließt uns ein Saal in
20 seine vier Wände gleich entdecken wir was uns fehlt, ein
freundliches Auge der Gebieterin, eine Hand die sich traulich
mit der unsern zusammenschließt.

Ich habe sagte Panurg den alten Wirt über diesen Punkt,
erst auf die feinste Weise sondiert und da er nicht hören
25 wollte auf die gradeste Weise befragt und ich habe nichts von
ihm erfahren können. Er leugnet daß ein weibliches Geschöpf in dem Palaste sei. Die Geliebte des Königs sei mit
ihm, ihre Frauen seien ihr gefolgt und die übrigen ermordet
oder entflohen.

30 Er redet nicht wahr, versetzte Epistemon, die traurigen
Reste die uns den Eingang der Burg verwehrten waren die
Leichname tapfrer Männer und er sagte ja selbst daß noch
niemand weggeschafft oder begraben sei.

Weit entfernt, sagte Panurg seinen Worten zu trauen habe
35 ich das Schloß und seine vielen Flügel betrachtet und im

Zusammenhange überlegt. Gegen die rechte Seite wo die hohen Felsen senkrecht aus dem Meere hervorstehen liegt ein Gebäude das mir so prächtig als fest zu sein scheint es hängt mit der Residenz durch einen Gang zusammen der auf ungeheuern Bogen steht, der Alte da er uns alles zu zeigen schien hat uns immer von dieser Seite weggehalten und ich wette dort findet sich die Schatzkammer an deren Eröffnung uns viel gelegen wäre.

Die Brüder wurden einig daß man den Weg dahin suchen solle, um kein Aufsehen zu erregen ward Panurg und Alciphron abgesandt die in weniger als einer Stunde mit glücklichen Nachrichten zurückkamen. Sie hatten nach jener Seite zu geheime Tapetentüren entdeckt, die ohne Schlüssel durch künstlich angewandten Druck sich eröffneten. Sie waren in einige große Vorzimmer gekommen, hatten aber Bedenken getragen weiter zu gehen und kamen nun den Brüdern was sie ausgerichtet anzuzeigen.

BRIEFE AUS DER SCHWEIZ

ERSTE ABTEILUNG

Als vor mehreren Jahren uns nachstehende Briefe abschrift-
lich mitgeteilt wurden, behauptete man sie unter Werthers
Papieren gefunden zu haben, und wollte wissen, daß er vor
seiner Bekanntschaft mit Lotten in der Schweiz gewesen. Die
Originale haben wir niemals gesehen, und mögen übrigens
dem Gefühl und Urteil des Lesers auf keine Weise vorgreifen: denn, wie dem auch sei, so wird man die wenigen Blätter
nicht ohne Teilnahme durchlaufen können.

Wie ekeln mich meine Beschreibungen an, wenn ich sie wieder lese! nur dein Rat, dein Geheiß, dein Befehl können mich
dazu vermögen. Ich las auch so viele Beschreibungen dieser
Gegenstände, ehe ich sie sah. Gaben sie mir denn ein Bild,
oder nur irgend einen Begriff? Vergebens arbeitete meine
Einbildungskraft sie hervorzubringen, vergebens mein
Geist etwas dabei zu denken. Nun steh ich und schaue diese
Wunder und wie wird mir dabei? ich denke nichts, ich empfinde nichts und möchte so gern etwas dabei denken und
empfinden. Diese herrliche Gegenwart regt mein Innerstes
auf, fordert mich zur Tätigkeit auf, und was kann ich tun,
was tue ich! Da setz' ich mich hin und schreibe und beschreibe. So geht denn hin ihr Beschreibungen! betrügt meinen Freund, macht ihn glauben, daß ich etwas tue, daß er
etwas sieht und liest. –

Frei wären die Schweizer? frei diese wohlhabenden Bürger in
den verschlossenen Städten? frei diese armen Teufel an ihren
Klippen und Felsen? Was man dem Menschen nicht alles
weiß machen kann! besonders wenn man so ein altes Mär-

chen in Spiritus aufbewahrt. Sie machten sich einmal von einem Tyrannen los und konnten sich in einem Augenblick frei denken; nun erschuf ihnen die liebe Sonne aus dem Aas des Unterdrückers einen Schwarm von kleinen Tyrannen durch eine sonderbare Wiedergeburt; nun erzählen sie das alte Märchen immer fort, man hört bis zum Überdruß: sie hätten sich einmal frei gemacht und wären frei geblieben; und nun sitzen sie hinter ihren Mauern, eingefangen von ihren Gewohnheiten und Gesetzen, ihren Fraubasereien und Philistereien, und da draußen auf den Felsen ist auch wohl der Mühe wert von Freiheit zu reden, wenn man das halbe Jahr vom Schnee wie ein Murmeltier gefangen gehalten wird.

Pfui wie sieht so ein Menschenwerk und so ein schlechtes notgedrungenes Menschenwerk, so ein schwarzes Städt- chen, so ein Schindel- und Steinhaufen, mitten in der großen herrlichen Natur aus! Große Kiesel- und andere Steine auf den Dächern, daß ja der Sturm ihnen die traurige Decke nicht vom Kopfe wegführe und den Schmutz, den Mist! und stau- nende Wahnsinnige! – Wo man den Menschen nur wieder begegnet, möchte man von ihnen und ihren kümmerlichen Werken gleich davon fliehen.

Daß in den Menschen so viele geistige Anlagen sind, die sie im Leben nicht entwickeln können, die auf eine bessere Zu- kunft, auf ein harmonisches Dasein deuten, darin sind wir einig, mein Freund, und meine andere Grille kann ich auch nicht aufgeben, ob du mich gleich schon oft für einen Schwärmer erklärt hast. Wir fühlen auch die Ahndung kör- perlicher Anlagen, auf deren Entwickelung wir in diesem Leben Verzicht tun müssen: so ist es ganz gewiß mit dem Fliegen. So wie mich sonst die Wolken schon reizten mit ihnen fort in fremde Länder zu ziehen, wenn sie hoch über meinem Haupte wegzogen, so steh' ich jetzt oft in Gefahr, daß sie mich von einer Felsenspitze mitnehmen wenn sie an mir vorbeiziehen. Welche Begierde fühl' ich, mich in den

unendlichen Luftraum zu stürzen, über den schauerlichen
Abgründen zu schweben und mich auf einen unzugänglichen
Felsen niederzulassen. Mit welchem Verlangen hol' ich tiefer
und tiefer Atem, wenn der Adler in dunkler blauer Tiefe,
unter mir, über Felsen und Wäldern schwebt, und in Gesellschaft eines Weibchens um den Gipfel, dem er seinen
Horst und seine Jungen anvertrauet hat, große Kreise in
sanfter Eintracht zieht. Soll ich denn nur immer die Höhe
erkriechen, am höchsten Felsen wie am niedrigsten Boden
kleben, und wenn ich mühselig mein Ziel erreicht habe, mich
ängstlich anklammern, vor der Rückkehr schaudern und vor
dem Falle zittern?

Mit welchen sonderbaren Eigenheiten sind wir doch geboren! welches unbestimmte Streben wirkt in uns! wie seltsam
wirken Einbildungskraft und körperliche Stimmungen gegen einander! Sonderbarkeiten meiner frühen Jugend kommen wieder hervor. Wenn ich einen langen Weg vor mich
hingehe und der Arm an meiner Seite schlenkert, greif' ich
manchmal zu als wenn ich einen Wurfspieß fassen wollte, ich
schleudere ihn, ich weiß nicht auf wen, ich weiß nicht auf was;
dann kommt ein Pfeil gegen mich angeflogen und durch-
bohrt mir das Herz; ich schlage mit der Hand auf die Brust
und fühle eine unaussprechliche Süßigkeit, und kurz darauf
bin ich wieder in meinem natürlichen Zustande. Woher
kommt mir die Erscheinung? was soll sie heißen und warum
wiederholt sie sich immer ganz mit denselben Bildern, derselben körperlichen Bewegung, derselben Empfindung?

Man sagt mir wieder, daß die Menschen, die mich unterwe-
ges gesehen haben, sehr wenig mit mir zufrieden sind. Ich
will es gern glauben, denn auch niemand von ihnen hat zu
meiner Zufriedenheit beigetragen. Was weiß ich, wie es
zugeht! daß die Gesellschaften mich drücken, daß die Höflichkeit mir unbequem ist, daß das was sie mir sagen mich
nicht interessiert, daß das was sie mir zeigen mir entweder
gleichgültig ist, oder mich ganz anders aufregt. Seh' ich eine

gezeichnete, eine gemalte Landschaft, so entsteht eine Unruhe in mir, die unaussprechlich ist. Die Fußzehen in meinen Schuhen fangen an zu zucken, als ob sie den Boden ergreifen wollten, die Finger der Hände bewegen sich krampfhaft, ich beiße in die Lippen, und es mag schicklich oder unschicklich sein, ich suche der Gesellschaft zu entfliehen, ich werfe mich der herrlichen Natur gegenüber auf einen unbequemen Sitz, ich suche sie mit meinen Augen zu ergreifen, zu durchbohren, und kritzle in ihrer Gegenwart ein Blättchen voll, das nichts darstellt und doch mir so unendlich wert bleibt, weil es mich an einen glücklichen Augenblick erinnert, dessen Seligkeit mir diese stümperhafte Übung ertragen hat. Was ist denn das, dieses sonderbare Streben von der Kunst zur Natur, von der Natur zur Kunst zurück? Deutet es auf einen Künstler, warum fehlt mir die Stetigkeit? ruft michs zum Genuß, warum kann ich ihn nicht ergreifen? Man schickte uns neulich einen Korb mit Obst, ich war entzückt wie von einem himmlischen Anblick; dieser Reichtum, diese Fülle, diese Mannigfaltigkeit und Verwandtschaft! Ich konnte mich nicht überwinden eine Beere abzupflücken, eine Pfirsche, eine Feige aufzubrechen. Gewiß dieser Genuß des Auges und des innern Sinnes ist höher, des Menschen würdiger, er ist vielleicht der Zweck der Natur, wenn die hungrigen und durstigen Menschen glauben für ihren Gaum habe sich die Natur in Wundern erschöpft. Ferdinand kam und fand mich in meinen Betrachtungen, er gab mir recht und sagte dann lächelnd mit einem tiefen Seufzer: Ja, wir sind nicht wert diese herrlichen Naturprodukte zu zerstören, wahrlich es wäre Schade! Erlaube mir, daß ich sie meiner Geliebten schicke. Wie gern sah ich den Korb wegtragen! wie liebte ich Ferdinanden! wie dankte ich ihm für das Gefühl das er in mir erregte, über die Aussicht die er mir gab. Ja wir sollen das Schöne kennen, wir sollen es mit Entzücken betrachten und uns zu ihm, zu seiner Natur zu erheben suchen; und um das zu vermögen, sollen wir uns uneigennützig erhalten, wir sollen es uns nicht zueignen, wir sollen es lieber mitteilen, es denen aufopfern, die uns lieb und wert sind.

Was bildet man nicht immer an unserer Jugend! Da sollen
wir bald diese bald jene Unart ablegen, und doch sind die
Unarten meist eben so viel Organe, die dem Menschen durch
das Leben helfen. Was ist man nicht hinter dem Knaben her,
dem man einen Funken Eitelkeit abmerkt! Was ist der
Mensch für eine elende Kreatur wenn er alle Eitelkeit abgelegt hat! Wie ich zu dieser Reflexion gekommen, will ich dir
sagen: Vorgestern gesellte sich ein junger Mensch zu uns, der
mir und Ferdinanden äußerst zuwider war. Seine schwachen
Seiten waren so herausgekehrt, seine Leerheit so deutlich,
seine Sorgfalt fürs Äußere so auffallend, wir hielten ihn so
weit unter uns, und überall war er besser aufgenommen als
wir. Unter andern Torheiten trug er eine Unterweste von
rotem Atlas, die am Halse so zugeschnitten war, daß sie wie
ein Ordensband aussah. Wir konnten unsern Spott über
diese Albernheit nicht verbergen; er ließ alles über sich ergehen, zog den besten Vorteil hervor und lachte uns wahrscheinlich heimlich aus. Denn Wirt und Wirtin, Kutscher,
Knecht und Mägde, sogar einige Passagiere, ließen sich
durch diese Scheinzierde betrügen, begegneten ihm höflicher als uns, er war zuerst bedient, und zu unserer größten
Demütigung sahen wir, daß die hübschen Mädchen im Haus
besonders nach ihm schielten. Zuletzt mußten wir die durch
sein vornehmes Wesen teurer gewordne Zeche zu gleichen
Teilen tragen. Wer war nun der Narr im Spiel? er wahrhaftig
nicht!

Es ist was Schönes und Erbauliches um die Sinnbilder und
Sittensprüche, die man hier auf den Öfen antrifft. Hier hast
du die Zeichnung von einem solchen Lehrbild, das mich
besonders ansprach. Ein Pferd mit dem Hinterfuße an einen
Pfahl gebunden grast umher so weit es ihm der Strick zuläßt,
unten steht geschrieben: Laß mich mein bescheiden Teil
Speise dahin nehmen. So wird es ja wohl auch bald mit mir
werden, wenn ich nach Hause komme und nach eurem Willen, wie das Pferd in der Mühle, meine Pflicht tue und dafür,
wie das Pferd hier am Ofen, einen wohl abgemessenen Un-

terhalt empfahe. Ja ich komme zurück, und was mich erwartet war wohl der Mühe wert diese Berghöhen zu erklettern, diese Täler zu durchirren und diesen blauen Himmel zu sehen, zu sehen, daß es eine Natur gibt, die durch eine ewige stumme Notwendigkeit besteht, die unbedürftig gefühllos 5 und göttlich ist, indes wir in Flecken und Städten unser kümmerliches Bedürfnis zu sichern haben, und nebenher alles einer verworrenen Willkür unterwerfen, die wir Freiheit nennen.

Ja ich habe die Furka, den Gotthard bestiegen! Diese erhabenen unvergleichlichen Naturszenen werden immer vor 10 meinem Geiste stehen; ja ich habe die römische Geschichte gelesen, um bei der Vergleichung recht lebhaft zu fühlen, was für ein armseliger Schlucker ich bin.

Es ist mir nie so deutlich geworden, wie die letzten Tage, daß 15 ich in der Beschränkung glücklich sein könnte, so gut glücklich sein könnte wie jeder andere, wenn ich nur ein Geschäft wüßte, ein rühriges, das aber keine Folge auf den Morgen hätte, das Fleiß und Bestimmtheit im Augenblick erforderte, ohne Vorsicht und Rücksicht zu verlangen. Jeder Hand- 20 werker scheint mir der glücklichste Mensch; was er zu tun hat, ist ausgesprochen, was er leisten kann, ist entschieden; er besinnt sich nicht bei dem, was man von ihm fordert, er arbeitet ohne zu denken, ohne Anstrengung und Hast, aber mit Applikation und Liebe, wie der Vogel sein Nest, wie die 25 Biene ihre Zellen herstellt; er ist nur eine Stufe über dem Tier und ist ein ganzer Mensch. Wie beneid' ich den Töpfer an seiner Scheibe, den Tischer hinter seiner Hobelbank!

Der Ackerbau gefällt mir nicht, diese erste und notwendige Beschäftigung der Menschen ist mir zuwider; man äfft die 30 Natur nach, die ihre Samen überall ausstreut, und will nun auf diesem besondern Feld diese besondre Frucht hervorbringen. Das geht nun nicht so; das Unkraut wächst mächtig, Kälte und Nässe schadet der Saat und Hagelwetter zerstört

sie. Der arme Landmann harrt das ganze Jahr, wie etwa die
Karten über den Wolken fallen mögen, ob er sein Paroli
gewinnt oder verliert. Ein solcher ungewisser zweideutiger
Zustand mag den Menschen wohl angemessen sein, in un-
serer Dumpfheit, da wir nicht wissen woher wir kommen
noch wohin wir gehen. Mag es denn auch erträglich sein,
seine Bemühungen dem Zufall zu übergeben, hat doch der
Pfarrer Gelegenheit, wenn es recht schlecht aussieht, seiner
Götter zu gedenken und die Sünden seiner Gemeine mit
Naturbegebenheiten zusammen zu hängen.

So habe ich denn Ferdinanden nichts vorzuwerfen! auch
mich hat ein liebes Abenteuer erwartet. Abenteuer? warum
brauche ich das alberne Wort, es ist nichts abenteuerliches in
einem sanften Zuge, der Menschen zu Menschen hinzieht.
Unser bürgerliches Leben, unsere falschen Verhältnisse, das
sind die Abenteuer, das sind die Ungeheuer, und sie kommen
uns doch so bekannt, so verwandt wie Onkel und Tanten
vor!

Wir waren bei dem Herrn Tüdou eingeführt, und wir
fanden uns in der Familie sehr glücklich, reiche, offne gute,
lebhafte Menschen, die das Glück des Tages, ihres Vermögens, der herrlichen Lage, mit ihren Kindern sorglos und
anständig genießen. Wir jungen Leute waren nicht genötigt,
wie es in so vielen steifen Häusern geschieht, uns um der
Alten willen am Spieltisch aufzuopfern. Die Alten gesellten
sich vielmehr zu uns, Vater, Mutter und Tante, wenn wir
kleine Spiele aufbrachten, in denen Zufall, Geist und Witz
durcheinander wirken. Eleonore, denn ich muß sie nun doch
einmal nennen, die zweite Tochter, ewig wird mir ihr Bild
gegenwärtig sein, – eine schlanke zarte Gestalt, eine reine
Bildung, ein heiteres Auge, eine blasse Farbe, die bei Mädchen dieses Alters eher reizend als abschreckend ist, weil sie
auf eine heilbare Krankheit deutet, im ganzen eine unglaublich angenehme Gegenwart. Sie schien fröhlich und lebhaft
und man war so gern mit ihr. Bald, ja ich darf sagen gleich,
gleich den ersten Abend gesellte sie sich zu mir, setzte sich

neben mich und wenn uns das Spiel trennte, wußte sie mich
doch wieder zu finden. Ich war froh und heiter; die Reise, das
schöne Wetter, die Gegend, alles hatte mich zu einer unbedingten, ja ich möchte fast sagen, zu einer aufgespannten
Fröhlichkeit gestimmt; ich nahm sie von jedem auf und teilte
sie jedem mit, sogar Ferdinand schien einen Augenblick seiner Schönen zu vergessen. Wir hatten uns in abwechselnden
Spielen erschöpft als wir endlich aufs Heiraten fielen, das als
Spiel lustig genug ist. Die Namen von Männern und Frauen
werden in zwei Hüte geworfen und so die Ehen gegen einander gezogen. Auf jede die heraus kommt, macht eine Person in der Gesellschaft, an der die Reihe ist, das Gedicht. Alle
Personen in der Gesellschaft, Vater, Mutter und Tanten mußten in die Hüte, alle bedeutende Personen, die wir aus ihrem
Kreise kannten, und um die Zahl der Kandidaten zu vermehren, warfen wir noch die bekanntesten Personen der politischen und literarischen Welt mit hinein. Wir fingen an und
es wurden gleich einige bedeutende Paare gezogen. Nicht
jedermann konnte mit den Versen sogleich nach; Sie, Ferdinand und ich, und eine von den Tanten, die sehr artige französische Verse macht, wir teilten uns bald in das Sekretariat.
Die Einfälle waren meist gut und die Verse leidlich; besonders hatten die ihrigen ein Naturell, das sich vor allen andern
auszeichnete, eine glückliche Wendung ohne eben geistreich
zu sein, Scherz ohne Spott, und einen guten Willen gegen
jedermann. Der Vater lachte herzlich und glänzte vor Freuden als man die Verse seiner Tochter neben den unsern für die
besten anerkennen mußte. Unser unmäßiger Beifall freute
ihn hoch, wir lobten wie man das Unerwartete preist, wie
man preist, wenn uns der Autor bestochen hat. Endlich kam
auch mein Los und der Himmel hatte mich ehrenvoll bedacht; es war niemand weniger als die russische Kaiserin die
man mir zu Gefährtin meines Lebens herausgezogen hatte.
Man lachte herzlich und Eleonore behauptete, auf ein so
hohes Beilager müßte sich die ganze Gesellschaft angreifen.
Alle griffen sich an, einige Federn waren zerkaut, sie war
zuerst fertig, wollte aber zuletzt lesen, die Mutter und die

eine Tante brachten gar nichts zu Stande, und ob gleich der Vater ein wenig gradezu, Ferdinand schalkhaft und die Tante zurückhaltend gewesen war; so konnte man doch durch alles ihre Freundschaft und gute Meinung sehen. Endlich kam es
5 an sie, sie holte tief Atem, ihre Heiterkeit und Freiheit verließ sie, sie las nicht, sie lispelte es nur und legte es vor mich hin zu den andern; ich war erstaunt, erschrocken: so bricht die Knospe der Liebe in ihrer größten Schönheit und Bescheidenheit auf! Es war mir, als wenn ein ganzer Frühling auf
10 einmal seine Blüten auf mich herunter schüttelte. Jedermann schwieg, Ferdinanden verließ seine Gegenwart des Geistes nicht, er rief: schön, sehr schön! er verdient das Gedicht so wenig als ein Kaisertum. Wenn wir es nur verstanden hätten, sagte der Vater; man verlangte, ich sollte es noch einmal
15 lesen. Meine Augen hatten bisher auf diesen köstlichen Worten geruht, ein Schauder überlief mich vom Kopf bis auf die Füße, Ferdinand merkte meine Verlegenheit, nahm das Blatt weg und las; sie ließ ihn kaum endigen als sie schon ein anderes Los zog. Das Spiel dauerte nicht lange mehr und das
20 Essen ward aufgetragen.

Soll ich, oder soll ich nicht? Ist es gut dir etwas zu verschweigen, dem ich so viel, dem ich alles sage? Soll ich dir etwas Bedeutendes verschweigen, indessen ich dich mit so vielen Kleinigkeiten unterhalte, die gewiß niemand lesen
25 möchte, als du, der du eine so große und wunderbare Vorliebe für mich gefaßt hast; oder soll ich etwas verschweigen, weil es dir einen falschen, einen üblen Begriff von mir geben könnte? Nein! du kennst mich besser als ich mich selbst kenne, du wirst auch das, was du mir nicht zutraust, zurecht
30 legen wenn ichs tun konnte, du wirst mich, wenn ich tadelnswert bin, nicht verschonen, mich leiten und führen, wenn meine Sonderbarkeiten mich vom rechten Wege abführen sollten.

Meine Freude, mein Entzücken an Kunstwerken, wenn
35 sie wahr, wenn sie unmittelbar geistreiche Aussprüche der Natur sind, macht jedem Besitzer, jedem Liebhaber die

größte Freude. Diejenigen, die sich Kenner nennen, sind nicht immer meiner Meinung; nun geht mich doch ihre Kennerschaft nichts an, wenn ich glücklich bin. Drückt sich nicht die lebendige Natur lebhaft dem Sinne des Auges ein, bleiben die Bilder nicht fest vor meiner Stirn, verschönern sie sich nicht und freuen sie sich nicht, den durch Menschengeist verschönerten Bildern der Kunst zu begegnen? Ich gestehe dir, darauf beruht bisher meine Liebe zur Natur, meine Liebhaberei zur Kunst, daß ich jene so schön, so schön, so glänzend und so entzückend sah, daß mich das Nachstreben des Künstlers, das unvollkommene Nachstreben, fast wie ein vollkommenes Vorbild hinriß. Geistreiche gefühlte Kunstwerke sind es, die mich entzücken. Das kalte Wesen, das sich in einen beschränkten Zirkel einer gewissen dürftigen Manier, eines kümmerlichen Fleißes einschränkt, ist mir ganz unerträglich. Du siehst daher, daß meine Freude, meine Neigung bis jetzt nur solche Kunstwerke gelten konnte, deren natürliche Gegenstände mir bekannt waren, die ich mit meinen Erfahrungen vergleichen konnte. Ländliche Gegenden, mit dem was in ihnen lebt und webt, Blumen und Fruchtstücke, Gotische Kirchen, ein der Natur unmittelbar abgewonnenes Portrait, das konnt' ich erkennen, fühlen und, wenn du willst, gewissermaßen beurteilen. Der wackre M*** hatte seine Freude an meinem Wesen und trieb, ohne daß ich es übel nehmen konnte, seinen Scherz mit mir. Er übersieht mich so weit in diesem Fache und ich mag lieber leiden, daß man lehrreich spottet, als daß man unfruchtbar lobt. Er hatte sich abgemerkt, was mir zunächst auffiel, und verbarg mir nach einiger Bekanntschaft nicht, daß in den Dingen, die mich entzückten, noch manches schätzenswerte sein möchte, das mir erst die Zeit entdecken würde. Ich lasse das dahin gestellt sein und muß denn doch, meine Feder mag auch noch so viele Umschweife nehmen, zur Sache kommen, die ich dir, obwohl mit einigem Widerwillen, vertraue. Ich sehe dich in deiner Stube, in deinem Hausgärtchen, wo du bei einer Pfeife Tabak den Brief erbrechen und lesen wirst. Können mir deine Gedanken in die freie und bunte Welt folgen?

werden deiner Einbildungskraft die Verhältnisse und die Umstände so deutlich sein? und wirst du gegen einen abwesenden Freund so nachsichtig bleiben als ich dich in der Gegenwart oft gefunden habe.

Nachdem mein Kunstfreund mich näher kennen gelernt, nachdem er mich wert hielt stufenweis bessere Stücke zu sehen; brachte er, nicht ohne geheimnisvolle Miene, einen Kasten herbei, der eröffnet mir eine Danae in Lebensgröße zeigte, die den goldnen Regen in ihrem Schoße empfängt. Ich erstaunte über die Pracht der Glieder, über die Herrlichkeit der Lage und Stellung, über das Große der Zärtlichkeit und über das Geistreiche des sinnlichsten Gegenstandes; und doch stand ich nur in Betrachtung davor, es erregte nicht jenes Entzücken, jene Freude, jene unaussprechliche Lust in mir. Mein Freund, der mir vieles von den Verdiensten dieses Bildes vorsagte, bemerkte über sein eignes Entzücken meine Kälte nicht und war erfreut, mir an diesem trefflichen Bilde die Vorzüge der italiänischen Schule deutlich zu machen. Der Anblick dieses Bildes hatte mich nicht glücklich, er hatte mich unruhig gemacht. Wie! sagte ich zu mir selbst, in welchem besondren Falle finden wir uns, wir bürgerlich eingeschränkten Menschen? ein bemooster Fels, ein Wasserfall hält meinen Blick so lange gefesselt, ich kann ihn auswendig; seine Höhen und Tiefen, seine Lichter und Schatten, seine Farben, Halbfarben und Wiederscheine, alles stellt sich mir im Geiste dar, so oft ich nur will, alles kommt mir aus einer glücklichen Nachbildung eben so lebhaft wieder entgegen; und vom Meisterstücke der Natur, vom menschlichen Körper, von dem Zusammenhang, der Zusammenstimmung seines Gliederbaues habe ich nur einen allgemeinen Begriff, der eigentlich gar kein Begriff ist. Meine Einbildungskraft stellt mir diesen herrlichen Bau nicht lebhaft vor, und wenn mir ihn die Kunst darbietet, bin ich nicht im Stande weder etwas dabei zu fühlen, noch das Bild zu beurteilen. Nein! ich will nicht länger in dem stumpfen Zustande bleiben, ich will mir die Gestalt des Menschen eindrücken wie die Gestalt der Trauben und Pfirschen.

Ich veranlaßte Ferdinanden zu baden im See; wie herrlich ist mein junger Freund gebildet! welch ein Ebenmaß aller Teile! welch eine Fülle der Form, welch ein Glanz der Jugend, welch ein Gewinn für mich, meine Einbildungskraft mit diesem vollkommenen Muster der menschlichen Natur bereichert zu haben! Nun bevölkre ich Wälder, Wiesen und Höhen mit so schönen Gestalten; ihn seh ich als Adonis dem Eber folgen, ihn als Narciß sich in der Quelle bespiegeln!

Noch aber fehlt mir leider Venus die ihn zurückhält, Venus, die seinen Tod betrauert, die schöne Echo, die noch einen Blick auf den kalten Jüngling wirft ehe sie verschwindet. Ich nahm mir fest vor, es koste was es wolle, ein Mädchen in dem Naturzustande zu sehen wie ich meinen Freund gesehen hatte. Wir kamen nach Genf. Sollten in dieser großen Stadt, dachte ich, nicht Mädchen sein, die sich für einen gewissen Preis dem Mann überlassen? und sollte nicht eine darunter schön und willig genug sein meinen Augen ein Fest zu geben? Ich horchte an dem Lohnbedienten, der sich mir, jedoch nur langsam und auf eine kluge Weise, näherte. Natürlich sagte ich ihm nichts von meiner Absicht; er mochte von mir denken was er wollte, denn man will lieber jemanden lasterhaft als lächerlich erscheinen. Er führte mich Abends zu einem alten Weibe; sie empfing mich mit viel Vorsicht und Bedenklichkeiten: es sei, meinte sie, überall und besonders in Genf gefährlich der Jugend zu dienen. Ich erklärte mich sogleich, was ich für einen Dienst von ihr verlange. Mein Märchen glückte mir und die Lüge ging mir geläufig vom Munde. Ich war ein Maler, hatte Landschaften gezeichnet, die ich nun durch die Gestalten schöner Nymphen zu heroischen Landschaften erheben wolle. Ich sagte die wunderlichsten Dinge, die sie ihr Lebtag nicht gehört haben mochte. Sie schüttelte dagegen den Kopf und versicherte mir: es sei schwer meinen Wunsch zu befriedigen. Ein ehrbares Mädchen werde sich nicht leicht dazu entschließen, es werde mich was kosten, sie wolle sehen. Was? rief ich aus, ein ehrbares Mädchen ergibt sich für einen leidlichen Preis einem fremden Mann – Allerdings – und sie will nicht nackend vor seinen Augen erscheinen? – keinesweges; dazu gehört viel Entschließung – selbst wenn sie schön ist – auch dann. Genug ich will sehen, was ich für Sie tun kann, Sie sind ein junger artiger hübscher Mann, für den man sich schon Mühe geben muß.

Sie klopfte mir auf die Schultern und auf die Wangen: ja! rief sie aus, ein Maler, das muß es wohl sein, denn Sie sind weder alt noch vornehm genug um dergleichen Szenen zu bedürfen. Sie bestellte mich auf den folgenden Tag und so schieden wir aus einander.

Ich kann heute nicht vermeiden mit Ferdinand in eine große Gesellschaft zu gehen und auf den Abend steht mir das Abenteuer bevor. Es wird einen schönen Gegensatz geben. Schon kenne ich diese verwünschte Gesellschaft, wo die alten Weiber verlangen, daß man mit ihnen spielen, die jungen, daß man mit ihnen liebäugeln soll, wo man dann dem Gelehrten zuhören, den Geistlichen verehren, dem Edelmann Platz machen muß, wo die vielen Lichter kaum eine leidliche Gestalt beleuchten, die noch dazu hinter einen barbarischen Putz versteckt ist. Soll ich französisch reden, eine fremde Sprache in der man immer albern erscheint, man mag sich stellen wie man will, weil man immer nur das Gemeine, nur die groben Züge und noch dazu stockend und stotternd ausdrucken kann. Denn was unterscheidet den Dummkopf vom geistreichen Menschen, als daß dieser das Zarte Gehörige der Gegenwart schnell lebhaft und eigentümlich ergreift und mit Leichtigkeit ausdrückt, als daß jene, gerade wie wir es in einer fremden Sprache tun, sich mit schon gestempelten hergebrachten Phrasen bei jeder Gelegenheit behelfen müssen. Heute will ich mit Ruhe ein paar Stunden die schlechten Späße ertragen in der Aussicht auf die sonderbare Szene, die meiner wartet.

Mein Abenteuer ist bestanden, vollkommen nach meinen Wünschen, über meine Wünsche, und doch weiß ich nicht ob ich mich darüber freuen oder ob ich mich tadeln soll. Sind wir denn nicht gemacht das Schöne rein zu beschauen, ohne Eigennutz das Gute hervor zu bringen? Fürchte nichts und höre mich: ich habe mir nichts vorzuwerfen, der Anblick hat mich nicht aus meiner Fassung gebracht, aber meine Einbildungskraft ist entzündet, mein Blut erhitzt. O! stünd ich nur schon den großen Eismassen gegenüber um mich wieder abzukühlen! Ich schlich mich aus der Gesellschaft und in meinen Mantel gewickelt nicht ohne Bewegung zur Alten. Wo haben Sie Ihr Portefeuille? rief sie aus – ich hab' es diesmal nicht mitgebracht. Ich will heute nur mit den Augen studieren. – Ihre Arbeiten müssen Ihnen gut bezahlt werden, wenn Sie so teure Studien machen können. Heute werden Sie nicht wohlfeil davon kommen. Das Mädchen verlangt *** und mir können Sie auch für meine Bemühung unter ** nicht geben. (Du verzeihst mir, wenn ich dir den Preis nicht gestehe). Dafür sind Sie aber auch bedient wie Sie es wünschen können. Ich hoffe, Sie sollen meine Vorsorge loben; so einen Augenschmaus haben Sie noch nicht gehabt und . . . das Anfühlen haben Sie umsonst.

Sie brachte mich darauf in ein kleines artig meubliertes Zimmer: ein sauberer Teppich deckte den Fußboden, in einer Art von Nische stand ein sehr reinliches Bett, zu der Seite des Hauptes eine Toilette mit aufgestelltem Spiegel, und zu den Füßen ein Gueridon mit einem dreiarmigen Leuchter, auf dem schöne helle Kerzen brannten; auch auf der Toilette brannten zwei Lichter. Ein erloschenes Kaminfeuer hatte die Stube durchaus erwärmt. Die Alte wies mir einen Sessel an, dem Bette gegenüber, am Kamin, und entfernte sich. Es währte nicht lange, so kam zu der entgegengesetzten Türe ein großes, herrlich gebildetes, schönes Frauenzimmer heraus, ihre Kleidung unterschied sich nicht von der gewöhnlichen. Sie schien mich nicht zu bemerken, warf ihren schwarzen Mantel ab und setzte sich vor die Toilette. Sie nahm eine große Haube, die ihr Gesicht bedeckt hatte, vom Kopfe, eine schöne regelmäßige Bildung zeigte sich, braune Haare mit vielen und großen Locken rollten auf die Schultern herunter. Sie fing an sich auszukleiden; welch eine wunderliche Emp-

findung da ein Stück nach dem andern herabfiel, und die
Natur, von der fremden Hülle entkleidet, mir als fremd erschien und beinahe, möcht' ich sagen, mir einen schauerlichen Eindruck machte. Ach! mein Freund, ist es nicht mit
5 unsern Meinungen, unsern Vorurteilen, Einrichtungen, Gesetzen und Grillen auch so? erschrecken wir nicht, wenn eine
von diesen fremden, ungehörigen, unwahren Umgebungen
uns entzogen wird, und irgend ein Teil unserer wahren Natur entblößt dastehen soll? wir schaudern, wir schämen uns,
10 aber vor keiner wunderlichen und abgeschmackten Art, uns
durch äußern Zwang zu entstellen, fühlen wir die mindeste
Abneigung. Soll ich dir's gestehen, ich konnte mich eben so
wenig in den herrlichen Körper finden, da die letzte Hülle
herab fiel, als vielleicht Freund L. sich in seinen Zustand
15 finden wird, wenn ihn der Himmel zum Anführer der Mo-
hawks machen sollte. Was sehen wir an den Weibern? was für
Weiber gefallen uns und wie konfundieren wir alle Begriffe?
Ein kleiner Schuh sieht gut aus, und wir rufen: welch ein
schöner kleiner Fuß! ein schmaler Schnürleib hat etwas Ele-
20 gantes, und wir preisen die schöne Taille.

Ich beschreibe dir meine Reflexionen, weil ich dir mit
Worten die Reihe von entzückenden Bildern nicht darstellen
kann, die mich das schöne Mädchen mit Anstand und Artigkeit sehen ließ. Alle Bewegungen folgten so natürlich auf
25 einander, und doch schienen sie so studiert zu sein. Reizend
war sie, indem sie sich entkleidete, schön, herrlich schön, als
das letzte Gewand fiel. Sie stand, wie Minerva vor Paris
mochte gestanden haben, bescheiden bestieg sie ihr Lager,
unbedeckt versuchte sie in verschiedenen Stellungen sich
30 dem Schlafe zu übergeben, endlich schien sie entschlummert.
In der anmutigsten Stellung blieb sie eine Weile, ich konnte
nur staunen und bewundern. Endlich schien ein leidenschaftlicher Traum sie zu beunruhigen, sie seufzte tief, veränderte
heftig die Stellung, stammelte den Namen eines Geliebten
35 und schien ihre Arme gegen ihn auszustrecken. Komm! rief
sie endlich mit vernehmlicher Stimme, komm, mein Freund,
in meine Arme, oder ich schlafe wirklich ein. In dem Au-

genblick ergriff sie die seidne durchnähte Decke, zog sie über sich her, und ein allerliebstes Gesicht sah unter ihr hervor.

DIE GUTEN FRAUEN,
ALS GEGENBILDER DER BÖSEN WEIBER,
AUF DEN KUPFERN
DES DIESJÄHRIGEN DAMENALMANACHS

⁵ Henriette war mit Armidoro schon einige Zeit in dem Garten auf und ab spaziert, in welchem sich der Sommerklub zu
versammeln pflegte. Oft fanden sich diese beiden zuerst ein;
sie hegten gegen einander die heiterste Neigung und nährten, bei einem reinen gesitteten Umgang, die angenehmsten
¹⁰ Hoffnungen einer künftigen dauerhaften Verbindung.

Die lebhafte Henriette sah kaum in der Ferne Amalien
nach dem Lusthause gehen, als sie eilte ihre Freundin zu
begrüßen. Amalie hatte sich eben, im Vorzimmer, an den
Tisch gesetzt, auf dem Journale, Zeitungen und andere
¹⁵ Neuigkeiten ausgebreitet lagen.

Amalie brachte hier manchen Abend mit Lesen zu, ohne
sich durch das Hin- und Wiedergehen der Gesellschaft, das
Klappern der Marken und die gewöhnliche laute Unterhaltung der Spieler im Saale irren zu lassen. Sie sprach wenig,
²⁰ außer wenn sie ihre Meinung einer andern entgegen setzte;
Henriette hingegen war mit ihren Worten nicht karg, mit
allem zufrieden, und mit dem Lobe frisch bei der Hand.

Ein Freund des Herausgebers, den wir Sinklair nennen
wollen, trat zu den beiden.

²⁵ Was bringen Sie Neues? rief Henriette ihm entgegen.

Sie ahnen es wohl kaum, versetzte Sinklair, indem er sein
Portefeuille herauszog. Und wenn ich Ihnen auch sage, daß
es die Kupfer zum diesjährigen Damenkalender sind, so werden Sie die Gegenstände derselben doch nicht erraten; ja
³⁰ wenn ich weiter gehe, und Ihnen eröffne, daß in zwölf Abteilungen Frauenzimmer vorgestellt sind –

Nun! fiel Henriette ihm in das Wort: es scheint, Sie wollen

unserm Scharfsinn nichts übrig lassen. Sogar, wenn ich nicht irre, tun Sie mir es zum Possen, da Sie wissen, daß ich gern Scharaden ⟨und⟩ Rätsel entwickle, gern das, was einer sich denkt, ausfragen mag. Also zwölf Frauenzimmer Charaktere, oder Begebenheiten, oder Anspielungen, oder was sonst zur Ehre unseres Geschlechts gereichen könnte?

Sinklair schwieg und lächelte, Amalie warf ihren stillen Blick auf ihn und sagte, mit der feinen höhnischen Miene, die ihr so wohl steht: Wenn ich sein Gesicht recht lese, so hat er etwas gegen uns in der Tasche. Die Männer wissen sich gar viel, wenn sie etwas finden können, was uns, wenigstens dem Scheine nach, herabsetzt.

Sinklair. Sie sind gleich ernst, Amalie, und drohen bitter zu werden. Kaum wag ich meine Blättchen Ihnen vorzulegen.

Henriette. Nur heraus damit!

Sinklair. Es sind Karikaturen.

Henriette. Die liebe ich besonders.

Sinklair. Abbildungen böser Weiber.

Henriette. Desto besser! darunter gehören wir nicht! Wir wollen uns unsere leidigen Schwestern im Bilde so wenig zu Gemüt ziehen, als ⟨die⟩ in der Gesellschaft.

Sinklair. Soll ich?

Henriette. Nur immer zu!

Sie nahm ihm die Brieftasche weg, zog die Bilder heraus, breitete die sechs Blättchen vor sich auf den Tisch aus, überlief sie schnell mit dem Auge, und rückte daran hin und her, wie man zu tun pflegt, wenn man die Karte schlägt. Vortrefflich! rief sie, das heiß ich nach dem Leben! Hier diese, mit dem Schnupftobaksfinger unter der Nase, gleicht völlig der Mad. S., die wir heute Abend sehen werden, diese, mit der Katze, sieht beinahe aus wie meine Großtante, die, mit dem Knaul, hat was von unserer alten Putzmacherin. Es findet sich wohl zu jeder dieser häßlichen Figuren irgend ein Original, nicht weniger zu den Männern. Einen solchen gebückten Magister habe ich irgendwo gesehen, und eine Art von solchem Zwirnhalter auch. Sie sind recht lustig diese Küpferchen, und besonders hübsch gestochen.

Wie können Sie, versetzte ruhig Amalie, die einen kalten Blick auf die Bilder warf und ihn sogleich wieder abwendete, hier bestimmte Ähnlichkeiten aufsuchen. Das Häßliche gleicht dem Häßlichen, so wie das Schöne dem Schönen, von jenem wendet sich unser Geist ab, zu diesem wird er hingezogen.

Sinklair. Aber Phantasie und Witz finden mehr ihre Rechnung sich mit dem Häßlichen zu beschäftigen als mit dem Schönen. Aus dem Häßlichen läßt sich viel machen, mit dem Schönen nichts.

Aber dieses macht uns zu etwas, jenes vernichtet uns! sagte Armidoro, der im Fenster gestanden, und vom weiten zugehört hatte. Er ging, ohne sich dem Tische zu nähern, in das anstoßende Cabinet.

Alle Clubgesellschaften haben ihre Epochen. Das Interesse der Gesellschaft aneinander, das gute Verhältnis der Personen zu einander, ist steigend und fallend. Unser Club hat diesen Sommer gerade seine schöne Zeit. Die Mitglieder sind meist gebildete, wenigstens mäßige und leidliche Menschen, sie schätzen wechselseitig ihren Wert, und lassen den Unwert still auf sich beruhen. Jeder findet seine Unterhaltung, und das allgemeine Gespräch ist oft von der Art, daß man gern dabei verweilen mag.

Eben kam Seyton, mit seiner Frau, ein Mann, der erst in Handels-, dann in politischen Geschäften gereist hatte, angenehmen Umgangs; doch in größerer Gesellschaft meistens nur ein willkommener Lombrespieler. Seine Frau liebenswürdig, eine gute treue Gattin, die ganz das Vertrauen ihres Mannes genoß. Sie fühlte sich glücklich, daß sie, ungehindert, eine lebhafte Sinnlichkeit heiter beschäftigen durfte. Einen Hausfreund konnte sie nicht entbehren, und Lustbarkeit und Zerstreuungen gaben ihr allein die Federkraft zu häuslichen Tugenden.

Wir behandeln unsere Leser als Fremde, als Clubgäste, die wir vertraulich gern, in der Geschwindigkeit, mit der Gesellschaft bekannt machen möchten. Der Dichter soll uns seine Personen, in ihren Handlungen, darstellen. Der Gesprächschreiber darf sich ja wohl kürzer fassen, und sich und seinen Lesern durch eine allgemeine Schilderung, geschwind über die Exposition weghelfen.

Seyton trat zu dem Tische, und sah die Bilder an.

Hier entsteht, sagte Henriette, ein Streit für und gegen Karikatur. Zu welcher Seite wollen Sie sich schlagen? Ich erkläre mich *dafür*, und frage: hat nicht jedes Zerrbild etwas unwiderstehlich Anziehendes?

Amalie. Hat nicht jede üble Nachrede, wenn sie über einen Abwesenden hergeht, etwas unglaublich Reizendes?

Henriette. Macht ein solches Bild nicht einen unauslöschlichen Eindruck?

Amalie. Das ist's, warum ich sie verabscheue. Ist nicht der unauslöschliche Eindruck jedes Ekelhaften eben das, was uns in der Welt so oft verfolgt, uns manche gute Speise verdirbt, und manchen guten Trunk vergällt.

Henriette. Nun, so reden Sie doch *Seyton*!

Seyton. Ich würde zu einem Vergleich raten. Warum sollen Bilder besser sein, als wir selbst? Unser Geist scheint auch zwei Seiten zu haben, die ohne einander nicht bestehen können. Licht und Finsternis, Gutes und Böses, Hohes und Tiefes, Edles und Niedriges, und noch so viel andere Gegensätze scheinen, nur in veränderten Portionen, die Ingredientien der menschlichen Natur zu sein, und wie kann ich einem Maler verdenken, wenn er einen Engel weiß, licht und schön gemalt hat, daß ihm einfällt, einen Teufel schwarz, finster und häßlich zu malen.

Amalie. Dagegen wäre nichts zu sagen, wenn nur nicht die Freunde der Verhäßlichungskunst auch das in ihr Gebiet zögen, was bessern Regionen angehört.

Seyton. Darin handeln sie, dünkt mich ganz recht. Ziehen doch die Freunde der Verschönerungskunst auch zu sich hinüber, was ihnen kaum angehören kann.

Amalie. Und doch werde ich den Verzerrern niemals verzeihen, daß sie mir die Bilder vorzüglicher Menschen so schändlich entstellen. Ich mag es machen wie ich will, so muß ich mir den großen Pitt als einen stumpfnäsigen Besenstiel,

und den in so manchem Betracht schätzenswerten Fox als ein
vollgesacktes Schwein denken.

Henriette. Das ist, was ich sagte. Alle solche Fratzenbilder
drücken sich unauslöschlich ein, und ich leugne nicht, daß ich
mir manchmal in Gedanken damit einen Spaß mache, diese
Gespenster aufrufe, und sie noch schlimmer verzerre.

Sinklair. Lassen Sie sich doch, meine Damen, aus diesem
allgemeinen Streit, zur Betrachtung unserer armen Blättchen
wieder herunter.

Seyton. Ich sehe, hier ist die Hundeliebhaberei nicht zum
erfreulichsten dargestellt.

Amalie. Das mag hingehen; denn mir sind diese Tiere
besonders zuwider.

Sinklair. Erst gegen die Zerrbilder, dann gegen die
Hunde!

Amalie. Warum nicht? sind doch Tiere nur Zerrbilder des
Menschen.

Seyton. Sie erinnern sich wohl, was ein Reisender von der
Stadt Graitz erzählt: daß er darin so viele Hunde und so viele
stumme, halb alberne Menschen gefunden habe. Sollte es
nicht möglich sein, daß der habituelle Anblick von bellenden
unvernünftigen Tieren auf die menschliche Generation einigen Einfluß haben konnte.

Sinklair. Eine Ableitung unserer Leidenschaften und Neigungen ist der Umgang mit Tieren gewiß.

Amalie. Und wenn die Vernunft, nach dem gemeinen
deutschen Ausdruck, manchmal still stehen kann; so steht sie
gewiß in Gegenwart der Hunde still.

Sinklair. Glücklicherweise haben wir in der Gesellschaft
niemand, der einen Hund begünstigte, als Mad. Seyton. Sie
liebt ihr artiges Windspiel besonders.

Seyton. Und dieses Geschöpf muß besonders mir, dem Gemahl sehr lieb und wichtig sein.

Mad. Seyton drohte ihrem Gemahl, von Ferne, mit aufge-
hobenem Finger.

Seyton. Es beweist, was Sie vorhin sagten, Sinklair, daß
solche Geschöpfe die Neigungen ableiten. Darf ich liebes

Kind (so rief er seiner Frau zu) nicht unsere Geschichte erzählen? sie macht uns beiden keine Schande.

Mad. Seyton gab durch einen freundlichen Wink ihre Einwilligung zu erkennen, und er fing an zu erzählen: Wir beide
liebten uns, und hatten uns vorgenommen, einander zu hei- 5
raten, ehe als wir die Möglichkeit eines Etablissements vor-
aussahen. Endlich zeigte sich eine sichere Hoffnung; allein
ich mußte noch eine Reise vornehmen, die mich länger, als
ich wünschte, aufzuhalten drohte. Bei meiner Abreise ließ ich
ihr mein Windspiel zurück. Es war sonst mit mir zu ihr 10
gekommen, mit mir weggegangen, manchmal auch geblieben. Nun gehörte es ihr, war ein munterer Gesellschafter und
deutete auf meine Wiederkunft. Zu Hause galt das Tier statt
einer Unterhaltung, auf den Promenaden, wo wir so oft zusammen spaziert hatten, schien das Geschöpf mich aufzusu- 15
chen, und, wenn es aus den Büschen sprang, mich anzukündigen. So täuschte sich meine liebe Meta eine Zeit lang mit
dem Scheine meiner Gegenwart, bis endlich, gerade zu der
Zeit, da ich wiederzukommen hoffte, meine Abwesenheit
sich doppelt zu verlängern drohte, und das arme Geschöpf 20
mit Tode abging.

Mad. Seyton. Nun liebes Männchen! hübsch redlich, artig
und vernünftig erzählt.

Seyton. Es steht dir frei mein Kind, mich zu kontrollieren.
Meiner Freundin schien ihre Wohnung leer, der Spaziergang 25
uninteressant, der Hund, der sonst neben ihr lag, wenn sie an
mich schrieb, war ihr, wie das Tier in dem Bild eines Evangelisten, notwendig geworden, die Briefe wollten nicht mehr
fließen. Zufällig fand sich ein junger Mann, der den Platz des
vierfüßigen Gesellschafters, zu Hause und auf den Pro- 30
menaden, übernehmen wollte. Genug, man mag so billig
denken als man will, die Sache stand gefährlich.

Mad. Seyton. Ich muß dich nur gewähren lassen. Eine
wahre Geschichte ist ohne Exaggeration selten erzählens-
wert. 35

Seyton. Ein beiderseitiger Freund, den wir als stillen Menschenkenner und Herzenslenker zu schätzen wußten, war

zurückgeblieben, besuchte sie manchmal, und hatte die Veränderung gemerkt. Er beobachtete das gute Kind im Stillen, und kam eines Tages mit einem Windspiel ins Zimmer, das dem ersten völlig glich. Die artige und herzliche Anrede, womit der Freund sein Geschenk begleitete, die unerwartete Erscheinung eines, aus dem Grabe gleichsam auferstandenen, Günstlings, der stille Vorwurf, den sich ihr empfängliches Herz bei diesem Anblick machte, führten mein Bild auf einmal lebhaft wieder heran; der junge, menschliche Stellvertreter wurde auf eine gute Weise entfernt, und der neue Günstling blieb ein steter Begleiter. Als ich nach meiner Wiederkunft meine Geliebte wieder in meine Arme schloß, hielt ich das Geschöpf noch vor das alte, und verwunderte mich nicht wenig, als es mich, wie einen Fremden, heftig anbellte. Die modernen Hunde müssen kein so gutes Gedächtnis haben als die antiken! rief ich aus; Ulyß wurde nach so langen Jahren von dem seinigen wieder erkannt, und dieser hier konnte mich in so kurzer Zeit vergessen lernen. Und doch hat er deine Penelope auf eine sonderbare Weise bewacht! versetzte sie, indem sie mir versprach, das Rätsel aufzulösen. Das geschah auch bald, denn ein heiteres Vertrauen hat von jeher das Glück unserer Verbindung gemacht.

Mad. Seyton. Mit dieser Geschichte mags so bewenden! Wenn dir's recht ist, so gehe ich noch eine Stunde spazieren; denn du wirst dich nun doch an den Lombretisch setzen.

Er nickte ihr ein Ja zu, sie nahm den Arm ihres Hausfreundes an, und ging nach der Türe. Liebes Kind, nimm doch den Hund mit! rief er ihr nach. Die ganze Gesellschaft lächelte, und er mußte mit lächeln, als er es gewahr ward, wie dieses absichtslose Wort so artig paßte, und jedermann darüber eine kleine, stille Schadenfreude empfand.

Sinklair. Sie haben von einem Hunde erzählt, der glücklicherweise eine Verbindung befestigte, ich kann von einem andern sagen, dessen Einfluß zerstörend war. Auch ich liebte, auch ich verreiste, auch ich ließ eine Freundin zurück. Nur mit dem Unterschied, daß ihr mein Wunsch, sie zu besitzen, noch unbekannt war. Endlich kehrte ich zurück, die

vielen Gegenstände, die ich gesehen hatte, lebten immer fort
vor meiner Einbildungskraft, ich mochte gern, wie Rück-
kehrende pflegen, erzählen, ich hoffte auf die besondere Teilnahme meiner Freundin. Vor allen andern Menschen wollte
ich ihr meine Erfahrungen und meine Vergnügungen mitteilen. Aber ich fand sie sehr lebhaft mit einem Hunde beschäftigt. Tat sie es aus Geist des Widerspruchs, der manchmal das schöne Geschlecht beseelt; oder war es ein unglücklicher Zufall? genug, die liebenswürdigen Eigenschaften des
Tiers, die artige Unterhaltung mit demselben, die Anhänglichkeit, der Zeitvertreib, kurz was alles dazu gehören mag,
waren das einzige Gespräch, womit sie einen Menschen unterhielt, der seit Jahr und Tag eine weit und breite Welt in
sich aufgenommen hatte. Ich stockte, ich verstummte, ich
erzählte so manches andern, was ich abwesend ihr immer
gewidmet hatte, ich fühlte ein Mißbehagen, ich entfernte
mich, ich hatte Unrecht und ward noch unbehaglicher. Genug, von der Zeit an ward unser Verhältnis immer kälter,
und wenn es sich zuletzt gar zerschlug, so muß ich, wenigstens in meinem Herzen, die erste Schuld jenem Hunde bei-
messen.

Armidoro, der aus dem Cabinet wieder zur Gesellschaft
getreten war, sagte, nachdem er diese Geschichte vernommen: es würde gewiß eine merkwürdige Sammlung geben, wenn man den Einfluß, den die geselligen Tiere auf den
Menschen ausüben, in Geschichten darstellen wollte. In Erwartung, daß einst eine solche Sammlung gebildet werde,
will ich erzählen, wie ein Hündchen zu einem tragischen
Abenteuer Anlaß gab:

Ferrand und Cardano, zwei Edelleute, hatten von Jugend
auf in einem freundschaftlichen Verhältnis gelebt. Pagen an
einem Hofe, Offiziere bei einem Regimente, hatten sie gar
manches Abenteuer zusammen bestanden, und sich aus dem
Grunde kennen gelernt. Cardano hatte Glück bei den Weibern, Ferrand im Spiel. Jener nutzte das ⟨s⟩eine mit Leichtsinn und Übermut, dieser mit Bedacht und Anhaltsamkeit.

Zufällig hinterließ Cardano einer Dame, in dem Moment

als ein genaues Verhältnis abbrach, einen kleinen schönen
Löwenhund, er schaffte sich einen neuen, und schenkte diesen einer andern, eben da er sie zu meiden gedachte, und von
der Zeit an ward es Vorsatz, einer jeden Geliebten zum Abschied ein solches Hündchen zu hinterlassen. Ferrand wußte
um diese Posse, ohne daß er jemals besonders aufmerksam
darauf gewesen wäre.

Beide Freunde wurden eine lange Zeit getrennt, und fanden sich erst wieder zusammen, als Ferrand verheiratet war,
und auf seinen Gütern lebte.

Cardano brachte einige Zeit, teils bei ihm, teils in der
Nachbarschaft zu, und war auf diese Weise über ein Jahr in
einer Gegend geblieben, in der er viel Freunde und Verwandte hatte.

Einst sieht Ferrand bei seiner Frau ein allerliebstes Lö-
wenhündchen, er nimmt es auf, es gefällt ihm besonders, er
lobt, er streichelt es, und natürlich kommt er auf die Frage,
woher sie das schöne Tier erhalten habe? Von Cardano! war
die Antwort. Auf einmal bemächtigt sich die Erinnerung
voriger Zeiten und Begebenheiten, das Andenken des fre-
chen Kennzeichens, womit Cardano seinen Wankelmut zu
bezeichnen pflegte, der Sinne des beleidigten Ehemanns, er
fällt in Wut, er wirft das artige Tier unmittelbar aus seinen
Liebkosungen mit Gewalt gegen die Erde, verläßt das
schreiende Tier und die erschrockne Frau. Ein Zweikampf
und mancherlei unangenehme Folgen, zwar keine Scheidung, aber eine stille Übereinkunft sich abzusondern, und
ein zerrüttetes Hauswesen, machen den Beschluß dieser Geschichte.

Nicht ganz war diese Erzählung geendigt, als Eulalie in
die Gesellschaft trat. Ein Frauenzimmer, überall erwünscht
wo sie hinkam, eine der schönsten Zierden dieses Clubs, ein
gebildeter Geist, und eine glückliche Schriftstellerin.

Man legte ihr die bösen Weiber vor, womit sich ein geschickter Künstler an dem schönen Geschlechte versündigt,
und sie ward aufgefordert, sich ihrer bessern Schwestern anzunehmen.

Wahrscheinlich, sagte Amalie, wird nun auch eine Auslegung dieser liebenswürdigen Bilder den Almanach zieren!
Wahrscheinlich wird es einem oder dem andern Schriftsteller
nicht an Witz gebrechen, um das in Worten noch recht auf-
zudröseln, was der bildende Künstler hier in Darstellungen 5
zusammen gewoben hat.

Sinclair, als Freund des Herausgebers, konnte weder die
Bilder ganz fallen lassen, noch konnte er leugnen, daß hie
und da eine Erklärung nötig sei, ja, daß ein Zerrbild ohne
Erklärung gar nicht bestehen könne, und erst dadurch 10
gleichsam belebt werden müsse. Wie sehr sich auch der
bildende Künstler bemüht, Witz zu zeigen, so ist er doch
niemals dabei auf seinem Feld. Ein Zerrbild ohne Inschriften, ohne Erklärung, ist gewissermaßen stumm, es wird erst
etwas durch die Sprache. 15

Amalie. So lassen Sie denn auch dieses kleine Bild hier
durch die Sprache etwas werden! Ein Frauenzimmer ist in
einem Lehnsessel eingeschlafen, wie es scheint über dem
Schreiben, ein andres, das dabei steht, reicht ihr eine Dose
oder sonst ein Gefäß hin, und weint. Was soll das vorstellen? 20

Sinclair. So, soll ich also doch den Erklärer machen? ob
gleich die Damen weder gegen die Zerrbilder noch gegen
ihre Erklärer gut gesinnt zu sein scheinen. Hier soll, wie man
mir sagte, eine Schriftstellerin vorgestellt sein, welche
Nachts zu schreiben pflegte, sich von ihrem Kammermäd- 25
chen das Dintenfaß halten ließ, und das gute Kind zwang in
dieser Stellung zu verharren, wenn auch selbst der Schlaf ihre
Gebieterin überwältigt, und diesen Dienst unnütz gemacht
hatte. Die Dame wollte beim Erwachen den Faden ihrer Gedanken und Vorstellungen, so wie Feder und Dinte sogleich 30
wieder finden.

Arbon, ein denkender Künstler, der mit Eulalien gekommen war, machte der Darstellung, wie sie das Blatt zeigte,
den Krieg. Wenn man, so sagte er, ja diese Begebenheit, oder
wie man es nennen will, darstellen wollte, so mußte man sich 35
anders dabei benehmen.

Henriette. Nun lassen Sie uns geschwind das Bild aufs neue
komponieren.

Arbon. Lassen Sie uns vorher den Gegenstand genauer betrachten. Daß jemand sich beim Schreiben das Dintenfaß halten läßt, ist ganz natürlich, wenn die Umstände von der Art sind, daß er es nirgends hinsetzen kann. So hielt Branto-
5 mes Großmutter der Königin von Navarra das Dintenfaß, wenn diese, in ihrer Sänfte sitzend, die Geschichten auf-schrieb, die wir noch mit so vielem Vergnügen lesen. Daß jemand, der im Bette schreibt, sich das Dintenfaß halten läßt, ist abermals der Sache gemäß. Genug schöne Henriette, die
10 Sie so gerne fragen und raten, was mußte der Künstler vor allen Dingen tun, wenn er diesen Gegenstand behandeln wollte?

Henriette. Er mußte den Tisch verbannen, er mußte die Schlafende so setzen, daß in ihrer Nähe sich nichts befand,
15 wo das Dintenfaß stehen konnte.

Arbon. Gut! Ich hätte sie in einem der gepolsterten Lehn-sessel vorgestellt, die man, wenn ich nicht irre, sonst Ber-geren nannte, und zwar neben einem Kamin, so daß man sie von vorn gesehen hätte.
20 Es wird supponiert, daß sie auf dem Knie geschrieben habe; denn gewöhnlich, wer andern das Unbequeme zumu-tet, macht sichs selbst unbequem. Das Papier entsinkt dem Schoße, die Feder der Hand und ein hübsches Mädchen steht daneben, und hält verdrießlich das Dintenfaß.
25 *Henriette.* Ganz recht! denn hier haben wir schon ein Dintenfaß auf dem Tische. Daher weiß man auch nicht, was man aus dem Gefäß in der Hand des Mädchens machen soll. Warum sie nun gar Tränen abzuwischen scheint, läßt sich bei einer so gleichgültigen Handlung nicht denken.
30 *Sinklair.* Ich entschuldige den Künstler. Hier hat er dem Erklärer Raum gelassen.

Arbon. Der denn auch wahrscheinlich an den beiden Män-nern ohne Kopf, die an der Wand hängen, seinen Witz üben soll. Mich dünkt, man sieht gerade in diesem Falle, auf wel-
35 che Abwege man gerät, wenn man Künste vermischt, die nicht zusammen gehören. Wüßte man nichts von erklärten Kupferstichen, so machte man keine, die einer Erklärung

bedürfen. Ich habe sogar nichts dagegen, daß der bildende
Künstler witzige Darstellungen versuche, ob ich sie gleich
für äußerst schwer halte; aber auch alsdann bemühe er sich,
sein Bild selbständig zu machen. Ich will ihm Inschriften und
Zettel aus dem Munde seiner Personen erlauben, nur sehe er 5
zu, sein eigner Kommentator zu werden.

Sinklair. Wenn Sie ein witziges Bild zugeben; so werden
Sie doch eingestehen, daß es nur für den Unterrichteten, nur
für den, der Umstände und Verhältnisse kennt, unterhaltend
und reizend sein kann; warum sollen wir also dem Kom- 10
mentator nicht danken, der uns in den Stand setzt, das geistreiche Spiel zu verstehen, das vor uns aufgeführt wird.

Arbon. Ich habe nichts gegen die Erklärung des Bildes, das
sich nicht selbst erklärt; nur müßte sie so kurz und schlichte
sein, als möglich. Jeder Witz ist nur für den Unterrichteten, 15
jedes witzige Werk wird deshalb nicht von allen verstanden,
was von dieser Art aus fernen Zeiten und Ländern zu uns
gelangt, können wir kaum entziffern. Gut! man mache Noten
dazu, wie zu Rablais oder Hudibras; aber was würde man zu
einem Schriftsteller sagen, der über ein witziges Werk, ein 20
witziges Werk schreiben wollte. Der Witz läuft schon bei
seinem Ursprunge in Gefahr, zu witzeln, im zweiten und
dritten Glied wird er noch schlimmer ausarten.

Sinklair. Wie sehr wünschte ich, daß wir, anstatt uns hier
zu streiten, unserm Freunde, dem Herausgeber zu Hülfe kä- 25
men, der zu diesen Bildern nun einmal eine Erklärung
wünscht, wie sie hergebracht, wie sie beliebt ist.

Armidoro. (Indem er aus dem Cabinet kommt). Ich höre,
noch immer beschäftigen diese getadelten Bilder die Gesellschaft, wären sie angenehm, ich wette, sie wären schon längst 30
bei Seite gelegt.

Amalie. Ich stimme darauf, daß es sogleich geschehe, und
zwar für immer! Dem Herausgeber muß auferlegt werden,
keinen Gebrauch davon zu machen. Ein Dutzend und mehr
häßliche, hassenswerte Weiber! in einem Damenkalender! 35
begreift der Mann nicht, daß er seine ganze Unternehmung
zu ruinieren auf dem Wege ist. Welcher Liebhaber wird es

wagen, seiner Schönen, welcher Gatte seiner Frau, ja welcher
Vater seiner Tochter einen solchen Almanach zu verehren, in
welchem sie beim ersten Aufschlagen schon mit Widerwillen
erblickt, was sie nicht ist, und was sie nicht sein soll.

Armidoro. Ich will einen Vorschlag zur Güte tun: Diese
Darstellungen des Verabscheuungswerten sind nicht die ersten, die wir in zierlichen Almanachen finden; unser wackerer Codovieki hat schon manche Szenen der Unnatur, der
Verderbnis, der Barbarei und des Abgeschmacks, in so kleinen Monatskupfern, trefflich dargestellt; allein was tat er? er
stellte dem Hassenswerten sogleich das Liebenswürdige entgegen. Szenen einer gesunden Natur, die sich ruhig entwickelt, einer zweckmäßigen Bildung, eines treuen Ausdau-
rens, eines gefühlten Strebens nach Wert und Schönheit. Lassen Sie uns mehr tun, als der Herausgeber wünscht, indem
wir das Entgegengesetzte tun. Hat der bildende Künstler
diesmal die Schattenseite gewählt, so trete der Schriftsteller:
oder, wenn ich meine Wünsche aussprechen darf, die Schriftstellerin auf die Lichtseite, und so kann ein Ganzes werden.
Ich will nicht länger zaudern, Eulalie, mit diesen Vorschlägen meine Wünsche laut werden zu lassen. Übernehmen
Sie die Schilderung guter Frauen! Schaffen Sie Gegenbilder
zu diesen Kupfern! und gebrauchen Sie den Zauber Ihrer
Feder, nicht diese kleinen Blätter zu erklären, sondern zu
vernichten.

Sinklair. Tun Sie es Eulalie! erzeigen Sie uns den Gefallen!
versprechen Sie geschwind.

Eulalie. Schriftsteller versprechen nur gar zu leicht, weil
sie hoffen, dasjenige leisten zu können, was sie vermögen.
Eigne Erfahrung hat mich bedächtig gemacht. Aber auch,
wenn ich in dieser kurzen Zeit so viel Muße vor mir sähe,
würde ich doch Bedenken finden, einen solchen Auftrag zu
übernehmen. Was zu unsern Gunsten zu sagen ist, muß eigentlich ein Mann sagen, ein junger, feuriger, liebender
Mann. Das Günstige vorzutragen, gehört Enthusiasmus,
und wer hat Enthusiasmus für sein eigen Geschlecht?

Armidoro. Einsicht, Gerechtigkeit, Zartheit der Behandlung wären mir in diesem Falle noch willkommner.

Sinklair. Und von wem möchte man lieber über gute Frauen etwas hören, als von der Verfasserin, die sich in dem Märchen, das uns gestern so sehr entzückte, so unvergleichlich bewiesen hat.

Eulalie. Das Märchen ist nicht von mir!

Sinklair. Nicht von Ihnen?

Armidoro. Das kann ich bezeugen.

Sinklair. Doch von einem Frauenzimmer.

Eulalie. Von einer Freundin.

Sinklair. So gibt es denn zwei Eulalien?

Eulalie. Wer weiß, wie viele und bessere.

Armidoro. Mögen Sie der Gesellschaft erzählen, was Sie mir vertrauten? Jedermann wird mit Verwunderung hören, auf welche sonderbare Weise diese angenehme Produktion entstanden ist.

Eulalie. Ein Frauenzimmer, das ich auf einer Reise schätzen und kennen lernte, fand sich in sonderbare Lagen versetzt, die zu erzählen allzu weitläufig sein würden. Ein junger Mann, der viel für sie getan hatte, und ihr zuletzt seine Hand anbot, gewann ihre ganze Neigung, überraschte ihre Vorsicht, und sie gewährte, vor der ehelichen Verbindung, ihm die Rechte eines Gemahls. Neue Ereignisse nötigten den Bräutigam, sich zu entfernen, und sie sah in einer einsamen ländlichen Wohnung, nicht ohne Sorgen und Unruhe, dem Glücke, Mutter zu werden, entgegen. Sie war gewohnt, mir täglich zu schreiben, mich von allen Vorfällen zu benachrichtigen. Nun waren keine Vorfälle mehr zu befürchten, sie brauchte nur Geduld; aber ich bemerkte in ihren Briefen, daß sie dasjenige, was geschehen war und geschehen konnte, in einem unruhigen Gemüt hin und wider warf. Ich entschloß mich, sie in einem ernsthaften Briefe auf ihre Pflicht gegen sich selbst und gegen das Geschöpf zu weisen, dem sie jetzt durch Heiterkeit des Geistes, zum Anfang seines Daseins, eine günstige Nahrung zu bereiten schuldig war. Ich munterte sie auf, sich zu fassen, und zufällig sendete ich ihr einige Bände Märchen, die sie zu lesen gewünscht hatte. Ihr Vorsatz, sich von den kummervollen Gedanken loszureißen,

und diese phantastischen Produktionen trafen auf eine sonderbare Weise zusammen. Da sie das Nachdenken über ihr Schicksal nicht ganz los werden konnte, so kleidete sie nunmehr alles, was sie in der Vergangenheit betrübt hatte,
5 was ihr in der Zukunft furchtbar vorkam, in abenteuerliche Gestalten, was ihr und den ihrigen begegnet war, Neigung, Leidenschaften und Verirrungen, das lieblich sorgliche Muttergefühl, in einem so bedenklichen Zustande, alles verkörperte sich, in körperlosen Gestalten, die in einer bunten
10 Reihe seltsamer Erscheinungen vorbei zogen. So brachte sie den Tag, ja einen Teil der Nacht mit der Feder in der Hand zu.

Amalie. Wobei sie sich wohl schwerlich das Dintenfaß halten ließ.

Eulalie. Und so entstand die seltsamste Folge von Briefen,
15 die ich jemals erhalten habe; Alles war bildlich, wunderlich und märchenhaft. Keine eigentliche Nachricht erhielt ich mehr von ihr, so daß mir wirklich manchmal für ihren Kopf bange ward. Alle ihre Zustände, ihre Entbindung, die nächste Neigung zum Säugling, Freude, Hoffnung und
20 Furcht der Mutter, waren Begebenheiten einer andern Welt, aus der sie nur durch die Ankunft ihres Bräutigams zurückgezogen wurde. An ihrem Hochzeittage schloß sie das Märchen, das, bis auf weniges, ganz aus ihrer Feder kam, wie Sie es gestern gehört haben, und das eben den eignen Reiz durch
25 die wunderliche und einzige Lage erhält, in der es hervorgebracht wurde.

Die Gesellschaft konnte ihre Verwunderung nicht genug über diese Geschichte bezeigen, so daß Seyton, der seinen Platz am Lombretische eben einem andern überlassen hatte,
30 herbei trat, und sich nach dem Inhalte des Gesprächs erkundigte. Man sagte ihm kurz: es sei die Rede von einem Märchen, das aus täglichen phantastischen Konfessionen eines kränkelnden Gemütes, doch gewissermaßen vorsätzlich entstanden sei.

35 Eigentlich, sagte er, ist es Schade, daß, so viel ich weiß, die Tagebücher abgekommen sind. Vor zwanzig Jahren waren sie stärker in der Mode, und manches gute Kind glaubte

wirklich einen Schatz zu besitzen, wenn es seine Gemütszu-
stände täglich zu Papiere gebracht hatte. Ich erinnere mich
einer liebenswürdigen Person, der eine solche Gewohnheit
fast zum Unglück ausgeschlagen wäre. Eine Gouvernante
hatte sie in früher Jugend an ein tägliches, schriftliches Bekenntnis gewöhnt, und es war ihr zuletzt fast zum unentbehrlichen Geschäft geworden. Sie versäumte es nicht als
erwachsenes Frauenzimmer, sie nahm die Gewohnheit mit in
den Ehestand hinüber. Solche Papiere hielt sie nicht sonderlich geheim, und hatte es auch nicht Ursache, sie las manchmal Freundinnen, manchmal ihrem Manne Stellen daraus
vor. Das Ganze verlangte niemand zu sehen.

Die Zeit verging, und es kam auch die Reihe an sie, einen
Hausfreund zu besitzen.

Mit eben der Pünktlichkeit, mit der sie sonst ihrem Papiere
täglich gebeichtet hatte, setzte sie auch die Geschichte dieses
neuen Verhältnisses fort. Von der ersten Regung, durch eine
wachsende Neigung, bis zum Unentbehrlichen der Gewohnheit war der ganze Lebenslauf dieser Leidenschaft getreulich
aufgezeichnet, und gereichte ihrem Ehemann zur sonderbaren Lektüre, als er einmal zufällig über den Schreibtisch kam,
und, ohne Argwohn und Absicht, eine aufgeschlagne Seite
des Tagebuchs herunter las. Man begreift, daß er sich die Zeit
nahm, vor und rückwärts zu lesen; da er denn zuletzt noch
ziemlich getröstet von dannen schied, weil er sah, daß es
gerade noch Zeit war, auf eine geschickte Weise den gefährlichen Gast zu entfernen.

Henriette. Es sollte doch nach dem Wunsch meines Freundes die Rede von guten Weibern sein, und ehe man sichs
versieht, wird wieder von solchen gesprochen, die wenigstens nicht die besten sind.

Seyton. Warum denn immer bös oder gut! Müssen wir nicht
mit uns selbst, so wie mit andern, vorlieb nehmen, wie die
Natur uns hat hervorbringen mögen, und wie sich jeder allenfalls durch eine mögliche Bildung besser zieht.

Armidoro. Ich glaube es würde angenehm und nicht unnütz sein, wenn man Geschichten von der Art, wie sie bisher

erzählt worden, und deren uns manche im Leben vorkommen, aufsetzte und sammelte. Leise Züge, die den Menschen
bezeichnen, ohne daß gerade merkwürdige Begebenheiten
daraus entspringen, sind recht gut des Aufbehaltens wert.
Der Romanenschreiber kann sie nicht brauchen, denn sie
haben zu wenig Bedeutendes, der Anekdotensammler auch
nicht, denn sie haben nichts Witziges, und regen den Geist
nicht auf; nur derjenige, der im ruhigen Anschauen die
Menschheit gerne faßt, wird dergleichen Züge willkommen
aufnehmen.

Sinklair. Fürwahr! wenn wir früher an ein so löbliches
Werk gedacht hätten, so würden wir unserm Freunde, dem
Herausgeber des Damenkalenders, gleich an Hand gehen
können, und ein Dutzend Geschichten, wo nicht von für-
trefflichen, doch gewiß von guten Frauen, aussuchen können, um diese bösen Weiber zu balancieren.

Amalie. Besonders wünschte ich daß man solche Fälle zusammen trüge, da eine Frau das innere Hauswesen erhält, wo
nicht gar erschafft. Um so mehr als auch hier der Künstler
eine *teure* (kostspielige) Gattin, zum Nachteil unsers Geschlechts, aufgestellt hat.

Seyton. Ich kann Ihnen gleich, schöne Amalie, mit einem
solchen Falle aufwarten.

Amalie. Lassen Sie hören! Nur daß Sie es machen, wie
Männer gewöhnlich, wenn sie die Frauen loben wollen, sie
gehen vom Lob aus, und hören mit Tadel auf.

Seyton. Diesmal wenigstens brauche ich die Umkehrung
meiner Absicht durch einen bösen Geist nicht zu fürchten.

Ein junger Landmann pachtete einen ansehnlichen Gasthof, der sehr gut gelegen war. Von den Eigenschaften, die zu
einem Wirte gehören, besaß er vorzüglich die Behaglichkeit,
und weil es ihm von Jugend auf in den Trinkstuben wohl
gewesen war, mochte er wohl hauptsächlich ein Metier ergriffen haben, das ihn nötigte, den größten Teil des Tages
darin zuzubringen. Er war sorglos, ohne Liederlichkeit, und
sein Behagen breitete sich über alle Gäste aus, die sich bald
häufig bei ihm versammelten.

Er hatte eine junge Person geheiratet, eine stille leidliche Natur. Sie versah ihre Geschäfte gut und pünktlich, sie hing an ihrem Hauswesen, sie liebte ihren Mann; doch mußte sie ihn bei sich im Stillen tadeln, daß er mit dem Gelde nicht sorgfältig genug umging. Das bare Geld nötigte ihr eine gewisse Ehrfurcht ab, sie fühlte ganz den Wert desselben, so wie die Notwendigkeit sich überhaupt in Besitz zu setzen, sich dabei zu erhalten. Ohne eine angeborne Heiterkeit des Gemüts hätte sie alle Anlagen zum strengen Geize gehabt. Doch ein wenig Geiz schadet dem Weibe nichts, so übel sie die Verschwendung kleidet. Freigebigkeit ist eine Tugend, die dem Mann ziemt, und Festhalten ist die Tugend eines Weibes. So hat es die Natur gewollt, und unser Urteil wird im Ganzen immer naturgemäß ausfallen.

Margarethe, so will ich meinen sorglichen Hausgeist nennen, war mit ihrem Manne sehr unzufrieden, wenn er die großen Zahlungen, die er manchmal für aufgekaufte Fourage von Fuhrleuten und Unternehmern erhielt, aufgezählt wie sie waren, eine Zeit lang auf dem Tische liegen ließ, das Geld alsdann in Körbchen einstrich, und daraus wieder ausgab, und auszahlte, ohne Pakete gemacht zu haben, ohne Rechnung zu führen. Verschiedne ihrer Erinnerungen waren fruchtlos, und sie sah wohl ein, daß, wenn er auch nichts verschwendete, manches in einer solchen Unordnung verschleudert werden müsse. Der Wunsch, ihn auf bessere Wege zu leiten, war so groß bei ihr, der Verdruß, zu sehen, daß manches, was sie im Kleinen erwarb und zusammenhielt, im Großen wieder vernachläßigt wurde, und aus einander floß, war so lebhaft, daß sie sich zu einem gefährlichen Versuch bewogen fühlte, wodurch sie ihm über diese Lebensweise die Augen zu öffnen gedachte. Sie nahm sich vor, ihm so viel Geld als möglich aus den Händen zu spielen, und zwar bediente sie sich dazu einer sonderbaren List. Sie hatte bemerkt, daß er das Geld, das einmal auf dem Tische aufgezählt war, wenn es eine Zeit lang gelegen hatte, nicht wieder nachzählte, ehe er es aufhub, sie bestrich daher den Boden eines Leuchters mit Talg, und setzte ihn mit einem Schein von

Ungeschicklichkeit auf die Stelle, wo die Dukaten lagen, eine
Geldsorte, der sie eine besondere Freundschaft gewidmet
hatte. Sie erhaschte ein Stück, und nebenbei einige kleine
Münzsorten, und war mit ihrem ersten Fischfange wohl zu-
5 frieden; sie wiederholte diese Operation mehrmals, und ob
sie sich gleich über ein solches Mittel zu einem guten Zweck
kein Gewissen machte, so beruhigte sie sich doch über jeden
Zweifel vorzüglich dadurch, daß diese Art der Entwendung
für keinen Diebstahl angesehen werden könne, weil sie das
10 Geld nicht mit den Händen weggenommen habe. So vermehrte sich nach und nach ihr heimlicher Schatz, und zwar
um desto reichlicher, als sie alles, was bei der innern Wirtschaft von barem Gelde ihr in die Hände floß, auf das strengste zusammenhielt.

15   Schon war sie beinahe ein ganzes Jahr ihrem Plane treu
geblieben, und hatte indessen ihren Mann sorgfältig beobachtet, ohne eine Veränderung an ihm zu spüren, bis er endlich auf einmal höchst übler Laune ward. Sie suchte ihm die
Ursache dieses Betragens abzuschmeicheln, und erfuhr bald,
20 daß er in großer Verlegenheit sei. Es hätten ihm nach der
letzten Zahlung, die er an Lieferanten getan, seine Pachtgel-
der übrig bleiben sollen, sie fehlten aber nicht allein völlig,
sondern er habe sogar die Leute nicht ganz befriedigen können. Da er alles im Kopf rechne, und wenig aufschreibe, so
25 könne er nicht nachkommen, wo ein solcher Verstoß her-
rühre.

Margarethe schilderte ihm darauf seine Handelsweise, die
Art, wie er einnehme und ausgebe, den Mangel an Aufmerksamkeit; selbst seine gutmütige Freigebigkeit kam mit
30 in Anschlag, und freilich ließen ihn die Folgen seiner Un-
bedachtsamkeit, die ihn so sehr druckten, keine Entschuldigung aufbringen.

Margarethe konnte ihren Gatten nicht lange in dieser Verlegenheit lassen, um so weniger, als es ihr so sehr zur Ehre
35 gereichte, ihn wieder glücklich zu machen. Sie setzte ihn in
Verwunderung, als sie zu seinem Geburtstag, der eben eintrat, und an dem sie ihn sonst mit etwas Brauchbarem an-

zubinden pflegte, mit einem Körbchen voll Geldrollen ankam. Die verschiedenen Münzsorten waren besonders gepackt, und der Inhalt jedes Röllchens war mit schlechter
Schrift, jedoch sorgfältig drauf gezeichnet. Wie erstaunte
nicht der Mann, als er beinah' die Summe, die ihm fehlte, vor
sich sah, und die Frau ihn versicherte, das Geld gehöre ihm
zu. Sie erzählte darauf umständlich, wann und wie sie es
genommen, was sie ihm entzogen, und was durch ihren Fleiß
erspart worden sei. Sein Verdruß ging in Entzücken über,
und die Folge war wie natürlich, daß er Ausgabe und Einnahme völlig der Frau übertrug, seine Geschäfte vor wie
nach, nur mit noch größerm Eifer besorgte, von dem Tage an
aber keinen Pfennig Geld mehr in die Hände nahm. Die Frau
verwaltete das Amt eines Kassiers mit großen Ehren, kein
falscher Laubtaler, ja kein verrufener Sechser ward angenommen, und die Herrschaft im Hause war wie billig die
Folge ihrer Tätigkeit und Sorgfalt, durch die sie nach Verlauf
von zehn Jahren ihren Mann in den Stand setzte, den Gasthof mit allem, was dazu gehörte, zu kaufen und zu behaupten.

Sinklair. Also ging alle diese Sorgfalt, Liebe und Treue
doch zuletzt auf Herrschaft hinaus. Ich möchte doch wissen,
in wie ferne man Recht hat, wenn man die Frauen überhaupt
für so herrschsüchtig hält.

Amalie. Da haben wir also schon wieder den Vorwurf, der
hinter dem Lobe herhinkt.

Armidoro. Sagen Sie uns doch, gute Eulalie, Ihre Gedanken darüber. Ich glaube in Ihren Schriften bemerkt zu haben,
daß Sie eben nicht sehr bemüht sind, diesen Vorwurf von
Ihrem Geschlecht abzulehnen.

Eulalie. In so ferne es ein Vorwurf wäre, wünschte ich, daß
ihn unser Geschlecht durch sein Betragen ablehnte, in wie
fern wir aber auch ein Recht zur Herrschaft haben, möchte
ich es uns nicht gern vergeben. Wir sind nur herrschsüchtig,
in so fern wir auch Menschen sind; denn was heißt Herrschen
anders in dem Sinn, wie es hier gebraucht wird, als auf seine
eigne Weise ungehindert tätig zu sein, seines Daseins mög-

lichst genießen zu können? dies fordert jeder rohe Mensch
mit Willkür, jeder gebildete mit Freiheit, und vielleicht erscheint bei uns Frauen dieses Streben nur lebhafter, weil uns
die Natur, das Herkommen, die Gesetze eben so zu verkürzen scheinen, als die Männer begünstigt sind. Was diese besitzen, müssen wir erwerben, und was man erringt, behauptet man hartnäckiger als das, was man ererbt hat.

Seyton. Und doch können sich die Frauen nicht mehr beklagen, sie erben in der jetzigen Welt so viel, ja fast mehr als
die Männer, und ich behaupte, daß es durchaus jetzt schwerer
sei, ein vollendeter Mann zu werden, als ein vollendetes
Weib. Der Ausspruch: »Er soll dein Herr sein,« ist die Formel
einer barbarischen Zeit, die lange vorüber ist. Die Männer
konnten sich nicht völlig ausbilden, ohne den Frauen gleiche
Rechte zuzugestehen; indem die Frauen sich ausbildeten,
stand die Waageschale inne, und indem sie bildungsfähiger
sind, neigt sich nun die Waageschale zu ihren Gunsten.

Armidoro. Es ist keine Frage, daß bei allen gebildeten Nationen die Frauen im Ganzen das Übergewicht gewinnen
müssen. Bei einem wechselseitigen Einfluß muß der Mann
weiblicher werden, und dann verliert er; denn sein Vorzug
besteht nicht in gemäßigter, sondern in gebändigter Kraft;
nimmt dagegen das Weib von dem Manne etwas an, so gewinnt sie; denn, wenn sie ihre übrigen Vorzüge durch Energie erheben kann, so entsteht ein Wesen, das sich nicht vollkommner denken läßt.

Seyton. Ich habe mich in so tiefe Betrachtungen nicht eingelassen; indessen nehme ich für bekannt an, daß eine Frau
herrscht, und herrschen muß; daher, wenn ich ein Frauenzimmer kennen lerne, gebe ich nur darauf acht, wo sie
herrscht? denn daß sie irgendwo herrsche, setze ich voraus.

Amalie. Und da finden Sie denn, was Sie voraussetzen.

Seyton. Warum nicht, geht es doch den Physikern und andern, die sich mit Erfahrungen abgeben, gewöhnlich nicht
viel besser. Ich finde durchgängig, die Tätige, zum Erwerben, zum Erhalten geschaffene, ist Herr im Hause; die
Schöne, leicht und oberflächlich gebildete, Herr in großen
Zirkeln; die tiefer Gebildete beherrscht die kleinen Kreise.

Amalie. Und so wären wir also in drei Klassen eingeteilt.

Sinklair. Die doch alle, dünkt mich, ehrenvoll genug sind, und mit denen freilich noch nicht alles erschöpft ist. Es gibt z. B. noch eine vierte, von der wir lieber nicht sprechen wollen, damit man uns nicht wieder den Vorwurf mache, daß unser Lob sich notwendig in Tadel verkehren müsse.

Henriette. Die vierte Klasse also wäre zu erraten. Lassen Sie sehen.

Sinklair. Gut, unsere drei ersten Klassen waren Wirksamkeit, zu Hause, in großen und kleinen Zirkeln.

Henriette. Was wäre denn nun noch für ein Raum für unsere Tätigkeit?

Sinklair. Gar mancher; ich aber habe das Gegenteil im Sinne.

Henriette. Untätigkeit! und wie das? eine untätige Frau sollte herrschen?

Sinklair. Warum nicht?

Henriette. Und wie?

Sinklair. Durchs Verneinen! Wer aus Charakter oder Maxime beharrlich verneint, hat eine größere Gewalt, als man denkt.

Amalie. Wir fallen nun bald, fürchte ich, in den gewöhnlichen Ton, in dem man die Männer reden hört, besonders, wenn sie die Pfeife im Munde haben.

Henriette. Laß ihn doch, Amalie, es ist nichts unschädlicher, als solche Meinungen, und man gewinnt immer, wenn man erfährt, was andere von uns denken. Nun also die Verneinenden? Wie wär es mit diesen?

Sinklair. Ich darf wohl hier ohne Zurückhaltung sprechen. In unserm lieben Vaterland soll es wenige, in Frankreich gar keine geben, und zwar deswegen, weil die Frauen, sowohl bei uns, als bei unsern galanten Nachbarn, einer löblichen Freiheit genießen; aber in Ländern, wo sie sehr beschränkt sind, wo der äußerliche Anstand ängstlich, die öffentlichen Vergnügungen selten sind, sollen sie sich häufiger finden. In einem benachbarten Lande hat man sogar einen eigenen Namen, mit welchem das Volk, der Menschenkenner, ja sogar der Arzt ein solches Frauenzimmer bezeichnet.

Henriette. Nun geschwinde den Namen! Namen kann ich nicht raten.

Sinklair. Man nennt sie, wenn es denn einmal gesagt sein soll, man nennt sie *Schälke.*

Henriette. Das ist sonderbar genug.

Sinklair. Es war eine Zeit, als sie die Fragmente des Schweizer Phisionomisten, mit großem Anteil, lesen mochten, erinnern Sie sich nicht auch etwas von Schälken darin gefunden zu haben.

Henriette. Es könnte sein; doch ist es mir nicht aufgefallen. Ich nahm vielleicht das Wort Schalk im gewöhnlichen Sinn, und las über die Stelle weg.

Sinklair. Freilich bedeutet das Wort Schalk im gewöhnlichen chen Sinne eine Person, die mit Heiterkeit und Schadenfreude jemand einen Possen spielt; hier aber bedeutets ein Frauenzimmer, das einer Person, von der es abhängt, durch Gleichgültigkeit, Kälte und Zurückhaltung, die sich oft in eine Art von Krankheit verhüllen, das Leben sauer macht. Es ist dies in jener Gegend etwas Gewöhnliches. Mir ist es einigemal vorgekommen, daß mir ein Einheimischer, gegen den ich diese und jene Frau als schön pries, einwendete: aber sie ist ein Schalk! Ich hörte sogar, daß ein Arzt einer Dame, die viel von einem Kammermädchen litt, zur Antwort gab: es ist ein Schalk, da wird schwer zu helfen sein.

Amalie stand auf und entfernte sich.

Henriette. Das kommt mir doch etwas sonderbar vor.

Sinklair. Mir schien es auch so, und deswegen schrieb ich damals die Symptome dieser halb moralischen, halb physischen Krankheit in einen Aufsatz zusammen, den ich das Kapitel von den Schälken nannte, weil ich es mir als einen Teil anderer anthropologischen Bemerkungen dachte, ich habe es aber bisher sorgfältig geheim gehalten.

Henriette. Sie dürfen es uns wohl schon einmal vorzeigen, und wenn Sie einige hübsche Geschichten wissen, woraus wir recht deutlich sehen können, was ein Schalk ist, so sollen sie künftig auch in die Sammlung unserer neuesten Novellen aufgenommen werden.

Sinklair. Das mag alles recht gut und schön sein, aber meine Absicht ist verfehlt, um derentwillen ich herkam; ich wollte jemand in dieser geistreichen Gesellschaft bewegen, einen Text zu diesen Kalenderkupfern zu übernehmen; oder uns jemand zu empfehlen, dem man ein solches Geschäft übertragen könnte, anstatt dessen schelten, ja vernichten sie mir diese Blättchen, und ich gehe fast ohne Kupfer, so wie ohne Erklärung, fort. Hätte ich nur indessen das, was diesen Abend hier gesprochen und erzählt worden ist, auf dem Papiere, so würde ich beinahe für das, was ich suchte und nicht fand, ein Äquivalent besitzen.

Armidoro. (Aus dem Cabinet tretend, wohin er manchmal gegangen war.) Ich komme Ihren Wünschen zuvor. Die Angelegenheit unsers Freundes, des Herausgebers, ist auch mir nicht fremd. Auf diesem Papiere habe ich geschwind protokolliert, was gesprochen worden, ich will es ins Reine bringen, und wenn Eulalie dann übernehmen wollte, über das Ganze den Hauch ihres anmutigen Geistes zu gießen, so würden wir, wo nicht durch den Inhalt, doch durch den Ton, die Frauen mit den schroffen Zügen, in denen unser Künstler sie beleidigen mag, wieder aussöhnen.

Henriette. Ich kann Ihre tätige Freundschaft nicht tadeln, Armidoro, aber ich wollte, Sie hätten das Gespräch nicht nachgeschrieben. Es gibt ein böses Beispiel. Wir leben so heiter und zutraulich zusammen, und es muß nichts schrecklicheres sein, als in der Gesellschaft einen Menschen zu wissen, der aufmerkt, nachschreibt, und, wie jetzt alles gleich gedruckt wird, eine zerstückelte und verzerrte Unterhaltung ins Publikum bringt.

Man beruhigte Henrietten, man versprach ihr, nur allenfalls über kleine Geschichten, die vorkommen möchten, ein öffentliches Buch zu führen.

Eulalie ließ sich nicht bereden, das Protokoll des Geschwindschreibers zu redigieren, sie wollte sich von dem Märchen nicht zerstreuen, mit dessen Bearbeitung sie beschäftigt war, das Protokoll blieb in der Hand von Männern, die ihm denn, so gut sie konnten, aus der Erinnerung nachhalfen, und es nun, wie es eben werden konnte, den guten Frauen zu weiterer Beherzigung vorlegen.

Abb. 1: Bergrücken in der Schweiz. Bleistiftskizze von
Goethe. Vgl. S. 1092.

Caffè' du beau Monde

Abb. 2-13: Johann Heinrich Ramberg, Kupferstiche zum
Taschenbuch für Damen auf das Jahr 1801. Vgl. S. 1118-1121.

Tischgespräch

Entschädigung

Und er soll dein Herr seyn

Die Männer müssen niemals müde werden.'.,
Aus Ifflands hausfrieden.

Andacht der Haushälterin.

Das – Echo.

Simpathia.

Erziehung.

Theure Gattin!

EPEN

⟨DER EWIGE JUDE⟩

DES EWIGEN JUDEN,
ERSTER FETZEN

Um Mitternacht wohl fang ich an
Spring aus dem Bette wie ein Toller;
Nie war mein Busen seelevoller
Zu singen den gereisten Mann,
Der Wunder ohne Zahl gesehn,   5
Die trutz der Lästrer Kinderspotte
In unserm unbegriffnen Gotte
Per omnia tempora in Einem Punkt geschehn.
Und hab ich gleich die Gabe nicht
Von wohlgeschliffnen leichten Reimen;   10
So darf ich doch mich nicht versäumen
Denn es ist Drang und so ist's Pflicht.
Und wie ich dich geliebter Leser kenne
Den ich von Herzen Bruder nenne
Willst gern vom Fleck und bist so faul   15
Nimmst wohl auch einen Ludergaul,
Und ich mir fehlt zu Nacht der Kiel
Ergreif wohl einen Besenstiel.
Drum hör' es denn wenn dir's beliebt
So kauderwelsch wie mir der Geist es gibt.   20

In Judäa dem heiligen Land
War einst ein Schuster wohl bekannt
Wegen seiner Herz Frömmigkeit
Zur gar verdorbnen Kirchenzeit.
War halb Essener halb Methodist,   25
Herrnhuter mehr Separatist,
Denn er hielt viel auf Kreuz und Qual

Genug er war Original
Und aus Originalität
30   Er andern Narren gleichen tät.

Die Priester vor so vielen Jahren
Waren als wie sie immer waren
Und wie ein jeder wird zuletzt
Wenn man ihn hat in ein Amt gesetzt.
35   War er vorher wie ein Ameis krabblich
Und wie ein Schlänglein schnell und zabblich,
Wird er hernach in Mantel und Kragen
In seinem Sessel sich wohl behagen.
Und ich schwöre bei meinem Leben
40   Hätte man Sankt Paulen ein Bistum geben,
Pollrer wär worden ein fauler Bauch
Wie coeteri confratres auch.

Der Schuster aber und seines gleichen,
Verlangten täglich Wunder und Zeichen
45   Daß einer predgen sollt für Geld
Als hätt der Geist ihn hingestellt.
Nickten die Köpfe sehr bedenklich
Über die Tochter Zion kränklich,
Daß ach auf Kanzel und Altar
50   Kein Moses und kein Aaron war,
Daß es dem Gottesdienste ging
Als wär's ein Ding wie ein ander Ding
Das einmal nach dem Lauf der Welt
im Alter dürr zusammenfällt.

55   »O weh der großen Babylon
Herr tilge sie von deiner Erden
Laß sie im Pfuhl gebraten werden
Und Herr dann gib uns ihren Thron.«
So sang das Häuflein kroch zusammen,
60   Teilten so Geist's als Liebesflammen
Gafften und langeweilten nun

Hätten das auch können im Tempel tun
Aber das schöne war dabei
Es kam an jeden auch die Reih,
Und wie sein Bruder welscht und sprach 65
Durft er auch welschen eins hernach.
Denn in der Kirche spricht erst und letzt
Der den man hat hinauf gesetzt
Und gläubigt euch und tut so groß
Und schließt euch an und macht euch los 70
Und ist ein Sünder wie andre Leut
Ach und nicht einmal so gescheut.

Der größte Mensch bleibt stets ein Menschen Kind
Die größten Köpfe sind das nur was andre sind
Allein das merkt sie sind es umgekehrt 75
Sie wollen nicht mit andern Erdentröpfen
Auf ihren Füßen gehn sie gehn auf ihren Köpfe⟨n⟩
Verachten was ein jeder ehrt
Und was gemeinen Sinn empört
Das ehren unbefangne Weisen 80
Doch brachten sie's nicht allzu weit
Ihr non plus ultra jeder Zeit
War Gott zu lästern und den Dreck zu preisen.

Die Priester schrien weit und breit
Es ist es kommt die letzte Zeit 85
Bekehr dich sündiges Geschlecht.
Der Jude sprach mir ists nicht bang
ich hör vom jungsten tag so lang.

Behalten auch zu unsern Zeiten
Die Gabe Geister zu unterscheide⟨n⟩ 90
Cap und Champagner und Burgunder
Von Hoch- nach Riedesheim hinunter

⟨D⟩er Vater saß auf seinem Thron
Da rief er seinem lieben Sohn
95 Muß zwei bis drei mal schreien.
Da kam der Sohn ganz überquer
Gestolpert über sterne her
Und fragt was zu befehlen.
Der Vater fragt ihn wo er stickt –
100 Ich war im Stern der dorten blickt
Und half dort einem Weibe
Vom Kind in ihrem Leibe
Der Vater war ganz aufgebracht
Und sprach das hast du dumm gemacht
105 Sieh einmal auf die Erde.
Es ist wohl schön und alles gut
Du hast ein Menschenfreundlich Blut
Und hilfst bedrängten gerne

Du fühlst nicht wie es mir dur⟨ch⟩ Mark und Seele geh⟨t⟩
110 Wenn ein geängstet Herz bei mir um Rettung fleht
Wenn ich den Sünder sehn mit glühende

Als er sich nun hernieder schwung
Und naher die weite Erde sah.
Und Meer und Länder weit und nah
115 Ergriff ihn die Erinnerung.
Die er so lange nicht gefühlt
Wie man dadrunten ihm mitgespielt.
Er fühlt in vollem Himmels Flug
Der irdschen Atmosphäre Zug
120 fühlt wie das reinste Glück der Welt
Schon eine Ahndung von Weh enthält.
Er denkt an jenen Augenblick
Da er den letzten Todesblick
vom Schmerzen Hügel herab getan
125 Fing vor sich hin zu reden an.

Sei Erde tausendmal gegrüßt.
Gesegnet all ihr meine Brüder
Zum ersten mal Mein Herz ergießt
sich nach drei tausend Jahren wiede⟨r⟩
Und wonnevolle Zähre fließt.   130
Vom nimmer trüben Auge nieder.
O mein Geschlecht wie sehn ich mich nach dir
Und du mit Herz und Liebes Armen
Flehst du aus tiefem Drang zu mir
Ich komm ich will mich dein Erbarmen.   135
O Welt voll wunderbarer Wirrung
Voll Geist der ordnung träger Irrung
Du Kettenring von Wonn und Wehe
Du Mutter die mich selbst zum Grab gebar.
Die ich obgleich ich bei der Schöpfung war   140
Im ganzen doch nicht sonderlich verstehe
Die Dumpfheit deines Sinns in der du schwebtest.
Daraus du dich nach meinem Tage drangst,
Die Schlangenknotige begier in der du bebtest.
Von ihr dich zu befreien strebtest.   145
Und dann befreit dich wider neu umschlangst.
Das rief mich her aus meinem Sternen Saale
Das läßt mich nich⟨t⟩ an Gotte⟨s⟩ Busen ruhn
Ich komme nun zu dir zum zweiten male
Ich säete dann und ernten will ich nun.   150

————————

Er auf dem Berge stille hält
Auf den in seiner ersten Zeit
Freund satanas ihn aufgestellt
Und ihm gezeigt die volle Welt
Mit aller ihrer Herrlichkeit.   155

Er sieht begierig rings sich um
Sein Auge scheint ihn zu betrügen
Ihm scheint die Welt noch um und um
In jener Sauce tief zu liegen

160 Wie Sie an jener stunde lag
    Da Sie bei hellem lichten Tag
    Der Geist der Finsternis der Her⟨r⟩ der Alten We⟨lt⟩
    Im Sonnenschein ihm glänzend dargestellt
    Und angemaßt sich ohne Scheu
165 Daß er hier Herr im Hause sei.
    nicht gut nicht bös nich⟨t⟩ groß nicht klein
    so scheißig als sie sollte sein
    Doch wen er s tät sich feste Kopfen
    Das Reich Gottes hinein zupropfen.

170 Wo! rief der Heiland ist das Licht
    Das hell von meinem Wort entbronnen
    Weh und ich seh den Faden nicht
    Den ich so rein vom Himmel rab gesponnen.
    Wo haben sich die Zeugen hingewandt
175 Die weiß aus meinem Blut entsprungen
    Und ach wohin der Geist den ich gesandt –
    Sein Wehn ich fühls ist all verklungen.
    Schleicht nicht mit ewgem Hunger Sinn
    Mit halbgekrümmten Klauen Händen
180 Verfluchten eingedortten Lenden
    Der Geiz nach tückischem Gewinn,
    Mißbraucht die Sorgen losen Freud⟨en⟩
    Des Nachbars auf der reichen Flur
    Und hemmt in dürren Eingeweiden
185 Das liebe Leben der Natur.
    Verschließt der Fürst mit seinen Sklav⟨en⟩
    Sich nicht in jenes Marmorhaus
    Und brütet seinen irren Schafen
    Die Wölfe selbst im Busen aus
190 Ihm wird zu grillenhaffter Stillung
    Der Menschen Mark herbei gerafft
    Verspritzt in ekler Uberfüllung
    Von tausenden die Nahrungskraft.
    In meinem Namen weiht dem Bauche
195 Ein armer seiner Kinder Brod

Mich schmäht auf diesem faulen Schlauche
Das Goldne Zeichen meine⟨r⟩ Not.

Er war nunmehr der Länder satt
Wo man so viele Kreuze hat
Und man für lauter Creuz und Krist   200
Ihn eben und sein Kreuz vergißt.
Er trat in ein benachbart Land
Wo er sich nur als Kirchfahn fand
Man aber sonst nicht merkte sehr
Als ob ein Gott im Lande wär.   205
Wie man ihn denn auch bald beteuert
Aller Sauerteig sei hier ausgescheuert
Befurcht er daß das Brod so lieb
Wie ein Mazkuchen sitzen blieb.
Davon sprach ihm ein geistlich Schaf   210
Das er auf hohem Wege traf,
Das eine macklige Frau im Bett
Viel Kinder und viel Zehnden hätt,
Der also Gott ließ im Himmel ruhn,
Und sich auch was zu gute Tun.   215
Unser Herr fühlt ihm auf den Zahn,
Fing etlichmal von Christo an
Da war der ganze Mensch Respekt
Hätte fast nie das Haupt bedeckt.
Aber der Herr sah ziemlich klar   220
Daß er drum nicht im Herzen war
Daß er dem Mann im Hirne stand
Als wie ein Holzschnitt an der Wand.

Sie waren bald der Stadt so nah,
Daß man die Türne klärlich sah   225
Ach sprach mein Mann: hier ist der Ort
Aller Wünsche sichrer Friedensport
Hier ist des Landes Mittelthron
Gerechtigkeit und Religion,
Spedieren wie der Selzerbrunn   230
Petschiert ihren Einfluß ringsherum.

Sie kamen immer näher an
Sah immer der Herr nichts seinigs dran.
Sein innres Zutraun war gering
235   Als wie er einst zum Feigbaum ging
Wollt aber doch eben weiter gehn,
Und ihm recht unter die Äste sehn.

So kamen sie denn unters Tor
Christus kam ihnen ein Fremdling vor
240   Hätt ein edel Gesicht und einfach Kleid
Sprachen: der Mann kommt gar wohl weit,
Fragt ihn der Schreiber wie er hieß?
Er gar demütig die Worte ließ:
Kinder, ich bin des Menschen Sohn.
245   Und ganz gelassen ging davon
Seine Worte hatten von jeher Kraft,
Der Schreiber stande wie vergafft
Der Wache war, sie wußt nicht wie.
Fragt keiner was bedienen sie.
250   Er ging grad durch und war vorbei
Da fragten sie sich überlei
Als in Rapport sie's wollten tragen,
Was tät der Mann kurioses sagen.
Sprach er wohl unsrer Nase Hohn?
255   Er sagt: er wär des Menschen Sohn!
Sie dachten lang doch auf einmal
Sprach ein Branntweiniger Korporal
Was mögt ihr euch den Kopf zerreißen,
Sein Vater hat wohl Mensch geheißen.

260   Christ sprach zu seinem Gleiter dann
So führet mich zum Gottes Mann
Den ihr als einen solchen kennt
Und ihn Herr Oberpfarrer nennt.
Dem Herren Pfaff das krabbeln tät
265   War selber nicht so hoch am Brett.
Hätt so viel Häut um's Herze ring,

Daß er nicht spürt mit wem er ging.
Auch nicht einmal einer Erbse groß.
Doch war er gar nicht liebe los,
Und dacht, kommt alles ringsherum,   270
Verlangt er ein Viaticum.

Kamen an's Oberpfarrers Haus,
Stand von uralters noch im Ganzen.
Reformation hätt ihren Schmaus
Und nahm den Pfaffen Hof und Haus   275
Um wieder Pfaffen 'nein zu pflanzen,
Die nur in allem Grund der Sachen,
Mehr schwätzen, wenger Grimassen machen.
Sie klopften an sie schellten an,
Weiß nicht bestimmt was sie getan.   280
Genug die Köchin kam hervor
Aus der Schürz ein Krauthaupt verlor,
Und sprach der Herr ist im Konvent,
Ihr heut nicht mit ihm sprechen könnt.
Wo ist denn das Konvent sprach Christ?   285
Was hilft es euch wenn ihr's auch wißt,
Versetzt die Köchin porrisch drauf,
Dahin geht nicht eines jeden Lauf.
Mögts doch gern wissen! Tät er fragen.
Sie hätt nicht Herz es zu versagen.   290
Wie er den Weg zur Weiblein Brust,
Von alten Zeiten wohl noch wußt.
Sie zeigts ihm an und er tät gehn,
Wie ihr's bald weiter werdet sehn.

Es waren die den Vater auch gekannt   295
Wo sind denn die? Eh man hat sie verbrannt

Ich habe nun dem strengs⟨ten⟩ heilgen Leben
Von meiner Jugend mich erge⟨ben⟩

———————

O Freund der Mensch ist nur ein Tor
Stellt er sich Gott als seines Gleichen vor

———————

DIE GEHEIMNISSE

EIN FRAGMENT

Ein wunderbares Lied ist euch bereitet:
Vernehmt es gern und jeden ruft herbei.
Durch Berg' und Täler ist der Weg geleitet;
Hier ist der Blick beschränkt, dort wieder frei,
Und wenn der Pfad sacht in die Büsche gleitet,   5
So denket nicht, daß es ein Irrtum sei;
Wir wollen doch, wenn wir genug geklommen,
Zur rechten Zeit dem Ziele näher kommen.

Doch glaube keiner, daß mit allem Sinnen
Das ganze Lied er je enträtseln werde: 10
Gar viele müssen vieles hier gewinnen,
Gar manche Blüten bringt die Mutter Erde;
Der eine flieht mit düsterm Blick von hinnen,
Der andre weilt mit fröhlicher Gebärde:
Ein jeder soll nach seiner Lust genießen,   15
Für manchen Wandrer soll die Quelle fließen.

———————

Ermüdet von des Tages langer Reise,
Die auf erhabnen Antrieb er getan,
An einem Stab nach frommer Wandrer Weise
Kam Bruder Marcus, außer Steg und Bahn,   20
Verlangend nach geringem Trank und Speise,
In einem Tal am schönen Abend an,
Voll Hoffnung in den waldbewachs'nen Gründen
Ein gastfrei Dach für diese Nacht zu finden.

25 Am steilen Berge, der nun vor ihm stehet,
Glaubt er die Spuren eines Wegs zu sehn,
Er folgt dem Pfade, der in Krümmen gehet,
Und muß sich steigend um die Felsen drehn;
Bald sieht er sich hoch über's Tal erhöhet,
30 Die Sonne scheint ihm wieder freundlich schön,
Und bald sieht er mit innigem Vergnügen
Den Gipfel nah vor seinen Augen liegen,

Und neben hin die Sonne, die im Neigen
Noch prachtvoll zwischen dunkeln Wolken thront;
35 Er sammelt Kraft die Höhe zu ersteigen,
Dort hofft er seine Mühe bald belohnt.
Nun, spricht er zu sich selbst, nun muß sich zeigen,
Ob etwas menschlichs in der Nähe wohnt!
Er steigt und horcht und ist wie neu geboren,
40 Ein Glockenklang erschallt in seinen Ohren.

Und wie er nun den Gipfel ganz erstiegen,
Sieht er ein nahes sanft geschwungnes Tal,
Sein stilles Auge leuchtet von Vergnügen;
Denn vor dem Walde sieht er auf einmal
45 In grüner Au' ein schön Gebäude liegen,
So eben trifft's der letzte Sonnenstrahl:
Er eilt durch Wiesen, die der Tau befeuchtet,
Dem Kloster zu, das ihm entgegen leuchtet.

Schon sieht er dicht sich vor dem stillen Orte,
50 Der seinen Geist mit Ruh und Hoffnung füllt,
Und auf dem Bogen der geschloßnen Pforte
Erblickt er ein geheimnisvolles Bild.
Er steht und sinnt und lispelt leise Worte
Der Andacht, die in seinem Herzen quillt,
55 Er steht und sinnt, was hat das zu bedeuten?
Die Sonne sinkt und es verklingt das Läuten!

Das Zeichen sieht er prächtig aufgerichtet,
Das aller Welt zu Trost und Hoffnung steht,
Zu dem viel tausend Geister sich verpflichtet,
Zu dem viel tausend Herzen warm gefleht, 60
Das die Gewalt des bittern Tod's vernichtet,
Das in so mancher Siegesfahne weht:
Ein Labequell durchdringt die matten Glieder,
Er sieht das Kreuz, und schlägt die Augen nieder.

Er fühlet neu, was dort für Heil entsprungen, 65
Den Glauben fühlt er einer halben Welt;
Doch von ganz neuem Sinn wird er durchdrungen,
Wie sich das Bild ihm hier vor Augen stellt:
Es steht das Kreuz mit Rosen dicht umschlungen.
Wer hat dem Kreuze Rosen zugesellt? 70
Es schwillt der Kranz, um recht von allen Seiten
Das schroffe Holz mit Weichheit zu begleiten.

Und leichte Silber-Himmelswolken schweben,
Mit Kreuz und Rosen sich empor zu schwingen,
Und aus der Mitte quillt ein heilig Leben 75
Dreifacher Strahlen, die aus einem Punkte dringen;
Von keinen Worten ist das Bild umgeben,
Die dem Geheimnis Sinn und Klarheit bringen.
Im Dämmerschein, der immer tiefer grauet,
Steht er und sinnt und fühlet sich erbauet. 80

Er klopft zuletzt, als schon die hohen Sterne
Ihr helles Auge zu ihm nieder wenden.
Das Tor geht auf und man empfängt ihn gerne
Mit offnen Armen, mit bereiten Händen.
Er sagt, woher er sei, von welcher Ferne 85
Ihn die Befehle höh'rer Wesen senden.
Man horcht und staunt. Wie man den Unbekannten
Als Gast geehrt, ehrt man nun den Gesandten.

Ein jeder drängt sich zu, um auch zu hören,
90   Und ist bewegt von heimlicher Gewalt,
Kein Odem wagt den seltnen Gast zu stören,
Da jedes Wort im Herzen widerhallt.
Was er erzählet, wirkt wie tiefe Lehren
Der Weisheit, die von Kinderlippen schallt:
95   An Offenheit, an Unschuld der Gebärde
Scheint er ein Mensch von einer andern Erde.

Willkommen, ruft zuletzt ein Greis, willkommen,
Wenn deine Sendung Trost und Hoffnung trägt!
Du siehst uns an; wir alle stehn beklommen,
100   Obgleich dein Anblick unsre Seele regt:
Das schönste Glück, ach, wird uns weggenommen,
Von Sorgen sind wir und von Furcht bewegt.
Zur wicht'gen Stunde nehmen unsre Mauern
Dich Fremden auf, um auch mit uns zu trauern:

105   Denn ach, der Mann, der alle hier verbündet,
Den wir als Vater, Freund und Führer kennen,
Der Licht und Mut dem Leben angezündet,
In wenig Zeit wird er sich von uns trennen,
Er hat es erst vor kurzem selbst verkündet;
110   Doch will er weder Art noch Stunde nennen:
Und so ist uns sein ganz gewisses Scheiden
Geheimnisvoll und voller bittrer Leiden.

Du siehest alle hier mit grauen Haaren,
Wie die Natur uns selbst zur Ruhe wies:
115   Wir nahmen keinen auf, den, jung an Jahren,
Sein Herz zu früh der Welt entsagen hieß.
Nachdem wir Lebens-Lust und Last erfahren,
Der Wind nicht mehr in unsre Segel blies,
War uns erlaubt, mit Ehren hier zu landen,
120   Getrost, daß wir den sichern Hafen fanden.

Dem edeln Manne, der uns hergeleitet,
Wohnt Friede Gottes in der Brust;
Ich hab' ihn auf des Lebens Pfad begleitet,
Und bin mir alter Zeiten wohl bewußt;
Die Stunden, da er einsam sich bereitet,   125
Verkünden uns den nahenden Verlust.
Was ist der Mensch, warum kann er sein Leben
Umsonst, und nicht für einen Bessern geben?

Dies wäre nun mein einziges Verlangen!
Warum muß ich des Wunsches mich entschlagen?   130
Wie viele sind schon vor mir hingegangen!
Nur ihn muß ich am bittersten beklagen.
Wie hätt' er sonst so freundlich dich empfangen!
Allein er hat das Haus uns übertragen;
Zwar keinen noch zum Folger sich ernennet,   135
Doch lebt er schon im Geist von uns getrennet.

Und kommt nur täglich eine kleine Stunde,
Erzählet, und ist mehr als sonst gerührt:
Wir hören dann aus seinem eignen Munde,
Wie wunderbar die Vorsicht ihn geführt;   140
Wir merken auf, damit die sichre Kunde
Im kleinsten auch die Nachwelt nicht verliert;
Auch sorgen wir, daß einer fleißig schreibe,
Und sein Gedächtnis rein und wahrhaft bleibe.

Zwar vieles wollt' ich lieber selbst erzählen,   145
Als ich jetzt nur zu hören stille bin;
Der kleinste Umstand sollte mir nicht fehlen,
Noch hab' ich alles lebhaft in dem Sinn;
Ich höre zu und kann es kaum verhehlen,
Daß ich nicht stets damit zufrieden bin: 150
Sprech' ich einmal von allen diesen Dingen,
Sie sollen prächtiger aus meinem Munde klingen.

Als dritter Mann erzähl' ich mehr und freier,
Wie ihn ein Geist der Mutter früh verhieß,
Und wie ein Stern bei seiner Taufe-Feier
Sich glänzender am Abend-Himmel wies,
Und wie mit weiten Fittichen ein Geier
Im Hofe sich bei Tauben niederließ;
Nicht grimmigstoßend und wie sonst zu schaden,
Er schien sie sanft zur Einigkeit zu laden.

Dann hat er uns bescheidentlich verschwiegen,
Wie er als Kind die Otter überwand,
Die er um seiner Schwester Arm sich schmiegen,
Um die Entschlafne fest gewunden fand.
Die Amme floh und ließ den Säugling liegen;
Er drosselte den Wurm mit sicher Hand:
Die Mutter kam und sah mit Freudebeben
Des Sohnes Taten und der Tochter Leben.

Und so verschwieg er auch, daß eine Quelle
Vor seinem Schwert aus trocknem Felsen sprang,
Stark wie ein Bach, sich mit bewegter Welle
Den Berg hinab bis in die Tiefe schlang:
Noch quillt sie fort so rasch, so silberhelle,
Als sie zuerst sich ihm entgegen drang,
Und die Gefährten, die das Wunder schauten,
Den heißen Durst zu stillen kaum getrauten.

Wenn einen Menschen die Natur erhoben,
Ist es kein Wunder, wenn ihm viel gelingt;
Man muß in ihm die Macht des Schöpfers loben,
Der schwachen Ton zu solcher Ehre bringt:
Doch wenn ein Mann von allen Lebensproben
Die sauerste besteht, sich selbst bezwingt;
Dann kann man ihn mit Freuden andern zeigen,
Und sagen: Das ist er, das ist sein eigen!

Denn alle Kraft dringt vorwärts in die Weite, 185
Zu leben und zu wirken hie und dort;
Dagegen engt und hemmt von jeder Seite
Der Strom der Welt und reißt uns mit sich fort:
In diesem innern Sturm und äußern Streite
Vernimmt der Geist ein schwer verstanden Wort: 190
Von der Gewalt, die alle Wesen bindet,
Befreit der Mensch sich, der sich überwindet.

Wie frühe war es, daß sein Herz ihn lehrte,
Was ich bei ihm kaum Tugend nennen darf;
Daß er des Vaters strenges Wort verehrte, 195
Und willig war, wenn jener rauh und scharf
Der Jugend freie Zeit mit Dienst beschwerte,
Dem sich der Sohn mit Freuden unterwarf,
Wie, elternlos und irrend, wohl ein Knabe
Aus Not es tut um eine kleine Gabe! 200

Die Streiter mußt' er in das Feld begleiten,
Zuerst zu Fuß bei Sturm und Sonnenschein,
Die Pferde warten, und den Tisch bereiten,
Und jedem alten Krieger dienstbar sein.
Gern und geschwind lief er zu allen Zeiten 205
Bei Tag und Nacht als Bote durch den Hain;
Und so gewohnt für andre nur zu leben,
Schien Mühe nur ihm Fröhlichkeit zu geben.

Wie er im Streit mit kühnem muntern Wesen
Die Pfeile las, die er am Boden fand, 210
Eilt' er hernach die Kräuter selbst zu lesen,
Mit denen er Verwundete verband:
Was er berührte, mußte gleich genesen,
Es freute sich der Kranke seiner Hand:
Wer wollt' ihn nicht mit Fröhlichkeit betrachten! 215
Und nur der Vater schien nicht sein zu achten.

Leicht, wie ein segelnd Schiff, das keine Schwere
Der Ladung fühlt und eilt von Port zu Port,
Trug er die Last der elterlichen Lehre,
220 Gehorsam war ihr erst und letztes Wort;
Und wie den Knaben Lust, den Jüngling Ehre,
So zog ihn nur der fremde Wille fort.
Der Vater sann umsonst auf neue Proben,
Und wenn er fodern wollte, mußt' er loben.

225 Zuletzt gab sich auch dieser überwunden,
Bekannte tätig seines Sohnes Wert;
Die Rauhigkeit des Alten war verschwunden,
Er schenkt' auf einmal ihm ein köstlich Pferd;
Der Jüngling ward vom kleinen Dienst entbunden,
230 Er führte statt des kurzen Dolchs ein Schwert:
Und so trat er geprüft in einen Orden,
Zu dem er durch Geburt berechtigt worden.

So könnt' ich dir noch Tagelang berichten,
Was jeden Hörer in Erstaunen setzt;
235 Sein Leben wird den köstlichsten Geschichten
Gewiß dereinst von Enkeln gleich gesetzt;
Was dem Gemüt in Fabeln und Gedichten
Unglaublich scheint und es doch hoch ergetzt,
Vernimmt es hier und mag sich gern bequemen
240 Zwiefach erfreut für wahr es anzunehmen.

Und fragst du mich, wie der Erwählte heiße,
Den sich das Aug' der Vorsicht ausersah,
Den ich zwar oft, doch nie genugsam preise,
An dem so viel unglaubliches geschah?
245 *Humanus* heißt der Heilige, der Weise,
Der beste Mann, den ich mit Augen sah:
Und sein Geschlecht, wie es die Fürsten nennen,
Sollst du zugleich mit seinen Ahnen kennen.

Der Alte sprach's und hätte mehr gesprochen,
Denn er war ganz der Wunderdinge voll,   250
Und wir ergetzen uns noch manche Wochen
An allem, was er uns erzählen soll;
Doch eben ward sein Reden unterbrochen,
Als gegen seinen Gast das Herz am stärksten quoll.
Die andern Brüder gingen bald und kamen,   255
Bis sie das Wort ihm aus dem Munde nahmen.

Und da nun Marcus nach genoßnem Mahle
Dem Herrn und seinen Wirten sich geneigt
Erbat er sich noch eine reine Schale
Voll Wasser, und auch die ward ihm gereicht.   260
Dann führten sie ihn zu dem großen Saale,
Worin sich ihm ein seltner Anblick zeigt.
Was er dort sah, soll nicht verborgen bleiben,
Ich will es euch gewissenhaft beschreiben.

Kein Schmuck war hier, die Augen zu verblenden,   265
Ein kühnes Kreuzgewölbe stieg empor,
Und dreizehn Stühle sah er an den Wänden
Umher geordnet, wie im frommen Chor,
Gar zierlich ausgeschnitzt von klugen Händen;
Es stand ein kleiner Pult an jedem vor.   270
Man fühlte hier der Andacht sich ergeben,
Und Lebensruh und ein gesellig Leben.

Zu Häupten sah er dreizehn Schilde hangen,
Denn jedem Stuhl war eines zugezählt.
Sie schienen hier nicht ahnenstolz zu prangen,   275
Ein jedes schien bedeutend und gewählt,
Und Bruder Marcus brannte für Verlangen
Zu wissen, was so manches Bild verhehlt;
Im mittelsten erblickt er jenes Zeichen
Zum zweitenmal, ein Kreuz mit Rosenzweigen.   280

Die Seele kann sich hier gar vieles bilden,
Ein Gegenstand zieht von dem andern fort;
Und Helme hängen über manchen Schilden,
Auch Schwert und Lanze sieht man hier und dort,
285   Die Waffen, wie man sie von Schlachtgefilden
Auflesen kann, verzieren diesen Ort:
Hier Fahnen und Gewehre fremder Lande,
Und, seh' ich recht, auch Ketten dort und Bande!

Ein jeder sinkt vor seinem Stuhle nieder,
290   Schlägt auf die Brust in still Gebet gekehrt;
Von ihren Lippen tönen kurze Lieder,
In denen sich andächt'ge Freude nährt;
Dann segnen sich die treu verbundnen Brüder
Zum kurzen Schlaf, den Phantasie nicht stört:
295   Nur Marcus bleibt, indem die andern gehen,
Mit einigen im Saale schauend stehen.

So müd' er ist, wünscht er noch fort zu wachen,
Denn kräftig reizt ihn manch und manches Bild:
Hier sieht er einen feuerfarbnen Drachen,
300   Der seinen Durst in wilden Flammen stillt;
Hier einen Arm in eines Bären Rachen,
Von dem das Blut in heißen Strömen quillt;
Die beiden Schilder hingen gleicher Weite
Beim Rosenkreuz zur recht und linken Seite.

305   Du kommst hierher auf wunderbaren Pfaden,
Spricht ihn der Alte wieder freundlich an;
Laß diese Bilder dich zu bleiben laden,
Bis du erfährst, was mancher Held getan.
Was hier verborgen, ist nicht zu erraten,
310   Man zeige denn es dir vertraulich an;
Du ahndest wohl, wie manches hier gelitten,
Gelebt, verloren ward, und *was* erstritten.

Doch glaube nicht, daß nur von alten Zeiten
Der Greis erzählt, hier geht noch manches vor;
Das, was du siehst, will mehr und mehr bedeuten;   315
Ein Teppich deckt es bald und bald ein Flor.
Geliebt es dir, so magst du dich bereiten:
Du kamst, o Freund, nur erst durch's erste Tor;
Im Vorhof bist du freundlich aufgenommen,
Und scheinst mir wert in's Innerste zu kommen.   320

Nach kurzem Schlaf in einer stillen Zelle
Weckt unsern Freund ein dumpfer Glockenton.
Er rafft sich auf mit unverdross'ner Schnelle,
Dem Ruf der Andacht folgt der Himmelssohn.
Geschwind bekleidet eilt er nach der Schwelle,   325
Es eilt sein Herz voraus zur Kirche schon,
Gehorsam, ruhig, durch Gebet beflügelt;
Er klinkt am Schloß, und findet es verriegelt.

Und wie er horcht, so wird in gleichen Zeiten
Dreimal ein Schlag auf hohles Erz erneut,   330
Nicht Schlag der Uhr und auch nicht Glockenläuten,
Ein Flötenton mischt sich von Zeit zu Zeit;
Der Schall, der seltsam ist und schwer zu deuten,
Bewegt sich so, daß er das Herz erfreut,
Einladend ernst, als wenn sich mit Gesängen   335
Zufriedne Paare durch einander schlängen.

Er eilt an's Fenster, dort vielleicht zu schauen,
Was ihn verwirrt und wunderbar ergreift;
Er sieht den Tag im fernen Osten grauen,
Den Horizont mit leichtem Duft gestreift,   340
Und – soll er wirklich seinen Augen trauen? –
Ein seltsam Licht das durch den Garten schweift:
Drei Jünglinge mit Fackeln in den Händen
Sieht er sich eilend durch die Gänge wenden.

345   Er sieht genau die weißen Kleider glänzen,
    Die ihnen knapp und wohl am Leibe stehn,
    Ihr lockig Haupt kann er mit Blumenkränzen,
    Mit Rosen ihren Gurt umwunden sehn;
    Es scheint, als kämen sie von nächt'gen Tänzen,
350   Von froher Mühe recht erquickt und schön.
    Sie eilen nun und löschen, wie die Sterne,
    Die Fackeln aus, und schwinden in die Ferne.

REINEKE FUCHS
In zwölf Gesängen

ERSTER GESANG

Pfingsten, das liebliche Fest, war gekommen; es grünten und
blühten
Feld und Wald; auf Hügeln und Höhn, in Büschen und
Hecken
Übten ein fröhliches Lied die neuermunterten Vögel;
Jede Wiese sproßte von Blumen in duftenden Gründen,
Festlich heiter glänzte der Himmel und farbig die Erde.   5

Nobel, der König, versammelt den Hof; und seine Vasallen
Eilen gerufen herbei mit großem Gepränge; da kommen
Viele stolze Gesellen von allen Seiten und Enden,
Lütke, der Kranich und Markart der Häher und alle die
Besten.
Denn der König gedenkt mit allen seinen Baronen   10
Hof zu halten in Feier und Pracht; er läßt sie berufen
Alle mit einander, so gut die großen als kleinen.
Niemand sollte fehlen! und dennoch fehlte der eine,
Reineke Fuchs, der Schelm! der viel begangenen Frevels
Halben des Hofs sich enthielt. So scheuet das böse Gewissen   15
Licht und Tag, es scheute der Fuchs die versammleten
Herren.
Alle hatten zu klagen, er hatte sie alle beleidigt,
Und nur *Grimbart*, den Dachs, den Sohn des Bruders,
verschont er.

Isegrim aber, der Wolf, begann die Klage, von allen
Seinen Vettern und Gönnern, von allen Freunden begleitet   20
Trat er vor den König und sprach die gerichtlichen Worte:

Gnädigster König und Herr! vernehmet meine Beschwerden.
Edel seid ihr und groß und ehrenvoll, jedem erzeigt ihr
Recht und Gnade: so laßt euch denn auch des Schadens
erbarmen,
25 Den ich von Reineke Fuchs mit großer Schande gelitten.
Aber vor allen Dingen erbarmt euch, daß er mein Weib so
Freventlich öfters verhöhnt, und meine Kinder verletzt hat.
Ach! er hat sie mit Unrat besudelt, mit ätzenden Unflat,
Daß mir zu Hause noch drei in bittrer Blindheit sich quälen.
30 Zwar ist alle der Frevel schon lange zur Sprache gekommen,
Ja ein Tag war gesetzt zu schlichten solche Beschwerden;
Er erbot sich zum Eide, doch bald besann er sich anders
Und entwischte behende nach seiner Veste. Das wissen
Alle Männer zu wohl, die hier und neben mir stehen.
35 Herr! ich könnte die Drangsal, die mir der Bube bereitet,
Nicht mit eilenden Worten in vielen Wochen erzählen.
Würde die Leinwand von Gent, so viel auch ihrer gemacht
wird,
Alle zu Pergament; sie faßte die Streiche nicht alle,
Und ich schweige davon. Doch meines Weibes Entehrung
40 Frißt mir das Herz, ich räche sie auch, es werde was
wolle.

Als nun Isegrim so mit traurigem Mute gesprochen,
Trat ein Hündchen hervor, hieß Wackerlos, redte französisch
Vor dem König: wie arm es gewesen und nichts ihm
geblieben
Als ein Stückchen Wurst in einem Wintergebüsche;
45 Reineke hab' auch das ihm genommen! Jetzt sprang auch der
Kater
Hinze zornig hervor und sprach: Erhabner Gebieter,
Niemand beschwere sich mehr, daß ihm der Bösewicht
schade,
Denn der König allein! Ich sag' euch, in dieser Gesellschaft
Ist hier niemand, jung oder alt, er fürchtet den Frevler
50 Mehr als euch! Doch Wackerlos Klage will wenig bedeuten,
Schon sind Jahre vorbei, seit diese Händel geschehen;

Mir gehörte die Wurst! Ich sollte mich damals beschweren.
Jagen war ich gegangen; auf meinem Wege durchsucht' ich
Eine Mühle zu Nacht; es schlief die Müllerin; sachte
Nahm ich ein Würstchen, ich will es gestehn; doch hatte zu
　　　　　　　　　　　　　dieser　　　　　　　　55
Wackerlos irgend ein Recht, so dankt' er's *meiner*
　　　　　　　　　　Bemühung.

Und der *Panther* begann: – was helfen Klagen und Worte!
Wenig richten sie aus, genug das Übel ist ruchtbar.
Er ist ein Dieb, ein Mörder! Ich darf es kühnlich behaupten,
Ja, es wissens die Herren, er übet jeglichen Frevel. 　　　60
Möchten doch alle die Edlen, ja selbst der erhabene König
Gut und Ehre verlieren; er lachte, gewänn' er nur etwa
Einen Bissen dabei von einem fetten Kapaune.
Laßt euch erzählen, wie er so übel an Lampen dem Hasen
Gestern tat; hier steht er, der Mann, der keinen verletzte. 　65
Reineke stellte sich fromm und wollt ihn allerlei Weisen
Kürzlich lehren und was zum Kaplan noch weiter gehöret,
Und sie setzten sich gegen einander, begannen das Credo.
Aber Reineke konnte die alten Tücken nicht lassen;
Innerhalb unsers Königes Fried' und freiem Geleite 　　　70
Hielt er Lampen gefaßt mit seinen Klauen und zerrte
Tückisch den redlichen Mann. Ich kam die Straße gegangen,
Hörte beider Gesang, der, kaum begonnen, schon wieder
Endete. Horchend wundert ich mich, doch als ich hinzukam,
Kannt' ich Reineken stracks, er hatte Lampen beim Kragen. 　75
Ja er hätt' ihm gewiß das Leben genommen, wofern ich
Nicht zum Glücke des Wegs gekommen wäre. Da steht er,
Seht die Wunden an ihm, dem frommen Manne, den keiner
Zu beleidigen denkt. Und will es unser Gebieter,
Wollt ihr Herren es leiden, daß so des Königes Friede 　　80
Sein Geleit und Brief von einem Diebe verhöhnt wird;
O so wird der König und seine Kinder noch späte
Vorwurf hören von Leuten, die Recht und Gerechtigkeit
　　　　　　　　　　lieben.

Isegrim sagte darauf: so wird es bleiben, und leider
85 Wird uns Reineke nie was gutes erzeigen. O! läg' er
Lange tot; das wäre das beste für friedliche Leute;
Aber wird ihm diesmal verziehn; so wird er in kurzem
Etliche kühnlich berücken, die nun es am wenigsten glauben.

Reinekens Neffe, der Dachs, nahm jetzt die Rede und mutig
90 Sprach er zu Reinekens Besten, so falsch auch dieser bekannt
                                war.
Alt und wahr, Herr Isegrim! sagt' er, beweist sich das
                                Sprichwort:
Feindes Mund frommt selten. So hat auch wahrlich mein
                                Oheim
Eurer Worte sich nicht zu getrösten. Doch ist es ein Leichtes.
Wär er hier am Hofe so gut als ihr, und erfreut er
95 Sich des Königes Gnade, so möcht' es euch sicher gereuen,
Daß ihr so hämisch gesprochen und alte Geschichten
                                erneuert.
Aber was ihr Übels an Reineken selber verübet,
Übergeht ihr; und doch, es wissen es manche der Herren,
Wie ihr zusammen ein Bündnis geschlossen und beide
                                versprochen
100 Als zwei gleiche Gesellen zu leben. Das muß ich erzählen;
Denn im Winter einmal erduldet er große Gefahren
Euretwegen. Ein Fuhrmann, er hatte Fische geladen,
Fuhr die Straße; ihr spürtet ihn aus und hättet um alles
Gern von der Ware gegessen; doch fehlt es euch leider am
                                Gelde,
105 Da beredetet ihr den Oheim, er legte sich listig
Grade für tot in den Weg. Es war beim Himmel ein kühnes
Abenteuer! Doch merket, was ihm für Fische geworden.
Und der Fuhrmann kam und sah im Gleise den Oheim,
Hastig zog er sein Schwert, ihm eins zu versetzen; der Kluge
110 Rührt' und regte sich nicht, als wär er gestorben; der
                                Fuhrmann
Wirft ihn auf seinen Karrn, und freut sich des Balges im
                                voraus.

Ja, das wagte mein Oheim für Isegrim; aber der Fuhrmann
Fuhr dahin und Reineke warf von den Fischen herunter.
Isegrim kam von ferne geschlichen, verzehrte die Fische.
Reineken mochte nicht länger zu fahren belieben; er hub
                                sich,   115
Sprang vom Karren und wünschte nun auch von der Beute
                            zu speisen.
Aber Isegrim hatte sie alle verschlungen; er hatte
Über Not sich beladen, er wollte bersten. Die Gräten
Ließ er allein zurück, und bot dem Freunde den Rest an.
Noch ein anderes Stückchen will ich euch wahrhaft erzählen.   120
Reineken war es bewußt, bei einem Bauer am Nagel
Hing ein gemästetes Schwein, erst heute geschlachtet; das
                            sagt er
Treu dem Wolfe: sie gingen dahin, Gewinn und Gefahren
Redlich zu teilen. Doch Müh und Gefahr trug jener alleine.
Denn er kroch zum Fenster hinein und warf mit Bemühen   125
Die gemeinsame Beute dem Wolf herunter; zum Unglück
Waren Hunde nicht fern, die ihn im Hause verspürten,
Und ihm wacker das Fell zerzausten. Verwundet entkam er,
Eilig sucht er Isegrim auf und klagt ihm sein Leiden,
Und verlangte sein Teil. Da sagte jener: ich habe   130
Dir ein köstliches Stück verwahrt; nun mache dich drüber,
Und benage mirs wohl; wie wird das Fette dir schmecken!
Und er brachte das Stück; das Krummholz war es, der
                            Schlächter
Hatte daran das Schwein gehängt; der köstliche Braten
War vom gierigen Wolfe, dem Ungerechten, verschlungen.   135
Reineke konnte vor Zorn nicht reden, doch was er sich
                            dachte,
Denket euch selbst. Herr König, gewiß, daß hundert und
                            drüber
Solcher Stückchen der Wolf an meinem Oheim verschuldet.
Aber ich schweige davon. Wird Reineke selber gefordert;
Wird er sich besser verteid'gen. Indessen, gnädigster König,   140
Edler Gebieter, ich darf es bemerken. Ihr habet, es haben
Diese Herren gehört, wie töricht Isegrimms Rede

Seinem eignen Weibe und ihrer Ehre zu nah tritt,
Die er mit Leib und Leben beschützen sollte. Denn freilich
145 Sieben Jahre sinds her und drüber, da schenkte mein Oheim
Seine Lieb' und Treue zum guten Teile der schönen
Frauen Gieremund; solches geschah beim nächtlichen Tanze;
Isegrim war verreist, ich sag' es wie mirs bekannt ist.
Freundlich und höflich ist sie ihm oft zu Willen geworden,
150 Und was ist es denn mehr? Sie bracht' es niemals zur Klage,
Ja sie lebt und befindet sich wohl, was macht er für Wesen?
Wär' er klug, so schwieg er davon; es bringt ihm nur
                        Schande.
Weiter, sagte der Dachs: nun kommt das Märchen vom
                        Hasen!
Eitel leeres Gewäsche. Den Schüler sollte der Meister
155 Etwa nicht züchtigen, wenn er nicht merkt und übel
                        bestehet?
Sollte man nicht die Knaben bestrafen und ginge der
                        Leichtsinn,
Ginge die Unart so hin, wie sollte die Jugend erwachsen?
Nun klagt Wackerlos, wie er ein Würstchen im Winter
                        verloren
Hinter der Hecke; das sollt er nun lieber im stillen
                        verschmerzen;
160 Denn wir hören es ja, sie war gestohlen, zerronnen
Wie gewonnen; und wer kann meinem Oheim verargen,
Daß er gestohlenes Gut dem Diebe genommen? Es sollen
Edle Männer von hoher Geburt sich gehässig den Dieben
Und gefährlich erzeigen. Ja, hätt' er ihn damals gehangen,
165 War es verzeihlich. Doch ließ er ihn los den König zu ehren;
Denn am Leben zu strafen gehört dem König alleine.
Aber wenigen Danks kann sich mein Oheim getrösten,
So gerecht er auch sei und Übeltaten verwehret.
Denn seitdem des Königes Friede verkündiget worden,
170 Hält sich niemand wie er. Er hat sein Leben verändert,
Speiset nur einmal des Tags, lebt wie ein Klausner, kasteit
                        sich,
Trägt ein härenes Kleid auf bloßem Leibe und hat schon

Lange von Wildpret und zahmen Fleische sich gänzlich
                              enthalten,
Wie mir noch gestern einer erzählte, der bei ihm gewesen.
Malepartus, sein Schloß, hat er verlassen, und baut sich   175
Eine Klause zur Wohnung. Wie er so mager geworden,
Bleich von Hunger und Durst und andern strengeren Bußen,
Die er reuig erträgt, das werdet ihr selber erfahren.
Denn was kann es ihm schaden, daß hier ihn jeder verklaget?
Kommt er hieher, so führt er sein Recht aus und macht sie zu
                              Schanden.   180

Als nun Grimbart geendigt, erschien zu großem Erstaunen
Henning, der Hahn, mit seinem Geschlecht. Auf trauriger
                              Bahre,
Ohne Hals und Kopf ward eine Henne getragen,
Kratzefuß war es, die beste der eierlegenden Hennen.
Ach, es floß ihr Blut und Reineke hatt' es vergossen!   185
Jetzo sollt es der König erfahren. Als Henning, der wackre,
Vor dem König erschien, mit höchstbetrübter Gebärde
Kamen mit ihm zwei Hähne, die gleichfalls trauerten,
                              Kreyant
Hieß der eine, kein besserer Hahn war irgend zu finden
Zwischen Holland und Frankreich; der andere durft ihm zur
                              Seite   190
Stehen, *Kantart* genannt, ein stracker kühner Geselle,
Beide trugen ein brennendes Licht; sie waren die Brüder
Der ermordeten Frau. Sie riefen über den Mörder
Ach und Weh! Es trugen die Bahr' zwei jüngere Hähne,
Und man konnte von fern die Jammer-Klage vernehmen.   195
Henning sprach: wir klagen den unersetzlichen Schaden,
Gnädigster Herr und König! Erbarmt euch, wie ich verletzt
                              bin,
Meine Kinder und ich. Hier seht ihr Reinekens Werke!
Als der Winter vorbei war und Laub und Blumen und Blüten
Uns zur Fröhlichkeit riefen, erfreut ich mich meines
                              Geschlechtes,   200
Das so munter mit mir die schönen Tage verlebte!

Zehen junge Söhne, mit vierzehn Töchtern, sie waren
Voller Lust zu leben, mein Weib, die treffliche Henne,
Hatte sie alle zusammen in Einem Sommer erzogen.
205 Alle waren stark und wohl zufrieden; sie fanden
Ihre tägliche Nahrung an wohl gesicherter Stätte,
Reichen Mönchen gehörte der Hof, uns schirmte die Mauer,
Und sechs große Hunde, die wackern Genossen des Hauses,
Liebten meine Kinder und wachten über ihr Leben.
210 Reineken aber, den Dieb, verdroß es, daß wir in Frieden
Glückliche Tage verlebten und seine Ränke vermieden.
Immer schlich er bei Nacht um die Mauer und lauschte beim
                                    Tore;
Aber die Hunde bemerktens; da mocht er laufen! sie faßten
Wacker ihn endlich einmal und ruckten das Fell ihm
                                    zusammen,
215 Doch er rettete sich und ließ uns ein Weilchen in Ruhe.
Aber nun höret mich an! Es währte nicht lange, so kam er
Als ein Klausner, und brachte mir Brief und Siegel. Ich kannt
                                    es;
Euer Siegel sah ich am Briefe; da fand ich geschrieben:
Daß ihr festen Frieden so Tieren als Vögeln verkündigt.
220 Und er zeigte mir an: er sei ein Klausner geworden,
Habe strenge Gelübde getan, die Sünden zu büßen,
Deren Schuld er leider bekenne. Da habe nun keiner
Mehr vor ihm sich zu fürchten. Er habe heilig gelobt,
Nimmermehr Fleisch zu genießen. Er ließ mich die Kutte
                                    beschauen,
225 Zeigte sein Skapulier. Daneben wies er ein Zeugnis,
Das ihm der Prior gestellt, und, um mich sicher zu machen,
Unter der Kutte ein härenes Kleid. Dann ging er und sagte:
Gott dem Herren seid mir befohlen! ich habe noch vieles
Heute zu tun! ich habe die Sept und die None zu lesen
230 Und die Vesper dazu. Er las im Gehen und dachte
Vieles Böse sich aus, er sann auf unser Verderben.
Ich mit erheitertem Herzen erzählte geschwinde den
                                    Kindern
Eures Briefes fröhliche Botschaft, es freuten sich alle.

Da nun Reineke Klausner geworden, so hatten wir weiter
Keine Sorge, noch Furcht. Ich ging mit ihnen zusammen   235
Vor die Mauer hinaus, wir freuten uns alle der Freiheit.
Aber leider bekam es uns übel. Er lag im Gebüsche
Hinterlistig; da sprang er hervor und verrannt uns die Pforte;
Meiner Söhne schönsten ergriff er und schleppt ihn von
                              dannen,
Und nun war kein Rat, nachdem er sie einmal gekostet;   240
Immer versucht er es wieder; und weder Jäger noch Hunde
Konnten vor seinen Ränken bei Tag und Nacht uns
                              bewahren.
So entriß er mir nun fast alle Kinder, von Zwanzig
Bin ich auf fünfe gebracht, die andern raubt er mir alle.
O, erbarmt euch des bittern Schmerzes! er tötete gestern   245
Meine Tochter, es haben die Hunde den Leichnam gerettet.
Seht, hier liegt sie! Er hat es getan, o! nehmt es zu Herzen!

Und der König begann: kommt näher, Grimbart, und sehet,
Also fastet der Klausner, und so beweist er die Buße,
Leb ich noch aber ein Jahr, so soll es ihn wahrlich gereuen!   250
Doch was helfen die Worte! Vernehmet, trauriger Henning:
Eurer Tochter ermangl' es an nichts, was irgend den Toten
Nur zu Rechte geschieht. Ich laß ihr Vigilie singen,
Sie mit großer Ehre zur Erde bestatten; dann wollen
Wir mit diesen Herren des Mordes Strafe bedenken.   255

Da gebot der König, man solle Vigilie singen.
Domino placebo begann die Gemeine, sie sangen
Alle Verse davon. Ich könnte ferner erzählen,
Wer die Lektion gesungen und wer die Responsen,
Aber es währte zu lang', ich laß es lieber bewenden.   260
In ein Grab ward die Leiche gelegt und drüber ein schöner
Marmorstein, poliert wie ein Glas, gehauen im Viereck,
Groß und dick und oben drauf war deutlich zu lesen:
»Kratzefuß, Tochter Henning des Hahns, die beste der
                              Hennen,
Legte viel Eier ins Nest und wußte klüglich zu scharren,   265

Ach, hier liegt sie! durch Reinekens Mord den Ihren
                                                genommen.
Alle Welt soll erfahren, wie bös und falsch er gehandelt,
Und die Tote beklagen.« So lautete, was man geschrieben.

Und es ließ der König darauf die Klügsten berufen,
270 Rat mit ihnen zu halten, wie er den Frevel bestrafte,
Der so klärlich vor ihn und seine Herren gebracht war.
Und sie rieten zuletzt: man habe dem listigen Frevler
Einen Boten zu senden: daß er um Liebes und Leides
Nicht sich entzöge, er solle sich stellen am Hofe des Königs
275 An dem Tage des Herrn, wenn sie zunächst sich versammlen;
Braun, den Bären, ernannte man aber zum Boten. Der König
Sprach zu Braun dem Bären: Ich sag es, euer Gebieter,
Daß ihr mit Fleiß die Botschaft verrichtet! Doch rat ich zur
                                                Vorsicht,
Denn es ist Reineke falsch und boshaft, allerlei Listen
280 Wird er gebrauchen, er wird euch schmeicheln, er wird euch
                                                belügen,
Hintergehen, wie er nur kann. Mit nichten, versetzte
Zuversichtlich der Bär, bleibt ruhig! sollt er sich irgend
Nur vermessen und mir zum Hohne das mindeste wagen,
Seht, ich schwör' es bei Gott, der möge mich strafen, wofern
                                                ich
285 Ihm nicht grimmig vergölte, daß er zu bleiben nicht wüßte.

ZWEITER GESANG

Also wandelte Braun, auf seinem Weg zum Gebirge,
Stolzen Mutes dahin, durch eine Wüste, die groß war,
Lang und sandig und breit und als er sie endlich durchzogen,
Kam er gegen die Berge, wo Reineke pflegte zu jagen,
5 Selbst noch Tages zuvor hatt' er sich dorten erlustigt;
Aber der Bär ging weiter nach Malepartus; da hatte
Reineke schöne Gebäude. Von allen Schlössern und Burgen,
Deren ihm viele gehörten, war Malepartus die beste.

Reineke wohnte daselbst, sobald er Übels besorgte.
Braun erreichte das Schloß und fand die gewöhnliche Pforte   10
Fest verschlossen. Da trat er davor und besann sich ein
                                             wenig;
Endlich rief er und sprach: Herr Oheim, seid ihr zu Hause?
Braun der Bär ist gekommen, des Königs gerichtlicher Bote.
Denn es hat der König geschworen, ihr sollet bei Hofe
Vor Gericht euch stellen, ich soll euch holen, damit ihr   15
Recht zu nehmen und Recht zu geben keinem verweigert,
Oder es soll euch das Leben kosten; denn bleibt ihr dahinten,
Ist mit Galgen und Rad euch gedroht, drum wählet das
                                             Beste,
Kommt und folget mir nach, sonst möcht es euch übel
                                             bekommen.

Reineke hörte genau vom Anfang zum Ende die Rede,   20
Lag und lauerte still und dachte: wenn es gelänge,
Daß ich dem plumpen Compan die stolzen Worte bezahlte?
Laßt uns die Sache bedenken. Er ging in die Tiefe der
                                             Wohnung,
In die Winkel des Schlosses, denn künstlich war es
                                             gebauet.
Löcher fanden sich hier und Höhlen mit vielerlei Gängen,   25
Eng und lang und mancherlei Türen zum öffnen und
                                             schließen,
Wie es Zeit war und Not. Erfuhr er, daß man ihn suchte
Wegen schelmischer Tat, da fand er die beste Beschirmung.
Auch aus Einfalt hatten sich oft in diesen Mäandern
Arme Tiere gefangen, willkommene Beute dem Räuber.   30
Reineke hatte die Worte gehört, doch fürchtet' er klüglich,
Andre möchten noch neben dem Boten im Hinterhalt liegen.
Als er sich aber versichert, der Bär sei einzeln gekommen,
Ging er listig hinaus und sagte: wertester Oheim,
Seid willkommen! verzeiht mir! Ich habe Vesper gelesen,   35
Darum ließ ich euch warten. Ich dank euch, daß ihr
                                             gekommen,
Denn es nutzt mir gewiß bei Hofe, so darf ich es hoffen.

Seid zu jeglicher Stunde, mein Oheim, willkommen!
        Indessen
Bleibt der Tadel für den, der euch die Reise befohlen,
40 Denn sie ist weit und beschwerlich. O Himmel! wie ihr
            erhitzt seid!
Eure Haare sind naß und euer Odem beklommen.
Hatte der mächtige König sonst keinen Boten zu senden,
Als den edelsten Mann, den er am meisten erhöhet?
Aber so sollt es wohl sein zu meinem Vorteil; ich bitte,
45 Helft mir am Hofe des Königs, wo man mich übel
           verleumdet.
Morgen setz' ich mir vor, trotz meiner mißlichen Lage,
Frei nach Hofe zu gehen, und so gedenk ich noch immer,
Nur für heute bin ich zu schwer, die Reise zu machen.
Leider hab ich zu viel von einer Speise gegessen,
50 Die mir übel bekommt; sie schmerzt mich gewaltig im Leibe.
Braun versetzte darauf: was war es, Oheim? Der andre
Sagte dagegen: was könnt es euch helfen, und wenn ichs
          erzählte.
Kümmerlich frist' ich mein Leben; ich leid es aber geduldig,
Ist ein armer Mann doch kein Graf! und findet zuweilen
55 Sich für uns und die unsern nicht besseres; müssen wir
          freilich
Honigscheiben verzehren, die sind wohl immer zu haben.
Doch ich esse sie nur aus Not; nun bin ich geschwollen.
Wider Willen schluckt ich das Zeug, wie sollt es gedeihen?
Kann ich es immer vermeiden, so bleibt mir's ferne vom
          Gaumen.

60 Ei! was hab' ich gehört! versetzte der Braune, Herr Oheim!
Ei! verschmähet ihr so den Honig, den mancher begehret?
Honig, muß ich euch sagen, geht über alle Gerichte,
Wenigstens mir! o schafft mir davon, es soll euch nicht reuen!
Dienen werd' ich euch wieder. – Ihr spottet, sagte der andre.
65 Nein wahrhaftig! verschwur sich der Bär, es ist ernstlich
          gesprochen.
Ist dem also, versetzte der Rote: da kann ich euch dienen,

Denn der Bauer Rüsteviel wohnt am Fuße des Berges.
Honig hat er! Gewiß mit allem eurem Geschlechte
Saht ihr niemal so viel beisammen. Da lüstet es Braunen
Übermäßig nach dieser geliebten Speise: O führt mich,   70
Rief er: eilig dahin, Herr Oheim, ich will es gedenken.
Schafft mir Honig und wenn ich auch nicht gesättiget werde.
Gehen wir, sagte der Fuchs: es soll an Honig nicht fehlen,
Heute bin ich zwar schlecht zu Fuße; doch soll mir die Liebe,
Die ich euch lange gewidmet, die sauren Tritte versüßen.   75
Denn ich kenne niemand von allen meinen Verwandten,
Den ich verehrte wie euch! doch kommt! Ihr werdet dagegen
An des Königes Hof am Herren-Tage mir dienen,
Daß ich der Feinde Gewalt und ihre Klagen beschäme.
Honigsatt mach ich euch heute, so viel ihr immer nur tragen   80
Möget. – Es meinte der Schalk die Schläge der zornigen
                                        Bauern.

Reineke lief ihm zuvor und blindlings folgte der Braune.
Will mirs gelingen, so dachte der Fuchs: ich bringe dich heute
Noch zu Markte, wo dir ein bittrer Honig zu teil wird.
Und sie kamen zu Rüsteviels Hofe; das freute den Bären.   85
Aber vergebens, wie Toren sich oft mit Hoffnung betrügen.

Abend war es geworden und Reineke wußte: gewöhnlich
Liege Rüsteviel nun in seiner Kammer zu Bette,
Der ein Zimmermann war, ein tüchtiger Meister. Im Hofe
Lag ein eichener Stamm; er hatte diesen zu trennen,   90
Schon zwei tüchtige Keile hineingetrieben, und oben
Klaffte gespalten der Baum fast ellenweit, Reineke merkt' es,
Und er sagte: mein Oheim, in diesem Baume befindet
Sich des Honiges mehr, als ihr vermutet, nun stecket
Eure Schnauze hinein, so tief ihr möget. Nur rat ich,   95
Nehmt nicht gierig zu viel, es möcht euch übel bekommen.
Meint ihr, sagte der Bär: ich sei ein Vielfraß? mit nichten!
Maß ist überall gut, bei allen Dingen, und also
Ließ der Bär sich betören und steckte den Kopf in die Spalte
Bis an die Ohren hinein und auch die vordersten Füße.   100

Reineke machte sich dran, mit vielem Ziehen und Zerren
Bracht er die Keile heraus; nun war der Braune gefangen,
Haupt und Füße geklemmt; es half kein Schelten noch
            Schmeicheln.
Vollauf hatte der Braune zu tun, so stark er und kühn war,
105 Und so hielt der Neffe mit List den Oheim gefangen.
Heulend plärrte der Bär, und mit den hintersten Füßen
Scharrt' er grimmig und lärmte so sehr, daß Rüsteviel
            aufsprang.
Was es wäre? Dachte der Meister, und brachte sein Beil mit,
Daß man bewaffnet ihn fände, wenn jemand zu schaden
            gedächte.

110 Braun befand sich indes in großen Ängsten; die Spalte
Klemmt ihn gewaltig, er zog und zerrte brüllend vor
            Schmerzen.
Aber mit aller der Pein war nichts gewonnen; er glaubte
Nimmer von dannen zu kommen; so meint' auch Reineke
            freudig.
Als er Rüsteviel sah von ferne schreiten, da rief er:
115 Braun, wie steht es? Mäßiget euch und schonet das Honig!
Sagt, wie schmeckt es? Rüsteviel kommt und will euch
            bewirten,
Nach der Mahlzeit bringt er ein Schlückchen, es mag euch
            bekommen!
Da ging Reineke wieder nach Malepartus, der Veste.
Aber Rüsteviel kam und als er den Bären erblickte,
120 Lief er, die Bauern zu rufen, die noch in der Schenke
            beisammen
Schmauseten. Kommt, so rief er: in meinem Hofe gefangen
Hat sich ein Bär, ich sage die Wahrheit. Sie folgten und liefen,
Jeder bewehrte sich eilig so gut er konnte. Der Eine
Nahm die Gabel zur Hand, und seinen Rechen der andre,
125 Und der Dritte, der Vierte mit Spieß und Hacke bewaffnet
Kamen gesprungen, der fünfte mit einem Pfahle gerüstet.
Ja der Pfarrer und Küster, sie kamen mit ihrem Geräte.
Auch die Köchin des Pfaffen, sie hieß Frau Jutte, sie konnte

Grütze bereiten und kochen wie keine, blieb nicht dahinten,
Kam mit dem Rocken gelaufen, bei dem sie am Tage   130
        gesessen,
Dem unglücklichen Bären den Pelz zu waschen. Der Braune
Hörte den wachsenden Lärmen in seinen schrecklichen
        Nöten
Und er riß mit Gewalt das Haupt aus der Spalte; da blieb ihm
Haut und Haar des Gesichts bis zu den Ohren im Baume,
Nein! kein kläglicher Tier hat jemand gesehen! es rieselt   135
Über die Ohren das Blut. Was half ihm das Haupt zu
        befreien?
Denn es bleiben die Pfoten im Baume stecken; da riß er
Hastig sie ruckend heraus; er ras'te sinnlos, die Klauen,
Und von den Füßen das Fell blieb in der klemmenden Spalte.
Leider schmeckte dies nicht nach süßem Honig, wozu ihm   140
Reineke Hoffnung gemacht; die Reise war übel geraten,
Eine sorgliche Fahrt war Braunen geworden. Es blutet
Ihm der Bart und die Füße dazu, er konnte nicht stehen,
Konnte nicht kriechen, noch gehn. Und Rüsteviel eilte zu
        schlagen,
Alle fielen ihn an, die mit dem Meister gekommen;   145
Ihn zu töten war ihr Begehren. Es führte der Pater
Einen langen Stab in der Hand und schlug ihn von ferne.
Kümmerlich wandt' er sich hin und her, es drängt ihn der
        Haufen,
Einige hier mit Spießen, dort andre mit Beilen, es brachte
Hammer und Zange der Schmied, es kamen andre mit
        Schaufeln,   150
Andre mit Spaten, sie schlugen drauf los und riefen und
        schlugen,
Daß er für schmerzlicher Angst in eignem Unflat sich wälzte.
Alle setzten ihm zu, es blieb auch keiner dahinten,
Der krummbeinige Schloppe, mit dem breitnasigen Ludolf,
Waren die schlimmsten, und Gerold bewegte den hölzernen
        Flegel   155
Zwischen den krummen Fingern, ihm stand sein Schwager
        zur Seite,

Kükelrey war es, der Dicke, die beiden schlugen am meisten.
Abel Quack und Frau Jutte dazu, sie ließen's nicht fehlen,
Talke Lorden Quacks traf mit der Butte den Armen.
160 Und nicht diese genannten allein, denn Männer und Weiber,
Alle liefen herzu und wollten das Leben des Bären.
Kückelrey machte das meiste Geschrei, er dünkte sich
                                        vornehm:
Denn Frau Willigetrud, am hinteren Tore (man wußt es)
War die Mutter, bekannt war nie sein Vater geworden.
165 Doch es meinten die Bauern, der Stoppelmäher, der
                                        schwarze
Sander, sagten sie, möcht es wohl sein, ein stolzer Geselle,
Wenn er allein war. Es kamen auch Steine gewaltig geflogen,
Die den verzweifelten Braunen von allen Seiten bedrängten.
Nun sprang Rüsteviels Bruder hervor und schlug mit dem
                                        langen,
170 Dicken Knüttel dem Bären aufs Haupt, daß Hören und
                                        Sehen
Ihm verging; doch fuhr er empor vom mächtigen Schlage.
Rasend fuhr er unter die Weiber, die unter einander
Taumelten, fielen und schrien und einige stürzten ins Wasser.
Und das Wasser war tief. Da rief der Pater und sagte:
175 Sehet, da unten schwimmet Frau Jutte, die Köchin, im Pelze,
Und der Rocken ist hier, o! helft ihr Männer! Ich gebe
Bier zwei Tonnen zum Lohn und großen Ablaß und Gnade.
Alle ließen für tot den Bären liegen und eilten
Nach den Weibern ans Wasser, man zog aufs Trockne die
                                        Fünfe.
180 Da indessen die Männer am Ufer beschäftiget waren,
Kroch der Bär ins Wasser vor großem Elend und brummte
Vor entsetzlichem Weh. Er wollte sich lieber ersäufen,
Als die Schläge so schändlich erdulden. Er hatte zu
                                        schwimmen
Nie versucht und hoffte sogleich das Leben zu enden.
185 Wider Vermuten fühlt er sich schwimmen, und glücklich
                                        getragen
Ward er vom Wasser hinab, es sahen ihn alle die Bauern,

Riefen: das wird uns gewiß zur ewigen Schande gereichen!
Und sie waren verdrießlich, und schalten über die Weiber:
Besser blieben sie doch zu Hause; da seht nun, er schwimmet
Seiner Wege. Sie traten herzu, den Block zu besehen,   190
Und sie fanden darin noch Haut und Haare vom Kopfe,
Und von den Füßen und lachten darob und riefen: du
                                    kommst uns
Sicher wieder, behalten wir doch die Ohren zum Pfande.
So verhöhnten sie ihn noch über den Schaden; doch war er
Froh, daß er nur dem Übel entging. Er fluchte den Bauern,   195
Die ihn geschlagen, und klagte den Schmerz der Ohren und
                                    Füße;
Fluchte Reineken, der ihn verraten. Mit solchen Gebeten,
Schwamm er weiter, es trieb ihn der Strom, der reißend und
                                    groß war,
Binnen weniger Zeit fast eine Meile hinunter,
Und da kroch er ans Land am selbigen Ufer und keichte.   200
Kein bedrängteres Tier hat je die Sonne gesehen!
Und er dachte den Morgen nicht zu erleben, er glaubte
Plötzlich zu sterben und rief: o Reineke, falscher Verräter!
Loses Geschöpf! er dachte dabei der schlagenden Bauern,
Und er dachte des Baums und fluchte Reinekens Listen.   205

Aber Reineke Fuchs, nachdem er mit gutem Bedachte
Seinen Oheim zu Markte geführt, ihm Honig zu schaffen,
Lief er nach Hühnern, er wußte den Ort, und schnappte sich
                                    eines,
Lief und schleppte die Beute behend am Flusse hinunter.
Dann verzehrt er sie gleich und eilte nach andern Geschäften   210
Immer am Flusse dahin und trank des Wassers und dachte:
O wie bin ich froh, daß ich den tölpischen Bären
So zu Hofe gebracht! Ich wette, Rüsteviel hat ihm
Wohl das Beil zu kosten gegeben. Es zeigte der Bär sich
Stets mir feindlich gesinnt, ich hab' es ihm wieder vergolten. 215
Oheim hab ich ihn immer genannt, nun ist er am Baume
Tot geblieben, des will ich mich freun, so lang ich nur lebe.
Klagen und schaden wird er nicht mehr! – Und wie er so
                                    wandelt,

Schaut er am Ufer hinab und sieht den Bären sich wälzen.
220 Das verdroß ihn im Herzen, daß Braun lebendig
          entkommen.
Rüsteviel, rief er: du lässiger Wicht! du grober Geselle!
Solche Speise verschmähst du! die fett und guten
         Geschmacks ist;
Die manch ehrlicher Mann sich wünscht und die so
         gemächlich
Dir zu Handen gekommen. Doch hat für deine Bewirtung
225 Dir der redliche Braun ein Pfand gelassen! so dacht er
Als er Braunen betrübt, ermattet und blutig erblickte.
Endlich, rief er ihn an: Herr Oheim, find' ich euch wieder?
Habt ihr etwas vergessen bei Rüsteviel? sagt mir, ich laß ihm
Wissen, wo ihr geblieben. Doch soll ich sagen, ich glaube,
230 Vieles Honig habt ihr gewiß dem Manne gestohlen,
Oder habt ihr ihn redlich bezahlt? wie ist es geschehen,
Ei! wie seid ihr gemalt? das ist ein schmähliges Wesen!
War der Honig nicht guten Geschmacks? zu selbigem Preise
Steht noch manches zu Kauf! Doch Oheim, saget mir eilig,
Welchem Orden habt ihr euch wohl so kürzlich gewidmet,
235 Daß ihr ein rotes Baret auf eurem Haupte zu tragen
Anfangt? Seid ihr ein Abt? Es hat der Bader gewißlich,
Der die Platte euch schor, nach euren Ohren geschnappet,
Ihr verloret den Schopf, wie ich sehe, das Fell von den
         Wangen
240 Und die Handschuh dabei. Wo habt ihr sie hängen gelassen?
Und so mußte der Braune die vielen spöttischen Worte
Hinter einander vernehmen und konnte vor Schmerzen
         nicht reden,
Sich nicht raten, noch helfen. Und um nicht weiter zu hören,
Kroch er ins Wasser zurück und trieb mit dem reißenden
         Strome
245 Nieder und landete drauf am flachen Ufer. Da lag er
Krank und elend, und jammerte laut und sprach zu sich
         selber:
Schlüge nur einer mich tot! Ich kann nicht gehen und sollte
Nach des Königes Hof die Reise vollenden, und bleibe

So geschändet zurück von Reinekens bösem Verrate.
Bring' ich mein Leben davon, gewiß dich soll es gereuen!   ₂₅₀
Doch er raffte sich auf und schleppte mit gräßlichen
                            Schmerzen
Durch vier Tage sich fort und endlich kam er zu Hofe.
Als der König den Bären in seinem Elend erblickte,
Rief er: Gnädiger Gott! erkenn ich Braunen? Wie kommt er
So geschändet? Und Braun versetzte: leider erbärmlich   ₂₅₅
Ist das Ungemach, das ihr erblickt; so hat mich der Frevler
Reineke schändlich verraten! Da sprach der König entrüstet:
Rächen will ich gewiß ohn' alle Gnade den Frevel.
Solch einen Herrn wie Braun, den sollte Reineke schänden?
Ja bei meiner Ehre, bei meiner Krone, das schwör ich,   ₂₆₀
Alles soll Reineke büßen, was Braun zu Rechte begehret.
Halt ich mein Wort nicht, so trag' ich kein Schwert mehr, ich
                            will es geloben!

Und der König gebot, es solle der Rat sich versammeln,
Überlegen und gleich der Frevel Strafe bestimmen.
Alle rieten darauf, wofern es dem König beliebte,   ₂₆₅
Solle man Reineken abermals fordern, er solle sich stellen,
Gegen Anspruch und Klage sein Recht zu wahren. Es könne
Hinze der Kater sogleich die Botschaft Reineken bringen,
Weil er klug und gewandt sei. So rieten sie alle zusammen.

Und es vereinigte sich der König mit seinen Genossen,   ₂₇₀
Sprach zu Hinzen: merket mir recht die Meinung der Herren!
Ließ er sich aber zum drittenmal fordern, so soll es ihm selbst
                           und
Seinem ganzen Geschlechte zum ewigen Schaden gereichen,
Ist er klug, so komm er in Zeiten. Ihr schärft ihm die Lehre;
Andre verachtet er nur, doch eurem Rate gehorcht er.   ₂₇₅

Aber Hinze versetzte: zum Schaden oder zum Frommen
Mag es gereichen, komm ich zu ihm, wie soll ichs beginnen?
Meinetwegen tut oder laßt es, aber ich dächte,
Jeden andern zu schicken ist besser, da ich so klein bin.

280 Braun der Bär ist so groß und stark, und konnt ihn nicht
                                                    zwingen,
Welcher Weise soll ich es enden? O! habt mich entschuldigt.

Du beredest mich nicht, versetzte der König, man findet
Manchen kleinen Mann voll List und Weisheit, die manchem
Großen fremd ist. Seid ihr auch gleich kein Riese gewachsen,
285 Seid ihr doch gelehrt und weise. Da sagte der Kater,
Euer Wille geschehe! und kann ich ein Zeichen erblicken
Rechter Hand am Wege, so wird die Reise gelingen.

DRITTER GESANG

Nun war Hinze der Kater ein Stückchen Weges gegangen,
Einen Martins-Vogel erblickt er von weiten, da rief er:
Edler Vogel! Glück auf! o wende die Flügel und fliege
Her zu meiner Rechten! Es flog der Vogel und setzte
5 Sich zur Linken des Katers auf einem Baume zu singen.
Hinze betrübte sich sehr, er glaubte sein Unglück zu hören,
Doch er machte nun selber sich Mut, wie mehrere pflegen.
Immer wandert er fort nach Malepartus, da fand er
Vor dem Hause Reineken sitzen, er grüßt ihn und sagte:
10 Gott, der reiche, der gute bescher euch glücklichen Abend!
Euer Leben bedrohet der König, wofern ihr euch weigert,
Mit nach Hofe zu kommen; und ferner läßt er euch sagen:
Stehet den Klägern zu Recht; sonst werdens die Eurigen
                                                    büßen.
Reineke sprach: willkommen dahier, geliebtester Neffe,
15 Möget ihr Segen von Gott nach meinem Wunsche genießen.
Aber er dachte nicht so in seinem verrätrischen Herzen,
Neue Tücke sann er sich aus, er wollte den Boten
Wieder geschändet nach Hofe senden. Er nannte den Kater
Immer seinen Neffen, und sagte: Neffe, was setzt man
20 Euch für Speise nur vor? Man schläft gesättigt besser;
Einmal bin ich der Wirt, wir gingen dann morgen am Tage
Beide nach Hofe: so dünkt es mich gut. Von meinen
                                                    Verwandten

Ist mir keiner bekannt, auf den ich mich lieber verließe.
Denn der gefräßige Bär war trotzig zu mir gekommen.
Er ist grimmig und stark, daß ich um vieles nicht hätte   25
Ihm zur Seite die Reise gewagt. Nun aber versteht sich's,
Gerne geh ich mit euch. Wir machen uns frühe des Morgens
Auf den Weg; so scheinet es mir das Beste geraten.
Hinze versetzte darauf: es wäre besser, wir machten
Gleich uns fort nach Hofe, so wie wir gehen und stehen.   30
Auf der Heide scheinet der Mond, die Wege sind trocken.
Reineke sprach: ich finde bei Nacht das Reisen gefährlich.
Mancher grüßet uns freundlich bei Tage, doch käm' er im
                                        Finstern
Uns in den Weg, es möchte wohl kaum zum Besten geraten.
Aber Hinze versetzte: so laßt mich wissen, mein Neffe,   35
Bleib' ich hier, was sollen wir essen? Und Reineke sagte:
Ärmlich behelfen wir uns, doch wenn ihr bleibet, so bring'
                                        ich
Frische Honigscheiben hervor, ich wähle die klärsten.
Niemals eß ich dergleichen, versetzte murrend der Kater,
Fehlet euch alles im Hause, so gebt eine Maus her! mit dieser   40
Bin ich am besten versorgt, und sparet das Honig für andre.
Eßt ihr Mäuse so gern? sprach Reineke: redet mir ernstlich.
Damit kann ich euch dienen. Es hat mein Nachbar der Pfaffe,
Eine Scheun' im Hofe, darin sind Mäuse, man führe
Sie auf keinem Wagen hinweg; ich höre den Pfaffen   45
Klagen, daß sie bei Nacht und Tag ihm lästiger werden.
Unbedächtig sagte der Kater: tut mir die Liebe,
Bringet mich hin zu den Mäusen, denn über Wildpret und
                                        alles
Lob' ich mir die Mäuse, die schmecken am besten. Und
                                        Reineke sagte:
Nun wahrhaftig, ihr sollt mir ein herrliches Gastmahl
                                        genießen.   50
Da mir bekannt ist, womit ich euch diene, so laßt uns nicht
                                        zaudern.

Hinze glaubt' ihm und folgte; sie kamen zur Scheune des
                                        Pfaffen,

Zu der lehmernen Wand. Die hatte Reineke gestern
Klug durchgraben und hatte durchs Loch dem schlafenden
Pfaffen
55 Seiner Hähne den besten entwendet. Das wollte Martinchen
Rächen, des geistlichen Herren geliebtes Söhnchen; er
knüpfte
Klug vor die Öffnung den Strick mit einer Schlinge; so hofft'
er
Seinen Hahn zu rächen am wiederkehrenden Diebe.
Reineke wußt und merkte sich das und sagte: geliebter
60 Neffe, kriechet hinein gerade zur Öffnung, ich halte
Wache davor, indessen ihr mauset, ihr werdet zu Haufen
Sie im Dunkeln erhaschen, o! höret, wie munter sie pfeifen.
Seid ihr satt, so kommt nur zurück, ihr findet mich wieder.
Trennen dürfen wir nicht uns diesen Abend, denn Morgen
65 Gehen wir früh und kürzen den Weg mit muntern
Gesprächen.
Glaubt ihr, sagte der Kater, es sei hier sicher zu kriechen?
Denn es haben mitunter die Pfaffen auch Böses im Sinne.
Da versetzte der Fuchs, der Schelm: wer konnte das wissen!
Seid ihr so blöde? Wir gehen zurück, es soll euch mein
Weibchen
70 Gut und mit Ehren empfangen, ein schmackhaft Essen
bereiten,
Wenn es auch Mäuse nicht sind, so laßt es uns fröhlich
verzehren.
Aber Hinze, der Kater, sprang in die Öffnung, er schämte
Sich vor Reinekens spottenden Worten und fiel in die
Schlinge.
Also empfanden Reinekens Gäste die böse Bewirtung.
75 Da nun Hinze den Strick an seinem Halse verspürte,
Fuhr er ängstlich zusammen und übereilte sich furchtsam,
Denn er sprang mit Gewalt. Da zog der Strick sich
zusammen.
Kläglich rief er Reineken zu, der außer dem Loche
Horchte, sich hämisch erfreute und so zur Öffnung
hineinsprach:

Hinze, wie schmecken die Mäuse? Ihr findet sie, glaub' ich,
        gemästet.   80
Wüßte Martinchen doch nur, daß ihr sein Wildpret
        verzehret;
Sicher brächt' es euch Senf, es ist ein höflicher Knabe.
Singet man so bei Hofe zum Essen? Es klingt mir
        bedenklich.

Wüßt ich Isegrim nur in diesem Loche, so wie ich
Euch zu Falle gebracht, er sollte mir alles bezahlen, 85
Was er mir übels getan! Und so ging Reineke weiter.
Aber er ging nicht allein um Diebereien zu üben,
Ehbruch, Rauben und Mord und Verrat; er hielt es nicht
        sündlich.

Und er hatte sich eben was ausgesonnen. Die schöne
Gieremund wollt er besuchen in doppelter Absicht. Fürs
        erste   90
Hofft er von ihr zu erfahren, was eigentlich Isegrim klagte,
Zweitens wollte der Schalk die alten Sünden erneuern.
Isegrim war nach Hofe gegangen, das wollt' er benutzen.
Denn wer zweifelt daran, es hatte die Neigung der Wölfin
Zu dem schändlichen Fuchse den Zorn des Wolfes entzündet. 95
Reineke trat in die Wohnung der Frauen und fand sie nicht
        heimisch.

Grüß euch Gott! Stiefkinderchen! sagt' er, nicht mehr und
        nicht minder,
Nickte freundlich den Kleinen und eilte nach seinem
        Gewerbe.
Als Frau Gieremund kam des Morgens, wie es nur tagte,
Sprach sie: »ist niemand kommen nach mir zu fragen?« So
        eben   100
Geht Herr Pate Reineke fort, er wünscht euch zu sprechen.
Alle wie wir hier sind, hat er Stiefkinder geheißen.
Da rief Gieremund aus: er soll es bezahlen! und eilte
Diesen Frevel zu rächen zur selben Stunde. Sie wußte,
Wo er pflegte zu gehn, sie erreicht ihn, zornig begann sie: 105
Was für Worte sind das? und was für schimpfliche Reden
Habt ihr ohne Gewissen vor meinen Kindern gesprochen?

Büßen sollt ihr dafür. So sprach sie zornig und zeigt' ihm
Ein ergrimmtes Gesicht, sie faßt ihn am Barte, da fühlt er
110 Ihrer Zähne Gewalt und lief und wollt ihr entweichen.
Sie behende strich hinter ihm drein. Da gab es Geschichten –
Ein verfallnes Schloß war in der Nähe gelegen,
Beide liefen hastig hinein; es hatte sich aber
Altershalben die Mauer an einem Turme gespalten.
115 Reineke sprang hindurch; allein er mußte sich zwängen:
Denn die Spalte war eng und eilig steckte die Wölfin,
Groß und stark wie sie war, den Kopf in die Spalte, sie
                                              drängte,
Schob und brach und zog, und wollte folgen, und immer
Klemmte sie tiefer sich ein und konnte nicht vorwärts noch
                                              rückwärts.
120 Da das Reineke sah, lief er zur andern Seite
Krummen Weges herein, und kam und macht ihr zu schaffen.
Aber sie ließ es an Worten nicht fehlen, sie schalt ihn: du
                                              handelst
Als ein Schelm! ein Dieb! und Reineke sagte dagegen:
Ist es noch niemals geschehn, so mag es jetzo geschehen.

125 Wenig Ehre verschafft es, sein Weib mit andern zu sparen,
Wie nun Reineke tat. Gleichviel war alles dem Bösen.
Da nun endlich die Wölfin sich aus der Spalte gerettet,
War schon Reineke weg und seine Straße gegangen.
Und so dachte die Frau sich selber Recht zu verschaffen,
130 Ihrer Ehre zu wahren und doppelt war sie verloren.

Lasset uns aber zurück nach Hinzen sehen. Der Arme,
Da er gefangen sich fühlte, beklagte nach Weise der Kater
Sich erbärmlich: das hörte Martinchen und sprang aus dem
                                              Bette.
Gott sei Dank! Ich habe den Strick zur glücklichen Stunde
135 Vor die Öffnung geknüpft; der Dieb ist gefangen! Ich denke
Wohl bezahlen soll er den Hahn! so jauchzte Martinchen,
Zündete hurtig ein Licht an; (im Hause schliefen die Leute)
Weckte Vater und Mutter darauf und alles Gesinde;

Rief: der Fuchs ist gefangen! wir wollen ihm dienen. Sie
                                                    kamen
Alle, groß und klein, ja selbst der Pater erhub sich,   140
Warf ein Mäntelchen um; es lief mit doppelten Lichtern
Seine Köchin voran und eilig hatte Martinchen
Einen Knittel gefaßt und machte sich über den Kater,
Traf ihm Haut und Haupt und schlug ihm grimmig ein Aug'
                                                    aus.
Alle schlugen auf ihn; es kam mit zackiger Gabel   145
Hastig der Pater herbei und glaubte den Räuber zu fällen.
Hinze dachte zu sterben; da sprang er wütend entschlossen
Zwischen die Schenkel des Pfaffen und biß und kratzte
                                                    gefährlich,
Schändete grimmig den Mann und rächte grausam das Auge.
Schreiend stürzte der Pater und fiel ohnmächtig zur Erden.   150
Unbedachtsam schimpfte die Köchin; es habe der Teufel
Ihr zum Possen das Spiel selbst angerichtet. Und doppelt
Dreifach schwur sie: wie gern verlöre sie, wäre das Unglück
Nicht dem Herren begegnet, ihr bißchen Habe zusammen.
Ja sie schwur: ein Schatz von Golde, wenn sie ihn hätte,   155
Sollte sie wahrlich nicht reuen, sie wollt ihn missen. So
                                                    jammert
Sie die Schande des Herrn und seine schwere Verwundung.
Endlich brachten sie ihn mit vielen Klagen zu Bette,
Ließen Hinzen am Strick und hatten seiner vergessen.

Als nun Hinze der Kater in seiner Not sich allein sah,   160
Schmerzlich geschlagen und übel verwundet, so nahe dem
                                                    Tode.
Faßt er aus Liebe zum Leben den Strick und nagt ihn
                                                    behende.
Sollt ich mich etwa erlösen vom großen Übel? so dacht er.
Und es gelang ihm, der Strick zerriß. Wie fand er sich
                                                    glücklich!
Eilte dem Ort zu entfliehn, wo er so vieles erduldet,   165
Hastig sprang er zum Loche heraus und eilte die Straße
Nach des Königes Hof, den er des Morgens erreichte.

Ärgerlich schalt er sich selbst: so mußte dennoch der Teufel
Dich durch Reinekens List des bösen Verräters bezwingen.
170 Kommst du doch mit Schande zurück, am Auge geblendet
Und mit Schlägen schmerzlich beladen, wie mußt du dich
                                                    schämen!

Aber des Königes Zorn entbrannte heftig, er dräute
Dem Verräter den Tod ohn alle Gnade. Da ließ er
Seine Räte versammlen, es kamen seine Baronen,
175 Seine Weisen zu ihm, er fragte: wie man den Frevler
Endlich brächte zu Recht, der schon so vieles verschuldet?
Als nun viele Beschwerden sich über Reineken häuften,
Redete Grimbart der Dachs: Es mögen in diesem Gerichte
Viele Herren auch sein die Reineken Übels gedenken,
180 Doch wird niemand die Rechte des freien Mannes verletzen.
Nun zum drittenmal muß man ihn fordern. Ist dieses
                                                  geschehen,
Kommt er dann nicht, so möge das Recht ihn schuldig
                                                  erkennen.
Da versetzte der König: ich fürchte keiner von allen,
Ginge dem tückischen Mann die dritte Ladung zu bringen.
185 Wer hat ein Auge zu viel, wer mag verwegen genug sein,
Leib und Leben zu wagen, um diesen bösen Verräter,
Seine Gesundheit aufs Spiel zu setzen und dennoch am Ende
Reineken nicht zu stellen? Ich denke niemand versucht es.

Überlaut versetzte der Dachs: Herr König, begehret
190 Ihr es von mir, so will ich sogleich die Botschaft verrichten,
Sei es wie es auch sei. Wollt ihr mich öffentlich senden,
Oder geh ich, als käm ich von selber? Ihr dürft nur befehlen.
Da beschied ihn der König: so geht dann, alle die Klagen
Habt ihr sämtlich gehört, und geht nur weislich zu Werke:
195 Denn es ist ein gefährlicher Mann. Und Grimbart versetzte:
Einmal muß ich es wagen und hoff ihn dennoch zu bringen.
So betrat er den Weg nach Malepartus, der Veste,
Reineken fand er daselbst mit Weib und Kindern und sagte:
Oheim Reineke, seid mir gegrüßt! Ihr seid ein Gelehrter,

Weiser, kluger Mann, wir müssen uns alle verwundern,   200
Wie ihr des Königs Ladung verachtet, ich sage, verspottet.
Deucht euch nicht, es wäre nun Zeit, es mehren sich immer
Klagen und böse Gerüchte von allen Seiten. Ich rat' euch,
Kommt nach Hofe mit mir, es hilft kein längeres Zaudern.
Viele, viele Beschwerden sind vor den König gekommen,   205
Heute werdet ihr nun zum drittenmale geladen,
Stellt ihr euch nicht; so seid ihr verurteilt. Dann führet der
                                        König
Seine Vasallen hierher euch einzuschließen, in dieser
Veste Malepartus euch zu belagern; so gehet
Ihr mit Weib und Kindern und Gut und Leben zu Grunde.   210
Ihr entfliehet dem Könige nicht; drum ist es am besten,
Kommt nach Hofe mit mir! Es wird an listiger Wendung
Euch nicht fehlen, ihr habt sie bereit und werdet euch retten:
Denn ihr habt ja wohl oft, auch an gerichtlichen Tagen,
Abenteuer bestanden, weit größer als dieses, und immer   215
Kamt ihr glücklich davon und eure Gegner in Schande.

Grimbart hatte gesprochen und Reineke sagte dagegen:
Oheim, ihr ratet mir wohl, daß ich zu Hofe mich stelle,
Meines Rechtes selber zu wahren. Ich hoffe, der König
Wird mir Gnade gewähren; er weiß, wie sehr ich ihm nütze;   220
Aber er weiß auch, wie sehr ich deswegen den Andern
                                        verhaßt bin.
Ohne mich kann der Hof nicht bestehn. Und hätt ich noch
                                        zehnmal
Mehr verbrochen, so weiß ich es schon, so bald mir's
                                        gelinget,
Ihm in die Augen zu sehen und ihn zu sprechen, so fühlt er
Seinen Zorn im Busen bezwungen. Denn freilich begleiten   225
Viele den König, und kommen in seinem Rate zu sitzen.
Aber es geht ihm niemal zu Herzen; sie finden zusammen
Weder Rat noch Sinn. Doch bleibet an jeglichem Hofe,
Wo ich immer auch sei, der Ratschluß meinem Verstande.
Denn versammlen sich König und Herren in kützlichen
                                        Sachen,   230

Klugen Rat zu ersinnen, so muß ihn Reineke finden.
Das mißgönnen mir viele. Die hab ich leider zu fürchten,
Denn sie haben den Tod mir geschworen, und grade die
                   schlimmsten
Sind am Hofe versammelt, das macht mich eben bekümmert.
235 Über zehen und mächtige sinds, wie kann ich alleine
Vielen widerstehn? Darum hab ich immer gezaudert.
Gleichwohl find ich es besser mit euch nach Hofe zu wandeln,
Meine Sache zu wahren; das soll mehr Ehre mir bringen,
Als durch Zaudern mein Weib und meine Kinder in Ängsten
240 Und Gefahren zu stürzen; wir wären alle verloren.
Denn der König ist mir zu mächtig, und was es auch wäre,
Müßt ich tun, so bald ers befiehlt. Wir können versuchen,
Gute Verträge vielleicht mit unsern Feinden zu schließen.

Reineke sagte darnach: Frau Ermelyn, nehmet der Kinder,
245 (Ich empfehl es euch) wahr, vor allen andern des jüngsten,
Reinharts; es stehn ihm die Zähne so artig ums Mäulchen, ich
                   hoff', er
Wird der leibhaftige Vater, und hier ist Rossel, das
                   Schelmchen,
Der mir eben so lieb ist. O! tut den Kindern zusammen
Etwas zu gut, indes ich weg bin! Ich will es euch denken,
250 Kehr ich glücklich zurück und ihr gehorchet den Worten.
Also schied er von dannen mit Grimbart seinem Begleiter,
Ließ Frau Ermelyn dort mit beiden Söhnen und eilte,
Unberaten ließ er sein Haus; das schmerzte die Füchsin.

Beide waren noch nicht ein Stündchen Weges gegangen,
255 Als zu Grimbart Reineke sprach: mein teuerster Oheim,
Wertester Freund, ich muß euch gestehn, ich bebe vor
                   Sorgen.
Ich entschlage mich nicht des ängstlichen bangen
                   Gedankens,
Daß ich wirklich dem Tod entgegen gehe. Da seh ich
Meine Sünden vor mir, so viel ich deren begangen.
260 Ach! ihr glaubet mir nicht die Unruh, die ich empfinde.

Laßt mich beichten! höret mich an! kein anderer Pater
Ist in der Nähe zu finden, und hab ich alles vom Herzen,
Werd' ich nicht schlimmer darum vor meinem Könige
           stehen.
Grimbart sagte: verredet zuerst das Rauben und Stehlen,
Allen bösen Verrat und andre gewöhnliche Tücken,   265
Sonst kann euch die Beichte nicht helfen. Ich weiß es,
           versetzte
Reineke, darum laßt mich beginnen und höret bedächtig.
Confiteor tibi Pater et Mater, daß ich der Otter,
Daß ich dem Kater und manchen gar manche Tücke
           versetzte,
Ich bekenn es und lasse mir gern die Buße gefallen.   270
Redet deutsch, versetzte der Dachs: damit ichs verstehe.
Reineke sagte: ich habe mich freilich, wie sollt ich es leugnen,
Gegen alle Tiere, die jetzo leben, versündigt.
Meinen Oheim den Bären, den hielt ich im Baume gefangen,
Blutig ward ihm sein Haupt und viele Prügel ertrug er;   275
Hinzen führt ich nach Mäusen; allein am Stricke gehalten
Mußt er vieles erdulden, und hat sein Auge verloren.
Und so klaget auch Henning mit Recht, ich raubt' ihm die
           Kinder
Groß' und kleine, wie ich sie fand, und ließ sie mir
           schmecken.
Selbst verschont ich des Königes nicht, und mancherlei
           Tücken   280
Übt ich kühnlich an ihm und an der Königin selber,
Spät verwindet sie's nur. Und weiter muß ich bekennen:
Isegrim hab ich, den Wolf, mit allem Fleiße geschändet.
Alles zu sagen, fänd' ich nicht Zeit. So hab' ich ihn immer
Scherzend Oheim genannt, und wir sind keine Verwandte.   285
Einmal, es werden nun bald sechs Jahre, kam er nach Elkmar
Zu mir ins Kloster, ich wohnte daselbst, und bat mich um
           Beistand,
Weil er eben ein Mönch zu werden gedächte. Das, meint' er,
Wär ein Handwerk für ihn, und zog die Glocke. Das Läuten
Freut' ihn so sehr! Ich band ihm darauf die vorderen Füße   290

Mit dem Seile zusammen, er war es zufrieden und stand so,
Zog und erlustigte sich, und schien das Läuten zu lernen.
Doch es sollt ihm die Kunst zu schlechter Ehre gedeihen,
Denn er läutete zu wie toll und töricht. Die Leute
295 Liefen eilig bestürzt aus allen Straßen zusammen,
Denn sie glaubten, es sei ein großes Unglück begegnet.
Kamen und fanden ihn da, und eh er sich eben erklärte,
Daß er den geistlichen Stand ergreifen wolle, so war er
Von der dringenden Menge beinah zu Tode geschlagen.
300 Dennoch beharrte der Tor auf seinem Vorsatz und bat mich,
Daß ich ihm sollte mit Ehren zu einer Platte verhelfen;
Und ich ließ ihm das Haar auf seinem Scheitel versengen,
Daß die Schwarte davon zusammen schrumpfte, so hab' ich
Oft ihm Prügel und Stöße mit vieler Schande bereitet.
305 Fische lehrt' ich ihn fangen, sie sind ihm übel bekommen.
Einsmal folgt er mir auch im Jülicher Lande, wir schlichen
Zu der Wohnung des Pfaffen, des reichsten in dortiger
　　　　　　　　　　　　Gegend.
Einen Speicher hatte der Mann mit köstlichen Schinken,
Lange Seiten des zartesten Speckes verwahrt er darneben
310 Und ein frisch gesalzenes Fleisch befand sich im Troge.
Durch die steinerne Mauer gelang es Isegrim endlich,
Eine Spalte zu kratzen, die ihn gemächlich hindurch ließ.
Und ich trieb ihn dazu, es trieb ihn seine Begierde.
Aber da konnt' er sich nicht im Überflusse bezwingen,
315 Übermäßig füllt er sich an, da hemmte gewaltig
Den geschwollenen Leib und seine Rückkehr die Spalte.
Ach, wie klagt er sie an, die Ungetreue, sie ließ ihn,
Hungrig hinein, und wollte dem Satten die Rückkehr
　　　　　　　　　　　　verwehren.
Und ich machte darauf ein großes Lärmen im Dorfe,
320 Daß ich die Menschen erregte, die Spuren des Wolfes zu
　　　　　　　　　　　　finden.
Denn ich lief in die Wohnung des Pfaffen und traf ihn beim
　　　　　　　　　　　　Essen,
Und ein fetter Kapaun ward eben vor ihn getragen,
Wohl gebraten; ich schnappte darnach und trug ihn von
　　　　　　　　　　　　dannen.

Hastig wollte der Pfaffe mir nach und lärmte, da stieß er
Über den Haufen den Tisch mit Speisen und allem Getränke. 325
Schlaget, werfet, fanget und stechet! so rief der ergrimmte
Pater, und fiel und kühlte den Zorn (er hatte die Pfütze
Nicht gesehen) und lag. Und alle kamen und schrien,
Schlagt! ich rannte davon und hinter mir alle zusammen,
Die mir das schlimmste gedachten. Am meisten lärmte der
Pfaffe: 330
Welch ein verwegener Dieb! Er nahm das Huhn mir vom
Tische!
Und so lief ich voraus, bis zu dem Speicher, da ließ ich
Wider Willen das Huhn zur Erde fallen, es ward mir
Endlich leider zu schwer, und so verlor mich die Menge.
Aber sie fanden das Huhn und da der Pater es aufhub, 335
Ward er des Wolfes im Speicher gewahr, es sah ihn der
Haufen.
Allen rief der Pater nun zu: hierher nur! und trefft ihn.
Uns ist ein anderer Dieb, ein Wolf in die Hände gefallen,
Käm er davon, wir wären beschimpft, es lachte wahrhaftig
Alles auf unsere Kosten im ganzen Jülicher Lande. 340
Was er nur konnte, dachte der Wolf. Da regnet es Schläge
Hierher und dorther ihm über den Leib und schmerzliche
Wunden.
Alle schrien so laut sie konnten; die übrigen Bauern
Liefen zusammen und streckten für tot ihn zur Erde
darnieder.
Größeres Weh geschah ihm noch nie, so lang er auch lebte. 345
Malt es jemand auf Leinwand, es wäre seltsam zu sehen,
Wie er dem Pfaffen den Speck und seine Schinken bezahlte.
Auf die Straße warfen sie ihn und schleppten ihn eilig
Über Stock und Stein; es war kein Leben zu spüren.
Und er hatte sich unrein gemacht, da warf man mit Abscheu 350
Vor das Dorf ihn hinaus, er lag in schlammiger Grube,
Denn sie glaubten ihn tot. In solcher schmählichen
Ohnmacht
Blieb er, ich weiß nicht wie lange, bevor er sein Elend gewahr
ward.

Wie er noch endlich entkommen, das hab ich niemals
erfahren.

355 Und doch schwur er hernach, es kann ein Jahr sein, mir
immer

Treu und gewärtig zu bleiben, nur hat es nicht lange
gedauert.

Denn warum er mir schwur, das konnt ich leichtlich
begreifen.

Gerne hätt' er einmal sich satt an Hühnern gegessen.

Und damit ich ihn tüchtig betröge, beschrieb ich ihm
ernstlich

360 Einen Balken, auf dem sich ein Hahn des Abends
gewöhnlich

Neben sieben Hühnern zu setzen pflegte. Da führt ich
Ihn im stillen bei Nacht, es hatte zwölfe geschlagen.

Und der Laden des Fensters mit leichter Latte gestützet,
Stand (ich wußt es) noch offen, ich tat als wollt ich hinein
gehn.

365 Aber ich schmiegte mich an und ließ dem Oheim den
Vortritt.

Gehet frei nur hinein, so sagt ich, wollt ihr gewinnen,
Seid geschäftig, es gilt! ihr findet gemästete Hennen.

Gar bedächtig kroch er hinein und tastete leise
Hier und dahin, und sagte zuletzt mit zornigen Worten:

370 O wie führt ihr mich schlecht, ich finde wahrlich von
Hühnern

Keine Feder. Ich sprach: die vorne pflegten zu sitzen
Hab' ich selber geholt, die andern sitzen dahinten.

Geht nur unverdrossen voran und tretet behutsam.
Freilich der Balken war schmal, auf dem wir gingen. Ich ließ
ihn

375 Immer voraus und hielt mich zurück und drückte mich
rückwärts

Wieder zum Fenster hinaus und zog am Holze, der Laden
Schlug und klappte, das fuhr dem Wolf in die Glieder und
schreckt' ihn,

Zitternd plumpt er hinab vom schmalen Balken zur Erde.

Und erschrocken erwachten die Leute, sie schliefen am
Feuer.
Sagt, was fiel zum Fenster herein? so riefen sie alle.   380
Rafften behende sich auf, und eilig brannte die Lampe.
In der Ecke fanden sie ihn und schlugen und gerbten
Ihm gewaltig das Fell, mich wundert, wie er entkommen.

Weiter bekenn' ich vor euch: daß ich Frau Gieremund
heimlich
Öfters besucht und öffentlich auch, das hätte nun freilich   385
Unterbleiben sollen, o, wär' es niemals geschehen!
Denn so lange sie lebt verwindet sie schwerlich die Schande.

Alles hab' ich euch jetzt gebeichtet, dessen ich irgend
Mich zu erinnern vermag, was meine Seele beschweret.
Sprechet mich los! ich bitte darum, ich werde mit Demut   390
Jede Buße vollbringen, die schwerste, die ihr mir auflegt.

Grimbart wußte sich schon in solchen Fällen zu nehmen,
Brach ein Reischen am Wege, dann sprach er: Oheim, nun
schlagt euch
Dreimal über den Rücken mit diesem Reischen, und legt es,
Wie ich's euch zeige, zur Erde, und springet dreimal darüber,   395
Dann mit Sanftmut küsset das Reis und zeigt euch gehorsam.
Solche Buße leg' ich euch auf, und spreche von allen
Sünden und allen Strafen euch los und ledig, vergeb' euch
Alles im Namen des Herrn, so viel ihr immer begangen.

Und als Reineke nun die Buße willig vollendet,   400
Sagte Grimbart: lasset an guten Werken, mein Oheim,
Eure Besserung spüren und leset Psalmen, besuchet
Fleißig die Kirchen und fastet an rechten gebotenen Tagen;
Wer euch fraget dem weiset den Weg, und gebet den Armen
Gern, und schwöret mir zu, das böse Leben zu lassen,   405
Alles Rauben und Stehlen, Verrat und böse Verführung,
Und so ist es gewiß, daß ihr zu Gnaden gelanget.
Reineke sprach: so will ich es tun, so sei es geschworen.

Und so war die Beichte vollendet. Da gingen sie weiter
410 Nach des Königes Hof. Der fromme Grimbart und jener,
Kamen durch schwärzliche fette Gebreite, sie sahen ein
                    Kloster
Rechter Hand des Weges, es dienten geistliche Frauen,
Spat und früh, dem Herren daselbst, und nährten im Hofe
Viele Hühner und Hähne, mit manchem schönen Kapaunen,
415 Welche nach Futter zuweilen sich außer der Mauer
                    zerstreuten.
Reineke pflegte sie oft zu besuchen: Da sagt' er zu Grimbart:
Unser kürzester Weg geht an der Mauer vorüber;
Aber er meinte die Hühner, wie sie im Freien spazierten.
Seinen Beichtiger führt er dahin, sie nahten den Hühnern,
420 Da verdrehte der Schalk die gierigen Augen im Kopfe.
Ja vor allen gefiel ihm ein Hahn, der jung und gemästet
Hinter den andern spazierte, den faßt er treulich ins Auge,
Hastig sprang er hinter ihm drein; es stoben die Federn.

Aber Grimbart entrüstet verwies ihm den schändlichen
                    Rückfall.
425 Handelt ihr so? unseliger Oheim, und wollt ihr schon wieder
Um ein Huhn in Sünde geraten, nachdem ihr gebeichtet?
Schöne Reue heiß ich mir das! Und Reineke sagte:
Hab ich es doch in Gedanken getan! O teuerster Oheim,
Bittet zu Gott, er möge die Sünde mir gnädig vergeben.
430 Nimmer tu ich es wieder und lass' es gerne. Sie kamen
Um das Kloster herum in ihre Straße, sie mußten
Über ein schmales Brückchen hinüber und Reineke blickte
Wieder nach den Hühnern zurück; er zwang sich vergebens.
Hätte jemand das Haupt ihm abgeschlagen, es wäre
435 Nach den Hühnern geflogen, so heftig war die Begierde.

Grimbart sah es und rief: wo laßt ihr, Neffe, die Augen
Wieder spazieren? Fürwahr ihr seid ein häßlicher Vielfraß.
Reineke sagte darauf: das macht ihr übel, Herr Oheim,
Übereilt euch nicht und stört nicht meine Gebete;
440 Laßt ein Paternoster mich sprechen. Die Seelen der Hühner

Und der Gänse bedürfen es wohl, so viel ich den Nonnen,
Diesen heiligen Frauen, durch meine Klugheit entrissen.
Grimbart schwieg, und Reineke Fuchs verwandte das Haupt
nicht
Von den Hühnern so lang' er sie sah. Doch endlich gelangten
Sie zur rechten Straße zurück und nahten dem Hofe.   445
Und als Reineke nun die Burg des Königs erblickte,
Ward er innig betrübt, denn heftig war er beschuldigt.

VIERTER GESANG

Als man bei Hofe vernahm, es komme Reineke wirklich,
Drängte sich jeder heraus ihn zu sehn, die Großen und
Kleinen,
Wenige freundlich gesinnt, fast alle hatten zu klagen.
Aber Reineke deuchte, das sei von keiner Bedeutung;
Wenigstens stellt er sich so, da er mit Grimbart dem Dachse   5
Jetzo dreist und zierlich die hohe Straße daher ging,
Mutig kam er heran und gelassen, als wär er des Königs
Eigener Sohn und frei und ledig von allen Gebrechen.
Ja so trat er vor Nobel den König, und stand im Palaste
Mitten unter den Herren; er wußte sich ruhig zu stellen.   10
Edler König, gnädiger Herr, begann er zu sprechen,
Edel seid ihr und groß, von Ehren und Würden der Erste,
Darum bitt' ich von Euch mich heute rechtlich zu hören.
Keinen treuern Diener hat eure fürstliche Gnade
Je gefunden als mich, das darf ich kühnlich behaupten.   15
Viele weiß ich am Hofe, die mich darüber verfolgen.
Eure Freundschaft würd' ich verlieren, woferne die Lügen
Meiner Feinde, wie sie es wünschen, euch glaublich
erschienen.
Aber glücklicherweise bedenkt ihr jeglichen Vortrag,
Hört den Beklagten so gut als den Kläger, und haben sie   20
vieles
Mir im Rücken gelogen; so bleib' ich ruhig und denke:
Meine Treue kennt ihr genug, sie bringt mir Verfolgung.

Schweiget, versetzte der König, es hilft kein Schwätzen und
                                        Schmeicheln,
Euer Frevel ist laut und euch erwartet die Strafe.
25 Habt ihr den Frieden gehalten, den ich den Tieren geboten?
Den ich geschworen? Da steht der Hahn! ihr habt ihm die
                                        Kinder,
Falscher, leidiger Dieb! eins nach dem andern entrissen.
Und wie lieb ihr mich habt, das wollt ihr, glaub ich,
                                        beweisen,
Wenn ihr mein Ansehn schmäht und meine Diener
                                        beschädigt.
30 Seine Gesundheit verlor der arme Hinze! Wie langsam
Wird der verwundete Braun von seinen Schmerzen genesen!
Aber ich schelt' euch nicht weiter. Denn hier sind Kläger
                                        die Menge.
Viele bewiesene Taten. Ihr möchtet schwerlich entkommen.

Bin ich, gnädiger Herr, deswegen strafbar, versetzte
35 Reineke, kann ich davor, wenn Braun mit blutiger Platte
Wieder zurückkehrt? Wagt' er sich doch und wollte
                                        vermessen
Rüsteviels Honig verzehren; und kamen die tölpischen
                                        Bauern
Ihm zu Leibe, so ist er ja stark und mächtig an Gliedern,
Schlugen und schimpften sie ihn, eh' er ins Wasser
                                        gekommen,
40 Hätt' er als rüstiger Mann die Schande billig gerochen.
Und wenn Hinze der Kater, den ich mit Ehren empfangen,
Nach Vermögen bewirtet, sich nicht vom Stehlen enthalten,
In der Wohnung des Pfaffen, so sehr ich ihn treulich
                                        verwarnte,
Sich bei Nacht geschlichen und dort was Übels erfahren,
45 Hab' ich Strafe verdient, weil jene töricht gehandelt?
Eurer fürstlichen Krone geschähe das wahrlich zu nahe!
Doch ihr möget mit mir nach eurem Willen verfahren,
Und so klar auch die Sache sich zeigt, beliebig verfügen
Mag es zum Nutzen, mag es zum Schaden auch immer
                                        gereichen.

Soll ich gesotten, gebraten, geblendet oder gehangen   50
Werden, oder geköpft, so mag es eben geschehen!
Alle sind wir in eurer Gewalt, ihr habt uns in Händen.
Mächtig seid ihr und stark, was widerstünde der Schwache?
Wollt ihr mich töten, das würde fürwahr ein geringer
                                        Gewinn sein.
Doch es komme was will; ich stehe redlich zu Rechte.   55

Da begann der Widder Bellyn: die Zeit ist gekommen,
Laßt uns klagen! Und Isegrim kam mit seinen Verwandten,
Hinze, der Kater, und Braun, der Bär, und Tiere zu Scharen.
Auch der Esel Boldewein kam und Lampe der Hase,
Wackerlos kam, das Hündchen, und Ryn, die Dogge, die   60
                                        Ziege
Metke, Hermen der Bock, dazu das Eichhorn, die Wiesel
Und das Hermelin. Auch waren der Ochs und das Pferd nicht
Außen geblieben, darneben ersah man die Tiere der Wildnis,
Als den Hirsch und das Reh, und Bockert den Biber, den
                                        Marder,
Das Kaninchen, den Eber und alle drängten einander.   65
Bartolt der Storch und Markart der Heher, und Lütke der
                                        Kranich
Flogen herüber, es meldeten sich auch Dybbke die Ente,
Alheid die Gans, und andere mehr mit ihren Beschwerden.
Henning der traurige Hahn mit seinen wenigen Kindern
Klagte heftig; es kamen herbei unzählige Vögel   70
Und der Tiere so viel, wer wüßte die Menge zu nennen!
Alle gingen dem Fuchs zu Leibe, sie hofften die Frevel
Nun zur Sprache zu bringen und seine Strafe zu sehen.
Vor den König drängten sie sich mit heftigen Reden,
Häuften Klagen auf Klagen, und alt und neue Geschichten   75
Brachten sie vor. Man hatte noch nie an Einem Gerichtstag
Vor des Königes Thron so viele Beschwerden gehöret.
Reineke stand und wußte darauf gar künstlich zu dienen:
Denn ergriff er das Wort, so floß die zierliche Rede
Seiner Entschuldigung her, als wär es lautere Wahrheit.   80
Alles wußt' er beiseite zu lehnen und alles zu stellen.

Hörte man ihn, man wunderte sich und glaubt ihn
                                    entschuldigt,
Ja er hatte noch übriges Recht und vieles zu klagen.
Aber es standen zuletzt wahrhaftig redliche Männer
85 Gegen Reineken auf, die wider ihn zeugten, und alle
Seine Frevel fanden sich klar. Nun war es geschehen!
Denn im Rate des Königs mit Einer Stimme beschloß man:
Reineke Fuchs sei schuldig des Todes, so soll man ihn fahen,
Soll ihn binden und hängen an seinem Halse, damit er
90 Seine schwere Verbrechen mit schmählichem Tode verbüße.

Jetzt gab Reineke selbst das Spiel verloren; es hatten
Seine klugen Worte nur wenig geholfen. Der König
Sprach das Urteil selber. Es schwebte dem losen Verbrecher,
Als sie ihn fingen und banden, sein klägliches Ende vor
                                    Augen.

95 Wie nun nach Urteil und Recht gebunden Reineke da stand,
Seine Feinde sich regten zum Tod ihn eilend zu führen;
Standen die Freunde betroffen und waren schmerzlich
                                    bekümmert.
Martin der Affe und Grimbart und vielen aus Reinekens
                                    Sippschaft.
Ungern hörten sie an das Urteil und trauerten alle,
100 Mehr als man dächte. Denn Reineke war der ersten Baronen
Einer, und stand nun entsetzt von allen Ehren und Würden,
Und zum schmählichen Tode verdammt. Wie mußte der
                                    Anblick
Seine Verwandten empören. Sie nahmen alle zusammen
Urlaub vom Könige, räumten den Hof, so viele sie waren.

105 Aber dem Könige war es verdrießlich, daß ihn so viele
Ritter verließen. Es zeigte sich nun die Menge Verwandten,
Die sich mit Reinekens Tod sehr unzufrieden entfernten.
Und der König sprach zu einem seiner Vertrauten:
Freilich ist Reineke boshaft, allein man sollte bedenken,
110 Viele seiner Verwandten sind nicht zu entbehren am Hofe.

Aber Isegrim, Braun und Hinze der Kater, sie waren
Um dem gebundnem geschäftig, sie wollten die schändliche
                              Strafe,
Wie es der König gebot, an ihrem Feinde vollziehen,
Führten ihn hastig hinaus und sahen den Galgen von ferne.
Da begann der Kater erbost zum Wolfe zu sprechen: 115
Nun bedenket, Herr Isegrim, wohl, wie Reineke damals
Alles tat und betrieb, wie seinem Hasse gelungen,
Euren Bruder an Galgen zu bringen. Wie zog er so fröhlich
Mit ihm hinaus! versäumt ihm nicht die Schuld zu bezahlen.
Und gedenket Herr Braun: er hat euch schändlich verraten,   120
Euch in Rüsteviels Hofe dem groben zornigen Volke
Männern und Weibern treulos geliefert, und Schlägen und
                              Wunden,
Und der Schande dazu, die aller Orten bekannt ist.
Habet acht und haltet zusammen. Entkäm er uns heute,
Könnte sein Witz ihn befreien und seine listigen Ränke,   125
Niemals würd' uns die Stunde der süßen Rache beschert sein.
Laßt uns eilen und rächen, was er an allen verschuldet.

Isegrim sprach: was helfen die Worte? geschwinde verschafft
                              mir
Einen tüchtigen Strick, wir wollen die Qual ihm verkürzen.
Also sprachen sie wider den Fuchs und zogen die Straße.   130

Aber Reineke hörte sie schweigend; doch endlich begann er:
Da ihr so grausam mich haßt und tödliche Rache begehret,
Wisset ihr doch kein Ende zu finden! Wie muß ich mich
                              wundern!
Hinze wüßte wohl Rat zu einem tüchtigen Stricke,
Denn er hat ihn geprüft, als in des Pfaffen Behausung   135
Er sich nach Mäusen hinabließ und nicht mit Ehren davon
                              kam.
Aber Isegrim, ihr und Braun, ihr eilt ja gewaltig
Euren Oheim zum Tode zu bringen; ihr meint, es gelänge.

Und der König erhob sich mit allen Herren des Hofes,
140 Um das Urteil vollstrecken zu sehen; es schloß an den Zug
sich
Auch die Königin an, von ihren Frauen begleitet;
Hinter ihnen strömte die Menge der Armen und Reichen,
Alle wünschten Reinekens Tod und wollten ihn sehen.
Isegrim sprach indes mit seinen Verwandten und Freunden
145 Und ermahnte sie, ja fest an einander geschlossen,
Auf den gebundenen Fuchs ein wachsam Auge zu haben;
Denn sie fürchteten immer, es möchte der Kluge sich retten.
Seinem Weibe befahl der Wolf besonders: bei deinem
Leben! siehe mir zu, und hilf den Bösewicht halten.
150 Käm' er los, wir würden es alle gar schmählich empfinden.
Und zu Braunen sagt' er: gedenket, wie er euch höhnte,
Alles könnt ihr ihm nun mit reichlichen Zinsen bezahlen.
Hinze klettert und soll uns den Strick da oben befesten,
Haltet ihn und stehet mir bei, ich rücke die Leiter,
155 Wenig Minuten, so soll's um diesen Schelmen getan sein!
Braun versetzte: stellt nur die Leiter, ich will ihn schon
halten.

Seht doch! sagte Reineke drauf, wie seid ihr geschäftig,
Euren Oheim zum Tode zu bringen! Ihr solltet ihn eher
Schützen und schirmen, und wär er in Not, euch seiner
erbarmen.
160 Gerne bät ich um Gnade, allein was könnt es mir helfen?
Isegrim haßt mich zu sehr, ja seinem Weibe gebeut er
Mich zu halten und mir den Weg zur Flucht zu vertreten.
Dächte sie voriger Zeiten, sie könnte mir wahrlich nicht
schaden.
Aber soll es nun über mich gehn, so wollt' ich, es wäre
165 Bald getan. So kam auch mein Vater in schreckliche Nöten,
Doch am Ende ging es geschwind. Es begleiteten freilich
Nicht so viele den sterbenden Mann. Doch wolltet ihr länger
Mich verschonen; es müßt euch gewiß zur Schande
gereichen.
Hört ihr, sagte der Bär: wie trotzig der Bösewicht redet,
170 Immer, immer hinauf! es ist sein Ende gekommen.

Ängstlich dachte Reineke nun: o möcht' ich in diesen
Großen Nöten geschwind was glücklich neues ersinnen,
Daß der König mir gnädig das Leben schenkte und diese
Grimmigen Feinde, die drei, in Schaden und Schande
                        gerieten,
Laßt uns alles bedenken, und helfe, was helfen kann! denn
                        hier   175
Gilt es den Hals, die Not ist dringend, wie soll ich
                        entkommen?
Alle Übel häuft sich auf mich. Es zürnet der König,
Meine Freunde sind fort und meine Feinde gewaltig,
Selten hab ich was Gutes getan, die Stärke des Königs
Seiner Räte Verstand wahrhaftig wenig geachtet.   180
Vieles hab' ich verschuldet und hoffte dennoch mein
                        Unglück
Wieder zu wenden. Gelänge mirs nur zum Worte zu
                        kommen,
Wahrlich sie hingen mich nicht, ich lasse die Hoffnung nicht
                        fahren.

Und er wandte darauf sich von der Leiter zum Volke,
Rief: ich sehe den Tod vor meinen Augen und werd' ihm   185
Nicht entgehen. Nur bitt' ich euch alle, so viele mich hören,
Um ein weniges nur, bevor ich die Erde verlasse.
Gerne möcht' ich vor euch in aller Wahrheit die Beichte
Noch zum letztenmal öffentlich sprechen und redlich
                        bekennen
Alles Übel das ich getan, damit nicht ein andrer   190
Etwa dieses und jenes, von mir im Stillen begangen,
Unbekannten Verbrechens dereinst bezüchtiget werde;
So verhüt' ich zuletzt noch manches Übel und hoffen
Kann ich, es werde mirs Gott in allen Gnaden gedenken.

Viele jammerte das. Sie sprachen untereinander: 195
Klein ist die Bitte, gering nur die Frist! Sie baten den König,
Und der König vergönnt es. Da wurd' es Reineken wieder
Etwas leichter ums Herz, er hoffte glücklichen Ausgang,

Gleich benutzt' er den Raum, der ihm gegönnt war und
sagte:

200 Spiritus Domini helfe mir nun! Ich sehe nicht einen
Unter der großen Versammlung, den ich nicht irgend
beschädigt.
Erst, ich war noch ein kleiner Kompan, und hatte die Brüste
Kaum zu saugen verlernt, da folgt' ich meinen Begierden
Unter die jungen Lämmer und Ziegen, die neben der Herde
205 Sich im Freien zerstreuten; ich hörte die blökende Stimmen
Gar zu gerne, da lüstete mich nach leckerer Speise.
Lernte hurtig sie kennen. Ein Lämmchen biß ich zu Tode,
Leckte das Blut; es schmeckte mir köstlich, und tötete weiter
Vier der jüngsten Ziegen, und aß sie und übte mich ferner,
210 Sparte keine Vögel, noch Hühner, noch Enten und Gänse,
Wo ich sie fand, und habe gar manches im Sande vergraben,
Was ich geschlachtet und was mir nicht alles zu essen beliebte.

Dann begegnet' es mir; in einem Winter am Rheine
Lernt ich Isegrim kennen, er lauerte hinter den Bäumen.
215 Gleich versichert er mir, ich sei aus seinem Geschlechte,
Ja er wußte mir gar die Grade der Sippschaft am Finger
Vorzurechnen. Ich ließ mirs gefallen; wir schlossen ein
Bündnis,
Und gelobten einander als treue Gesellen zu wandern;
Leider sollt ich dadurch mir manches Übel bereiten.
220 Wir durchstrichen zusammen das Land. Da stahl er das
Große,
Stahl ich das Kleine. Was wir gewonnen, das sollte gemein
sein.
Aber es war nicht gemein, wie billig: er teilte nach Willkür;
Niemals empfing ich die Hälfte. Ja schlimmeres hab' ich
erfahren,
Wenn er ein Kalb sich geraubt, sich einen Widder erbeutet,
225 Wenn ich im Überfluß sitzen ihn fand, er eben die Ziege
Frisch geschlachtet verzehrte, ein Bock ihm unter den
Klauen

Lag und zappelte, grinst er mich an und stellte sich grämlich,
Trieb mich knurrend hinweg, so war mein Teil ihm
                                    geblieben.
Immer ging es mir so, es mochte der Braten so groß sein,
Als er wollte. Ja, wenn es geschah, daß wir in Gesellschaft   230
Einen Ochsen gefangen, wir eine Kuh uns gewonnen,
Gleich erschienen sein Weib und sieben Kinder und warfen
Über die Beute sich her und drängten mich hinter die
                                    Mahlzeit,
Keine Rippe konnt' ich erlangen; sie wäre denn gänzlich
Glatt und trocken genagt, das sollte mir alles gefallen!   235
Aber Gott sei gedankt, ich litt deswegen nicht Hunger,
Heimlich nährt ich mich wohl von meinem herrlichen
                                    Schatze,
Von dem Silber und Golde, das ich an sicherer Stätte
Heimlich verwahre; des hab ich genug. Es schafft mir
                                    wahrhaftig
Ihn kein Wagen hinweg und wenn er siebenmal führe.   240

Und es horchte der König, da von dem Schatze gesagt ward,
Neigte sich vor und sprach: von wannen ist er euch
                                    kommen?
Saget an! Ich meine den Schatz. Und Reineke sagte:
Dieses Geheimnis verhehl' ich euch nicht, was könnt es mir
                                    helfen;
Denn ich nehme nichts mit von diesen köstlichen Dingen.   245
Aber wie ihr befehlt, will ich euch alles erzählen:
Denn es muß nun einmal heraus; um Liebes und Leides
Möcht ich wahrhaftig das große Geheimnis nicht länger
                                    verhehlen.
Denn der Schatz war gestohlen. Es hatten sich viele
                                    verschworen,
Euch, Herr König, zu morden, und wurde zur selbigen
                                    Stunde   250
Nicht der Schatz mit Klugheit entwendet, so war es
                                    geschehen.
Merket es, gnädiger Herr! Denn euer Leben und Wohlfahrt

Hing an dem Schatz. Und daß man ihn stahl, das brachte
denn leider
Meinen eigenen Vater in große Nöten, es bracht ihn
255 Frühe zur traurigen Fahrt, vielleicht zu ewigem Schaden;
Aber, gnädiger Herr, zu eurem Nutzen geschah es.

Und die Königin hörte bestürzt die gräßliche Rede,
Das verworrne Geheimnis von ihres Gemahles Ermordung,
Von dem Verrate, vom Schatz und was er alles gesprochen.
260 Ich vermahn euch, Reineke, rief sie: bedenket! die lange
Heimfahrt steht euch bevor, entladet reuig die Seele;
Saget die lautere Wahrheit und redet mir deutlich vom
Morde.
Und der König setzte hinzu: Ein jeglicher schweige,
Reineke komme nun wieder herunter und trete mir näher.
265 Denn es betrifft die Sache mich selbst, damit ich sie höre.

Reineke, der es vernahm, stand wieder getröstet, die Leiter
Stieg er zum großen Verdruß der Feindlichgesinnten
herunter;
Und er nahte sich gleich dem König' und seiner Gemahlin,
Die ihn eifrig befragten, wie diese Geschichte begegnet.

270 Da bereitet' er sich zu neuen gewaltigen Lügen.
Könnt' ich des Königes Huld und seiner Gemahlin, so dacht'
er,
Wieder gewinnen, und könnte zugleich die List mir
gelingen,
Daß ich die Feinde, die mich dem Tod entgegen geführet,
Selbst verdürbe, das rettete mich aus allen Gefahren.
275 Sicher wäre mir das ein unerwarteter Vorteil,
Aber ich sehe es schon, Lügen bedarf es und über die Maßen.

Ungeduldig befragte die Königin Reineken weiter:
Lasset uns deutlich vernehmen, wie diese Sache beschaffen?
Saget die Wahrheit, bedenkt das Gewissen, entladet die
Seele.

Reineke sagte darauf: ich will euch gerne berichten.   280
Sterben muß ich nun wohl; es ist kein Mittel dagegen.
Sollt' ich meine Seele beladen am Ende des Lebens,
Ewige Strafe verwirken; es wäre töricht gehandelt.
Besser ist es, daß ich bekenne, und muß ich dann leider
Meine lieben Verwandten und meine Freunde verklagen.   285
Ach, was kann ich dafür, es drohen die Qualen der Hölle.

Und es war dem Könige schon bei diesen Gesprächen
Schwer geworden ums Herz. Er sagte: sprichst du die
                                        Wahrheit?
Da versetzte Reineke drauf mit verstellter Gebärde:
Freilich bin ich ein sündiger Mensch; doch red' ich die
                                        Wahrheit.   290
Könnt' es mir nützen, wenn ich euch löge? Da würd ich mich
                                        selber
Ewig verdammen. Ihr wißt ja nun wohl, so ist es
                                        beschlossen,
Sterben muß ich, ich sehe den Tod und werde nicht lügen:
Denn es kann mir nicht böses und gutes zur Hülfe gedeihen.
Bebend sagte Reineke das und schien zu verzagen.   295

Und die Königin sprach: mich jammert seine Beklemmung,
Sehet ihn gnadenreich an; ich bitt euch, mein Herr! und
                                        erwäget:
Manches Unheil wenden wir ab nach seinem Bekenntnis.
Laßt uns je eher je lieber den Grund der Geschichte
                                        vernehmen.
Heißet jeglichen schweigen und laßt ihn öffentlich sprechen. 300

Und der König gebot, da schwieg die ganze Versammlung.
Aber Reineke sprach: beliebt es euch, gnädiger König,
So vernehmet, was ich euch sage. Geschieht auch mein
                                        Vortrag
Ohne Brief und Papier: so soll er doch treu und genau sein,
Ihr erfahret die Verschwörung und niemands denk ich zu
                                        schonen.   305

FÜNFTER GESANG

Nun vernehmet die List und wie der Fuchs sich gewendet,
Seine Frevel wieder zu decken und andern zu schaden.
Bodenlose Lügen ersann er, beschimpfte den Vater
Jenseit der Grube, beschwerte den Dachs mit großer
                                        Verleumdung,
5 Seinen redlichsten Freund, der ihm beständig gedienet.
So erlaubt' er sich alles, damit er seiner Erzählung
Glauben schaffte, damit er an seinen Verklägern sich rächte.

Mein Herr Vater, sagt' er drauf, war so glücklich gewesen,
König Emmrich, des Mächtigen, Schatz auf verborgenen
                                        Wegen
10 Einst zu entdecken; doch bracht ihm der Fund gar wenigen
                                        Nutzen.
Denn er überhub sich des großen Vermögens und schätzte
Seines gleichen von nun an nicht mehr, und seine Gesellen
Achtet er viel zu gering; er suchte sich höhere Freunde.
Hinze, den Kater, sendet' er ab in die wilden Ardennen,
15 Braun den Bären zu suchen, dem sollt' er Treue versprechen,
Sollt' ihn laden nach Flandern zu kommen und König zu
                                        werden.

Als nun Braun das Schreiben gelesen, erfreut es ihn herzlich;
Unverdrossen und kühn begab er sich eilig nach Flandern,
Denn er hatte schon lange so was in Gedanken getragen.
20 Meinen Vater fand er daselbst, der sah ihn mit Freuden,
Sendete gleich nach Isegrim aus, und nach Grimbart, dem
                                        Weisen;
Und die vier verhandelten dann die Sache zusammen.
Doch, der fünfte dabei war Hinze der Kater. Ein Dörfchen
Liegt allda, wird Ifte genannt, und grade da war es
25 Zwischen Ifte und Gent, wo sie zusammen gehandelt.
Eine lange düstre Nacht verbarg die Versammlung,
Nicht mit Gott! es hatte der Teufel, es hatte mein Vater

Sie in seiner Gewalt mit seinem leidigen Golde.
Sie beschlossen des Königes Tod, beschwuren zusammen
Festen ewigen Bund und also schwuren die Fünfe   30
Sämtlich auf Isegrims Haupt: sie wollten Braunen, den
                                        Bären,
Sich zum Könige wählen, und auf dem Stuhle zu Achen
Mit der goldnen Krone des Reichs ihm festlich versichern.
Wollt' auch von des Königes Freunden und seinen
                                        Verwandten,
Jemand dagegen sich setzen, den sollte mein Vater bereden,   35
Oder bestechen, und ginge das nicht, sogleich ihn verjagen.
Das bekam ich zu wissen, denn Grimbart hatte sich einmal
Morgens lustig getrunken und war gesprächig geworden.
Seinem Weibe verschwätzte der Tor die Heimlichkeit alle,
Legte Schweigen ihr auf, da, glaubt' er, wäre geholfen.   40
Sie begegnete drauf bald meinem Weibe, die mußt ihr
Der drei Könige Namen zum feierlichen Gelübde
Nennen, Ehr und Treue verpfänden, um Liebes und Leides,
Niemand ein Wörtchen zu sagen, und so entdeckt sie ihr
                                        alles.
Eben so wenig hat auch mein Weib das Versprechen
                                        gehalten.   45
Denn so bald sie mich fand, erzählte sie, was sie vernommen.
Gab mir ein Merkmal dazu, woran ich die Wahrheit der Rede
Leicht erkennte, doch war mir dadurch nur schlimmer
                                        geschehen.
Ich erinnerte mich der Frösche, deren Gequake
Bis zu den Ohren des Herrn im Himmel endlich gelangte.   50
Einen König wollten sie haben und wollten im Zwange
Leben, nachdem sie der Freiheit in allen Landen genossen.
Da erhörte sie Gott und sandte den Storch, der beständig
Sie verfolget und haßt und keinen Frieden gewähret.
Ohne Gnade behandelt' er sie; nun klagen die Toren,   55
Aber leider zu spät: denn nun bezwingt sie der König.

Reineke redete laut zur ganzen Versammlung, es hörten
Alle Tiere sein Wort, und so verfolgt' er die Rede:

Seht, ich fürchtete das für alle. So wär' es geworden.
60 Herr, ich sorgte für euch, und hoffte bessre Belohnung.
Braunens Ränke sind mir bekannt, sein tückisches Wesen
Manche Missetat auch von ihm, ich besorgte das schlimmste.
Würd' er Herr, so wären wir alle zusammen verdorben.
Unser König ist edel geboren und mächtig und gnädig,
65 Dacht ich im Stillen bei mir, es wär' ein trauriger Wechsel
Einen Bären und tölpischen Taugenicht so zu erhöhen.
Etliche Wochen sann ich darüber und sucht es zu hindern.

Auch vor allem begriff ich es wohl, behielte mein Vater
Seinen Schatz in der Hand, so brächt' er viele zusammen,
70 Sicher gewänn er das Spiel und wir verlören den König.
Meine Sorge ging nun dahin, den Ort zu entdecken,
Wo der Schatz sich befände, damit ich ihn heimlich entführte.
Zog mein Vater ins Feld, der alte listige, lief er
Nach dem Walde bei Tag' oder Nacht, in Frost oder Hitze,
75 Näss' oder Trockne, so war ich dahinter und spürte den Gang
aus.

Einmal lag ich versteckt in der Erde mit Sorgen und Sinnen,
Wie ich entdeckte den Schatz, von dem mir so vieles bekannt
war.
Da erblickt ich den Vater aus einer Ritze sich schleichen,
Zwischen den Steinen kam er hervor und stieg aus der Tiefe
80 Still und verborgen hielt ich mich da; er glaubte sich einsam,
Schaute sich überall um und als er niemand bemerkte
Nah oder fern, begann er sein Spiel, ihr sollt es vernehmen.
Wieder mit Sande verstopft er das Loch und wußte
geschicklich
Mit dem übrigen Boden es gleich zu machen. Das konnte
85 Wer nicht zusah unmöglich erkennen. Und eh er von dannen
Wanderte, wußt' er den Platz, wo seine Füße gestanden,
Über und über geschickt mit seinem Schwanze zu streichen,
Und verwühlte die Spur mit seinem Munde; das lernt' ich
Jenes Tages zuerst von meinem listigen Vater,
90 Der in Ränken und Schwänken und allen Streichen gewandt
war

Und so eilt' er hinweg nach seinem Gewerbe. Da sann ich,
Ob sich der herrliche Schatz wohl in der Nähe befände?
Eilig trat ich herbei und schritt zum Werke; die Ritze
Hatt' ich in weniger Zeit mit meinen Pfoten eröffnet,
Kroch begierig hinein. Da fand ich köstliche Sachen,   95
Feines Silbers genug und roten Goldes! Wahrhaftig
Auch der Älteste hier hat nie so vieles gesehen.
Und ich machte mich dran mit meinem Weibe; wir trugen,
Schleppten bei Tag und bei Nacht; uns fehlten Karren und
                                                            Wagen,
Viele Mühe kostet es uns und manche Beschwernis.   100
Treulich hielt Frau Ermelyn aus, so hatten wir endlich
Die Kleinode hinweg zu einer Stätte getragen,
Die uns gelegener schien. Indessen hielt sich mein Vater
Täglich mit jenen zusammen, die unsern König verrieten.
Was sie beschlossen, das werdet ihr hören und werdet
                                                    erschrecken.   105

Braun und Isegrim sandten sofort in manche Provinzen
Offne Briefe, die Söldner zu locken, sie sollten zu Haufen
Eilig kommen, es wolle sie Braun mit Diensten versehen,
Milde woll' er sogar voraus die Söldner bezahlen.
Da durchstrich mein Vater die Länder und zeigte die Briefe,   110
Seines Schatzes gewiß, der, glaubt' er, läge geborgen.
Aber es war nun geschehen, er hätte mit allen Gesellen,
Sucht' er auch noch so genau, nicht einen Pfennig gefunden.

Keine Bemühung ließ er sich reun; so war er behende
Zwischen der Elb' und dem Rheine durch alle Länder
                                                    gelaufen,   115
Manchen Söldner hatt' er gefunden und manchen gewonnen.
Kräftigen Nachdruck sollte das Geld den Worten verleihen.

Endlich kam der Sommer ins Land; zu seinen Gesellen
Kehrte mein Vater zurück, da hatt' er von Sorgen und Nöten
Und von Angst zu erzählen, besonders wie er beinahe   120
Vor den hohen Burgen in Sachsen sein Leben verloren,

Wo ihn Jäger mit Pferden und Hunden alltäglich verfolgten,
Daß er knapp und mit Not mit heilem Pelze davon kam.

Freudig zeigt er darauf den vier Verrätern die Liste,
125 Welche Gesellen er alle mit Gold und Versprechen
gewonnen.
Braunen erfreute die Botschaft, es lasen die fünfe zusammen.
Und es hieß: zwölfhundert von Isegrims kühnen
Verwandten
Werden kommen mit offenen Mäulern und spitzigen
Zähnen,
Ferner, die Kater und Bären sind alle für Braunen gewonnen,
Jeder Vielfraß und Dachs aus Sachsen und Thüringen stellt
130 sich.
Doch man solle sich ihnen zu der Bedingung verbinden:
Einen Monat des Soldes voraus zu zahlen, sie wollten
Alle dagegen mit Macht beim ersten Gebote sich stellen.
Gott sei ewig gedankt, daß ich die Plane gehindert!

135 Denn nachdem er nun alles besorgt, so eilte mein Vater
Über Feld und wollte den Schatz auch wieder beschauen.
Da ging erst die Bekümmernis an; da grub er und suchte.
Doch je länger er scharrte, je weniger fand er. Vergebens
War die Mühe, die er sich gab, und seine Verzweiflung,
140 Denn der Schatz war fort, er konnt ihn nirgend entdecken.
Und vor Ärger und Scham – wie schrecklich quält die
Erinnerung
Mich bei Tag und bei Nacht – erhängte mein Vater sich
selber.

Alles das hab ich getan, die böse Tat zu verhindern.
Übel gerät es mir nun; jedoch es soll mich nicht reuen.
145 Isegrim aber und Braun, die gefräßigen, sitzen am nächsten
Bei dem König zu Rate. Und Reineke! wie dir dagegen,
Armer Mann, jetzt gedankt wird! daß du den leiblichen Vater
Hingegeben, den König zu retten. Wo sind sie zu finden,
Die sich selber verderben, nur Euch das Leben zu fristen.

König und Königin hatten indes den Schatz zu gewinnen   150
Große Begierde gefühlt, sie traten seitwärts und riefen
Reineken, ihn besonders zu sprechen und fragten behende:
Saget an, wo habt ihr den Schatz? wir möchten es wissen.
Reineke ließ sich dagegen vernehmen: was könnt' es mir
                                   helfen,
Zeigt ich die herrlichen Güter dem Könige, der mich
                                   verurteilt.   155
Glaubet er meinen Feinden doch mehr, den Dieben und
                                   Mördern,
Die euch mit Lügen beschweren, mein Leben mir
                                   abzugewinnen.

Nein, versetzte die Königin: nein! so soll es nicht werden!
Leben läßt euch mein Herr und das Vergangne vergißt er.
Er bezwingt sich und zürnet nicht mehr. Doch möget ihr
                                   künftig   160
Klüger handeln und treu und gewärtig dem Könige bleiben.

Reineke sagte: gnädige Frau, vermöget den König,
Mir zu geloben vor Euch, daß er mich wieder begnadigt,
Daß er mir alle Verbrechen und Schulden und alle den
                                   Unmut,
Den ich ihm leider erregt', auf keine Weise gedenket.   165
So besitzet gewiß in unsern Zeiten kein König
Solchen Reichtum als er durch meine Treue gewinnet,
Groß ist der Schatz; ich zeige den Ort, ihr werdet erstaunen.

Glaubet ihm nicht, versetzte der König: doch wenn er von
                                   Stehlen,
Lügen und Rauben erzählt, das möget ihr allenfalls glauben.   170
Denn ein größerer Lügner ist wahrlich niemals gewesen.
Und die Königin sprach: fürwahr sein bisheriges Leben
Hat ihm wenig Vertrauen erworben; doch jetzo bedenket,
Seinen Oheim den Dachs und seinen eigenen Vater
Hat er diesmal bezüchtigt und ihre Frevel verkündigt.   175
Wollt er, so konnt er sie schonen und konnte von anderen
                                   Tieren

Solche Geschichten erzählen, er wird so töricht nicht lügen.

Meinet ihr so? versetzte der König, und denkt ihr, es wäre
Wirklich zum besten geraten, daß nicht ein größeres Übel
180 Draus entstünde, so will ich es tun und diese Verbrechen
Reinekens über mich nehmen und seine verwundete Sache.
Einmal trau' ich, zum letztenmal noch! das mag er bedenken:
Denn ich schwör' es ihm zu bei meiner Krone! wofern er
Künftig frevelt und lügt, es soll ihn ewig gereuen,
185 Alles, wär es ihm nur verwandt im zehnten Grade,
Wer sie auch wären, sie sollen's entgelten, und keiner entgeht
                                            mir,
Sollen in Unglück und Schmach und schwere Prozesse
                                            geraten!

Als nun Reineke sah, wie schnell sich des Königs Gedanken
Wendeten, faßt' er ein Herz, und sagte: sollt' ich so töricht
190 Handeln, gnädiger Herr, und euch Geschichten erzählen,
Deren Wahrheit sich nicht in wenig Tagen bewiese?

Und der König glaubte den Worten und alles vergab er,
Erst des Vaters Verrat, dann Reinekens eigne Verbrechen.
Über die maßen freute sich der; zur glücklichen Stunde
195 War er der Feinde Gewalt und seinem Verhängnis
                                            entronnen.

Edler König, gnädiger Herr, begann er zu sprechen,
Möge Gott euch alles vergelten und eurer Gemahlin,
Was ihr an mir unwürdigen tut; ich will es gedenken
Und ich werde mich immer gar höchlich dankbar erzeigen.
200 Denn es lebet gewiß in allen Landen und Reichen
Niemand unter der Sonne, dem ich die herrlichen Schätze
Lieber gönnte, denn eben euch beiden. Was habt ihr nicht
                                            alles
Mir für Gnade bewiesen! dagegen geb' ich euch willig
König Emmerichs Schatz, so wie ihn dieser besessen.
205 Wo er liegt beschreib' ich euch nun, ich sage die Wahrheit.

Höret! Im Osten von Flandern ist eine Wüste, darinnen
Liegt ein einzelner Busch, heißt Hüsterlo, merket den Namen,
Dann ist ein Brunn der Kreckelborn heißt, ihr werdet
                              verstehen,
Beide nicht weit auseinander. Es kommt in selbige Gegend
Weder Weib noch Mann im ganzen Jahre. Da wohnet,   210
Nur die Eul' und der Schuhu, und dort begrub ich die
                              Schätze.
Kreckelborn heißt die Stätte, das merket und nützet das
                              Zeichen.

Gehet selber dahin mit eurer Gemahlin; es wäre
Niemand sicher genug, um ihn als Bote zu senden.
Und der Schade wäre zu groß, ich darf es nicht raten.   215
Selber müßt ihr dahin. Bei Kreckelborn geht ihr vorüber,
Seht zwei junge Birken hernach! und merket! die eine
Steht nicht weit von dem Brunnen; so geht nun, gnädiger
                              König,
Grad auf die Birken los, denn drunter liegen die Schätze.
Kratzt und scharret nur zu; erst findet ihr Moos an den
                              Wurzeln,   220
Dann entdeckt ihr sogleich die allerreichsten Geschmeide,
Golden, künstlich und schön, auch findet ihr Emmerichs
                              Krone;
Wäre des Bären Wille geschehn, der sollte sie tragen.
Manchen Zierat seht ihr daran und Edelgesteine
Goldnes Kunstwerk; man macht es nicht mehr, wer wollt es
                              bezahlen?   225
Sehet ihr alle das Gut, o! gnädiger König, beisammen,
Ja ich bin es gewiß, ihr denket meiner in Ehren.
Reineke, redlicher Fuchs, so denkt ihr: der du so klüglich
Unter das Moos die Schätze gegraben, o mög' es dir immer,
Wo du auch sein magst, glücklich ergehn! So sagte der
                              Heuchler.   230

Und der König versetzte darauf: ihr müßt mich begleiten.
Denn wie will ich allein die Stelle treffen? Ich habe
Wohl von Aachen gehört, wie auch von Lüttich, und Cöllen,

Und von Paris, doch Hüsterlo hört ich im Leben nicht einmal
235 Nennen, eben so wenig als Kreckelborn; sollt' ich nicht
                                        fürchten,
Daß du uns wieder belügst und solche Namen erdichtest?

Reineke hörte nicht gerne des Königs bedächtige Rede,
Sprach: so weis' ich euch doch nicht fern von hinnen, als
                                        hättet
Ihr am Jordan zu suchen. Wie schien ich euch jetzo
                                        verdächtig?
240 Nächst, ich bleibe dabei, ist alles in Flandern zu finden,
Laßt uns einige fragen; es mag es ein andrer versichern,
Kreckelborn! Hüsterlo! sagt ich, und also heißen die Namen.
Lampen rief er darauf, und Lampe zauderte bebend.
Reineke rief: so komm nur getrost; der König begehrt euch,
245 Will, ihr sollt bei Eid und bei Pflicht, die ihr neulich geleistet,
Wahrhaft reden; so zeiget denn an, wofern ihr es wisset,
Sagt, wo Hüsterlo liegt und Kreckelborn? lasset uns hören.

Lampe sprach: das kann ich wohl sagen. Es liegt in der Wüste
Kreckelborn, nahe bei Hüsterlo. Hüsterlo nennen die Leute
250 Jenen Busch, wo Simonet lange, der Krumme, sich aufhielt,
Falsche Münze zu schlagen mit seinen verwegnen Gesellen.
Vieles hab' ich daselbst von Frost und Hunger gelitten,
Wenn ich vor Rynen, dem Hund, in großen Nöten
                                        geflüchtet.
Reineke sagte darauf: ihr könnt euch unter die andern
255 Wieder stellen; ihr habet den König genugsam berichtet.
Und der König sagte zu Reineken: seid mir zufrieden,
Daß ich hastig gewesen und eure Worte bezweifelt,
Aber sehet nun zu, mich an die Stelle zu bringen.

Reineke sprach: wie schätz' ich mich glücklich, geziemt' es
                                        mir heute
260 Mit dem König zu gehen und ihm nach Flandern zu folgen;
Aber es müßt' euch zur Sünde gereichen. So sehr ich mich
                                        schäme,

Muß es heraus, wie gern ich es auch noch länger verschwiege.
Isegrim ließ vor einiger Zeit zum Mönche sich weihen,
Zwar nicht etwa dem Herren zu dienen, er diente dem
                                        Magen;
Zehrte das Kloster fast auf, man reicht' ihm für Sechse zu
                                        essen,   265
Alles war ihm zu wenig; er klagte mir Hunger und Kummer,
Endlich erbarmet es mich, als ich ihn mager und krank sah,
Half ihm treulich davon, er ist mein naher Verwandter.
Und nun hab' ich darum den Bann des Papstes verschuldet,
Möchte nun ohne Verzug, mit eurem Wissen und Willen   270
Meine Seele beraten, und morgen mit Aufgang der Sonne
Gnad und Ablaß zu suchen nach Rom mich als Pilger
                                        begeben,
Und von dannen über das Meer; so werden die Sünden
Alle von mir genommen und kehr ich wieder nach Hause,
Darf ich mit Ehren neben euch gehn. Doch tät ich es heute,   275
Würde jeglicher sagen: wie treibt es jetzo der König
Wieder mit Reineken, den er vor kurzem zum Tode
                                        verurteilt?
Und der über das alles im Bann des Papstes verstrickt ist!
Gnädiger Herr, ihr seht es wohl ein, wir lassen es lieber.

Wahr, versetzte der König drauf: das konnt ich nicht wissen. 280
Bist du im Banne, so wär mirs ein Vorwurf dich mit mir zu
                                        führen.
Lampe kann mich, oder ein andrer, zum Borne begleiten.
Aber, Reineke, daß du vom Banne dich suchst zu befreien,
Find' ich nützlich und gut. Ich gebe dir gnädigen Urlaub,
Morgen bei Zeiten zu gehn; ich will die Wallfahrt nicht   285
                                        hindern.
Denn mir scheint, ihr wollt euch bekehren vom Bösen zum
                                        Guten.
Gott gesegne den Vorsatz und laß euch die Reise
                                        vollbringen.

SECHSTER GESANG

So gelangte Reineke wieder zur Gnade des Königs.
Und es trat der König hervor auf erhabene Stätte,
Sprach vom Steine herab, und hieß die sämtlichen Tiere
Stille schweigen; sie sollten ins Gras nach Stand und Geburt
sich
5 Niederlassen. Und Reineke stand an der Königin Seite,
Aber der König begann mit großem Bedachte zu sprechen:

Schweiget und höret mich an, zusammen Vögel und Tiere,
Arm' und Reiche höret mich an, ihr Großen und Kleinen,
Meine Baronen und meine Genossen des Hofes und Hauses!
10 Reineke steht in meiner Gewalt hier, man dachte vor kurzem
Ihn zu hängen, doch hat er bei Hofe so manches Geheimnis
Dargetan, daß ich ihm glaube und wohlbedächtlich die Huld
ihm
Wieder schenke. So hat auch die Königin, meine Gemahlin,
Sehr gebeten für ihn, so daß ich ihm günstig geworden,
15 Mich ihm völlig versöhnet und Leib und Leben und Güter
Frei ihm gegeben. Es schützt ihn fortan und schirmt ihn mein
Friede.
Nun sei allen zusammen bei Leibesleben geboten:
Reineken sollt ihr überall ehren mit Weib und mit Kindern,
Wo sie euch immer bei Tag oder Nacht hinkünftig begegnen.
20 Ferner hör' ich von Reinekens Dingen nicht weitere Klage;
Hat er Übels getan, so ist es vorüber, er wird sich
Bessern, und tut es gewiß. Denn morgen wird er bei Zeiten
Stab und Ränzel ergreifen, und als frommer Pilger nach Rom
gehn,
Und von dannen über das Meer; auch kommt er nicht wieder
25 Bis er vollkommenen Ablaß der sündigen Taten erlangt hat.

Hinze wandte sich drauf zu Braun und Isegrim zornig:
Nun ist Mühe und Arbeit verloren! so rief er: o! wär ich
Weit von hier! Ist Reineke wieder zu Gnaden gekommen;

Braucht er jegliche Kunst, uns alle drei zu verderben,
Um ein Auge bin ich gebracht, ich fürchte fürs andre!   30

Guter Rat ist teuer, versetzte der Braune, das seh ich.
Isegrim sagte dagegen: das Ding ist seltsam! wir wollen
Grad zum Könige gehn. Er trat verdrießlich mit Braunen
Gleich vor König und Königin auf, sie redeten vieles
Wider Reineken, redeten heftig, da sagte der König: 35
Hörtet ihr's nicht? Ich hab' ihn aufs neue zu Gnaden
                                                empfangen.
Zornig sagt' es der König und ließ im Augenblick beide
Fahen, binden und schließen; denn er gedachte der Worte,
Die er von Reineken hatte vernommen und ihres Verrates.

So veränderte sich in dieser Stunde die Sache   40
Reinekens völlig. Er machte sich los, und seine Verkläger
Wurden zu Schanden; er wußte sogar es tückisch zu lenken,
Daß man dem Bären ein Stück von seinem Felle herabzog,
Fuß lang, Fuß breit, daß auf die Reise daraus ihm ein Ränzel
Fertig würde; so schien zum Pilger ihm wenig zu fehlen.   45
Aber die Königin bat er, auch Schuh' ihm zu schaffen und
                                                sagte:
Ihr erkennt mich, gnädige Frau, nun einmal für euren
Pilger, helfet mir nun, daß ich die Reise vollbringe.
Isegrim hat vier tüchtige Schuhe, da wär es wohl billig,
Daß er ein Paar mir davon zu meinem Wege verließe;   50
Schafft mir sie, gnädige Frau, durch meinen Herren den
                                                König.
Auch entbehrte Frau Gieremund wohl ein Paar von den
                                                ihren,
Denn als Hausfrau bleibt sie doch meist in ihrem Gemache.

Diese Forderung fand die Königin billig. Sie können
Jedes wahrlich ein Paar entbehren! sagte sie gnädig.   55
Reineke dankte darauf, und sagte mit freudiger Beugung:
Krieg' ich doch nun vier tüchtige Schuhe, da will ich nicht
                                                zaudern.

Alles Gute, was ich sofort als Pilger vollbringe,
Werdet ihr teilhaft gewiß! ihr und mein gnädiger König,
60 Auf der Wallfahrt sind wir verpflichtet für alle zu beten,
Die uns irgend geholfen. Es lohne Gott euch die Milde!

An den vorderen Füßen verlor Herr Isegrim also
Seine Schuhe bis an die Knorren, desgleichen verschonte
Man Frau Gieremund nicht, sie mußte die hintersten lassen.

65 So verloren sie beide die Haut und Klauen der Füße,
Lagen erbärmlich mit Braunen zusammen und dachten zu
                                              sterben;
Aber der Heuchler hatte die Schuh' und das Ränzel
                                              gewonnen.
Trat herzu, und spottete noch besonders der Wölfin:
Liebe, Gute! sagt' er zu ihr, da sehet wie zierlich
70 Eure Schuhe mir stehen, ich hoffe, sie sollen auch dauern.
Manche Mühe gabt ihr euch schon zu meinem Verderben,
Aber ich habe mich wieder bemüht; es ist mir gelungen.
Habt ihr Freude gehabt, so kommt nun endlich die Reihe
Wieder an mich; so pflegt es zu gehn, man weiß sich zu
                                              fassen.
75 Wenn ich nun reise, so kann ich mich täglich der lieben
                                              Verwandten
Dankbar erinnern, ihr habt mir die Schuhe gefällig gegeben,
Und es soll euch nicht reuen; was ich an Ablaß verdiene,
Teil' ich mit euch, ich hol' ihn zu Rom und über dem Meere.

Und Frau Gieremund lag in großen Schmerzen, sie konnte
80 Fast nicht reden, doch griff sie sich an und sagte mit Seufzen:
Unsre Sünden zu strafen, läßt Gott euch alles gelingen.
Aber Isegrim lag und schwieg mit Braunen zusammen.
Beide waren elend genug, gebunden, verwundet,
Und vom Feinde verspottet. Es fehlte Hinze der Kater,
85 Reineke wünschte so sehr auch ihm das Wasser zu wärmen.

Nun beschäftigte sich der Heuchler am anderen Morgen

Gleich die Schuhe zu schmieren, die seine Verwandten
                                                verloren,
Eilte dem Könige noch sich vorzustellen und sagte:
Euer Knecht ist bereit den heiligen Weg zu betreten,
Eurem Priester werdet ihr nun in Gnaden befehlen,   90
Daß er mich segne, damit ich von hinnen mit Zuversicht
                                                scheide,
Daß mein Ausgang und Eingang gebenedeit sei! so sprach
                                                er.
Und es hatte der König den Widder zu seinem Kaplane;
Alle geistliche Dinge besorgt er, es braucht ihn der König
Auch zum Schreiber, man nennt ihn Bellyn. Da ließ er ihn
                                                rufen,   95
Sagte: leset sogleich mir etliche heilige Worte
Über Reineken hier, ihn auf die Reise zu segnen,
Die er vor hat, er gehet nach Rom und über das Wasser.
Hänget das Ränzel ihm um, und gebt ihm den Stab in die
                                                Hände.
Und es erwiderte drauf Bellyn: Herr König, ihr habet,   100
Glaub ich, vernommen, daß Reineke noch vom Banne nicht
                                                los ist.
Übels würd' ich deswegen von meinem Bischof erdulden,
Der es leichtlich erfährt, und mich zu strafen Gewalt hat.
Aber ich tue Reineken selbst nichts Grades noch Krummes.
Könnte man freilich die Sache vermitteln, und sollt' es kein
                                                Vorwurf   105
Mir beim Bischof, Herrn Ohnegrund, werden, zürnte nicht
                                                etwa
Drüber der Probst, Herr Losefund, oder der Dechant
Rapiamus, ich segnet' ihn gerne nach eurem Befehle.

Und der König versetzte: was soll das reimen und reden?
Viele Worte laßt ihr uns hören und wenig dahinter.   110
Leset ihr über Reineke mir nicht Grades noch Krummes,
Frag ich den Teufel darnach. Was geht mich der Bischof im
                                                Dom an?
Reineke macht die Wallfahrt nach Rom, und wollt ihr das
                                                hindern?

Ängstlich kraute Bellyn sich hinter den Ohren; er scheute
115 Seines Königes Zorn, und fing sogleich aus dem Buch an
Über den Pilger zu lesen, doch dieser achtet es wenig.
Was es mochte, half es denn auch, das kann man sich denken.

Und nun war der Segen gelesen, da gab man ihm weiter
Ränzel und Stab, der Pilger war fertig, so log er die
                                                    Wallfahrt.
120 Falsche Tränen liefen dem Schelmen die Wangen herunter,
Und benetzten den Bart, als fühlt' er die schmerzlichste Reue.
Freilich schmerzt es ihn auch, daß er nicht alle zusammen,
Wie sie waren ins Unglück gebracht, und drei nur
                                                    geschändet.
Doch er stand und bat, sie möchten alle getreulich
125 Für ihn beten, so gut sie vermöchten. Er machte nun Anstalt
Fort zu eilen, er fühlte sich schuldig und hatte zu fürchten.
Reineke, sagte der König: ihr seid mir so eilig! Warum das? –
Wer was gutes beginnt soll niemals weilen, versetzte
Reineke drauf, ich bitt' euch um Urlaub, es ist die gerechte
130 Stunde gekommen, gnädiger Herr, und lasset mich
                                                    wandern.
Habet Urlaub, sagte der König, und also gebot er
Sämtlichen Herren des Hofs dem falschen Pilger ein
                                                    Stückchen
Weges zu folgen und ihn zu begleiten. Es lagen indessen
Braun und Isegrim, beide gefangen, in Jammer und
                                                    Schmerzen.

135 Und so hatte denn Reineke wieder die Liebe des Königs
Völlig gewonnen und ging mit großen Ehren von Hofe,
Schien mit Ränzel und Stab nach dem heiligen Grabe zu
                                                    wallen,
Hatt' er dort gleich so wenig zu tun, als ein Maibaum in
                                                    Aachen.
Ganz was anders führt er im Schilde. Nun war ihm gelungen,
140 Einen flächsenen Bart und eine wächserne Nase
Seinem König zu drehen; es mußten ihm alle Verkläger

Folgen, da er nun ging, und ihn mit Ehren begleiten.
Und er konnte die Tücke nicht lassen, und sagte noch
                                        scheidend:
Sorget, gnädiger Herr, daß euch die beiden Verräter
Nicht entgehen und haltet sie wohl im Kerker gebunden.   145
Würden sie frei, sie ließen nicht ab mit schändlichen Werken.
Euerm Leben drohet Gefahr, Herr König, bedenkt es!

Und so ging er dahin mit stillen frommen Gebärden,
Mit einfältigem Wesen, als wüßt ers eben nicht anders.
Drauf erhub sich der König zurück zu seinem Palaste,   150
Sämtliche Tiere folgten dahin. Nach seinem Befehle
Hatten sie Reineken erst ein Stückchen Weges begleitet;
Und es hatte der Schelm sich ängstlich und traurig gebärdet,
Daß er manchen gutmütigen Mann zum Mitleid bewegte.
Lampe, der Hase, besonders war sehr bekümmert. Wir
                                        sollen,   155
Lieber Lampe, sagte der Schelm: und sollen wir scheiden?
Möcht es euch und Bellyn dem Widder, heute belieben,
Meine Straße mit mir noch ferner zu wandeln! Ihr würdet
Mir durch eure Gesellschaft die größte Wohltat erzeigen.
Ihr seid angenehme Begleiter und redliche Leute,   160
Jedermann redet nur Gutes von euch, das brächte mir Ehre
Geistlich seid ihr und heiliger Sitte. Ihr lebet gerade,
Wie ich als Klausner gelebt. Ihr laßt euch mit Kräutern
                                        begnügen,
Pfleget mit Laub und Gras den Hunger zu stillen, und fraget
Nie nach Brot oder Fleisch, noch andrer besonderer Speise.   165
Also konnt er mit Lob der beiden Schwäche betören.
Beide gingen mit ihm zu seiner Wohnung und sahen
Malepartus, die Burg, und Reineke sagte zum Widder:
Bleibet hieraußen, Bellyn, und laßt die Gräser und Kräuter
Nach Belieben euch schmecken; es bringen diese Gebirge   170
Manche Gewächse hervor gesund und guten Geschmackes.
Lampen nehm' ich mit mir; doch bittet ihn, daß er mein Weib
                                        mir
Trösten möge, die schon sich betrübt, und wird sie
                                        vernehmen,

Daß ich nach Rom als Pilger verreise, so wird sie verzweifeln.
175 Süße Worte brauchte der Fuchs, die zwei zu betrügen.
Lampen führt er hinein, da fand er die traurige Füchsin
Liegen neben den Kindern von großer Sorge bezwungen:
Denn sie glaubte nicht mehr, daß Reineke sollte von Hofe
Wiederkehren. Nun sah sie ihn aber mit Ränzel und Stabe,
180 Wunderbar kam es ihr vor und sagte: Reinhart, mein lieber,
Saget mir doch, wie ist's euch gegangen? Was habt ihr
                                        erfahren?
Und er sprach: schon war ich verurteilt, gefangen, gebunden,
Aber der König bezeigte sich gnädig, befreite mich wieder.
Und ich zog als Pilger hinweg, es blieben zu Bürgen
185 Braun und Isegrim beide zurück. Dann hat mir der König
Lampen zur Sühne gegeben, und was wir nun wollen,
                                        geschieht ihm.
Denn es sagte der König zuletzt mit gutem Bescheide:
Lampe war es, der dich verriet. So hat er wahrhaftig
Große Strafe verdient und soll mir alles entgelten.
190 Aber Lampe vernahm erschrocken die drohenden Worte,
War verwirrt und wollte sich retten und eilte zu fliehen.
Reineke schnell vertrat ihm das Tor, es faßte der Mörder
Bei dem Halse den Armen, der laut und gräßlich um Hülfe
Schrie. O, helfet Bellyn! Ich bin verloren! Der Pilger
195 Bringt mich um! Doch schrie er nicht lange: denn Reineke
                                        hatt' ihm
Bald die Kehle zerbissen. Und so empfing er den Gastfreund.
Kommt nun, sagt er: und essen wir schnell, denn fett ist der
                                        Hase,
Guten Geschmackes. Er ist wahrhaftig zum erstenmal etwas
Nütze, der alberne Geck, ich hatt' es ihm lange geschworen.
200 Aber nun ist es vorbei; nun mag der Verräter verklagen!
Reineke machte sich dran mit Weib und Kindern, sie
                                        pflückten
Eilig dem Hasen das Fell und speisten mit guten Behagen.
Köstlich schmeckt' es der Füchsin, und einmal über das
                                        andere,
Dank sei König und Königin! rief sie: wir haben durch ihre

Gnade das herrliche Mahl, Gott mög' es ihnen belohnen!   205
Esset nur, sagte Reineke: zu, es reichet für diesmal,
Alle werden wir satt, und mehreres denk ich zu holen:
Denn es müssen doch alle zuletzt die Zeche bezahlen,
Die sich an Reineken machen und ihm zu schaden gedenken.

Und Frau Ermelyn sprach: ich möchte fragen: wie seid ihr   210
Los und ledig geworden? Ich brauchte, sagt er dagegen,
Viele Stunden, wollt ich erzählen, wie fein ich den König
Umgewendet und ihn und seine Gemahlin betrogen.
Ja, ich leugn' es euch nicht, es ist die Freundschaft nur dünne
Zwischen dem König' und mir und wird nicht lange
                                        bestehen.   215
Wenn er die Wahrheit erfährt, er wird sich grimmig
                                        entrüsten,
Kriegt er mich wieder in seine Gewalt, nicht Gold und nicht
                                        Silber
Könnte mich retten, er folgt mir gewiß und sucht mich zu
                                        fangen.
Keine Gnade darf ich erwarten, das weiß ich am besten,
Ungehangen läßt er mich nicht, wir müssen uns retten.   220

Laß uns nach Schwaben entfliehen! Dort kennt uns niemand;
                                        wir halten
Uns nach Landes Weise daselbst. Hilf Himmel! es findet
Süße Speise sich da und alles Guten die Fülle.
Hühner, Gänse, Hasen, Kaninchen und Zucker und Datteln,
Feigen, Rosinen und Vögel von allen Arten und Größen,   225
Und man bäckt im Lande das Brot mit Butter und Eiern,
Rein und klar ist das Wasser, die Luft ist heiter und lieblich,
Fische gibt es genug, die heißen Gallinen, und andre
Heißen Pullus und Gallus und Anas, wer nennte sie alle?
Das sind Fische nach meinem Geschmack! Da braucht ich   230
                                        nicht eben
Tief ins Wasser zu tauchen, ich habe sie immer gegessen,
Da ich als Klausner mich hielt. Ja, Weibchen, wollen wir
                                        endlich,
Friede genießen, so müssen wir hin, ihr müßt mich begleiten.

Nun versteht mich nur wohl! es ließ mich diesmal der König
235 Wieder entwischen, weil ich ihm log von seltenen Dingen.
König Emmerichs herrlichen Schatz versprach ich zu liefern,
Den beschrieb ich, er läge bei Kreckelborn. Werden sie
                                                    kommen,
Dort zu suchen, so finden sie leider nicht dieses, noch jenes,
Werden vergeblich im Boden wühlen, und siehet der König
240 Dergestalt sich betrogen, so wird er schrecklich ergrimmen:
Denn was ich für Lügen ersann, bevor ich entwischte,
Könnt ihr denken; fürwahr es ging zunächst an den Kragen!
Niemals war ich in größerer Not noch schlimmer geängstigt,
Nein! ich wünsche mir solche Gefahr nicht wieder zu sehen.
245 Kurz es mag mir begegnen was will, ich lasse mich niemals
Wieder nach Hofe bereden um in des Königs Gewalt mich
Wieder zu geben; es brauchte wahrhaftig die größte
                                                    Gewandtheit
Meinen Daumen mit Not aus seinem Munde zu bringen.

Und Frau Ermelyn sagte betrübt: was wollte das werden?
250 Elend sind wir und fremd in jedem anderen Lande,
Hier ist alles nach unserm Begehren. Ihr bleibet der Meister
Eurer Bauern und habt ihr ein Abenteuer zu wagen,
Denn so nötig? Fürwahr, um Ungewisses zu suchen,
Das Gewisse zu lassen ist weder rätlich noch rühmlich.
255 Leben wir hier doch sicher genug! Wie stark ist die Veste!
Überzög uns der König mit seinem Heere, belegt' er
Auch die Straße mit Macht, wir haben immer so viele
Seitentore, so viel geheime Wege, wir wollen
Glücklich entkommen. Ihr wißt es ja besser, was soll ich es
                                                    sagen;
260 Uns mit Macht und Gewalt in seine Hände zu kriegen,
Viel gehörte dazu. Es macht mir keine Besorgnis.
Aber daß ihr über das Meer zu gehen geschworen,
Das betrübt mich. Ich fasse mich kaum. Was könnte das
                                                    werden!

Liebe Frau, bekümmert euch nicht! versetzte dagegen
Reineke, höret mich an und merket: besser geschworen   265
Als verloren! So sagte mir einst ein Weiser im Beichtstuhl.
Ein gezwungener Eid bedeute wenig. Das kann mich
Keinen Katzenschwanz hindern! Ich meine den Eid, versteht
                                         nur.
Wie ihr gesagt habt, soll es geschehen. Ich bleibe zu Hause.
Wenig hab' ich fürwahr in Rom zu suchen, und hätt' ich   270
Zehen Eide geschworen, so wollt ich Jerusalem nimmer
Sehen; ich bleibe bei euch und hab' es freilich bequemer,
Andrer Orten find' ichs nicht besser, als wie ich es habe.
Will mir der König Verdruß bereiten, ich muß es erwarten,
Stark und zu mächtig ist er für mich, doch kann es gelingen,   275
Daß ich ihn wieder betöre, die bunte Kappe mit Schellen
Über die Ohren ihm schiebe. Da soll ers, wenn ichs erlebe,
Schlimmer finden als er es sucht. Das sei ihm geschworen!

Ungeduldig begann Bellyn am Tore zu schmälen:
Lampe, wollt ihr nicht fort? So kommt doch! lasset uns   280
                                         gehen!
Reineke hört es und eilte hinaus und sagte: mein Lieber,
Lampe bittet euch sehr ihm zu vergeben; er freut sich
Drin mit seiner Frau Muhme, das werdet ihr, sagt er, ihm
                                         gönnen.
Gehet sachte voraus. Denn Ermelyn, seine Frau Muhme,
Läßt ihn sobald nicht hinweg, ihr werdet die Freude nicht
                                         stören.   285

Da versetzte Bellyn: ich hörte schrein, was war es?
Lampen hört ich, er rief mir: Bellyn! zu Hülfe! zu Hülfe!
Habt ihr ihm etwas Übels getan? Da sagte der kluge
Reineke: höret mich recht: Ich sprach von meiner gelobten
Wallfahrt; da wollte mein Weib darüber völlig verzweifeln,   290
Es befiel sie ein tödlicher Schrecken, sie lag uns in Ohnmacht.
Lampe sah das und fürchtete sich und in der Verwirrung
Rief er: Helfet Bellyn! Bellyn! o, säumet nicht lange,
Meine Muhme wird mir gewiß nicht wieder lebendig!

295 So viel weiß ich, sagte Bellyn: er hat ängstlich gerufen.
Nicht ein Härchen ist ihm verletzt, verschwur sich der
                                        Falsche;
Lieber möchte mir selbst als Lampen was Böses begegnen.
Hörtet ihr! sagte Reineke drauf: es bat mich der König
Gestern, käm' ich nach Hause, da sollt ich in einigen Briefen
300 Über wichtige Sachen ihm meine Gedanken vermelden.
Lieber Neffe, nehmet sie mit; ich habe sie fertig,
Schöne Dinge sag ich darin und rat ihm das Klügste.
Lampe war über die Maßen vergnügt, ich hörte mit Freuden
Ihn mit seiner Frau Muhme sich alter Geschichten erinnern.
305 Wie sie schwatzten! Sie wurden nicht satt, sie aßen und
                                        tranken,
Freuten sich über einander; indessen schrieb ich die Briefe.

Lieber Reinhart, sagte Bellyn: ihr müßt nur die Briefe
Wohl verwahren; es fehlt sie einzustecken ein Täschchen.
Wenn ich die Siegel zerbräche, das würde mir übel
                                        bekommen.
310 Reineke sagte: das weiß ich zu machen. Ich denke, das
                                        Ränzel,
Das ich aus Braunens Felle bekam, wird eben sich schicken,
Es ist dicht und stark, darin verwahr ich die Briefe.
Und es wird euch dagegen der König besonders belohnen,
Er empfängt euch mit Ehren, ihr seid ihm dreimal
                                        willkommen.
315 Alles das glaubte der Widder Bellyn. Da eilte der andre
Wieder ins Haus, das Ränzel ergriff er und steckte behende
Lampens Haupt, des ermordeten, drein, und dachte
                                        darneben,
Wie er dem armen Bellyn die Tasche zu öffnen verwehrte.

Und er sagte, wie er heraus kam: hänget das Ränzel
320 Nur um den Hals und laßt euch, mein Neffe nicht etwa
                                        gelüsten
In die Briefe zu sehen; es wäre schädliche Neugier;
Denn ich habe sie wohl verwahrt, so müßt ihr sie lassen,

Selbst das Ränzel öffnet mir nicht! Ich habe den Knoten
Künstlich geknüpft, ich pflege das so in wichtigen Dingen
Zwischen dem König und mir, und findet der König die
                                    Riemen   325
So verschlungen, wie er gewohnt ist, so werdet ihr Gnade
Und Geschenke verdienen als zuverlässiger Bote.

Ja sobald ihr den König erblickt und wollt noch in bessres
Ansehn euch setzen bei ihm, so laßt ihn merken, als hättet
Ihr mit guten Bedacht zu diesen Briefen geraten,   330
Ja dem Schreiber geholfen; es bringt euch Vorteil und Ehre.
Und Bellyn ergötzte sich sehr und sprang von der Stätte,
Wo er stand mit Freuden empor und hierhin und dorthin,
Sagte: Reineke! Neffe und Herr, nun seh ich, ihr liebt mich,
Wollt mich ehren. Es wird vor allen Herrn des Hofes   335
Mir zum Lobe gereichen, daß ich so gute Gedanken,
Schöne, zierliche Worte zusammen bringe: Denn freilich
Weiß ich nicht zu schreiben, wie ihr; doch sollen sie's meinen
Und ich dank es nur euch. Zu meinem besten geschah es,
Daß ich euch folgte hierher. Nun sagt, was meint ihr noch
                                    weiter?   340
Geht nicht Lampe mit mir in dieser Stunde von hinnen?

Nein! versteht mich! sagte der Schalk: noch ist es unmöglich,
Geht allmählich voraus, er soll euch folgen, so bald ich
Einige Sachen von Wichtigkeit ihm vertraut und befohlen.
Gott sei bei euch, sagte Bellyn: so will ich denn gehen.   345
Und er eilete fort, um Mittag gelangt' er nach Hofe.

Als ihn der König ersah und zugleich das Ränzel erblickte,
Sprach er: saget Bellyn, von wannen kommt ihr? und wo ist
Reineke blieben? Ihr traget das Ränzel, was soll das
                                    bedeuten?
Da versetzte Bellyn: er bat mich, gnädigster König,   350
Euch zwei Briefe zu bringen, wir haben sie beide zusammen
Ausgedacht. Ihr findet subtil die wichtigsten Sachen
Abgehandelt, und was sie enthalten, das hab' ich geraten,
Hier im Ränzel finden sie sich, er knüpfte den Knoten.

355 Und es ließ der König sogleich dem Biber gebieten,
Der Notarius war und Schreiber des Königs, man nennt ihn
Bockert. Es war sein Geschäft, die schweren wichtigen Briefe
Vor dem König zu lesen, denn manche Sprache verstand er.
Auch nach Hinzen schickte der König, er sollte dabei sein.

360 Als nun Bockert den Knoten mit Hinze seinem Gesellen
Aufgelöset, zog er das Haupt des ermordeten Hasen
Mit Erstaunen hervor und rief: das heiß ich mir Briefe!
Seltsam genug! Wer hat sie geschrieben? Wer kann es
                                        erklären?
Dies ist Lampens Kopf, es wird ihn niemand verkennen.

365 Und es erschraken König und Königin. Aber der König
Senkte sein Haupt und sprach: O, Reineke! hätt' ich dich
                                        wieder!
König und Königin beide betrübten sich über die Maßen.
Reineke hat mich betrogen! So rief der König. O hätt' ich
Seinen schändlichen Lügen nicht Glauben gegeben! so rief
                                        er,
370 Schien verworren, mit ihm verwirrten sich alle die Tiere.
Aber Lupardus begann, des Königs naher Verwandter,
Traun! ich sehe nicht ein, warum ihr also betrübt seid,
Und die Königin auch. Entfernet diese Gedanken,
Fasset Mut! es möcht euch vor allen zur Schande gereichen.
375 Seid ihr nicht Herr? Es müssen euch alle die hier sind
                                        gehorchen.

Eben deswegen, versetzte der König, so laßt euch nicht
                                        wundern,
Daß ich im Herzen betrübt bin. Ich habe mich leider
                                        vergangen.
Denn mich hat der Verräter mit schändlicher Tücke
                                        bewogen,
Meine Freunde zu strafen. Es liegen beide geschändet,
380 Braun und Isegrim; sollte michs nicht von Herzen gereuen!
Ehre bringt es mir nicht, daß ich den besten Baronen
Meines Hofes so übel begegnet, und daß ich dem Lügner

So viel Glauben geschenkt und ohne Vorsicht gehandelt.
Meiner Frauen folgt ich zu schnell. Sie ließ sich betören,
Bat und flehte für ihn; o wär ich nur fester geblieben! 385
Nun ist die Reue zu spät und aller Rat ist vergebens.
Und es sagte Lupardus: Herr König, höret die Bitte,
Trauert nicht länger! was Übels geschehn ist, das läßt sich
          vergleichen.
Gebet dem Bären, dem Wolfe, der Wölfin, zur Sühne den
          Widder,
Denn es bekannte Bellyn gar offen und kecklich, er habe 390
Lampens Tod geraten; das mag er nun wieder bezahlen!
Und wir wollen hernach zusammen auf Reineken los gehn,
Werden ihn fangen, wenn es gerät; da hängt man ihn eilig;
Kommt er zum Worte, so schwätzt er sich los und wird nicht
          gehangen.
Aber ich weiß es gewiß, es lassen sich jene versöhnen. 395

Und der König hörte das gern; er sprach zu Lupardus:
Euer Rat gefällt mir. So geht nun eilig und holet
Mir die beiden Baronen: sie sollen sich wieder mit Ehren
In dem Rate neben mir setzen. Laßt mir die Tiere
Sämtlich zusammen berufen, die hier zu Hofe gewesen; 400
Alle sollen erfahren, wie Reineke schändlich gelogen,
Wie er entgangen, und dann mit Bellyn den Lampe getötet.
Alle sollen dem Wolf und dem Bären mit Ehrfucht begegnen,
Und zur Sühne geb’ ich den Herren, wie ihr geraten,
Den Verräter Bellyn und seine Verwandten auf ewig. 405

Und es eilte Lupardus, bis er die beiden gebundenen
Braun und Isegrim fand. Sie wurden gelöset. Da sprach er:
Guten Trost vernehmet von mir! Ich bringe des Königs
Festen Frieden und freies Geleit. Versteht mich, ihr Herren,
Hat der König euch Übels getan, so ist es ihm selber 410
Leid, er läßt es euch sagen, und wünscht euch beide
          zufrieden;
Und zur Sühne sollt ihr Bellyn mit seinem Geschlechte,
Ja mit allen Verwandten auf ewige Zeiten empfahen.

Ohne weiteres tastet sie an, ihr möget im Walde,
415 Möget im Felde sie finden, sie sind euch alle gegeben.
Dann erlaubt euch mein gnädiger Herr noch über das alles
Reineken, der euch verriet, auf jede Weise zu schaden,
Ihn, sein Weib und Kinder, und alle seine Verwandten
Mögt ihr verfolgen, wo ihr sie trefft, es hindert euch
                                          niemand.
420 Diese köstliche Freiheit verkünd' ich im Namen des Königs.
Er und alle die nach ihm herrschen, sie werden es halten!
Nur vergesset denn auch, was euch verdrießlichs begegnet,
Schwöret ihm Treu und gewärtig zu sein, ihr könnt es mit
                                          Ehren,
Nimmer verletzt er euch wieder; ich rat euch, ergreifet den
                                          Vorschlag.
425 Also war die Sühne beschlossen; sie mußte der Widder
Mit dem Halse bezahlen, und alle seine Verwandten
Werden noch immer verfolgt von Isegrims mächtiger
                                          Sippschaft.
So begann der ewige Haß. Nun fahren die Wölfe
Ohne Scheu und Scham auf Lämmer und Schafe zu wüten
430 Fort, sie glauben das Recht auf ihrer Seite zu haben,
Keines verschonet ihr Grimm, sie lassen sich nimmer
                                          versöhnen.
Aber um Brauns und Isegrims willen und ihnen zu Ehren
Ließ der König den Hof zwölf Tage verlängern; er wollte
Öffentlich zeigen, wie Ernst es ihm sei, die Herrn zu
                                          versöhnen.

SIEBENTER GESANG

Und nun sah man den Hof gar herrlich bestellt und bereitet,
Manche Ritter kamen dahin; den sämtlichen Tieren
Folgten unzählige Vögel und alle zusammen verehrten
Braun und Isegrim hoch, die ihrer Leiden vergaßen.
5 Da ergötzte sich festlich die beste Gesellschaft, die jemals
Nur beisammen gewesen, Trompeten und Pauken erklangen

Und den Hoftanz führte man auf mit guten Manieren.
Überflüssig war alles bereitet, was jeder begehrte.
Boten auf Boten gingen ins Land und luden die Gäste,
Vögel und Tiere machten sich auf; sie kamen zu Paaren,   10
Reiseten hin bei Tag und bei Nacht, und eilten zu kommen.

Aber Reineke Fuchs lag auf der Lauer zu Hause,
Dachte nicht nach Hofe zu gehn, der verlogene Pilger;
Wenig Dankes erwartet er sich. Nach altem Gebrauche
Seine Tücke zu üben gefiel am besten dem Schelme.   15
Und man hörte bei Hof die allerschönsten Gesänge,
Speis und Trank ward über und über den Gästen gereichet,
Und man sah Turnieren und fechten. Es hatte sich jeder
Zu den Seinen gesellt, da ward getanzt und gesungen,
Und man hörte Pfeifen dazwischen und hörte Schalmeien.   20
Freundlich schaute der König von seinem Saale hernieder,
Ihm behagte das große Getümmel, er sah es mit Freuden.

Und acht Tage waren vorbei, es hatte der König
Sich zu Tafel gesetzt mit seinen ersten Baronen,
Neben der Königin saß er und blutig kam das Kaninchen   25
Vor den König getreten und sprach mit traurigem Sinne:

Herr! Herr König und alle zusammen! erbarmet euch
                                        meiner!
Denn ihr habt so argen Verrat und mördrische Taten,
Wie ich von Reineken diesmal erduldet nur selten
                                        vernommen.
Gestern morgen fand ich ihn sitzen, es war um die sechste   30
Stunde, da ging ich die Straße vor Malepartus vorüber;
Und ich dachte den Weg in Frieden zu ziehen. Er hatte,
Wie ein Pilger gekleidet, als läs' er Morgengebete,
Sich vor seine Pforte gesetzt. Da wollt ich behende
Meines Weges vorbei zu eurem Hofe zu kommen.   35
Als er mich sah erhub er sich gleich und trat mir entgegen
Und ich glaubt' er wollte mich grüßen, da faßt er mich aber
Mit den Pfoten gar mörderlich an, und zwischen den Ohren

Fühlt ich die Klauen und dachte wahrhaftig das Haupt zu
                                                    verlieren,
40 Denn sie sind lang und scharf, er druckte mich nieder zur
                                                    Erde.
Glücklicherweise macht ich mich los und da ich so leicht bin
Konnt ich entspringen, er knurrte mir nach und schwur mich
                                                    zu finden.
Aber ich schwieg und machte mich fort, doch leider behielt er
Mir ein Ohr zurück, ich komme mit blutigem Haupte.
45 Seht vier Löcher trug ich davon! Ihr werdet begreifen
Wie er mit Ungestüm schlug, fast wär ich liegen geblieben.
Nun bedenket die Not, bedenket euer Geleite!
Wer mag reisen? wer mag an eurem Hofe sich finden
Wenn der Räuber die Straße belegt und alle beschädigt?

50 Und er endigte kaum, da kam die gesprächige Krähe
Merkenau, sagte: würdiger Herr und gnädiger König!
Traurige Märe bring' ich vor euch, ich bin nicht im Stande
Viel zu reden vor Jammer und Angst, ich fürchte, das bricht
                                                    mir
Noch das Herz, so jämmerlich Ding begegnet mir heute.
55 *Scharfenebbe*, mein Weib, und ich wir gingen zusammen
Heute früh, und Reineke lag für tot auf der Heide,
Beide Augen im Kopfe verdreht, es hing ihm die Zunge
Weit zum offenen Munde heraus. Da fing ich vor Schrecken
Laut an zu schreien. Er regte sich nicht, ich schrie und beklagt
                                                    ihn,
60 Rief: o weh mir! und Ach! und wiederholte die Klage.
Ach! er ist tot! wie dauert er mich! Wie bin ich bekümmert!
Meine Frau betrübte sich auch; wir jammerten beide.
Und ich betastet' ihm Bauch und Haupt, es nahte desgleichen
Meine Frau sich und trat ihm ans Kinn, ob irgend der Atem
65 Einiges Leben verriet'; allein sie lauschte vergebens;
Beide hätten wir drauf geschworen. Nun höret das Unglück.

Wie sie nun traurig und ohne Besorgnis dem Munde des
                                                    Schelmen

Ihren Schnabel näher gebracht, bemerkt' es der Unhold,
Schnappte grimmig nach ihr und riß das Haupt ihr herunter.
Wie ich erschrak, das will ich nicht sagen: O weh mir! o weh
                                                    mir!   70
Schrie ich und rief. Da schoß er hervor und schnappte mit
                                              einmal
Auch nach mir, da fuhr ich zusammen und eilte zu fliehen.
Wär' ich nicht so behende gewesen, er hätte mich gleichfalls
Fest gehalten, mit Not entkam ich den Klauen des Mörders,
Eilend erreicht' ich den Baum! O hätt' ich mein trauriges
                                              Leben   75
Nicht gerettet! Ich sah mein Weib in des Bösewichts Klauen.
Ach! er hatte die Gute gar bald gegessen. Er schien mir
So begierig und hungrig als wollt er noch einige speisen.
Nicht ein Beinchen ließ er zurück, kein Knöchelchen übrig.
Solchen Jammer sah ich mit an! er eilte von dannen,   80
Aber ich konnt es nicht lassen und flog mit traurigem Herzen
An die Stätte, da fand ich nur Blut und wenige Federn
Meines Weibes. Ich bringe sie her Beweise der Untat.
Ach erbarmt euch, gnädiger Herr! denn solltet ihr diesmal
Diesen Verräter verschonen, gerechte Rache verzögern,   85
Eurem Frieden und Eurem Geleite nicht Nachdruck
                                              verschaffen,
Vieles würde darüber gesprochen, es würd' euch mißfallen,
Denn man sagt: der ist schuldig der Tat, der zu strafen
                                              Gewalt hat,
Und nicht strafet, es spielet alsdann ein jeder den Herren.
Eurer Würde ging es zu nah, ihr mögt es bedenken.   90

Also hatte der Hof die Klage des guten Kaninchen
Und der Krähe vernommen: Da zürnte Nobel der König,
Rief: so sei es geschworen bei meiner ehrlichen Treue,
Diesen Frevel bestraf' ich, man soll es lange gedenken!
Mein Geleit und Gebot zu verhöhnen! Ich will es nicht
                                              dulden.   95
Gar zu leicht vertraut ich dem Schelm und ließ ihn
                                              entkommen,

Stattet ihn selbst als Pilger noch aus und sah ihn von hinnen
Scheiden, als ging er nach Rom. Was hat uns der Lügner
                              nicht alles
Aufgeheftet! Wie wußt er sich nicht der Königin Vorwort
100 Leicht zu gewinnen! Sie hat mich beredet, er ist uns
                              entkommen.
Aber ich werde der Letzte nicht sein, den es bitter gereute,
Frauen Rat befolget zu haben. Und lassen wir länger
Ungestraft den Bösewicht laufen, wir müssen uns schämen.
Immer war er ein Schalk und wird es bleiben. Bedenket
105 Nun zusammen, ihr Herren, wie wir ihn fahen und richten!
Greifen wir ernstlich dazu, so wird die Sache gelingen.

Isegrimen und Braunen behagte die Rede des Königs,
Werden wir doch am Ende gerochen! so dachten sie beide.
Aber sie trauten sich nicht zu reden, sie sahen, der König
110 War verstörten Gemüts und zornig über die Maßen.
Und die Königin sagte zuletzt: ihr solltet so heftig,
Gnädiger Herr, nicht zürnen, so leicht nicht schwören, es
                              leidet
Euer Ansehn dadurch und eurer Worte Bedeutung.
Denn wir sehen die Wahrheit noch keinesweges am Tage,
115 Ist doch erst der Beklagte zu hören. Und wär er zugegen,
Würde mancher verstummen, der wider Reineken redet.
Beide Parteien sind immer zu hören, denn mancher
                              Verwegne
Klagt um seine Verbrechen zu decken. Für klug und
                              verständig
Hielt ich Reineken, dachte nichts böses und hatte nur immer
120 Euer Bestes vor Augen, wiewohl es nun anders gekommen.
Denn sein Rat ist gut zu befolgen, wenn freilich sein Leben
Manchen Tadel verdient. Dabei ist seines Geschlechtes
Große Verbindung wohl zu bedenken. Es werden die Sachen
Nicht durch Übereilung gebessert und was ihr beschließet,
125 Werdet ihr dennoch zuletzt als Herr und Gebieter vollziehen.

Und Lupardus sagte darauf: Ihr höret so manchen,
Höret diesen denn auch, er mag sich stellen, und was ihr
Dann beschließt, vollziehe man gleich. So denken
                       vermutlich
Diese sämtlichen Herrn mit eurer edlen Gemahlin.

Isegrim sagte darauf: ein jeder rate zum Besten!   130
Herr Lupardus, höret mich an. Und wäre zur Stunde
Reineke hier und entledigte sich der doppelten Klage
Dieser beiden, so wär es mir immer ein leichtes zu zeigen,
Daß er das Leben verwirkt. Allein ich schweige von allem,
Bis wir ihn haben. Und habt ihr vergessen, wie sehr er den
                       König   135
Mit dem Schatze belogen? Den sollt er in Hüsterlo neben
Krekelborn finden, und was der groben Lüge noch mehr
                       war.
Alle hat er betrogen und mich und Braunen geschändet;
Aber ich setze mein Leben daran. So treibt es der Lügner
Auf der Heide. Nun streicht er herum und raubet und
                       mordet.   140
Deucht es dem Könige gut und seinem Herren, so mag man
Also verfahren. Doch, wär es ihm Ernst nach Hofe zu
                       kommen,
Hätt' er sich lange gefunden. Es eilten die Boten des Königs
Durch das Land die Gäste zu laden, doch blieb er zu Hause.

Und es sagte der König darauf: was sollen wir lange   145
Hier ihn erwarten? Bereitet euch alle, (so sei es geboten!)
Mir am sechsten Tage zu folgen. Denn wahrlich das Ende
Dieser Beschwerden will ich erleben. Was sagen die Herren?
Wär er nicht fähig zuletzt ein Land zu Grunde zu richten?
Macht euch fertig, so gut ihr nur könnt, und kommet im   150
                       Harnisch,
Kommt mit Bogen und Spießen und allen andern Gewehren,
Und betragt euch wacker und brav! Es führe mir jeder,
Denn ich schlage wohl Ritter im Felde, den Namen mit
                       Ehren.

Malepartus, die Burg, belegen wir, was er im Haus hat,
155 Wollen wir sehen. Da riefen sie alle: wir werden gehorchen.

Also dachte der König und seine Genossen die Veste
Malepartus zu stürmen, den Fuchs zu strafen. Doch
Grimbart,
Der im Rate gewesen, entfernte sich heimlich und eilte
160 Reineken aufzusuchen und ihm die Nachricht zu bringen;
Traurend ging er und klagte vor sich und sagte die Worte:
Ach, was kann es nun werden, mein Oheim! Billig bedauert
Dich dein ganzes Geschlecht, du Haupt des ganzen
Geschlechtes!
Vor Gerichte vertratest du uns, wir waren geborgen,
Niemand konnte bestehen vor dir und deiner Gewandtheit.

165 So erreicht er das Schloß und Reineken fand er im Freien
Sitzen; er hatte sich erst zwei junge Tauben gefangen;
Aus dem Neste wagten sie sich den Flug zu versuchen,
Aber die Federn waren zu kurz; sie fielen zu Boden,
Nicht im Stande sich wieder zu heben, und Reineke griff sie;
170 Denn oft ging er umher zu jagen. Da sah er von weiten
Grimbart kommen und wartete sein, er grüßt ihn und sagte:
Seid mir, Neffe, willkommen vor allen meines Geschlechtes!
Warum lauft ihr so sehr? Ihr keichet! bringt ihr was neues?
Ihm erwiderte Grimbart: die Zeitung, die ich vermelde,
175 Klingt nicht tröstlich, ihr seht, ich komm in Ängsten
gelaufen;
Leben und Gut ist alles verloren! Ich habe des Königs
Zorn gesehen; er schwört euch zu fahen und schändlich zu
töten.
Allen hat er befohlen, am sechsten Tage gewaffnet
Hier zu erscheinen mit Bogen und Schwert, mit Büchsen und
Wagen.
180 Alles fällt nun über euch her, bedenkt euch in Zeiten!
Isegrim aber und Braun sind mit dem Könige wieder
Besser vertraut, als ich nur immer mit euch bin, und alles
Was sie wollen geschieht. Den gräßlichsten Mörder und
Räuber

Schilt euch Isegrim laut, und so bewegt er den König.
Er wird Marschall; ihr werdet es sehen in wenigen Wochen.   185
Das Kaninchen erschien, dazu die Krähe, sie brachten
Große Klagen gegen euch vor. Und sollt euch der König
Diesmal fahen, so lebt ihr nicht lange! das muß ich
                                        befürchten.

Weiter nichts? versetzte der Fuchs. Das ficht mich nun alles
Keinen Pfifferling an. Und hätte der König mit seinem   190
Ganzen Rate doppelt und dreifach gelobt und geschworen:
Komm ich nur selber dahin, ich hebe mich über sie alle.
Denn sie raten und raten und wissen es nimmer zu treffen.
Lieber Neffe, lasset das fahren, und folgt mir und sehet,
Was ich euch gebe. Da hab' ich so eben die Tauben gefangen,   195
Jung und fett. Es bleibt mir das liebste von allen Gerichten!
Denn sie sind leicht zu verdauen, man schluckt sie nur eben
                                        hinunter,
Und die Knöchelchen schmecken so süß! sie schmelzen im
                                        Munde,
Sind halb Milch, halb Blut. Die leichte Speise bekommt mir,
Und mein Weib ist von gleichem Geschmack. So kommt nur,   200
                                        sie wird uns
Freundlich empfangen; doch merke sie nicht, warum ihr
                                        gekommen!
Jede Kleinigkeit fällt ihr aufs Herz und macht ihr zu
                                        schaffen.
Morgen geh ich nach Hofe mit euch; da hoff' ich, ihr werdet,
Lieber Neffe, mir helfen, so wie es Verwandten geziemet.
Leben und Gut verpflicht ich euch gerne zu eurem Behufe,   205
Sagte der Dachs, und Reineke sprach: ich will es gedenken,
Leb' ich lange, so soll es euch frommen! Der andre versetzte:
Tretet immer getrost vor die Herren und wahret zum Besten
Eure Sache, sie werden euch hören! auch stimmte Lupardus
Schon dahin, man sollt' euch nicht strafen, bevor ihr
                                        genugsam   210
Euch verteidigt, es meinte das gleiche die Königin selber.
Merket den Umstand und sucht ihn zu nutzen. Doch Reineke
                                        sagte:

Seid nur gelassen, es findet sich alles. Der zornige König,
Wenn er mich hört, verändert den Sinn, es frommt mir am
Ende.

215 Und so gingen sie beide hinein und wurden gefällig
Von der Hausfrau empfangen, sie brachte, was sie nur hatte.
Und man teilte die Tauben, man fand sie schmackhaft, und
jedes
Speiste sein Teil, sie wurden nicht satt, und hätten gewißlich
Ein halb Dutzend verzehrt, wofern sie zu haben gewesen.
220 Reineke sagte zum Dachse: bekennt mir, Oheim, ich habe
Kinder trefflicher Art, sie müssen jedem gefallen.
Sagt mir, wie euch Rossel behagt und Reinhart der Kleine?
Sie vermehren einst unser Geschlecht und fangen allmählich
An sich zu bilden, sie machen mir Freude von Morgen bis
Abend.
Einer fängt sich ein Huhn, der andere hascht sich ein
225 Küchlein;
Auch ins Wasser ducken sie brav die Ente zu holen,
Und den Kybitz. Ich schickte sie gern noch öfter zu jagen,
Aber Klugheit muß ich vor allem sie lehren und Vorsicht,
Wie sie vor Strick und Jäger und Hunden sich weise
bewahren.
230 Und verstehen sie dann das rechte Wesen und sind sie
Abgerichtet, wie sichs gehört, dann sollen sie täglich
Speise holen und bringen und soll im Hause nichts fehlen.
Denn sie schlagen mir nach und spielen grimmige Spiele.
Wenn sie's beginnen, so ziehen den Kürzern die übrigen
Tiere,
235 An der Kehle fühlt sie der Gegner und zappelt nicht lange.
Das ist Reinekens Art und Spiel. Auch greifen sie hastig,
Und ihr Sprung ist gewiß; das dünkt mich eben das rechte!
Grimbart sprach: es gereichet zur Ehre und mag man sich
freuen,
Kinder zu haben, wie man sie wünscht, und die zum
Gewerbe
240 Bald sich gewöhnen, den Eltern zu helfen. Ich freue mich
herzlich,

Sie von meinem Geschlechte zu wissen, und hoffe das Beste.
Mag es für heute bewenden, versetzte Reineke, gehn wir
Schlafen, denn alle sind müd', und Grimbart besonders
                                        ermattet.
Und sie legten sich nieder im Saale, der über und über
War mit Heu und Blättern bedeckt, und schliefen zusammen. 245
Aber Reineke wachte vor Angst; es schien ihm die Sache
Guten Rats zu bedürfen, und sinnend fand ihn der Morgen.
Und er hub vom Lager sich auf und sagte zu seinem
Weibe: betrübt euch nicht, es hat mich Grimbart gebeten,
Mit nach Hofe zu gehn; ihr bleibet ruhig zu Hause.   250
Redet jemand von mir; so kehret es immer zum besten
Und verwahret die Burg, so ist uns allen geraten.
Und Frau Ermelyn sprach: Ich find' es seltsam! ihr wagt es,
Wieder nach Hofe zu gehn, wo eurer so übel gedacht wird.
Seid ihr genötigt? ich seh es nicht ein, bedenkt das   255
                                        Vergangene.
Freilich sagte Reineke drauf: es war nicht zu scherzen,
Viele wollten mir übel, ich kam in große Bedrängnis;
Aber mancherlei Dinge begegnen unter der Sonne.
Wider alles Vermuten erfährt man dieses und jenes,
Und wer was zu haben vermeint, vermißt es auf einmal.   260
Also laßt mich nur gehn, ich habe dort manches zu schaffen.
Bleibet ruhig, das bitt' ich euch sehr, ihr habet nicht nötig,
Euch zu ängstigen. Wartet es ab! ihr sehet, mein Liebchen,
Ist es mir immer nur möglich, in fünf, sechs Tagen mich
                                        wieder.
Und so schied er von dannen, begleitet von Grimbart dem
                                        Dachse.   265

ACHTER GESANG

Weiter gingen sie nun zusammen über die Heide,
Grimbart und Reineke, grade den Weg zum Schlosse des
                                        Königs.
Aber Reineke sprach: es falle wie es auch wolle,

Diesmal ahndet es mir, die Reise führet zum besten.
5　Lieber Oheim, höret mich nun! Seitdem ich zum letzten
Euch gebeichtet, verging ich mich wieder in sündigem
　　　　　　　　　　Wesen:
Höret großes und kleines und was ich damals vergessen.

Von dem Leibe des Bären und seinem Felle verschafft ich
Mir ein tüchtiges Stück; es ließen der Wolf und die Wölfin
10　Ihre Schuhe mir ab; so hab ich mein Mütchen gekühlet.
Meine Lüge verschaffte mir das, ich wußte den König
Aufzubringen und hab' ihn dabei entsetzlich betrogen:
Denn ich erzählt ihm ein Märchen und Schätze wußt ich zu
　　　　　　　　　　dichten.
Ja ich hatte daran nicht genug, ich tötete Lampen,
15　Ich bepackte Bellin mit dem Haupt des ermordeten; grimmig
Sah der König auf ihn, er mußte die Zeche bezahlen.
Und das Kaninchen, ich drückt es gewaltig hinter die Ohren,
Daß es beinah das Leben verlor, und war mir verdrießlich,
Daß es entkam. Auch muß ich bekennen, die Krähe beklagt
　　　　　　　　　　sich
20　Nicht mit Unrecht, ich habe Frau Scharfenebbe sein
　　　　　　　　　　Weibchen
Aufgegessen. Das hab ich begangen, seitdem ich gebeichtet.
Aber damals vergaß ich nur eines, ich will es erzählen,
Eine Schalkheit, die ich beging, ihr müßt sie erfahren.
Denn ich möchte nicht gern so etwas tragen; ich lud es
25　Damals dem Wolf auf den Rücken. Wir gingen nämlich
　　　　　　　　　　zusammen
Zwischen Kackyß und Elverdingen, da sah'n wir von
　　　　　　　　　　weitem
Eine Stute mit ihrem Fohlen, und Eins wie das Andre
Wie ein Rabe so schwarz. Vier Monat mochte das Fohlen
Alt sein. Und Isegrim war vom Hunger gepeinigt, da bat er:
30　Fraget mir doch, verkauft uns die Stute, nicht etwa das
　　　　　　　　　　Fohlen?
Und wie teuer? Da ging ich zu ihr und wagte das Stückchen.
Liebe Frau Mähre, sagt ich zu ihr: das Fohlen ist euer,

Wie ich weiß, verkauft ihr es wohl? Das möcht ich erfahren.
Sie versetzte: bezahlt ihr es gut, so kann ich es missen,
Und die Summe für die es mir feil ist, ihr werdet sie lesen,   35
Hinten steht sie geschrieben an meinem Fuße. Da merkt ich,
Was sie wollte, versetzte darauf: ich muß euch bekennen,
Lesen und schreiben gelingt mir nicht eben so, wie ich es
                                        wünschte.
Auch begehr ich des Kindes nicht selbst; denn Isegrim
                                        möchte
Das Verhältnis eigentlich wissen; er hat mich gesendet.   40

Laßt ihn kommen, versetzte sie drauf, er soll es erfahren.
Und ich ging, und Isegrim stand und wartete meiner,
Wollt ihr euch sättigen, sagt ich zu ihm: so geht nur, die
                                        Mähre
Gibt euch das Fohlen, es steht der Preis am hinteren Fuße
Unten geschrieben; ich möchte nur, sagte sie, selber da   45
                                        nachsehn.
Aber zu meinem Verdruß mußt' ich schon manches
                                        versäumen,
Weil ich nicht lesen und schreiben gelernt. Versucht es, mein
                                        Oheim,
Und beschauet die Schrift, ihr werdet vielleicht sie verstehen.

Isegrim sagte: Was sollt' ich nicht lesen! das wäre mir seltsam!
Deutsch, Latein, und Welsch, sogar Französisch versteh ich,   50
Denn in Erfurt hab' ich mich wohl zur Schule gehalten,
Bei den Weisen, Gelahrten und mit den Meistern des Rechtes
Fragen und Urteil gestellt, ich habe meine Lizenzen
Förmlich genommen, und was für Skripturen man immer
                                        auch findet,
Les ich als wäre es mein Name. Drum wird es mir heute nicht
                                        fehlen.   55
Bleibet, ich geh' und lese die Schrift, wir wollen doch sehen.

Und er ging und fragte die Frau: wie teuer das Fohlen?
Macht es billig. Sie sagte darauf: ihr dürft nur die Summe

Lesen, sie stehet geschrieben an meinem hinteren Fuße.
60 Laßt mich sehen! versetzte der Wolf. Sie sagte: das tu ich!
Und sie hub den Fuß empor aus dem Grase; der war erst
Mit sechs Nägeln beschlagen; sie schlug gar richtig und fehlte
Nicht ein Härchen, sie traf ihm den Kopf, er stürzte zur
                                                    Erden,
Lag betäubt wie tot. Sie aber eilte von dannen,
65 Was sie konnte. So lag er verwundet, es dauerte lange.
Eine Stunde verging, da regt' er sich wieder und heulte,
Wie ein Hund. Ich trat ihm zur Seite und sagte: Herr Oheim,
Wo ist die Stute? Wie schmeckte das Fohlen? Ihr habt euch
                                                    gesättigt,
Habt mich vergessen, ihr tatet nicht wohl, ich brachte die
                                                    Botschaft.
70 Nach der Mahlzeit schmeckte das Schläfchen. Wie lautete,
                                                    sagt mir,
Unter dem Fuße die Schrift? Ihr seid ein großer Gelehrter.

Ach! versetzt' er: spottet ihr noch? Wie bin ich so übel
Diesmal gefahren! Es sollte fürwahr ein Stein sich erbarmen.
Die langbeinigte Mähre! der Henker mags ihr bezahlen!
75 Denn der Fuß war mit Eisen beschlagen, das waren die
                                                    Schriften!
Neue Nägel! ich habe davon sechs Wunden im Kopfe.

Kaum behielt er sein Leben. Ich habe nun alles gebeichtet,
Lieber Neffe! vergebet mir nun die sündigen Werke!
Wie es bei Hofe gerät, ist mißlich; aber ich habe
80 Mein Gewissen befreit und mich von Sünden gereinigt.
Saget nun, wie ich mich bessre, damit ich zu Gnaden gelange.

Grimbart sprach: ich finde euch von neuem mit Sünden
                                                    beladen.
Doch es werden die Toten nicht wieder lebendig; es wäre
Freilich besser wenn sie noch lebten. So will ich, mein
                                                    Oheim,
85 In Betrachtung der schrecklichen Stunde, der Nähe des
                                                    Todes,

Der euch droht, die Sünde vergeben als Diener des Herren:
Denn sie streben euch nach mit Gewalt, ich fürchte das
schlimmste,
Und man wird euch vor allem das Haupt des Hasen
gedenken!
Große Dreistigkeit war es, gesteht's, den König zu reizen,
Und es schadet euch mehr, als euer Leichtsinn gedacht hat.   90

Nicht ein Haar, versetzte der Schelm! und daß ich euch sage,
Durch die Welt sich zu helfen ist ganz was eignes; man kann
sich
Nicht so heilig bewahren als wie im Kloster, das wißt ihr.
Handelt einer mit Honig, er leckt zuweilen die Finger.
Lampe reizte mich sehr, er sprang herüber, hinüber,   95
Mir vor den Augen herum, sein fettes Wesen gefiel mir,
Und ich setzte die Liebe bei Seite; so gönnt ich Bellinen
Wenig Gutes. Sie haben den Schaden; ich habe die Sünde.
Aber sie sind zum Teil auch so plump, in jeglichen Dingen
Grob und stumpf. Ich sollte noch viel Zeremonien machen?   100
Wenig Lust behielt ich dazu. Ich hatte von Hofe
Mich mit Ängsten gerettet, und lehrte sie dieses und jenes,
Aber es wollte nicht fort. Denn jeder sollte den Nächsten
Lieben, das muß ich gestehn. Indessen achtet' ich diese
Wenig, und tot ist tot, so sagt ihr selber. Doch laßt uns   105
Andre Dinge besprechen; es sind gefährliche Zeiten.
Denn wie geht es von oben herab? Man soll ja nicht reden;
Doch wir Andern merken drauf, und denken das unsre.

Raubt der König ja selbst so gut als Einer, wir wissens;
Was er selber nicht nimmt, das läßt er Bären und Wölfe   110
Holen, und glaubt, es geschähe mit Recht. Da findet sich
keiner,
Der sich getraut ihm die Wahrheit zu sagen, so weit hinein ist
es
Böse, kein Beichtiger, kein Kaplan, sie schweigen! Warum
das?
Sie genießen es mit, und wär nur ein Rock zu gewinnen.

115 Komme dann einer und klage! der haschte mit gleichem
                                              Gewinne
Nach der Luft, er tötet die Zeit und beschäftigte besser
Sich mit neuem Erwerb. Denn fort ist fort, und was einmal
Dir ein Mächtiger nimmt, das hast du besessen. Der Klage
Gibt man wenig Gehör und sie ermüdet am Ende;
120 Unser Herr ist der Löwe, und alles an sich zu reißen
Hält er seiner Würde gemäß. Er nennt uns gewöhnlich
Seine Leute. Fürwahr, das unsre, scheint es, gehört ihm.

Darf ich reden, mein Oheim? der edle König, er liebt sich
Ganz besonders Leute, die bringen, und die nach der Weise,
125 Die er singt, zu tanzen verstehn. Man sieht es zu deutlich.
Daß der Wolf und der Bär zum Rate wieder gelangen,
Schadet noch manchem. Sie stehlen und rauben; es liebt sie
                                              der König,
Jeglicher sieht es und schweigt, er denkt an die Reihe zu
                                              kommen.
Mehr als vier befinden sich so zur Seite des Herren,
130 Ausgezeichnet vor allen, sie sind die größten am Hofe.
Nimmt ein armer Teufel, wie Reineke, irgend ein Hühnchen,
Wollen sie alle gleich über ihn her, ihn suchen und fangen,
Und verdammen ihn laut mit Einer Stimme zum Tode.
Kleine Diebe hängt man so weg, es haben die großen
Starken Vorsprung, mögen das Land und die Schlösser
135   verwalten.
Sehet, Oheim, bemerk' ich nun das und sinne darüber,
Nun, so spiel ich halt auch mein Spiel und denke darneben
Öfters bei mir, es muß ja wohl recht sein, es tun es so viele!
Freilich regt sich dann auch das Gewissen, und zeigt mir von
                                              ferne
140 Gottes Zorn und Gericht und läßt mich das Ende bedenken.
Ungerecht Gut, so klein es auch sei, man muß es erstatten,
Und da fühl ich denn Reu' im Herzen; doch währt es nicht
                                              lange.
Ja, was hilft dich's der Beste zu sein, es bleiben die Besten,
Doch nicht unberedet in diesen Zeiten vom Volke.

Denn es weiß die Menge genau nach allem zu forschen,   145
Niemand vergessen sie leicht, erfinden dieses und jenes;
Wenig Gutes ist in der Gemeine, und wirklich verdienen
Wenige drunter auch gute gerechte Herren zu haben.
Denn sie singen und sagen vom Bösen immer und immer;
Auch das Gute wissen sie zwar von großen und kleinen   150
Herren, doch schweigt man davon und selten kommt es zur
                        Sprache.
Doch das schlimmste find' ich den Dünkel des irrigen
                        Wahnes,
Der die Menschen ergreift: es könne jeder im Taumel
Seines heftigen Wollens die Welt beherrschen und richten.
Hielte doch jeder sein Weib und seine Kinder in Ordnung,   155
Wüßte sein trotzig Gesinde zu bändigen, könnte sich stille,
Wenn die Toren verschwenden, im mäßigem Leben erfreuen,
Aber wie sollte die Welt sich verbessern? es läßt sich ein jeder
Alles zu und will mit Gewalt die andern bezwingen.
Und so sinken wir tiefer und immer tiefer ins Arge.   160
Afterreden, Lug und Verrat und Diebstahl, und falscher
Eidschwur, Rauben und Morden, man hört nichts anders
                        erzählen.
Falsche Propheten und Heuchler betrügen schändlich die
                        Menschen.

Jeder lebt nur so hin! und will man sie treulich ermahnen,
Nehmen sie's leicht und sagen auch wohl: Ei wäre die Sünde   165
Groß und schwer, wie hier und dort uns manche Gelehrte
Predigen, würde der Pfaffe die Sünde selber vermeiden.
Sie entschuldigen sich mit bösem Exempel, und gleichen
Gänzlich dem Affengeschlecht, das nachzuahmen geboren,
Weil es nicht denket und wählt, empfindlichen Schaden   170
                        erduldet.

Freilich sollten die geistlichen Herren sich besser betragen!
Manches könnten sie tun, wofern sie es heimlich
                        vollbrächten:
Aber sie schonen uns nicht, uns andre Laien, und treiben

Alles, was ihnen beliebt, vor unsern Augen, als wären
175 Wir mit Blindheit geschlagen; allein wir sehen zu deutlich,
Ihre Gelübde gefallen den guten Herren so wenig,
Als sie dem sündigen Freunde der weltlichen Werke
                                                        behagen.

Denn so haben über den Alpen die Pfaffen gewöhnlich
Eigens ein Liebchen; nicht weniger sind in diesen Provinzen,
180 Die sich sündlich vergehn. Man will mir sagen, sie haben
Kinder wie andre verehlichte Leute; und sie zu versorgen
Sind sie eifrig bemüht und bringen sie hoch in die Höhe.
Diese denken hernach nicht weiter, woher sie gekommen,
Lassen niemand den Rang und gehen stolz und gerade,
185 Eben als wären sie edlen Geschlechts, und bleiben der
                                                        Meinung,
Ihre Sache sei richtig. So pflegte man aber vor diesem
Pfaffenkinder so hoch nicht zu halten; nun heißen sie alle
Herren und Frauen. Das Geld ist freilich alles vermögend.
Selten findet man fürstliche Lande, worin nicht die Pfaffen
190 Zölle und Zinsen erhüben und Dörfer und Mühlen
                                                        benutzten.
Diese verkehren die Welt, es lernt die Gemeine das Böse:
Denn man sieht, so hält es der Pfaffe, da sündiget jeder.
Und vom Guten leitet hinweg ein Blinder den Andern.
Ja wer merkte denn wohl die guten Werke der frommen
195 Priester, und wie sie die heilige Kirche mit gutem Exempel
Auferbauen? Wer lebt nun darnach? Man stärkt sich im
                                                        Bösen.
So geschieht es im Volke, wie sollte die Welt sich verbessern?

Aber höret mich weiter. Ist einer unecht geboren,
Sei er ruhig darüber, was kann er weiter zur Sache?
200 Denn ich meine nur so, versteht mich. Wird sich ein solcher
Nur mit Demut betragen und nicht durch eitles Benehmen
Andre reizen, so fällt es nicht auf, und hätte man Unrecht
Über dergleichen Leute zu reden. Es macht die Geburt uns
Weder edel noch gut, noch kann sie zur Schande gereichen.

Aber Tugend und Laster, *sie* unterscheiden die Menschen.   205
Gute, gelehrte geistliche Männer, man hält sie, wie billig
Hoch in Ehren, doch geben die Bösen ein böses Exempel.
Predigt so einer das Beste, so sagen doch endlich die Laien:
Spricht er das Gute und tut er das Böse, was soll man
                                        erwählen?
Auch der Kirche tut er nichts gutes, er prediget jedem: 210
Leget nur aus und bauet die Kirche; das rat' ich, ihr Lieben,
Wollt ihr Gnade verdienen und Ablaß! so schließt er die
                                        Rede,
Und er legt wohl wenig dazu, ja gar nichts, und fiele
Seinetwegen die Kirche zusammen. So hält er denn weiter
Für die beste Weise zu leben, sich köstlich zu kleiden,   215
Lecker zu essen. Und hat sich so einer um weltliche Sachen
Übermäßig bekümmert, wie will er beten und singen?
Gute Priester sind täglich und stündlich im Dienste des
                                        Herren
Fleißig begriffen, und üben das Gute, der heiligen Kirche
Sind sie nütze, sie wissen die Laien durch gutes Exempel   220
Auf dem Wege des Heils, zur rechten Pforte zu leiten.

Aber ich kenne denn auch die bekappten, sie plärren und
                                        plappern
Immer zum Scheine so fort, und suchen immer die Reichen;
Wissen den Leuten zu schmeicheln und gehn am liebsten zu
                                        Gaste.
Bittet man Einen, so kommt auch der Zweite; da finden sich
                                        weiter   225
Noch zu diesen zwei oder drei. Und wer in dem Kloster
Gut zu schwätzen versteht, der wird im Orden erhoben,
Wird zum Lesemeister, zum Kustos oder zum Prior.
Andere stehen bei Seite. Die Schüsseln werden gar ungleich
Aufgetragen. Denn einige müssen des Nachts in dem Chore   230
Singen, lesen, die Gräber umgehn: die Anderen haben
Guten Vorteil und Ruh und essen die köstlichen Bissen.

Und die Legaten des Papsts, die Äbte, Pröbste, Prälaten.
Die Beginen und Nonnen, da wäre vieles zu sagen!
235 Überall heißt es: gebt mir das eure und laßt mir das meine.
Wenige finden sich wahrlich, nicht sieben, welche der
       Vorschrift
Ihres Ordens gemäß ein heiliges Leben beweisen.
Und so ist der geistliche Stand gar schwach und gebrechlich.

Oheim! sagte der Dachs, ich find es besonders, ihr beichtet
240 Fremde Sünden. Was will es euch helfen? Mich dünket, es
       wären
Euer eignen genug. Und sagt mir, Oheim, was habt ihr
Um die Geistlichkeit euch zu bekümmern, und dieses und
       jenes?
Seine Bürde mag jeglicher tragen, und jeglicher gebe
Red und Antwort wie er in seinem Stande die Pflichten
245 Zu erfüllen strebt; dem soll sich niemand entziehen,
Weder Alte noch Junge, hier außen oder im Kloster.
Doch ihr redet zu viel von allerlei Dingen und könntet
Mich zuletzt zum Irrtum verleiten. Ihr kennet fürtrefflich,
Wie die Welt nun besteht und alle Dinge sich fügen,
250 Niemand schickte sich besser zum Pfaffen. Ich käme mit
       andern
Schafen zu beichten bei euch, und eurer Lehre zu horchen,
Eure Weisheit zu lernen; denn freilich! muß ich gestehen:
Stumpf und grob sind die meisten von uns, und hätten's von
       Nöten.
Also hatten sie sich dem Hofe des Königs genähert.
255 Reineke sagte: so ist es gewagt! und nahm sich zusammen.
Und sie begegneten Martin dem Affen, der hatte sich eben
Aufgemacht und wollte nach Rom; er grüßte die beiden.
Lieber Oheim, fasset ein Herz! so sprach er zum Fuchse,
Fragt' ihn dieses und jenes, obschon ihm die Sache bekannt
       war.
260 Ach, wie ist mir das Glück in diesen Tagen entgegen!
Sagte Reineke drauf, es haben mich etliche Diebe
Wieder beschuldigt, wer sie auch sind; besonders die Krähe,

Mit dem Kaninchen; sein Weib verlor das eine, dem andern
Fehlt ein Ohr. Was kümmert mich das? Und könnt' ich nur
selber
Mit dem Könige reden, sie beide solltens empfinden.   265
Aber mich hindert am meisten, daß ich im Banne des Papstes
Leider noch bin. Nun hat in der Sache der Probst die
Vollmacht,
Der beim Könige gilt. Und in dem Banne befind' ich
Mich um Isegrims willen, der einst ein Klausner geworden,
Aber dem Kloster entlief, von Elkmar, wo er gewohnet.   270
Und er schwur, so könnt er nicht leben, man halt' ihn zu
strenge,
Lange könn' er nicht fasten und könne nicht immer so lesen.
Damals half ich ihm fort. Es reut mich; denn er verleumdet
Mich beim Könige nun, und sucht mir immer zu schaden.
Soll ich nach Rom? Wie werden indes zu Hause die Meinen   275
In Verlegenheit sein! Denn Isegrim kann es nicht lassen,
Wo er sie findet, beschädigt er sie. Auch sind noch so viele,
Die mir Übels gedenken und sich an die Meinigen halten.
Wär ich aus dem Banne gelöst, so hätt ich es besser,
Könnte gemächlich mein Glück bei Hofe wieder versuchen.   280

Martin versetzte: da kann ich euch helfen, es trifft sich! so
eben
Geh ich nach Rom und nütz euch daselbst mit künstlichen
Stücken.
Unterdrücken laß ich euch nicht! Als Schreiber des Bischofs,
Dünkt mich, versteh ich das Werk. Ich schaffe, daß man den
Domprobst
Grade nach Rom zitiert, da will ich gegen ihn fechten.   285
Seht nur, Oheim, ich treibe die Sache und weiß sie zu leiten,
Exequieren laß ich das Urteil, ihr werdet mir sicher
Absolviert, ich bring es euch mit; es sollen die Feinde
Übel sich freu'n und ihr Geld zusamt der Mühe verlieren:
Denn ich kenne den Gang der Dinge zu Rom, und verstehe,   290
Was zu tun und zu lassen. Da ist Herr *Simon*, mein Oheim,
Angesehn und mächtig; er hilft den guten Bezahlern.

Schalkefund, das ist ein Herr! und Doktor *Greifzu* und
andre,
Wendemantel und *Losefund* hab' ich alle zu Freunden.
Meine Gelder schickt' ich voraus; denn, seht nur, so wird
295 man
Dort am besten bekannt. Sie reden wohl von zitieren:
Aber das Geld begehren sie nur. Und wäre die Sache
Noch so krumm, ich mache sie grad mit guter Bezahlung.
Bringst du Geld, so findest du Gnade; so bald es dir mangelt,
300 Schließen die Türen sich zu. Ihr bleibet ruhig im Lande,
Eurer Sache nehm ich mich an, ich löse den Knoten.
Geht nur nach Hofe, ihr werdet daselbst Frau Rückenau
finden,
Meine Gattin; es liebt sie der König unser Gebieter
Und die Königin auch, sie ist behenden Verstandes.
305 Sprecht sie an, sie ist klug, verwendet sich gerne für Freunde.
Viele Verwandte findet ihr da. Es hilft nicht immer
Recht zu haben. Ihr findet bei ihr zwei Schwestern, und
meiner
Kinder sind drei, daneben noch manche von eurem
Geschlechte,
Euch zu dienen bereit, wie ihr es immer begehret.
310 Und versagte man euch das Recht, so sollt ihr erfahren
Was ich vermag. Und wenn man euch druckt, berichtet mir's
eilig
Und ich lasse das Land in Bann tun, den König und alle
Weiber und Männer und Kinder. Ein Interdikt will ich
senden,
Singen soll man nicht mehr, noch Messe lesen, noch taufen,
315 Noch begraben, was es auch sei. Des tröstet euch, Neffe!

Denn der Papst ist alt und krank und nimmt sich der Dinge
Weiter nicht an, man achtet ihn wenig. Auch hat nun am Hofe
Kardinal *Ohnegenüge* die ganze Gewalt, der ein junger
Rüstiger Mann ist, ein feuriger Mann von schnellem
Entschlusse.
320 Dieser liebt ein Weib das ich kenne; sie soll ihm ein Schreiben

Bringen, und was sie begehrt das weiß sie trefflich zu
                                        machen.
Und sein Schreiber Johannes *Partey*, der kennt aufs genauste,
Alte und neue Münze, dann *Horchegenau*, sein Geselle,
Ist ein Hofmann, *Schleifen und Wenden* ist Notarius,
Bakkalaureus beider Rechte, und bleibt er nur etwa   325
Noch ein Jahr, so ist er vollkommen in praktischen
                                        Schriften.
Dann sind noch zwei Richter daselbst, die heißen *Moneta*
Und *Donarius*; sprechen sie ab, so bleibt es gesprochen.

So verübt man in Rom gar manche Listen und Tücken,
Die der Papst nicht erfährt. Man muß sich Freunde
                                        verschaffen!   330
Denn durch sie vergibt man die Sünden und löset die Völker
Aus dem Banne. Verlaßt euch darauf, mein wertester Oheim!
Denn es weiß der König schon lang', ich laß euch nicht fallen,
Eure Sache führ ich hinaus, und bin es vermögend.
Ferner mag er bedenken, es sind gar viele den Affen   335
Und den Füchsen verwandt, die ihn am besten beraten.
Und das hilft euch gewiß, es gehe wie es auch wolle.

Reineke sprach: das tröstet mich sehr; ich denk es euch
                                        wieder,
Komm ich diesmal nur los. Und einer empfahl sich dem
                                        andern.
Ohne Geleit ging Reineke nun mit Grimbart dem Dachse   340
Nach dem Hofe des Königs, wo man ihm übel gesinnt war.

NEUNTER GESANG

Reineke war nach Hofe gelangt, er dachte die Klagen
Abzuwenden, die ihn bedrohten. Doch als er die vielen
Feinde beisammen erblickte, wie alle standen und alle
Sich zu rächen begehrten und ihn am Leben zu strafen,
Fiel ihm der Mut; er zweifelte nun, doch ging er mit
                                        Kühnheit   5

Grade durch alle Baronen, und Grimbart ging ihm zur Seite,
Sie gelangten zum Throne des Königs, da lispelte Grimbart:
Seid nicht furchtsam, Reineke, diesmal, gedenket: dem
                                              Blöden
Wird das Glück nicht zu Teil, der Kühne sucht die Gefahr auf
10 Und erfreut sich mit ihr; sie hilft ihm wieder entkommen.
Reineke sprach: ihr sagt mir die Wahrheit, ich danke zum
                                              schönsten
Für den herrlichen Trost, und komm ich wieder in Freiheit,
Werd ichs gedenken. Er sah nun umher und viele Verwandte
Fanden sich unter der Schar, doch wenige Gönner, den
                                              meisten
15 Pflegt' er übel zu dienen; ja unter den Ottern und Bibern,
Unter großen und kleinen trieb er sein schelmisches Wesen.
Doch entdeckt er noch Freunde genug im Saale des Königs.

Reineke kniete vorm Throne zur Erden und sagte bedächtig:
Gott, dem alles bekannt ist, und der in Ewigkeit mächtig
20 Bleibt, bewahr euch mein Herr und König, bewahre nicht
                                              minder
Meine Frau die Königin immer, und beiden zusammen
Geb er Weisheit und gute Gedanken, damit sie besonnen
Recht und Unrecht erkennen, denn viele Falschheit ist jetzo
Unter den Menschen im Gange. Da scheinen viele von
                                              außen,
25 Was sie nicht sind. O hätte doch jeder am Vorhaupt
                                              geschrieben,
Wie er gedenkt, und säh es der König! da würde sich zeigen,
Daß ich nicht lüge und daß ich euch immer zu dienen bereit
                                              bin.
Zwar verklagen die Bösen mich heftig; sie möchten mir
                                              gerne
Schaden und eurer Huld mich berauben, als wär ich
                                              derselben
30 Unwert. Aber ich kenne die strenge Gerechtigkeitsliebe
Meines Königs und Herrn, denn ihn verleitete keiner
Je die Wege des Rechtes zu schmälern, so wird es auch
                                              bleiben.

Alles kam und drängte sich nun, ein jeglicher mußte
Reinekens Kühnheit bewundern, es wünscht ihn jeder zu
                              hören,
Seine Verbrechen waren bekannt, wie wollt er entrinnen?   35

Reineke Bösewicht! sagte der König: für diesmal erretten
Deine losen Worte dich nicht, sie helfen nicht länger
Lügen und Trug zu verkleiden, nun bist du ans Ende
                              gekommen.
Denn du hast die Treue zu mir, ich glaube, bewiesen
Am Kaninchen und an der Krähe! das wäre genugsam.   40
Aber du übest Verrat an allen Orten und Enden,
Deine Streiche sind falsch und behende, doch werden sie
                              nicht mehr
Lange dauern, denn voll ist das Maß, ich schelte nicht länger.

Reineke dachte: wie wird es mir gehn? O hätt ich nur wieder
Meine Behausung erreicht! Wo will ich Mittel ersinnen?   45
Wie es auch geht, ich muß nun hindurch, versuchen wir alles.

Mächtiger König, edelster Fürst! so ließ er sich hören:
Meint ihr, ich habe den Tod verdient, so habt ihr die Sache
Nicht von der rechten Seite betrachtet; drum bitt’ ich, ihr
                              wollet
Erst mich hören. Ich habe ja sonst euch nützlich geraten,   50
In der Not bin ich bei euch geblieben, wenn etliche wichen,
Die sich zwischen uns beide nun stellen zu meinem
                              Verderben,
Und die Gelegenheit nützen, wenn ich entfernt bin. Ihr
                              möget,
Edler König, hab ich gesprochen, die Sache dann schlichten;
Werd’ ich schuldig befunden, so muß ich es freilich ertragen. 55
Wenig habt ihr meiner gedacht, indes ich im Lande
Vieler Orten und Enden die sorglichste Wache gehalten.
Meint ihr, ich wäre nach Hofe gekommen, wofern ich mich
                              schuldig
Wußte großer oder kleiner Vergehn? Ich würde bedächtig

60 Eure Gegenwart fliehn und meine Feinde vermeiden.
Nein, mich hätten gewiß aus meiner Feste nicht sollen
Alle Schätze der Welt hierher verleiten, da war ich
Frei auf eigenem Grund und Boden. Nun bin ich mir aber
Keines Übels bewußt, und also bin ich gekommen.
65 Eben stand ich Wache zu halten, da brachte mein Oheim
Mir die Zeitung, ich solle nach Hof. Ich hatte von neuem,
Wie ich dem Bann mich entzöge gedacht, darüber mit Martin
Vieles gesprochen, und er gelobte mir heilig, er wolle
Mich von dieser Bürde befreien. Ich werde nach Rom gehn,
70 Sagt er, und nehme die Sache von nun an völlig auf meine
Schultern, geht nur nach Hofe, des Bannes werdet ihr ledig.
Sehet, so hat mir Martin geraten, er muß es verstehen,
Denn der fürtreffliche Bischof, Herr Ohnegrund, braucht ihn
                                                    beständig,
Schon fünf Jahre dient er demselben in rechtlichen Sachen.
75 Und so kam ich hieher und finde Klagen auf Klagen.
Das Kaninchen, der Äugler, verleumdet mich, aber es steht
                                                    nun
Reineke hier, so tret' er hervor mir unter die Augen.
Denn es ist freilich was leichtes, sich über Entfernte
                                                    beklagen,
Aber man soll den Gegenteil hören, bevor man ihn richtet.
80 Diese falsche Gesellen, bei meiner Treue! sie haben
Gutes genossen von mir, die Krähe mit dem Kaninchen:
Denn vorgestern am Morgen in aller Frühe begegnet
Mir das Kaninchen und grüßte mich schön; ich hatte so eben
Vor mein Schloß mich gestellt und las die Gebete des
                                                    Morgens.
85 Und er zeigte mir an, er gehe nach Hofe, da sagt ich,
Gott begleit' euch. Er klagte darauf: wie hungrig und müde
Bin ich geworden! da fragt' ich ihn freundlich: begehrt ihr zu
                                                    Essen?
Dankbar nehm' ich es an, versetzt' er. Aber ich sagte:
Geb ichs doch gerne; so ging ich mit ihm und bracht ihm
                                                    behende
90 Kirschen und Butter, ich pflege kein Fleisch am Mittwoch zu
                                                    essen.

Und er sättigte sich mit Brot und Butter und Früchten.
Aber es trat mein Söhnchen, das jüngste, zum Tische, zu
                              sehen,
Ob was übrig geblieben; denn Kinder lieben das Essen;
Und der Knabe haschte darnach. Da schlug das Kaninchen
Hastig ihm über das Maul, es bluteten Lippen und Zähne.   95
Reinhart, mein andrer sah, die Begegnung und faßte den
                              Äugler
Grad an der Kehle, spielte sein Spiel und rächte den Bruder.
Das geschah, nicht mehr und nicht minder. Ich säumte nicht
                              lange,
Lief und strafte die Knaben und brachte mit Mühe die Beiden
Auseinander. Kriegt' er was ab, so mag er es tragen,   100
Denn er hatte noch mehr verdient; auch wären die Jungen,
Hätt' ich es übel gemeint, mit ihm wohl fertig geworden.
Und so dankt er mir nun! Ich riß ihm, sagt er, ein Ohr ab;
Ehre hat er genossen und hat ein Zeichen behalten.

Ferner kam die Krähe zu mir, und klagte: die Gattin   105
Hab er verloren, sie habe sich leider zu Tode gegessen,
Einen ziemlichen Fisch mit allen Gräten verschlungen;
Wo es geschah, das weiß er am besten, nun sagt er: ich habe
Sie gemordet; er tat es wohl selbst, und würde man ernstlich
Ihn verhören, dürft ich es tun, er spräche wohl anders.   110
Denn sie fliegen, es reichet kein Sprung so hoch, in die Lüfte.

Will nun solcher verbotenen Taten mich jemand bezüchten,
Tu ers mit redlichen, gültigen Zeugen, denn also gehört sichs
Gegen edle Männer zu rechten; ich müßt es erwarten.
Aber finden sich keine, so gibts ein anderes Mittel.   115
Hier! ich bin zum Kampfe bereit! man setze den Tag an
Und den Ort. Es zeige sich dann ein würdiger Gegner,
Gleich mit mir von Geburt, ein jeder führe sein Recht aus.
Wer dann Ehre gewinnt, dem mag sie bleiben. So hat es
Immer zu Rechte gegolten, und ich verlang' es nicht besser.   120

Alle standen und hörten und waren über die Worte
Reinekens höchlich verwundert, die er so trotzig
                                    gesprochen.
Und es erschraken die Beiden, die Krähe mit dem
                                    Kaninchen,
Räumten den Hof, und trauten nicht weiter ein Wörtchen zu
                                    sprechen.
125 Gingen und sagten unter einander: es wäre nicht ratsam
Gegen ihn weiter zu rechten. Wir möchten alles versuchen
Und wir kämen nicht aus. Wer hat's gesehen? wir waren
Ganz allein mit dem Schelm, wer sollte zeugen? am Ende
Bleibt der Schaden uns doch. Für alle seine Verbrechen
130 Warte der Henker ihm auf und lohn ihm wie ers verdiente!
Kämpfen will er mit uns? das möcht' uns übel bekommen.
Nein fürwahr, wir lassen es lieber. Denn falsch und behende,
Lose und tückisch kennen wir ihn. Es wären ihm wahrlich
Unser fünfe zu wenig, wir müßten es teuer bezahlen.

135 Isegrim aber und Braunen war übel zu Mute; sie sahen
Ungern die beiden von Hofe sich schleichen. Da sagte der
                                    König:
Hat noch jemand zu klagen, der komme! Laßt uns
                                    vernehmen!
Gestern drohten so viele, hier steht der Beklagte! wo sind
                                    sie?

Reineke sagte: so pflegt es zu gehn; man klagt und
                                    beschuldigt,
140 Diesen und jenen, doch stünd er dabei, man bliebe zu Hause.
Diese losen Verräter, die Krähe mit dem Kaninchen,
Hätten mich gern in Schande gebracht und Schaden und
                                    Strafe,
Aber sie bitten mirs ab und ich vergebe; denn freilich,
Da ich komme, bedenken sie sich und weichen zur Seite
145 Wie beschämt ich sie nicht! Ihr sehet, wie es gefährlich
Ist die losen Verleumder entfernter Diener zu hören;
Sie verdrehen das Rechte und sind den Besten gehässig.
Andre dauern mich nur, an mir ist wenig gelegen.

Höre mich, sagte der König darauf: du loser Verräter!
Sage, was trieb dich dazu, daß du mir Lampen, den treuen,   150
Der mir die Briefe zu tragen pflegte, so schmählich getötet?
Hatt' ich nicht alles vergeben, so viel du immer verbrochen?
Ränzel und Stab empfingst du von mir, so warst du versehen,
Solltest nach Rom und über das Meer; ich gönnte dir alles,
Und ich hoffte Bessrung von dir. Nun seh ich zum Anfang,   155
Wie du Lampen gemordet; es mußte Bellin dir zum Boten
Dienen, der brachte das Haupt im Ränzel getragen, und sagte
Öffentlich aus, er bringe mir Briefe, die ihr zusammen
Ausgedacht und geschrieben, er habe das Beste geraten.
Und im Ränzel fand sich das Haupt, nicht mehr und nicht
                                        minder   160
Mir zum Hohne tat ihr das. Bellinen behielt ich
Gleich zum Pfande, sein Leben verlor er, nun geht es an
                                        deines.

Reineke sagte: was hör ich? Ist Lampe tot? und Bellinen
Find ich nicht mehr? Was wird nun aus mir? o, wär' ich
                                        gestorben!
Ach, mit beiden geht mir ein Schatz, der größte, verloren!   165
Denn ich sandte euch durch sie Kleinode, welche nicht besser
Über der Erde sich finden. Wer sollte glauben, der Widder
Würde Lampen ermorden und euch der Schätze berauben?
Hüte sich einer, wo niemand Gefahr und Tücke vermutet.

Zornig hörte der König nicht aus, was Reineke sagte,   170
Wandte sich weg nach seinem Gemach und hatte nicht
                                        deutlich
Reinekens Rede vernommen, er dacht ihn am Leben zu
                                        strafen;
Und er fand die Königin eben in seinem Gemache
Mit Frau Rückenau stehn. Es war die Äffin besonders
König und Königin lieb, das sollte Reineken helfen.   175
Unterrichtet war sie und klug und wußte zu reden,
Wo sie erschien, sah jeder auf sie und ehrte sie höchlich.
Diese merkte des Königs Verdruß und sprach mit Bedachte:

Wenn ihr, gnädiger Herr, auf meine Bitte zuweilen
180 Hörtet, gereut es euch nie, und ihr vergabt mir die Kühnheit,
Wenn ihr zürnet, ein Wort gelinder Meinung zu sagen.
Seid auch diesmal geneigt mich anzuhören, betrifft es
Doch mein eignes Geschlecht! Wer kann die Seinen
                              verleugnen?
Reineke, wie er auch sei, ist mein Verwandter, und soll ich,
185 Wie sein Betragen mir scheint, aufrichtig bekennen, ich
                              denke,
Da er zu Rechte sich stellt, von seiner Sache das Beste.
Mußte sein Vater doch auch, den euer Vater begünstigt,
Viel von losen Mäulern erdulden, und falschen Verklägern!
Doch beschämt er sie stets. Sobald man die Sache genauer
190 Untersuchte, fand es sich klar: die tückischen Neider
Suchten Verdienste sogar als schwere Verbrechen zu deuten.
So erhielt er sich immer in größerem Ansehn bei Hofe, als
Braun und Isegrim jetzt, denn diesen wäre zu wünschen,
Daß sie alle Beschwerden auch zu beseitigen wüßten,
195 Die man häufig über sie hört, allein sie verstehen
Wenig vom Rechte, so zeigt es ihr Rat, so zeigt es ihr Leben.

Doch der König versetzte darauf: wie kann es euch wundern,
Daß ich Reineken gram bin, dem Diebe, der mir vor kurzem
Lampen getötet, Bellinen verführt und frecher als jemals
200 Alles leugnet und sich als treuen und redlichen Diener
Anzupreisen erkühnt, indessen alle zusammen
Laute Klagen erheben und nur zu deutlich beweisen,
Wie er mein sicher Geleite verletzt und wie er mit Stehlen,
Rauben und Morden das Land und meine Getreuen
                              beschädigt.
205 Nein! ich duld' es nicht länger! Dagegen sagte die Äffin:
Freilich ists nicht vielen gegeben in jeglichen Fällen
Klug zu handeln und klug zu raten, und wem es gelinget,
Der erwirbt sich Vertrauen, allein es suchen die Neider
Ihm dagegen heimlich zu schaden, und werden sie zahlreich,
210 Treten sie öffentlich auf. So ist es Reineken mehrmals
Schon ergangen, doch werden sie nicht die Erinnrung
                              vertilgen,

Wie er in Fällen euch weise geraten, wenn alle verstummten.
Wißt ihr noch, vor kurzem geschah es. Der Mann und die
                              Schlange
Kamen vor euch und niemand verstund die Sache zu
                              schlichten,
Aber Reineke fands, ihr lobtet ihn damals vor allen.   215

Und der König versetzte nach kurzem Bedenken dagegen:
Ich erinnre mich wohl der Sache, doch hab ich vergessen
Wie sie zusammen hing, sie war verworren, so dünkt mich.
Wißt ihr sie noch, so laßt sie mich hören, es macht mir
                              Vergnügen.
Und sie sagte: befiehlt es mein Herr, so soll es geschehen.   220

Eben sind's zwei Jahre, da kam ein Lindwurm und klagte
Stürmisch, gnädiger Herr, vor euch, es woll ihm ein Bauer
Nicht im Rechte sich fügen, ein Mann den zweimal das Urteil
Nicht begüngstigt. Es brachte den Bauer vor euern
                              Gerichtshof
Und erzählte die Sache mit vielen heftigen Worten.   225

Durch ein Loch im Zaume zu kriechen gedachte die
                              Schlange,
Fing sich aber im Stricke, der vor die Öffnung gelegt war,
Fester zog die Schlinge sich zu, sie hätte das Leben
Dort gelassen, da kam ihr zum Glück ein Wandrer gegangen.
Ängstlich rief sie: erbarme dich meiner und mache mich   230
                              ledig!
Laß dich erbitten! Da sagte der Mann: ich will dich erlösen,
Denn mich jammert dein Elend; allein erst sollst du mir
                              schwören,
Mir nichts Leides zu tun; die Schlange fand sich erbötig,
Schwur den teuersten Eid: sie wolle auf keinerlei Weise
Ihren Befreier verletzen, und so erlöste der Mann sie.   235

Und sie gingen ein Weilchen zusammen, da fühlte die
                              Schlange

Schmerzlichen Hunger, sie schoß auf den Mann und wollt
                              ihn erwürgen,
Ihn verzehren, mit Angst und Not entsprang ihr der Arme.
Das ist mein Dank? Das hab ich verdient? so rief er und hast
                              du
240 Nicht geschworen den teuersten Eid? Da sagte die Schlange:
Leider nötiget mich der Hunger, ich kann mir nicht helfen,
Not erkennt kein Gebot, und so besteht es zu Rechte.

Da versetzte der Mann: so schone nur meiner so lange
Bis wir zu Leuten kommen, die unparteiisch uns richten.
245 Und es sagte der Wurm: ich will mich so lange gedulden.

Also gingen sie weiter und fanden über dem Wasser
Pflückebeutel den Raben mit seinem Sohne, man nennt ihn
Quackeler. Und die Schlange berief sie zu sich und sagte:
Kommt und höret! Es hörte die Sache der Rabe bedächtig,
250 Und er richtete gleich: den Mann zu essen. Er hoffte
Selbst ein Stück zu gewinnen. Da freute die Schlange sich
                              höchlich:
Nun ich habe gesiegt, es kann mirs niemand verdenken.
Nein, versetzte der Mann: ich habe nicht völlig verloren,
Sollt ein Räuber zum Tode verdammen? und sollte nur Einer
255 Richten? Ich fordere ferner Gehör, im Gange des Rechtes,
Laßt uns vor vier, vor zehn die Sache bringen und hören.

Gehn wir! sagte die Schlange. Sie gingen und es begegnet
Ihnen der Wolf und der Bär, und alle traten zusammen.
Alles befürchtete nun der Mann, denn zwischen den fünfen
260 War es gefährlich zu stehn und zwischen solchen Gesellen;
Ihn umringten die Schlange, der Wolf, der Bär und die
                              Raben.
Bange war ihm genug: denn bald verglichen sich beide
Wolf und Bär das Urteil in dieser Maße zu fällen:
Töten dürfe die Schlange den Mann, der leidige Hunger
265 Kenne keine Gesetze, die Not entbinde vom Eidschwur.
Sorgen und Angst befielen den Wandrer, denn alle
                              zusammen

Wollten sein Leben. Da schoß die Schlange mit grimmigen
                                        Zischen,
Spritzte Geifer auf ihn, und ängstlich sprang er zur Seite.
Großes Unrecht, rief er, begehst du! Wer hat dich zum
                                        Herren
Über mein Leben gemacht? Sie sprach: du hast es vernommen,   270
Zweimal sprachen die Richter, und zweimal hast du
                                        verloren.
Ihr versetzte der Mann: sie rauben selber und stehlen;
Ich erkenne sie nicht, wir wollen zum Könige gehen.
Mag er sprechen, ich füge mich drein, und wenn ich verliere,
Hab ich noch Übels genug, allein ich will es ertragen.   275
Spottend sagte der Wolf und der Bär: du magst es versuchen,
Aber die Schlange gewinnt, sie wirds nicht besser begehren.
Denn sie dachten, es würden die sämtlichen Herrn des Hofes
Sprechen wie sie, und gingen getrost und führten den
                                        Wandrer,
Kamen vor euch, die Schlange, der Wolf, der Bär und die   280
                                        Raben;
Ja selb Dritt erschien der Wolf, er hatte zwei Kinder,
Eitelbauch hieß der eine, der andre *Nimmersatt*, beide
Machten dem Mann am meisten zu schaffen. Sie waren
                                        gekommen
Auch ihr Teil zu verzehren. Denn sie sind immer begierig,
Heulten damals vor euch, mit unerträglicher Grobheit,   285
Ihr verbotet den Hof den beiden plumpen Gesellen.
Da berief sich der Mann auf eure Gnaden, erzählte,
Wie ihn die Schlange zu töten gedenke, sie habe der Wohltat
Völlig vergessen, sie breche den Eid! So fleht er um Rettung.
Aber die Schlange leugnete nicht. Es zwingt mich des
                                        Hungers   290
Allgewaltige Not, sie kennet keine Gesetze.

Gnädiger Herr, da war't ihr bekümmert. Es schien euch die
                                        Sache
Gar bedenklich zu sein, und rechtlich schwer zu entscheiden.
Denn es schien euch hart den guten Mann zu verdammen,

295 Der sich hülfreich bewiesen, allein ihr dachtet dagegen
Auch des schmählichen Hungers. Und so berieft ihr die Räte.
Leider war die Meinung der meisten dem Manne zum
Nachteil,
Denn sie wünschten die Mahlzeit und dachten der Schlange
zu helfen.
Doch ihr sendetet Boten nach Reineken, alle die Andern
300 Sprachen gar manches und konnten die Sache zu Rechte nicht
scheiden.
Reineke kam und hörte den Vortrag, ihr legtet das Urteil
Ihm in die Hände, und wie er es spräche, so sollt es
geschehen.

Reineke sprach mit guten Bedenken: Ich finde vor allem
Nötig den Ort zu besuchen, und seh ich die Schlange
gebunden
305 Wie der Bauer sie fand, so wird das Urteil sich geben.
Und man band die Schlange von neuem an selbiger Stätte,
In der Maße wie sie der Bauer im Zaume gefunden.

Reineke sagte darauf: hier ist nun jedes von beiden
Wieder im vorigen Stand, und keines hat weder gewonnen,
310 Noch verloren, jetzt zeigt sich das Recht, so scheint mir's,
von selber.
Denn beliebt es dem Manne, so mag er die Schlange noch
einmal
Aus der Schlinge befrein, wo nicht, so läßt er sie hängen,
Frei, mit Ehren geht er die Straße nach seinen Geschäften.
Da sie untreu geworden als sie die Wohltat empfangen,
315 Hat der Mann nun billig die Wahl. Das scheint mir des
Rechtes
Wahrer Sinn, wers besser versteht, der laß es uns hören.

Damals gefiel euch das Urteil und euren Räten zusammen,
Reineke wurde gepriesen, der Bauer dankt euch, und jeder
Rühmte Reinekens Klugheit, ihn rühmte die Königin selber.
320 Vieles wurde gesprochen; im Kriege wären noch eher

Isegrim und Braun zu gebrauchen, man fürchte sie beide
Weit und breit, sie fänden sich gern, wo alles verzehrt wird.
Groß und stark und kühn sei jeder, man könn' es nicht
                                      leugnen,
Doch im Rate fehle gar oft die nötige Klugheit;
Denn sie pflegen zu sehr auf ihre Stärke zu trotzen.   325
Kommt man ins Feld und naht sich dem Werke, da hinkt es
                                      gewaltig.
Mutiger kann man nichts sehen, als sie zu Hause sich zeigen;
Draußen liegen sie gern im Hinterhalt. Setzt es denn einmal
Tüchtige Schläge, so nimmt man sie mit, so gut als ein
                                      andrer.
Bären und Wölfe verderben das Land; es kümmert sie wenig, 330
Wessen Haus die Flamme verzehrt, sie pflegen sich immer
An den Kohlen zu wärmen, und sie erbarmen sich keines,
Wenn ihr Kropf sich nur füllt. Man schlurft die Eier
                                      hinunter,
Läßt den Armen die Schalen und glaubt noch redlich zu
                                      teilen.
Reineke Fuchs mit seinem Geschlecht versteht sich dagegen 335
Wohl auf Weisheit und Rat, und hat er nun etwas versehen,
Gnädiger Herr, so ist er kein Stein. Doch wird euch ein
                                      andrer
Niemals besser beraten. Darum verzeiht ihm, ich bitte.

Da versetzte der König: ich will es bedenken. Das Urteil
Ward gesprochen wie ihr erzählt, es büßte die Schlange.   340
Doch von Grund aus bleibt er ein Schalk, wie sollt er sich
                                      bessern?
Macht man ein Bündnis mit ihm; so bleibt man am Ende
                                      betrogen;
Denn er dreht sich so listig heraus, wer ist ihm gewachsen?
Wolf und Bär und Kater, Kaninchen und Krähe, sie sind ihm
Nicht behende genug, er bringt sie in Schaden und Schande. 345
Diesem behielt er ein Ohr, dem andern das Auge, das Leben
Raubt er dem dritten! fürwahr ich weiß nicht, wie ihr dem
                                      Bösen

So zu Gunsten sprecht und seine Sache verteidigt.
Gnädiger Herr, versetzte die Äffin: ich kann es nicht bergen;
350 Sein Geschlecht ist edel und groß, ihr mögt es bedenken.

Da erhub sich der König heraus zu treten, es stunden
Alle zusammen und warteten sein; er sah in dem Kreise
Viele von Reinekens nächsten Verwandten, sie waren
                                        gekommen
Ihren Vetter zu schützen, sie wären schwerlich zu nennen.
355 Und er sah das große Geschlecht, er sah auf der andern
Seite Reinekens Feinde: es schien der Hof sich zu teilen.

Da begann der König: so höre mich Reineke, kannst du
Solchen Frevel entschuldigen, daß du mit Hülfe Bellinens
Meinen frommen Lampe getötet und daß ihr Verwegnen
360 Mir sein Haupt ins Ränzel gesteckt, als wären es Briefe?
Mich zu höhnen tatet ihr das; ich habe den einen
Schon bestraft, es büßte Bellin, erwarte das gleiche.

Weh mir! sagte Reineke drauf: o wär ich gestorben!
Höret mich an und wie es sich findet, so mag es geschehen,
365 Bin ich schuldig, so tötet mich gleich, ich werde doch nimmer
Aus der Not und Sorge mich retten, ich bleibe verloren.
Denn der Verräter Bellin, er unterschlug mir die größten
Schätze, kein Sterblicher hat dergleichen jemals gesehen.
Ach, sie kosten Lampen das Leben! Ich hatte sie beiden
370 Anvertraut, nun raubte Bellin die köstlichen Sachen.
Ließen sie sich doch wieder erforschen! Allein ich befürchte
Niemand findet sie mehr, sie bleiben auf immer verloren.

Aber die Äffin versetzte darauf: wer wollte verzweifeln?
Sind sie nur über der Erde, so ist noch Hoffnung zu
                                        schöpfen,
375 Früh und späte wollen wir gehn, und Laien und Pfaffen
Emsig fragen; doch zeiget uns an, wie waren die Schätze?

Reineke sagte: sie waren so köstlich, wir finden sie nimmer;
Wer sie besitzt, verwahrt sie gewiß. Wie wird sich darüber
Nicht Frau Ermelyn quälen! Sie wird mirs niemals verzeihen.
Denn sie mißriet mir den Beiden das köstliche Kleinod zu
                                        geben.   380
Nun erfindet man Lügen auf mich und will mich verklagen,
Doch ich verfechte mein Recht, erwarte das Urteil und werd
                                        ich
Losgesprochen; so reis' ich umher durch Länder und Reiche,
Suche die Schätze zu schaffen und sollt' ich mein Leben
                                        verlieren.

ZEHNTER GESANG

O mein König! sagte darauf der listige Redner,
Laßt mich, edelster Fürst, vor meinen Freunden erzählen,
Was euch alles von mir an köstlichen Dingen bestimmt war.
Habt ihr sie gleich nicht erhalten, so war mein Wille doch
                                        löblich.
Sage nur an, versetzte der König, und kürze die Worte.   5

Glück und Ehre sind hin! Ihr werdet alles erfahren,
Sagte Reineke traurig. Das erste köstliche Kleinod
War ein Ring. Ich gab ihn Bellinen, er sollt ihn dem König
Überliefern. Es war auf wunderbarliche Weise
Dieser Ring zusammen gesetzt und würdig im Schatze   10
Meines Fürsten zu glänzen, aus feinem Golde gebildet.
Auf der innern Seite, die nach dem Finger sich kehret,
Standen Lettern gegraben und eingeschmolzen; es waren
Drei hebräische Worte von ganz besonderer Deutung;
Niemand erklärte so leicht in diesen Landen die Züge;   15
Meister Abryon nur von Trier, der konnte sie lesen.
Es ist ein Jude, gelehrt und alle Zungen und Sprachen
Kennt er, die von Poitou bis Lüneburg werden gesprochen,
Und auf Kräuter und Steine versteht sich der Jude
                                        besonders.

20 Als ich den Ring ihm gezeigt, da sagt er: köstliche Dinge
Sind hierinnen verborgen. Die drei gegrabene Namen
Brachte Seth der Fromme vom Paradiese hernieder,
Als er das Öl der Barmherzigkeit suchte; und wer ihn am
                                        Finger
Trägt, der findet sich frei von allen Gefahren. Es werden
25 Weder Donner noch Blitz noch Zauberei ihn verletzen
Ferner sagte der Meister: er habe gelesen, es könne,
Wer den Ring am Finger bewahrt, in grimmiger Kälte
Nicht erfrieren, er lebe gewiß ein ruhiges Alter.
Außen stand ein Edelgestein, ein heller Karfunkel,
30 Dieser leuchtete Nachts und zeigte deutlich die Sachen.
Viele Kräfte hatte der Stein: er heilte die Kranken,
Wer ihn berührte, fühlte sich frei von allen Gebrechen,
Aller Bedrängnis, nur ließ sich der Tod allein nicht
                                        bezwingen.
Weiter entdeckte der Meister des Steines herrliche Kräfte:
35 Glücklich reist der Besitzer durch alle Lande, ihm schadet
Weder Wasser noch Feuer; gefangen oder verraten
Kann er nicht werden, und jeder Gewalt des Feindes entgeht
                                        er.
Und besieht er nüchtern den Stein, so wird er im Kampfe
Hundert überwinden und mehr, die Tugend des Steines
40 Nimmt dem Gifte die Wirkung und allen schädlichen Säften.
Eben so vertilgt sie den Haß, und sollte gleich mancher
Den Besitzer nicht lieben; er fühlt sich in kurzem verändert.

Wer vermöchte die Kräfte des Steines alle zu zählen,
Den ich im Schatze des Vaters gefunden und den ich dem
                                        König
45 Nun zu senden gedachte? Denn solches köstlichen Ringes
War ich nicht wert; ich wußt' es recht wohl; er sollte dem
                                        Einen
Der von allen der Edelste bleibt, so dacht ich, gehören,
Unser Wohl beruht nur auf ihm und unser Vermögen,
Und ich hoffe sein Leben vor allem Übel zu schützen.

Ferner sollte Widder Bellin der Königin gleichfalls   50
Kamm und Spiegel verehren, damit sie meiner gedächte.
Diese hatt' ich einmal zur Lust vom Schatze des Vaters
Zu mir genommen, es fand sich auf Erden kein schöneres
                              Kunstwerk.
O wie oft versucht es mein Weib und wollte sie haben.
Sie verlangte nichts weiter von allen Gütern der Erde,   55
Und wir stritten darum, sie konnte mich niemals bewegen.
Doch nun sendet ich Spiegel und Kamm mit gutem Bedachte
Meiner gnädigen Frauen der Königin, welche mir immer
Große Wohltat erwies und mich vor Übel beschirmte.
Öfters hat sie für mich ein günstiges Wörtchen gesprochen; 60
Edel ist sie, von hoher Geburt, es ziert sie die Tugend
Und ihr altes Geschlecht bewährt sich in Worten und
                              Werken:
Würdig war sie des Spiegels und Kammes! die hat sie nun
                              leider
Nicht mit Augen gesehn, sie bleiben auf immer verloren.

Nun vom Kamme zu reden. Zu diesem hatte der Künstler   65
Pantherknochen genommen, die Reste des edlen
                              Geschöpfes,
Zwischen Indien wohnt es und zwischen dem Paradiese.
Allerlei Farben zieren sein Fell und süße Gerüche
Breiten sich aus, wohin es sich wendet, darum auch die Tiere
Seine Fährte so gern auf allen Wegen verfolgen;   70
Denn sie werden gesund von diesem Geruche, das fühlen
Und bekennen sie alle. Von solchen Knochen und Beinen
War der zierliche Kamm mit vielem Fleiße gebildet,
Klar wie Silber und weiß von unaussprechlicher Reinheit,
Und des Kammes Geruch ging über Nelken und Zimmet,   75
Stirbt das Tier, so fährt der Geruch in alle Gebeine,
Bleibt beständig darin und läßt sie nimmer verwesen,
Alle Seuche treibt er hinweg und alle Vergiftung.

Ferner sah man die köstlichen Bilder am Rücken des
                              Kammes

80 Hocherhaben, durchflochten mit goldenen zierlichen
                                        Ranken
Und mit rot und blauer Lasur. Im mittelsten Felde
War die Geschichte künstlich gebildet, wie Paris von Troja
Eines Tages am Brunnen saß, drei göttliche Frauen
Vor sich sah, man nannte sie Pallas und Juno und Venus.
85 Lange stritten sie erst, denn jegliche wollte den Apfel
Gerne besitzen, der ihnen bisher zusammen gehörte.
Endlich verglichen sie sich, es solle den goldenen Apfel
Paris der Schönsten bestimmen, sie sollt allein ihn behalten.

Und der Jüngling beschaute sie wohl mit gutem Bedachte.
90 Juno sagte zu ihm: erhalt' ich den Apfel, erkennst du
Mich für die schönste, so wirst du der erste vor allen an
                                        Reichtum.
Pallas versetzte: bedenke dich wohl und gib mir den Apfel,
Und du wirst der mächtigste Mann; es fürchten dich alle,
Wird dein Name genannt, so Feind als Freunde zusammen.
95 Venus sprach: was soll die Gewalt? was sollen die Schätze?
Ist dein Vater nicht König Priamus? deine Gebrüder
Hektor und andre, sind sie nicht reich und mächtig im
                                        Lande?
Ist nicht Troja geschützt von seinem Heere und habt ihr
Nicht umher das Land bezwungen und fernere Völker?
100 Wirst du die schönste mich preisen und mir den Apfel
                                        erteilen,
Sollst du des herrlichsten Schatzes auf dieser Erde dich
                                        freuen.
Dieser Schatz ist ein treffliches Weib, die Schönste von allen,
Tugendsam, edel und weise, wer könnte würdig sie loben?
Gib mir den Apfel, du sollst des griechischen Königs
                                        Gemahlin
105 Helena, mein ich, die Schöne, den Schatz der Schätze
                                        besitzen.

Und er gab ihr den Apfel und pries sie vor allen die schönste,
Aber sie half ihm dagegen die schöne Königin rauben,

Menelaus Gemahlin, sie ward in Troja die Seine.
Diese Geschichte sah man erhaben im mittelsten Felde.
Und es waren Schilder umher mit künstlichen Schriften,   110
Jeder durfte nur lesen und so verstand er die Fabel.

Höret nun weiter vom Spiegel! daran die Stelle des Glases,
Ein Beryll von großer Klarheit und Schönheit;
Alles zeigte sich drin und wenn es meilenweit vorging,
War es Tag oder Nacht; und hatte jemand im Antlitz   115
Einen Fehler, wie er auch war, ein Fleckchen im Auge,
Durft er sich nur im Spiegel besehn, so gingen von Stund an
Alle Mängel hinweg und alle fremde Gebrechen.
Ists ein Wunder, daß mich es verdrießt, den Spiegel zu
                                    missen?
Und es war ein köstliches Holz zur Fassung der Tafel,   120
Sethym, heißt es, genommen, von festem, glänzendem
                                    Wuchse,
Keine Würmer stechen es an und wird auch, wie billig,
Höher gehalten als Gold, nur Ebenholz kommt ihm am
                                    nächsten.
Denn aus diesem verfertigt' einmal ein trefflicher Künstler
Unter König Krompardes ein Pferd von seltnem Vermögen,   125
Eine Stunde brauchte der Reiter und mehr nicht zu hundert
Meilen. Ich könnte die Sache vor jetzt nicht gründlich
                                    erzählen,
Denn es fand sich kein ähnliches Roß, so lange die Welt steht.

Anderthalb Fuß war rings die ganze Breite des Rahmens
Um die Tafel herum, geziert mit künstlichem Schnitzwerk,   130
Und mit goldnen Lettern stand unter jeglichem Bilde,
Wie sichs gehört, die Bedeutung geschrieben. Ich will die
                                    Geschichten
Kürzlich erzählen. Die erste war von dem neidischen Pferde.
Um die Wette gedacht es mit einem Hirsche zu laufen,
Aber hinter ihm blieb es zurück, das schmerzte gewaltig   135
Und es eilte darauf mit einem Hirten zu reden,
Sprach: du findest dein Glück, wenn du mir eilig gehorchest.

Setze dich auf, ich bringe dich hin, es hat sich vor kurzem
Dort ein Hirsch im Walde verborgen, den sollst du
                                            gewinnen;
140 Fleisch und Haut und Geweih, du magst sie teuer verkaufen,
Setze dich auf, wir wollen ihm nach! – das will ich wohl
                                            wagen!
Sagte der Hirt und setzte sich auf, sie eilten von dannen.
Und sie erblickten den Hirsch in kurzem, folgten behende
Seiner Spur und jagten ihm nach. Er hatte den Vorsprung
145 Und es ward dem Pferde zu sauer, da sagt es zum Manne,
Sitze was ab, ich bin müde geworden, der Ruhe bedarf ich.
Nein! wahrhaftig, versetzte der Mann, du sollst mir
                                            gehorchen,
Meine Sporen sollst du empfinden, du hast mich ja selber
Zu dem Ritte gebracht, und so bezwang es der Reiter.
150 Seht, so lohnet sich der mit vielem Bösen, der andern
Schaden zu bringen sich selbst mit Pein und Übel beladet.

Ferner zeig' ich euch an, was auf dem Spiegel gebildet
Stand: Wie ein Esel und Hund bei einem Reichen in Diensten
Beide gewesen; so war denn der Hund nun freilich der
                                            Liebling,
155 Denn er saß beim Tische des Herrn und aß mit demselben
Fisch und Fleisch und ruhte wohl auch im Schoße des
                                            Gönners,
Der ihm das beste Brot zu reichen pflegte; dagegen
Wedelte mit dem Schwanze der Hund und leckte den Herren.

Boldewyn sah das Glück des Hundes und traurig im Herzen
160 Ward der Esel und sagte bei sich: wo denkt doch der Herr
                                            hin,
Daß er dem faulen Geschöpfe so äußerst freundlich
                                            begegnet?
Springt das Tier nicht auf ihm herum und leckt ihn am Barte!
Und ich muß die Arbeit verrichten und schleppe die Säcke.
Er probier' es einmal und tu mit fünf ja mit zehen
165 Hunden im Jahre so viel als ich des Monats verrichte!

Und doch wird ihm das Beste gereicht, mich speist man mit
Stroh ab,
Läßt auf der harten Erde mich liegen, und wo man mich
hintreibt,
Oder reitet, spottet man meiner. Ich kann und ich will es
Länger nicht dulden, will auch des Herrn Gunst mir
erwerben.

Als er so sprach, kam eben sein Herr die Straße gegangen, 170
Da erhub der Esel den Schwanz und bäumte sich springend
Über den Herren und schrie und sang und plärrte gewaltig,
Leckt ihm den Bart und wollte nach Art und Weise des
Hundes
An die Wange sich schmiegen und stieß ihm einige Beulen.
Ängstlich entsprang ihm der Herr und rief: o! fangt mir den
Esel, 175
Schlagt ihn tot! Es kamen die Knechte, da regnet' es Prügel,
Nach dem Stalle trieb man ihn fort, da blieb er ein Esel.

Mancher findet sich noch von seinem Geschlechte, der
andern
Ihre Wohlfahrt mißgönnt und sich nicht besser befindet.
Kommt denn aber einmal so einer in reichlichen Zustand 180
Schickt sichs grad' als äße das Schwein mit Löffeln die Suppe;
Nicht viel besser fürwahr. Der Esel trage die Säcke,
Habe Stroh zum Lager und finde Disteln zur Nahrung.
Will man ihn anders behandeln, so bleibt es doch immer beim
alten.
Wo ein Esel zur Herrschaft gelangt, kann's wenig gedeihen, 185
Ihren Vorteil suchen sie wohl, was kümmert sie weiter?

Ferner sollt ihr erfahren mein König, und laßt euch die Rede
Nicht verdrießen, es stand noch auf dem Rahmen des
Spiegels
Schön gebildet und deutlich beschrieben, wie ehemals mein
Vater
Sich mit Hinzen verbündet auf Abenteuer zu ziehen 190

Und wie beide heilig geschworen, in allen Gefahren
Tapfer zusammen zu halten und jede Beute zu teilen.
Als sie nun vorwärts zogen, bemerkten sie Jäger und Hunde
Nicht gar ferne vom Wege, da sagte Hinze der Kater:
195 Guter Rat scheint teuer zu werden! Mein Alter versetzte:
Wunderlich sieht es wohl aus, doch hab ich mit herrlichem
Rate
Meinen Sack noch gefüllt, und wir gedenken des Eides
Halten wacker zusammen, das bleibt vor allen das erste.
Hinze sagte dagegen: es gehe wie es auch wolle,
200 Bleibt mir doch ein Mittel bekannt, das denk' ich zu
brauchen.
Und so sprang er behend auf einem Baum, sich zu retten
Vor der Hunde Gewalt, und so verließ er den Oheim.
Ängstlich stand mein Vater nun da; es kamen die Jäger.
Hinze sprach: Nun, Oheim? Wie stehts, so öffnet den Sack
doch!
205 Ist er voll Rates, so braucht ihn doch jetzt, die Zeit ist
gekommen.
Und die Jäger bliesen das Horn und riefen einander.
Lief mein Vater, so liefen die Hunde, sie folgten mit Bellen,
Und er schwitzte vor Angst und häufige Losung entfiel ihm,
Leichter fand er sich da und so entging er den Feinden.

210 Schändlich, ihr habt es gehört, verriet ihn der nächste
Verwandte
Dem er sich doch am meisten vertraut. Es ging ihm ans
Leben,
Denn die Hunde waren zu schnell und hätt' er nicht eilig
Einer Höhle sich wieder erinnert, so war es geschehen;
Aber da schlupft er hinein und ihn verloren die Feinde.
215 Solcher Bursche gibt es noch viel, wie Hinze sich damals
Gegen den Vater bewies; wie sollt ich ihn lieben und ehren?
Halb zwar hab ichs vergeben, doch bleibt noch etwas
zurücke.
All dies war auf dem Spiegel geschnitten mit Bildern und
Worten.

Ferner sah man daselbst ein eignes Stückchen vom Wolfe,
Wie er zu danken bereit ist für Gutes das er empfangen.   220
Auf dem Anger fand er ein Pferd, woran nur die Knochen
Übrig waren, doch hungert ihn sehr, er nagte sie gierig
Und es kam ihm ein spitziges Bein die Quer in den Kragen;
Ängstlich stellt er sich an, es war ihm übel geraten.
Boten auf Boten sendet' er fort die Ärzte zu rufen,   225
Niemand vermochte zu helfen, wiewohl er große Belohnung
Allen geboten. Da meldete sich am Ende der Kranich,
Mit dem roten Baret auf dem Haupt. Ihm flehte der Kranke:
Doktor, helft mir geschwinde von diesen Nöten, ich geb
                              euch,
Bringt ihr den Knochen heraus, so viel ihr immer begehret.   230

Also glaubte der Kranich den Worten und steckte den
                              Schnabel
Mit dem Haupt in den Rachen des Wolfes und holte den
                              Knochen.
Weh mir! heulte der Wolf, du tust mir Schaden! Es schmerzet!
Laß es nicht wieder geschehn! Für heute sei es vergeben.
Wär es ein andrer, ich hätte das nicht geduldig gelitten.   235
Gebt euch zufrieden, versetzte der Kranich, ihr seid nun
                              genesen;
Gebt mir den Lohn, ich hab ihn verdient, ich hab euch
                              geholfen.
Höret den Gecken, sagte der Wolf: ich habe das Übel,
Er verlangt die Belohnung, und hat die Gnade vergessen,
Die ich ihm eben erwies. Hab ich ihm Schnabel und Schädel,   240
Den ich im Munde gefühlt, nicht unbeschädigt entlassen?
Hat mir der Schäker nicht Schmerzen gemacht? Ich könnte
                              wahrhaftig,
Ist von Belohnung die Rede, sie selbst am ersten verlangen.
Also pflegen die Schälke mit ihren Knechten zu handeln.

Diese Geschichten und mehr verzierten, künstlich
                              geschnitten,   245
Rings die Fassung des Spiegels, und mancher gegrabene
                              Zierat,

Manche goldene Schrift. Ich hielt des köstlichen Kleinods
Mich nicht wert, ich bin zu gering, und sandt es deswegen
Meiner Frauen der Königin zu. Ich dachte durch solches
250 Ihr und ihrem Gemahl mich ehrerbietig zu zeigen.
Meine Kinder betrübten sich sehr, die artigen Knaben,
Als ich den Spiegel dahin gab. Sie sprangen gewöhnlich und
                                                          spielten
Vor dem Glase, beschauten sich gerne, sie sahen die
                                                          Schwänzchen
Hängen vom Rücken herab und lachten den eigenen
                                                          Mäulchen.
255 Leider vermutet ich nicht den Tod des ehrlichen Lampe,
Da ich ihm und Bellin auf Treu und Glauben die Schätze
Heilig empfahl, ich hielte sie beide für redliche Leute,
Keine besseren Freunde gedacht ich jemals zu haben.
Wehe sei über den Mörder gerufen! Ich will es erfahren,
260 Wer die Schätze verborgen, es bleibt kein Mörder verhohlen.
Wüßte doch ein und andrer vielleicht im Kreis' hier zu sagen,
Wo die Schätze geblieben, und wie man Lampen getötet.

Seht, mein gnädiger König, es kommen täglich so viele
Wichtige Sachen vor euch; ihr könnt nicht alles behalten;
265 Doch vielleicht gedenkt ihr noch des herrlichen Dienstes,
Den mein Vater dem euren an dieser Stätte bewiesen.
Krank lag euer Vater, sein Leben rettete meiner
Und doch sagt ihr, ich habe noch nie, es habe mein Vater
Euch nichts Gutes erzeigt. Beliebt mich weiter zu hören.
270 Sei es mit eurer Erlaubnis gesagt: Es fand sich am Hofe
Eures Vaters der meine bei großen Würden und Ehren
Als erfahrener Arzt, er wußte das Wasser des Kranken
Klug zu besehen; er half der Natur, was immer den Augen,
Was den edelsten Gliedern gebrach gelang ihm zu heilen,
275 Kannte wohl die emetischen Kräfte, verstand auch daneben
Auf die Zähne sich gut und holte die schmerzenden spielend.
Gerne glaub ich, ihr habt es vergessen; es wäre kein Wunder;
Denn drei Jahre hattet ihr nur. Es legte sich damals
Euer Vater im Winter mit großen Schmerzen zu Bette,

Ja man mußt ihn heben und tragen. Da ließ er die Ärzte   280
Zwischen hier und Rom zusammen berufen. Und alle
Gaben ihn auf, er schickte zuletzt, man holte den Alten.
Dieser hörte die Not und sah die gefährliche Krankheit.

Meinen Vater jammert es sehr, er sagte: mein König,
Gnädiger Herr, ich setzte, wie gern! mein eigenes Leben   285
Könnt ich euch retten, daran! doch laßt im Glase mich euer
Wasser besehen. Der König befolgte die Worte des Vaters,
Aber klagte dabei es werde je länger je schlimmer.
Auf dem Spiegel war es gebildet wie glücklich zur Stunde
Euer Vater genesen. Denn meiner sagte bedächtig: 290
Wenn ihr Gesundheit verlangt, entschließt euch ohne
                         Versäumnis
Eines Wolfes Leber zu speisen, doch sollte derselbe
Sieben Jahre zum wenigsten haben; die müßt ihr verzehren.
Sparen dürft ihr mir nicht, denn euer Leben betrifft es.
Euer Wasser zeuget nur Blut, entschließt euch geschwinde!   295

In dem Kreise befand sich der Wolf und hört es nicht gerne.
Euer Vater sagte darauf: Ihr habt es vernommen,
Höret, Herr Wolf, ihr werdet mir nicht zu meiner Genesung
Eure Leber verweigern. Der Wolf versetzte dagegen:
Nicht fünf Jahre bin ich geboren! was kann sie euch nutzen?   300
Eitles Geschwätz! versetzte mein Vater, es soll uns nicht
                         hindern,
An der Leber seh ich das gleich. Es mußte zur Stelle
Nach der Küche der Wolf, und brauchbar fand sich die Leber.
Euer Vater verzehrte sie stracks. Zur selbigen Stunde
War er von aller Krankheit befreit und allen Gebrechen.   305
Meinem Vater dankt er genug, es mußt ihn ein jeder
Doktor heißen am Hofe, man durft es niemals vergessen.

Also ging mein Vater beständig dem König zur Rechten.
Euer Vater verehrt ihm hernach, ich weiß es am besten,
Eine goldene Spange mit einem roten Barete,   310
Sie vor allen Herren zu tragen; so haben ihn alle

Hoch in Ehren gehalten. Es hat sich aber mit seinem
Sohne leider geändert, und an die Tugend des Vaters
Wird nicht weiter gedacht; die allergierigsten Schälke
315 Werden erhoben, und Nutz und Gewinn bedenkt man
alleine,
Recht und Weisheit stehen zurück. Es werden die Diener
Große Herren, das muß der Arme gewöhnlich entgelten.
Hat ein solcher Macht und Gewalt, so schlägt er nur
blindlings
Unter die Leute, gedenket nicht mehr, woher er gekommen.
320 Seinen Vorteil gedenkt er aus allem Spiele zu nehmen.
Um die Großen finden sich viele von diesem Gelichter.
Keine Bitte hören sie je, wozu nicht die Gabe
Gleich sich reichlich gesellt, und wenn sie die Leute
bescheiden
Heißt es: bringt nur! und bringt zum ersten, zweiten und
dritten!

325 Solche gierige Wölfe behalten köstliche Bissen
Gerne für sich, und, wär es zu tun mit kleinem Verluste
Ihres Herrn Leben zu retten, sie trügen Bedenken.
Wollte der Wolf doch die Leber nicht lassen, dem König zu
dienen!
Und was Leber! Ich sag es heraus! Es möchten auch zwanzig
330 Wölfe das Leben verlieren, behielte der König und seine
Teure Gemahlin das ihre, so wär es weniger Schade.
Denn ein schlechter Same, was kann er gutes erzeugen?
Was in eurer Jugend geschah, ihr habt es vergessen,
Aber ich weiß es genau als wär es gestern geschehn.
335 Auf dem Spiegel stand die Geschichte, so wollt es mein
Vater;
Edelsteine zierten das Werk und goldene Ranken.
Könnt ich den Spiegel erfragen, ich wagte Vermögen und
Leben.

Reineke, sagte der König: die Rede hab ich verstanden,
Habe die Worte gehört und was du alles erzähltest.

War dein Vater so groß hier am Hofe und hat er so viele   340
Nützliche Taten getan, das mag wohl lange schon her sein.
Ich erinnere michs nicht, auch hat mirs niemand berichtet.
Eure Händel dagegen die kommen mir öfters zu Ohren,
Immer seid ihr im Spiele, so hör ich wenigstens sagen;
Tun sie euch Unrecht damit und sind es alte Geschichten,   345
Möcht ich einmal was gutes vernehmen; es findet sich selten.

Herr, versetzte Reineke drauf, ich darf mich hierüber
Wohl erklären vor euch, denn mich betrifft ja die Sache.
Gutes hab ich euch selber getan! Es sei euch nicht etwa
Vorgeworfen; behüte mich Gott! ich kenne mich schuldig   350
Euch zu leisten so viel ich vermag. Ihr habt die Geschichte
Ganz gewiß nicht vergessen. Ich war mit Isegrim glücklich
Einst ein Schwein zu erjagen, es schrie, wir bissen es nieder.
Und ihr kamt und klagtet so sehr, und sagtet: es käme
Eure Frau noch hinter euch drein, und teilte nur jemand   355
Wenige Speise mit euch, so wär' euch beiden geholfen.
Gebet von eurem Gewinne was ab, so sagtet ihr damals.
Isegrim sagte wohl: ja! Doch murmelt' er unter dem Barte,
Daß man kaum es verstand. Ich aber sagte dagegen:
Herr! es ist euch gegönnt und wären's der Schweine die
                                  Menge.   360
Sagt, wer soll es verteilen? Der Wolf! versetztet ihr wieder.
Isegrim freute sich sehr; er teilte, wie er gewohnt war,
Ohne Scham und Scheu, und gab euch eben ein Vierteil,
Eurer Frauen das Andre, und er fiel über die Hälfte,
Schlang begierig hinein und reichte mir außer den Ohren   365
Nur die Nase noch hin und eine Hälfte der Lunge;
Alles andre behielt er für sich, ihr habt es gesehen.
Wenig Edelmut zeigt er uns da. Ihr wißt es, mein König.
Euer Teil verzehrtet ihr bald, doch merkt ich, ihr hattet
Nicht den Hunger gestillt, nur Isegrim wollt' es nicht sehen,   370
Aß und kaute so fort und bot euch nicht das geringste.
Aber da traft ihr ihn auch mit euren Tatzen gewaltig
Hinter die Ohren, verschobt ihm das Fell, mit blutiger
                                  Glatze

Lief er davon, mit Beulen am Kopf und heulte für
                              Schmerzen.
375 Und ihr rieft ihm noch zu: komm wieder, lerne dich schämen!
Teilst du wieder, so triff mirs besser, sonst will ich dirs
                              zeigen.
Jetzt mach eilig dich fort und bring uns ferner zu essen.
Herr! gebietet ihr das? versetzt ich, so will ich ihm folgen,
Und ich weiß, ich hole schon was. Ihr wart es zufrieden.
380 Ungeschickt hielt sich Isegrim damals, er blutete, seufzte,
Klagte mir vor, doch trieb ich ihn an, wir jagten zusammen,
Fingen ein Kalb! Ihr liebt euch die Speise. Und als wir es
                              brachten
Fand sichs fett, ihr lachtet dazu, und sagtet zu meinem
Lobe manch freundliches Wort, ich wäre, meintet ihr,
                              trefflich
385 Auszusenden zur Stunde der Not, und sagtet darneben:
Teile das Kalb! da sprach ich: die Hälfte gehöret schon euer!
Und die Hälfte gehört der Königin; was sich im Leibe
Findet, als Herz und Leber und Lunge, gehöret, wie billig,
Euren Kindern; ich nehme die Füße, die lieb ich zu nagen,
390 Und das Haupt behalte der Wolf, die köstliche Speise.

Als ihr die Rede vernommen, versetztet ihr: sage! wer hat
                              dich
So nach Hofart teilen gelehrt? ich möcht es erfahren.
Da versetzt ich: mein Lehrer ist nah, denn dieser mit rotem
Kopfe, mit blutiger Glatze, hat mir das Verständnis geöffnet.
395 Ich bemerkte genau, wie er heute frühe das Ferkel
Teilte, da lernt ich den Sinn von solcher Teilung begreifen,
Kalb oder Schwein, ich find es nun leicht, und werde nicht
                              fehlen.

Schaden und Schande befiel den Wolf und seine Begierde.
Seines Gleichen gibt es genug! sie schlingen der Güter
400 Reichliche Früchte zusamt den Untersassen hinunter.
Alles Wohl zerstören sie leicht, und keine Verschonung
Ist zu erwarten, und wehe dem Lande, das selbige nähret!

Seht! Herr König, so hab ich euch oft in Ehren gehalten.
Alles was ich besitze und was ich nur immer gewinne
Alles widm' ich euch gern und eurer Königin, sei es   405
Wenig oder auch viel, ihr nehmt das meiste von allem.
Wenn ihr des Kalbes und Schweines gedenket, so merkt ihr
                                        die Wahrheit,
Wo die rechte Treue sich findet. Und dürfte wohl etwa
Isegrim sich mit Reineken messen? Doch leider im Ansehn
Steht der Wolf als oberster Voigt und alle bedrängt er,   410
Euren Vorteil besorgt er nicht sehr, zum Halben und Ganzen
Weiß er den seinen zu fördern. So führt er freilich mit
                                        Braunen
Nun das Wort, und Reinekens Rede wird wenig geachtet.

Herr! es ist wahr, man hat mich verklagt, ich werde nicht
                                        weichen,
Denn ich muß nun hindurch, und also sei es gesprochen: 415
Ist hier einer der glaubt zu beweisen; so komm er mit
                                        Zeugen,
Halte sich fest an die Sache und setze gerichtlich zum Pfande
Sein Vermögen, sein Ohr, sein Leben, wenn er verlöre,
Und ich setze das gleiche dagegen: so hat es zu Rechte
Stets gegolten, so halte mans noch, und alle die Sache,   420
Wie man sie vor und wider gesprochen, sie werde getreulich
Solcherweise geführt und gerichtet, ich darf es verlangen!

Wie es auch sei, versetzte der König: am Wege des Rechtes
Will und kann ich nicht schmälern, ich hab es auch niemals
                                        gelitten.
Groß ist zwar der Verdacht, du habest an Lampens
                                        Ermordung   425
Teil genommen, des redlichen Boten! Ich liebt ihn besonders
Und verlor ihn nicht gern, betrübte mich über die Maßen
Als man sein blutiges Haupt aus deinem Ränzel heraus zog;
Auf der Stelle büßt es Bellin, der böse Begleiter:
Und du magst die Sache nun weiter gerichtlich verfechten.   430
Was mich selber betrifft, vergeb' ich Reineken alles,

Denn er hielt sich zu mir in manchen bedenklichen Fällen.
Hätte weiter jemand zu klagen, wir wollen ihn hören,
Stell' er unbescholtene Zeugen, und bringe die Klage
435 Gegen Reineken ordentlich vor, hier steht er zu Rechte.

Reineke sagte: gnädiger Herr! Ich danke zum besten.
Jeden hört ihr und jeder genießt die Wohltat des Rechtes.
Laßt mich heilig beteuern, mit welchem traurigen Herzen
Ich Bellin und Lampen entließ; mir ahndete, glaub ich,
440 Was den beiden sollte geschehn, ich liebte sie zärtlich.

So staffierte Reineke klug Erzählung und Worte.
Jedermann glaubt ihm; er hatte die Schätze so zierlich
                                        beschrieben,
Sich so ernstlich betragen, er schien die Wahrheit zu reden.
Ja man sucht ihn zu trösten. Und so betrog er den König,
445 Dem die Schätze gefielen, er hätte sie gerne besessen,
Sagte zu Reineken: gebt euch zufrieden, ihr reiset und suchet
Weit und breit das Verlorne zu finden, das mögliche tut ihr,
Wenn ihr meiner Hülfe bedürft, sie steht euch zu Diensten.

Dankbar, sagte Reineke drauf: erkenn ich die Gnade,
450 Diese Worte richten mich auf und lassen mich hoffen.
Raub und Mord zu bestrafen ist eure höchste Behörde.
Dunkel bleibt mir die Sache, doch wird sichs finden, ich sehe
Mit dem größten Fleiße darnach, und werde des Tages
Emsig reisen und Nachts und alle Leute befragen.
455 Hab ich erfahren, wo sie sich finden; und kann sie nicht selber
Wieder gewinnen, wär ich zu schwach, so bitt' ich um Hülfe,
Die gewährt ihr alsdann und sicher wird es geraten.
Bring ich glücklich die Schätze vor euch, so find' ich am Ende
Meine Mühe belohnt und meine Treue bewähret.

460 Gerne hört es der König und fiel in allem und jedem
Reineken bei, er hatte die Lüge so künstlich geflochten.
Alle die andern glaubten es auch, er durfte nun wieder
Reisen und gehen wohin ihm gefiel und ohne zu fragen.

Aber Isegrim konnte sich länger nicht halten, und
                                    knirschend
Sprach er: Gnädiger Herr! So glaubt ihr wieder dem Diebe,   465
Der euch zwei und dreifach belog? Wen sollt es nicht
                                    wundern!
Seht ihr nicht, daß der Schalk euch betrügt und uns alle
                                    beschädigt?
Wahrheit redet er nie und eitel Lügen ersinnt er.
Aber ich laß ihn so leicht nicht davon. Ihr sollt es erfahren,
Daß er ein Schelm ist und falsch. Ich weiß drei große
                                    Verbrechen,   470
Die er begangen, er soll nicht entgehn und sollten wir
                                    kämpfen.
Zwar man fordert Zeugen von uns, was wollte das helfen?
Stünden sie hier und sprächen und zeugten den ganzen
                                    Gerichtstag
Könnte das fruchten? er täte nur immer nach seinem
                                    Belieben.
Oft sind keine Zeugen zu stellen, da sollte der Frevler   475
Nach wie vor die Tücke verüben? Wer traut sich zu reden?
Jedem hängt er was an und jeder fürchtet den Schaden.
Ihr und die euren empfinden es auch und alle zusammen.
Heute will ich ihn halten, er soll nicht wanken noch weichen
Und er soll zu Rechte mir stehn, nun mag er sich wahren.   480

EILFTER GESANG

Isegrim klagte, der Wolf, und sprach: ihr werdet verstehen!
Reineke, gnädiger König, so wie er immer ein Schalk war
Bleibt er es auch und steht und redet schändliche Dinge
Mein Geschlecht zu beschimpfen und mich. So hat er mir
                                    immer,
Meinem Weibe noch mehr empfindliche Schande bereitet.   5
So bewog er sie einst in einem Teiche zu waden,
Durch den Morast, und hatte versprochen, sie solle des
                                    Tages

Viele Fische gewinnen, sie habe den Schwanz nur ins Wasser
Einzutauchen und hängen zu lassen, es würden die Fische
10 Fest sich beißen, sie könne selb viert nicht alle verzehren.
Watend kam sie darauf und schwimmend gegen das Ende,
Gegen den Zapfen, da hatte das Wasser sich tiefer gesammlet.
Und er hieß sie den Schwanz ins Wasser hängen, die Kälte
Gegen Abend war groß und grimmig begann es zu frieren,
15 Daß sie fast nicht länger sich hielt, so war auch in kurzem
Ihr der Schwanz ins Eis gefroren, sie konnt ihn nicht regen,
Glaubte die Fische wären so schwer, es wäre gelungen.
Reineke merkt' es, der schändliche Dieb, und was er
                                        getrieben,
Darf ich nicht sagen, er kam und übermannte sie leider.
20 Von der Stelle soll er mir nicht! Es kostet der Frevel
Einen von beiden, wie ihr uns seht, noch heute das Leben.
Denn er schwätzt sich nicht durch; ich hab ihn selber
                                        betroffen
Über der Tat, mich führte der Zufall am Hügel den Weg her,
Laut um Hülfe hört ich sie schreien, die arme Betrogne,
25 Fest im Eise stand sie gefangen und konnt ihm nicht wehren.
Und ich kam und mußte mit eignen Augen das alles
Sehen! Ein Wunder fürwahr, das mir das Herz nicht
                                        gebrochen.
Reineke! rief ich: was tust du? Er hörte mich kommen und
                                        eilte
Seine Straße. Da ging ich hinzu mit traurigem Herzen,
30 Mußte waden und frieren im kalten Wasser und konnte
Nur mit Mühe das Eis zerbrechen, mein Weib zu erlösen.
Ach es ging nicht glücklich von statten! Sie zerrte gewaltig
Und es blieb ihr ein Viertel des Schwanzes im Eise gefangen.
Jammernd klagte sie laut und viel, das hörten die Bauern,
35 Kamen hervor und spürten uns aus, und riefen einander.
Hitzig liefen sie über den Damm mit Piken und Äxten,
Mit dem Rocken kamen die Weiber und lärmten gewaltig:
Fangt sie! Schlagt nur und werft, so riefen sie gegen
                                        einander.
Angst wie damals empfand ich noch nie, das gleiche bekennet

Gieremund auch, wir retteten kaum mit Mühe das Leben,   40
Liefen, es rauchte das Fell. Da kam ein Bube gelaufen,
Ein vertrackter Geselle mit einer Pike bewaffnet,
Leicht zu Fuße, stach er nach uns und drängt uns gewaltig.
Wäre die Nacht nicht gekommen, wir hätten das Leben
                            gelassen.
Und die Weiber riefen noch immer, die Hexen, wir hätten   45
Ihre Schafe gefressen. Sie hätten uns gerne getroffen,
Schimpften und schmähten hinter uns drein. Wir wandten
                            uns aber
Von dem Lande wieder zum Wasser und schlupften behende
Zwischen die Binsen; da trauten die Bauern nicht weiter zu
                            folgen,
Denn es war dunkel geworden, sie machten sich wieder nach
                            Hause.   50
Knapp entkamen wir so. Ihr sehet, gnädiger König,
Überwältigung, Mord und Verrat, von solchen Verbrechen
Ist die Rede, die werdet ihr strenge, mein König, bestrafen.

Als der König die Klage vernommen, versetzt er: es werde
Rechtlich hierüber erkannt, doch laßt uns Reineken hören.   55
Reineke sprach: verhielt es sich also, so würde die Sache
Wenig Ehre mir bringen und Gott bewahre mich gnädig
Daß man es fände wie er erzählt. Doch will ich nicht leugnen
Daß ich sie Fische fangen gelehrt und auch ihr die beste
Straße zu Wasser zu kommen, und sie zu dem Teiche
                            gewiesen.   60
Aber sie lief so gierig darnach so bald sie nur Fische
Nennen gehört, und Weg und Maß und Lehre vergaß sie.
Blieb sie fest im Eise befroren, so hatte sie freilich
Viel zu lange gesessen; denn hätte sie zeitig gezogen,
Hätte sie Fische genug zum köstlichen Mahle gefangen.   65
Allzugroße Begierde wird immer schädlich. Gewöhnt sich
Ungenügsam das Herz, so muß es vieles vermissen.
Wer den Geist der Gierigkeit hat, er lebt nur in Sorgen,
Niemand sättiget ihn. Frau Gieremund hat es erfahren
Da sie im Eise befror. Sie dankt nun meiner Bemühung   70

Schlecht. Das hab' ich davon, daß ich ihr redlich geholfen!
Denn ich schob und wollte mit allen Kräften sie heben,
Doch sie war mir zu schwer, und über dieser Bemühung
Traf mich Isegrim an, der längst dem Ufer daher ging,
75 Stand dadroben und rief und fluchte grimmig herunter.
Ja fürwahr ich erschrak den schönen Segen zu hören.
Eins und zwei und dreimal warf er die gräßlichsten Flüche
Über mich her und schrie von wildem Zorne getrieben
Und ich dachte: du machst dich davon und wartest nicht
                                    länger,
80 Besser laufen als faulen. Ich hatt' es eben getroffen,
Denn er hätte mich damals zerrissen. Und wenn es begegnet
Daß zwei Hunde sich beißen um Einen Knochen, da muß
                                    wohl
Einer verlieren, so schien mir auch da das Beste geraten
Seinem Zorn zu entweichen und seinem verworrnen
                                    Gemüte.
85 Grimmig war er und bleibt es, wie kann ers leugnen?
                                    befraget
Seine Frau; was hab' ich mit ihm dem Lügner zu schaffen?
Denn so bald er sein Weib im Eise befroren bemerkte,
Flucht' und schalt er gewaltig und kam und half ihr
                                    entkommen.
Machten die Bauern sich hinter sie her, so war es zum Besten,
90 Denn so kam ihr Blut in Bewegung, sie froren nicht länger.
Was ist weiter zu sagen? Es ist ein schlechtes Benehmen
Wer sein eignes Weib mit solchen Lügen beschimpfet.
Fragt sie selber, da steht sie, und hätt' er die Wahrheit
                                    gesprochen,
Würde sie selber zu klagen nicht fehlen. Indessen erbitt' ich
95 Eine Woche mir Frist mit meinen Freunden zu sprechen
Was für Antwort dem Wolf und seiner Klage gebühret.

Gieremund sagte darauf: in eurem Treiben und Wesen
Ist nur Schalkheit, wir wissen es wohl, und Lügen und
                                    Trügen,
Büberei, Täuschung und Trotz, wer euren verfänglichen
                                    Reden

Glaubt, wird sicher am Ende beschädigt, immer gebraucht

ihr   100

Lose verworrene Worte. So hab' ichs am Borne gefunden.

Denn zwei Eimer hingen daran, ihr hatte in einen,

Weiß ich warum? euch gesetzt und war't hernieder gefahren,

Nun vermochtet ihr nicht euch selber wieder zu heben

Und ihr klagtet gewaltig. Des Morgens kam ich zum

Brunnen,   105

Fragte: wer bracht euch herein? Ihr sagtet: kommt ihr doch

eben,

Liebe Gevatterin, recht: ich gönn euch jeglichen Vorteil,

Steigt in den Eimer da droben, so fahrt ihr hernieder und

esset

Hier an Fischen euch satt. Ich war zum Unglück gekommen,

Denn ich glaubt es, ihr schwurt noch dazu: ihr hättet so viele   110

Fische verzehrt, es schmerz' euch der Leib. Ich ließ mich

betören,

Dumm wie ich war, und stieg in den Eimer; da ging er

hernieder,

Und der andere wieder herauf, ihr kamt mir entgegen.

Wunderlich schien mirs zu sein, ich fragte voller Erstaunen:

Sagt, wie gehet das zu? Ihr aber sagtet dawider: 115

Auf und ab, so gehts in der Welt, so geht es uns beiden.

Ist es doch also der Lauf. Erniedrigt werden die einen

Und die andern erhöht, nach eines jeglichen Tugend.

Aus dem Eimer sprangt ihr und lieft und eiltet von dannen.

Aber ich saß im Brunnen bekümmert und mußte den Tag

lang   120

Harren und Schläge genug am selbigen Abend erdulden

Eh ich entkam. Es kamen zum Brunnen einige Bauern,

Sie bemerkten mich da. Von grimmigen Hunger gepeinigt

Saß ich in Trauer und Angst, erbärmlich war mir zu Mute.

Unter einander sprachen die Bauern: da sieh nur im Eimer   125

Sitzt da unten der Feind, der unsre Schafe vermindert.

Hol ihn herauf, versetzte der eine: ich halte mich fertig

Und empfang ihn am Rand', er soll uns die Lämmer

bezahlen!

Wie er mich aber empfing das war ein Jammer! Es fielen
130 Schläg auf Schläge mir über den Pelz, ich hatte mein Leben
Keinen traurigern Tag, und kaum entrann ich dem Tode.

Reineke sagte darauf: bedenkt genauer die Folgen
Und ihr findet gewiß, wie heilsam die Schläge gewesen.
Ich für meine Person mag lieber dergleichen entbehren,
135 Und wie die Sache stand, so mußte wohl eines von beiden
Sich mit den Schlägen beladen, wir konnten zugleich nicht
        entgehen.
Wenn ihrs euch merkt, so nutzt es euch wohl, und künftig
        vertraut ihr
Keinem so leicht in ähnlichen Fällen. Die Welt ist voll
        Schalkheit.

Ja, versetzte der Wolf: was braucht es weiter Beweise
140 Niemand verletzte mich mehr, als dieser böse Verräter.
Eines erzählt ich noch nicht, wie er in Sachsen mich einmal
Unter das Affengeschlecht zu Schand und Schaden geführet.
Er beredete mich in eine Höhle zu kriechen
Und er wußte voraus es würde mir Übels begegnen.
145 Wär ich nicht eilig entflohn, ich wär um Augen und Ohren
Dort gekommen. Er sagte vorher mit gleißenden Worten:
Seine Frau Muhme find' ich daselbst, er meinte die Äffin,
Doch es verdroß ihn daß ich entkam. Er schickte mich
        tückisch
In das abscheuliche Nest, ich dacht' es wäre die Hölle.

150 Reineke sagte darauf vor allen Herrn des Hofes:
Isegrim redet verwirrt, er scheint nicht völlig bei Sinnen.
Von der Äffin will er erzählen, so sag er es deutlich.
Drittehalb Jahr sinds her als nach dem Lande zu Sachsen
Er mit großem Prassen gezogen, wohin ich ihm folgte.
155 Das ist wahr, das übrige lügt er. Es waren nicht Affen,
Meerkatzen warens, von welchen er redet; und nimmermehr
        werd ich
Diese für meine Muhmen erkennen. Martin der Affe,

Und Frau Rückenau sind mir verwandt. Sie ehr ich als
                                        Muhme,
Ihn als Vetter und rühme mich des. Notarius ist er
Und versteht sich aufs Recht. Doch was von jenen
                                        Geschöpfen   160
Isegrim sagt, geschieht mir zum Hohn, ich habe mit ihnen
Nichts zu tun und nie sinds meine Verwandte gewesen;
Denn sie gleichen dem höllischen Teufel. Und daß ich die
                                        Alte
Damals Muhme geheißen, das tat ich mit gutem Bedachte.
Nichts verlor ich dabei, das will ich gerne gestehen,   165
Gut gastierte sie mich, sonst hätte sie mögen ersticken.

Seht ihr Herren! wir hatten den Weg zur Seite gelassen,
Gingen hinter dem Berg und eine düstere Höhle
Tief und lang bemerkten wir da. Es fühlte sich aber
Isegrim krank, wie gewöhnlich, vor Hunger. Wann hätt ihn
                                        auch jemals   170
Einer so satt gesehen; daß er zufrieden gewesen?
Und ich sagte zu ihm: In dieser Höhle befindet
Speise fürwahr sich genug, ich zweifle nicht ihre Bewohner
Teilen gerne mit uns, was sie haben, wir kommen gelegen.
Isegrim aber versetzte darauf: ich werde, mein Oheim,   175
Unter dem Baume hier warten, ihr seid in allem geschickter
Neue Bekannte zu machen, und wenn euch Essen gereicht
                                        wird,
Tut mirs zu wissen! So dachte der Schalk auf meine Gefahr
                                        erst
Abzuwarten was sich ergäbe; ich aber begab mich
In die Höhle hinein. Nicht ohne Schauer durchwandert   180
Ich den langen und krummen Gang, er wollte nicht enden.
Aber was ich dann fand – den Schrecken wollt ich um vieles
Rotes Gold nicht zweimal in meinem Leben erfahren!
Welch ein Nest voll häßlicher Tiere, größer und kleiner!
Und die Mutter dabei, ich dacht' es wäre der Teufel.   185
Weit und groß ihr Maul mit langen häßlichen Zähnen,
Lange Nägel an Händen und Füßen und hinten ein langer

Schwanz an den Rücken gesetzt: so was abscheuliches hab ich
Nicht im Leben gesehn! Die schwarzen leidigen Kinder
190 Waren seltsam gebildet wie lauter junge Gespenster.
Greulich sah sie mich an. Ich dachte: wär ich von dannen!
Größer war sie als Isegrim selbst und einige Kinder
Fast von gleicher Statur. Im faulen Heue gebettet
Fand ich die garstige Brut, und über und über beschlabbert
195 Bis an die Ohren mit Kot, es stank in ihrem Reviere
Ärger als höllisches Pech. Die reine Wahrheit zu sagen,
Wenig gefiel es mir da, denn ihrer waren so viele,
Und ich stand nur allein. Sie zogen greuliche Fratzen.
Da besann ich mich denn und einen Ausweg versucht ich,
200 Grüßte sie schön – ich meint es nicht so – und wußte so
                                    freundlich
Und bekannt mich zu stellen. Frau Muhme! sagt ich zur
                                    Alten,
Vettern hieß ich die Kinder und ließ es an Worten nicht
                                    fehlen.
Spar euch der gnädige Gott auf lange glückliche Zeiten!
Sind das eure Kinder? Fürwahr! ich sollte nicht fragen,
205 Wie behagen sie mir: Hilf Himmel! wie sie so lustig,
Wie sie so schön sind! Man nähme sie alle für Söhne des
                                    Königs.
Seid mir vielmal gelobt, daß ihr mit würdigen Sprossen
Mehret unser Geschlecht, ich freue mich über die Maßen.
Glücklich find ich mich nun von solchen Öhmen zu wissen;
210 Denn zu Zeiten der Not bedarf man seiner Verwandten.

Als ich ihr so viel Ehre geboten, wiewohl ich es anders
Meinte, bezeigte sie mir von ihrer Seite desgleichen,
Hieß mich Oheim, und tat so bekannt, so wenig die Närrin
Auch zu meinem Geschlechte gehört. Doch konnte für
                                    diesmal
215 Gar nicht schaden sie Muhme zu heißen. Ich schwitzte
                                    dazwischen
Über und über für Angst. Allein sie redete freundlich:
Reineke, werter Verwandter, ich heiß euch schönstens
                                    willkommen!

Seid ihr auch wohl? Ich bin euch mein ganzes Leben
                                        verbunden
Daß ihr zu mir gekommen. Ihr lehret kluge Gedanken
Meine Kinder fortan, daß sie zu Ehren gelangen.   220
Also hört ich sie reden, das hatt' ich mit wenigen Worten
Daß ich sie Muhme genannt und daß ich die Wahrheit
                                        geschonet
Reichlich verdient. Doch wär ich so gern im Freien gewesen.
Aber sie ließ mich nicht fort und sprach: ihr dürfet, mein
                                        Oheim,
Unbewirtet nicht weg! verweilet, laßt euch bedienen.   225
Und sie brachte mir Speise genug; ich wüßte sie wahrlich
Jetzt nicht alle zu nennen; verwundert war ich zum höchsten
Wie sie zu allem gekommen. Von Fischen, Rehen und andern
Guten Wildpret, ich speiste davon, es schmeckte mir
                                        herrlich.
Als ich zur Gnüge gegessen, belud sie mich über das alles,   230
Bracht ein Stück vom Hirsche getragen, ich sollt es nach
                                        Hause
Zu den Meinigen bringen, und ich empfahl mich zum besten.
Reineke, sagte sie noch: besucht mich öfters. Ich hätte
Was sie wollte versprochen, ich machte daß ich herauskam.
Lieblich war es nicht da für Augen und Nase, ich hätte   235
Mir den Tod beinahe geholt; ich suchte zu fliehen.
Lief behende den Gang bis zu der Öffnung am Baume.
Isegrim lag und stöhnte daselbst, ich sagte: wie gehts euch
Oheim? Er sprach: nicht wohl! ich muß vor Hunger
                                        verderben.
Ich erbarmte mich seiner und gab ihm den köstlichen Braten   240
Den ich mit mir gebracht. Er aß mit großer Begierde,
Vielen Dank erzeigt er mir da; nun hat ers vergessen!
Als er nun fertig geworden, begann er: laßt mich erfahren,
Wer die Höhle bewohnt? Wie habt ihrs drinne gefunden
Gut oder schlecht? Ich sagt ihm darauf die lauterste   245
                                        Wahrheit,
Unterrichtet ihn wohl. Das Nest sei böse, dagegen
Finde sich drin viel köstliche Speise, sobald er begehre

Seinen Teil zu erhalten, so mög er kecklich hinein gehn
Nur vor allem sich hüten die grade Wahrheit zu sagen.
250 Soll es euch nach Wünschen ergehn; so spart mir die
                                           Wahrheit!
Wiederholt ich ihm noch; denn führt sie jemand beständig
Unklug im Munde, der leidet Verfolgung, wohin er sich
                                           wendet,
Überall steht er zurück, die andern werden geladen.
Also hieß ich ihn gehn; ich lehrt ihn: was er auch fände,
255 Sollt er reden, was jeglicher gerne zu hören begehret,
Und man werd ihn freundlich empfangen. Das waren die
                                           Worte,
Gnädiger König und Herr, nach meinem besten Gewissen.
Aber das Gegenteil tat er hernach, und kriegt er darüber
Etwas ab, so hab er es auch, er sollte mir folgen.
260 Grau sind seine Zotteln fürwahr, doch sucht man die
                                           Weisheit
Nur vergebens dahinter. Es achten solche Gesellen
Weder Klugheit noch feine Gedanken, es bleibet dem groben
Tölpischen Volke der Wert von aller Weisheit verborgen.
Treulich schärft ich ihm ein, die Wahrheit diesmal zu sparen:
265 Weiß ich doch selbst, was sich ziemt, versetzt er trotzig
                                           dagegen,
Und so trabt er die Höhle hinein, da hat ers getroffen.

Hinten saß das abscheuliche Weib, er glaubte den Teufel
Vor sich zu sehn! die Kinder dazu! da rief er betroffen:
Hülfe! Was für abscheuliche Tiere! Sind diese Geschöpfe
270 Eure Kinder? Sie scheinen fürwahr ein Höllengesindel.
Geht ertränkt sie, das wäre das Beste, damit sich die Brut
                                           nicht
Über die Erde verbreite! Wenn es die Meinigen wären,
Ich erdrosselte sie. Man finge wahrlich mit ihnen
Junge Teufel, man brauchte sie nur in einem Moraste
275 Auf das Schilf zu binden, die garstigen schmutzigen Rangen!
Ja, Mooraffen, sollten sie heißen, da paßte der Name!

Eilig versetzte die Mutter und sprach mit zornigen Worten:
Welcher Teufel schickt uns den Boten? Wer hat euch gerufen
Hier uns grob zu begegnen? Und meine Kinder! Was habt
                                                    ihr,
Schön oder häßlich, mit ihnen zu tun? So eben verläßt uns   280
Reineke Fuchs, der erfahrne Mann, der muß es verstehen;
Meine Kinder, beteuert er hoch, er finde sie sämtlich
Schön und sittig, von guter Manier, er mochte mit Freuden
Sie für seine Verwandten erkennen. Das hat er uns alles
Hier an diesem Platz vor einer Stunde versichert.   285
Wenn sie euch nicht, wie ihm gefallen, so hat euch
                                              wahrhaftig
Niemand zu kommen gebeten. Das mögt ihr Isegrim wissen.

Und er forderte gleich von ihr zu essen und sagte:
Holt herbei, sonst helf ich euch suchen, was wollen die Reden
Weiter helfen? Er machte sich dran und wollte gewaltsam   290
Ihren Vorrat betasten; das war ihm übel geraten!
Denn sie warf sich über ihn her, zerbiß und zerkratzt' ihm
Mit den Nägeln das Fell und klaut und zerrt ihn gewaltig.
Ihre Kinder taten das gleiche, sie bissen und krammten
Greulich auf ihn, da heult er und schrie mit blutigen Wangen, 295
Wehrte sich nicht und lief mit hastigen Schritten zur
                                              Öffnung.
Übel zerbissen sah ich ihn kommen, zerkratzt und die Fetzen
Hingen herum, ein Ohr war gespalten und blutig die Nase,
Manche Wunde kneipten sie ihm und hatten das Fell ihm
Garstig zusammen geruckt. Ich fragt ihn wie er heraustrat: 300
Habt ihr die Wahrheit gesagt? Er aber sagte dagegen:
Wie ichs gefunden, so hab ich gesprochen. Die leidige Hexe
Hat mich übel geschändet, ich wollte sie wäre hier außen,
Teuer bezahlte sie mirs! Was dünkt euch Reineke? habt ihr
Jemals solche Kinder gesehn? so garstig, so böse.   305
Da ichs ihr sagte, da war es geschehn, da fand ich nicht weiter
Gnade vor ihr und habe mich übel im Loche befunden.

Seid ihr verrückt? versetzt' ich ihm drauf! ich hab es euch
                                              anders

Weislich geheißen. Ich grüß euch zum schönsten (so solltet
ihr sagen)
310 Liebe Muhme, wie geht es mit euch? Wie geht es den lieben
Artigen Kindern? Ich freue mich sehr die großen und kleinen
Neffen wieder zu sehn. Doch Isegrim sagte dagegen:
Muhme das Weib zu begrüßen? und Neffen die häßlichen
Kinder?
Nehm' sie der Teufel zu sich! Mir graut vor solcher
Verwandtschaft.
315 Pfui! ein ganz abscheuliches Pack! ich seh sie nicht wieder.
Darum ward er so übel bezahlt. Nun richtet, Herr König,
Sagt er mit Recht ich hab ihn verraten. Er mag es gestehen,
Hat die Sache sich nicht wie ich erzähle, begeben?

Isegrim sprach entschlossen dagegen: wir machen
wahrhaftig
320 Diesen Streit mit Worten nicht aus. Was sollen wir keifen?
Recht bleibt Recht, und wer es auch hat, es zeigt sich am Ende
Trotzig Reineke tretet ihr auf, so mögt ihr es haben.
Kämpfen wollen wir gegen einander, da mag es sich finden.
Vieles wißt ihr zu sagen, wie vor der Affen Behausung
325 Ich so großen Hunger gelitten, und wie ihr mich damals
Treulich genährt. Ich wüßte nicht wie! Es war nur ein
Knochen,
Den ihr brachtet, das Fleisch vermutlich speistet ihr selber.
Wo ihr stehet spottet ihr mein und redet verwegen
Meiner Ehre zu nah. Ihr habt mit schändlichen Lügen
330 Mich verdächtig gemacht, als hätt' ich böse Verschwörung
Gegen den König im Sinne gehabt und hätte sein Leben
Ihm zu rauben gewünscht; ihr aber prahltet dagegen
Ihm von Schätzen was vor; er möchte schwerlich sie finden!
Schmählich behandeltet ihr mein Weib und sollt es mir
büßen.
335 Dieser Sachen klag ich euch an! ich denke zu kämpfen
Über Altes und Neues und wiederhol' es: ein Mörder,
Ein Verräter seid ihr, ein Dieb, und Leben um Leben
Wollen wir kämpfen, es endige nun das Keifen und Schelten.

Einen Handschuh biet ich euch an, so wie ihn zu Rechte
Jeder Fordernde reicht; ihr mögt ihn zum Pfande behalten,   340
Und wir finden uns bald. Der König hat es vernommen
Alle die Herren habens gehört, ich hoffe sie werden
Zeugen sein des rechtlichen Kampfs, ihr sollt nicht
                                    entweichen
Bis die Sache sich endlich entscheidet, dann wollen wir sehen.

Reineke dachte bei sich: das geht um Vermögen und Leben,   345
Groß ist *er*, ich aber bin klein, und könnt es mir diesmal
Etwa – mißlingen, so hätten mir alle die listigen Streiche
Wenig geholfen. Doch warten wirs ab. Denn wenn ichs
                                    bedenke
Bin ich im Vorteil; verlor er ja schon die vordersten Klauen!
Ist der Tor nicht kühler geworden, so soll er am Ende   350
Seinen Willen nicht haben, es koste was es auch wolle.

Reineke sagte zum Wolfe darauf: ihr mögt mir wohl selber
Ein Verräter, Isegrim, sein und alle Beschwerden
Die ihr auf mich zu bringen gedenket sind alle gelogen.
Wollt ihr kämpfen? ich wag es mit euch und werde nicht
                                    wanken.   355
Lange wünscht' ich mir das! hier ist mein Handschuh
                                    dagegen.

So empfing der König die Pfänder, es reichten sie beide
Kühnlich. Er sagte darauf: ihr sollt mir Bürgen bestellen
Daß ihr morgen zum Kampfe nicht fehlt; denn beide
                                    Parteien
Find ich verworren, wer mag die Reden alle verstehen!   360
Isegrims Bürgen wurden sogleich der Bär und der Kater,
Braun und Hinze; für Reineken aber verbürgten sich
                                    gleichfalls
Vetter Monecke, Sohn von Märtenaffe, mit Grimbart.

Reineke, sagte Frau Rückenau drauf: nun bleibet gelassen,
Klug von Sinnen! Es lehrte mein Mann, der jetzo nach Rom   365
                                    ist,

Euer Oheim, mich einst ein Gebet; es hatte dasselbe
Abt von Schluckauf gesetzt und gab es meinem Gemahle,
Dem er sich günstig erwies, auf einem Zettel geschrieben.
Dieses Gebet, so sagte der Abt: ist heilsam den Männern
370 Die ins Gefecht sich begeben; man muß es nüchtern des
                    Morgens
Überlesen, so bleibt man des Tags von Not und Gefahren
Völlig befreit, vorm Tode geschützt vor Schmerzen und
                    Wunden.
Tröstet euch Neffe damit, ich will es morgen bei Zeiten
Über euch lesen, so geht ihr getrost und ohne Besorgnis.
375 Liebe Muhme, versetzte der Fuchs: ich danke von Herzen,
Ich gedenk es euch wieder. Doch muß mir immer am meisten
Meiner Sache Gerechtigkeit helfen und meine Gewandtheit.

Reinekens Freunde blieben beisammen die Nacht durch und
                    scheuchten
Seine Grillen durch muntre Gespräche. Frau Rückenau aber
380 War vor allen besorgt und geschäftig, sie ließ ihn behende
Zwischen Kopf und Schwanz, und Brust und Bauche
                    bescheren
Und mit Fett und Öle bestreichen, es zeigte sich aber
Reineke fett und rund und wohl zu Fuße. Darneben
Sprach sie: höret mich an, bedenket was ihr zu tun habt
385 Höret den Rat verständiger Freunde, das hilft euch am
                    besten,
Trinket nur brav und haltet das Wasser, und kommt ihr des
                    Morgens
In den Kreis, so macht es gescheut, benetzet den rauhen
Wedel über und über und sucht den Gegner zu treffen,
Könnt ihr die Augen ihm salben, so ists am besten geraten,
390 Sein Gesicht verdunkelt sich gleich. Es kömmt euch zu
                    statten
Und ihn hindert es sehr. Auch müßt ihr anfangs euch
                    furchtsam
Stellen, und gegen den Wind mit flüchtigen Füßen
                    entweichen,

Wenn er euch folget erreget nur den Staub, auf daß ihr die
Augen
Ihn mit Unrat und Sande verschließt. Dann springet zur
Seite
Paßt auf jede Bewegung, und wenn er die Augen sich 395
auswischt,
Nehmt des Vorteils gewahr und salbt ihm aufs neue die
Augen
Mit dem ätzenden Wasser, damit er völlig verblinde,
Nicht mehr wisse wo aus noch ein, und der Sieg euch
verbleibe.
Lieber Neffe, schlaft nur ein wenig, wir wollen euch wecken,
Wenn es Zeit ist. Doch will ich sogleich die heiligen Worte 400
Über euch lesen von welchen ich sprach, auf daß ich euch
stärke.
Und sie legt ihm die Hand aufs Haupt und sagte die Worte:
Nekräst negibaul geid sum namteflih dundna mein tedachs!
Nun Glück auf! nun seid ihr verwahrt! das nämliche sagte
Oheim Grimbart; dann führten sie ihn und legten ihn 405
schlafen.
Ruhig schlief er. Die Sonne ging auf. Da kamen die Otter
Und der Dachs den Vetter zu wecken. Sie grüßten ihn
freundlich,
Und sie sagten: bereitet euch wohl! da brachte die Otter
Eine junge Ente hervor und reicht' sie ihm sagend:
Eßt, ich habe sie euch mit manchem Sprunge gewonnen 410
An dem Damme bei Hünerbrot, laßt's euch belieben, mein
Vetter.

Gutes Handgeld ist das, versetzte Reineke munter,
So was verschmäh ich nicht leicht. Das möge Gott euch
vergelten
Daß ihr meiner gedenkt! Er ließ das Essen sich schmecken
Und das Trinken dazu, und ging mit seinen Verwandten 415
In den Kreis, auf den ebenen Sand, da sollte man kämpfen.

ZWÖLFTER GESANG

Als der König Reineken sah wie dieser am Kreise
Glatt geschoren sich zeigte, mit Öl und schlüpfrigem Fette
Über und über gesalbt, da lacht er über die Maßen.
Fuchs! wer lehrte dich das? so rief er, mag man doch billig
Reineke Fuchs dich heißen, du bist beständig der lose,
Aller Orten kennst du ein Loch und weißt dir zu helfen.

Reineke neigte sich tief vor dem Könige, neigte besonders
Vor der Königin sich und kam mit mutigen Sprüngen
In den Kreis. Da hatte der Wolf mit seinen Verwandten
Schon sich gefunden; sie wünschten dem Fuchs ein
                                   schmähliches Ende;
Manches zornige Wort und manche Drohung vernahm er.
Aber Lynx und Lupardus, die Wärter des Kreises, brachten
Nun die Heil'gen hervor und beide Kämpfer beschwuren,
Wolf und Fuchs, mit Bedacht die zu behauptende Sache.

Isegrim schwur mit heftigen Worten und drohenden
                                     Blicken:
Reineke sei ein Verräter, ein Dieb, ein Mörder und aller
Missetat schuldig, er sei auf Gewalt und Ehbruch betreten,
Falsch in jeglicher Sache, das gelte Leben um Leben!
Reineke schwur zur Stelle dagegen: er seie sich keiner
Dieser Verbrechen bewußt und Isegrim lüge wie immer
Schwöre falsch wie gewöhnlich, doch soll' es ihm nimmer
                                     gelingen,
Seine Lüge zur Wahrheit zu machen, am wenigsten diesmal.
Und es sagten die Wärter des Kreises: Ein jeglicher tue
Was er schuldig zu tun ist; das Recht wird bald sich ergeben.
Groß und klein verließen den Kreis, die beiden alleine
Drin zu verschließen; geschwind begann die Äffin zu
                                     flüstern:
Merket was ich euch sagte, vergeßt nicht dem Rate zu folgen!
Reineke sagte heiter darauf: die gute Vermahnung

Macht mich mutiger gehn. Getrost! ich werde der Kühnheit
Und der List auch jetzt nicht vergessen, durch die ich aus
                                    manchen   30
Größren Gefahren entronnen, worein ich öfters geraten,
Wenn ich mir dieses und jenes geholt was bis jetzt nicht
                                    bezahlt ist,
Und mein Leben kühnlich gewagt. Wie sollt ich nicht jetzo
Gegen den Bösewicht stehen? Ich hoff ihn gewißlich zu
                                    schänden
Ihn und sein ganzes Geschlecht und Ehre den Meinen zu
                                    bringen.   35
Was er auch lügt, ich tränk es ihm ein. Nun ließ man die
                                    Beiden
In dem Kreise zusammen und alle schauten begierig.
Isegrim zeigte sich wild und grimmig, er reckte die Tatzen,
Kam daher mit offenem Maul, und gewaltigen Sprüngen.
Reineke, leichter als er, entsprang dem stürmenden Gegner, 40
Und benetzte behende den rauhen Wedel mit seinem
Ätzenden Wasser und schleift ihn im Staube mit Sand ihn zu
                                    füllen.
Isegrim dachte nun hab er ihn schon! da schlug ihm der Lose
Über die Augen den Schwanz und Hören und Sehen verging
                                    ihm.
Nicht das erstemal übt er die List, schon viele Geschöpfe   45
Hatten die schädliche Kraft des ätzenden Wassers erfahren.
Isegrims Kinder blendet er so, wie Anfangs gesagt ist,
Und nun dacht er den Vater zu zeichnen. Nachdem er dem
                                    Gegner
So die Augen gesalbt entsprang er seitwärts und stellte
Gegen den Wind sich, rührte den Sand und jagte des Staubes 50
Viel in die Augen des Wolfs, der sich mit Reiben und
                                    Wischen
Hastig und übel benahm und seine Schmerzen vermehrte.
Reineke wußte dagegen geschickt den Wedel zu führen
Seinen Gegner aufs neue zu treffen und gänzlich zu blenden.
Übel bekam es dem Wolfe! denn seinen Vorteil benutzte   55
Nun der Fuchs. Sobald er die schmerzlich tränenden Augen

Seines Feindes erblickte, begann er mit heftigen Sprüngen,
Mit gewaltigen Schlägen auf ihn zu stürmen, zu kratzen
Und zu beißen und immer die Augen ihm wieder zu salben.
60 Halb von Sinnen tappte der Wolf, da spottete seiner
Reineke dreister und sprach: Herr Wolf, ihr habt wohl vor
                                                    Zeiten
Manch unschuldiges Lamm verschlungen, in euerem Leben
Manch unsträfliches Tier verzehrt: ich hoffe sie sollen
Künftig Ruhe genießen; auf alle Fälle bequemt ihr
65 Euch sie in Frieden zu lassen und nehmet Segen zum Lohne.
Eure Seele gewinnt bei dieser Buße, besonders
Wenn ihr das Ende geduldig erwartet. Ihr werdet für
                                                    diesmal
Nicht aus meinen Händen entrinnen, ihr müßtet mit Bitten
Mich versöhnen, da schont ich euch wohl und ließ euch das
                                                    Leben.

70 Hastig sagte Reineke das, und hatte den Gegner
Fest an der Kehle gepackt und hofft' ihn also zu zwingen.
Isegrim aber, stärker als er, bewegte sich grimmig,
Mit zwei Zügen riß er sich los. Doch Reineke griff ihm
Ins Gesicht, verwundet ihn hart und riß ihm ein Auge
75 Aus dem Kopfe, es rann ihm das Blut die Nase herunter.
Reineke rief: so wollt ich es haben! so ist es gelungen!
Blutend verzagte der Wolf und sein verlornes Auge
Macht' ihn rasend, er sprang, vergessend Wunden und
                                                    Schmerzen,
Gegen Reineke los und drückt ihn nieder zu Boden.
80 Übel befand sich der Fuchs, und wenig half ihm die Klugheit.
Einen der vorderen Füße, die er als Hände gebrauchte,
Faßt ihm Isegrim schnell und hielt ihn zwischen den Zähnen.
Reineke lag bekümmert am Boden, er sorgte zur Stunde
Seine Hand zu verlieren und dachte tausend Gedanken.
85 Isegrim brummte dagegen mit hohler Stimme die Worte:

Deine Stunde, Dieb, ist gekommen, ergib dich zur Stelle,
Oder ich schlage dich tot für deine betrügliche Taten.

Ich bezahle dich nun, es hat dir wenig geholfen
Staub zu kratzen, Wasser zu lassen, das Fell zu bescheren,
Dich zu schmieren, wehe dir nun! du hast mir so vieles   90
Übel getan, gelogen auf mich, mir das Auge geblendet,
Aber du sollst nicht entgehn, ergib dich oder ich beiße.

Reineke dachte: nun geht es mir schlimm, was soll ich
                                        beginnen?
Geb ich mich nicht, so bringt er mich um, und wenn ich mich
                                        gebe
Bin ich auf ewig beschimpft. Ja, ich verdiene die Strafe   95
Denn ich hab ihn zu übel behandelt, zu gröblich beleidigt.
Süße Worte versucht er darauf, den Gegner zu mildern.
Lieber Oheim! sagt er zu ihm: ich werde mit Freuden
Eurer Lehnsmann sogleich, mit allem was ich besitze.
Gerne geh ich als Pilger für euch zum heiligen Grabe,   100
In das heilige Land, in alle Kirchen, und bringe
Ablaß genug von dannen zurück. Es gereicht derselbe
Eurer Seele zu Nutz, und soll für Vater und Mutter
Übrig bleiben, damit sich auch die im ewigen Leben
Dieser Wohltat erfreun; wer ist nicht ihrer bedürftig?   105
Ich verehr euch als wärt ihr der Papst, und schwöre den teuren
Heiligen Eid, von jetzt auf alle künftige Zeiten
Ganz der Eure zu sein mit allen meinen Verwandten.
Alle sollen euch dienen zu jeder Stunde. So schwör' ich!
Was ich dem Könige selbst nicht verspräche, das sei euch
                                        geboten,   110
Nehmt ihr es an, so wird euch dereinst die Herrschaft des
                                        Landes.
Alles was ich zu fangen verstehe, das will ich euch bringen.
Gänse, Hühner, Enten und Fische, bevor ich das mindeste
Solcher Speise verzehre, ich laß euch immer die Auswahl,
Eurem Weib und Kindern. Ich will mit Fleiße darneben   115
Euer Leben beraten, es soll euch kein Übel berühren.
Lose heiß ich und ihr seid stark, so können wir beide
Große Dinge verrichten. Zusammen müssen wir halten,
Einer mit Macht, der Andre mit Rat, wer wollt uns
                                        bezwingen?

120 Kämpfen wir gegen einander, so ist es übel gehandelt.
Ja ich hätt' es niemals getan, wofern ich nur schicklich
Hätte den Kampf zu vermeiden gewußt; ihr fordertet aber,
Und ich mußte denn wohl mich ehrenhalber bequemen.
Aber ich habe mich höflich gehalten und während des
                                                    Streites
125 Meine ganze Macht nicht bewiesen; es muß dir, so dacht ich,
Deinen Oheim zu schonen, zur größten Ehre gereichen.
Hätt ich euch aber gehaßt, es wär euch anders gegangen.
Wenig Schaden habt ihr gelitten, und wenn aus Versehen
Euer Auge verletzt ist, so bin ich herzlich bekümmert.
130 Doch das beste bleibt mir dabei, ich kenne das Mittel
Euch zu heilen, und teil ich es euch mit, ihr werdet mir's
                                                    danken.
Bliebe das Auge gleich weg und seid ihr sonst nur genesen,
Ist es euch immer bequem, ihr habet, legt ihr euch schlafen,
Nur Ein Fenster zu schließen, wir andern bemühen uns
                                                    doppelt.
135 Euch zu versöhnen sollen sogleich sich meine Verwandten
Vor euch neigen, mein Weib und meine Kinder, sie sollen
Vor des Königs Augen im Angesicht dieser Versammlung
Euch ersuchen und bitten, daß ihr mir gnädig vergebet
Und mein Leben mir schenkt. Dann will ich offen bekennen
140 Daß ich unwahr gesprochen und euch mit Lügen geschändet,
Euch betrogen wo ich gekonnt. Ich verspreche zu schwören,
Daß mir von euch nichts Böses bekannt ist, und daß ich von
                                                    nun an
Nimmer euch zu beleidigen denke. Wie könntet ihr jemals
Größere Sühne verlangen, als die wozu ich bereit bin?
145 Schlagt ihr mich tot, was habt ihr davon? es bleiben euch
                                                    immer
Meine Verwandten zu fürchten und meine Freunde:
                                                    dagegen,
Wenn ihr mich schont, verlaßt ihr mit Ruhm und Ehren den
                                                    Kampfplatz,
Scheinet jeglichem edel und weise: denn höher vermag sich
Niemand zu heben, als wenn er vergibt. Es kommt euch so
                                                    bald nicht

Diese Gelegenheit wieder, benutzt sie. Übrigens kann mir   150
Jetzt ganz einerlei sein zu sterben oder zu leben.

Falscher Fuchs! versetzte der Wolf: wie wärst du so gerne
Wieder los! Doch wäre die Welt von Golde geschaffen
Und du bötest sie mir in deinen Nöten, ich würde
Dich nicht lassen. Du hast mir so oft vergeblich geschworen,   155
Falscher Geselle! Gewiß, nicht Eierschalen erhielt' ich
Ließ' ich dich los. Ich achte nicht viel auf deine Verwandten;
Ich erwarte was sie vermögen, und denke so ziemlich
Ihre Feindschaft zu tragen. Du Schadenfroher! wie würdest
Du nicht spotten, gäb ich dich frei auf deine Beteurung.   160
Wer dich nicht kennte, wäre betrogen. Du hast mich, so sagst
                                         du,
Heute geschont, du leidiger Dieb, und hängt mir das Auge
Nicht zum Kopfe heraus? Du Bösewicht! hast du die Haut
                                         mir
Nicht an zwanzig Orten verletzt? und konnt ich nur einmal
Wieder zu Atem gelangen, da du den Vorteil gewonnen?   165
Töricht wär es gehandelt, wenn ich für Schaden und
                                         Schande
Dir nun Gnad und Mitleid erzeigte. Du brachtest, Verräter,
Mich und mein Weib in Schaden und Schande, das kostet dein
                                         Leben.

Also sagte der Wolf. Indessen hatte der Lose
Zwischen die Schenkel des Gegners die andre Tatze
                                         geschoben,   170
Bei empfindlichen Teilen ergriff er denselben und ruckte,
Zerrt ihn grausam, ich sage nicht mehr – Erbärmlich zu
                                         schreien,
Und zu heulen begann der Wolf mit offenem Munde.
Reineke zog die Tatze behend aus den klemmenden Zähnen,
Hielt mit beiden den Wolf nun immer fester und fester,   175
Kneipt' und zog, es heulte der Wolf und schrie so gewaltig
Daß er Blut zu speien begann, es brach ihm für Schmerzen
Über und über der Schweiß durch seine Zotten, er löste

Sich vor Angst. Das freute den Fuchs, nun hofft er zu siegen,
180 Hielt ihn immer mit Händen und Zähnen und große
Bedrängnis,
Große Pein kam über den Wolf, er gab sich verloren.
Blut rann über sein Haupt, aus seinen Augen, er stürzte
Nieder betäubt. Es hätte der Fuchs des Goldes die Fülle
Nicht für diesen Anblick genommen, so hielt er ihn immer
185 Fest und schleppte den Wolf und zog, daß alle das Elend
Sahen, und kneipt' und druckt' und biß und klaute den
Armen,
Der mit dumpfen Geheul im Staub und eigenen Unrat
Sich mit Zuckungen wälzte, mit ungebärdigem Wesen.

Seine Freunde jammerten laut, sie baten den König:
190 Aufzunehmen den Kampf, wenn es ihm also beliebte.
Und der König versetzte: so bald euch allen bedünket,
Allen lieb ist daß es geschehe, so bin ichs zufrieden.

Und der König gebot: die beiden Wärter des Kreises,
Lynx und Lupardus, sollten zu beiden Kämpfern
hineingehn.
195 Und sie traten darauf in die Schranken und sprachen dem
Sieger
Reineke zu: es sei nun genug, es wünsche der König
Aufzunehmen den Kampf, den Zwist geendigt zu sehen.
Er verlangt, so fuhren sie fort, ihr mögt ihm den Gegner
Überlassen, das Leben dem Überwundenen schenken.
200 Denn wenn einer getötet in diesem Zweikampf erläge,
Wäre es Schade auf jeglicher Seite. Ihr habt ja den Vorteil!
Alle sahen es, klein und große. Auch fallen die besten
Männer euch bei, ihr habt sie für euch auf immer gewonnen.

Reineke sprach: ich werde dafür mich dankbar beweisen,
205 Gern folg ich dem Willen des Königs und was sich gebührt
Tu ich gern, ich habe gesiegt und schönres verlang ich
Nicht zu erleben! Es gönne mir nur der König das eine
Daß ich meine Freunde befrage. Da riefen die Freunde

Reinekens alle: es dünket uns gut, den Willen des Königs
Gleich zu erfüllen. Sie kamen zu Scharen zum Sieger
                                        gelaufen,   210
Alle Verwandte, der Dachs und der Affe, und Otter und
                                        Biber.
Seine Freunde waren nun auch der Marder, die Wiesel,
Hermelin und Eichhorn und viele die ihn befeindet,
Seinen Namen zuvor nicht nennen mochten, sie liefen
Alle zu ihm. Es fanden sich manche, die sonst ihn verklagten, 215
Seine Verwandten anjetzt und brachten Weiber und Kinder,
Große, Mittlere, Kleine, dazu die Kleinsten, es tat ihm
Jeglicher schön, sie schmeichelten ihm und konnten nicht
                                        enden.

In der Welt gehts immer so zu. Dem Glücklichen sagt man:
Bleibet lange gesund! er findet Freunde die Menge.   220
Aber wem es übel gerät, der mag sich gedulden!
Eben so fand es sich hier. Ein jeglicher wollte der Nächste
Neben dem Sieger sich zeigen. Die einen flöteten, andre
Sangen, bliesen Posaunen und schlugen Pauken dazwischen.
Reinekens Freunde sprachen zu ihm: Erfreut euch, ihr habt   225
Euch und euer Geschlecht in dieser Stunde gehoben!
Sehr betrübten wir uns euch unterliegen zu sehen,
Doch es wandte sich bald, es war ein treffliches Stückchen.
Reineke sprach, es ist mir geglückt, und dankte den
                                        Freunden.
Also gingen sie hin mit großem Getümmel, vor allen   230
Reineke mit den Wärtern des Kreises, und also gelangten
Sie zum Throne des Königs, da kniete Reineke nieder.
Aufstehn hieß ihn der König und sagte vor allen den Herren:
Euren Tag bewahrtet ihr wohl; ihr habt mit Ehren
Eure Sache vollführt, deswegen sprech ich euch ledig;   235
Alle Strafe hebet sich auf, ich werde darüber
Nächstens sprechen im Rat mit meinen Edlen, so bald nur
Isegrim wieder geheilt ist; für heute schließ ich die Sache.

Eurem Rate, gnädiger Herr, versetzte bescheiden

240 Reineke darauf, ist heilsam zu folgen. Ihr wißt es am besten,
Als ich hierher kam klagten so viele, sie logen dem Wolfe,
Meinem mächtigen Feinde, zu lieb, der wollte mich stürzen,
Hatte mich fast in seiner Gewalt, da riefen die andern
Kreuzige! klagten mit ihm nur mich aufs Letzte zu bringen,

245 Ihm gefällig zu sein; denn alle konnten bemerken
Besser stand er bei euch als ich, und keiner gedachte
Weder ans Ende noch wie sich vielleicht die Wahrheit
                                        verhalte.

Jenen Hunden vergleich ich sie wohl, die pflegten in Menge
Vor der Küche zu stehen und hofften es werde wohl ihrer

250 Auch der günstige Koch mit einigen Knochen gedenken.
Einen ihrer Gesellen erblickten die wartenden Hunde
Der ein Stück gesottenes Fleisch dem Koche genommen
Und nicht eilig genug zu seinem Unglück davon sprang.
Denn es begoß ihn der Koch mit heißem Wasser von hinten

255 Und verbrüht ihm den Schwanz; doch ließ er die Beute nicht
                                        fallen,
Mengte sich unter die andern, sie aber sprachen zusammen:
Seht wie diesen der Koch vor allen andern begünstigt!
Seht welch köstliches Stück er ihm gab! und jener versetzte:
Wenig begreift ihr davon, ihr lobt und preist mich von
                                        vorne,

260 Wo es euch freilich gefällt das köstliche Fleisch zu erblicken,
Aber beseht mich von hinten und preist mich glücklich,
                                        wofern ihr
Eure Meinung nicht ändert. Da sie ihn aber besahen
War er schrecklich verbrannt, es fielen die Haare herunter
Und die Haut verschrumpft ihm am Leib. Ein Grauen befiel
                                        sie,

265 Niemand wollte zur Küche; sie liefen und ließen ihn stehen.
Herr, die Gierigen mein' ich hiermit. So lange sie mächtig
Sind, verlangt sie ein jeder zu seinem Freunde zu haben.
Stündlich sieht man sie an, sie tragen das Fleisch in dem
                                        Munde.

Wer sich nicht nach ihnen bequemt, der muß es entgelten,

Loben muß man sie immer, so übel sie handeln, und also 270
Stärkt man sie nur in sträflichen Taten. So tut es ein jeder
Der nicht das Ende bedenkt. Doch werden solche Gesellen
Öfters gestraft und ihre Gewalt nimmt ein trauriges Ende.
Niemand leidet sie mehr, so fallen zur Rechten und Linken
Ihnen die Haare vom Leibe. Das sind die vorigen Freunde, 275
Groß und klein, sie fallen nun ab und lassen sie nackend.
So wie diese Hunde sogleich den Gesellen verließen,
Als sie den Schaden bemerkten und seine geschändete Hälfte.

Gnädiger Herr, ihr werdet verstehn, von Reineken soll man
Nie so reden, es sollen die Freunde sich meiner nicht
schämen. 280
Euer Gnaden dank ich aufs beste und könnt ich nur immer
Euren Willen erfahren, ich würd ihn gerne vollbringen.

Viele Worte helfen uns nichts, versetzte der König:
Alles hab ich gehört, und was ihr meinet verstanden.
Euch, als edlen Baron, will ich im Rate wie vormals 285
Wieder sehen, ich mach euch zur Pflicht zu jeglicher Stunde
Meinen geheimen Rat zu besuchen. So bring ich euch wieder
Völlig zu Ehren und Macht, und ihr verdient es, ich hoffe.
Helfet alles zum besten wenden, ich kann euch am Hofe
Nicht entbehren und wenn ihr die Weisheit mit Tugend
verbindet, 290
So wird niemand über euch gehn, und schärfer und klüger
Rat und Wege bezeichnen. Ich werde künftig die Klagen
Über euch weiter nicht hören. Und ihr sollt immer an meiner
Stelle reden und handeln als Kanzler des Reiches. Es sei euch
Also mein Siegel befohlen und was ihr tut und schreibt 295
Bleibe getan und geschrieben. – So hat nun Reineke billig
Sich zu großer Liebe geschwungen und alles befolgt man
Was er rät und beschließt zu Frommen oder zu Schaden.

Reineke dankte dem König und sprach: mein edler Gebieter
Zu viel Ehre tut ihr mir an, ich will es gedenken 300
Wie ich hoffe Verstand zu behalten. Ihr sollt es erfahren.

Wie es dem Wolf indessen ergangen vernehmen wir kürzlich.
Überwunden lag er im Kreise und übel behandelt,
Weib und Freunde gingen zu ihm, und Hinze der Kater,
305 Braun, der Bär, und Kind und Gesind' und seine
                                              Verwandten,
Klagend legten sie ihn auf eine Bahre; man hatte
Wohl mit Heu sie gepolstert ihn warm zu halten und trugen
Aus den Kreis' ihn heraus. Man untersuchte die Wunden,
Zählte sechs und zwanzig; es kamen viele Chirurgen
310 Die sogleich ihn verbanden und heilende Tropfen ihm
                                              reichten.
Alle Glieder waren ihm lahm. Sie rieben ihm gleichfalls
Kraut ins Ohr, er nieste gewaltig von vornen und hinten.
Und sie sprachen zusammen, wir wollen ihn salben und
                                              baden;
Trösteten solchergestalt des Wolfes traurige Sippschaft;
315 Legten ihn sorglich zu Bette, da schlief er, aber nicht lange,
Wachte verworren und kümmert sich, die Schande, die
                                              Schmerzen
Setzten ihm zu, er jammerte laut und schien zu verzweifeln.
Sorglich wartete Gieremund sein, mit traurigem Mute,
Dachte den großen Verlust. Mit mannigfaltigen Schmerzen
320 Stand sie, bedauerte sich und ihre Kinder und Freunde,
Sah den leidenden Mann, er konnt es niemals verwinden,
Raste vor Schmerz, der Schmerz war groß und traurig die
                                              Folgen.

Reineken aber behagte das wohl, er schwatzte vergnüglich
Seinen Freunden was vor und hörte sich preisen und loben.
325 Hohen Mutes schied er von dannen. Der gnädige König
Sandte Geleite mit ihm, und sagte freundlich zum Abschied:
Kommt bald wieder! Da kniete der Fuchs am Throne zur
                                              Erden,
Sprach: ich dank euch von Herzen und meiner gnädigen
                                              Frauen,
Eurem Rate, den Herren zusammen. Es spare, mein König,
330 Gott zu vielen Ehren euch auf, und was ihr begehret

Tu ich gern, ich lieb euch gewiß und bin es euch schuldig.
Jetzo, wenn ihr's vergönnt, gedenk ich nach Hause zu reisen,
Meine Frau und Kinder zu sehn, sie warten und trauern.

Reiset nur hin, versetzte der König: und fürchtet nichts
                                    weiter.
Also machte sich Reineke fort vor allen begünstigt.   335
Manche seines Gelichters verstehen dieselbigen Künste,
Rote Bärte tragen nicht alle; doch sind sie geborgen.

Reineke zog mit seinem Geschlecht mit vierzig Verwandten
Stolz von Hofe, sie waren geehrt und freuten sich dessen.
Als ein Herr trat Reineke vor, es folgten die andern.   340
Frohen Mutes erzeigt er sich da, es war ihm der Wedel
Breit geworden, er hatte die Gunst des Königs gefunden,
War nun wieder im Rat und dachte wie er es nutzte.
Wen ich liebe dem frommts und meine Freunde genießens,
Also dacht er; die Weisheit ist mehr als Gold zu verehren.   345

So begab sich Reineke fort, begleitet von allen
Seinen Freunden, den Weg nach Malepartus der Veste.
Allen zeigt er sich dankbar die sich ihm günstig erwiesen,
Die in bedenklicher Zeit an seiner Seite gestanden.
Seine Dienste bot er dagegen; sie schieden und gingen   350
Zu den seinigen jeder, und er in seiner Behausung
Fand sein Weib Frau Ermelyn wohl; sie grüßt ihn mit
                                    Freuden,
Fragte nach seinem Verdruß und wie er wieder entkommen?
Reineke sagte: mir ist es gelungen, ich habe mich wieder
In die Gunst des Königs gehoben, ich werde wie vormals   355
Wieder im Rate mich finden, und unserm ganzen
                                    Geschlechte
Wird es zur Ehre gedeihn. Er hat mich zum Kanzler des
                                    Reiches
Laut vor allen ernannt und mir das Siegel befohlen.
Alles was Reineke tut und schreibt, es bleibet für immer
Wohlgetan und geschrieben, das mag sich jeglicher merken!   360

Unterwiesen hab ich den Wolf in wenig Minuten
Und er klagt mir nicht mehr. Geblendet ist er, verwundet
Und beschimpft sein ganzes Geschlecht; ich hab ihn
                              gezeichnet!
Wenig nützt er künftig der Welt. Wir kämpften zusammen,
365 Und ich hab ihn untergebracht. Er wird mir auch schwerlich
Wieder gesund. Was liegt mir daran? Ich bleibe sein
                              Vormann,
Aller seiner Gesellen die mit ihm halten und stehen.

Reinekens Frau vergnügte sich sehr, so wuchs auch den
                              beiden
Kleinen Knaben der Mut bei ihres Vaters Erhöhung.
370 Und sie sagten unter einander: vergnügliche Tage
Leben wir nun, von allen verehrt und denken indessen
Unsre Burg nur fester zu machen und sorglos zu leben.

Hochgeehrt ist Reineke nun! Zur Weisheit bekehre
Bald sich jeder, und meide das Böse, verehre die Tugend!
375 Dieses ist der Sinn des Gesangs in welchem der Dichter
Fabel und Wahrheit gemischt, damit ihr das Böse vom Guten
Sondern möget, und schätzen die Weisheit, damit auch die
                              Käufer
Dieses Buchs vom Laufe der Welt sich täglich belehren.
Denn so ist es beschaffen, so wird es bleiben und also
380 Endigt sich unser Gedicht von Reinekens Wesen und Taten:
Uns verhelfe der Herr zur ewigen Herrlichkeit. Amen!

HERRMANN UND DOROTHEA

KALLIOPE

Schicksal und Anteil

Hab' ich den Markt und die Straßen doch nie so einsam
    gesehen!
Ist doch die Stadt wie gekehrt! wie ausgestorben! Nicht
    funfzig,
Deucht mir, blieben zurück, von allen unsern Bewohnern.
Was die Neugier nicht tut! So rennt und läuft nun ein jeder,
Um den traurigen Zug der armen Vertriebnen zu sehen.   5
Bis zum Dammweg, welchen sie ziehn, ists immer ein
    Stündchen,
Und da läuft man hinab, im heißen Staube des Mittags.
Möcht' ich mich doch nicht rühren vom Platz, um zu sehen
    das Elend
Guter fliehender Menschen, die nun, mit geretteter Habe,
Leider, das überrheinische Land, das schöne, verlassend,   10
Zu uns herüber kommen, und durch den glücklichen Winkel
Dieses fruchtbaren Tals und seiner Krümmungen wandern.
Trefflich hast du gehandelt, o Frau, daß du milde den Sohn
    fort
Schicktest, mit altem Linnen und etwas Essen und Trinken,
Um es den Armen zu spenden; denn Geben ist Sache des   15
    Reichen.
Was der Junge doch fährt! und wie er bändigt die Hengste!
Sehr gut nimmt das Kütschchen sich aus, das neue;
    bequemlich
Säßen Viere darin, und auf dem Bocke der Kutscher.
Diesmal fuhr er allein; wie rollt es leicht um die Ecke!
So sprach, unter dem Tore des Hauses sitzend, am Markte,   20
Wohlbehaglich, zur Frau der Wirt zum goldenen Löwen.

Und es versetzte darauf die kluge, verständige Hausfrau:
Vater, nicht gerne verschenk' ich die abgetragene Leinwand;
Denn sie ist zu manchem Gebrauch und für Geld nicht zu
                                                    haben,
25 Wenn man ihrer bedarf. Doch heute gab ich so gerne
Manches bessere Stück an Überzügen und Hemden;
Denn ich hörte von Kindern und Alten, die nackend daher
                                                    gehn.
Wirst du mir aber verzeihn? denn auch dein Schrank ist
                                                    geplündert.
Und besonders den Schlafrock, mit indianischen Blumen,
30 Von dem feinsten Kattun, mit feinem Flanelle gefüttert,
Gab ich hin; er ist dünn und alt und ganz aus der Mode.

Aber es lächelte drauf der treffliche Hauswirt, und sagte:
Ungern vermiß ich ihn doch, den alten kattunenen
                                                    Schlafrock,
Echt ostindischen Stoffs; so etwas kriegt man nicht wieder.
35 Wohl! ich trug ihn nicht mehr. Man will jetzt freilich, der
                                                    Mann soll
Immer gehn im Sürtout und in der Pekesche sich zeigen,
Immer gestiefelt sein; verbannt ist Pantoffel und Mütze.

Siehe! versetzte die Frau, dort kommen schon Einige wieder,
Die den Zug mit gesehn; er muß doch wohl schon vorbei
                                                    sein.
40 Seht, wie Allen die Schuhe so staubig sind! wie die Gesichter
Glühen! und jeglicher führt das Schnupftuch, und wischt sich
                                                    den Schweiß ab.
Möcht' ich doch auch, in der Hitze, nach solchem Schauspiel
                                                    so weit nicht
Laufen und leiden! Fürwahr, ich habe genug am Erzählten.

Und es sagte darauf der gute Vater mit Nachdruck:
45 Solch ein Wetter ist selten zu solcher Ernte gekommen,
Und wir bringen die Frucht herein, wie das Heu schon herein
                                                    ist,

Trocken; der Himmel ist hell, es ist kein Wölkchen zu sehen,
Und von Morgen wehet der Wind mit lieblicher Kühlung.
Das ist beständiges Wetter! und überreif ist das Korn schon;
Morgen fangen wir an zu schneiden die reichliche Ernte. 50

Als er so sprach, vermehrten sich immer die Scharen der
Männer
Und der Weiber, die über den Markt sich nach Hause
begaben;
Und so kam auch zurück, mit seinen Töchtern, gefahren
Rasch, an die andere Seite des Markts, der begüterte
Nachbar,
An sein erneuertes Haus, der erste Kaufmann des Ortes, 55
Im geöffneten Wagen, (er war in Landau verfertigt).
Lebhaft wurden die Gassen; denn wohl war bevölkert das
Städtchen,
Mancher Fabriken befliß man sich da, und manches
Gewerbes.

Und so saß das trauliche Paar, sich, unter dem Torweg,
Über das wandernde Volk mit mancher Bemerkung
ergötzend. 60
Endlich aber begann die würdige Hausfrau, und sagte:
Seht! dort kommt der Prediger her; es kommt auch der
Nachbar
Apotheker mit ihm: die sollen uns alles erzählen,
Was sie draußen gesehn und was zu schauen nicht froh
macht.

Freundlich kamen heran die Beiden, und grüßten das
Ehpaar, 65
Setzten sich auf die Bänke, die hölzernen, unter dem
Torweg,
Staub von den Füßen schüttelnd, und Luft mit dem Tuche
sich fächelnd.
Da begann denn zuerst, nach wechselseitigen Grüßen,
Der Apotheker zu sprechen und sagte, beinahe verdrießlich:

70 So sind die Menschen fürwahr! und einer ist doch wie der
                                                            andre,
Daß er zu gaffen sich freut, wenn den Nächsten ein Unglück
                                                            befället!
Läuft doch jeder, die Flamme zu sehn, die verderblich
                                                      emporschlägt,
Jeder den armen Verbrecher, der peinlich zum Tode geführt
                                                            wird.
Jeder spaziert nun hinaus, zu schauen der guten Vertriebnen
75 Elend, und niemand bedenkt, daß ihn das ähnliche Schicksal
Auch, vielleicht zunächst, betreffen kann, oder doch künftig.
Unverzeihlich find’ ich den Leichtsinn; doch liegt er im
                                                      Menschen.

Und es sagte darauf der edle verständige Pfarrherr,
Er, die Zierde der Stadt, ein Jüngling näher dem Manne.
80 Dieser kannte das Leben, und kannte der Hörer Bedürfnis,
War vom hohen Werte der heiligen Schriften durchdrungen,
Die uns der Menschen Geschick enthüllen und ihre
                                                      Gesinnung;
Und so kannt’ er auch wohl die besten weltlichen Schriften.
Dieser sprach: ich tadle nicht gerne, was immer dem
                                                      Menschen
85 Für unschädliche Triebe die gute Mutter Natur gab;
Denn was Verstand und Vernunft nicht immer vermögen,
                                                      vermag oft
Solch ein glücklicher Hang, der unwiderstehlich uns leitet.
Lockte die Neugier nicht den Menschen mit heftigen Reizen,
Sagt! erführ’ er wohl je, wie schön sich die weltlichen Dinge
90 Gegen einander verhalten? Denn erst verlangt er das Neue,
Suchet das Nützliche dann mit unermüdetem Fleiße;
Endlich begehrt er das Gute, das ihn erhebet und wert
                                                      macht.
In der Jugend ist ihm ein froher Gefährte der Leichtsinn,
Der die Gefahr ihm verbirgt, und heilsam geschwinde die
                                                      Spuren
95 Tilget, des schmerzlichen Übels, sobald es nur irgend
                                                      vorbeizog.

Freilich ist er zu preisen, der Mann, dem in reiferen Jahren
Sich der gesetzte Verstand aus solchem Frohsinn entwickelt,
Der im Glück, wie im Unglück, sich eifrig und tätig
                        bestrebet;
Denn das Gute bringt er hervor und ersetzet den Schaden.

Freundlich begann sogleich die ungeduldige Hausfrau: 100
Saget uns, was Ihr gesehn; denn das begehrt' ich zu wissen.

Schwerlich, versetzte darauf der Apotheker mit Nachdruck,
Werd' ich so bald mich freun nach dem, was ich alles erfahren.
Und wer erzählet es wohl, das mannigfaltigste Elend!
Schon von ferne sahn wir den Staub, noch eh' wir die Wiesen 105
Abwärts kamen; der Zug war schon von Hügel zu Hügel
Unabsehlich dahin, man konnte wenig erkennen.
Als wir nun aber den Weg, der quer durchs Tal geht,
                        erreichten,
War Gedräng' und Getümmel noch groß der Wandrer und
                        Wagen.
Leider sahen wir noch genug der Armen vorbeiziehn,   110
Konnten einzeln erfahren, wie bitter die schmerzliche Flucht
                        sei,
Und wie froh das Gefühl des eilig geretteten Lebens.
Traurig war es zu sehn, die mannigfaltige Habe,
Die ein Haus nur verbirgt, das wohlversehne, und die ein
Guter Wirt umher an die rechten Stellen gesetzt hat,   115
Immer bereit zum Gebrauche, denn alles ist nötig und
                        nützlich;
Nun zu sehen das alles, auf mancherlei Wagen und Karren
Durch einander geladen, mit Übereilung geflüchtet.
Über dem Schranke lieget das Sieb und die wollene Decke;
In dem Backtrog das Bett, und das Leintuch über dem
                        Spiegel.   120
Ach! und es nimmt die Gefahr, wie wir beim Brande vor
                        zwanzig
Jahren auch wohl gesehn, dem Menschen alle Besinnung,
Daß er das Unbedeutende faßt, und das Teure zurückläßt.

Also führten auch hier, mit unbesonnener Sorgfalt,
125 Schlechte Dinge sie fort, die Ochsen und Pferde
                                              beschwerend:
Alte Bretter und Fässer, den Gänsestall und den Käfig.
Auch so keuchten die Weiber und Kinder mit Bündeln sich
                                              schleppend,
Unter Körben und Butten voll Sachen keines Gebrauches;
Denn es verläßt der Mensch so ungern das Letzte der Habe.
130 Und so zog auf dem staubigen Weg der drängende Zug fort,
Ordnungslos und verwirrt. Mit schwächeren Tieren, der
                                              eine,
Wünschte langsam zu fahren, ein anderer emsig zu eilen.
Da entstand ein Geschrei der gequetschten Weiber und
                                              Kinder,
Und ein Blöken des Viehes, dazwischen der Hunde Gepelfer,
135 Und ein Wehlaut der Alten und Kranken, die hoch auf dem
                                              schweren
Übergepackten Wagen auf Betten saßen und schwankten.
Aber, aus dem Gleise gedrängt, nach dem Rande des
                                              Hochwegs
Irrte das knarrende Rad; es stürzt' in den Graben das
                                              Fuhrwerk,
Umgeschlagen, und weit hin entstürzten im Schwunge die
                                              Menschen,
140 Mit entsetzlichem Schrein, in das Feld hin, aber doch
                                              glücklich.
Später stürzten die Kasten, und fielen näher dem Wagen.
Wahrlich, wer im Fallen sie sah, der erwartete nun sie
Unter der Last der Kisten und Schränke zerschmettert zu
                                              schauen.
Und so lag zerbrochen der Wagen, und hülflos die Menschen;
145 Denn die übrigen gingen und zogen eilig vorüber,
Nur sich selber bedenkend und hingerissen vom Strome.
Und wir eilten hinzu, und fanden die Kranken und Alten,
Die zu Haus' und im Bett schon kaum ihr dauerndes Leiden
Trügen, hier auf dem Boden, beschädigt, ächzen und
                                              jammern,

Von der Sonne verbrannt und erstickt vom wogenden
                              Staube.   150
Und es sagte darauf, gerührt, der menschliche Hauswirt:
Möge doch Herrmann sie treffen und sie erquicken und
                              kleiden.
Ungern würd' ich sie sehn; mich schmerzt der Anblick des
                              Jammers.
Schon von dem ersten Bericht so großer Leiden gerühret,
Schickten wir eilend ein Scherflein von unserm Überfluß, daß
                              nur   155
Einige würden gestärkt und schienen uns selber beruhigt.
Aber laßt uns nicht mehr die traurigen Bilder erneuern;
Denn es beschleichet die Furcht gar bald die Herzen der
                              Menschen,
Und die Sorge, die mehr als selbst mir das Übel verhaßt ist.
Tretet herein in den hinteren Raum, das kühlere Sälchen.   160
Nie scheint Sonne dahin, nie dringet wärmere Luft dort
Durch die stärkeren Mauern; und Mütterchen bringt uns ein
                              Gläschen
Drei und achtziger her, damit wir die Grillen vertreiben.
Hier ist nicht freundlich zu trinken; die Fliegen umsummen
                              die Gläser.
Und sie gingen dahin und freuten sich alle der Kühlung.   165

Sorgsam brachte die Mutter des klaren herrlichen Weines,
In geschliffener Flasche auf blankem, zinnernen Runde,
Mit den grünlichen Römern, dem echten Becher des
                              Rheinweins. –
Und so sitzend umgaben die Drei den glänzend gebohnten,
Runden, braunen Tisch, er stand auf mächtigen Füßen.   170
Heiter klangen sogleich die Gläser des Wirtes und Pfarrers;
Doch unbeweglich hielt der Dritte denkend das seine,
Und es fordert' ihn auf der Wirt mit freundlichen Worten.

Frisch, Herr Nachbar, getrunken! denn noch bewahrte vor
                              Unglück
Gott uns gnädig, und wird auch künftig uns also bewahren.   175

Denn wer erkennet es nicht, daß seit dem schrecklichen
                                        Brande,
Da er so hart uns gestraft, er uns nun beständig erfreut hat,
Und beständig beschützt, so wie der Mensch sich des Auges
Köstlichen Apfel bewahrt, der vor allen Gliedern ihm lieb
                                            ist.
180 Sollt' er fernerhin nicht uns schützen und Hülfe bereiten?
Denn man sieht es erst recht, wie viel er vermag, in Gefahren.
Sollt' er die blühende Stadt, die er erst durch fleißige Bürger
Neu aus der Asche gebaut und dann sie reichlich gesegnet,
Jetzo wieder zerstören und alle Bemühung vernichten?

185 Heiter sagte darauf der treffliche Pfarrherr, und milde:
Haltet am Glauben fest, und fest an dieser Gesinnung;
Denn sie macht im Glücke verständig und sicher, im
                                            Unglück
Reicht sie den schönsten Trost und belebt die herrlichste
                                            Hoffnung.

Da versetzte der Wirt, mit männlichen klugen Gedanken:
190 Wie begrüßt' ich so oft mit Staunen die Fluten des
                                            Rheinstroms,
Wenn ich, reisend nach meinem Geschäft, ihm wieder mich
                                            nahte!
Immer schien er mir groß, und erhob mir Sinn und Gemüte;
Aber ich konnte nicht denken, daß bald sein liebliches Ufer
Sollte werden ein Wall, um abzuwehren den Franken,
195 Und sein verbreitetes Bett ein allverhindernder Graben.
Seht, so schützt die Natur, so schützen die wackeren
                                            Deutschen,
Und so schützt uns der Herr; wer wollte töricht verzagen?
Müde schon sind die Streiter, und alles deutet auf Frieden.
Möge doch auch, wenn das Fest, das lang' erwünschte,
                                            gefeiert
200 Wird, in unserer Kirche, die Glocke dann tönt zu der Orgel,
Und die Trompete schmettert, das hohe Te Deum
                                            begleitend, –

Möge mein Herrmann doch auch an diesem Tage, Herr
                                        Pfarrer,
Mit der Braut, entschlossen, vor Euch, am Altare, sich
                                        stellen,
Und das glückliche Fest, in allen Landen begangen,
Auch mir künftig erscheinen, der häuslichen Freuden ein
                                        Jahrstag!   205
Aber ungern seh' ich den Jüngling, der immer so tätig
Mir in dem Hause sich regt, nach außen langsam und
                                        schüchtern.
Wenig findet er Lust sich unter Leuten zu zeigen;
Ja, er vermeidet sogar der jungen Mädchen Gesellschaft,
Und den fröhlichen Tanz, den alle Jugend begehret.   210

Also sprach er und horchte. Man hörte der stampfenden
                                        Pferde
Fernes Getöse sich nahn, man hörte den rollenden Wagen,
Der mit gewaltiger Eile nun donnert' unter den Torweg.

TERPSICHORE

Herrmann

Als nun der wohlgebildete Sohn ins Zimmer hereintrat,
Schaute der Prediger ihm mit scharfen Blicken entgegen,
Und betrachtete seine Gestalt und sein ganzes Benehmen
Mit dem Auge des Forschers, der leicht die Mienen
                                        enträtselt;
Lächelte dann, und sprach zu ihm mit traulichen Worten: 5
Kommt Ihr doch als ein veränderter Mensch! Ich habe noch
                                        niemals
Euch so munter gesehn und Eure Blicke so lebhaft.
Fröhlich kommt Ihr und heiter; man sieht, Ihr habet die
                                        Gaben
Unter die Armen verteilt und ihren Segen empfangen.

10 Ruhig erwiederte drauf der Sohn, mit ernstlichen Worten:
   Ob ich löblich gehandelt? ich weiß es nicht; aber mein Herz
                                          hat
   Mich geheißen zu tun, so wie ich genau nun erzähle.
   Mutter, Ihr kramtet so lange, die alten Stücke zu suchen
   Und zu wählen; nur spät war erst das Bündel zusammen,
15 Auch der Wein und das Bier ward langsam, sorglich
                                          gepacket.
   Als ich nun endlich vors Tor und auf die Straße hinauskam,
   Strömte zurück die Menge der Bürger mit Weibern und
                                          Kindern,
   Mir entgegen; denn fern war schon der Zug der Vertriebnen.
   Schneller hielt ich mich dran, und fuhr behende dem Dorf zu,
20 Wo sie, wie ich gehört, heut' übernachten und rasten.
   Als ich nun meines Weges die neue Straße hinanfuhr,
   Fiel mir ein Wagen ins Auge, von tüchtigen Bäumen gefüget,
   Von zwei Ochsen gezogen, den größten und stärksten des
                                          Auslands,
   Neben her aber ging, mit starken Schritten, ein Mädchen,
25 Lenkte mit langem Stabe die beiden gewaltigen Tiere,
   Trieb sie an und hielt sie zurück, sie leitete klüglich.
   Als mich das Mädchen erblickte, so trat sie den Pferden
                                          gelassen
   Näher und sagte zu mir: nicht immer war es mit uns so
   Jammervoll, als ihr uns heut' auf diesen Wegen erblicket.
30 Noch nicht bin ich gewohnt, vom Fremden die Gabe zu
                                          heischen,
   Die er oft ungern gibt, um los zu werden den Armen;
   Aber mich dringet die Not zu reden. Hier auf dem Strohe
   Liegt die erst entbundene Frau des reichen Besitzers,
   Die ich mit Stieren und Wagen noch kaum, die Schwangre,
                                          gerettet.
35 Spät nur kommen wir nach, und kaum das Leben erhielt sie.
   Nun liegt, neugeboren, das Kind ihr nackend im Arme,
   Und mit Wenigem nur vermögen die Unsern zu helfen,
   Wenn wir im nächsten Dorf, wo wir heute zu rasten
                                          gedenken,

Auch sie finden, wiewohl ich fürchte, sie sind schon vorüber.
Wär' Euch irgend von Leinwand nur was Entbehrliches,   40
                              wenn ihr
Hier aus der Nachbarschaft seid, so spendet's gütig den
                              Armen.

Also sprach sie, und matt erhob sich vom Strohe die bleiche
Wöchnerin, schaute nach mir; ich aber sagte dagegen:
Guten Menschen, fürwahr, spricht oft ein himmlischer Geist
                              zu,
Daß sie fühlen die Not, die dem armen Bruder bevorsteht;   45
Denn so gab mir die Mutter, im Vorgefühle von Eurem
Jammer, ein Bündel, sogleich es der nackten Notdurft zu
                              reichen.
Und ich lös'te die Knoten der Schnur, und gab ihr den
                              Schlafrock
Unsers Vaters dahin, und gab ihr Hemden und Leintuch.
Und sie dankte mit Freuden, und rief: der Glückliche glaubt
                              nicht,   50
Daß noch Wunder geschehen; denn nur im Elend erkennt
                              man
Gottes Hand und Finger, der gute Menschen zum Guten
Leitet. Was er durch Euch an uns tut, tu' er Euch selber.
Und ich sah die Wöchnerin froh die verschiedene Leinwand,
Aber besonders den weichen Flanell des Schlafrocks
                              befühlen.   55
Eilen wir, sagte zu ihr die Jungfrau, dem Dorf zu, in
                              welchem
Unsre Gemeine schon rastet und diese Nacht durch sich
                              aufhält;
Dort besorg' ich sogleich das Kinderzeug, alles und jedes.
Und sie grüßte mich noch, und sprach den herzlichsten Dank
                              aus,
Trieb die Ochsen; da ging der Wagen. Ich aber verweilte,   60
Hielt die Pferde noch an; denn mir war Zwiespalt im Herzen,
Ob ich mit eilenden Rossen das Dorf erreichte, die Speisen
Unter das übrige Volk zu spenden, oder sogleich hier

Alles dem Mädchen gäbe, damit sie es weislich verteilte.
65 Und ich entschied mich gleich in meinem Herzen, und fuhr
ihr
Sachte nach, und erreichte sie bald, und sagte behende:
Gutes Mädchen, mir hat die Mutter nicht Leinwand alleine
Auf den Wagen gegeben, damit ich den Nackten bekleide,
Sondern sie fügte dazu noch Speis' und manches Getränke,
70 Und es ist mir genug davon im Kasten des Wagens.
Nun bin ich aber geneigt, auch diese Gaben in deine
Hand zu legen, und so erfüll' ich am besten den Auftrag;
Du verteilst sie mit Sinn, ich müßte dem Zufall gehorchen.
Drauf versetzte das Mädchen: mit aller Treue verwend' ich
75 Eure Gaben; der Dürftigste soll sich derselben erfreuen.
Also sprach sie. Ich öffnete schnell die Kasten des Wagens,
Brachte die Schinken hervor, die schweren, brachte die
Brote,
Flaschen Weines und Biers, und reicht' ihr alles und jedes.
Gerne hätt' ich noch mehr ihr gegeben; doch leer war der
Kasten.
80 Alles packte sie drauf zu der Wöchnerin Füßen, und zog so
Weiter; ich eilte zurück mit meinen Pferden der Stadt zu.

Als nun Herrmann geendet, da nahm der gesprächige
Nachbar
Gleich das Wort, und rief: o glücklich, wer in den Tagen
Dieser Flucht und Verwirrung in seinem Haus nur allein lebt,
85 Wem nicht Frau und Kinder zur Seite bange sich schmiegen!
Glücklich fühl' ich mich jetzt; ich möcht' um vieles nicht
heute
Vater heißen und nicht für Frau und Kinder besorgt sein.
Öfters dacht' ich mir auch schon die Flucht, und habe die
besten
Sachen zusammengepackt, das alte Geld und die Ketten
90 Meiner seligen Mutter, wovon noch nichts verkauft ist.
Freilich bliebe noch vieles zurück, das so leicht nicht
geschafft wird.
Selbst Kräuter und Wurzeln mit vielem Fleiße gesammelt

Mißt' ich ungern, wenn auch der Wert der Ware nicht groß
ist.
Bleibt der Provisor zurück, so geh' ich getröstet von Hause.
Hab' ich die Barschaft gerettet und meinen Körper, so hab'
ich   95
Alles gerettet; der einzelne Mann entfliehet am leichtsten.

Nachbar, versetzte darauf der junge Herrmann mit
Nachdruck:
Keinesweges denk' ich wie Ihr; und tadle die Rede.
Ist wohl der ein würdiger Mann, der, im Glück und im
Unglück,
Sich nur allein bedenkt, und Leiden und Freuden zu teilen   100
Nicht verstehet, und nicht dazu von Herzen bewegt wird?
Lieber möcht' ich, als je, mich heute zur Heirat entschließen;
Denn manch gutes Mädchen bedarf des schützenden
Mannes,
Und der Mann des erheiternden Weibs, wenn ihm Unglück
bevorsteht.

Lächelnd sagte darauf der Vater: so hör' ich dich gerne!   105
Solch ein vernünftiges Wort hast du mir selten gesprochen.

Aber es fiel sogleich die gute Mutter behend ein:
Sohn, fürwahr! du hast Recht; wir Eltern gaben das Beispiel.
Denn wir haben uns nicht an fröhlichen Tagen erwählet,
Und uns knüpfte vielmehr die traurigste Stunde zusammen.   110
Montag Morgens – ich weiß es genau; denn Tages vorher
war
Jener schreckliche Brand, der unser Städtchen verzehrte –
Zwanzig Jahre sinds nun; es war ein Sonntag wie heute,
Heiß und trocken die Zeit, und wenig Wasser im Orte.
Alle Leute waren, spazierend in festlichen Kleidern,   115
Auf den Dörfern verteilt und in den Schenken und Mühlen.
Und am Ende der Stadt begann das Feuer. Der Brand lief
Eilig die Straßen hindurch, erzeugend sich selber den
Zugwind.

Und es brannten die Scheunen der reichgesammelten Ernte,
120 Und es brannten die Straßen bis zu dem Markt, und das Haus
                                                  war
Meines Vaters hierneben verzehrt, und dieses zugleich mit.
Wenig flüchteten wir. Ich saß, die traurige Nacht durch,
Vor der Stadt auf dem Anger, die Kasten und Betten
                                                  bewahrend;
Doch zuletzt befiel mich der Schlaf, und als nun des Morgens
125 Mich die Kühlung erweckte, die vor der Sonne herabfällt,
Sah ich den Rauch und die Glut und die hohlen Mauern und
                                                  Essen.
Da war beklemmt mein Herz; allein die Sonne ging wieder
Herrlicher auf als je, und flößte mir Mut in die Seele.
Da erhob ich mich eilend. Es trieb mich, die Stätte zu sehen,
130 Wo die Wohnung gestanden, und ob sich die Hühner
                                                  gerettet,
Die ich besonders geliebt; denn kindisch war mein Gemüt
                                                  noch.
Als ich nun über die Trümmer des Hauses und Hofes daher
                                                  stieg,
Die noch rauchten, und so die Wohnung wüst und zerstört
                                                  sah,
Kamst du zur andern Seite herauf, und durchsuchtest die
                                                  Stätte.
135 Dir war ein Pferd in dem Stalle verschüttet; die glimmenden
                                                  Balken
Lagen darüber und Schutt, und nichts zu sehn war vom
                                                  Tiere.
Also standen wir gegeneinander, bedenklich und traurig;
Denn die Wand war gefallen, die unsere Höfe geschieden.
Und du faßtest darauf mich bei der Hand an, und sagtest:
140 Lieschen, wie kommst du hieher? geh weg! du verbrennest
                                                  die Sohlen;
Denn der Schutt ist heiß, er sengt mir die stärkeren Stiefeln.
Und du hobest mich auf, und trugst mich herüber, durch
                                                  deinen
Hof weg. Da stand noch das Tor des Hauses mit seinem
                                                  Gewölbe,

Wie es jetzt steht; es war allein von Allem geblieben.
Und du setztest mich nieder und küßtest mich, und ich   145
                              verwehrt' es.
Aber du sagtest darauf mit freundlich bedeutenden Worten:
Siehe, das Haus liegt nieder. Bleib hier, und hilf mir es bauen,
Und ich helfe dagegen auch deinem Vater an seinem.
Doch ich verstand dich nicht, bis du zum Vater die Mutter
Schicktest und schnell das Gelübd der fröhlichen Ehe   150
                              vollbracht war.
Noch erinnr' ich mich heute des halbverbrannten Gebälkes
Freudig, und sehe die Sonne noch immer so herrlich
                              heraufgehn;
Denn mir gab der Tag den Gemahl, es haben die ersten
Zeiten der wilden Zerstörung den Sohn mir der Jugend
                              gegeben.
Darum lob' ich dich Herrmann, daß du mit reinem Vertrauen 155
Auch ein Mädchen dir denkst in diesen traurigen Zeiten,
Und es wagtest zu frein im Krieg und über den Trümmern.

Da versetzte sogleich der Vater lebhaft und sagte:
Die Gesinnung ist löblich, und wahr ist auch die Geschichte,
Mütterchen, die du erzählst; denn so ist alles begegnet.   160
Aber besser ist besser. Nicht einen jeden betrifft es
Anzufangen von vorn sein ganzes Leben und Wesen.
Nicht soll jeder sich quälen, wie wir und Andere taten,
O, wie glücklich ist der, dem Vater und Mutter das Haus
                              schon
Wohlbestellt übergeben, und der mit Gedeihen es ausziert! 165
Aller Anfang ist schwer, am schwersten der Anfang der
                              Wirtschaft.
Mancherlei Dinge bedarf der Mensch, und alles wird täglich
Teurer; da seh' er sich vor, des Geldes mehr zu erwerben.
Und so hoff' ich von dir, mein Herrmann, daß du mir
                              nächstens
In das Haus die Braut mit schöner Mitgift hereinführst;   170
Denn ein wackerer Mann verdient ein begütertes Mädchen,
Und es behaget so wohl, wenn mit dem gewünschten
                              Weibchen

Auch in Körben und Kasten die nützliche Gabe
                      hereinkommt.
Nicht umsonst bereitet durch manche Jahre die Mutter
175 Viele Leinwand der Tochter, von feinem und starkem
                      Gewebe;
Nicht umsonst verehren die Paten ihr Silbergeräte,
Und der Vater sondert im Pulte das seltene Goldstück:
Denn sie soll dereinst mit ihren Gütern und Gaben
Jenen Jüngling erfreun, der sie vor allen erwählt hat.
180 Ja, ich weiß, wie behaglich ein Weibchen im Hause sich
                      findet,
Daß ihr eignes Gerät in Küch' und Zimmern erkennet,
Und das Bette sich selbst und den Tisch sich selber gedeckt
                      hat.
Nur wohl ausgestattet möcht' ich im Hause die Braut sehn;
Denn die Arme wird doch nur zuletzt vom Manne verachtet,
185 Und er hält sie als Magd, die als Magd mit dem Bündel
                      hereinkam.
Ungerecht bleiben die Männer, und die Zeiten der Liebe
                      vergehen.
Ja, mein Herrmann, du würdest mein Alter höchlich
                      erfreuen,
Wenn du mir bald ins Haus ein Schwiegertöchterchen
                      brächtest
Aus der Nachbarschaft her, aus jenem Hause, dem grünen.
190 Reich ist der Mann fürwahr: sein Handel und seine Fabriken
Machen ihn täglich reicher; denn wo gewinnt nicht der
                      Kaufmann?
Nur drei Töchter sind da; sie teilen allein das Vermögen.
Schon ist die älteste bestimmt, ich weiß es; aber die zweite,
Wie die dritte sind noch, und vielleicht nicht lange, zu haben.
195 Wär' ich an deiner Statt, ich hätte bis jetzt nicht gezaudert,
Eins mir der Mädchen geholt, wie ich das Mütterchen
                      forttrug.

Da versetzte der Sohn bescheiden dem dringenden Vater:
Wirklich, mein Wille war auch, wie Eurer, eine der Töchter

Unsers Nachbars zu wählen. Wir sind zusammen erzogen,
Spielten neben dem Brunnen am Markt in früheren Zeiten,   200
Und ich habe sie oft vor der Knaben Wildheit beschützet.
Doch das ist lange schon her; es bleiben die wachsenden
                 Mädchen
Endlich billig zu Haus', und fliehn die wilderen Spiele.
Wohlgezogen sind sie gewiß! Ich ging auch zu Zeiten
Noch aus alter Bekanntschaft, so wie Ihr es wünschtet,   205
                 hinüber;
Aber ich konnte mich nie in ihrem Umgang erfreuen.
Denn sie tadelten stets an mir, das mußt ich ertragen:
Gar zu lang war mein Rock, zu grob das Tuch, und die Farbe
Gar zu gemein, und die Haare nicht recht gestutzt und
                 gekräuselt.
Endlich hatt' ich im Sinne, mich auch zu putzen, wie jene   210
Handelsbübchen, die stets am Sonntag drüben sich zeigen,
Und um die, halbseiden, im Sommer das Läppchen
                 herumhängt.
Aber noch früh genug merkt' ich, sie hatten mich immer zum
                 besten;
Und das war mir empfindlich, mein Stolz war beleidigt: doch
                 mehr noch
Kränkte michs tief, daß so sie den guten Willen verkannten,   215
Den ich gegen sie hegte, besonders Minchen die jüngste.
Denn so war ich zuletzt an Ostern hinübergegangen,
Hatte den neuen Rock, der jetzt nur oben im Schrank hängt,
Angezogen und war frisiert wie die übrigen Bursche.
Als ich eintrat, kicherten sie; doch zog ichs auf mich nicht.   220
Minchen saß am Klavier; es war der Vater zugegen,
Hörte die Töchterchen singen, und war entzückt und in
                 Laune.
Manches verstand ich nicht, was in den Liedern gesagt war;
Aber ich hörte viel von Pamina, viel von Tamino.
Und ich wollte doch auch nicht stumm sein! Sobald sie   225
                 geendet,
Fragt' ich dem Texte nach, und nach den beiden Personen.
Alle schwiegen darauf und lächelten; aber der Vater

Sagte: nicht wahr, mein Freund, Er kennt nur Adam und
                    Eva?
Niemand hielt sich alsdann, und laut auf lachten die
                    Mädchen,
230 Laut auf lachten die Knaben, es hielt den Bauch sich der Alte.
Fallen ließ ich den Hut vor Verlegenheit, und das Gekicher
Dauerte fort und fort, so viel sie auch sangen und spielten.
Und ich eilte beschämt und verdrießlich wieder nach Hause,
Hängte den Rock in den Schrank, und zog die Haare
                    herunter
235 Mit den Fingern, und schwur, nicht mehr zu betreten die
                    Schwelle.
Und ich hatte wohl recht; denn eitel sind sie und lieblos,
Und ich höre, noch heiß' ich bei ihnen immer Tamino.

Da versetzte die Mutter: du solltest, Herrmann, so lange
Mit den Kindern nicht zürnen; denn Kinder sind sie ja
                    sämtlich.
240 Minchen fürwahr ist gut, und war dir immer gewogen;
Neulich fragte sie noch nach dir. Die solltest du wählen!

Da versetzte bedenklich der Sohn: ich weiß nicht, es prägte
Jener Verdruß sich so tief bei mir ein, ich möchte fürwahr
                    nicht
Sie am Klaviere mehr sehn und ihre Liedchen vernehmen.

245 Doch der Vater fuhr auf und sprach die zornigen Worte:
Wenig Freud' erleb' ich an dir! Ich sagt' es doch immer,
Als du zu Pferden nur und Lust nur bezeigtest zum Acker.
Was ein Knecht schon verrichtet des wohlbegüterten
                    Mannes,
Tust du; indessen muß der Vater des Sohnes entbehren,
250 Der ihm zur Ehre doch auch vor andern Bürgern sich zeigte.
Und so täuschte mich früh mit leerer Hoffnung die Mutter,
Wenn in der Schule das Lesen und Schreiben und Lernen dir
                    niemals
Wie den Andern gelang und du immer der Unterste saßest.

Freilich! das kommt daher, wenn Ehrgefühl nicht im Busen
Eines Jünglinges lebt, und wenn er nicht höher hinauf will.   255
Hätte mein Vater gesorgt für mich, so wie ich für dich tat,
Mich zur Schule gesendet und mir die Lehrer gehalten,
Ja, ich wäre was anders als Wirt zum goldenen Löwen.

Aber der Sohn stand auf und nahte sich schweigend der Türe,
Langsam und ohne Geräusch; allein der Vater, entrüstet,   260
Rief ihm nach: so gehe nur hin! ich kenne den Trotzkopf!
Geh' und führe fortan die Wirtschaft, daß ich nicht schelte;
Aber denke nur nicht, du wollest ein bäurisches Mädchen
Je mir bringen ins Haus, als Schwiegertochter, die Trulle!
Lange hab' ich gelebt und weiß mit Menschen zu handeln,   265
Weiß zu bewirten die Herr'n und Frauen, daß sie zufrieden
Von mir weggehn; ich weiß den Fremden gefällig zu
                                    schmeicheln.
Aber so soll mir denn auch ein Schwiegertöchterchen endlich
Wiederbegegnen und so mir die viele Mühe versüßen;
Spielen soll sie mir auch das Klavier; es sollen die schönsten,   270
Besten Leute der Stadt sich mit Vergnügen versammeln,
Wie es Sonntags geschieht im Hause des Nachbars. Da
                                    drückte
Leise der Sohn auf die Klinke, und so verließ er die Stube.

THALIA

Die Bürger

Also entwich der bescheidene Sohn der heftigen Rede;
Aber der Vater fuhr in der Art fort, wie er begonnen:
Was im Menschen nicht ist, kommt auch nicht aus ihm, und
                                    schwerlich
Wird mich des herzlichsten Wunsches Erfüllung jemals
                                    erfreuen,
Daß der Sohn dem Vater nicht gleich sei, sondern ein Beßrer.   5
Denn was wäre das Haus, was wäre die Stadt, wenn nicht
                                    immer

Jeder gedächte mit Lust zu erhalten und zu erneuen,
Und zu verbessern auch, wie die Zeit uns lehrt und das
                    Ausland!
Soll doch nicht als ein Pilz der Mensch dem Boden
                    entwachsen,
10 Und verfaulen geschwind an dem Platze, der ihn erzeugt hat,
Keine Spur nachlassend von seiner lebendigen Wirkung!
Sieht man am Hause doch gleich so deutlich, wes Sinnes der
                    Herr sei,
Wie man, das Städtchen betretend, die Obrigkeiten beurteilt.
Denn wo die Türme verfallen und Mauern, wo in den
                    Gräben
15 Unrat sich häufet und Unrat auf allen Gassen herumliegt,
Wo der Stein aus der Fuge sich rückt und nicht wieder gesetzt
                    wird,
Wo der Balke verfault und das Haus vergeblich die neue
Unterstützung erwartet: der Ort ist übel regieret.
Denn wo nicht immer von oben die Ordnung und
                    Reinlichkeit wirket,
20 Da gewöhnet sich leicht der Bürger zu schmutzigem
                    Saumsal,
Wie der Bettler sich auch an lumpige Kleider gewöhnet.
Darum hab' ich gewünscht, es solle sich Herrmann auf
                    Reisen
Bald begeben, und sehn zum wenigsten Strasburg und
                    Frankfurt,
Und das freundliche Manheim, das gleich und heiter gebaut
                    ist.
25 Denn wer die Städte gesehn, die großen und reinlichen, ruht
                    nicht,
Künftig die Vaterstadt selbst, so klein sie auch sei, zu
                    verzieren.
Lobt nicht der Fremde bei uns die ausgebesserten Tore,
Und den geweißten Turm und die wohlerneuerte Kirche?
Rühmt nicht jeder das Pflaster? die wasserreichen,
                    verdeckten,
30 Wohlverteilten Kanäle, die Nutzen und Sicherheit bringen,

Daß dem Feuer sogleich beim ersten Ausbruch gewehrt sei?
Ist das nicht alles geschehn seit jenem schrecklichen Brande?
Bauherr war ich sechsmal im Rat, und habe mir Beifall,
Habe mir herzlichen Dank von guten Bürgern verdienet,
Was ich angab emsig betrieben, und so auch die Anstalt   35
Redlicher Männer vollführt, die sie unvollendet verließen.
So kam endlich die Lust in jedes Mitglied des Rates.
Alle bestreben sich jetzt, und schon ist der neue Chausseebau
Fest beschlossen, der uns mit der großen Straße verbindet.
Aber ich fürchte nur sehr, so wird die Jugend nicht handeln!   40
Denn die einen, sie denken auf Lust und vergänglichen Putz
                                                           nur;
Andere hocken zu Haus' und brüten hinter dem Ofen.
Und das fürcht' ich, ein solcher wird Herrmann immer mir
                                                        bleiben.

Und es versetzte sogleich die gute, verständige Mutter:
Immer bist du doch, Vater, so ungerecht gegen den Sohn!
                                                          und   45
So wird am wenigsten dir dein Wunsch des Guten erfüllet.
Denn wir können die Kinder nach unserem Sinne nicht
                                                       formen;
So wie Gott sie uns gab, so muß man sie haben und lieben,
Sie erziehen aufs beste und jeglichen lassen gewähren.
Denn der eine hat die, die andern andere Gaben;   50
Jeder braucht sie, und jeder ist doch nur auf eigene Weise
Gut und glücklich. Ich lasse mir meinen Herrmann nicht
                                                        schelten;
Denn, ich weiß es, er ist der Güter, die er dereinst erbt,
Wert und ein trefflicher Wirt, ein Muster Bürgern und
                                                         Bauern,
Und im Rate gewiß, ich seh' es voraus, nicht der Letzte.   55
Aber täglich mit Schelten und Tadeln hemmst du dem
                                                     Armen
Allen Mut in der Brust, so wie du es heute getan hast.
Und sie verließ die Stube sogleich, und eilte dem Sohn nach,
Daß sie ihn irgendwo fänd' und ihn mit gütigen Worten
Wieder erfreute; denn er, der treffliche Sohn, er verdient' es.   60

Lächelnd sagte darauf, sobald sie hinweg war, der Vater:
Sind doch ein wunderlich Volk die Weiber, so wie die
                                Kinder!
Jedes lebet so gern nach seinem eignen Belieben,
Und man sollte hernach nur immer loben und streicheln.
65 Einmal für allemal gilt das wahre Sprüchlein der Alten:
Wer nicht vorwärts geht, der kommt zurücke! So bleibt es.

Und es versetzte darauf der Apotheker bedächtig:
Gerne geb' ich es zu, Herr Nachbar, und sehe mich immer
Selbst nach dem Besseren um, wofern es nicht teuer doch neu
                                ist;
70 Aber hilft es fürwahr, wenn man nicht die Fülle des Gelds
                                hat,
Tätig und rührig zu sein und innen und außen zu bessern?
Nur zu sehr ist der Bürger beschränkt; das Gute vermag er
Nicht zu erlangen, wenn er es kennt. Zu schwach ist sein
                                Beutel,
Das Bedürfnis zu groß; so wird er immer gehindert.
75 Manches hätt' ich getan; allein wer scheut nicht die Kosten
Solcher Verändrung, besonders in diesen gefährlichen
                                Zeiten!
Lange lachte mir schon mein Haus im modischen Kleidchen,
Lange glänzten durchaus mit großen Scheiben die Fenster;
Aber wer tut dem Kaufmann es nach, der bei seinem
                                Vermögen
80 Auch die Wege noch kennt, auf welchen das Beste zu haben.
Seht nur das Haus an da drüben, das neue! Wie prächtig in
                                grünen
Feldern die Stuckatur der weißen Schnörkel sich ausnimmt!
Groß sind die Tafeln der Fenster; wie glänzen und spiegeln
                                die Scheiben,
Daß verdunkelt stehn die übrigen Häuser des Marktes!
85 Und doch waren die unsern gleich nach dem Brande die
                                schönsten,
Die Apotheke zum Engel, so wie der goldene Löwe.
So war mein Garten auch in der ganzen Gegend berühmt,
                                und

Jeder Reisende stand und sah durch die roten Staketen
Nach den Bettlern von Stein, und nach den farbigen
Zwergen.
Wem ich den Kaffe dann gar in dem herrlichen Grottenwerk
reichte, 90
Das nun freilich verstaubt und halb verfallen mir dasteht,
Der erfreute sich hoch des farbig schimmernden Lichtes
Schöngeordneter Muscheln; und mit geblendetem Auge
Schaute der Kenner selbst den Bleiglanz und die Korallen.
Eben so ward in dem Saale die Malerei auch bewundert, 95
Wo die geputzten Herren und Damen im Garten spazieren,
Und mit spitzigen Fingern die Blumen reichen und halten.
Ja, wer sähe das jetzt nur noch an! Ich gehe verdrießlich
Kaum mehr hinaus; denn alles soll anders sein und
geschmackvoll,
Wie sie's heißen, und weiß die Latten und hölzernen Bänke. 100
Alles ist einfach und glatt; nicht Schnitzwerk oder
Vergoldung
Will man mehr, und es kostet das fremde Holz nun am
meisten.
Nun ich wär' es zufrieden, mir auch was Neues zu schaffen,
Auch zu gehn mit der Zeit, und oft zu verändern den
Hausrat;
Aber es fürchtet sich jeder, auch nur zu rücken das Kleinste. 105
Denn wer vermöchte wohl jetzt die Arbeitsleute zu zahlen?
Neulich kam mirs in Sinn, den Engel Michael wieder,
Der mir die Offizin bezeichnet, vergolden zu lassen,
Und den gräulichen Drachen, der ihm zu Füßen sich windet;
Aber ich ließ ihn verbräunt, wie er ist, mich schreckte die
Fordrung. 110

EUTERPE

Mutter und Sohn

Also sprachen die Männer sich unterhaltend. Die Mutter
Ging indessen, den Sohn erst vor dem Hause zu suchen,
Auf der steinernen Bank, wo sein gewöhnlicher Sitz war.
Als sie daselbst ihn nicht fand, so ging sie, im Stalle zu
        schauen,
5 Ob er die herrlichen Pferde, die Hengste, selber besorgte,
Die er als Fohlen gekauft und die er niemand vertraute.
Und es sagte der Knecht: er ist in den Garten gegangen.
Da durchschritt sie behende die langen doppelten Höfe,
Ließ die Ställe zurück und die wohlgezimmerten Scheunen,
10 Trat in den Garten, der weit bis an die Mauern des Städtchens
Reichte, schritt ihn hindurch, und freute sich jeglichen
        Wachstums,
Stellte die Stützen zurecht, auf denen beladen die Äste
Ruhten des Apfelbaums, wie des Birnbaums lastende
        Zweige,
Nahm gleich einige Raupen vom kräftig strotzenden Kohl
        weg;
15 Denn ein geschäftiges Weib tut keine Schritte vergebens.
Also war sie ans Ende des langen Gartens gekommen,
Bis zur Laube mit Geißblatt bedeckt; nicht fand sie den Sohn
        da,
Eben so wenig als sie bis jetzt ihn im Garten erblickte.
Aber nur angelehnt war das Pförtchen, das aus der Laube,
20 Aus besonderer Gunst durch die Mauer des Städtchens
        gebrochen
Hatte der Ahnherr einst, der würdige Burgemeister.
Und so ging sie bequem den trocknen Graben hinüber,
Wo an der Straße sogleich der wohlumzäunete Weinberg
Aufstieg steileren Pfads, die Fläche zur Sonne gekehret.
25 Auch den schritt sie hinauf und freute der Fülle der Trauben
Sich im Steigen, die kaum sich unter den Blättern verbargen.

Schattig war und bedeckt der hohe mittlere Laubgang,
Den man auf Stufen erstieg von unbehauenen Platten.
Und es hingen herein Gutedel und Muskateller,
Rötlich blaue darneben von ganz besonderer Größe,   30
Alle mit Fleiße gepflanzt, der Gäste Nachtisch zu zieren.
Aber den übrigen Berg bedeckten einzelne Stöcke,
Kleinere Trauben tragend, von denen der köstliche Wein
                                                  kommt.
Also schritt sie hinauf, sich schon des Herbstes erfreuend
Und des festlichen Tags, an dem die Gegend im Jubel   35
Trauben lieset und tritt, und den Most in die Fässer
                                                  versammelt,
Feuerwerke des Abends von allen Orten und Enden
Leuchten und knallen, und so der Ernten schönste geehrt
                                                  wird.
Doch unruhiger ging sie, nachdem sie dem Sohne gerufen
Zwei- auch dreimal, und nur das Echo vielfach zurückkam,   40
Das von den Türmen der Stadt, ein sehr geschwätziges,
                                                  herklang.
Ihn zu suchen war ihr so fremd; er entfernte sich niemals
Weit, er sagt' es ihr denn, um zu verhüten die Sorge
Seiner liebenden Mutter und ihre Furcht vor dem Unfall.
Aber sie hoffte noch stets, ihn doch auf dem Wege zu finden; 45
Denn die Türen, die untre, so wie die obre, des Weinbergs
Standen gleichfalls offen. Und so nun trat sie ins Feld ein,
Das mit weiter Fläche den Rücken des Hügels bedeckte.
Immer noch wandelte sie auf eigenem Boden, und freute
Sich der eigenen Saat und des herrlich nickenden Kornes,   50
Das mit goldener Kraft sich im ganzen Felde bewegte.
Zwischen den Äckern schritt sie hindurch, auf dem Raine,
                                                  den Fußpfad,
Hatte den Birnbaum im Auge, den großen, der auf dem
                                                  Hügel
Stand, die Grenze der Felder, die ihrem Hause gehörten.
Wer ihn gepflanzt, man konnt' es nicht wissen. Er war in der 55
                                                  Gegend
Weit und breit gesehn, und berühmt die Früchte des Baumes.

Unter ihm pflegten die Schnitter des Mahls sich zu freuen am
Mittag,
Und die Hirten des Viehs in seinem Schatten zu warten;
Bänke fanden sich da von rohen Steinen und Rasen.
60 Und sie irrete nicht; dort saß ihr Herrmann, und ruhte,
Saß mit dem Arme gestützt und schien in die Gegend zu
schauen
Jenseits, nach dem Gebirg', er kehrte der Mutter den Rücken.
Sachte schlich sie hinan, und rührt' ihm leise die Schulter.
Und er wandte sich schnell; da sah sie ihm Tränen im Auge.

65 Mutter, sagt' er betroffen, Ihr überrascht mich! Und eilig
Trocknet er ab die Träne, der Jüngling edlen Gefühles.
Wie? du weinest, mein Sohn? versetzte die Mutter betroffen.
Daran kenn' ich dich nicht! ich habe das niemals erfahren!
Sag, was beklemmt dir das Herz? was treibt dich, einsam zu
sitzen
70 Unter dem Birnbaum hier? was bringt dir Tränen ins Auge?

Und es nahm sich zusammen der treffliche Jüngling, und
sagte:
Wahrlich, dem ist kein Herz im ehernen Busen, der jetzo
Nicht die Not der Menschen, der umgetriebnen, empfindet;
Dem ist kein Sinn in dem Haupte, der nicht um sein eigenes
Wohl sich
75 Und um des Vaterlands Wohl in diesen Tagen bekümmert.
Was ich heute gesehn und gehört, das rührte das Herz mir;
Und nun ging ich heraus, und sah die herrliche, weite
Landschaft, die sich vor uns in fruchtbaren Hügeln umher
schlingt;
Sah die goldene Frucht den Garben entgegen sich neigen,
80 Und ein reichliches Obst uns volle Kammern versprechen.
Aber, ach! wie nah ist der Feind! Die Fluten des Rheines
Schützen uns zwar; doch ach! was sind nun Fluten und Berge
Jenem schrecklichen Volke, das wie ein Gewitter daherzieht!
Denn sie rufen zusammen aus allen Enden die Jugend,
85 Wie das Alter, und dringen gewaltig vor, und die Menge

Scheut den Tod nicht; es dringt gleich nach der Menge die
                                        Menge.
Ach! und ein Deutscher wagt in seinem Hause zu bleiben?
Hofft vielleicht zu entgehen dem alles bedrohenden Unfall?
Liebe Mutter, ich sag' Euch, am heutigen Tage verdrießt
                                        mich,
Daß man mich neulich entschuldigt, als man die Streitenden
                                        auslas   90
Aus den Bürgern. Fürwahr! ich bin der einzige Sohn nur,
Und die Wirtschaft ist groß, und wichtig unser Gewerbe.
Aber wär' ich nicht besser zu widerstehen da vorne
An der Grenze, als hier zu erwarten Elend und
                                        Knechtschaft?
Ja, mir hat es der Geist gesagt, und im innersten Busen   95
Regt sich Mut und Begier, dem Vaterlande zu leben
Und zu sterben und Andern ein würdiges Beispiel zu geben.
Wahrlich, wäre die Kraft der deutschen Jugend beisammen,
An der Grenze, verbündet, nicht nachzugeben den
                                        Fremden, –
O, sie sollten uns nicht den herrlichen Boden betreten,   100
Und vor unseren Augen die Früchte des Landes verzehren,
Nicht den Männern gebieten und rauben Weiber und
                                        Mädchen!
Sehet, Mutter, mir ist im tiefen Herzen beschlossen,
Bald zu tun und gleich, was recht mir deucht und verständig;
Denn wer lange bedenkt, der wählt nicht immer das Beste.   105
Sehet, ich werde nicht wieder nach Hause kehren! Von hier
                                        aus
Geh' ich gerad' in die Stadt, und übergebe den Kriegern
Diesen Arm und dies Herz, dem Vaterlande zu dienen.
Sage der Vater alsdann, ob nicht der Ehre Gefühl mir
Auch den Busen belebt, und ob ich nicht höher hinauf will! 110

Da versetzte bedeutend die gute verständige Mutter,
Stille Tränen vergießend, sie kamen ihr leichtlich ins Auge:
Sohn, was hat sich in dir verändert und deinem Gemüte,
Daß du zu deiner Mutter nicht redest, wie gestern und
                                        immer,

115 Offen und frei, und sagst, was deinen Wünschen gemäß ist?
Hörte jetzt ein Dritter dich reden, er würde fürwahr dich
Höchlich loben und deinen Entschluß als den edelsten
　　　　　　　　　　　　preisen,
Durch dein Wort verführt und deine bedeutenden Reden.
Doch ich tadle dich nur; denn sieh', ich kenne dich besser.
120 Du verbirgest dein Herz, und hast ganz andre Gedanken.
Denn ich weiß es, dich ruft nicht die Trommel, nicht die
　　　　　　　　　　　　Trompete,
Nicht begehrst du zu scheinen in der Montur vor den
　　　　　　　　　　　　Mädchen;
Denn es ist deine Bestimmung, so wacker und brav du auch
　　　　　　　　　　　　sonst bist,
Wohl zu verwahren das Haus und stille das Feld zu besorgen.
125 Darum sage mir frei: was dringt dich zu dieser
　　　　　　　　　　　　Entschließung?

Ernsthaft sagte der Sohn: Ihr irret Mutter. Ein Tag ist
Nicht dem anderen gleich. Der Jüngling reifet zum Manne;
Besser im Stillen reift er zur Tat oft, als im Geräusche
Wilden, schwankenden Lebens, das manchen Jüngling
　　　　　　　　　　　　verderbt hat.
130 Und so still ich auch bin und war, so hat in der Brust mir
Doch sich gebildet ein Herz, das Unrecht hasset und Unbill,
Und ich verstehe recht gut die weltlichen Dinge zu sondern;
Auch hat die Arbeit den Arm und die Füße mächtig
　　　　　　　　　　　　gestärket.
Alles, fühl' ich, ist wahr; ich darf es kühnlich behaupten.
135 Und doch tadelt Ihr mich mit Recht, o Mutter, und habt
　　　　　　　　　　　　mich
Auf halbwahren Worten ertappt und halber Verstellung.
Denn, gesteh' ich es nur, nicht ruft die nahe Gefahr mich
Aus dem Hause des Vaters, und nicht der hohe Gedanke,
Meinem Vaterland hülfreich zu sein und schrecklich den
　　　　　　　　　　　　Feinden.
140 Worte waren es nur, die ich sprach; sie sollten vor Euch nur
Meine Gefühle verstecken, die mir das Herz zerreißen.

Und so laßt mich, o Mutter! Denn da ich vergebliche
                              Wünsche
Hege im Busen, so mag auch mein Leben vergeblich dahin
                              gehn.
Denn ich weiß es recht wohl: der Einzelne schadet sich selber,
Der sich hingibt, wenn sich nicht Alle zum Ganzen
                              bestreben.   145

Fahre nur fort, so sagte darauf die verständige Mutter,
Alles mir zu erzählen, das Größte wie das Geringste;
Denn die Männer sind heftig, und denken nur immer das
                              Letzte,
Und die Hindernis treibt die Heftigen leicht von dem Wege;
Aber ein Weib ist geschickt, auf Mittel zu denken, und
                              wandelt   150
Auch den Umweg, geschickt zu ihrem Zweck zu gelangen.
Sage mir alles daher, warum du so heftig bewegt bist,
Wie ich dich niemals gesehn, und das Blut dir wallt in den
                              Adern,
Wider Willen die Träne dem Auge sich dringt zu entstürzen.

Da überließ sich dem Schmerze der gute Jüngling, und
                              weinte,   155
Weinte laut an der Brust der Mutter, und sprach so erweicht:
Wahrlich! des Vaters Wort hat heute mich kränkend
                              getroffen,
Das ich niemals verdient, nicht heut' und keinen der Tage.
Denn die Eltern zu ehren, war früh mein Liebstes, und
                              niemand
Schien mir klüger zu sein und weiser, als die mich erzeugten,   160
Und mit Ernst mir in dunkeler Zeit der Kindheit geboten.
Vieles hab' ich fürwahr von meinen Gespielen geduldet,
Wenn sie mit Tücke mir oft den guten Willen vergalten;
Oftmals hab' ich an ihnen nicht Wurf noch Streiche gerochen.
Aber spotteten sie mir den Vater aus, wenn er Sonntags   165
Aus der Kirche kam mit würdig bedächtigem Schritte;
Lachten sie über das Band der Mütze, die Blumen des
                              Schlafrocks,

Den er so stattlich trug und der erst heute verschenkt ward:
Fürchterlich ballte sich gleich die Faust mir; mit grimmigem
Wüten
170 Fiel ich sie an und schlug und traf, mit blindem Beginnen,
Ohne zu sehen wohin. Sie heulten mit blutigen Nasen,
Und entrissen sich kaum den wütenden Tritten und
Schlägen.
Und so wuchs ich heran, um viel vom Vater zu dulden,
Der, statt Anderer, mich gar oft mit Worten herum nahm,
175 Wenn bei Rat ihm Verdruß in der letzten Sitzung erregt ward,
Und ich büßte den Streit und die Ränke seiner Kollegen.
Oftmals habt Ihr mich selbst bedauert; denn vieles ertrug ich,
Stets in Gedanken der Eltern von Herzen zu ehrende
Wohltat,
Die nur sinnen, für uns zu mehren die Hab' und die Güter,
180 Und sich selber Manches entziehn, um zu sparen den
Kindern.
Aber, ach! nicht das Sparen allein, um spät zu genießen,
Macht das Glück, es macht nicht das Glück der Haufe beim
Haufen,
Nicht der Acker am Acker, so schön sich die Güter auch
schließen.
Denn der Vater wird alt, und mit ihm altern die Söhne,
185 Ohne die Freude des Tags, und mit der Sorge für morgen.
Sagt mir, und schauet hinab, wie herrlich liegen die schönen,
Reichen Gebreite nicht da, und unten Weinberg und Garten,
Dort die Scheunen und Ställe, die schöne Reihe der Güter!
Aber seh' ich dann dort das Hinterhaus, wo an dem Giebel
190 Sich das Fenster uns zeigt von meinem Stübchen im Dache;
Denk' ich die Zeiten zurück, wie manche Nacht ich den
Mond schon
Dort erwartet und schon so manchen Morgen die Sonne,
Wenn der gesunde Schlaf mir nur wenige Stunden genügte:
Ach! da kommt mir so einsam vor, wie die Kammer, der Hof
und
195 Garten, das herrliche Feld, das über die Hügel sich
hinstreckt;
Alles liegt so öde vor mir, ich entbehre der Gattin.

Da antwortete drauf die gute Mutter verständig:
Sohn, mehr wünschest du nicht die Braut in die Kammer zu
führen,
Daß dir werde die Nacht zur schönen Hälfte des Lebens,
Und die Arbeit des Tags dir freier und eigener werde,   200
Als der Vater es wünscht und die Mutter. Wir haben dir
immer
Zugeredet, ja dich getrieben, ein Mädchen zu wählen.
Aber mir ist es bekannt, und jetzo sagt es das Herz mir:
Wenn die Stunde nicht kommt, die rechte, wenn nicht das
rechte
Mädchen zur Stunde sich zeigt, so bleibt das Wählen im
Weiten,   205
Und es wirket die Furcht, die falsche zu greifen, am meisten.
Soll ich dir sagen, mein Sohn, so hast du, ich glaube,
gewählet;
Denn dein Herz ist getroffen und mehr als gewöhnlich
empfindlich.
Sag' es gerad nur heraus, denn mir schon sagt es die Seele:
Jenes Mädchen ists, das vertriebene, die du gewählt hast.   210

Liebe Mutter, Ihr sagts! versetzte lebhaft der Sohn drauf.
Ja, sie ists! und führ' ich sie nicht als Braut mir nach Hause
Heute noch, ziehet sie fort, verschwindet vielleicht mir auf
immer
In der Verwirrung des Kriegs und im traurigen Hinziehn
und Herziehn.
Mutter, ewig umsonst gedeiht mir die reiche Besitzung   215
Dann vor Augen; umsonst sind künftige Jahre mir
fruchtbar.
Ja, das gewohnte Haus und der Garten ist mir zuwider;
Ach! und die Liebe der Mutter, sie selbst nicht tröstet den
Armen.
Denn es löset die Liebe, das fühl' ich, jegliche Bande,
Wenn sie die ihrigen knüpft; und nicht das Mädchen alleine   220
Lässet Vater und Mutter dahinten, wenn sie dem Mann folgt,
Auch der Jüngling er weiß nichts mehr von Mutter und
Vater,

Wenn er das Mädchen sieht, das einziggeliebte, davonziehn.
Darum lasset mich gehn, wohin die Verzweiflung mich
                                    antreibt.
225 Denn mein Vater, er hat die entscheidenden Worte
                                    gesprochen,
Und sein Haus ist nicht mehr das meine, wenn er das
                                    Mädchen
Ausschließt, das ich allein nach Haus zu führen begehre.

Da versetzte behend die gute verständige Mutter:
Stehen wie Felsen doch zwei Männer gegen einander!
230 Unbewegt und stolz will keiner dem andern sich nähern,
Keiner zum guten Worte, dem ersten, die Zunge bewegen.
Darum sag' ich dir, Sohn: noch lebt die Hoffnung in meinem
Herzen, daß er sie dir, wenn sie gut und brav ist, verlobe,
Obgleich arm, so entschieden er auch die Arme versagt hat.
235 Denn er redet gar Manches in seiner heftigen Art aus,
Das er doch nicht vollbringt; so gibt er auch zu das Versagte.
Aber ein gutes Wort verlangt er, und kann es verlangen;
Denn er ist Vater! Auch wissen wir wohl, sein Zorn ist nach
                                    Tische,
Wo er heftiger spricht und Anderer Gründe bezweifelt,
240 Nie bedeutend; es reget der Wein dann jegliche Kraft auf
Seines heftigen Wollens, und läßt ihn die Worte der Andern
Nicht vernehmen, er hört und fühlt alleine sich selber.
Aber es kommt der Abend heran, und die vielen Gespräche
Sind nun zwischen ihm und seinen Freunden gewechselt.
245 Milder ist er fürwahr, ich weiß, wenn das Räuschchen vorbei
                                    ist,
Und er das Unrecht fühlt, das er Andern lebhaft erzeigte.
Komm! wir wagen es gleich; das Frischgewagte gerät nur.
Und wir bedürfen der Freunde, die jetzo bei ihm noch
                                    versammelt
Sitzen; besonders wird uns der würdige Geistliche helfen.

250 Also sprach sie behende, und zog, vom Steine sich hebend,
Auch vom Sitze den Sohn, den willig folgenden. Beide
Kamen schweigend herunter, den wichtigen Vorsatz
                                    bedenkend.

POLYHYMNIA

Der Weltbürger

Aber es saßen die Drei noch immer sprechend zusammen,
Mit dem geistlichen Herrn der Apotheker beim Wirte;
Und es war das Gespräch noch immer ebendasselbe,
Das viel hin und her nach allen Seiten geführt ward.
Aber der treffliche Pfarrer versetzte, würdig gesinnt, drauf: 5
Widersprechen will ich Euch nicht. Ich weiß es, der Mensch
                                                         soll
Immer streben zum Bessern; und, wie wir sehen, er strebt
                                                         auch
Immer dem Höheren nach, zum wenigsten sucht er das
                                                         Neue.
Aber geht nicht zu weit! Denn neben diesen Gefühlen
Gab die Natur uns auch die Lust zu verharren im Alten,   10
Und sich dessen zu freun, was jeder lange gewohnt ist.
Aller Zustand ist gut, der natürlich ist und vernünftig.
Vieles wünscht sich der Mensch, und doch bedarf er nur
                                                         wenig;
Denn die Tage sind kurz, und beschränkt der Sterblichen
                                                         Schicksal.
Niemals tadl' ich den Mann, der immer, tätig und rastlos   15
Umgetrieben, das Meer und alle Straßen der Erde
Kühn und emsig befährt und sich des Gewinnes erfreuet,
Welcher sich reichlich um ihn und um die Seinen herum
                                                         häuft;
Aber jener ist auch mir wert, der ruhige Bürger,
Der sein väterlich Erbe mit stillen Schritten umgehet,   20
Und die Erde besorgt, so wie es die Stunden gebieten.
Nicht verändert sich ihm in jedem Jahre der Boden,
Nicht streckt eilig der Baum, der neugepflanzte, die Arme
Gegen den Himmel aus, mit reichlichen Blüten gezieret.
Nein, der Mann bedarf der Geduld; er bedarf auch des
                                                         reinen,   25

Immer sich gleichen ruhigen Sinns und des graden
                                                    Verstandes.
Denn nur wenige Samen vertraut er der nährenden Erde,
Wenige Tiere nur versteht er, mehrend, zu ziehen,
Denn das Nützliche bleibt allein sein ganzer Gedanke.
30 Glücklich, wem die Natur ein so gestimmtes Gemüt gab!
Er ernähret uns Alle. Und Heil dem Bürger des kleinen
Städtchens, der ländlich Gewerb mit Bürgergewerbe
                                                    gepaaret!
Auf ihm liegt nicht der Druck, der ängstlich den Landmann
                                                    beschränket;
Ihn verwirrt nicht die Sorge der vielbegehrenden Städter,
35 Die dem Reicheren stets und dem Höheren, wenig
                                                    vermögend,
Nachzustreben gewohnt sind, besonders die Weiber und
                                                    Mädchen.
Segnet immer darum des Sohnes ruhig Bemühen,
Und die Gattin, die einst er, die gleichgesinnte, sich wählet.

Also sprach er. Es trat die Mutter zugleich mit dem Sohn ein,
40 Führend ihn bei der Hand und vor den Gatten ihn stellend.
Vater, sprach sie, wie oft gedachten wir, untereinander
Schwatzend, des fröhlichen Tags, der kommen würde, wenn
                                                    künftig
Herrmann, seine Braut sich erwählend, uns endlich erfreute!
Hin und wieder dachten wir da, bald dieses, bald jenes
45 Mädchen bestimmten wir ihm mit elterlichem Geschwätze.
Nun ist er kommen der Tag; nun hat die Braut ihm der
                                                    Himmel
Hergeführt und gezeigt, es hat sein Herz nun entschieden.
Sagten wir damals nicht immer: er solle selber sich wählen?
Wünschtest du nicht noch vorhin, er möchte heiter und
                                                    lebhaft
50 Für ein Mädchen empfinden? Nun ist die Stunde gekommen!
Ja, er hat gefühlt und gewählt, und ist männlich entschieden.
Jenes Mädchen ists, die Fremde, die ihm begegnet.
Gib sie ihm; oder er bleibt, so schwur er, im ledigen Stande.

Und es sagte der Sohn: die gebt mir Vater! Mein Herz hat
Rein und sicher gewählt; Euch ist sie die würdigste Tochter.   55

Aber der Vater schwieg. Da stand der Geistliche schnell auf,
Nahm das Wort, und sprach: der Augenblick nur entscheidet
Über das Leben des Menschen und über sein ganzes
                                        Geschicke;
Denn nach langer Beratung ist doch ein jeder Entschluß nur
Werk des Moments, es ergreift doch nur der Verständge das
                                        Rechte.   60
Immer gefährlicher ists, beim Wählen dieses und jenes
Nebenher zu bedenken und so das Gefühl zu verwirren.
Rein ist Herrmann; ich kenn' ihn von Jugend auf, und er
                                        streckte
Schon als Knabe die Hände nicht aus nach diesem und jenem.
Was er begehrte, das war ihm gemäß; so hielt er es fest auch.   65
Seid nicht scheu und verwundert, daß nun auf einmal
                                        erscheinet,
Was Ihr so lange gewünscht. Es hat die Erscheinung fürwahr
                                        nicht
Jetzt die Gestalt des Wunsches, so wie Ihr ihn etwa geheget.
Denn die Wünsche verhüllen uns selbst das Gewünschte; die
                                        Gaben
Kommen von oben herab, in ihren eignen Gestalten.   70
Nun verkennet es nicht, das Mädchen, das Eurem geliebten,
Guten, verständigen Sohn zuerst die Seele bewegt hat.
Glücklich ist der, dem sogleich die erste Geliebte die Hand
                                        reicht,
Dem der lieblichste Wunsch nicht heimlich im Herzen
                                        verschmachtet!
Ja, ich seh' es ihm an, es ist sein Schicksal entschieden.   75
Wahre Neigung vollendet sogleich zum Manne den
                                        Jüngling.
Nicht beweglich ist er; ich fürchte, versagt Ihr ihm dieses,
Gehen die Jahre dahin, die schönsten, in traurigem Leben.

Da versetzte sogleich der Apotheker bedächtig,
Dem schon lange das Wort von der Lippe zu springen bereit
80   war:
Laßt uns auch diesmal doch nur die Mittelstraße betreten!
Eile mit Weile! das war selbst Kaiser Augustus Devise.
Gerne schick' ich mich an, den lieben Nachbarn zu dienen,
Meinen geringen Verstand zu ihrem Nutzen zu brauchen;
85   Und besonders bedarf die Jugend, daß man sie leite.
Laßt mich also hinaus; ich will es prüfen, das Mädchen,
Will die Gemeinde befragen, in der sie lebt und bekannt ist.
Niemand betrügt mich so leicht; ich weiß die Worte zu
                    schätzen.

Da versetzte sogleich der Sohn mit geflügelten Worten:
90   Tut es, Nachbar, und geht und erkundigt Euch. Aber ich
                    wünsche,
Daß der Herr Pfarrer sich auch in Eurer Gesellschaft befinde;
Zwei so treffliche Männer sind unverwerfliche Zeugen.
O, mein Vater! sie ist nicht hergelaufen, das Mädchen,
Keine, die durch das Land auf Abenteuer umherschweift,
95   Und den Jüngling bestrickt, den unerfahrnen, mit Ränken.
Nein; das wilde Geschick des allverderblichen Krieges,
Das die Welt zerstört, und manches feste Gebäude
Schon aus dem Grunde gehoben, hat auch die Arme
                    vertrieben.
Streifen nicht herrliche Männer von hoher Geburt nun im
                    Elend?
100   Fürsten fliehen vermummt, und Könige leben verbannet.
Ach! so ist auch sie, von ihren Schwestern die beste,
Aus dem Lande getrieben; ihr eignes Unglück vergessend,
Steht sie Anderen bei, ist ohne Hülfe noch hülfreich.
Groß sind Jammer und Not, die über die Erde sich breiten;
105   Sollte nicht auch ein Glück aus diesem Unglück hervorgehn,
Und ich, im Arme der Braut, der zuverlässigen Gattin,
Mich nicht erfreuen des Kriegs, so wie Ihr des Brandes Euch
                    freutet?

Da versetzte der Vater, und tat bedeutend den Mund auf:
Wie ist, o Sohn, dir die Zunge gelös't, die schon dir im
                              Munde
Lange Jahre gestockt und nur sich dürftig bewegte!   110
Muß ich doch heut' erfahren, was jedem Vater gedroht ist:
Daß den Willen des Sohns, den heftigen, gerne die Mutter
Allzugelind begünstigt, und jeder Nachbar Partei nimmt,
Wenn es über den Vater nur hergeht oder den Ehmann.
Aber ich will Euch zusammen nicht widerstehen; was hülf'
                              es?   115
Denn ich sehe doch schon hier Trotz und Tränen im voraus.
Gehet und prüfet, und bringt in Gottes Namen die Tochter
Mir ins Haus; wo nicht, so mag er das Mädchen vergessen.

Also der Vater. Es rief der Sohn mit froher Gebärde:
Noch vor Abend ist Euch die trefflichste Tochter bescheret,   120
Wie sie der Mann sich wünscht, dem ein kluger Sinn in der
                              Brust lebt.
Glücklich ist die Gute dann auch, so darf ich es hoffen.
Ja, sie danket mir ewig, daß ich ihr Vater und Mutter
Wiedergegeben in Euch, so wie sie verständige Kinder
Wünschen. Aber ich zaudre nicht mehr; ich schirre die Pferde   125
Gleich, und führe die Freunde hinaus auf die Spur der
                              Geliebten,
Überlasse die Männer sich selbst und der eigenen Klugheit,
Richte, so schwör' ich Euch zu, mich ganz nach ihrer
                              Entscheidung,
Und ich seh' es nicht wieder, als bis es mein ist, das Mädchen.
Und so ging er hinaus, indessen manches die Andern   130
Weislich erwogen und schnell die wichtige Sache besprachen.

Herrmann eilte zum Stalle sogleich, wo die mutigen Hengste
Ruhig standen und rasch den reinen Hafer verzehrten,
Und das trockene Heu, auf der besten Wiese gehauen.
Eilig legt' er ihnen darauf das blanke Gebiß an,   135
Zog die Riemen sogleich durch die schön versilberten
                              Schnallen,

Und befestigte dann die langen, breiteren Zügel,
Führte die Pferde heraus in den Hof, wo der willige Knecht
schon
Vorgeschoben die Kutsche, sie leicht an der Deichsel
bewegend.
140 Abgemessen knüpften sie drauf an die Waage mit saubern
Stricken die rasche Kraft der leicht hinziehenden Pferde.
Herrmann faßte die Peitsche; dann saß er und rollt' in den
Torweg.
Als die Freunde nun gleich die geräumigen Plätze
genommen,
Rollte der Wagen eilig, und ließ das Pflaster zurücke,
145 Ließ zurück die Mauern der Stadt und die reinlichen Türme.
So fuhr Herrmann dahin, der wohlbekannten Chaussee zu,
Rasch, und säumete nicht und fuhr bergan wie bergunter.
Als er aber nunmehr den Turm des Dorfes erblickte,
Und nicht fern mehr lagen die gartenumgebenen Häuser,
150 Dacht' er bei sich selbst, nun anzuhalten die Pferde.

Von dem würdigen Dunkel erhabener Linden umschattet,
Die Jahrhunderte schon an dieser Stelle gewurzelt,
War mit Rasen bedeckt ein weiter, grünender Anger
Vor dem Dorfe, den Bauern und nahen Städtern ein Lustort.
155 Flachgegraben befand sich unter den Bäumen ein Brunnen.
Stieg man die Stufen hinab, so zeigten sich steinerne Bänke,
Rings um die Quelle gesetzt, die immer lebendig
hervorquoll,
Reinlich, mit niedriger Mauer gefaßt, zu schöpfen
bequemlich.
Herrmann aber beschloß, in diesem Schatten die Pferde
160 Mit dem Wagen zu halten. Er tat so, und sagte die Worte:
Steiget, Freunde, nun aus und geht, damit Ihr erfahret,
Ob das Mädchen auch wert der Hand sei, die ich ihr biete.
Zwar ich glaub' es, und mir erzählt Ihr nichts Neues und
Seltnes;
Hätt' ich allein zu tun, so ging' ich behend zu dem Dorf hin,
165 Und mit wenigen Worten entschiede die Gute mein
Schicksal.

Und Ihr werdet sie bald vor allen andern erkennen;
Denn wohl schwerlich ist an Bildung ihr Eine vergleichbar.
Aber ich geb' Euch noch die Zeichen der reinlichen Kleider:
Denn der rote Latz erhebt den gewölbten Busen,
Schön geschnürt, und es liegt das schwarze Mieder ihr knapp
an; 170
Sauber hat sie den Saum des Hemdes zur Krause gefaltet,
Die ihr das Kinn umgibt, das runde, mit reinlicher Anmut;
Frei und heiter zeigt sich des Kopfes zierliches Eirund;
Stark sind vielmal die Zöpfe um silberne Nadeln gewickelt;
Vielgefaltet und blau fängt unter dem Latze der Rock an, 175
Und umschlägt ihr im Gehn die wohlgebildeten Knöchel.
Doch das will ich Euch sagen, und noch mir ausdrücklich
erbitten:
Redet nicht mit dem Mädchen, und laßt nicht merken die
Absicht,
Sondern befraget die Andern, und hört, was sie alles
erzählen.
Habt Ihr Nachricht genug, zu beruhigen Vater und Mutter, 180
Kehret zu mir dann zurück, und wir bedenken das Weitre.
Also dacht' ich mirs aus, den Weg her, den wir gefahren.

Also sprach er. Es gingen darauf die Freunde dem Dorf zu,
Wo in Gärten und Scheunen und Häusern die Menge von
Menschen
Wimmelte, Karrn an Karrn die breite Straße dahin stand. 185
Männer versorgten das brüllende Vieh und die Pferd' an den
Wagen;
Wäsche trockneten emsig auf allen Hecken die Weiber,
Und es ergötzten die Kinder sich plätschernd im Wasser des
Baches.
Also durch die Wagen sich drängend, durch Menschen und
Tiere,
Sahen sie rechts und links sich um, die gesendeten Späher, 190
Ob sie nicht etwa das Bild des bezeichneten Mädchens
erblickten;
Aber keine von allen erschien die herrliche Jungfrau.

Stärker fanden sie bald das Gedränge. Da war um die Wagen
Streit der drohenden Männer, worein sich mischten die
Weiber,
195 Schreiend. Da nahte sich schnell mit würdigen Schritten ein
Alter,
Trat zu den Scheltenden hin; und sogleich verklang das
Getöse,
Als er Ruhe gebot und väterlich ernst sie bedrohte.
Hat uns, rief er, noch nicht das Unglück also gebändigt,
Daß wir endlich verstehn, uns unter einander zu dulden
200 Und zu vertragen, wenn auch nicht jeder die Handlungen
abmißt?
Unverträglich fürwahr ist der Glückliche. Werden die Leiden
Endlich euch lehren, nicht mehr, wie sonst, mit dem Bruder
zu hadern?
Gönnet einander den Platz auf fremdem Boden, und teilet,
Was ihr habet, zusammen, damit ihr Barmherzigkeit findet.

205 Also sagte der Mann, und Alle schwiegen; verträglich
Ordneten Vieh und Wagen die wieder besänftigten
Menschen.
Als der Geistliche nun die Rede des Mannes vernommen,
Und den ruhigen Sinn des fremden Richters entdeckte,
Trat er an ihn heran, und sprach die bedeutenden Worte:
210 Vater, fürwahr! wenn das Volk in glücklichen Tagen dahin
lebt,
Von der Erde sich nährend, die weit und breit sich auftut
Und die erwünschten Gaben in Jahren und Monden
erneuert,
Da geht alles von selbst, und jeder ist sich der Klügste,
Wie der Beste; und so bestehen sie neben einander,
215 Und der vernünftigste Mann ist wie ein andrer gehalten:
Denn was alles geschieht, geht still, wie von selber, den Gang
fort.
Aber zerrüttet die Not die gewöhnlichen Wege des Lebens,
Reißt das Gebäude nieder, und wühlet Garten und Saat um,
Treibt den Mann und das Weib vom Raume der traulichen
Wohnung,

Schleppt in die Irre sie fort, durch ängstliche Tage und
                                        Nächte: 220
Ach! da sieht man sich um, wer wohl der verständigste Mann
                                        sei,
Und er redet nicht mehr die herrlichen Worte vergebens.
Sagt mir, Vater, Ihr seid gewiß der Richter von diesen
Flüchtigen Männern, der Ihr sogleich die Gemüter beruhigt?
Ja, Ihr erscheinet mir heut' als einer der ältesten Führer,   225
Die durch Wüsten und Irren vertriebene Völker geleitet.
Denk' ich doch eben, ich rede mit Josua oder mit Moses.

Und es versetzte darauf der Richter mit ernstem Blicke:
Wahrlich unsere Zeit vergleicht sich den seltensten Zeiten,
Die die Geschichte bemerkt, die heilige wie die gemeine.   230
Denn wer gestern und heut' in diesen Tagen gelebt hat,
Hat schon Jahre gelebt: so drängen sich alle Geschichten.
Denk' ich ein wenig zurück, so scheint mir ein graues Alter
Auf dem Haupte zu liegen; und doch ist die Kraft noch
                                        lebendig.
O, wir andern dürfen uns wohl mit jenen vergleichen,   235
Denen in ernster Stund' erschien im feurigen Busche
Gott der Herr; auch uns erschien er in Wolken und Feuer.

Als nun der Pfarrer darauf noch weiter zu sprechen geneigt
                                        war
Und das Schicksal des Manns und der Seinen zu hören
                                        verlangte,
Sagte behend der Gefährte mit heimlichen Worten ins Ohr
                                        ihm: 240
Sprecht mit dem Richter nur fort, und bringt das Gespräch
                                        auf das Mädchen.
Aber ich gehe herum, sie aufzusuchen, und komme
Wieder, sobald ich sie finde. Es nickte der Pfarrer dagegen,
Und durch die Hecken und Gärten und Scheunen suchte der
                                        Späher.

KLIO

Das Zeitalter

Als nun der geistliche Herr den fremden Richter befragte,
Was die Gemeine gelitten, wie lang sie von Hause vertrieben;
Sagte der Mann darauf: nicht kurz sind unsere Leiden;
Denn wir haben das Bittre der sämtlichen Jahre getrunken,
     Schrecklicher, weil auch uns die schönste Hoffnung zerstört
                    ward.
Denn wer leugnet es wohl, daß hoch sich das Herz ihm
                    erhoben,
Ihm die freiere Brust mit reineren Pulsen geschlagen,
Als sich der erste Glanz der neuen Sonne heranhob,
Als man hörte vom Rechte der Menschen, das allen
                    gemein sei,
10 Von der begeisternden Freiheit und von der löblichen
                    Gleichheit!
Damals hoffte jeder, sich selbst zu leben; es schien sich
Aufzulösen das Band, das viele Länder umstrickte,
Das der Müßiggang und der Eigennutz in der Hand hielt.
Schauten nicht alle Völker in jenen drängenden Tagen
15 Nach der Hauptstadt der Welt, die es schon so lange
                    gewesen,
Und jetzt mehr als je den herrlichen Namen verdiente?
Waren nicht jener Männer, der ersten Verkünder der
                    Botschaft,
Namen den höchsten gleich, die unter die Sterne gesetzt
                    sind?
Wuchs nicht jeglichem Menschen der Mut und der Geist und
                    die Sprache?

20 Und wir waren zuerst, als Nachbarn, lebhaft entzündet.
Da begann der Krieg, und die Züge bewaffneter Franken
Rückten näher; allein sie schienen nur Freundschaft zu
                    bringen.

Und die brachten sie auch: denn ihnen erhöht war die Seele
Allen; sie pflanzten mit Lust die munteren Bäume der
                                    Freiheit,
Jedem das Seine versprechend, und jedem die eigne
                                    Regierung.   25
Hoch erfreute sich da die Jugend, sich freute das Alter,
Und der muntere Tanz begann um die neue Standarte.
So gewannen sie bald, die überwiegenden Franken,
Erst der Männer Geist mit feurigem, muntern Beginnen,
Dann die Herzen der Weiber mit unwiderstehlicher Anmut.   30
Leicht selbst schien uns der Druck des vielbedürfenden
                                    Krieges;
Denn die Hoffnung umschwebte vor unsern Augen die
                                    Ferne,
Lockte die Blicke hinaus in neueröffnete Bahnen.

O, wie froh ist die Zeit, wenn mit der Braut sich der
                                    Bräut'gam
Schwinget im Tanze, den Tag der gewünschten Verbindung
                                    erwartend!   35
Aber herrlicher war die Zeit, in der uns das Höchste,
Was der Mensch sich denkt, als nah und erreichbar sich
                                    zeigte.
Da war jedem die Zunge gelös't; es sprachen die Greise,
Männer und Jünglinge laut voll hohen Sinns und Gefühles.

Aber der Himmel trübte sich bald. Um den Vorteil der
                                    Herrschaft   40
Stritt ein verderbtes Geschlecht, unwürdig das Gute zu
                                    schaffen.
Sie ermordeten sich und unterdrückten die neuen
Nachbarn und Brüder, und sandten die eigennützige Menge.
Und es praßten bei uns die Obern, und raubten im Großen,
Und es raubten und praßten bis zu dem Kleinsten die
                                    Kleinen;   45
Jeder schien nur besorgt, es bleibe was übrig für morgen.
Allzugroß war die Not, und täglich wuchs die Bedrückung;

Niemand vernahm das Geschrei, sie waren die Herren des
Tages.
Da fiel Kummer und Wut auch selbst ein gelassnes Gemüt an;
50 Jeder sann nur und schwur, die Beleidigung alle zu rächen,
Und den bittern Verlust der doppelt betrogenen Hoffnung.
Und es wendete sich das Glück auf die Seite der Deutschen,
Und der Franke floh mit eiligen Märschen zurücke.
Ach, da fühlten wir erst das traurige Schicksal des Krieges!
55 Denn der Sieger ist groß und gut; zum wenigsten scheint ers,
Und er schonet den Mann, den besiegten, als wär' er der
seine,
Wenn er ihm täglich nützt und mit den Gütern ihm dienet.
Aber der Flüchtige kennt kein Gesetz; denn er wehrt nur den
Tod ab,
Und verzehret nur schnell und ohne Rücksicht die Güter.
60 Dann ist sein Gemüt auch erhitzt, und es kehrt die
Verzweiflung
Aus dem Herzen hervor das frevelhafte Beginnen.
Nichts ist heilig ihm mehr; er raubt es. Die wilde Begierde
Dringt mit Gewalt auf das Weib, und macht die Lust zum
Entsetzen.
Überall sieht er den Tod, und genießt die letzten Minuten
65 Grausam, freut sich des Bluts, und freut sich des heulenden
Jammers.

Grimmig erhob sich darauf in unsern Männern die Wut nun,
Das Verlorne zu rächen und zu verteid'gen die Reste.
Alles ergriff die Waffen, gelockt von der Eile des Flüchtlings,
Und vom blassen Gesicht und scheu unsicherem Blicke.
70 Rastlos nun erklang das Getön der stürmenden Glocke,
Und die künft'ge Gefahr hielt nicht die grimmige Wut auf.
Schnell verwandelte sich des Feldbaus friedliche Rüstung
Nun in Wehre; da troff von Blute Gabel und Sense.
Ohne Begnadigung fiel der Feind, und ohne Verschonung;
75 Überall ras'te die Wut und die feige tückische Schwäche.
Möcht' ich den Menschen doch nie in dieser schnöden
Verirrung

Wiedersehn! Das wütende Tier ist ein besserer Anblick.
Sprech' er doch nie von Freiheit, als könn' er sich selber
                                    regieren!
Losgebunden erscheint, sobald die Schranken hinweg sind,
Alles Böse, das tief das Gesetz in die Winkel zurücktrieb.   80

Trefflicher Mann! versetzte darauf der Pfarrherr mit
                                    Nachdruck:
Wenn Ihr den Menschen verkennt, so kann ich darum Euch
                                    nicht schelten;
Habt Ihr doch Böses genug erlitten vom wüsten Beginnen!
Wolltet Ihr aber zurück die traurigen Tage durchschauen,
Würdet Ihr selber gestehen, wie oft Ihr auch Gutes
                                    erblicktet,   85
Manches Treffliche, das verborgen bleibt in dem Herzen,
Regt die Gefahr es nicht auf, und drängt die Not nicht den
                                    Menschen,
Daß er als Engel sich zeig', erscheine den Andern ein
                                    Schutzgott.

Lächelnd versetzte darauf der alte würdige Richter:
Ihr erinnert mich klug, wie oft nach dem Brande des Hauses   90
Man den betrübten Besitzer an Gold und Silber erinnert,
Das geschmolzen im Schutt nun überblieben zerstreut liegt.
Wenig ist es fürwahr, doch auch das wenige köstlich;
Und der Verarmte gräbet ihm nach, und freut sich des
                                    Fundes.
Und so kehr' ich auch gern die heitern Gedanken zu jenen   95
Wenigen guten Taten, die aufbewahrt das Gedächtnis.
Ja, ich will es nicht leugnen, ich sah sich Feinde versöhnen,
Um die Stadt vom Übel zu retten; ich sah auch der Freunde,
Sah der Eltern Lieb', und der Kinder, Unmögliches wagen;
Sah wie der Jüngling auf einmal zum Mann ward; sah wie der   100
                                    Greis sich
Wieder verjüngte, das Kind sich selbst als Jüngling
                                    enthüllte.
Ja, und das schwache Geschlecht, so wie es gewöhnlich
                                    genannt wird,

Zeigte sich tapfer und mächtig, und gegenwärtigen Geistes.
Und so laßt mich vor allen der schönen Tat noch erwähnen,

105 Die hochherzig ein Mädchen vollbrachte, die treffliche
                                        Jungfrau,
Die auf dem großen Gehöft allein mit den Mädchen
                                        zurückblieb.
Denn es waren die Männer auch gegen die Fremden
                                        gezogen.
Da überfiel den Hof ein Trupp verlaufnen Gesindels,
Plündernd, und drängte sogleich sich in die Zimmer der
                                        Frauen.

110 Sie erblickten das Bild der schön erwachsenen Jungfrau
Und die lieblichen Mädchen, noch eher Kinder zu heißen.
Da ergriff sie wilde Begier; sie stürmten gefühllos
Auf die zitternde Schar und aufs hochherzige Mädchen.
Aber sie riß dem einen sogleich von der Seite den Säbel,

115 Hieb ihn nieder gewaltig; er stürzt' ihr blutend zu Füßen.
Dann mit männlichen Streichen befreite sie tapfer die
                                        Mädchen,
Traf noch viere der Räuber; doch die entflohen dem Tode.
Dann verschloß sie den Hof, und harrte der Hülfe bewaffnet.

Als der Geistliche nun das Lob des Mädchens vernommen,

120 Stieg die Hoffnung sogleich für seinen Freund im Gemüt auf,
Und er war im Begriff zu fragen: wohin sie geraten?
Ob auf der traurigen Flucht sie nun mit dem Volk sich
                                        befinde?

Aber da trat herbei der Apotheker behende,
Zupfte den geistlichen Herrn, und sagte die wispernden
                                        Worte:

125 Hab' ich doch endlich das Mädchen aus vielen hundert
                                        gefunden,
Nach der Beschreibung! So kommt und sehet sie selber mit
                                        Augen;
Nehmet den Richter mit Euch, damit wir das Weitere hören.
Und sie kehrten sich um, und weg war gerufen der Richter

Von den Seinen, die ihn, bedürftig des Rates, verlangten.
Doch es folgte sogleich dem Apotheker der Pfarrer   130
An die Lücke des Zauns, und jener deutete listig.
Seht Ihr, sagt' er, das Mädchen? Sie hat die Puppe gewickelt,
Und ich erkenne genau den alten Kattun und den blauen
Küssenüberzug wohl, den ihr Herrmann im Bündel
                                        gebracht hat.
Sie verwendete schnell fürwahr und gut die Geschenke.   135
Diese sind deutliche Zeichen, es treffen die übrigen alle;
Denn der rote Latz erhebt den gewölbten Busen,
Schön geschnürt, und es liegt das schwarze Mieder ihr knapp
                                        an;
Sauber ist der Saum des Hemdes zur Krause gefaltet,
Und umgibt ihr das Kinn, das runde, mit reinlicher Anmut;   140
Frei und heiter zeigt sich des Kopfes zierliches Eirund,
Und die starken Zöpfe um silberne Nadeln gewickelt;
Sitzt sie gleich, so sehen wir doch die treffliche Größe,
Und den blauen Rock, der, vielgefaltet, vom Busen
Reichlich herunterwallt zum wohlgebildeten Knöchel.   145
Ohne Zweifel sie ists. Drum kommet, damit wir vernehmen,
Ob sie gut und tugendhaft sei, ein häusliches Mädchen.

Da versetzte der Pfarrer, mit Blicken die Sitzende prüfend:
Daß sie den Jüngling entzückt, fürwahr, es ist mir kein
                                        Wunder;
Denn sie hält vor dem Blick des erfahrnen Mannes die Probe.   150
Glücklich, wem doch Mutter Natur die rechte Gestalt gab!
Denn sie empfiehlet ihn stets, und nirgends ist er ein
                                        Fremdling.
Jeder nahet sich gern, und jeder möchte verweilen,
Wenn die Gefälligkeit nur sich zu der Gestalt noch gesellet.
Ich versichr' Euch, es ist dem Jüngling ein Mädchen
                                        gefunden,   155
Das ihm die künftigen Tage des Lebens herrlich erheitert,
Treu mit weiblicher Kraft durch alle Zeiten ihm beisteht.
So ein vollkommener Körper gewiß verwahrt auch die Seele
Rein, und die rüstige Jugend verspricht ein glückliches
                                        Alter.

160 Und es sagte darauf der Apotheker bedenklich:
Trüget doch öfter der Schein! Ich mag dem Äußern nicht
                                        trauen;
Denn ich habe das Sprichwort so oft erprobet gefunden:
Eh du den Scheffel Salz mit dem neuen Bekannten verzehret,
Darfst du nicht leichtlich ihm trauen; dich macht die Zeit nur
                                        gewisser,
165 Wie du es habest mit ihm, und wie die Freundschaft bestehe.
Lasset uns also zuerst bei guten Leuten uns umtun,
Denen das Mädchen bekannt ist, und die uns von ihr nun
                                        erzählen.

Auch ich lobe die Vorsicht, versetzte der Geistliche folgend;
Frein wir doch nicht für uns! Für Andere frein ist bedenklich.
170 Und sie gingen darauf dem wackern Richter entgegen,
Der in seinen Geschäften die Straße wieder heraufkam.
Und zu ihm sprach sogleich der kluge Pfarrer mit Vorsicht:
Sagt, wir haben ein Mädchen gesehn, das im Garten zunächst
                                        hier
Unter dem Apfelbaum sitzt und Kindern Kleider verfertigt
175 Aus getragnem Kattun, den man ihr vermutlich geschenkt
                                        hat.
Uns gefiel die Gestalt; sie scheinet der Wackeren eine.
Saget uns, was Ihr wißt; wir fragen aus löblicher Absicht.

Als in den Garten zu blicken der Richter sogleich nun
                                        herzutrat,
Sagt' er: diese kennet Ihr schon; denn wenn ich erzählte
180 Von der herrlichen Tat, die jene Jungfrau verrichtet,
Als sie das Schwert ergriff und sich und die Ihren beschützte –
Diese war's! Ihr seht es ihr an, sie ist rüstig geboren,
Aber so gut wie stark; denn ihren alten Verwandten
Pflegte sie bis zum Tode, da ihn der Jammer dahin riß
185 Über des Städtchens Not und seiner Besitzung Gefahren.
Auch mit stillem Gemüt hat sie Schmerzen ertragen
Über des Bräutigams Tod, der, ein edler Jüngling, im ersten
Feuer des hohen Gedankens nach edler Freiheit zu streben,

Selbst hinging nach Paris, und bald den schrecklichen Tod
fand;
Denn wie zu Hause, so dort, bestritt er Willkür und Ränke. 190
Also sagte der Richter. Die Beiden schieden und dankten,
Und der Geistliche zog ein Goldstück, (das Silber des Beutels
War vor einigen Stunden von ihm schon milde verspendet,
Als er die Flüchtlinge sah in traurigen Haufen vorbeiziehn.)
Und er reicht' es dem Schulzen und sagte: teilet den Pfennig 195
Unter die Dürftigen aus, und Gott vermehre die Gabe!
Doch es weigerte sich der Mann, und sagte: wir haben
Manchen Taler gerettet und manche Kleider und Sachen,
Und ich hoffe, wir kehren zurück, noch eh' es verzehrt ist.

Da versetzte der Pfarrer, und drückt' ihm das Geld in die
Hand ein: 200
Niemand säume zu geben in diesen Tagen, und niemand
Weigre sich anzunehmen, was ihm die Milde geboten!
Niemand weiß, wie lang' er es hat, was er ruhig besitzet;
Niemand, wie lang' er noch in fremden Landen umherzieht
Und des Ackers entbehrt und des Gartens, der ihn ernähret. 205

Ei doch! sagte darauf der Apotheker geschäftig:
Wäre mir jetzt nur Geld in der Tasche, so solltet Ihrs haben,
Groß wie klein; denn viele gewiß der Euren bedürfen's.
Unbeschenkt doch lass' ich Euch nicht, damit Ihr den Willen
Sehet, woferne die Tat auch hinter dem Willen zurückbleibt. 210
Also sprach er, und zog den gestickten ledernen Beutel
An den Riemen hervor, worin der Tobak ihm verwahrt war,
Öffnete zierlich und teilte; da fanden sich einige Pfeifen.
Klein ist die Gabe, setzt' er dazu. Da sagte der Schultheiß:
Guter Tobak ist doch dem Reisenden immer willkommen. 215
Und es lobte darauf der Apotheker den Knaster.

Aber der Pfarrer zog ihn hinweg, und sie schieden vom
Richter.
Eilen wir! sprach der verständige Mann; es wartet der
Jüngling

Peinlich. Er höre so schnell als möglich die fröhliche
Botschaft.

220 Und sie eilten und kamen und fanden den Jüngling gelehnet
An den Wagen unter den Linden. Die Pferde zerstampften
Wild den Rasen; er hielt sie im Zaum, und stand in
Gedanken,
Blickte still vor sich hin und sah die Freunde nicht eher,
Bis sie kommend ihn riefen und fröhliche Zeichen ihm
gaben.

225 Schon von ferne begann der Apotheker zu sprechen.
Doch sie traten näher hinzu. Da faßte der Pfarrherr
Seine Hand, und sprach und nahm dem Gefährten das Wort
weg:
Heil Dir, junger Mann! Dein treues Auge, Dein treues
Herz hat richtig gewählt! Glück Dir und dem Weibe der
Jugend!

230 Deiner ist sie wert; drum komm und wende den Wagen,
Daß wir fahrend sogleich die Ecke des Dorfes erreichen,
Um sie werben und bald nach Hause führen die Gute.

Aber der Jüngling stand, und ohne Zeichen der Freude
Hört' er die Worte des Boten, die himmlisch waren und
tröstlich,

235 Seufzte tief und sprach: wir kamen mit eilendem Fuhrwerk,
Und wir ziehen vielleicht beschämt und langsam nach Hause;
Denn hier hat mich, seitdem ich warte, die Sorge befallen,
Argwohn und Zweifel und Alles, was nur ein liebendes Herz
kränkt.
Glaubt Ihr, wenn wir nur kommen, so werde das Mädchen
uns folgen,

240 Weil wir reich sind, aber sie arm und vertrieben einherzieht?
Armut selbst macht stolz, die unverdiente. Genügsam
Scheint das Mädchen und tätig; und so gehört ihr die Welt an.
Glaubt Ihr, es sei ein Weib von solcher Schönheit und Sitte
Aufgewachsen, um nie den guten Jüngling zu reizen?

245 Glaubt Ihr, sie habe bis jetzt ihr Herz verschlossen der Liebe?
Fahret nicht rasch bis hinan; wir möchten zu unsrer
Beschämung

Sachte die Pferde herum nach Hause lenken. Ich fürchte,
Irgend ein Jüngling besitzt dies Herz, und die wackere Hand
                                    hat
Eingeschlagen und schon dem Glücklichen Treue
                                    versprochen.
Ach! da steh' ich vor ihr mit meinem Antrag beschämet.   250

Ihn zu trösten, öffnete drauf der Pfarrer den Mund schon;
Doch es fiel der Gefährte mit seiner gesprächigen Art ein:
Freilich! so wären wir nicht vor Zeiten verlegen gewesen,
Da ein jedes Geschäft nach seiner Weise vollbracht ward.
Hatten die Eltern die Braut für ihren Sohn sich ersehen,   255
Ward zuvörderst ein Freund vom Hause vertraulich gerufen;
Diesen sandte man dann als Freiersmann zu den Eltern
Der erkorenen Braut, der dann in stattlichem Putze,
Sonntags etwa nach Tische, den würdigen Bürger besuchte,
Freundliche Worte mit ihm im Allgemeinen zuvörderst   260
Wechselnd, und klug das Gespräch zu lenken und wenden
                                    verstehend.
Endlich nach langem Umschweif ward auch der Tochter
                                    erwähnet,
Rühmlich, und rühmlich des Manns und des Hauses, von
                                    dem man gesandt war.
Kluge Leute merkten die Absicht; der kluge Gesandte
Merkte den Willen gar bald, und konnte sich weiter erklären.   265
Lehnte den Antrag man ab, so war auch ein Korb nicht
                                    verdrießlich.
Aber gelang es denn auch, so war der Freiersmann immer
In dem Hause der Erste bei jedem häuslichen Feste;
Denn es erinnerte sich durchs ganze Leben das Ehpaar,
Daß die geschickte Hand den ersten Knoten geschlungen.   270
Jetzt ist aber das Alles, mit anderen guten Gebräuchen,
Aus der Mode gekommen, und jeder freit für sich selber.
Nehme denn jeglicher auch den Korb mit eigenen Händen,
Der ihm etwa beschert ist, und stehe beschämt vor dem
                                    Mädchen!

275 Sei es, wie ihm auch sei! versetzte der Jüngling, der kaum auf
Alle die Worte gehört, und schon sich im Stillen
                        entschlossen:
Selber geh' ich und will mein Schicksal selber erfahren
Aus dem Munde des Mädchens, zu dem ich das größte
                        Vertrauen
Hege, das irgend ein Mensch nur je zu dem Weibe gehegt hat.
280 Was sie sagt, das ist gut, es ist vernünftig, das weiß ich.
Soll ich sie auch zum letztenmal sehn, so will ich noch einmal
Diesem offenen Blick des schwarzen Auges begegnen;
Drück' ich sie nie an das Herz, so will ich die Brust und die
                        Schultern
Einmal noch sehn, die mein Arm so sehr zu umschließen
                        begehret;
285 Will den Mund noch sehen, von dem ein Kuß und das Ja
                        mich
Glücklich macht auf ewig, das Nein mich auf ewig zerstöret.
Aber laßt mich allein! Ihr sollt nicht warten. Begebet
Euch zu Vater und Mutter zurück, damit sie erfahren,
Daß sich der Sohn nicht geirrt, und daß sie ein würdiges
                        Mädchen.
290 Und so laßt mich allein! Den Fußweg über den Hügel
An dem Birnbaum hin, und unsern Weinberg hinunter,
Geh' ich näher nach Hause zurück. O, daß ich die Traute
Freudig und schnell ihn führte! Vielleicht auch schleich' ich
                        alleine
Jene Pfade nach Haus, und betrete froh sie nicht wieder.

295 Also sprach er und gab dem geistlichen Herrn die Zügel,
Der verständig sie faßte, die schäumenden Rosse
                        beherrschend,
Schnell den Wagen bestieg und den Sitz des Führers
                        besetzte.

Aber du zaudertest noch, vorsichtiger Nachbar, und sagtest:
Gerne vertrau' ich, mein Freund, Euch Seel' und Geist und
                        Gemüt an;

Aber Leib und Gebein ist nicht zum besten verwahret,   300
Wenn die geistliche Hand der weltlichen Zügel sich anmaßt.
Doch du lächeltest drauf, verständiger Pfarrherr, und
                                    sagtest:
Sitzet nur ein, und getrost vertraut mir den Leib, wie die
                                    Seele;
Denn geschickt ist die Hand schon lange, den Zügel zu
                                    führen,
Und das Auge geübt, die künstlichste Wendung zu treffen.   305
Denn wir waren in Strasburg gewohnt den Wagen zu lenken,
Als ich den jungen Baron dahin begleitete; täglich
Rollte der Wagen, geleitet von mir, das hallende Tor durch,
Staubige Wege hinaus, bis fern zu den Auen und Linden,
Mitten durch Scharen des Volks, das mit Spazieren den Tag   310
                                    lebt.

Halb getröstet bestieg darauf der Nachbar den Wagen,
Saß wie einer, der sich zum weislichen Sprunge bereitet,
Und die Hengste rannten nach Hause, begierig des Stalles.
Aber die Wolke des Staubs quoll unter den mächtigen Hufen.
Lange noch stand der Jüngling, und sah den Staub sich   315
                                    erheben,
Sah den Staub sich zerstreun; so stand er ohne Gedanken.

ERATO

Dorothea

Wie der wandernde Mann, der vor dem Sinken der Sonne
Sie noch einmal ins Auge, die schnellverschwindende, faßte,
Dann im dunkeln Gebüsch und an der Seite des Felsens
Schweben siehet ihr Bild; wohin er die Blicke nur wendet,
Eilet es vor und glänzt und schwankt in herrlichen Farben: 5
So bewegte vor Herrmann die liebliche Bildung des
                                    Mädchens
Sanft sich vorbei, und schien dem Pfad' ins Getreide zu
                                    folgen.

Aber er fuhr aus dem staunenden Traum auf, wendete
                                                langsam
Nach dem Dorfe sich zu, und staunte wieder; denn wieder
10 Kam ihm die hohe Gestalt des herrlichen Mädchens
                                                entgegen.
Fest betrachtet er sie; es war kein Scheinbild, sie war es
Selber. Den größeren Krug und einen kleinern am Henkel
Tragend in jeglicher Hand: so schritt sie geschäftig zum
                                                Brunnen.
Und er ging ihr freudig entgegen. Es gab ihm ihr Anblick
15 Mut und Kraft; er sprach zu seiner Verwunderten also:
Find' ich dich, wackres Mädchen, so bald aufs neue
                                                beschäftigt,
Hülfreich Andern zu sein und gern zu erquicken die
                                                Menschen?
Sag', warum kommst du allein zum Quell, der doch so
                                                entfernt liegt,
Da sich Andere doch mit dem Wasser des Dorfes begnügen?
20 Freilich ist dies von besonderer Kraft und lieblich zu kosten.
Jener Kranken bringst du es wohl, die du treulich gerettet?

Freundlich begrüßte sogleich das gute Mädchen den
                                                Jüngling,
Sprach: so ist schon hier der Weg mir zum Brunnen belohnet,
Da ich finde den Guten, der uns so vieles gereicht hat;
25 Denn der Anblick des Gebers ist, wie die Gaben, erfreulich.
Kommt und sehet doch selber, wer Eure Milde genossen,
Und empfanget den ruhigen Dank von allen Erquickten.
Daß Ihr aber sogleich vernehmet, warum ich gekommen,
Hier zu schöpfen, wo rein und unablässig der Quell fließt,
30 Sag' ich Euch dies: es haben die unvorsichtigen Menschen
Alles Wasser getrübt im Dorfe, mit Pferden und Ochsen
Gleich durchwatend den Quell, der Wasser bringt den
                                                Bewohnern.
Und so haben sie auch mit Waschen und Reinigen alle
Tröge des Dorfes beschmutzt und alle Brunnen besudelt;
35 Denn ein jeglicher denkt nur, sich selbst und das nächste
                                                Bedürfnis

Schnell zu befried'gen und rasch, und nicht des Folgenden
denkt er.

Also sprach sie und war die breiten Stufen hinunter,
Mit dem Begleiter gelangt; und auf das Mäuerchen setzten
Beide sich nieder des Quells. Sie beugte sich über, zu
schöpfen;
Und er faßte den anderen Krug, und beugte sich über.   40
Und sie sahen gespiegelt ihr Bild in der Bläue des Himmels
Schwanken, und nickten sich zu, und grüßten sich freundlich
im Spiegel.
Laß mich trinken, sagte darauf der heitere Jüngling;
Und sie reicht' ihm den Krug. Dann ruhten sie Beide,
vertraulich
Auf die Gefäße gelehnt; sie aber sagte zum Freunde: 45
Sage, wie find' ich dich hier? und ohne Wagen und Pferde,
Ferne vom Ort, wo ich erst dich gesehen? wie bist du
gekommen?

Denkend schaute Herrmann zur Erde. Dann hob er die
Blicke
Ruhig gegen sie auf, und sah ihr freundlich ins Auge,
Fühlte sich still und getrost. Jedoch ihr von Liebe zu
sprechen,   50
Wär' ihm unmöglich gewesen; ihr Auge blickte nicht Liebe,
Aber hellen Verstand, und gebot verständig zu reden.
Und er faßte sich schnell, und sagte traulich zum Mädchen:
Laß mich reden, mein Kind, und deine Fragen erwiedern.
Deinetwegen kam ich hierher! was soll ichs verbergen?   55
Denn ich lebe beglückt mit beiden liebenden Eltern,
Denen ich treulich das Haus und die Güter helfe verwalten,
Als der einzige Sohn, und unsre Geschäfte sind vielfach.
Alle Felder besorg' ich; der Vater waltet im Hause
Fleißig; die tätige Mutter belebt im Ganzen die Wirtschaft.   60
Aber du hast gewiß auch erfahren, wie sehr das Gesinde
Bald durch Leichtsinn und bald durch Untreu plaget die
Hausfrau,

Immer sie nötigt zu wechseln und Fehler um Fehler zu
tauschen.
Lange wünschte die Mutter daher sich ein Mädchen im
Hause,
65 Das mit der Hand nicht allein, das auch mit dem Herzen ihr
hülfe,
An der Tochter Statt, der leider frühe verlornen.
Nun, als ich heut' am Wagen dich sah, in froher Gewandtheit,
Sah die Stärke des Arms und die volle Gesundheit der
Glieder,
Als ich die Worte vernahm, die verständigen, war ich
betroffen,
70 Und ich eilte nach Hause, den Eltern und Freunden die
Fremde
Rühmend nach ihrem Verdienst. Nun komm' ich dir aber zu
sagen,
Was sie wünschen, wie ich. – Verzeih mir die stotternde
Rede.

Scheuet Euch nicht, so sagte sie drauf, das Weitre zu
sprechen;
Ihr beleidigt mich nicht, ich hab' es dankbar empfunden.
75 Sagt es nur grad' heraus; mich kann das Wort nicht
erschrecken:
Dingen möchtet Ihr mich als Magd für Vater und Mutter,
Zu versehen das Haus, das wohlerhalten Euch dasteht;
Und Ihr glaubet an mir ein tüchtiges Mädchen zu finden,
Zu der Arbeit geschickt und nicht von rohem Gemüte.
80 Euer Antrag war kurz; so soll die Antwort auch kurz sein.
Ja, ich gehe mit Euch, und folge dem Rufe des Schicksals.
Meine Pflicht ist erfüllt, ich habe die Wöchnerin wieder
Zu den Ihren gebracht, sie freuen sich alle der Rettung;
Schon sind die meisten beisammen, die übrigen werden sich
finden.
85 Alle denken gewiß, in kurzen Tagen zur Heimat
Wiederzukehren; so pflegt sich stets der Vertriebne zu
schmeicheln:

Aber ich täusche mich nicht mit leichter Hoffnung in diesen
Traurigen Tagen, die uns noch traurige Tage versprechen:
Denn gelös't sind die Bande der Welt; wer knüpfet sie wieder
Als allein nur die Not, die höchste, die uns bevorsteht!   90
Kann ich im Hause des würdigen Manns mich, dienend,
                              ernähren
Unter den Augen der trefflichen Frau, so tu' ich es gerne;
Denn ein wanderndes Mädchen ist immer von
                              schwankendem Rufe.
Ja, ich gehe mit Euch, sobald ich die Krüge den Freunden
Wiedergebracht und noch mir den Segen der Guten erbeten.   95
Kommt! Ihr müsset sie sehen, und mich von ihnen
                              empfangen.

Fröhlich hörte der Jüngling des willigen Mädchens
                              Entschließung,
Zweifelnd, ob er ihr nun die Wahrheit sollte gestehen.
Aber es schien ihm das Beste zu sein, in dem Wahn sie zu
                              lassen,
In sein Haus sie zu führen, zu werben um Liebe nur dort erst.   100
Ach! und den goldenen Ring erblickt' er am Finger des
                              Mädchens;
Und so ließ er sie sprechen, und horchte fleißig den Worten.

Laßt uns, fuhr sie nun fort, zurücke kehren! Die Mädchen
Werden immer getadelt, die lange beim Brunnen verweilen;
Und doch ist es am rinnenden Quell so lieblich zu schwatzen.   105
Also standen sie auf und schauten Beide noch einmal
In den Brunnen zurück, und süßes Verlangen ergriff sie.

Schweigend nahm sie darauf die beiden Krüge beim Henkel,
Stieg die Stufen hinan, und Herrmann folgte der Lieben.
Einen Krug verlangt er von ihr, die Bürde zu teilen.   110
Laßt ihn, sagt sie; es trägt sich besser die gleichere Last so.
Und der Herr, der künftig befiehlt, er soll mir nicht dienen.
Seht mich so ernst nicht an, als wäre mein Schicksal
                              bedenklich!

Dienen lerne bei Zeiten das Weib nach ihrer Bestimmung;
115 Denn durch Dienen allein gelangt sie endlich zum
                            Herrschen,
Zu der verdienten Gewalt, die doch ihr im Hause gehöret.
Dienet die Schwester dem Bruder doch früh, sie dienet den
                            Eltern,
Und ihr Leben ist immer ein ewiges Gehen und Kommen,
Oder ein Heben und Tragen, Bereiten und Schaffen für
                            Andre.
120 Wohl ihr, wenn sie daran sich gewöhnt, daß kein Weg ihr zu
                            sauer
Wird, und die Stunden der Nacht ihr sind wie die Stunden
                            des Tages,
Daß ihr niemals die Arbeit zu klein und die Nadel zu fein
                            scheint,
Daß sie sich ganz vergißt und leben mag nur in Andern!
Denn als Mutter, fürwahr, bedarf sie der Tugenden alle,
125 Wenn der Säugling die Krankende weckt und Nahrung
                            begehret
Von der Schwachen, und so zu Schmerzen Sorgen sich
                            häufen.
Zwanzig Männer verbunden ertrügen nicht diese
                            Beschwerde,
Und sie sollen es nicht; doch sollen sie dankbar es einsehn.

Also sprach sie, und war, mit ihrem Begleiter zur Seite,
130 Durch den Garten gekommen, bis an die Tenne der Scheune,
Wo die Wöchnerin lag, die sie froh mit den Töchtern
                            verlassen,
Jenen geretteten Mädchen, den schönen Bildern der
                            Unschuld.
Beide traten hinein; und von der anderen Seite
Trat, ein Kind an jeglicher Hand, der Richter zugleich ein.
135 Diese waren bisher der Mutter verloren gewesen;
Aber gefunden hatte sie nun im Gewimmel der Alte.
Und sie sprangen mit Lust, die liebe Mutter zu grüßen,
Sich des Bruders zu freun, des unbekannten Gespielen;

Auf Dorotheen sprangen sie dann und grüßten sie
        freundlich,
Brot verlangend und Obst, vor allem aber zu trinken. 140
Und sie reichte das Wasser herum. Es tranken die Kinder,
Und die Wöchnerin trank, mit den Töchtern, so trank auch
        der Richter.
Alle waren geletzt, und lobten das herrliche Wasser;
Säuerlich wars und erquicklich, gesund zu trinken den
        Menschen.

Da versetzte das Mädchen mit ernsten Blicken und sagte: 145
Freunde, dieses ist wohl das letztemal, daß ich den Krug euch
Führe zum Munde, daß ich die Lippen mit Wasser euch netze:
Aber wenn euch fortan am heißen Tage der Trunk labt,
Wenn ihr im Schatten der Ruh' und der reinen Quellen
        genießet,
Dann gedenket auch mein und meines freundlichen
        Dienstes, 150
Den ich aus Liebe mehr als aus Verwandtschaft geleistet.
Was ihr mir Gutes erzeigt, erkenn' ich durchs künftige
        Leben.
Ungern laß ich euch zwar; doch jeder ist diesmal dem Andern
Mehr zu Last als zum Trost, und Alle müssen wir endlich
Uns im fremden Lande zerstreun, wenn die Rückkehr
        versagt ist. 155
Seht, hier stehet der Jüngling, dem wir die Gaben
        verdanken,
Diese Hülle des Kinds und jene willkommene Speise.
Dieser kommt und wirbt, in seinem Haus mich zu sehen,
Daß ich diene daselbst den reichen trefflichen Eltern;
Und ich schlag' es nicht ab: denn überall dienet das Mädchen, 160
Und ihr wäre zur Last, bedient im Hause zu ruhen.
Also folg' ich ihm gern; er scheint ein verständiger Jüngling,
Und so werden die Eltern es sein, wie es Reichen geziemet.
Darum lebet nun wohl, geliebte Freundin, und freuet
Euch des lebendigen Säuglings, der schon so gesund Euch
        anblickt. 165

Drücket Ihr ihn an die Brust in diesen farbigen Wickeln,
O, so gedenket des Jünglings, des guten, der sie uns reichte,
Und der künftig auch mich, die Eure, nähret und kleidet.
Und Ihr, trefflicher Mann, so sprach sie gewendet zum
                                                    Richter,
170 Habet Dank, daß Ihr Vater mir war't in mancherlei Fällen.

Und sie kniete darauf zur guten Wöchnerin nieder,
Küßte die weinende Frau, und vernahm des Segens Gelispel.
Aber du sagtest indes, ehrwürdiger Richter, zu Herrmann:
Billig seid Ihr, o Freund, zu den guten Wirten zu zählen,
175 Die mit tüchtigen Menschen den Haushalt zu führen bedacht
                                                    sind.
Denn ich habe wohl oft gesehn, daß man Rinder und Pferde,
So wie Schafe, genau bei Tausch und Handel betrachtet;
Aber den Menschen, der Alles erhält, wenn er tüchtig und
                                                    gut ist,
Und der Alles zerstreut und zerstört durch falsches
                                                    Beginnen,
180 Diesen nimmt man nur so auf Glück und Zufall ins Haus ein,
Und bereuet zu spät ein übereiltes Entschließen.
Aber es scheint, Ihr verstehts; denn Ihr habt ein Mädchen
                                                    erwählet,
Euch zu dienen im Haus und Euren Eltern, das brav ist.
Haltet sie wohl! Ihr werdet, so lang' sie der Wirtschaft sich
                                                    annimmt,
185 Nicht die Schwester vermissen, noch Eure Eltern die
                                                    Tochter.

Viele kamen indes, der Wöchnerin nahe Verwandte,
Manches bringend und ihr die bessere Wohnung
                                                    verkündend.
Alle vernahmen des Mädchens Entschluß, und segneten
                                                    Herrmann
Mit bedeutenden Blicken und mit besondern Gedanken.
190 Denn so sagte wohl Eine zur Andern flüchtig ans Ohr hin:
Wenn aus dem Herrn ein Bräutigam wird, so ist sie
                                                    geborgen.

Herrmann faßte darauf sie bei der Hand an und sagte:
Laß uns gehen; es neigt sich der Tag, und fern ist das
Städtchen.
Lebhaft gesprächig umarmten darauf Dorotheen die Weiber.
Herrmann zog sie hinweg; noch viele Grüße befahl sie. 195
Aber da fielen die Kinder, mit Schrein und entsetzlichem
Weinen,
Ihr in die Kleider, und wollten die zweite Mutter nicht
lassen.
Aber ein' und die andre der Weiber sagte gebietend:
Stille, Kinder! sie geht in die Stadt, und bringt euch des guten
Zuckerbrotes genug, das euch der Bruder bestellte, 200
Als der Storch ihn jüngst beim Zuckerbäcker vorbeitrug,
Und ihr sehet sie bald mit den schön vergoldeten Deuten.
Und so ließen die Kinder sie los, und Herrmann entriß sie
Noch den Umarmungen kaum und den fernewinkenden
Tüchern.

MELPOMENE

Herrmann und Dorothea

Also gingen die zwei entgegen der sinkenden Sonne,
Die in Wolken sich tief, gewitterdrohend, verhüllte,
Aus dem Schleier, bald hier bald dort, mit glühenden Blicken
Strahlend über das Feld die ahndungsvolle Beleuchtung.
Möge das drohende Wetter, so sagte Herrmann, nicht etwa 5
Schloßen uns bringen und heftigen Guß; denn schön ist die
Ernte.
Und sie freuten sich Beide des hohen, wankenden Kornes,
Das die Durchschreitenden fast, die hohen Gestalten,
erreichte.
Und es sagte darauf das Mädchen zum leitenden Freunde:
Guter, dem ich zunächst ein freundlich Schicksal verdanke, 10
Dach und Fach, wenn im Freien so manchem Vertriebnen der
Sturm dräut!

Saget mir jetzt vor allem, und lehret die Eltern mich kennen,
Denen ich künftig zu dienen von ganzer Seele geneigt bin;
Denn kennt jemand den Herrn, so kann er ihm leichter
                          genug tun,
15 Wenn er die Dinge bedenkt, die jenem die wichtigsten
                          scheinen,
Und auf die er den Sinn, den festbestimmten, gesetzt hat.
Darum saget mir doch: wie gewinn' ich Vater und Mutter?

Und es versetzte dagegen der gute, verständige Jüngling:
O, wie geb' ich dir Recht, du kluges, treffliches Mädchen,
20 Daß du zuvörderst dich nach dem Sinne der Eltern befragest!
Denn so streb' ich bisher vergebens, dem Vater zu dienen,
Wenn ich der Wirtschaft mich als wie der meinigen annahm,
Früh den Acker und spät und so besorgend den Weinberg.
Meine Mutter befriedigt' ich wohl, sie wußt' es zu schätzen;
25 Und so wirst du auch ihr das trefflichste Mädchen erscheinen,
Wenn du das Haus besorgst, als wenn du das Deine
                          bedächtest.
Aber dem Vater nicht so; denn dieser liebet den Schein auch.
Gutes Mädchen, halte mich nicht für kalt und gefühllos,
Wenn ich den Vater dir sogleich, der Fremden, enthülle.
30 Ja, ich schwör' es, das erstemal ists, daß frei mir ein solches
Wort die Zunge verläßt, die nicht zu schwatzen gewohnt ist;
Aber du lockst mir hervor aus der Brust ein jedes Vertrauen.
Einige Zierde verlangt der gute Vater im Leben,
Wünschet äußere Zeichen der Liebe, so wie der Verehrung,
35 Und er würde vielleicht vom schlechteren Diener befriedigt,
Der dies wüßte zu nutzen, und würde dem besseren gram
                          sein.

Freudig sagte sie drauf, zugleich die schnelleren Schritte
Durch den dunkelnden Pfad verdoppelnd mit leichter
                          Bewegung:
Beide hoff' ich fürwahr zusammen zufrieden zu stellen;
40 Denn der Mutter Sinn ist wie mein eigenes Wesen,
Und der äußeren Zierde bin ich von Jugend nicht fremde.

Unsere Nachbarn, die Franken, in ihren früheren Zeiten
Hielten auf Höflichkeit viel; sie war dem Edlen und Bürger
Wie den Bauern gemein, und jeder empfahl sie den Seinen.
Und so brachten bei uns auf Deutscher Seite gewöhnlich   45
Auch die Kinder des Morgens mit Händeküssen und
                                                  Knixchen
Segenswünsche den Eltern, und hielten sittlich den Tag aus.
Alles, was ich gelernt und was ich von jung auf gewohnt bin,
Was von Herzen mir geht – ich will es dem Alten erzeigen.
Aber wer sagt mir nunmehr: wie soll ich dir selber begegnen,   50
Dir, dem einzigen Sohn und künftig meinem Gebieter?

Also sprach sie, und eben gelangten sie unter den Birnbaum.
Herrlich glänzte der Mond, der volle, vom Himmel
                                                  herunter;
Nacht war's, völlig bedeckt das letzte Schimmern der Sonne.
Und so lagen vor ihnen in Massen gegen einander   55
Lichter, hell wie der Tag, und Schatten dunkeler Nächte.
Und es hörte die Frage, die freundliche, gern in dem Schatten
Herrmann, des herrlichen Baums, am Orte, der ihm so lieb
                                                  war,
Der noch heute die Tränen um seine Vertriebne gesehen.
Und indem sie sich nieder ein wenig zu ruhen gesetzet,   60
Sagte der liebende Jüngling, die Hand des Mädchens
                                                  ergreifend:
Laß dein Herz dir es sagen, und folg' ihm frei nur in allem.
Aber er wagte kein weiteres Wort, so sehr auch die Stunde
Günstig war; er fürchtete, nur ein Nein zu ereilen.
Ach, und er fühlte den Ring am Finger, das schmerzliche
                                                  Zeichen.   65
Also saßen sie still und schweigend neben einander;
Aber das Mädchen begann und sagte: wie find' ich des
                                                  Mondes
Herrlichen Schein so süß! er ist der Klarheit des Tags gleich.
Seh' ich doch dort in der Stadt die Häuser deutlich und Höfe,
An dem Giebel ein Fenster; mich deucht, ich zähle die
                                                  Scheiben.   70

Was du siehst, versetzte darauf der gehaltene Jüngling,
Das ist unsere Wohnung, in die ich nieder dich führe,
Und dies Fenster dort ist meines Zimmers im Dache,
Das vielleicht das deine nun wird; wir verändern im Hause.
75 Diese Felder sind unser, sie reifen zur morgenden Ernte.
Hier im Schatten wollen wir ruhn und des Mahles genießen.
Aber laß uns nunmehr hinab durch Weinberg und Garten
Steigen; denn sieh', es rückt das schwere Gewitter herüber,
Wetterleuchtend und bald verschlingend den lieblichen
Vollmond.
80 Und so standen sie auf und wandelten nieder, das Feld hin,
Durch das mächtige Korn, der nächtlichen Klarheit sich
freuend;
Und sie waren zum Weinberg gelangt und traten ins Dunkel.

Und so leitet' er sie die vielen Platten hinunter,
Die, unbehauen gelegt, als Stufen dienten im Laubgang.
85 Langsam schritt sie hinab, auf seinen Schultern die Hände,
Und mit schwankenden Lichtern, durchs Laub, überblickte
der Mond sie,
Eh' er, von Wetterwolken umhüllt, im Dunkeln das Paar
ließ.
Sorglich stützte der Starke das Mädchen, das über ihn her
hing.
Aber sie, unkundig des Steigs und der roheren Stufen,
90 Fehlte tretend; es knackte der Fuß, sie drohte zu fallen.
Eilig streckte gewandt der sinnige Jüngling den Arm aus,
Hielt empor die Geliebte; sie sank ihm leis' auf die Schulter,
Brust war gesenkt an Brust und Wang' an Wange. So stand
er,
Starr wie ein Marmorbild, vom ernsten Willen gebändigt,
95 Drückte nicht fester sie an, er stemmte sich gegen die
Schwere.
Und so fühlt' er die herrliche Last, die Wärme des Herzens,
Und den Balsam des Atems, an seinen Lippen verhaucht,
Trug mit Mannesgefühl die Heldengröße des Weibes.

Doch sie verhehlte den Schmerz, und sagte die scherzenden
Worte:
Das bedeutet Verdruß, so sagen bedenkliche Leute,   100
Wenn beim Eintritt ins Haus, nicht fern von der Schwelle,
der Fuß knackt.
Hätt' ich mir doch fürwahr ein besseres Zeichen gewünschet!
Laß uns ein wenig verweilen, damit dich die Eltern nicht
tadeln
Wegen der hinkenden Magd, und ein schlechter Wirt du
erscheinest.

URANIA

Aussicht

Musen, die ihr so gern die herzliche Liebe begünstigt,
Auf dem Wege bisher den trefflichen Jüngling geleitet,
An die Brust ihm das Mädchen noch vor der Verlobung
gedrückt habt:
Helfet auch ferner den Bund des lieblichen Paares vollenden,
Teilet die Wolken sogleich, die über ihr Glück sich
heraufziehn!   5
Aber saget vor Allem, was jetzt im Hause geschiehet.

Ungeduldig betrat die Mutter zum drittenmal wieder
Schon das Zimmer der Männer, das sorglich erst sie
verlassen,
Sprechend vom nahen Gewitter, vom schnellen Verdunkeln
des Mondes,
Dann vom Außenbleiben des Sohns und der Nächte   10
Gefahren;
Tadelte lebhaft die Freunde, daß, ohne das Mädchen zu
sprechen,
Ohne zu werben für ihn, sie so bald sich vom Jüngling
getrennet.

Mache nicht schlimmer das Übel! versetzt' unmutig der
                                        Vater;
Denn du siehst, wir harren ja selbst, und warten des
                                        Ausgangs.

15 Aber gelassen begann der Nachbar sitzend zu sprechen:
Immer verdank' ich es doch in solch unruhiger Stunde
Meinem seligen Vater, der mir als Knaben die Wurzel
Aller Ungeduld ausriß, daß auch kein Fäschen zurückblieb,
Und ich erwarten lernte sogleich, wie keiner der Weisen.
20 Sagt, versetzte der Pfarrherr: welch Kunststück brauchte der
                                        Alte?
Das erzähl' ich Euch gerne, denn jeder kann es sich merken,
Sagte der Nachbar darauf. Als Knabe stand ich am Sonntag
Ungeduldig einmal, die Kutsche begierig erwartend,
Die uns sollte hinaus zum Brunnen führen der Linden.
25 Doch sie kam nicht; ich lief, wie ein Wiesel, dahin und
                                        dorthin,
Treppen hinauf und hinab, und von dem Fenster zur Türe.
Meine Hände prickelten mir; ich kratzte die Tische,
Trappelte stampfend herum, und nahe war mir das Weinen.
Alles sah der gelassene Mann; doch als ich es endlich
30 Gar zu töricht betrieb, ergriff er mich ruhig beim Arme,
Führte zum Fenster mich hin, und sprach die bedenklichen
                                        Worte:
Siehst du des Tischlers da drüben für heute geschlossene
                                        Werkstatt?
Morgen eröffnet er sie; da rühret sich Hobel und Säge,
Und so geht es von frühe bis Abend die fleißigen Stunden.
35 Aber bedenke dir dies: der Morgen wird künftig erscheinen,
Da der Meister sich regt mit allen seinen Gesellen,
Dir den Sarg zu bereiten und schnell und geschickt zu
                                        vollenden,
Und sie tragen das bretterne Haus geschäftig herüber,
Das den Geduld'gen zuletzt und den Ungeduldigen
                                        aufnimmt,
40 Und gar bald ein drückendes Dach zu tragen bestimmt ist.

Alles sah ich sogleich im Geiste wirklich geschehen,
Sah die Bretter gefügt und die schwarze Farbe bereitet,
Saß geduldig nunmehr und harrte ruhig der Kutsche.
Rennen Andere nun in zweifelhafter Erwartung
Ungebärdig herum, da muß ich des Sarges gedenken.　　45

Lächelnd sagte der Pfarrherr: des Todes rührendes Bild steht
Nicht als Schrecken dem Weisen, und nicht als Ende dem
　　　　　　　　Frommen.
Jenen drängt es ins Leben zurück, und lehret ihn handeln;
Diesem stärkt es, zu künftigem Heil, im Trübsal die
　　　　　　　　Hoffnung;
Beiden wird zum Leben der Tod. Der Vater mit Unrecht　　50
Hat dem empfindlichen Knaben den Tod im Tode gewiesen.
Zeige man doch dem Jüngling des edel reifenden Alters
Wert, und dem Alter die Jugend, daß beide des ewigen
　　　　　　　　Kreises
Sich erfreuen und so sich Leben im Leben vollende!

Aber die Tür' ging auf. Es zeigte das herrliche Paar sich,　　55
Und es erstaunten die Freunde, die liebenden Eltern
　　　　　　　　erstaunten
Über die Bildung der Braut, des Bräutigams Bildung
　　　　　　　　vergleichbar;
Ja, es schien die Türe zu klein, die hohen Gestalten
Einzulassen, die nun zusammen betraten die Schwelle.
Herrmann stellte den Eltern sie vor, mit fliegenden Worten.　　60
Hier ist, sagt' er, ein Mädchen, so wie ihr im Hause sie
　　　　　　　　wünschet.
Lieber Vater, empfanget sie gut; sie verdient es. Und liebe
Mutter, befragt sie sogleich nach dem ganzen Umfang der
　　　　　　　　Wirtschaft,
Daß ihr seht, wie sehr sie verdient, Euch näher zu werden.
Eilig führt er darauf den trefflichen Pfarrer bei Seite,　　65
Sagte: würdiger Herr, nun helft mir aus dieser Besorgnis
Schnell, und löset den Knoten, vor dessen Entwicklung ich
　　　　　　　　schaudre.

Denn ich habe das Mädchen als meine Braut nicht geworben,
Sondern sie glaubt, als Magd in das Haus zu gehn, und ich
                                                        fürchte,
70 Daß unwillig sie flieht, sobald wir gedenken der Heirat.
Aber entschieden sei es sogleich! Nicht länger im Irrtum
Soll sie bleiben, wie ich nicht mehr den Zweifel ertrage.
Eilet und zeiget auch hier die Weisheit, die wir verehren!
Und es wendete sich der Geistliche gleich zur Gesellschaft.
75 Aber leider getrübt war durch die Rede des Vaters
Schon die Seele des Mädchens; er hatte die munteren Worte,
Mit behaglicher Art, in gutem Sinne gesprochen:
Ja, das gefällt mir, mein Kind. Mit Freuden erfahr' ich, der
                                                        Sohn hat
Auch wie der Vater Geschmack, der seiner Zeit es gewiesen,
80 Immer die Schönste zum Tanze geführt, und endlich die
                                                        Schönste
In sein Haus, als Frau, sich geholt; das Mütterchen war es.
Denn an der Braut, die der Mann sich erwählt, läßt gleich sich
                                                        erkennen,
Welches Geistes er ist und ob er sich eigenen Wert fühlt.
Aber Ihr brauchtet wohl auch nur wenig Zeit zur
                                                        Entschließung?
85 Denn mich dünket fürwahr, ihm ist so schwer nicht zu
                                                        folgen.

Herrmann hörte die Worte nur flüchtig; ihm bebten die
                                                        Glieder
Innen, und stille war der ganze Kreis nun auf einmal.

Aber das treffliche Mädchen, von solchen spöttischen
                                                        Worten,
Wie sie ihr schienen, verletzt und tief in der Seele getroffen,
90 Stand, mit fliegender Röte die Wange bis gegen den Nacken
Übergossen; doch hielt sie sich an und nahm sich zusammen,
Sprach zu dem Alten darauf, nicht völlig die Schmerzen
                                                        verbergend:
Traun! zu solchem Empfang hat mich der Sohn nicht
                                                        bereitet,

Der mir des Vaters Art geschildert, des trefflichen Bürgers;
Und ich weiß, ich stehe vor Euch, dem gebildeten Manne,   95
Der sich klug mit jedem beträgt und gemäß den Personen.
Aber so scheint es, Ihr fühlt nicht Mitleid genug mit der
                                              Armen,
Die nun die Schwelle betritt und die Euch zu dienen bereit
                                              ist;
Denn sonst würdet Ihr nicht mit bitterem Spotte mir zeigen,
Wie entfernt mein Geschick von Eurem Sohn und von Euch
                                              sei.   100
Freilich tret' ich nur arm, mit kleinem Bündel, ins Haus ein,
Das mit allem versehn die frohen Bewohner gewiß macht;
Aber ich kenne mich wohl, und fühle das ganze Verhältnis.
Ist es edel, mich gleich mit solchem Spotte zu treffen,
Der auf der Schwelle beinah mich schon aus dem Hause
                                              zurücktreibt?   105

Bang bewegte sich Herrmann, und winkte dem geistlichen
                                              Freunde,
Daß er ins Mittel sich schlüge, sogleich zu verscheuchen den
                                              Irrtum.
Eilig trat der Kluge heran, und schaute des Mädchens
Stillen Verdruß und gehaltenen Schmerz und Tränen im
                                              Auge.
Da befahl ihm sein Geist, nicht gleich die Verwirrung zu
                                              lösen,   110
Sondern vielmehr das bewegte Gemüt zu prüfen des
                                              Mädchens.
Und er sagte darauf zu ihr mit versuchenden Worten:
Sicher, du überlegtest nicht wohl, o Mädchen des Auslands,
Wenn du bei Fremden zu dienen dich allzu eilig
                                              entschlossest,
Was es heiße, das Haus des gebietenden Herrn zu betreten;   115
Denn der Handschlag bestimmt das ganze Schicksal des
                                              Jahres,
Und gar vieles zu dulden verbindet ein einziges Jawort.
Sind doch nicht das Schwerste des Diensts die ermüdenden
                                              Wege,

Nicht der bittere Schweiß der ewig drängenden Arbeit;
120 Denn mit dem Knechte zugleich bemüht sich der tätige Freie.
Aber zu dulden die Laune des Herrn, wenn er ungerecht
tadelt,
Oder dieses und jenes begehrt, mit sich selber in Zwiespalt,
Und die Heftigkeit noch der Frauen, die leicht sich erzürnet,
Mit der Kinder roher und übermütiger Unart:
125 Das ist schwer zu ertragen und doch die Pflicht zu erfüllen
Ungesäumt und rasch, und selbst nicht mürrisch zu stocken.
Doch du scheinst mir dazu nicht geschickt, da die Scherze des
Vaters
Schon dich treffen so tief, und doch nichts gewöhnlicher
vorkommt,
Als ein Mädchen zu plagen, daß wohl ihr ein Jüngling
gefalle.

130 Also sprach er. Es fühlte die treffende Rede das Mädchen,
Und sie hielt sich nicht mehr; es zeigten sich ihre Gefühle
Mächtig, es hob sich die Brust, aus der ein Seufzer
hervordrang,
Und sie sagte sogleich mit heiß vergossenen Tränen:
O, nie weiß der verständige Mann, der im Schmerz uns zu
raten
135 Denkt, wie wenig sein Wort, das kalte, die Brust zu befreien
Je von dem Leiden vermag, das ein hohes Schicksal uns
auflegt.
Ihr seid glücklich und froh; wie sollt' ein Scherz euch
verwunden!
Doch der Krankende fühlt auch schmerzlich die leise
Berührung.
Nein; es hülfe mir nichts, wenn selbst mir Verstellung
gelänge.
140 Zeige sich gleich, was später nur tiefere Schmerzen
vermehrte
Und mich drängte vielleicht in stille verzehrendes Elend.
Laßt mich wieder hinweg! Ich darf im Hause nicht bleiben;
Ich will fort und gehe die armen Meinen zu suchen,

Die ich im Unglück verließ, für mich nur das Bessere
wählend.
Dies ist mein fester Entschluß; und ich darf euch darum nun
bekennen,   145
Was im Herzen sich sonst wohl Jahre hätte verborgen.
Ja, des Vaters Spott hat tief mich getroffen: nicht, weil ich
Stolz und empfindlich bin, wie es wohl der Magd nicht
geziemet,
Sondern weil mir fürwahr im Herzen die Neigung sich regte
Gegen den Jüngling, der heute mir als ein Erretter
erschienen.   150
Denn als er erst auf der Straße mich ließ, so war er mir immer
In Gedanken geblieben; ich dachte des glücklichen
Mädchens,
Das er vielleicht schon als Braut im Herzen möchte
bewahren.
Und als ich wieder am Brunnen ihn fand, da freut' ich mich
seines
Anblicks so sehr, als wär mir der Himmlischen einer
erschienen.   155
Und ich folgt' ihm so gern, als nun er zur Magd mich
geworben.
Doch mir schmeichelte freilich das Herz (ich will es gestehen)
Auf dem Wege hierher, als könnt' ich vielleicht ihn
verdienen,
Wenn ich würde des Hauses einst unentbehrliche Stütze.
Aber, ach! nun seh' ich zuerst die Gefahren, in die ich   160
Mich begab, so nah dem stille Geliebten zu wohnen.
Nun erst fühl' ich, wie weit ein armes Mädchen entfernt ist
Von dem reicheren Jüngling, und wenn sie die tüchtigste
wäre.
Alles das hab' ich gesagt, damit ihr das Herz nicht verkennet,
Das ein Zufall beleidigt, dem ich die Besinnung verdanke.   165
Denn das mußt' ich erwarten, die stillen Wünsche
verbergend,
Daß er sich brächte zunächst die Braut zum Hause geführet;
Und wie hätt' ich alsdann die heimlichen Schmerzen
ertragen!

Glücklich bin ich gewarnt, und glücklich lös't das Geheimnis
170 Von dem Busen sich los, jetzt, da noch das Übel ist heilbar.
Aber das sei nun gesagt. Und nun soll im Hause mich länger
Hier nichts halten, wo ich beschämt und ängstlich nur stehe,
Frei die Neigung bekennend, und jene törichte Hoffnung.
Nicht die Nacht, die breit sich bedeckt mit sinkenden
                                                          Wolken,
175 Nicht der rollende Donner (ich hör' ihn) soll mich
                                                          verhindern,
Nicht des Regens Guß, der draußen gewaltsam herabschlägt,
Noch der sausende Sturm. Das hab' ich alles ertragen
Auf der traurigen Flucht, und nah' am verfolgenden Feinde.
Und ich gehe nun wieder hinaus, wie ich lange gewohnt bin,
180 Von dem Strudel der Zeit ergriffen, von Allem zu scheiden.
Lebet wohl! Ich bleibe nicht länger; es ist nun geschehen.

Also sprach sie, sich rasch zurück nach der Türe bewegend,
Unter dem Arm das Bündelchen noch, das sie brachte,
                                                          bewahrend.
Aber die Mutter ergriff mit beiden Armen das Mädchen,
185 Um den Leib sie fassend, und rief verwundert und staunend:
Sag, was bedeutet mir dies? und diese vergeblichen Tränen?
Nein, ich lasse dich nicht; du bist mir des Sohnes Verlobte.
Aber der Vater stand mit Widerwillen dagegen,
Auf die Weinende schauend, und sprach die verdrießlichen
                                                          Worte:
190 Also das ist mir zuletzt für die höchste Nachsicht geworden,
Daß mir das Unangenehmste geschieht noch zum Schlusse
                                                          des Tages!
Denn mir ist unleidlicher nichts, als Tränen der Weiber,
Leidenschaftlich Geschrei, das heftig verworren beginnet,
Was mit ein wenig Vernunft sich ließe gemächlicher
                                                          schlichten.
195 Mir ist lästig, noch länger dies wunderliche Beginnen
Anzuschauen. Vollendet es selbst; ich gehe zu Bette.
Und er wandte sich schnell, und eilte zur Kammer zu gehen,
Wo ihm das Ehbett stand und wo er zu ruhen gewohnt war.

Aber ihn hielt der Sohn, und sagte die flehenden Worte:
Vater, eilet nur nicht und zürnet über das Mädchen!   200
Ich nur habe die Schuld von aller Verwirrung zu tragen,
Die unerwartet der Freund noch durch Verstellung vermehrt
                                                                hat.
Redet, würdiger Herr! denn Euch vertraut' ich die Sache.
Häufet nicht Angst und Verdruß; vollendet lieber das Ganze!
Denn ich möchte so hoch Euch nicht in Zukunft verehren,   205
Wenn Ihr Schadenfreude nur übt statt herrlicher Weisheit.

Lächelnd versetzte darauf der würdige Pfarrherr und sagte:
Welche Klugheit hätte denn wohl das schöne Bekenntnis
Dieser Guten entlockt, und uns enthüllt ihr Gemüte?
Ist nicht die Sorge sogleich dir zur Wonn' und Freude
                                                    geworden?   210
Rede darum nur selbst! was bedarf es fremder Erklärung?
Nun trat Herrmann hervor, und sprach die freundlichen
                                                        Worte:
Laß dich die Tränen nicht reun, noch diese flüchtigen
                                                    Schmerzen;
Denn sie vollenden mein Glück und, wie ich wünsche, das
                                                        deine.
Nicht das treffliche Mädchen als Magd, die Fremde, zu
                                                    dingen,   215
Kam ich zum Brunnen; ich kam, um deine Liebe zu werben.
Aber, ach! mein schüchterner Blick, er konnte die Neigung
Deines Herzens nicht sehn; nur Freundlichkeit sah er im
                                                        Auge,
Als aus dem Spiegel du ihn des ruhigen Brunnens
                                                    begrüßtest.
Dich ins Haus nur zu führen, es war schon die Hälfte des
                                                    Glückes.   220
Aber nun vollendest du mirs! O, sei mir gesegnet! –
Und es schaute das Mädchen mit tiefer Rührung zum
                                                    Jüngling,
Und vermied nicht Umarmung und Kuß, den Gipfel der
                                                    Freude,

Wenn sie den Liebenden sind die lang' ersehnte Versicherung
225 Künftigen Glücks im Leben, das nun ein unendliches
                                                            scheinet.

Und den Übrigen hatte der Pfarrherr Alles erkläret.
Aber das Mädchen kam, vor dem Vater sich herzlich mit
                                                            Anmut
Neigend, und so ihm die Hand, die zurückgezogene,
                                                            küssend,
Sprach: Ihr werdet gerecht der Überraschten verzeihen,
230 Erst die Tränen des Schmerzes, und nun die Tränen der
                                                            Freude.
O, vergebt mir jenes Gefühl! vergebt mir auch dieses,
Und laßt nur mich ins Glück, das neu mir gegönnte, mich
                                                            finden!
Ja, der erste Verdruß, an dem ich Verworrene schuld war,
Sei der letzte zugleich! Wozu die Magd sich verpflichtet,
235 Treu, zu liebendem Dienst, den soll die Tochter euch leisten.

Und der Vater umarmte sie gleich, die Tränen verbergend.
Traulich kam die Mutter herbei und küßte sie herzlich,
Schüttelte Hand in Hand; es schwiegen die weinenden
                                                            Frauen.

Eilig faßte darauf der gute, verständige Pfarrherr
240 Erst des Vaters Hand, und zog ihm vom Finger den
                                                            Trauring,
(Nicht so leicht; er war vom rundlichen Gliede gehalten)
Nahm den Ring der Mutter darauf und verlobte die Kinder;
Sprach: noch einmal sei der goldenen Reifen Bestimmung,
Fest ein Band zu knüpfen, das völlig gleiche dem alten.
245 Dieser Jüngling ist tief von der Liebe zum Mädchen
                                                            durchdrungen,
Und das Mädchen gesteht, daß auch ihr der Jüngling
                                                            erwünscht ist.
Also verlob' ich euch hier und segn' euch künftigen Zeiten,
Mit dem Willen der Eltern, und mit dem Zeugnis des
                                                            Freundes.

Und es neigte sich gleich mit Segenswünschen der Nachbar.
Aber als der geistliche Herr den goldenen Reif nun   250
Steckt' an die Hand des Mädchens, erblickt' er den andern
                              staunend,
Den schon Herrmann zuvor am Brunnen sorglich betrachtet.
Und er sagte darauf mit freundlich scherzenden Worten:
Wie? du verlobest dich schon zum zweitenmal? Daß nicht der
                              erste
Bräutigam bei dem Altar sich zeige mit hinderndem
                              Einspruch!   255

Aber sie sagte darauf: o, laßt mich dieser Erinnrung
Einen Augenblick weihen! Denn wohl verdient sie der Gute,
Der mir ihn scheidend gab und nicht zur Heimat zurückkam.
Alles sah er voraus, als rasch die Liebe der Freiheit,
Als ihn die Lust im neuen veränderten Wesen zu wirken   260
Trieb, nach Paris zu gehn, dahin, wo er Kerker und Tod fand.
Lebe glücklich, sagt' er. Ich gehe; denn Alles bewegt sich
Jetzt auf Erden einmal, es scheint sich Alles zu trennen.
Grundgesetze lösen sich auf der festesten Staaten,
Und es lös't der Besitz sich los vom alten Besitzer,   265
Freund sich los von Freund; so lös't sich Liebe von Liebe.
Ich verlasse dich hier; und, wo ich jemals dich wieder
Finde – wer weiß es? Vielleicht sind diese Gespräche die
                              letzten.
Nur ein Fremdling, sagt man mit Recht, ist der Mensch hier
                              auf Erden.
Mehr ein Fremdling als jemals, ist nun ein jeder geworden.   270
Uns gehört der Boden nicht mehr; es wandern die Schätze;
Gold und Silber schmilzt aus den alten heiligen Formen;
Alles regt sich, als wollte die Welt, die gestaltete, rückwärts
Lösen in Chaos und Nacht sich auf, und neu sich gestalten.
Du bewahrst mir dein Herz; und finden dereinst wir uns
                              wieder   275
Über den Trümmern der Welt, so sind wir erneute
                              Geschöpfe,
Umgebildet und frei und unabhängig vom Schicksal.

Denn was fesselte den, der solche Tage durchlebt hat!
Aber soll es nicht sein, daß je wir, aus diesen Gefahren
280 Glücklich entronnen, uns einst mit Freuden wieder
                                    umfangen,
O, so erhalte mein schwebendes Bild vor deinen Gedanken,
Daß du mit gleichem Mute zu Glück und Unglück bereit
                                    seist!
Locket neue Wohnung dich an und neue Verbindung,
So genieße mit Dank, was dann dir das Schicksal bereitet.
285 Liebe die Liebenden rein, und halte dem Guten dich
                                    dankbar.
Aber dann auch setze nur leicht den beweglichen Fuß auf;
Denn es lauert der doppelte Schmerz des neuen Verlustes.
Heilig sei dir der Tag; doch schätze das Leben nicht höher,
Als ein anderes Gut, und alle Güter sind trüglich.
290 Also sprach er; und nie erschien der Edle mir wieder.
Alles verlor ich indes, und tausendmal dacht' ich der
                                    Warnung.
Nun auch denk' ich des Worts, da schön mir die Liebe das
                                    Glück hier
Neu bereitet und mir die herrlichsten Hoffnungen
                                    aufschließt.
O, verzeih, mein trefflicher Freund, daß ich, selbst an dem
                                    Arm dich
295 Haltend, bebe! So scheint dem endlich gelandeten Schiffer
Auch der sicherste Grund des festesten Bodens zu
                                    schwanken.

Also sprach sie, und steckte die Ringe neben einander.
Aber der Bräutigam sprach, mit edler männlicher Rührung:
Desto fester sei, bei der allgemeinen Erschüttrung,
300 Dorothea, der Bund! Wir wollen halten und dauern,
Fest uns halten und fest der schönen Güter Besitztum.
Denn der Mensch, der zur schwankenden Zeit auch
                                    schwankend gesinnt ist,
Der vermehret das Übel, und breitet es weiter und weiter;
Aber wer fest auf dem Sinne beharrt, der bildet die Welt sich.

Nicht dem Deutschen geziemt es, die fürchterliche
                                   Bewegung   305
Fortzuleiten, und auch zu wanken hierhin und dorthin.
Dies ist unser! so laß uns sagen und so es behaupten!
Denn es werden noch stets die entschlossenen Völker
                                   gepriesen,
Die für Gott und Gesetz, für Eltern, Weiber und Kinder
Stritten und gegen den Feind zusammenstehend erlagen.   310
Du bist mein; und nun ist das Meine meiner als jemals.
Nicht mit Kummer will ichs bewahren und sorgend
                                   genießen,
Sondern mit Mut und Kraft. Und drohen diesmal die Feinde,
Oder künftig, so rüste mich selbst und reiche die Waffen.
Weiß ich durch dich nur versorgt das Haus und die liebenden
                                   Eltern,   315
O, so stellt sich die Brust dem Feinde sicher entgegen.
Und gedächte jeder wie ich, so stände die Macht auf
Gegen die Macht, und wir erfreuten uns Alle des Friedens.

ACHILLEÏS

ERSTER GESANG

Hoch zu Flammen entbrannte die mächtige Lohe noch
                  einmal,
Strebend gegen den Himmel, und Ilions Mauern erschienen
Rot, durch die finstere Nacht; der aufgeschichteten Waldung
Ungeheures Gerüst, zusammenstürzend, erregte
5 Mächtige Glut zuletzt. Da senkten sich Hectors Gebeine
Nieder, und Asche lag der edelste Troer am Boden.

Nun erhob sich Achilleus vom Sitz vor seinem Gezelte,
Wo er die Stunden durchwachte, die nächtlichen, schaute der
                  Flammen
Fernes, schreckliches Spiel und des wechselnden Feuers
                  Bewegung,
10 Ohne die Augen zu wenden von Pergamos rötlicher Veste.
Tief im Herzen empfand er den Haß noch gegen den Toten,
Der ihm den Freund erschlug und der nun bestattet dahin
                  sank.

Aber als nun die Wut nachließ des fressenden Feuers
Allgemach, und zugleich mit Rosenfingern die Göttin
15 Schmückete Land und Meer, daß der Flammen Schrecknisse
                  bleichten,
Wandte sich, tief bewegt und sanft, der große Pelide
Gegen Antilochos hin und sprach die gewichtigen Worte:
So wird kommen der Tag, da bald von Ilions Trümmern
Rauch und Qualm sich erhebt, von thrakischen Lüften
                  getrieben,
20 Idas langes Gebirg und Gargaros Höhe verdunkelt;
Aber ich werd' ihn nicht sehen! Die Völkerweckerin Eos

Fand mich Patroklos Gebein zusammenlesend, sie findet
Hectors Brüder anjetzt in gleichem frommen Geschäfte,
Und dich mag sie auch bald, mein trauter Antilochos, finden,
Daß du den leichten Rest des Freundes jammernd bestattest.   25
Soll dies also nun sein, wie mir es die Götter entbieten;
Sei es! Gedenken wir nur des Nötigen, was noch zu tun ist.
Denn mich soll, vereint mit meinem Freunde Patroklos,
Ehren ein herrlicher Hügel, am hohen Gestade des Meeres
Aufgerichtet, den Völkern und künftigen Zeiten ein
                                        Denkmal.   30
Fleißig haben mir schon die rüstigen Myrmidonen
Rings umgraben den Raum, die Erde warfen sie einwärts,
Gleichsam schützenden Wall aufführend gegen des Feindes
Andrang. Also umgrenzten den weiten Raum sie geschäftig.
Aber wachsen soll mir das Werk! Ich eile die Scharen   35
Aufzurufen, die mir noch Erde mit Erde zu häufen
Willig sind, und so vielleicht befördr' ich die Hälfte;
Euer sei die Vollendung, wenn bald mich die Urne gefaßt
                                        hat.

Also sprach er und ging, und schritt durch die Reihe der
                                        Zelte
Winkend jenem und diesem und rufend andre zusammen.   40
Alle sogleich nun erregt ergriffen das starke Geräte,
Schaufel und Hacke mit Lust, daß der Klang des Erzes
                                        ertönte,
Auch den gewaltigen Pfahl, den steinbewegenden Hebel.
Und so zogen sie fort, gedrängt aus dem Lager ergossen,
Aufwärts den sanften Pfad, und schweigend eilte die Menge.   45
Wie wenn zum Überfall gerüstet, nächtlich die Auswahl
Stille ziehet des Heers, mit leisen Tritten die Reihe
Wandelt und jeder die Schritte mißt, jeder den Atem
Anhält, in feindliche Stadt, die schlechtbewachte, zu dringen:
Also zogen auch sie, und Aller tätige Stille   50
Ehrte das ernste Geschäft und ihres Königes Schmerzen.

Als sie aber den Rücken des wellenbespületen Hügels
Bald erreichten und nun des Meeres Weite sich auftat,
Blickte freundlich Eos sie an, aus der heiligen Frühe
55 Fernem Nebelgewölk, und jedem erquickte das Herz sie.
Alle stürzten sogleich dem Graben zu, gierig der Arbeit,
Rissen in Schollen auf den lange betretenen Boden,
Warfen schaufelnd ihn fort, ihn trugen andre mit Körben
Aufwärts. In Helm und Schild einfüllen sah man die einen,
60 Und der Zipfel des Kleids war anderen statt des Gefäßes.

Itzt eröffneten heftig des Himmels Pforte die Horen,
Und das wilde Gespann des Helios brausend erhub sich's.
Rasch erleuchtet' er gleich die frommen Aethiopen,
Welche die äußersten wohnen von allen Völkern der Erde.
65 Bald, die glühenden Locken schüttelnd, entstieg er des Ida
Wäldern, um klagenden Troern, um rüst'gen Achaiern zu
                                    leuchten.

Aber die Horen indes, zum Äther strebend, erreichten
Zeus Kronions heiliges Haus, das sie ewig begrüßen.
Und sie traten hinein, da begegnete ihnen Hephaistos
70 Eilig, hinkend und sprach auffordernde Worte zu ihnen:
Trügliche! Glücklichen schnelle, den Harrenden langsame!
                                    hört mich!
Diesen Saal erbaut' ich, dem Willen des Vaters gehorsam,
Nach dem göttlichen Maß des herrlichsten Musengesanges;
Sparte nicht Gold und Silber, noch Erz, und bleiches Metall
                                    nicht;
75 Und so wie ich's vollendet, vollkommen stehet das Werk
                                    noch,
Ungekränkt von der Zeit. Denn hier ergreift es der Rost
                                    nicht,
Noch erreicht es der Staub, des irdischen Wandrers Gefährte.
Alles hab' ich getan was irgend schaffende Kunst kann.
Unerschütterlich ruht die hohe Decke des Hauses,
80 Und zum Schritte ladet der glatte Boden den Fuß ein.
Jedem Herrscher folget sein Thron, wohin er gebietet,

Wie dem Jäger der Hund, und goldene wandelnde Knaben
Schuf ich, welche Kronion, den kommenden, unterstützen,
Wie ich mir eherne Mädchen erschuf. Doch alles ist leblos!
Euch allein ist gegeben, den Charitinnen und euch nur,   85
Über das tote Gebild des Lebens Reize zu streuen.
Auf denn! sparet mir nichts und gießt, aus dem heiligen
                                        Salbhorn,
Herrlichen Liebreiz umher, damit ich mich freue des Werkes,
Und die Götter entzückt so fort mich preisen wie Anfangs.
Und sie lächelten sanft, die beweglichen, nickten dem Alten   90
Freundlich, und gossen umher verschwenderisch Leben und
                                        Licht aus,
Daß kein Mensch es ertrüg' und daß es die Götter entzückte.

Also gegen die Schwelle bewegte sich eilig Hephaistos,
Auf die Arbeit gesinnt, denn diese nur regte das Herz ihm.
Da begegnet' ihm Here, von Pallas Athene begleitet,   95
Sprechend wechselndes Wort; und als den Sohn sie erblickte,
Hielt sie ihn an sogleich und sprach, die göttliche Here:
Sohn, du mangelst nun bald des selbstgefälligen Ruhmes,
Daß du Waffen bereitest, vom Tode zu schützen die
                                        Menschen,
Alle Kunst erschöpfend, wie diese dich bittet und jene   100
Göttin; denn nah ist der Tag, da zeitig der große Pelide
Sinken wird in den Staub, der Sterblichen Grenze
                                        bezeichnend.
Schutz nicht ist ihm dein Helm, noch der Harnisch, auch
                                        nicht des Schildes
Umfang, wenn ihn bestreiten die finsteren Keren des Todes.

Aber der künstliche Gott Hephaistos sagte dagegen: 105
Warum spottest du mein, o Mutter, daß ich geschäftig
Mich der Thetis bewies und jene Waffen verfertigt.
Käme doch gleiches nicht vom Amboß irdischer Männer;
Ja, mit meinem Gerät verfertigte selbst sie ein Gott nicht,
Angegossen dem Leib, wie Flügel den Helden erhebend,   110
Undurchdringlich und reich, ein Wunder staunendem
                                        Anblick.

Denn was ein Gott den Menschen verleiht ist segnende
Gabe,
Nicht wie ein Feindes-Geschenk, das nur zum Verderben
bewahrt wird.
Und mir wäre gewiß Patroklos glücklich und siegreich
115 Wiedergekehrt, wofern nicht Phöbos den Helm von dem
Haupt ihm
Schlug, und den Harnisch trennte, so daß der Entblößte
dahin sank.
Aber soll es denn sein, und fordert den Menschen das
Schicksal,
Schützte die Waffe nicht, die göttlichste, schützte die Aegis
Selbst nicht, die Göttern allein die traurigen Tage davon
scheucht.
120 Doch was kümmert es mich! Wer Waffen schmiedet, bereitet
Krieg und muß davon der Zither Klang nicht erwarten.
Also sprach er und ging und murrte, die Göttinnen lachten.

Unterdessen betraten den Saal die übrigen Götter.
Artemis kam, die frühe, schon freudig des siegenden Pfeiles,
125 Der den stärksten Hirsch ihr erlegt, an den Quellen des Ida.
Auch, mit Iris, Hermeias, dazu die erhabene Leto,
Ewig der Here verhaßt, ihr ähnlich, milderes Wesens.
Phöbos folgt ihr, des Sohns erfreut sich die göttliche Mutter.
Ares schreitet mächtig heran, behende, der Krieger,
130 Keinem freundlich, und nur bezähmt ihn Kypris die holde.
Spät kam Aphrodite herbei, die äugelnde Göttin,
Die von Liebenden sich in Morgenstunden so ungern
Trennet. Reizend ermattet, als hätte die Nacht ihr zur Ruhe
Nicht genüget, so senkte sie sich in die Arme des Thrones.

135 Und es leuchtete sanft die Hallen her, Wehen des Äthers
Drang aus den Weiten hervor, Kronions Nähe verkündend.
Gleich nun trat er heran, aus dem hohen Gemach, zur
Versammlung,
Unterstützt durch Hephaistos Gebild. So gleitet' er herrlich
Bis zum goldenen Thron, dem künstlichen, saß, und die
andern

Stehenden neigten sich ihm, und setzten sich, jeder
                                    gesondert.   140

Munter eilten sogleich die schenkbeflissnen, gewandten
Jugendgötter hervor, die Charitinnen und Hebe,
Spendeten rings umher des reichen, ambrosischen Gischtes,
Voll, nicht überfließend, Genuß den Uranionen.
Nur zu Kronion trat Ganymed, mit dem Ernste des ersten   145
Jünglingsblickes im kindlichen Aug', und es freute der Gott
                                    sich.
Also genossen sie still die Fülle der Seligkeit Alle.

Aber Thetis erschien, die göttliche, traurendes Blickes,
Vollgestaltet und groß, die lieblichste Tochter des Nereus,
Und zu Here sogleich gewendet sprach sie das Wort aus: 150
Göttin, nicht weggekehrt empfange mich! Lerne gerecht
                                    sein!
Denn ich schwör' es bei jenen, die, unten im Tartarus
                                    wohnend,
Sitzen um Kronos umher und über der stygischen Quelle,
Späte Rächer dereinst des falsch gesprochenen Schwures:
Nicht her bin ich gekommen, damit ich hemme des Sohnes   155
Nur zu gewisses Geschick, und den traurigen Tag ihm
                                    entferne;
Nein, mich treibet herauf aus des Meeres Purpurbehausung
Unbezwinglicher Schmerz, ob in der olympischen Höhe
Irgend ich lindern möchte die jammervolle Beängstung.
Denn mich rufet der Sohn nicht mehr an, er stehet am Ufer, 160
Mein vergessend, und nur des Freundes sehnlich gedenkend,
Der nun vor ihm hinab in des Aïs dunkle Behausung
Stieg, und dem er sich nach selbst hin zu den Schatten
                                    bestrebet.
Ja, ich mag ihn nicht sehn, nicht sprechen. Hülf' es? einander
Unvermeidliche Not, zusammen jammernd, zu klagen.   165

Heftig wandte Here sich um, und fürchterlich blickend
Sprach sie, voller Verdruß, zur traurigen kränkende Worte:

Gleisnerin, unerforschte, dem Meer gleich, das dich erzeugt
                                        hat!
Trauen soll ich? und gar mit freundlichem Blick dich
                                        empfangen?
170 Dich, die tausendfach mich gekränkt, wie sonst so vor
                                        kurzem,
Die mir die edelsten Krieger zum Tod befördert, um ihres
Sohns unerträglichem Sinn, dem unvernünft'gen, zu
                                        schmeicheln.
Glaubst du, ich kenne dich nicht und denke nicht jenes
                                        Beginnens,
Da dir als Bräutigam schon Kronion herrlich hinabstieg,
175 Mich, die Gattin und Schwester, verließ, und die Tochter des
                                        Nereus
Himmelskönigin hoffte zu sein, entzündet von Hochmut.
Doch wohl kehrt er zurück, der Göttliche, von des Titanen
Weiser Sage geschreckt, der aus dem verdammlichen Bette
Ihm den gefährlichsten Sohn verkündet. Prometheus
                                        verstand es!
180 Denn von dir und dem sterblichen Mann ist entsprungen ein
                                        Untier,
An der Chimära statt und des erdeverwüstenden Drachens.
Hätt' ein Gott ihn gezeugt, wer sicherte Göttern den Äther?
Und wie jener die Welt, verwüstete dieser den Himmel.
Und doch seh' ich dich nie herannahn, daß nicht, erheitert,
185 Dir der Kronide winkt und leicht an der Wange dir streichelt;
Ja, daß er alles bewilligt, der schreckliche, mich zu
                                        verkürzen.
Unbefriedigte Lust welkt nie in dem Busen des Mannes!

Und die Tochter versetzte des wahrhaft sprechenden Nereus:
Grausame! welcherlei Rede versendest du! Pfeile des Hasses!
190 Nicht verschonst du der Mutter Schmerz, den
                                        schrecklichsten aller,
Die das nahe Geschick des Sohnes, bekümmert, umher klagt.
Wohl erfuhrest du nicht wie dieser Jammer im Busen
Wütet, des sterblichen Weibes, so wie der unsterblichen
                                        Göttin.

Denn, von Kronion gezeugt, umwohnen dich herrliche
                                Söhne,
Ewig rüstig und jung, und du erfreust dich der Hohen.   195
Doch du jammertest selbst, in ängstliche Klagen ergossen,
Jenes Tags da Kronion, erzürnt, den treuen Hephaistos,
Deinetwegen, hinab auf Lemnos Boden geschleudert;
Und der herrliche lag an dem Fuße verletzt, wie ein Erdsohn.
Damals schriest du laut zu den Nymphen der schattigen
                                Insel,   200
Riefest den Päan herbei und wartetest selber des Schadens.
Ja, noch jetzt betrübt dich der Fehl des hinkenden Sohnes.
Eilt er geschäftig umher, wohlwollend, daß er den Göttern
Reiche des köstlichen Tranks, und trägt er die goldene Schale
Schwankend, ernstlich besorgt, damit er nicht etwa vergieße, 205
Und unendlich Gelächter entsteht von den seligen Göttern;
Immer zeigst du allein dich ernst und nimmst dich des Sohns
                                an.
Und ich suchte mir nicht des Jammers gesellige Lindrung
Heute, da mir der Tod des herrlichen, einz'gen bevorsteht?
Denn mir hat es zu fest der graue Vater verkündet,   210
Nereus, der wahre Mund, des Künftigen göttlicher
                                Forscher,
Jenes Tages als ihr, versammelt, ihr ewigen Götter,
Mir das erzwungene Fest, des sterblichen Mannes
                                Umarmung,
In des Pelions Wäldern, herniedersteigend, gefeiert.
Damals kündete gleich der Greis mir den herrlichen Sohn an, 215
Vorzuziehen dem Vater, denn also wollt' es das Schicksal;
Doch er verkündet zugleich der traurigen Tage Verkürzung.
Also wälzten sich mir die eilenden Jahre vorüber,
Unaufhaltsam, den Sohn zur schwarzen Pforte des Aïs
Drängend. Was half mir die Kunst und die List? was die
                                läuternde Flamme?   220
Was das weibliche Kleid? Den edelsten rissen zum Kriege
Unbegrenzte Begier nach Ruhm und die Bande des
                                Schicksals.
Traurige Tage hat er verlebt, sie gehen zu Ende

Gleich. Mir ist sie bekannt des hohen Geschickes Bedingung.
225 Ewig bleibt ihm gesicherter Ruhm, doch die Waffen der
                                        Keren
Drohen ihm nah und gewiß, ihn rettete selbst nicht Kronion.
Also sprach sie und ging und setzte sich Leto zur Seite,
Die ein mütterlich Herz vor den übrigen Uranionen
Hegt im Busen, und dort genoß sie die Fülle des Schmerzens.

230 Ernst nun wandte Kronion und mild sein göttliches Antlitz
Gegen die Klagende hin, und väterlich also begann er:
Tochter, sollt' ich von dir der Lästerung heftige Worte
Jemals im Ohre vernehmen! wie sie ein Titan wohl im
                                        Unmut
Ausstößt gegen die Götter, die hoch den Olympos
                                        beherrschen.
235 Selber sprichst du dem Sohn das Leben ab, töricht
                                        verzweifelnd?
Hoffnung bleibt mit dem Leben vermählt, die schmeichelnde
                                        Göttin,
Angenehm vor vielen, die als getreue Dämonen,
Mit den sterblichen Menschen die wechselnden Tage
                                        durchwallen.
Ihr verschließt sich nicht der Olymp, ja selber des Aïs
240 Grause Wohnung eröffnet sich ihr, und das eherne Schicksal
Lächelt, wenn sie sich ihm, die Holde, schmeichlerisch
                                        andrängt.
Gab doch die undurchdringliche Nacht Admetos Gemahlin
Meinem Sohne zurück, dem unbezwingbaren? stieg nicht
Protesilaos herauf die traurende Gattin umfangend?
245 Und erweichte sich nicht Persephone, als sie dort unten
Hörte des Orpheus Gesang und unbezwingliche Sehnsucht?
Ward nicht Asklepios Kraft von meinem Strahle gebändigt,
Der, verwegen genug, die Toten dem Leben zurückgab?
Selbst für den Toten hofft der Lebende. Willst du
                                        verzweifeln,
250 Da der Lebendige noch das Licht der Sonne genießet?
Nicht ist fest umzäunt die Grenze des Lebens; ein Gott treibt,

Ja, es treibet der Mensch sie zurück die Keren des Todes.
Darum laß mir nicht sinken den Mut! bewahre vor Frevel
Deine Lippen und schleuß dem feindlichen Spotte dein Ohr
zu.
Oft begrub schon der Kranke den Arzt, der das Leben ihm
kürzlich   255
Abgesprochen, geneset und froh der beleuchtenden Sonne.
Dränget nicht oft Poseidon den Kiel des Schiffes gewaltig
Nach der verderblichen Syrt' und spaltet Planken und
Ribben?
Gleich entsinket das Ruder der Hand, und des berstenden
Schiffes
Trümmer, von Männern gefaßt, zerstreuet der Gott in den
Wogen.   260
Alle will er verderben, doch rettet manchen der Dämon.
So auch weiß, mich dünkt, kein Gott noch der Göttinnen
erste,
Wem von Ilions Feld Rückkehr nach Hause bestimmt sei.

Also sprach er und schwieg; da riß die göttliche Here
Schnell vom Sitze sich auf und stand, wie ein Berg in dem
Meer steht,   265
Dessen erhabene Gipfel des Äthers Wetter umleuchten.
Zürnend sprach sie und hoch, die Einzige, würdiges Wesens:
Schrecklicher, wankend gesinnter! was sollen die
täuschenden Worte?
Sprächest du mich zu reizen etwa? und dich zu ergetzen
Wenn ich zürne, mir so vor den Himmlischen Schmach zu
bereiten?   270
Denn ich glaube wohl kaum, daß ernstlich das Wort dir
bedacht sei.
Ilion fällt! du schwurst es mir selbst, und die Winke des
Schicksals
Deuten alle dahin, so mag denn auch fallen Achilleus!
Er, der beste der Griechen, der würdige Liebling der Götter.
Denn wer im Wege steht dem Geschick, das dem endlichen
Ziele   275

Furchtbar zueilt, stürzt in den Staub, ihn zerstampfen die
                                             Rosse,
Ihn zerquetschet das Rad des ehernen, heiligen Wagens.
Also acht' ich es nicht, wie viel du auch Zweifel erregest,
Jene vielleicht zu erquicken, die weich sich den Schmerzen
                                             dahingibt.
280 Aber dies sag' ich dir doch und nimm dir solches zu Herzen:
Willkür bleibet ewig verhaßt den Göttern und Menschen,
Wenn sie in Taten sich zeigt, auch nur in Worten sich kund
                                             gibt.
Denn so hoch wir auch stehn, so ist der ewigen Götter
Ewigste Themis allein, und diese muß dauern und walten,
285 Wenn dein Reich dereinst, so spät es auch sei, der Titanen
Übermächtiger Kraft, der lange gebändigten, weichet.

Aber unbewegt und heiter versetzte Kronion:
Weise sprichst du, nicht handelst du so, denn es bleibet
                                             verwerflich,
Auf der Erd' und im Himmel, wenn sich der Genosse des
                                             Herrschers
290 Zu den Widersachern gesellt, geschäh' es in Taten,
Oder Worten; das Wort ist nahenden Taten ein Herold.
Also bedeut' ich dir dieses, beliebt's, Unruhige! dir noch
Heute des Kronos Reich, da unten waltend, zu teilen;
Steig' entschlossen hinab, erharre den Tag der Titanen,
295 Der, mich dünkt, noch weit vom Lichte des Äthers entfernt
                                             ist.
Aber euch anderen sag' ich es an, noch drängt nicht
                                             Verderben
Unaufhaltsam heran, die Mauern Troja's zu stürzen.
Auf denn! wer Troja beschützt, beschütze zugleich den
                                             Achilleus,
Und den übrigen steht, mich dünkt, ein trauriges Werk vor,
300 Wenn sie den trefflichsten Mann der begünstigten Danaer
                                             töten.
Also sprechend erhub er vom Thron sich nach seinen
                                             Gemächern.

Und von dem Sitze bewegt entfernten sich Leto und Thetis,
In die Tiefe der Hallen; des einsamen Wechselgespräches
Traurige Wonne begehrend, und keiner folgte den beiden.
Nun zu Ares gekehrt rief aus die erhabene Here: 305
Sohn! was sinnest nun du, dess ungebändigte Willkür
Diesen und jenen begünstigt, den einen bald und den andern
Mit dem wechselnden Glück der schrecklichen Waffen
                                                    erfreuet.
Dir liegt nimmer das Ziel im Sinn, wohin es gesteckt sei,
Nur des Augenblicks Kraft und Wut und unendlicher
                                                    Jammer.   310
Also denk' ich, du werdest nun bald, in der Mitte der Troer,
Selbst den Achilleus bekämpfen, der endlich seinem
                                                    Geschick naht,
Und nicht unwert ist von Götterhänden zu fallen.

Aber Ares versetzte darauf, mit Adel und Ehrfurcht:
Mutter, dieses gebiete mir nicht: denn solches zu enden   315
Ziemte nimmer dem Gott. Es mögen die sterblichen
                                                    Menschen
Unter einander sich töten, so wie sie des Sieges Begier treibt.
Mein ist sie aufzuregen, aus ferner friedlicher Wohnung,
Wo sie unbedrängt die herrlichen Tage genießen,
Sich um die Gaben der Ceres, der Nährerin, emsig
                                                    bemühend.   320
Aber ich mahne sie auf, von Ossa begleitet; der fernen
Schlachten Getümmel erklingt vor ihren Ohren, es sauset
Schon der Sturm des Gefechts um sie her, und erregt die
                                                    Gemüter
Grenzenlos; nichts hält sie zurück, und in mutigem Drange
Schreiten sie lechzend heran, der Todesgefahren begierig.   325
Also zieh' ich nun hin, den Sohn der lieblichen Eos,
Memnon, aufzurufen und äthiopische Völker;
Auch das Amazonengeschlecht, dem Männer verhaßt sind.
Also sprach er und wandte sich ab; doch Kypris, die holde,
Faßt' ihn und sah ihm ins Aug' und sprach mit herrlichem
                                                    Lächeln: 330

Wilder, stürmst du so fort! die letzten Völker der Erde
Aufzufordern zum Kampf, der um ein Weib hier gekämpft
wird.
Tu' es, ich halte dich nicht! Denn um die schönste der Frauen
Ist es ein werterer Kampf als je um der Güter Besitztum.
335 Aber errege mir nicht die äthiopischen Völker,
Die den Göttern so oft die frömmsten Feste bekränzen,
Reines Lebens; ich gab die schönsten Gaben den Guten,
Ewigen Liebesgenuß und unendlicher Kinder Umgebung.
Aber sei mir gepriesen, wenn du unweibliche Scharen
340 Wilder Amazonen zum Todeskampfe heranführst;
Denn mir sind sie verhaßt, die rohen, welche der Männer
Süße Gemeinschaft fliehn, und Pferdebändigerinnen
Jeden reinlichen Reiz, den Schmuck der Weiber, entbehren.

Also sprach sie und sah dem eilenden nach; doch behende
345 Wandte die Augen sie ab, des Phöbos Wege zu spähen,
Der sich von dem Olympos zur blühenden Erde herabließ,
Dann das Meer durchschritt, die Inseln alle vermeidend,
Nach dem thymbräischen Tal hineilete, wo ihm ein Tempel
Ernst und würdig stand, von Troja's Völkern umflossen,
350 Als es Friede noch war, wo alles der Feste begehret.
Aber nun stand er leer und ohne Feier und Wettkampf.
Dort erblickt' ihn die kluge, gewandte Kypris, die Göttin,
Ihm zu begegnen gesinnt, denn mancherlei wälzt sie im
Busen.

Und zu Here sprach die ernste Pallas Athene:
355 Göttin! du zürnest mir nicht. Ich steige jetzo hernieder,
Jenem zur Seite zu treten, den bald nun das Schicksal ereilet.
Solch ein schönes Leben verdient nicht zu enden in Unmut.
Gern gesteh' ich es dir, vor allen Helden der Vorzeit,
Wie auch der Gegenwart, lag stets mir Achilleus am Herzen;
360 Ja, ich hätte mich ihm verbunden in Lieb' und Umarmung,
Könnten Tritogeneien die Werke der Kypris geziemen;
Aber wie er den Freund mit gewaltiger Neigung umfaßt hat,
Also halt' ich auch ihn; und so wie er jenen bejammert,

Werd' ich, wenn er nun fällt, den Sterblichen klagen, die
                                    Göttin.
Ach! daß schon so frühe das schöne Bildnis der Erde   365
Fehlen soll! die breit und weit am Gemeinen sich freuet.
Daß der schöne Leib, das herrliche Lebensgebäude,
Fressender Flamme soll dahingegeben zerstieben.
Ach! und daß er sich nicht, der edle Jüngling, zum Manne
Bilden soll. Ein fürstlicher Mann ist so nötig auf Erden.   370
Daß die jüngere Wut, des wilden Zerstörens Begierde
Sich als mächtiger Sinn, als schaffender, endlich beweise,
Der die Ordnung bestimmt nach welcher sich Tausende
                                    richten.
Nicht mehr gleicht der Vollendete dann dem stürmenden
                                    Ares,
Dem die Schlacht nur genügt, die männertötende! Nein, er   375
Gleicht dem Kroniden selbst, von dem herabkommt die
                                    Wohlfahrt.
Städte zerstört er nicht mehr, er baut sie; fernem Gestade
Führt er den Überfluß der Bürger zu; Küsten und Syrten
Wimmeln von neuem Volk, des Raums und der Nahrung
                                    begierig.
Dieser aber baut sich sein Grab. Nicht kann oder soll ich   380
Meinen Liebling zurück von der Pforte des Aïs geleiten,
Die er schon forschend umgeht und sucht, dem Freunde zu
                                    folgen,
Die ihm, so nahe sie klafft, noch nächtliche Dunkel umhüllen.
Also sprach sie und blickte schrecklich hinaus in den weiten
Äther. Schrecklich blicket ein Gott da wo Sterbliche weinen.   385

Aber Here versetzte, der Freundin die Schulter berührend:
Tochter, ich teile mit dir die Schmerzen die dich ergreifen;
Denn wir denken ja gleich in vielem, so auch in diesem,
Daß ich vermeide des Mannes Umarmung, du sie
                                    verabscheust.
Aber desto geehrter ist stets uns der Würdige. Vielen   390
Frauen ist ein Weichling erwünscht, wie Anchises der
                                    blonde,

Oder Endymion gar, der nur als Schläfer geliebt ward.
Aber fasse dich nun, Kronions würdige Tochter,
Steige hinab zum Peliden und fülle mit göttlichem Leben
Seinen Busen, damit er vor allen sterblichen Menschen
Heute der glücklichste sei, des künftigen Ruhmes
                                            gedenkend,
Und ihm der Stunde Hand die Fülle des Ewigen reiche.

Pallas eilig schmückte den Fuß mit den goldenen Sohlen,
Die durch den weiten Raum des Himmels und über das Meer
                                                        sie
Tragen, schritt so hinaus und durchstrich die ätherischen
                                                    Räume,
So wie die untere Luft, und auf die Skamandrische Höhe
Senkte sie schnell sich hinab, ans weitgesehene Grabmal
Aesyetes. Nicht blickte sie erst nach der Veste der Stadt hin,
Nicht in das ruhige Feld, das zwischen des heiligen Xanthos
Immer fließendem Schmuck und des Simois steinigem
                                                    breiten
Trockenen Bette, hinab nach dem kiesigten Ufer sich
                                                    strecket.
Nicht durchlief ihr Blick die Reihen der Schiffe, der Zelte,
Spähete nicht im Gewimmel herum des geschäftigen Lagers;
Meerwärts wandte die Göttliche sich, der sigäische Hügel
Füllt' ihr das Auge, sie sah den rüstigen Peleionen
Seinem geschäftigen Volke der Myrmidonen gebietend.

Gleich der beweglichen Schar Ameisen, deren Geschäfte
Tief im Walde der eilende Tritt des Jägers gestöret,
Ihren Haufen zerstreuend, wie lang' er und sorglich getürmt
                                                            war.
Schnell die gesellige Menge, zu tausend Scharen zerstoben,
Wimmelt sie hin und her, und einzelne Tausende wimmeln,
Jede das nächste fassend und sich nach der Mitte bestrebend,
Hin nach dem alten Gebäude des labyrinthischen Kegels.
Also die Myrmidonen, sie häuften Erde mit Erde,
Rings von außen den Wall auftürmend, also erwuchs er
Höher, augenblicks, hinauf in beschriebenem Kreise.

Aber Achilleus stand im Grunde des Bechers, umgeben
Rings von dem stürzenden Wall, der um ein Denkmal
                                        emporstieg.
Hinter ihn trat Athene, nicht fern, des Antilochos Bildung
Hüllte die Göttin ein, nicht ganz, denn herrlicher schien er.   425
Bald nun zurückgewandt, erblickte den Freund der Pelide
Freudig, ging ihm entgegen und sprach, die Hand ihm
                                        ergreifend:
Trauter, kommst du mir auch das ernste Geschäft zu
                                        befördern?
Das der Jünglinge Fleiß mir nah und näher vollbringet.
Sieh! wie rings der Damm sich erhebt und schon nach der
                                        Mitte   430
Sich der rollende Schutt, den Kreis verengend, herandrängt.
Solches mag die Menge vollenden, doch dir sei empfohlen
In der Mitte das Dach, den Schirm der Urne, zu bauen.
Hier! zwei Platten sondert' ich aus, beim Graben gefundne
Ungeheure; gewiß der Erderschüttrer Poseidon   435
Riß vom hohen Gebirge sie los und schleuderte hierher
Sie, an des Meeres Rand, mit Kies und Erde sie deckend.
Diese bereiteten stelle sie auf, aneinander sie lehnend
Baue das feste Gezelt! darunter möge die Urne
Stehen, heimlich verwahrt, fern bis ans Ende der Tage.   440
Fülle die Lücke sodann des tiefen Raumes mit Erde,
Immer weiter heran, bis daß der vollendete Kegel,
Auf sich selber gestützt, den künftigen Menschen ein Mal sei.

Also sprach er, und Zeus kläräugige Tochter Athene
Hielt ihm die Hände noch fest, die schrecklichen, denen im
                                        Streite   445
Ungern nahet ein Mann, und wenn er der trefflichste wäre.
Diese drückt sie geschlossen, mit göttlicher, freundlicher
                                        Stärke,
Wiederholend, und sprach die holden erfreuenden Worte:
Lieber, was du gebeutst, vollendet künftig der deinen
Letzter, sei es nun ich, sei auch es ein andrer, wer weiß es.   450
Aber laß uns sogleich, aus diesem drängenden Kreise

Steigend hinauf, des Walles erhabenen Rücken umschreiten.
Dorten zeigt sich das Meer und das Land und die Inseln der
Ferne.
Also sprach sie und regte sein Herz und hob, an der Hand ihn
455 Führend, leicht ihn hinauf, und also wandelten beide
Um den erhabenen Rand des immer wachsenden Dammes.

Aber die Göttin begann, die blauen glänzenden Augen
Gegen das Meer gewendet, versuchende, freundliche Worte:
Welche Segel sind dies, die zahlreich, hinter einander,
460 Streben dem Ufer zu, in weite Reihe gedehnet?
Diese nahen, mich dünkt, so bald nicht der heiligen Erde,
Denn vom Strande der Wind weht morgendlich ihnen
entgegen.

Irret der Blick mich nicht, versetzte der große Pelide,
Trüget mich nicht das Bild der bunten Schiffe, so sind es
465 Kühne, phönikische Männer, begierig mancherlei
Reichtums.
Aus den Inseln führen sie her willkommene Nahrung,
Zu dem achaiischen Heer, das lange vermißte die Zufuhr,
Wein und getrocknete Frucht und Herden blökenden
Viehes.
Ja, sie sollen gelandet, mich dünkt, die Völker erquicken,
470 Ehe die drängende Schlacht die neugestärkten heranruft.

Wahrlich! versetzte darauf die bläulich blickende Göttin,
Keinesweges irrte der Mann, der hier an der Küste
Sich die Warte zu schaffen die Seinigen sämtlich erregte,
Künftig ins hohe Meer nach kommenden Schiffen zu spähen,
475 Oder ein Feuer zu zünden, der Steuernden nächtliches
Zeichen.
Denn der weiteste Raum eröffnet hier sich den Augen,
Nimmer leer; ein Schiff begegnet strebenden Schiffen,
Oder folgt. Fürwahr! ein Mann von Okeanos Strömen
Kommend, und körniges Gold des hintersten Phasis im
hohlen

Schiffe führend, begierig, nach Tausch, das Meer zu
                                        durchstreifen,   480
Immer würd' er gesehn, wohin er sich wendete. Schifft' er
Durch die salzige Flut des breiten Hellespontos
Nach des Kroniden Wieg' und nach den Strömen Aegyptos,
Die tritonische Syrte zu sehen verlangend, vielleicht auch
An dem Ende der Erde die niedersteigenden Rosse   485
Helios zu begrüßen und dann nach Hause zu kehren,
Reich mit Waren beladen, wie manche Küste geboten,
Dieser würde gesehn so hinwärts also auch herwärts.
Selbst auch wohnet, mich deucht, dort hinten zu, wo sich die
                                        Nacht nie
Trennt von der heiligen Erde, der ewigen Nebel verdrossen,   490
Mancher entschlossene Mann, auf Abenteuer begierig,
Und er wagt sich ins offene Meer; nach dem fröhlichen Tag zu
Steuernd gelangt er hieher, und zeigt den Hügel von ferne
Seinen Gesellen und fragt, was hier das Zeichen bedeute.

Und mit heiterem Blick erwiderte froh der Pelide: 495
Weislich sagst du mir das, des weisesten Vaters Erzeugter!
Nicht allein bedenkend was jetzt dir das Auge berühret,
Sondern das Künftige schauend, und heiligen Sehern
                                        vergleichbar.
Gerne hör' ich dich an, die holden Reden erzeugen
Neue Wonne der Brust, die schon so lang ich entbehre.   500
Wohl wird mancher daher die blaue Woge durchschneiden,
Schauen das herrliche Mal und zu den Ruderern sprechen:
Hier liegt keineswegs der Achaier geringster bestattet,
Denen zurück den Weg der Moiren Strenge versagt hat;
Denn nicht wenige trugen den türmenden Hügel zusammen.   505

Nein! so redet er nicht, versetzte heftig die Göttin:
Sehet! ruft er entzückt, von fern den Gipfel erblickend,
Dort ist das herrliche Mal des einzigen großen Peliden,
Den so frühe der Erde der Moiren Willkür entrissen.
Denn das sag' ich dir an, ein wahrheitsliebender Seher,   510
Dem jetzt augenblicks das Künftige Götter enthüllen:

Weit von Okeanos Strom, wo die Rosse Helios herführt,
Über den Scheitel sie lenkend, bis hin wo er Abends
                hinabsteigt,
Ja, so weit nur der Tag und die Nacht reicht, siehe, verbreitet
515 Sich dein herrlicher Ruhm, und alle Völker verehren
Deine treffende Wahl des kurzen rühmlichen Lebens.
Köstliches hast du erwählt. Wer jung die Erde verlassen,
Wandelt auch ewig jung im Reiche Persephoneia's,
Ewig erscheint er jung den Künftigen, ewig ersehnet.
520 Stirbt mein Vater dereinst, der graue, reisige Nestor,
Wer beklagt ihn alsdann? und selbst von dem Auge des
                Sohnes
Wälzet die Träne sich kaum, die gelinde. Völlig vollendet
Liegt der ruhende Greis, der Sterblichen herrliches Muster.
Aber der Jüngling fallend erregt unendliche Sehnsucht
525 Allen künftigen auf, und jedem stirbt er aufs neue,
Der die rühmliche Tat mit rühmlichen Taten gekrönt
                wünscht.

Gleich versetzte darauf einstimmende Reden Achilleus:
Ja, so schätzet der Mensch das Leben, als heiliges Kleinod,
Daß er jenen am meisten verehrt, der es trotzig verschmähet.
530 Manche Tugenden gibt's der hohen verständigen Weisheit,
Manche der Treu' und der Pflicht und der alles umfassenden
                Liebe;
Aber keine wird so verehrt von sämtlichen Menschen
Als der festere Sinn, der, statt dem Tode zu weichen,
Selbst der Keren Gewalt zum Streite mutig heran ruft.
535 Auch ehrwürdig sogar erscheinet künft'gen Geschlechtern
Jener, der nahe bedrängt von Schand' und Jammer,
                entschlossen
Selber die Schärfe des Erzes zum zarten Leibe gewendet.
Wider Willen folgt ihm der Ruhm; aus der Hand der
                Verzweiflung
Nimmt er den herrlichen Kranz des unverwelklichen Sieges.

540 Also sprach er, doch ihm erwiderte Pallas Athene:

Schickliches hast du gesprochen, denn so begegnet's den
                    Menschen.
Selbst den geringsten erhebt der Todesgefahren Verachtung.
Herrlich steht in der Schlacht ein Knecht an des Königes
                    Seite.
Selbst des häuslichen Weibes Ruhm verbreitet die Erde.
Immer noch wird Alkestis, die stille Gattin, genennet   545
Unter den Helden, die sich für ihren Admetos dahingab.
Aber keinem steht ein herrlicher größeres Los vor
Als dem, welcher im Streit unzähliger Männer der erste
Ohne Frage gilt, die hier, achaiischer Abkunft
Oder heimische Phrygen, unendliche Kämpfe durchstreiten.   550
Mnemosyne wird eh' mit ihren herrlichen Töchtern
Jener Schlachten vergessen, der ersten göttlichen Kämpfe,
Die dem Kroniden das Reich befestigten, wo sich die Erde,
Wo sich Himmel und Meer bewegten in flammendem Anteil;
Eh' die Erinn'rung verlöschen der argonautischen
                    Kühnheit,   555
Und herkulischer Kraft nicht mehr die Erde gedenken,
Als daß dieses Feld und diese Küste nicht sollten
Künden hinfort zehnjährigen Kampf und die Gipfel der
                    Taten.
Und dir war es bestimmt, in diesem herrlichen Kriege,
Der ganz Hellas erregt und seine rüstigen Streiter   560
Über das Meer getrieben, so wie die letzten Barbaren,
Bundesgenossen der Troer, hieher zum Kampfe gefordert,
Immer der erste genannt zu sein, als Führer der Völker.
Wo sich nun künftig der Kranz der ruhigen Männer
                    versammelt
Und den Sänger vernimmt, in sicherem Hafen gelandet,   565
Ruhend auf gehauenem Stein von der Arbeit des Ruders
Und vom schrecklichen Kampf mit unbezwinglichen Wellen;
Auch am heiligen Fest um den herrlichen Tempel gelagert
Zeus des Olympiers, oder des fernetreffenden Phöbos,
Wenn der rühmliche Preis den glücklichen Siegern erteilt
                    ward,   570
Immer wird dein Name zuerst von den Lippen des Sängers

Fließen, wenn er voran des Gottes preisend erwähnte.
Allen erhebst du das Herz, als gegenwärtig, und allen
Tapfern verschwindet der Ruhm sich auf dich einen
                                        vereinend.

575 Drauf mit ernstem Blick versetzte lebhaft Achilleus:
Dieses redest du bieder und wohl, ein verständiger Jüngling.
Denn zwar reizt es den Mann zu sehn die drängende Menge
Seinetwegen versammelt, im Leben, gierig des Schauens,
Und so freut es ihn auch den holden Sänger zu denken,
580 Der des Gesanges Kranz mit seinem Namen verflechtet;
Aber reizender ist's sich nahverwandter Gesinnung
Edeler Männer zu freun, im Leben so auch im Tode.
Denn mir ward auf der Erde nichts köstlichers jemals
                                        gegeben,
Als wenn mir Ajax die Hand, der Telamonier, schüttelt,
585 Abends, nach geendigter Schlacht und gewaltiger Mühe,
Sich des Sieges erfreuend und nieder gemordeter Feinde.
Wahrlich, das kurze Leben, es wäre dem Menschen zu
                                        gönnen
Daß er es froh vollbrächte, vom Morgen bis an den Abend
Unter der Halle sitzend und Speise die Fülle genießend,
590 Auch dazu den stärkenden Wein, den Sorgenbezwinger,
Wenn der Sänger indes Vergangnes und Künftiges brächte.
Aber ihm ward so wohl nicht jenes Tages beschieden,
Da Kronion erzürnt dem klugen Iapetiden,
Und Pandorens Gebild Hephaistos dem König geschaffen;
595 Damals war beschlossen der unvermeidliche Jammer
Allen sterblichen Menschen, die je die Erde bewohnen,
Denen Helios nur zu trüglichen Hoffnungen leuchtet,
Trügend selbst durch himmlischen Glanz und erquickende
                                        Strahlen.
Denn im Busen des Menschen ist stets des unendlichen
                                        Haders
600 Quelle zu fließen geneigt, des ruhigsten Hauses Verderber.
Neid und Herrschsucht und Wunsch des unbedingten
                                        Besitzes

Weit verteileten Guts, der Herden, so wie des Weibes,
Die ihm göttlich scheinend gefährlichen Jammer ins Haus
           bringt.
Und wo rastet der Mensch von Müh' und gewaltigem
           Streben,
Der die Meere befährt im hohlen Schiffe? die Erde,   605
Kräftigen Stieren folgend, mit schicklicher Furche
           durchziehet?
Überall sind Gefahren ihm nah, und Tyche, der Moiren
Älteste, reget den Boden der Erde so gut als das Meer auf.
Also sag' ich dir dies: der glücklichste denke zum Streite
Immer gerüstet zu sein, und jeder gleiche dem Krieger,   610
Der von Helios Blick zu scheiden immer bereit ist.

Lächelnd versetzte darauf die Göttin Pallas Athene:
Laß dies alles uns nun beseitigen! Jegliche Rede,
Wie sie auch weise sei, der erdegeborenen Menschen,
Löset die Rätsel nicht der undurchdringlichen Zukunft.   615
Darum gedenk' ich besser des Zwecks, warum ich
           gekommen,
Dich zu fragen, ob du vielleicht mir irgend gebötest,
Dir sogleich zu besorgen das Nötige, wie auch den Deinen.

Und mit heiterem Ernst versetzte der große Pelide:
Wohl erinnerst du mich, der weisere, was es bedürfe.   620
Mich zwar reizet der Hunger nicht mehr, noch der Durst,
           noch ein andres
Erdegebornes Verlangen, zur Feier fröhlicher Stunden;
Aber diesen ist nicht, den treu arbeitenden Männern,
In der Mühe selbst der Mühe Labung gegeben.
Forderst du auf der Deinigen Kraft, so mußt du sie stärken 625
Mit den Gaben der Ceres, die alles Nährende spendet.
Darum eile hinab, mein Freund, und sende des Brotes
Und des Weines genug, damit wir fördern die Arbeit.
Und am Abende soll der Geruch willkommenen Fleisches
Euch entgegendampfen, das erst geschlachtet dahin fiel.   630
Also sprach er laut, die Seinen hörten die Worte,
Lächelnd unter einander, erquickt vom Schweiße der Arbeit.

Aber hinab stieg Pallas, die göttliche, fliegenden Schrittes,
Und erreichte sogleich der Myrmidonen Gezelte,
635 Unten am Fuße des Hügels, die rechte Seite des Lagers
Treu bewachend; es fiel dies Los dem hohen Achilleus.
Gleich erregte die Göttin die stets vorsichtigen Männer,
Welche die goldene Frucht der Erde reichlich bewahrend
Sie dem streitenden Mann zu reichen immer bereit sind.
640 Diese nun rief sie an und sprach die gebietenden Worte:
Auf! was säumet ihr nun des Brotes willkommene Nahrung
Und des Weines hinauf den schwerbemühten zu bringen!
Die nicht heut am Gezelt in frohem Geschwätze versammelt
Sitzen, das Feuer schürend sich tägliche Nahrung bereiten.
645 Auf ihr faulen! schaffet sogleich den tätigen Männern
Was der Magen bedarf; denn allzuoft nur verkürzt ihr
Streitendem Volke den schuldigen Lohn verheißener
                                          Nahrung.
Aber, mich dünkt, euch soll des Herrschenden Zorn noch
                                          ereilen,
Der den Krieger nicht her um euretwillen geführt hat.
650 Also sprach sie, und jene gehorchten, verdrossenes Herzens,
Eilend, und schafften die Fülle heraus, die Mäuler beladend.

KOMMENTAR

DIE LEIDEN DES JUNGEN WERTHERS
(ERSTE UND ZWEITE FASSUNG)

ENTSTEHUNG UND BEARBEITUNG

Über die zum Zwecke seines Romandebüts verarbeiteten autobiographischen Anregungen, die Einzelheiten seines Aufenthalts in Wetzlar von Mai bis September 1772 sowie die freundschaftliche Beziehung zu Charlotte Buff und Johann Christian Kestner gibt Goethe im 12. Buch von *Dichtung und Wahrheit* Auskunft. Dort berichtet Goethe auch von der anschließenden Bekanntschaft mit Maximiliane von La Roche, die er Anfang 1774 als verheiratete Brentano in Frankfurt wiedertraf.

Unmittelbar nach dem Selbstmord Karl Wilhelm Jerusalems am 29. 10. 1772 hatte Goethe durch Kestner einen ausführlichen schriftlichen Bericht über den Vorfall erhalten. An die Folge der Ereignisse in Wetzlar, wie Kestners Brief vom 2. 11. 1772 sie darstellt, hat Goethe sich vor allem bei der Konzeption des Romanschlusses angelehnt; er hat diesem Brief aber auch einige markante erzählerische Details und Formulierungen entnommen – beispielsweise den Wortlaut des Gesuchs um Kestners Pistolen und den Schlußsatz des Romans:

> Jerusalem ist die ganze Zeit seines hiesigen Aufenthalts mißvergnügt gewesen, es sei nun überhaupt wegen der Stelle die er hier bekleidete, und daß ihm gleich Anfangs (bei Graf Bassenheim) der Zutritt in den großen Gesellschaften auf eine unangenehme Art versagt worden, oder insbesondere wegen des Braunschweigischen Gesandten, mit dem er bald nach seiner Ankunft kundbar heftige Streitigkeiten hatte, die ihm Verweise vom Hofe zuzogen und noch weitere verdrießliche Folgen für ihn gehabt ha-

ben. Er wünschte längst, und arbeitete daran, von hier
wieder wegzukommen; sein hiesiger Aufenthalt war ihm
verhaßt, wie er oft gegen seine Bekannte geäußert hat, und
durch meinen Bedienten, dem es der seinige oft gesagt,
wußte ich dieses längst. Bisher hoffte er, das hiesige Geschäft sollte sich zerschlagen; da nun seit einiger Zeit mehrerer Anschein zur Wiedervereinigung war, und man im
Publiko solches schon nahe und gewiß glaubte, ist er, etwa
vor 8 Tagen, bei dem Gesandten Falke (dem er bekannt
und von dem Vater empfohlen war) gewesen, und hat
diesen darüber auszuforschen gesucht, der denn, obgleich
keine völlige Gewißheit doch den Anschein und Hoffnung bezeuget.

Neben dieser Unzufriedenheit war er auch in des pfältz.
Sekret. Herd Frau verliebt. Ich glaube nicht, daß diese zu
dergleichen Galanterien aufgelegt ist, mithin, da der Mann
noch dazu sehr eifersüchtig war, mußte diese Liebe vollends seiner Zufriedenheit und Ruhe den Stoß geben.

Er entzog sich allezeit der menschlichen Gesellschaft und
den übrigen Zeitvertreiben und Zerstreuungen, liebte einsame Spaziergänge im Mondenscheine, ging oft viele Meilen weit und hing da seinem Verdruß und seiner Liebe
ohne Hoffnung nach. Jedes ist schon im Stande die erfolgte Würkung hervorzubringen. Er hatte sich einst
Nachts in einem Walde verirrt, fand endlich noch Bauern,
die ihn zurechtwiesen, und kam um 2 Uhr zu Haus.

Dabei behielt er seinen ganzen Kummer bei sich, und
entdeckte solchen, oder vielmehr die Ursachen davon,
nicht einmal seinen Freunden, selbst dem Kielmansegge
hat er nie etwas von der Herd gesagt, wovon ich aber
zuverlässig unterrichtet bin.

Er las viele Romane und hat selbst gesagt, daß kaum ein
Roman sein würde, den er nicht gelesen hätte. Die fürch-
terlichsten Trauerspiele waren ihm die liebsten. Er las ferner philosophische Schriftsteller mit großem Eifer und
grübelte darüber. Er hat auch verschiedene philosophische Aufsätze gemacht, die Kielmansegge gelesen und

sehr von anderen Meinungen abweichend gefunden hat; unter andern auch einen besondern Aufsatz, worin er den Selbstmord verteidigte. Oft beklagte er sich gegen Kielmansegge über die engen Grenzen, welche dem menschlichen Verstande gesetzt wären, wenigstens dem Seinigen; er konnte äußerst betrübt werden, wenn er davon sprach, was er wissen möchte, was er nicht ergründen könne etc. ⟨...⟩ Mendelsohns Phädon war seine liebste Lektüre; in der Materie vom Selbstmorde war er aber immer mit ihm unzufrieden; wobei zu bemerken ist, daß er denselben auch bei der Gewißheit von der Unsterblichkeit der Seele, die er glaubte, erlaubt hielt. Leibnitzens Werke las er mit großem Fleiße. ⟨...⟩

Diesen Nachmittag (Mittwochs) ist Jerusalem allein bei Herds gewesen, was da vorgefallen, weiß man nicht; vielleicht liegt hierin der Grund zum folgenden. – Abends, als es eben dunkel geworden, kommt Jerusalem nach Garbenheim, ins gewöhnliche Gasthaus, frägt ob niemand oben im Zimmer wäre? Auf die Antwort: Nein, geht er hinauf, kommt bald wieder herunter, geht zum Hofe hinaus, zur linken Hand hin, kehrt nach einer kleinen Weile zurück, geht in den Garten; es wird ganz dunkel, er bleibt da lange, die Wirtin macht ihre Anmerkungen darüber, er kommt wieder heraus, geht bei ihr, alles ohne ein Wort zu sagen, und mit heftigen Schritten, vorbei, zum Hofe hinaus, rechts davon springend.

Inzwischen, oder noch später, ist unter Herd und seiner Frau etwas vorgegangen, wovon Herd einer Freundin vertrauet, daß sie sich über Jerusalem etwas entzweiet und die Frau endlich verlangt, daß er ihm das Haus verbieten solle, worauf er es auch folgenden Tags in einem Billet getan. ⟨...⟩

Donnerstags ⟨...⟩ Mittags isset er zu Haus, aber wenig, etwas Suppe. Schickt um 1 Uhr ein Billet an mich ⟨...⟩. Es mochte ¹/₂4 Uhr sein, als ich das Billet bekam:

»Dürfte ich Ew. Wohlgeb. wohl zu einer vorhabenden Reise um ihre Pistolen gehorsamst ersuchen?   J.«

Da ich nun von alle dem vorher erzählten und von seinen Grundsätzen nichts wußte, indem ich nicht besondern Umgang mit ihm gehabt – so hatte ich nicht den mindesten Anstand ihm die Pistolen sogleich zu schicken. ⟨. . .⟩

Den ganzen Nachmittag war Jerusalem für sich allein beschäftiget, kramte in seinen Papieren, schrieb, ging, wie die Leute unten im Hause gehört, oft im Zimmer heftig auf und nieder. Er ist auch verschiedene Mal ausgegangen, hat seine kleinen Schulden, und wo er nicht auf Rechnung ausgenommen, bezahlt. ⟨. . .⟩

Der Bediente ist zu Jerusalem gekommen, um ihm die Stiefel auszuziehen. Dieser hat aber gesagt, er ginge noch aus; wie er auch wirklich getan hat, vor das Silbertor auf die Starke Weide, und sonst auf die Gasse, wo er bei Verschiedenen, den Hut tief in die Augen gedrückt, vorbei gerauscht ist, mit schnellen Schritten, ohne jemand anzusehen. Man hat ihn auch um diese Zeit eine ganze Weile an dem Fluß stehen sehen, in einer Stellung, als wenn er sich hineinstürzen wolle (so sagt man).

Vor 9 Uhr kommt er zu Haus, sagt dem Bedienten, es müsse im Ofen noch etwas nachgelegt werden, weil er sobald nicht zu Bette ginge, auch solle er auf Morgen früh 6 Uhr alles zurecht machen, läßt sich auch noch einen Schoppen Wein geben. Der Bediente, um recht früh bei der Hand zu sein, da sein Herr immer sehr akkurat gewesen, legt sich mit den Kleidern ins Bette.

Da nun Jerusalem allein war, scheint er alles zu der schrecklichen Handlung vorbereitet zu haben. Er hat seine Briefschaften alle zerrissen und unter den Schreibtisch geworfen, wie ich selbst gesehen. Er hat zwei Briefe, einen an seine Verwandte, den Andern an Herd geschrieben; man meint auch einen an den Gesandten Höffler, den dieser vielleicht unterdrückt. Sie haben auf dem Schreibtisch gelegen. Erster, den der Medicus andern Morgens gesehen, hat überhaupt nur folgendes enthalten, wie Dr. Held, der ihn gelesen, mir erzählt:

»Lieber Vater, liebe Mutter, liebe Schwestern und Schwager, verzeihen Sie Ihrem unglücklichen Sohn und Bruder; Gott, Gott segne euch!«

In dem zweiten hat er Herd um Verzeihung gebeten, daß er die Ruhe und das Glück seiner Ehe gestört, und unter diesem teuren Paar Uneinigkeit gestiftet etc. Anfangs sei seine Neigung gegen seine Frau nur Tugend gewesen etc. In der Ewigkeit aber hoffe er ihr einen Kuß geben zu dürfen etc. Er soll drei Blätter groß gewesen sein, und sich damit geschlossen haben: »Um 1 Uhr. In jenem Leben sehen wir uns wieder.« (Vermutlich hat er sich sogleich erschossen, da er diesen Brief geendigt.)

Diesen ungefähren Inhalt habe ich von jemand, dem der Gesandte Höffler ihn im Vertrauen gesagt, welcher daraus auf einen würklich strafbaren Umgang mit der Frau schließen will. Allein bei Herd war nicht viel erforderlich, um seine Ruhe zu stören und eine Uneinigkeit zu bewürken. Der Gesandte, deucht mich, sucht auch die Aufmerksamkeit ganz von sich, auf diese Liebesbegebenheit zu lenken, da der Verdruß von ihm wohl zugleich Jerusalem determiniert hat; zumal da der Gesandte verschiedentlich auf die Abberufung des Jerusalem angetragen, und ihm noch kürzlich starke reprochen vom Hofe verursacht haben soll. Hingegen hat der Erbprinz von Braunschweig, der ihm gewogen gewesen, vor Kurzem geschrieben, daß er sich hier noch ein wenig gedulden möchte, und wenn er Geld bedürfe, es ihm nur schreiben sollte, ohne sich an seinen Vater, den Herzog, zu wenden.

Nach diesen Vorbereitungen, etwa gegen 1 Uhr, hat er sich denn über das rechte Auge hinein durch den Kopf geschossen. Man findet die Kugel nirgends. Niemand im Hause hat den Schuß gehört; sondern der Franziskaner Pater Guardian, der auch den Blick vom Pulver gesehen, weil es aber stille geworden, nicht darauf geachtet hat. Der Bediente hatte die vorige Nacht wenig geschlafen und hat sein Zimmer weit hinten hinaus, wie auch die Leute im Haus, welche unten hinten hinaus schlafen.

Es scheint sitzend im Lehnstuhl vor seinem Schreibtisch

geschehen zu sein. Der Stuhl hinten im Sitz war blutig,
auch die Armlehnen. Darauf ist er vom Stuhle herunter-
gesunken, auf der Erde war noch viel Blut. Er muß sich
auf der Erde in seinem Blute gewälzt haben; erst beim
Stuhle war eine große Stelle von Blut; die Weste vorn ist
auch blutig; er scheint auf dem Gesichte gelegen zu haben;
dann ist er weiter, um den Stuhl herum, nach dem Fenster
hin gekommen, wo wieder viel Blut gestanden, und er auf
dem Rücken entkräftet gelegen hat. (Er war in völliger
Kleidung, gestiefelt, im blauen Rock mit gelber Weste.)
Morgens vor 6 Uhr geht der Bediente zu seinem Herrn ins
Zimmer, ihn zu wecken; das Licht war ausgebrannt, es war
dunkel, er sieht Jerusalem auf der Erde liegen, bemerkt
etwas Nasses, und meint er möge sich übergeben haben;
wird aber die Pistole auf der Erde, und darauf Blut gewahr, ruft: Mein Gott, Herr Assessor, was haben Sie angefangen; schüttelt ihn, er gibt keine Antwort, und röchelt
nur noch. Er läuft zu Medicis und Wundärzten. Sie kommen, es war aber keine Rettung. Dr. Held erzählt mir, als
er zu ihm gekommen, habe er auf der Erde gelegen, der
Puls noch geschlagen; doch ohne Hülfe. Die Glieder alle
wie gelähmt, weil das Gehirn lädiert, auch herausgetreten
gewesen; Zum Überflusse habe er ihm eine Ader am Arm
geöffnet, wobei er ihm den schlaffen Arm halten müssen,
das Blut wäre doch noch gelaufen. Er habe nichts als Atem
geholt, weil das Blut in der Lunge noch zirkuliert, und
diese daher noch in Bewegung gewesen.
Das Gerücht von dieser Begebenheit verbreitete sich
schnell; die ganze Stadt war in Schrecken und Aufruhr. Ich
hörte es erst um 9 Uhr, meine Pistolen fielen mir ein, und
ich weiß nicht, daß ich kurzens so sehr erschrocken bin.
Ich zog mich an und ging hin. Er war auf das Bette gelegt,
die Stirne bedeckt, sein Gesicht schon wie eines Toten, er
rührte kein Glied mehr, nur die Lunge war noch in Bewegung, und röchelte fürchterlich, bald schwach, bald
stärker, man erwartete sein Ende.
Von dem Wein hatte er nur ein Glas getrunken. Hin und

wieder lagen Bücher und von seinen eignen schriftlichen Aufsätzen. Emilia Galotti lag auf einem Pult am Fenster aufgeschlagen; daneben ein Manuskript ohngefähr Fingerdick in Quart, philosophischen Inhalts, der erste Teil oder Brief war überschrieben: *Von der Freiheit*, es war darin von der moralischen Freiheit die Rede. Ich blätterte zwar darin, um zu sehen, ob der Inhalt auf seine letzte Handlung einen Bezug habe, fand es aber nicht; ich war aber so bewegt und konsterniert, daß ich mich nichts daraus besinne, noch die Szene, welche von der Emilia Galotti aufgeschlagen war, weiß, ohngeachtet ich mit Fleiß darnach sah.

Gegen 12 Uhr starb er. Abends $^3/_4$11 Uhr ward er auf dem gewöhnlichen Kirchhof begraben, (ohne daß er sezieret ist, weil man von dem Reichs-Marschall-Amte Eingriffe in die gesandtschaftlichen Rechte fürchtete) in der Stille mit 12 Lanternen und einigen Begleitern; Barbiergesellen haben ihn getragen; das Kreuz ward voraus getragen; kein Geistlicher hat ihn begleitet.

Erst ein gutes Jahr später, im Januar 1774, verdichtete sich für Goethe der Plan zur Abfassung eines Romans. Die erste Niederschrift erfolgte dann in einem Zuge während des Februars. Bereits Anfang März hatte Goethe das Manuskript abgeschlossen; im Mai ging es dem Verleger Weygand zu. Daß *Die Leiden des jungen Werthers* binnen weniger Wochen entstanden sind, steht also außer Zweifel. Aber Goethe pflegt in seinen Selbstaussagen mit Bedacht auch die Topoi des Schaffensrausches und der Inspiration. Dazu gehört die Beteuerung, er habe sich ohne jedes Schema und ohne andere Vorarbeiten an die Arbeit gemacht. Wenn es (schriftlich niedergelegte) Skizzen gab, so ist von ihnen jedenfalls nicht mehr erhalten als ein nicht näher datierbarer Entwurf, in dem sich Motive aus verschiedenen Passagen des Romanschlusses erkennen lassen:

Sie sind durch ihre Hände gegangen, sie hat den Staub davon geputzt, ich küsse sie tausendmal, sie hat euch berührt. Und du Geist des Himmels begünstigst meinen

Entschluss. Und sie reicht dir das Werckzeug, Sie von deren Händen ich den Todt zu empfangen wünschte und ach nun empfange. Sie zitterte sagte mein Bedienter als sie ihm die Pistolen gab. O Herr sagte der gute Junge eure abreise thut euern Freunden so leid. Albert stand am Pulten, ohn sich um zu wenden sagte er zu Madame: Gieb ihm die Pistolen, sie stund auf und er sagte: ich lass ihm glückliche Reise wünschen, und sie nahm die Pistolen und putzte den Staub sorgfältig ab und zauderte und zitterte wie sie sie meinem Buben gab und das Lebe wohl blieb ihr am Gaumen kleben. Leb wohl leb wohl!

Hier hab ich die fleischfarbene Schleiffe vor mir die sie am Busen hatte als ich sie kennen lernte, die sie mir mit so viel Liebenswürdigkeit schenckte. Diese Schleife! Ach damals dacht ich nicht, dass mich der Weeg dahin führen sollte.

Ich bitte dich sey ruhig.

Zur Michaelismesse 1774 wurde der Roman publiziert. Er wurde sofort als literarische Sensation wahrgenommen; auch setzte der überwältigende Publikumserfolg des Buches unverzüglich ein. Dieser hielt – allein zu Goethes Lebzeiten mit über fünfzig Drucken – kontinuierlich an und verbreitete sich durch Übersetzungen ins Französische (1775), Englische (1779) und Italienische (1781) im gesamteuropäischen Ausland. An der Auflagenhöhe gemessen, war *Werther* Goethes erfolgreichstes Buch. Goethe selbst war es freilich bald leid, vorwiegend als der Autor des *Werther* wahrgenommen zu werden. Dieser Überdruß ist verständlich; denn die Dynamik der Rezeption, die den Roman zum literarischen Jahrhundertereignis machte, erschien dem Autor in falschen Prämissen begründet. Wurde der Roman in einem engeren Kreis als Schlüsselroman auf Wetzlarer Verhältnisse gelesen, so vermochte er in seiner Breitenwirkung die literarische Öffentlichkeit in zuvor nicht gekannter Weise zu polarisieren. In den ersten zeitgenössischen Reaktionen manifestierte sich exemplarisch, welch ungeheures identifikatorisches Potential die Lektüre des *Werther* freizusetzen vermochte. Entsprechend harsch fielen die Reaktionen der Vertreter von

Aufklärung und Orthodoxie aus (vgl. »Zur Deutung«). Fast unmittelbar nach Erscheinen folgte eine Flut von *Wertheriaden* in allen literarischen Gattungen (aber auch in der Oper); auf die Phantasie von Malern und Graphikern wirkte der Roman nicht weniger befruchtend. Chodowieckis Illustrationen sind in dieser Hinsicht lediglich das heute bekannteste Beispiel, vergleichbar auf literarischem Feld mit Nicolais Parodie *Freuden des jungen Werthers.* Sie hob sich immerhin durch ihren entschieden aufklärerischen Standpunkt und ihr pädagogisches Pathos deutlich von der Masse empfindsamer Trivialisierungen des Goetheschen Stoffes ab.

Schon in der »zweyten ächten Auflage«, die 1775 ebenfalls bei Weygand in Leipzig herauskam, versuchte Goethe, steuernd in die Rezeption des Romans einzugreifen, indem er dessen beiden Teilen je vier Verse als Motto voranstellte. Der erste dieser Vierzeiler antwortet auf den unerwarteten Erfolg beim Publikum, verrät aber in der ihm eigenen Formelhaftigkeit und in der scheinbaren Revokation von Werthers individuellem Schicksal auch eine gewisse Ratlosigkeit:

> Jeder Jüngling sehnt sich so zu lieben,
> Jedes Mädchen so geliebt zu sein;
> Ach, der heiligste von unsern Trieben,
> Warum quillt aus ihm die grimme Pein?

Das Motto zum zweiten Buch enthält dagegen eine explizite Anweisung an die Leser, die nun als einzelne (und zwar als Jünglinge!) wieder direkt angesprochen werden:

> Du beweinst, du liebst ihn, liebe Seele,
> Rettest sein Gedächtnis von der Schmach;
> Sieh, dir winkt sein Geist aus seiner Höhle:
> *Sei ein Mann, und folge mir nicht nach.*

Eine vergleichbare Ambivalenz ist auch für Goethes Reaktion auf die *Werther*-Kritiker charakteristisch. Anläßlich von Nicolais *Freuden des jungen Werthers* hat Goethe mehrere Spottverse verfaßt, wobei er das folgende Gedicht nicht publizierte, später jedoch im Weimarer Kreis kursieren ließ:

Nicolai auf Werthers Grabe, 1775

»Freuden des jungen Werthers«

Ein junger Mensch, ich weiß nicht wie,
Starb einst an der Hypochondrie
Und ward denn auch begraben.
Da kam ein Schöner Geist herbei,
Der hatte Seinen Stuhlgang frei,
Wie's denn so Leute haben.
Der setzt' notdürftig sich aufs Grab
Und legte da sein Häuflein ab,
Beschaute freundlich seinen Dreck,
Ging wohleratmet wieder weg
Und sprach zu sich bedächtiglich:
Der gute Mensch, wie hat er sich verdorben!
Hätt er geschissen so wie ich,
Er wäre nicht gestorben!

Man beachte auch hier, wie Goethe sich – bei aller Derbheit
der Invektive – Nicolais Diagnose der Wertherschen Krankheit zum Tode spielerisch zu eigen macht. Nähe und Distanz
zum Roman belegen ferner die Verse, die der Autor seinem
Freund Friedrich Heinrich Jacobi am 21. 3. 1775 brieflich
mitteilte:

Stoßgebet

Vor *Werthers Leiden*
Mehr noch vor seinen *Freuden*
Bewahr' uns, lieber Herre Gott.

Daß Goethe sich vom Publikum seines Werkes gewisser-
maßen enteignet sah und daß er diesem Phänomen mit einer
Art vermittelter Identifikation begegnete, die wohl dem
Text galt, nicht aber bedingungslos dessen Helden, das be-

legen nicht nur spätere Äußerungen. Es wird auch an jenem Gedicht erkennbar, das er im 13. Buch von *Dichtung und Wahrheit* veröffentlichte:

> *»Die Leiden des jungen Werther«*
> *an Nicolai*
> *1775*

> Mag jener dünkelhafte Mann
> Mich als gefährlich preisen:
> Der Plumpe, der nicht schwimmen kann,
> Er will's dem Wasser verweisen!
> Was schiert mich der Berliner Bann,
> Geschmäcklerpfaffenwesen!
> Und wer mich nicht verstehen kann,
> Der lerne besser lesen.

Zumindest die letzten beiden Zeilen richten sich wohl nicht allein an den Berliner Aufklärer, sondern an alle, die sich durch die vom Erscheinen des Romans ausgelöste *Werther*-Mode affizieren ließen. Leser, wie Goethe sie sich für seinen Roman wünschte, gab es unter den Zeitgenossen nur wenige; schließlich war auch von Freunden des Autors kaum zu verlangen, daß sie den Text unbefangen von den Rezeptionseffekten unterschieden, die er ausgelöst hatte.

Goethe selbst hat dagegen, wie sich zeigt, schon kurz nach Erscheinen der Erstfassung Abstand zum Stoff des *Werther* gefunden; für die zweite Fassung des Romans wurde diese Distanz jedenfalls strukturbildend. Dabei ist gewiß auch die ungehaltene Reaktion der unmittelbar Betroffenen, des Ehepaars Kestner, in Rechnung zu stellen. Johann Christian Kestner sah – in einem Briefentwurf vom September oder Oktober 1774 (den er in dieser Form allerdings nicht abschickte) – »die wirklichen Personen ⟨. . .⟩ prostituiert«, und er wandte ein, die Absicht des Autors, »nach der Natur ⟨zu⟩ zeichnen, um Wahrheit in das Gemälde zu bringen«, sei »gerade ⟨. . .⟩ verfehlt« worden. »Der würklichen Lotte würde

es in vielen Stücken leid sein, wenn sie Eurer da gemalten
Lotte gleich wäre.« Außerdem hatte Kestner die Logik der
Figurenkonstellation durchschaut, wenn er sich über »das
elende Geschöpf von einem Albert« beklagte: »Mußtet ihr
ihn zu so einem Klotze machen? damit ihr etwa stolz auf ihn
hintreten und sagen könntet, seht was *ich* für ein Kerl bin!«
Goethe hat sich immerhin während der Umarbeitung noch
einmal an Kestner gewandt, dessen Vorbehalte gegen Einzelheiten der Handlung dann aber nicht weiter berücksichtigt. Der Plan zu einer Neufassung beschäftigte den Autor
seit 1781, doch die Arbeit kam zunächst nur schleppend
voran. Erst als der Verleger Göschen eine Ausgabe von Goethes *Schriften* plante und sich damit die Möglichkeit zur au-
torisierten Neupublikation in einem repräsentativen Rahmen ergab, nahm Goethe die längst erstellte Handschrift
wieder vor und schloß die Umarbeitung während eines Aufenthalts in Karlsbad im Sommer 1786 ab.

Der Paralleldruck beider Fassungen in Gestalt des Erstdrucks bzw. der Druckvorlage bei Wahrung der historischen
Orthographie ermöglicht einen direkten Vergleich. Es läßt
sich leicht erkennen, daß Goethe selbst trotz des geringen
zeitlichen Abstands von nur zwölf Jahren schon eine durchgreifende Modernisierung von Lautstand und Orthographie, Syntax und Wortbestand vorgenommen hat. Das
wurde ihm allerdings bereits durch den Himburgschen
Raubdruck des *Werther* von 1779 nahegelegt, der für die
Revision als Textvorlage diente. Der Berliner Verleger hatte
Anklänge an den süddeutschen Dialekt weitgehend durch
seinen Lesern vertrautere Formen ersetzt. Goethe verfolgte
aber auch seinerseits die »Absicht, der Adelungischen Recht-
schreibung vollkommen zu folgen« (an Göschen, 2. 7.
1786), das heißt, er trat für die Normierung einer hochdeut-
schen Schriftsprache ein, wie sie der Lexikograph und
Sprachforscher Johann Christoph Adelung beispielsweise in
seinem Werk *Über den deutschen Styl* (1785) vorgeschlagen
hatte. Dieses Bestreben wurde allerdings im Falle des *Werther* keineswegs konsequent durchgehalten. Vielfach redi-

gierte der Autor gegen den Text der Himburgschen Vorlage und stellte die ursprünglichen Formen wieder her.

So wurde das in der Erstfassung apokopierte und synkopierte ›e‹ nun meist eingesetzt: Im Vorwort des Herausgebers (S. 10/11) wurde »leg« zu »lege« und »eigner« zu »eigener«. Das geschah aber nicht durchgehend – das synkopierte Adjektiv »nähern« blieb erhalten. Alte Wortformen dagegen schwanden: »tischten« wurde zu »tuschten« (S. 266/267,6), »gewest« zu »gewesen« (S. 104/105,2), »verstund« zu »verstand« (S. 44/45,3). Die für den ›Geniestil‹ des Sturm und Drang charakteristische Aphäresis (die Nicolai in seiner Parodie so wirkungsvoll eingesetzt hatte) verwendete Goethe nun zwar sparsamer, er tilgte sie aber nur in etwa der Hälfte aller Fälle. Dabei änderte sich gelegentlich durch Ausschreibung oder Tilgung des Pronomens der Rhythmus der Sätze, so daß syntaktische Umstellungen nötig wurden: Anstatt »und mir giengs durch Mark und Bein« steht nun »und es ging mir durch Mark und Bein« (S. 182/183,14f.). Im gleichen Zuge wurden gebräuchliche Komposita anstelle des poetisch-unbestimmten Simplex eingesetzt, »tragen« zu »ertragen«, »find« zu »befinde« (S. 12/13,6 und 22). Auch die sogenannten Kraftwörter wie »Kerl« oder »Hund« verschwanden; mundartliche Ausdrücke wurden zugunsten hochsprachlicher aufgegeben, vielfach »Junge« gegen »Bub⟨e⟩« oder auch »eine Flasche« gegen »einen Schoppen« (S. 260/261,11) ausgetauscht. Ebenso wurde das häufig gebrauchte Pronomen »all« getilgt, ersetzt oder flektiert: Aus »Das war all gut« geht »Das war alles gut« (S. 142/143,34f./35f.) hervor. Manche Fremdwörter wurden eingedeutscht, »passirt« in »widerfahren« (S. 30/31,31) oder in »geschehen« (S. 54/55,14), »statuirt« in »angenommen« (S. 76/77,12/11) übersetzt. Eingreifende semantische Veränderungen ergaben sich im Herausgeberbericht, der allerdings im ganzen stark überarbeitet wurde. Zum Vergleich: »Sie hatte ihrem Manne im Diskurs gesagt« (S. 226,34) und »Es war wie im Vorübergehen in Alberts Gegenwart gesagt worden« (S. 229,1f.) oder, wenig später, »eine stille Melan-

cholie ⟨. . .⟩« (S. 228,20) und »Druck einer Schwermuth
⟨. . .⟩« (S. 229,36). Überhaupt veränderten orthographische
und stilistische Eingriffe den Sinn des Textes. Besonders
auffällig wird das in der Polemik gegen den Adel zu Beginn
des zweiten Teiles/Buches, die schon durch den Verzicht auf
Kraftausdrücke wesentlich milder ausfiel.

Goethes Umarbeitung ist jedoch vor allem eine Texter-
weiterung. Das betrifft zwar insbesondere das zweite Buch,
doch sind schon die oft minimalen Textänderungen am Ro-
mananfang genau kalkuliert und greifen tief in die Logik des
Erzählens ein. Exemplarisch sei der Einschub in die für den
Roman zentrale Fensterszene aufgegriffen (S. 52/53,36f.):
Im früheren Text steht der Name »Klopstock!« unkommen-
tiert für den ganzen Kosmos literarischer Reminiszenzen ein,
der die Beziehung Werthers zu Lotte ausmachen wird. Wenn
Goethe das Zitat nun nachweist, indem er seinen Helden sich
der »herrlichen Ode« erinnern läßt, so reagiert er damit einmal auf eine veränderte Rezeptionslage: Der Diskurs der
Empfindsamkeit, den die Erstfassung voraussetzt, kann
nicht länger als ein verbindliches Modell von Lektüre abge-
rufen werden, der Dichtername allein kann nicht mehr als
»Loosung« (S. 54,2) gelten. Auf diese Weise wird jedoch eine
Anspielung, die mehr meinte als nur die eine Klopstocksche
Ode, auf ihren Zitatcharakter festgelegt und der mit ihr eröffnete Diskurs restringiert. Und schließlich wird die Überwältigung beider Figuren durch eine Koinzidenz von Wahrnehmung und Lektüre, die in der ersten Fassung als schlich-
tes Faktum konstatiert war, jetzt psychologisch – wenn nicht
gar soziologisch oder bildungspolitisch – verständlich gemacht: Werthers Bericht macht deutlich, daß die Epiphanie
einen Mechanismus erinnernder Vermittlung zur Voraussetzung hat.

Der Textumfang hat vor allem durch die Einführung der
Geschichte des Bauernburschen zugenommen, die nun neben der Episode vom wahnsinnigen Schreiber bei Lottes
Vater als weitere, erzählerisch durch den ganzen Roman geführte Spiegelgeschichte für Werthers Schicksal fungiert. Ist

nicht nur Wahnsinn, sondern auch Mord eine Alternative zum Suizid, so wird damit der Charakter einer unerhörten Aggression betont, die dem Akt der Selbsttötung innewohnt (»Man fürchtete für Lottens Leben«; S. 267,9). Das Hauptinteresse der Zweitfassung hat man meist darin gesehen – in Goethes eigenen Worten –, »Alberten so zu stellen, daß ihn wohl der leidenschaftliche Jüngling, aber doch der Leser nicht verkennt« (an Kestner, 2. 5. 1783). Mit diesem Satz ist jene Strategie genau benannt, von der hier schon die Rede war. Durch Psychologisierung wird das unverstellte Identifikationsangebot der Erstfassung gekündigt und dem Leser eine doppelte Lektüre aufgedrängt. Dadurch ändert sich nicht nur die Stellung Alberts, sondern vor allem die des Romanhelden und Briefschreibers Werther. Das bedeutet jedoch weiterhin, daß die gesamte Konstellation in der *ménage à trois* der drei Hauptfiguren neu bestimmt werden muß. Eine Besserstellung Alberts mußte darum nicht nur auf Kosten Werthers, sondern vor allem auf Kosten Lottes gehen: Sie wird aus ihrer Fixierung als die bloße Projektion ihres Liebhabers entlassen und zur selbständigen Trägerin der Handlung. Lottes Verhalten am Tag vor Werthers Selbstmord wird beispielsweise psychologisch so weit motiviert, daß ihr eine Mitschuld an der Katastrophe nun kaum mehr abgesprochen werden kann.

Indessen geht es um mehr als nur um Psychologie; was Goethe dem Roman an der einen Stelle an literarischer Tiefenschärfe nimmt, holt er an anderer Stelle wieder ein. Tatsächlich setzt er als Redaktor die Möglichkeiten, die sich aus dem Prinzip doppelter Lektüre ergeben, konsequent für die Erweiterung der in der Erstfassung angelegten Strukturen ein. Das wird schlaglichtartig an der Zufügung der Kanarienvogel-Episode deutlich (S. 167,10-169,2), in der Werthers Interpretation (»himmlisch[e] Unschuld«) nicht nur durch Lottes offenbare Koketterie, sondern auch durch die ikonographisch unmißverständliche Semantik des Vogel-»Bild[es]« (vgl. S. 167,33) konterkariert wird (vgl. »Zur Deutung«).

Eine perspektivische Auffächerung der Handlung wird aber vor allem durch Kompetenzüberschreitungen des Herausgebers erreicht. Zu Beginn seines Berichtes (S. 199,6-20) bemüht sich dieser zwar, eine Erklärung dafür zu geben, daß es ihm im folgenden gelingen wird, über »die Sinnesarten der handelnden Personen« zu berichten und trotz aller Hindernisse die »Triebfedern« ihres Verhaltens zu erkennen. Gleich im Anschluß übernimmt der Herausgeber gegenüber dem verstorbenen Werther jedoch die Rolle eines versierten Diagnostikers (»Unmuth und Unlust . . .«; S. 199,21f.), und er behält sich diese Rolle auch gegenüber den anderen Figuren vor. Der Text spielt die ihm damit zugewachsene Bandbreite erzählerischer Möglichkeiten höchst bedachtsam aus und bewegt sich spielerisch zwischen den Extremen des einfachen Berichts hier, des auktorial-allwissenden Erzählens dort. Dabei kommen einmal mehr die Rezipienten der Erstfassung zu Gehör: Nicht nur die Stimmen von Werthers, sondern auch die von »Alberts Freunde[n]« werden ausführlich zitiert (S. 199,33-201,17). Und wird der Morgen des Mordes in Wahlheim seitenlang von einem Erzähler dargestellt (S. 201,18-205,36), der, um in dieser Weise zu berichten, Werther auf seinen einsamen Gängen schon begleitet haben müßte, so betätigt sich gleich anschließend (S. 207,25-30) wieder ein Herausgeber, der sich auf eine dienende Rolle beschränkt. Wie versprochen, überliefert er noch »das kleinste aufgefundene Blättchen« (S. 199,16) und nimmt es als Indiz für eine Interpretation von Werthers Seelenzustand, die ein anderer Leser nicht unbedingt teilen muß.

So klar sich die Veränderungen von der ersten zur zweiten Fassung und die der Bearbeitung zugrundeliegenden Strategien also auch benennen lassen – das Ergebnis bleibt auf verwirrende Weise vieldeutig. Selbst die geläufige literarhistorische Lesart, der Roman sei sprachlich geläutert, erzählerisch dem Sturm und Drang entfremdet und insgesamt der beginnenden Klassik angepaßt worden, erscheint in ihrem Erklärungswert beschränkt. Den beiden *Werther*-Texten gegenüber ist sie im Grunde tautologisch. Denn sie setzt

Epochenbegriffe voraus, die ihre Norm und ihre Konturen ganz wesentlich von Goethes literarischer Produktion herleiten. Darum sollte vielleicht sinnvoller von der Umschrift eines Romans gesprochen werden, der sich seinerseits von Anfang an als Umschrift zahlloser Texte und Bilder konstituiert (vgl. »Zur Deutung«). Entscheidend ist, daß die spätere Version des *Werther* dem Roman nichts von diesem Grundcharakter nimmt, sondern daß sie, unter Berücksichtigung der von den Rezipienten der Erstfassung vorgenommenen Lektüren, selbst aus einem produktiven Wieder-Lesen des Textes hervorgeht.

Die zweite Fassung des *Werther* ist von der literarischen Öffentlichkeit nur mehr beiläufig registriert und in ihrer Intention kaum gewürdigt worden. Dennoch ist ihre Textgestalt für die weitere Wirkungsgeschichte zumindest in Deutschland verbindlich geworden. Für Goethe selbst war die Beschäftigung mit seinem ersten Roman damit abgeschlossen; schon im Verlauf seiner Italien-Reise nahm er die Rolle des *Werther*-Dichters nur lustlos wahr, zumal sich die von der heimischen Leserschaft her vertrauten Muster der Rezeption nur wiederholten. Später hat Goethe den Text kaum noch zur Hand genommen, auch wenn er weiterhin seinen mehr oder weniger prominenten Besuchern Rede und Antwort stehen mußte. Aus freien Stücken erwähnte er den Roman höchst selten. In *Dichtung und Wahrheit* wurden *Die Leiden des jungen Werthers* als ein Datum der persönlichen und schriftstellerischen Autobiographie endgültig historisiert; der alte Goethe endlich betrachtete sie als Dokument einer überindividuellen und metahistorischen Pathologie. In der Entschiedenheit, mit der sich der Autor von seinem Text verabschiedete, trat dennoch aufs neue das Sinnpotential eines Werks zutage, das in seiner Dynamik auch durch die Umarbeitung nicht einfach stillgestellt war.

ÄUSSERUNGEN GOETHES

Goethe an Johann Christian Kestner. Juli 1773:
Ich bearbeite meine Situation zum Schauspiel zum Trutz Gottes und der Menschen. Ich weiß was Lotte sagen wird wenn sie's zu sehn kriegt und ich weiß was ich ihr antworten werde.

Goethe an Johann Christian Kestner. März 1774:
Wie oft ich bei euch bin, heißt das in Zeiten der Vergangenheit, werdet ihr vielleicht ehestens ein Dokument zu Gesichte kriegen.

Goethe an Charlotte Kestner. März 1774:
Adieu, liebe Lotte, ich schick' Euch eh'stens einen Freund, der viel Ähnlich's mit mir hat, und hoffe, Ihr sollt ihn gut aufnehmen, er heißt Werther, und ist und war – das mag er Euch selbst erklären.

Goethe an Charlotte Kestner. März 1774:
Du bist diese ganze Zeit, vielleicht mehr als jemals, *in cum et sub* (laß dir das von deinem gnäd'gen Herrn erklären) mit mir gewesen. Ich lasse es dir eh'stens drucken.

Goethe an Johann Caspar Lavater. 26. 4. 1774:
Du wirst großen Teil nehmen an den Leiden des lieben Jungen, den ich darstelle. Wir gingen neben einander, an die sechs Jahre ohne uns zu nähern. Und nun hab' ich seiner Geschichte meine Empfindungen geliehen und so macht's ein wunderbares Ganze.

Goethe an Johann Christian Kestner. 11. 5. 1774:
Adieu Ihr Menschen, die ich so liebe (daß ich auch der träumenden Darstellung des Unglücks unsers Freundes die Fülle meiner Liebe borgen und anpassen mußte.) Die Parenthese bleibt versiegelt bis auf weiters.

Goethe an Gottlieb Friedrich Ernst Schönborn. 1. 6. 1774:

Allerhand Neues hab' ich gemacht. Eine Geschichte des Titels: *Die Leiden des jungen Werthers*, darin ich einen jungen Menschen darstelle, der, mit einer tiefen reinen Empfindung und wahrer Penetration begabt, sich in schwärmende Träume verliert, sich durch Spekulation untergräbt, bis er zuletzt durch dazutretende unglückliche Leidenschaften, besonders eine endlose Liebe zerrüttet, sich eine Kugel vor den Kopf schießt.

Goethe an Johann Christian und Charlotte Kestner. Oktober 1774:

Ich muß Euch gleich schreiben, meine Lieben, meine Erzürnten, daß mir's von Herzen komme. Es ist getan, es ist ausgegeben, verzeiht mir, wenn Ihr könnt. – Ich will nichts, ich bitte Euch, ich will nichts von Euch hören, bis der Ausgang bestätigt haben wird, daß Eure Besorgnisse zu hoch gespannt waren, bis Ihr dann auch im Buche selbst das unschuldige Gemisch von Wahrheit und Lüge reiner an Euerm Herzen gefühlt haben werdet.

Goethe an Johann Christian Kestner. 21. 11. 1774:

Ihr Kleingläubigen! – Könntet Ihr den tausendsten Teil fühlen, was Werther tausend Herzen ist, Ihr würdet die Unkosten nicht berechnen, die Ihr dazu hergebt! ⟨. . .⟩ Ich wollt um meines eignen Lebens Gefahr willen Werthern nicht zurückrufen. ⟨. . .⟩ Werther muß – muß sein! – Ihr fühlt *ihn* nicht, ihr fühlt nur *mich* und *euch*, und was ihr *angeklebt* heißt – und trutz euch – und andern – *eingewoben* ist –

Goethe an Auguste zu Stolberg. 7. 3. 1775:

Ich will, wenn Gott will, künftig meine Frauen und Kinder in ein Eckelchen begraben oder etablieren, ohne es dem Publico auf die Nase zu hängen. Ich bin das Ausgraben und Sezieren meines armen Werthers so satt. Wo ich in eine Stube trete, find' ich das Berliner p. Hundezeug, der eine schilt drauf, der andre lobt's, der dritte sagt, es geht doch an, und

so hetzt mich einer wie der andere. – Nun denn Sie nehmen
mir auch das nicht übel – Nimmt mir's doch nichts an meinem
innern Ganzen, rührt und rückt's mich doch nicht in meinen
Arbeiten, die immer nur die aufbewahrten Freuden und Leiden meines Lebens sind –

Goethe an Charlotte von Stein. 28. 4. 1777:
    Gestern hab' ich einen wunderbaren Tag gehabt, habe
nach Tisch von ohngefähr *Werthern* in die Hand gekriegt, wo
mir alles wie neu und fremd war.

Goethe, *Tagebuch*. 30. 4. 1780:
    Las meinen *Werther*, seit er gedruckt ist, das erstemal ganz
und verwunderte mich.

Goethe an Karl Ludwig von Knebel. 21. 11. 1782:
    Meinen *Werther* hab' ich durchgegangen und lasse ihn wie-
der in's Manuskript schreiben; er kehrt in seiner Mutter Leib
zurück, Du sollst ihn nach seiner Wiedergeburt sehen. Da ich
sehr gesammelt bin, fühle ich mich zu einer so delikaten und
gefährlichen Arbeit geschickt.

Goethe an Johann Christian Kestner. 2. 5. 1783:
    Ich habe in ruhigen Stunden meinen Werther wieder
vorgenommen, und denke, ohne die Hand an das zu legen
was so viel Sensation gemacht hat, ihn noch einige Stufen
höher zu schrauben. Dabei war unter andern meine Intention
Alberten so zu stellen, daß ihn wohl der leidenschaftliche
Jüngling, aber doch der Leser nicht verkennt. Dies wird den
gewünschten und besten Effekt tun. Ich hoffe Ihr werdet
zufrieden sein.

Goethe an Charlotte von Stein. 14. 3. 1786:
    Ich korrigiere am *Werther* und finde immer, daß der Ver-
fasser übel getan hat, sich nicht nach geendigter Schrift zu
erschießen.

Goethe an Charlotte von Stein. 22. 8. 1786:

Nun muß ich auch meiner Liebsten schreiben, nachdem ich mein schwerstes Pensum geendigt habe. Die Erzählung am Schlusse *Werthers* ist verändert, gebe Gott, daß sie gut geraten sei, noch weiß niemand nichts davon, Herder hat sie noch nicht gesehn.

Goethe, *Italienische Reise*. 2. 2. 1788:

Hier sekkieren sie mich mit den Übersetzungen meines *Werthers* und zeigen mir sie und fragen, welches die beste sei, und ob auch alles wahr sei! Das ist nun ein Unheil, was mich bis nach Indien verfolgen würde.

Friedrich von Müller, 1814. Über ein Gespräch Goethes mit Lord Bristol. 10. 6. 1797:

Im Fortlauf des Gesprächs erzählte er von einer seltsamen Unterredung mit Lord Bristol, der ihm den durch seinen *Werther* angerichteten Schaden vorwarf. »Wie viel tausend Schlachtopfer fallen nicht dem englischen Handelssystem zu Gefallen«, entgegnete der Dichter noch derber, »warum soll ich nicht auch einmal das Recht haben, *meinem* System einige Opfer zu weihen?«

Goethe über sein Zusammentreffen mit Napoleon 1808. 15. 2. 1824:

Er wandte sodann das Gespräch auf den *Werther*, den er durch und durch mochte studiert haben. Nach verschiedenen ganz richtigen Bemerkungen bezeichnete er eine gewisse Stelle und sagte: Warum habt Ihr das getan? es ist nicht naturgemäß, welches er weitläufig und vollkommen richtig auseinander setzte.

Ich hörte ihm mit heiterem Gesichte zu und antwortete mit einem vergnügten Lächeln: daß ich zwar nicht wisse, ob mir irgend jemand denselben Vorwurf gemacht habe; aber ich finde ihn ganz richtig und gestehe, daß an dieser Stelle etwas Unwahres nachzuweisen sei. Allein, setzte ich hinzu, es wäre dem Dichter vielleicht zu verzeihen, wenn er sich eines

nicht leicht zu entdeckenden Kunstgriffs bediene um gewisse
Wirkungen hervorzubringen, die er auf einem einfachen natürlichen Wege nicht hätte erreichen können.

Der Kaiser schien damit zufrieden ⟨. . .⟩

F. v. Müller über Goethes Zusammentreffen mit Napoleon:

›Werthers Leiden‹ versicherte er, siebenmal gelesen zu haben und machte zum Beweise dessen eine tief eindringende
Analyse dieses Romans, wobei er jedoch an gewissen Stellen
eine Vermischung der Motive des gekränkten Ehrgeizes mit
denen der leidenschaftlichen Liebe finden wollte. ›Das ist
nicht naturgemäß und schwächt bei dem Leser die Vorstellung von dem übermächtigen Einfluß, den die Liebe auf
Werther gehabt. Warum haben Sie das getan?‹

Goethe fand die weitere Begründung dieses kaiserlichen
Tadels so richtig und scharfsinnig, daß er ihn späterhin oftmals gegen mich mit dem Gutachten eines kunstverständi-
gen Kleidermachers verglich, der an einem angeblich ohne
Naht gearbeiteten Ärmel sobald die fein versteckte Naht
entdeckt.

Goethe an Karl Friedrich Zelter. 3. 12. 1812:

Wenn das *taedium vitae* den Menschen ergreift, so ist er nur
zu bedauern, nicht zu schelten. Daß alle Symptome dieser
wunderlichen, so natürlichen als unnatürlichen Krankheit
auch einmal mein Innerstes durchrast haben, daran läßt *Werther* wohl niemand zweifeln. Ich weiß recht gut, was es mich
für Entschlüsse und Anstrengungen kostete, damals den
Wellen des Todes zu entkommen, so wie ich mich aus manchem spätern Schiffbruch auch mühsam rettete und mühselig
erholte. ⟨. . .⟩ Ich getraute mir, einen neuen *Werther* zu
schreiben, über den dem Volke die Haare noch mehr zu
Berge stehn sollten, als über den ersten.

Goethe, *Dichtung und Wahrheit*, 13. Buch. 1812/1813:

Allein zu gleicher Zeit entwickelte sich ein Übergang zu
einer andern Darstellungsart, welche nicht zu den dra-

matischen gerechnet zu werden pflegt und doch mit ihnen große Verwandtschaft hat. Dieser Übergang geschah hauptsächlich durch eine Eigenheit des Verfassers, die sogar das Selbstgespräch zum Zwiegespräch umbildete.

Gewöhnt am liebsten seine Zeit in Gesellschaft zuzubringen, verwandelte er auch das einsame Denken zur geselligen Unterhaltung, und zwar auf folgende Weise. Er pflegte nämlich, wenn er sich allein sah, irgend eine Person seiner Bekanntschaft im Geiste zu sich zu rufen. Er bat sie, nieder zu sitzen, ging an ihr auf und ab, blieb vor ihr stehen, und verhandelte mit ihr den Gegenstand, der ihm eben im Sinne lag. Hierauf antwortete sie gelegentlich, oder gab durch die gewöhnliche Mimik ihr Zu- oder Abstimmen zu erkennen; wie denn jeder Mensch hierin etwas Eignes hat. Sodann fuhr der Sprechende fort, dasjenige was dem Gaste zu gefallen schien, weiter auszuführen, oder was derselbe mißbilligte, zu bedingen, näher zu bestimmen, und gab auch wohl zuletzt seine These gefällig auf. Das Wunderlichste war dabei, daß er niemals Personen seiner näheren Bekanntschaft wählte, sondern solche die er nur selten sah, ja mehrere, die weit in der Welt entfernt lebten, und mit denen er nur in einem vorübergehenden Verhältnis gestanden; aber es waren meist Personen, die, mehr empfänglicher als ausgebender Natur, mit reinem Sinne einen ruhigen Anteil an Dingen zu nehmen bereit sind, die in ihrem Gesichtskreise liegen, ob er sich gleich manchmal zu diesen dialektischen Übungen widersprechende Geister herbeirief. Hiezu bequemten sich nun Personen beiderlei Geschlechts, jedes Alters und Standes, und erwiesen sich gefällig und anmutig, da man sich nur von Gegenständen unterhielt, die ihnen deutlich und lieb waren. Höchst wunderbar würde es jedoch manchen vorgekommen sein, wenn sie hätten erfahren können, wie oft sie zu dieser ideellen Unterhaltung berufen wurden, da sich manche zu einer wirklichen wohl schwerlich eingefunden hätten.

Wie nahe ein solches Gespräch im Geiste mit dem Briefwechsel verwandt sei, ist klar genug, nur daß man hier ein hergebrachtes Vertrauen erwidert sieht, und dort ein neues,

immer wechselndes, unerwidertes sich selbst zu schaffen
weiß. Als daher jener Überdruß zu schildern war, mit welchem die Menschen, ohne durch Not gedrungen zu sein, das
Leben empfinden, mußte der Verfasser sogleich darauf fallen, seine Gesinnung in Briefen darzustellen: denn jeder Unmut ist eine Geburt, ein Zögling der Einsamkeit; wer sich
ihm ergibt, flieht allen Widerspruch, und was widerspricht
ihm mehr, als jede heitere Gesellschaft? Der Lebensgenuß
anderer ist ihm ein peinlicher Vorwurf, und so wird er durch
das was ihn aus sich selbst herauslocken sollte, in sein Innerstes zurückgewiesen. Mag er sich allenfalls darüber äußern,
so wird es durch Briefe geschehn: denn einem schriftlichen
Erguß, er sei fröhlich oder verdrießlich, setzt sich doch Niemand unmittelbar entgegen; eine mit Gegengründen verfaßte Antwort aber gibt dem Einsamen Gelegenheit, sich in
seinen Grillen zu befestigen, einen Anlaß, sich noch mehr zu
verstocken. Jene in diesem Sinne geschriebenen Wertheri-
schen Briefe haben nun wohl deshalb einen so mannigfaltigen Reiz, weil ihr verschiedener Inhalt erst in solchen ideellen Dialogen mit mehreren Individuen durchgesprochen
worden, sie sodann aber in der Komposition selbst, nur an
einen Freund und Teilnehmer gerichtet erscheinen. Mehr
über die Behandlung des so viel besprochenen Werkleins zu
sagen, möchte kaum rätlich sein. ⟨. . .⟩

   Es ist etwas so Unnatürliches, daß der Mensch sich von
sich selbst losreiße, sich nicht allein beschädige, sondern vernichte, daß er meistenteils zu mechanischen Mitteln greift,
um seinen Vorsatz ins Werk zu richten. Wenn Ajax in sein
Schwert fällt, so ist es die Last seines Körpers, die ihm den
letzten Dienst erweiset. Wenn der Krieger seinen Schildträ-
ger verpflichtet, ihn nicht in die Hände der Feinde geraten zu
lassen, so ist es auch eine äußere Kraft, deren er sich versichert, nur eine moralische statt einer physischen. Frauen
suchen im Wasser die Kühlung ihres Verzweifelns, und das
höchst mechanische Mittel des Schießgewehrs sichert eine
schnelle Tat mit der geringsten Anstrengung. Des Erhän-
gens erwähnt man nicht gern, weil es ein unedler Tod ist. In

England kann es am ersten begegnen, weil man dort von Jugend auf so manchen hängen sieht, ohne daß die Strafe gerade entehrend ist. Durch Gift, durch Öffnung der Adern gedenkt man nur langsam vom Leben zu scheiden, und der raffinierteste, schnellste, schmerzloseste Tod durch eine Natter war einer Königin würdig, die ihr Leben in Glanz und Lust zugebracht hatte. Alles dieses aber sind äußere Behelfe, sind Feinde, mit denen der Mensch gegen sich selbst einen Bund schließt.

Wenn ich nun alle diese Mittel überlegte, und mich sonst in der Geschichte weiter umsah, so fand ich unter allen denen die sich selbst entleibt, keinen, der diese Tat mit solcher Großheit und Freiheit des Geistes verrichtet, als Kaiser *Otto*. Dieser, zwar als Feldherr im Nachteil, aber doch keineswegs aufs Äußerste gebracht, entschließt sich zum Besten des Reichs, das ihm gewissermaßen schon angehörte, und zur Schonung so vieler Tausende, die Welt zu verlassen. Er begeht mit seinen Freunden ein heiteres Nachtmahl, und man findet am anderen Morgen, daß er sich einen scharfen Dolch mit eigner Hand in das Herz gestoßen. Diese einzige Tat schien mir nachahmungswürdig und ich überzeugte mich, daß wer nicht hierin handeln könne wie Otto, sich nicht erlauben dürfe, freiwillig aus der Welt zu gehn. Durch diese Überzeugung rettete ich mich nicht sowohl von dem Vorsatz als von der Grille des Selbstmords, welche sich in jenen herrlichen Friedenszeiten bei einer müßigen Jugend eingeschlichen hatte. Unter einer ansehnlichen Waffensammlung, besaß ich auch einen kostbaren wohlgeschliffenen Dolch. Diesen legte ich mir jederzeit neben das Bette, und ehe ich das Licht auslöschte, versuchte ich, ob es mir wohl gelingen möchte, die scharfe Spitze ein paar Zoll tief in die Brust zu senken. Da dieses aber niemals gelingen wollte, so lachte ich mich zuletzt selbst aus, warf alle hypochrondrische Fratzen hinweg, und beschloß zu leben. Um dies aber mit Heiterkeit tun zu können, mußte ich eine dichterische Aufgabe zur Ausführung bringen, wo alles was ich über diesen wichtigen Punkt empfunden, gedacht und gewähnt, zur

Sprache kommen sollte. Ich versammelte hierzu die Elemente, die sich schon ein paar Jahre in mir herumtrieben, ich vergegenwärtigte mir die Fälle, die mich am meisten gedrängt und geängstigt; aber es wollte sich nichts gestalten: es fehlte mir eine Begebenheit, eine Fabel, in welcher sie sich verkörpern könnten.

Auf einmal erfahre ich die Nachricht von Jerusalems Tode, und unmittelbar nach dem allgemeinen Gerüchte, sogleich die genaueste und umständlichste Beschreibung des Vorgangs, und in diesem Augenblick war der Plan zu Werthern gefunden, das Ganze schoß von allen Seiten zusammen und ward eine solide Masse, wie das Wasser im Gefäß, das eben auf dem Punkte des Gefrierens steht, durch die geringste Erschütterung sogleich in ein festes Eis verwandelt wird. Diesen seltsamen Gewinn festzuhalten, ein Werk von so bedeutendem und mannigfaltigem Inhalt mir zu vergegenwärtigen, und in allen seinen Teilen auszuführen war mir um so angelegener, als ich schon wieder in eine peinliche Lage geraten war, die noch weniger Hoffnung ließ als die vorigen, und nichts als Unmut, wo nicht Verdruß weissagte.

Es ist immer ein Unglück in neue Verhältnisse zu treten, in denen man nicht hergekommen ist; wir werden oft wider unsern Willen zu einer falschen Teilnahme gelockt, uns peinigt die Halbheit solcher Zustände, und doch sehen wir weder ein Mittel sie zu ergänzen noch ihnen zu entsagen. Frau von Laroche hatte ihre älteste Tochter nach Frankfurt verheiratet, kam oft sie zu besuchen, und konnte sich nicht recht in den Zustand finden, den sie doch selbst ausgewählt hatte. Anstatt sich darin behaglich zu fühlen, oder zu irgend einer Veränderung Anlaß zu geben, erging sie sich in Klagen, so daß man wirklich denken mußte, ihre Tochter sei unglücklich, ob man gleich, da ihr nichts abging, und ihr Gemahl ihr nichts verwehrte, nicht wohl einsah, worin das Unglück eigentlich bestünde. Ich war indessen in dem Hause gut aufgenommen und kam mit dem ganzen Zirkel in Berührung, der aus Personen bestand, die teils zur Heirat beigetragen, teils derselben einen glücklichen Erfolg wünschten. Der Dechant

von St. Leonhard *Dumeix* faßte Vertrauen ja Freundschaft zu
mir. Er war der erste katholische Geistliche, mit dem ich in
nähere Berührung trat, und der, weil er ein sehr hellsehender
Mann war, mir über den Glauben, die Gebräuche, die äußern
und innern Verhältnisse der ältesten Kirche schöne und hinreichende Aufschlüsse gab. Der Gestalt einer wohlgebildeten obgleich nicht jungen Frau, mit Namen *Servières*, erinnere
ich mich noch genau. Ich kam mit der *Alosino-Schweizerischen*
und andern Familien gleichfalls in Berührung, und mit den
Söhnen in Verhältnisse, die sich lange freundschaftlich
fortsetzten, und sah mich auf einmal in einem fremden Zirkel
einheimisch, an dessen Beschäftigungen, Vergnügungen,
selbst Religionsübungen ich Anteil zu nehmen veranlaßt, ja
genötigt wurde. Mein früheres Verhältnis zur jungen Frau,
eigentlich ein geschwisterliches, ward nach der Heirat fort-
gesetzt; meine Jahre sagten den ihrigen zu, ich war der einzige in dem ganzen Kreise, an dem sie noch einen Wider-
klang jener geistigen Töne vernahm, an die sie von Jugend
auf gewöhnt war. Wir lebten in einem kindlichen Vertrauen
zusammen fort, und ob sich gleich nichts Leidenschaftliches
in unsern Umgang mischte, so war er doch peinigend genug,
weil sie sich auch in ihre neue Umgebung nicht zu finden
wußte und, obwohl mit Glücksgütern gesegnet, aus dem
heiteren Tal Ehrenbreitstein und einer fröhlichen Jugend in
ein düster gelegenes Handelshaus versetzt, sich schon als
Mutter von einigen Stiefkindern benehmen sollte. In so viel
neue Familienverhältnisse war ich ohne wirklichen Anteil,
ohne Mitwirkung eingeklemmt. War man mit einander zufrieden, so schien sich das von selbst zu verstehn; aber die
meisten Teilnehmer wendeten sich in verdrießlichen Fällen
an mich, die ich durch eine lebhafte Teilnahme mehr zu ver-
schlimmern als zu verbessern pflegte. Es dauerte nicht lange,
so wurde mir dieser Zustand ganz unerträglich, aller Lebens-
verdruß der aus solchen Halbverhältnissen hervorzugehn
pflegt, schien doppelt und dreifach auf mir zu lasten, und es
bedurfte eines neuen gewaltsamen Entschlusses, mich auch
hiervon zu befreien.

Jerusalems Tod, der durch die unglückliche Neigung zu der Gattin eines Freundes verursacht ward, schüttelte mich aus dem Traum, und weil ich nicht bloß mit Beschaulichkeit das was ihm und mir begegnet, betrachtete, sondern das Ähnliche was mir im Augenblicke selbst widerfuhr, mich in leidenschaftliche Bewegung setzte; so konnte es nicht fehlen, daß ich jener Produktion die ich eben unternahm, alle die Glut einhauchte, welche keine Unterscheidung zwischen dem Dichterischen und dem Wirklichen zuläßt. Ich hatte mich äußerlich völlig isoliert, ja die Besuche meiner Freunde verbeten, und so legte ich auch innerlich alles bei Seite, was nicht unmittelbar hierher gehörte. Dagegen faßte ich alles zusammen, was einigen Bezug auf meinen Vorsatz hatte, und wiederholte mir mein nächstes Leben, von dessen Inhalt ich noch keinen dichterischen Gebrauch gemacht hatte. Unter solchen Umständen, nach so langen und vielen geheimen Vorbereitungen, schrieb ich den Werther in vier Wochen, ohne daß ein Schema des Ganzen, oder die Behandlung eines Teils irgend vorher wäre zu Papier gebracht gewesen.

Das nunmehr fertige Manuskript lag im Konzept, mit wenigen Korrekturen und Abänderungen, vor mir. Es ward sogleich geheftet: denn der Band dient der Schrift ungefähr wie der Rahmen einem Bilde: man sieht viel eher, ob sie denn auch in sich wirklich bestehe. Da ich dieses Werklein ziemlich unbewußt, einem Nachtwandler ähnlich, geschrieben hatte, so verwunderte ich mich selbst darüber, als ich es nun durchging, um daran etwa zu ändern und zu bessern. Doch in Erwartung daß nach einiger Zeit, wenn ich es in gewisser Entfernung besähe, mir manches beigehen würde, das noch zu seinem Vorteil gereichen könnte, gab ich es meinen jüngeren Freunden zu lesen, auf die es eine desto größere Wirkung tat, als ich, gegen meine Gewohnheit, vorher Niemanden davon erzählt, noch meine Absicht entdeckt hatte. Freilich war es hier abermals der Stoff, der eigentlich die Wirkung hervorbrachte, und so waren sie gerade in einer der meinigen entgegengesetzten Stimmung: denn ich hatte mich durch diese Komposition, mehr als durch jede andere, aus einem stürmischen Elemente gerettet, auf dem ich durch eigne und fremde Schuld, durch zufällige und gewählte Lebensweise, durch Vorsatz und Übereilung, durch Hartnäckigkeit und Nachgeben, auf die gewaltsamste Art hin und wider getrieben worden. Ich fühlte mich, wie nach einer Generalbeichte, wieder froh und frei, und zu einem neuen Leben berechtigt. Das alte Hausmittel war mir diesmal vortrefflich zu statten gekommen. Wie ich mich nun aber dadurch erleichtert und aufgeklärt fühlte, die Wirklichkeit in Poesie verwandelt zu haben, so verwirrten sich meine Freunde daran, indem sie glaubten, man müsse die Poesie in Wirklichkeit verwandeln, einen solchen Roman nachspielen und sich allenfalls selbst erschießen; und was hier im Anfang unter wenigen vorging, ereignete sich nachher im großen Publikum, und dieses Büchlein, was mir so viel genützt hatte, ward als höchst schädlich verrufen.

Goethe an Karl Friedrich Zelter. 26. 3. 1816:

Dir war freilich abermals eine harte Aufgabe zugedacht; leider bleibt das immer die alte Leier, daß lange leben so viel heißt als viele überleben, und zuletzt weiß man denn doch nicht, was es hat heißen sollen. Vor einigen Tagen kam mir zufälligerweise die erste Ausgabe meines *Werthers* in die Hände und dieses bei mir längst verschollene Lied fing wieder an zu klingen. Da begreift man denn nun nicht, wie es ein Mensch noch vierzig Jahre in einer Welt hat aushalten können, die ihm in früher Jugend schon so absurd vorkam.

Ein Teil des Rätsels löst sich dadurch, daß jeder etwas Eigenes in sich hat, das er auszubilden gedenkt, indem er es immer fortwirken läßt. Dieses wunderliche Wesen hat uns nun tagtäglich zum Besten, und so wird man alt, ohne daß man weiß wie oder warum.

Goethe mit Johann Peter Eckermann. 2. 1. 1824:

Das Gespräch wendete sich auf den *Werther*. »Das ist auch so ein Geschöpf«, sagte Goethe, »das ich gleich dem Pelikan mit dem Blute meines eigenen Herzens gefüttert habe. Es ist darin so viel Innerliches aus meiner eigenen Brust, so viel von Empfindungen und Gedanken, um damit wohl einen Roman von zehn solcher Bändchen auszustatten. Übrigens habe ich das Buch, wie schon öfter gesagt, seit seinem Erscheinen nur ein einziges mal wieder gelesen und mich gehütet, es abermals zu tun. Es sind lauter Brandraketen! Es wird mir unheimlich dabei, und ich fürchte den pathologischen Zustand, aus dem es hervorging.« ⟨. . .⟩

»Die vielbesprochene Wertherzeit gehört, wenn man es näher betrachtet, freilich nicht dem Gange der Weltkultur an, sondern dem Lebensgange jedes Einzelnen, der mit angeborenem freiem Natursinn sich in die beschränkenden Formen einer veralteten Welt finden und schicken lernen soll. Gehindertes Glück, gehemmte Tätigkeit, unbefriedigte Wünsche sind nicht Gebrechen einer besondern Zeit, sondern jedes einzelnen Menschen, und es müßte schlimm sein, wenn nicht jeder einmal in seinem Leben eine Epoche haben sollte, wo ihm der *Werther* käme, als wäre er bloß für ihn geschrieben.«

ZUR DEUTUNG

Die Leiden des jungen Werthers, Goethes erster, im Vergleich zu den vielbändigen Produkten der Zeitgenossen denkbar schmal geratener Briefroman, läßt sich heute, über zweihundert Jahre nach seiner spektakulären Publikation zur Leipziger Herbstmesse 1774, keiner unvoreingenommenen Lektüre mehr unterziehen. Wer zu lesen beginnt, taucht, ob ihm das bewußt wird oder nicht, in die Aura einer aus Legenden, Mutmaßungen und wissenschaftlichen Ambitionen genährten Literaturgeschichtsschreibung ein, die vom Text, dem angeblich reinen Sinn seines Wortlauts, noch weniger zu trennen ist, als das sonst der Fall sein mag. Man würde allerdings zu kurz greifen, wenn man dafür ausschließlich die Tatsache verantwortlich machte, daß sich die Historie des armen Werther nicht nur im langen Leben ihres Autors, sondern auch auf der Bühne der Weltliteratur als epochaler Einschnitt entpuppt hat; entscheidend ist vielmehr, daß dieser Roman wie kaum ein anderer mit der Genese des modernen Subjekts und also einem Erfahrungskomplex in Zusammenhang steht, der aufgrund seiner Konflikthaltigkeit, seiner kulturtechnisch bedingten Bindung an die Gesetze der Sprache, der Schrift und der Lektüre, bis zum gegenwärtigen Zeitpunkt kommentarbedürftig geblieben ist.

Jedenfalls läßt sich schon die erste Rezeptionsphase des *Werther* als eine Art Lehrstück begreifen, das die Verlaufslinien der explosiv in Gang gekommenen Auseinandersetzung zumindest umrißhaft zu erkennen gab. So teilte sich nämlich das zu Goethes großem Verdruß statt an der Kunst vorrangig am Stoff und seinen autobiographischen Ingredienzien interessierte Publikum von Beginn an in drei deutlich unterschiedene Fraktionen, deren Standpunkte schlechterdings nicht zu vermitteln waren. Stellvertretend für die Gruppe, die sich an der Seite der Stürmer und Dränger zur rückhaltlosen Identifikation entschlossen hatte, konnte sich in der ›Deutschen Chronik‹, einem Organ der sogenannten Freisinnigen, beispielsweise ein Mann wie der wegen rebellischer Umtriebe des Landes verwiesene und zu guter Letzt auf Hohenasperg einsitzende Schubart folgendermaßen vernehmen lassen: »– Da sitz ich mit zerfloßnem Herzen, mit klopfender Brust, und mit Augen, aus welchen wollüstiger Schmerz tröpfelt, und sag Dir, Leser, daß ich eben *die Leiden des jungen Werthers* von meinem lieben *Göthe* – gelesen? – Nein, verschlungen habe. Kritisieren soll ich? Könnt ichs, so hätte ich kein Herz.« Selbst durch den jungen Heinse, den späteren Verfasser des berüchtigten *Ardinghello* und anderer, der moralischen Unterminierung verdächtigter Texte, war das kaum zu überbieten. »Wer gefühlt hat, und fühlt, was Werther fühlte«, schrieb Heinse, »dem verschwinden die Ge-

danken, wie leichte Nebel vor Sonnenfeuer, wenn er's bloß
anzeigen soll. Das Herz ist einem so voll davon, und der
ganze Kopf ein Gefühl von Thräne.« Das bedeutete: Werther wurde als tragischer Held, er wurde als bedingungsloser
Verfechter der Ansprüche gefeiert, die namens der Natur und
der ihr abgewonnenen Tugendideale im Zuge der empfindsamen Sozialisation um die Mitte des 18. Jahrhunderts in
Umlauf gebracht worden waren. Es war deshalb abzusehen,
daß sich die Vertreter der Aufklärung und der Kirche herausgefordert fühlen mußten; sie witterten Unrat und suchten
das Phänomen dadurch zu erledigen, daß sie Goethes Roman
entweder der Lächerlichkeit preisgaben, ihn nach dem Vorbild des Berliner Literaturpapstes Nicolai und seiner parodistischen *Freuden* als Auftakt zu einer geheimen Spießer-
geschichte entlarvten, oder wie der durch Lessings Streit-
schrift bekannt gewordene Goeze als gefährliche Selbst-
mordapologie, ja als das Zeugnis eines zum zweiten Mal
dämmernden Sodom und Gomorrha ausriefen, vor dem allein noch die Zensur bewahren konnte. Was inmitten dieser
Aufgeregtheiten dagegen so gut wie kein Gehör fand, war
die dritte Stimme, die Stimme Blankenburgs, der, nachdem
er im Erscheinungsjahr des *Werther* eine wegweisende Ro-
mantheorie veröffentlicht hatte, als einer der wenigen bemüht war, die ästhetische Qualität von Goethes Text in ange-
messener Weise faßbar zu machen. So hob Blankenburg
nicht nur die »feine dichterische Behandlung« hervor, die den
relativ simplen Stoff nach poetischen Maßstäben hatte wahr-
heitsfähig werden lassen; er sprach auch von der inneren
Notwendigkeit, mit der Werther seinen Lauf zu Ende bringt,
und wurde damit zum Stichwortgeber für die pathographi-
sche Deutung des Romans, die sich im 20. Jahrhundert zu
einem der erfolgreichsten Interpretationsparadigmen entwickeln sollte.

Dieser Vorgang war um so bemerkenswerter, als sich der
wissenschaftlichen Konkurrenz im Anschluß an die vom Nationalismus des 19. Jahrhunderts inspirierte und im Falle
Goethes aus naheliegenden Gründen besonders intensiv be-

triebene Denkmalspflege überraschend ein heftig umkämpf-
ter, doch gemeinsamer Schauplatz eröffnet hatte. Man kon-
zentrierte sich auf gesellschaftstheoretisch beglaubigte
Fragestellungen, die sowohl die Bewunderer als auch die
Kritiker des exzentrischen Helden motivierten, das *Werther*-Syndrom im Zusammenhang mit den bewußtseinsge-
schichtlichen und ökonomischen Planspielen von Hegel und
Marx neu zu bewerten. Den Anfang machte Lukács, indem
er dem jungen Goethe neben der »*Volkstümlichkeit* seiner
Bestrebungen« und einem ausgeprägten Sinn fürs »Plebeji-
sche« die »Genialität« bescheinigte, die ihn trotz ideologi-
scher Schranken die »wirkliche Dialektik« des historischen
Prozesses durchschauen und in der Nachfolge Rousseaus das
Erbe der Aufklärung nicht bloß bewahren, sondern – weit
darüber hinaus – die »Zeichen ⟨. . .⟩ einer Rebellion« setzen
ließ. Nach Lukács zielte diese Rebellion – noch bürgerlich-
idealistisch gedacht, aber klassengeschichtlich integrierbar –
auf die Realisierung einer sozialistisch gesicherten Humanität, weshalb er – Lukács – nicht davor zurückschreckte, den
»ganze[n] *Werther* [als] ein glühendes Bekenntnis zu jenem
neuen Menschen« zu preisen, der durch seine kompromiß-
lose Lebensführung das spätere Weltbeben vorbereiten half:
»So wie die Helden der Französischen Revolution, von
heroischen, geschichtlich notwendigen Illusionen erfüllt,
heldenhaft strahlend in den Tod gingen, so geht auch Werther in der Morgenröte der heroischen Illusionen des Hu-
manismus vor der Französischen Revolution tragisch unter.«
Wie man mittlerweile weiß, wirkte diese These; ihr Pathos
provozierte über Jahre hinweg einen schwunghaften Se-
kundärbetrieb, doch blieb sie vor dem Hintergrund konkreter historischer Analysen nicht unwidersprochen. Man
verwies auf den Dualismus von äußerer und innerer Welt,
auf die Antinomien der bürgerlichen Gesellschaft, die durch
Werthers suizidalen Abgang weniger erschüttert als befestigt
wurden. Von utopischem Potential, von Emanzipation
konnte keine Rede sein. Im Gegenteil: »Der ›Strom des Genies‹, von dem Werther emphatisch zu künden weiß, ver-

kümmert nicht nur in der vorsorglichen Kanalisation [!] durch die Gesellschaftsordnung, er versiegt im Busen des Genies, bevor er sich als fruchtbar erweisen kann. Die Selbstbeschränkung und Selbstzerstörung des Individuums im Widerspruch zur bürgerlichen Lebenspraxis erweist sich letztlich als besondere Spielart des ›leidenden Gehorsams‹, zu dem sich die bürgerliche Moralphilosophie bekennt. Werther setzt sich mit seinem Anspruch auf subjektive Freiheit nicht nur über die gesellschaftlichen Zwänge hinweg, er bestätigt sie durch seine eindrucksvolle Leidensgeschichte.« Etwas anders konstelliert, im Prinzip jedoch unverändert, war durch dieses Plädoyer die alte Dreiteilung im Meinungsstreit um die richtige Lesart des *Werther* wiederhergestellt. Zwar hatte die Diskussion einen zeitgemäßeren Zuschnitt erhalten, aber die Kontroverse selbst schrieb sich mit vergleichbarer Unversöhnlichkeit fort, und wer es nicht vorzog, Goethes Helden als Narziß und Opfer einer nicht bewältigten Mutterbindung zu betrachten, konnte seine Wahl zwischen jenem ›gekreuzigten Prometheus‹, den Goethes Jugendgefährte Lenz ins Spiel und das Lager der Lukácsanhänger zu neuen Ehren gebracht hatte, und dem exaltierten Selbstmörder treffen, dessen Lebensklage von Engels einst sehr drastisch als »Jammerschrei eines schwärmerischen Tränensacks« bezeichnet worden war.

Da es hier indessen nicht darum gehen kann, die einzelnen Argumentationsmuster auf ihre Stichhaltigkeit zu überprüfen, muß der Überzeugungswert dieser Thesen – von den zahllosen Facettierungen nicht zu reden – dahingestellt bleiben. Wichtiger erscheint die Frage nach Anlaß und Ursache der Divergenzen, eine Frage, die sich nicht ideologisch beantworten läßt, sondern den Blick auf die Sache, die Spezifik eines Textes lenkt, der eine solche Vielfalt von Deutungsmöglichkeiten, um nicht zu sagen: von Projektionen und wunschgeleiteten Lektüreentwürfen erlaubt, ohne daß sich offenbar irgendeine Sorte der Privilegierung oder Hierarchisierung durchzusetzen vermag. Vor allem aber legt diese Frage es nahe, dort anzusetzen, wo sich auf dem Wege struktureller Untersuchungen gezeigt hat, in welchem Maße Goethes Roman ungeachtet der von ihm an der Oberfläche prätendierten Spontaneität schon durch die Art seiner Komposition selbstreflexiv aufgeladen ist. Man könnte von einer Umkehrungssymmetrie oder, konkreter, einer Spiegelachse sprechen, die den ersten und zweiten Teil über ein subtil inszeniertes Beziehungskalkül gegeneinander ausspielt und zur Folge hat, daß sich die wiederkehrenden Elemente – Situationen, Figuren, Örtlichkeiten – in ihrer ursprünglichen Bedeutung je länger, desto unerbittlicher aushöhlen. Die Konsequenz ist eine fortschreitende Desillusionierung, ein sukzessiver Abbau der anfangs so glänzenden Kulissen, der mit Werthers Brief vom 30. 11. [1772] seinen Höhe-, oder besser: seinen Tiefpunkt erreicht. Denn nichts erinnert in dieser Herbstlandschaft mehr an den Frühling des Vorjahres, in dem Werther der andrängenden Fülle glaubte erliegen zu müssen, und erst recht nichts an die Aufschwünge, die feierlich begangenen Augenblicke, die der Sommer dem Helden in Lottes Gegenwart eingetragen hat. Überlagert wird diese jahreszeitliche Rhythmik von einer Reihe demonstrativ eingesetzter chronologischer Korrespondenzen und kalendarisch symbolträchtiger Zuordnungen, die, wie die Sommer- und Wintersonnenwende auf der einen, der Weihnachtsabend auf der anderen Seite (Brief vom 21. 6. [1771] und Werthers letzter Brief), der Antiklimax der Ereignisse ein zusätzliches Gefälle geben, außerdem von einem Netz fast buchstäblich wiederholter Formulierungen nach dem Modellfall des vielzitierten, den Schreiber programmatisch kennzeichnenden Initialsatzes: »Wie froh bin ich, daß ich weg bin!« Locker variiert, kehrt dieser Satz im Brief vom 3. 9. [1771] und also vor Werthers Flucht in die Residenz ein erstes Mal, er kehrt in Werthers letzter Nachricht an den Freund Wilhelm ein zweites Mal wieder und unterstreicht mit dieser leitmotivischen Präsenz vielleicht am greifbarsten die analytische Energie, die dem Text insgesamt attestiert werden muß.

Angesichts eines derart durchgearbeiteten, in jeder Hinsicht kunstvoll arrangierten Gebildes mag es schwerfallen, dem Erzähler von *Dichtung und Wahrheit* zu folgen, der im 13. Buch behauptet, sein autobiographischer Schützling, der in Frankfurt tagsüber mit juristischen Schriftsätzen, des Abends und in den Nächten mit Freundschafts- oder Geselligkeitsdiensten befaßte junge Goethe, habe das ›Werklein‹ ohne Vorarbeiten binnen vier Wochen zu Papier gebracht. Tatsache ist, daß sich der zeitkritische Zugriff des Romans aus diskursgeschichtlicher Perspektive inzwischen noch weiter hat erhärten lassen. Werther, so heißt es, sei im schärfsten Gegensatz zu dem, was ihre gefühlsseligen Liebhaber in sie hineingesehen haben, als eine Figur zu begreifen, die Zug um Zug die kostbaren Errungenschaften der erwähnten Empfindsamkeitskultur in ihrer zeichenhaften Leere, und das bedeutet: als Effekte eines zwar eindrucksvollen, aber anthropologisch substanzlosen Kommunikationsrituals enthülle. Das gelte für den Topos ›Natur‹ ebenso wie für die der ›Familie‹, der ›Freundschaft‹, der individuellen Selbstvergewisserung gewidmeten Sprach- und Signifikantenspiele. Neben der schockhaften Erfahrung, daß auch das eigene Ich aus Versatzstücken der kulturellen Überlieferung zusammengesetzt, oder noch ernüchternder formuliert: daß selbst die sprichwörtliche ›Fülle des Herzens‹ Ergebnis eines Medienspektakels ist, bleibe am Ende nichts als die Topographie eines Raumes, der nach Belieben besetzt werden könne, unter anderem mit eben jenen Kopien, Imitationen und Interpretationen, die Goethes Roman vom Tage seines Erscheinens an verdoppelt, ja vervielfacht und die *Werther*-Lektüre auf ein Epiphänomen von Werthers Lektüre reduziert haben.

Offensichtlich ist im Falle dieser jüngsten Diagnose die hermeneutische Kraft des Textes zum Motor einer selbstkritisch eingestellten wissenschaftlichen Analyse geworden, die mit einem Schlußwort zu verwechseln allerdings ganz unangebracht wäre. Denn der nächste Schritt ist bereits vorgezeichnet: Es gilt, die Medien, die für den Protagonisten so schicksalsbestimmend geworden sind, im einzelnen beim

Namen zu nennen, was nichts anderes besagen will, als daß man das kulturelle Gedächtnis des Textes und mit ihm den literarisch-ikonographischen Fundus rekonstruieren muß, aus dem der fiktive und der reale Verfasser von Werthers Briefen gleichermaßen schöpfen. Zu diesem Gedächtnis zählen nämlich nicht nur die zitat- oder anspielungsweise aufgerufenen biblischen Bücher, nicht nur die *Odyssee*, die Gesänge Ossians und im Schlepptau des *Vicar of Wakefield* die Bibliothek der Moderomane vom Schlage *Clarissas*, des *Lebens der Schwedischen Gräfin von G**** oder der *Geschichte des Fräulein von Sternheim*; ein Brief wie der ob seines unverwechselbaren ›Werther-Tones‹ gerühmte vom 2. 5. [1771] ist nachweislich ein geradezu exemplarisches Geflecht literarischer Reminiszenzen, zu dem – um nur die herausragenden Beispiele anzuführen – Brockes' *Irdisches Vergnügen in Gott* und Rousseaus *Confessions* nicht weniger beigetragen haben als Klopstocks Oden, die Bekenntnisschriften der Pietisten oder Leibniz' Monadenlehre. Der Bezugnahmen und Interaktionen über alle Epochen- und Genregrenzen hinweg ist – im Prinzip – kein Ende, und dasselbe ist für das Bildarchiv festzustellen, durch das Werthers imaginationsgesättigte Wahrnehmung gesteuert wird. Es reicht, in den gröbsten Umrissen skizziert, von den in der zweiten Hälfte des 18. Jahrhunderts massenhaft verbreiteten Entwürfen Geßners, die das mythologische Landschaftsbild des Barock ins Idyllisch-Niedliche gezogen haben, bis zum *Großen Rasenstück* eines Dürer, ohne dessen Einübung eines extremen Nahblicks weder Brockes' noch Klopstocks, noch auch Werthers enthusiastisch gesteigerte Aufmerksamkeit für »das Wimmeln der kleinen Welt zwischen den Halmen« denkbar wäre.

Tatsächlich ist diese Verdichtung aber kein Einzelfall; das Lied vom Brunnen vor der Stadt, das Werther im nachfolgenden Brief vom 12. 5. [1771] nicht einfach zu singen, sondern mit Blick auf Geßners Idyll um Daphne und Chloe (vgl. *Schriften*, 5. Teil) regelrecht zu rezitieren beginnt, hält aufgrund seiner Staffage durchaus das Niveau. Läßt sich die Erwähnung der sagenumwobenen Wassernixe Melusine im

Sinne einer Chiffre der bevorstehenden katastrophalen Beziehungsgeschichte lesen, ist die Erinnerung an die »Altväter« und »Töchter der Könige« zweifellos als Fingerzeig auf die Fragwürdigkeit der Rollen zu veranschlagen, die Werther und Lotte alsbald übernehmen werden. Unversehens bewegt man sich nicht nur auf dem Boden der alttestamentarischen Erzählung von Abrahams Knecht und der ihm anvertrauten Brautwerbung für Isaak, an der gemessen der auf eigene Rechnung werbende Werther noch vor Beginn aller Verwicklungen in das Zwielicht dessen gerät, der sich unlauter die Rechte des Bräutigams anmaßt (vgl. Gen 24,1ff.); dank des Umstands, daß mit diesem Bibelzitat und dem Aufruf der mythenbeladenen Begegnung am Brunnen zugleich eine ikonographisch identifizierbare Bildtradition vergegenwärtigt wird, bewegt man sich plötzlich auch im Kontext des Neuen Testaments, genauer: den Abschnitten des Johannesevangeliums, die unter typologischem Rückbezug auf das 1. Buch Mose von Christi Rendezvous mit der nicht näher benannten Samariterin am Jakobsbrunnen berichten (vgl. Joh 4,5ff.). Gesprächsthema zwischen den beiden war bekanntlich die ungeklärte, moralisch nicht ganz einwandfreie ›Männerwirtschaft‹ dieser Frau, was, als Anspielung auf Werthers Liebeswahl verstanden, für das Urteil derjenigen spricht, die an Lottes Unschuld so ohne weiteres nicht haben glauben wollen. Bedenkt man dazu die Form, in der Werther, Lottes Erscheinen gleichsam zur Probe vorwegnehmend, das Brunnenabenteuer mit der bis über die Ohren rot gewordenen »Jungfer« beschreibt (vgl. Brief vom 15. 5. [1771]), und hält man sich ferner vor Augen, daß hinter der Episode vom küssenden Kanarienvogel, wie sie im zweiten Teil dargestellt wird (vgl. Brief vom 12. 9. [1772]), die Referenzen auf ein altes Symbol der käuflichen Liebe und ein entsprechend erotisch besetztes Motiv vorzugsweise der zeitgenössischen Rokokomalerei stecken, dürften diese Vorbehalte jedenfalls kaum mehr aus der Welt zu schaffen sein. Bei seinem latenten Wort genommen, präsentiert der Text eine höchst zwiespältige, mit sich uneinige Lotte, wie denn

auch Werther die Rolle eines Postfiguranten Christi bloß
halb, nämlich als Mixtum aus Christus und Melusine, zuge-
standen wird, dem man die sich gegen das Ende häufenden,
eigenwillig entstellten christologischen Zitate wohl nachsehen muß.

Im übrigen kann der exemplarische Charakter dieser ›In-
tertext‹-Notizen nicht nachdrücklich genug betont werden;
wollte man den im Textgewebe des *Werther* ebenso virulen-
ten wie verborgenen kulturellen Schatz im vollen Umfange
heben, müßte man sich entschließen, den vielen Büchern zu
Goethes Roman ein weiteres hinzuzufügen, mit der sicheren
Aussicht, daß die archäologische Arbeit selbst dann keinen
Abschluß finden würde. Angesichts der ins Unendliche
zielenden diskursiven Verknüpfungen, Kontaktnahmen,
Kreuz- und Querverbindungen ist das prinzipiell ein Ding
der Unmöglichkeit, umgekehrt aber zugleich der anschaulichste Beleg für die Momente, die im gegenwärtigen Zusammenhang von Interesse sind. Denn was durch diese Anmerkungen nachvollziehbar wird, ist zumindest zweierlei. Es ist
einmal die Künstlichkeit, die Werthers Welt im eisernen Griff
der literarisch und ikonographisch vorgefertigten Denk-,
Gefühls- und Verhaltensmuster gefangenhält; Werthers Welt
ist nichts anderes als eine Ansammlung von Lesefrüchten
und optischen Erinnerungen, die der Held in ihrer Eigenart
allerdings auch dort nicht durchschaut, wo er, über die Verhältnisse seiner Erkenntnisfähigkeiten hinausgehend, die
Natur schließlich als »lackiertes Bildchen«, seinen Lebens-
schauplatz als Raritätenkasten und sich selbst als eine von
fremder Hand gespielte Marionette bezeichnet (vgl. Briefe
vom 20. 1. und 3. 11. [1772]). Sichtbar wird zum anderen
aber auch die Art und Weise, in der die Textregie eben diesem
Bildungsplunder die Empfindsamkeitspatina entzieht und
– ihrerseits zitierend – zu einem kritischen Kommentar um-
funktioniert, der nicht nur an Deutlichkeit nichts zu wünschen übrigläßt, der dem ganzen Text ein zusätzliches Gewicht, eigentlich ein zweites oder drittes Gesicht verleiht.
Die Fallhöhe, um die es dabei geht, läßt sich am besten

anhand der Homer-Lektüre des Kaffee trinkenden und
Zuckererbsen kochenden Werther beziehungsweise der
Szene studieren, die zeigt, wie sich der lesende Held im Anblick der untergehenden Sonne in die griechischen Verse
vertieft, um Odysseus' Einkehr beim Schweinehirten nach-
zuempfinden (vgl. Briefe vom 21. 5. und 21. 6. [1771] sowie
vom 15. 3. [1772]). »Das war alles gut«, behauptet Werther
und weiß nicht, was er sagt, ist doch der in Rede stehende
Bericht ausgerechnet der Auftakt zu jenem für die Freier
Penelopes tödlichen Kräftemessen, mit dem Odysseus ein
für allemal die Fronten klärt, Werther dagegen weder die
Kämpfernatur, die ihre Ansprüche oder Wünsche aktiv handelnd durchzusetzen vermag, noch der Mann, der mit Lotte
eine listenreich ihr Treuegelübde verteidigende Frau zu erwarten hätte. An solchen Stellen macht das Arrangement den
Sinn, und man könnte von einer Referenzfalle sprechen, die
zuschnappt, indem sie die verschwiegenen, aber lesbaren
Anspielungstexte zu einem Argument verbindet und durch
dessen Schlagkraft bewirkt, daß der verblasene Begriff der
Ironie wieder als sachhaltige Vokabel in Gebrauch genommen werden kann.

Wie es sich gehört, ist diese Ironie nämlich nicht Selbst-
zweck, ist keine Gelegenheitshäme, sondern dient einer Erkenntnis, die den Roman in seinem innersten Kern betrifft.
Zur Debatte steht die Liebesgeschichte, die Werther als etwas
Einmaliges, Nichtwiederholbares erlebt, die ein derartiges
Prädikat jedoch nicht entfernt für sich beanspruchen kann,
weil auch sie – nach Lage der Dinge nicht gerade überraschend – die empfindsame Wiederbelebung von Texten, Bildern und Imaginationen ist, die im Register der kulturell
erprobten Diskurse längst ihren Platz gefunden haben. Dem
ersten, für Goethes Zeitgenossen keineswegs kryptischen
Hinweis begegnet man im Eröffnungsgespräch zwischen
Werther und Lotte, in dem es – wie könnte es anders sein –
ums Lesen und um Lottes Lieblingsbücher geht (vgl. Brief
vom 16. 6. [1771]). Es fällt dabei der Name einer Romanfigur, Miß Jenny, hinter der die Kommentatoren des *Werther*

ein Geschöpf aus der Werkstatt Marie-Jeanne Riccobinis vermuten, einer Autorin, die vergessen wäre, fände sich nicht in einem ihrer anderen Produkte, den 1760 ins Deutsche übersetzten *Briefen der Mi Lady Juliane Catesby*, ein Abschnitt, der den *Werther*-Kenner nachdenklich stimmen muß. Denn Lady Catesby schildert die Situation, die zur Herzenserklärung des von ihr geliebten Mi Lord Oßery geführt hat, wörtlich wie folgt:

> Indem wir einmal eine Begebenheit lasen, die sehr rührend, und von zweyen Personen handelte, die sich zärtlich liebten, und die man grausamer Weise von einander trennte: so fiel das Buch aus der Hand, unsere Thränen vermischten sich; und da wir uns beyde ⟨...⟩ starr und schüchtern ansahen: so schlug er einen Arm um mich, als wenn er mich halten wollte. Ich neigte mich gegen ihn; wir brachen zu gleicher Zeit das Stillschweigen, und ruften zusammen aus: Ach, wie unglücklich waren sie nicht!

Dem belletristischen Geschmack des 18. Jahrhunderts angepaßt, ›erinnern‹ und reinszenieren diese Zeilen wenigstens drei Erzählungen von weltliterarischem Rang: erstens keine geringere als die aus dem 12. Jahrhundert überlieferte Geschichte von Abälard und Heloisa, Lehrer und Schülerin, die über der gemeinsamen Lektüre in leidenschaftlicher Liebe entflammt sind, diese Leidenschaft aber, wenn auch jeder auf seine Weise – Abälard dadurch, daß er eines Nachts blutig kastriert wurde, Heloisa durch ein Leben hinter Klostermauern –, teuer bezahlt haben; zweitens das Hohelied von Tristan und Isolde, ihres Zeichens ebenfalls Lehrer und Schülerin, die einander zwar nicht im unmittelbaren Bann der Lektüre, sondern durch die Wirkung eines Minnetranks hörig geworden sind, im Rahmen ihres ›wunschlebens‹ in der Minnegrotte indessen keine wichtigere Beschäftigung kennen, als die Pausen des Liebesspiels mit der Erinnerung an ähnlich melodramatische ›maeren‹, an Musterfälle aus den *Metamorphosen* des Ovid und Vergils *Aeneis*, auszufüllen; und drittens schließlich die womöglich bedeutendste Romanze dieser Art zwischen Francesca und Paolo, dem ›Liebespaar

von Rimini‹, das nach dem Zeugnis des Fünften Höllenge-
sangs von Dantes *Göttlicher Komödie* gleichfalls über ein
Buch, das Poem vom verliebten, die Gemahlin seines Königs
begehrenden Ritter Lancelot, gestrauchelt ist. Die Verse, in
die Francesca das Ereignis zusammenfaßt, zählen zu Dantes
berühmtesten:

> Doch wenn die erste Wurzel zu erkennen
> > Von unsrer Liebe du so sehr begehrest,
> > Dann will ich tun wie der, der weint und redet.
> Wir lasen eines Tages zum Vergnügen
> > Von Lancelot, wie ihn die Liebe drängte;
> > Alleine waren wir und unverdächtig.
> Mehrmals ließ unsre Augen schon verwirren
> > Dies Buch und unser Angesicht erblassen,
> > Doch eine Stelle hat uns überwältigt.
> Als wir gelesen, daß in seiner Liebe
> > Er das ersehnte Antlitz küssen mußte,
> > Hat dieser, der mich niemals wird verlassen,
> Mich auf den Mund geküßt mit tiefem Beben.
> > Verführer war das Buch und der's geschrieben.
> > An jenem Tage lasen wir nicht weiter.

Selbstredend kam es dann, wozu es kommen mußte, den
Doppelmord inbegriffen, da Gianciotto Malatesta, Frances-
cas Ehemann und Paolos Bruder, offenbar sehr wohl gewußt
hat, was er sich und seiner Ehre schuldig war. In der empfindsamen Zurichtung des Stoffes durch Mme Riccobini ist
von diesem auf Leben und Tod dimensionierten Affektpo-
tential allerdings wenig oder nichts übriggeblieben; auch läßt
sich die Frage vorläufig nicht beantworten, ob die Bekenntnisse der Lady Catesby womöglich dazu beigetragen
haben, den Komplex literarisch wieder gesellschaftsfähig zu
machen. Sicher ist nur, daß Rousseau 1761 mit seiner *Nouvelle
Héloïse*, in der diese Bekenntnisse zitiert werden, für das
größte Aufsehen gesorgt und daß Goethe 1773 unter dem
Titel *Der Hofmeister oder Vorteile der Privaterziehung* ein Dra-
menmanuskript des erwähnten Lenz in Händen gehalten hat,
das, die Klassiker und Novitäten buchstabierend, zwischen

seinen Hauptfiguren, dem Privatlehrer Läuffer und dem ihm anvertrauten Augustchen, mit folgendem Dialog aufwartete (die beiden liegen »auf einem Bette«):

L: ⟨. . .⟩ Ich hab Ursache zu vermuten daß es mit dir nicht zum besten steht und wenn einer deiner Verwandten nur das geringste einmal merkte, könnt es mir gehen wie Abälard –

A (*richtet sich auf*): Was hast du zu vermuten? ⟨. . .⟩ Ich befinde mich nicht wohl, das ist's alles – Aber sage mir wie ging es dem Abä – Abard – wie hieß er? was war das für einer.

L: Es war auch ein Hofmeister, der seine Untergebene heiratete, hernach erfuhren's die Anverwandte und ließen ihn kastrieren.

A (*legt sich wieder auf den Rücken*): O pfui doch! wann geschah das? ist's lange her daß das geschehen ist –

L: Je ich weiß es nicht, ich habe nur so bisweilen in der Neuen Heloise geblättert und da die Geschichte gefunden, es kann auch wohl nur eine bloße Erdichtung sein. Willst du das Buch lesen?

Die Druckfassung des Dramas, wenige Monate vor dem *Werther* ebenfalls in Leipzig veröffentlicht, bot dieses Gespräch zwar in einer deutlich verknappten Form, doch war sich die Pointe gleichgeblieben. Sie bestand in der Selbstbezüglichkeit, die dem Thema am Ende einer langen Gedächtniskette zugewachsen war, darin, daß die Akteure, wie schon im Falle von Rousseaus Roman, nicht im Zeichen einer beliebigen, sondern im Zeichen der denkbar einschlägigsten Lektüre zu den Kopisten ihrer Vorgänger wurden und außerdem glaubten, ihrer Verurteilung zuvorkommen und sich selbst bestrafen zu müssen. Hatte die neue Héloïse Julie zu diesem Zweck einen Unfall gewählt, der ihr Gelegenheit gab, ihr Leben gegen die Freiheit vom Tugendzwang und die Aussicht einer Vereinigung mit dem Geliebten St. Preux zu tauschen, endete Lenz' Lustspiel standesgemäß mit einer Reihe von Eheschließungen, deren eine freilich nach Maßgabe der dafür notwendigen Voraussetzungen nicht mehr zu vollziehen war, weil sich Läuffer inzwischen verstümmelt hatte.

Natürlich ist keinem der beiden, nicht Werther und erst recht nicht Lotte, bewußt, daß dieses Sinngespinst den Hintergrund ihres Literaturgeplauders bildet und immer dann die Funktion einer Begleitstimme übernimmt, wenn es gilt, das angeblich Authentische in seinen kulturellen Abhängigkeiten transparent zu machen. So schreibt Werther, ahnungslos, doch erinnerungsbeladen, noch im selben Brief vom 16. 6. [1771] über den Schlußakt eines abendlichen Gewitters, zu dessen Gestaltung der in der zweiten Fassung ausdrücklich genannte Referenztext, Klopstocks *Frühlingsfeyer*, bereits erkennbar beigetragen hat:

> Wir ⟨Werther und Lotte⟩ traten an's Fenster, es donnerte abseitwärts und der herrliche Regen säuselte auf das Land, und der erquikkendste Wohlgeruch stieg in aller Fülle einer warmen Luft zu uns auf. Sie stand auf ihrem Ellenbogen gestüzt und ihr Blik durchdrang die Gegend, sie sah gen Himmel und auf mich, ich sah ihr Auge thränenvoll, sie legte ihre Hand auf die meinige, und sagte – Klopstock! Ich versank in dem Strome von Empfindungen, den sie in dieser Loosung über mich ausgoß. Ich ertrugs nicht, neigte mich auf ihre Hand und küßte sie unter den wonnevollesten Thränen.

Mit Recht zu den ›Highlights‹ des Romans gezählt, scheint diese Szene vor allem für sich selbst zu sprechen. Tatsächlich handelt es sich aber nicht nur um einen erneuten Rückgriff auf Geßners Arkadienpoesie – in Gestalt von Werther und Lotte kehrt das Schäferpaar Damon und Daphne wieder, das sich im Nachglanz eines niedergegangenen Gewitters zur Liebe verschworen hat (vgl. Geßner, *Schriften*, III. Teil) –; die Szene ist auch im Zusammenhang einer Briefpassage aus dem zweiten Romanteil zu lesen, in der Werther über seine Vorzüge gegenüber dem Rivalen Albert räsoniert. Es heißt dort (vgl. Brief vom 29. 7. [1772]):

> Sie meine Frau! ⟨. . .⟩ Warum nicht, Wilhelm, sie wäre mit mir glüklicher geworden als mit ihm! O er ist nicht der

Mensch, die Wünsche dieses Herzens alle zu füllen. Ein gewisser Mangel an Fühlbarkeit, ein Mangel – nimm's wie du willst, daß sein Herz nicht sympathetisch schlägt bey – Oh! – bey der Stelle eines lieben Buchs, wo mein Herz und Lottens in einem zusammen treffen.

Von hier aus führt dann ein ebenso direkter Weg zu der Szene, die den Endpunkt dieser Motivkette und gleichzeitig die letzte, hochdramatische Begegnung zwischen Werther und Lotte markiert: Da setzt sich Lotte scheinbar gelassen, tatsächlich jedoch, um »die Verwirrung ihres Herzens zu stillen«, »zu Werthern auf's Canapee«, Werther beginnt, aus seiner Übersetzung der Ossianschen Gesänge vorzulesen, mit der Folge, daß sich vor dem inneren Auge der beiden eine Phantasmagorie emotional zutiefst anrührender Schicksalsfigurationen entfaltet, die das im Innersten ohnehin aufgewühlte Paar an den Rand der Fassung und schließlich zur Aufgabe der ihm abgezwungenen Zurückhaltung bringt. »Die ganze Gewalt dieser Worte«, berichtet der Herausgeber, der diese Situation nachträglich zu durchleuchten sucht,

fiel über den Unglüklichen, er warf sich vor Lotten nieder in der vollen Verzweiflung, faßte ihre Hände, drukte sie in seine Augen, wider seine Stirn ⟨. . .⟩ Ihre Sinnen verwirten sich, sie drukte seine Hände, drukte sie wider ihre Brust, neigte sich mit einer wehmüthigen Bewegung zu ihm, und ihre glühenden Wangen berührten sich. Die Welt vergieng ihnen, er schlang seine Arme um sie her, preßte sie an seine Brust, und dekte ihre zitternde stammelnde Lippen mit wüthenden Küssen.

Daß dies der Anfang vom endgültigen Ende sein würde, wußte Werther, und Lotte ahnte es. In Kenntnis der literarischen Zeugnislage aber wird man zugeben müssen: Mustergültiger, ja ›disziplinierter‹ hätten Goethes Figuren das Programm, unter dem sie angetreten sind, kaum erfüllen, der Text im ironisch applizierten Zusammenspiel seiner Prätexte den Zitat- und Wiederholungscharakter der Affäre nicht offenlegen können. Werther und Lotte sind, auch wenn die

Rezeptionslegende das bislang anders wollte, nicht das unverwechselbare Paar, das im Wettbewerb der Gefühle jeden Vergleich außer Kraft setzt; sie sind die Agenten eines Gedächtnisses wohlfeiler Diskurse, das mit individueller Erinnerung wenig oder nichts zu tun hat, dafür aber die Macht hat, sich wie immer – nach Belieben und den Gesetzen des Zufalls – zu reproduzieren.

Mit diesem Befund ist das im Text angelegte Bedeutungsspektrum allerdings nur zum Teil erfaßt. Wirklich sachgerecht wird die Lektüre von Goethes *Werther* erst dann, wenn man die Aufmerksamkeit nicht allein dem Dialog des Romans mit seinen Referenztexten widmet, sondern das Sinnangebot einbezieht, das sich im Zuge des Dialogs aus der Überlagerung und wechselseitigen Inanspruchnahme dieser Referenzen ergibt. Zum Beispiel die angeführte ›Klopstock-Szene‹, die ohne die Verarbeitung auch Klopstockscher Reminiszenzen, wie angedeutet, nicht wäre, was sie ist: Hinter dieser Szene verbirgt sich – genau besehen – ein Vexierbild, das auf dem Wege eines fast unmerklichen Zitatschmuggels zustande kommt. Denn durch die Vergegenwärtigung der *Frühlingsfeyer* wird die alttestamentarische Vorstellung von dem Gott, der sich den Menschen im Gewitter, unter Blitz und Donner, nähert, und im Zusammenhang dieser Vorstellung eine zweite beschworen, die, in zahllosen Illustrationsvarianten überliefert, so etwas wie die Urszene des europäisch-abendländischen Familiendiskurses darstellt. Diese – eine Erfindung des Kirchenvaters Augustinus und seiner Erzählkunst im 9. Buch der *Bekenntnisse*, von deren traditionsbildender Substanz noch die Herzensergießungen Werthers im Sinne eines literarischen Genres zehren – zeigt nicht, wie Mann und Frau, durch ein Buch oder die ehrfurchtsvolle Nennung eines Autornamens verführt, einander verfallen; sie zeigt, wie am Fenster einer Herberge im römischen Ostia namens des Autors, der neben dem Buch der Welt das Buch der Bücher geschrieben hat, Mutter und Sohn eine Seelenhochzeit feiern, die als die erste literarisch bezeugte *unio mystica* in die Historie eingegangen und nicht bloß zur Meßlatte aller späteren Gottessucher, sondern auch zur Anschlußstelle empfindsamer familienpolitischer Diskurse geworden ist. Die von Werther und Lotte zelebrierte Klopstock-Andacht vermag da nicht in jeder Hinsicht mitzuhalten, doch werden durch diesen Vergleich, ohne daß man umwegige psychologische Analysen vornehmen müßte, geradezu schlaglichtartig die Erwartungskomplexe, die Mechanismen und Fixierungen erkennbar, die aus der Liebeseine nicht mehr abzuwehrende Katastrophengeschichte machen. So ist Lotte zwar die Frau, die Werthers Begehren wachruft, aber sie ist dies nur, weil sie zugleich dem Bild der Mutter entspricht, das Werther aufgrund seiner Vertrautheit mit zeitgenössischer Literatur in dem »reizendste[n] Schauspiel« ihrer ersten Begegnung weniger erkannt als wiedererkannt hat (vgl. Brief vom 16. 6. [1771]), während Werther unter der Flagge seiner ausgeprägten Kinderliebe von Beginn an auf die Rolle des Sohnes spekuliert, der die mütterliche Zuneigung als Gegenstand exklusiver Rechte versteht. Dieses Arrangement hat zweifellos beträchtliche Vorzüge; Werther, nach »Wiegengesang« verlangend, kann sein »Herzgen [halten] wie ein krankes Kind« (Brief vom 13. 5. [1771]); gleichzeitig ist damit jedoch der große Nachteil verbunden, daß die Geliebte, koste es, was es wolle, unerreichbar, daß sie das Objekt einer imaginären Vereinigung bleiben muß, da andernfalls die Sanktionen des Inzestverbotes greifen würden, die historisch den Übergang von der ursprünglich genealogisch gerechtfertigten zu einer an den Primärbeziehungen orientierten Liebeswahl gesichert haben. Den Nagel auf den Kopf trifft deshalb Lotte, als sie am Vorabend ihrer letzten Zusammenkunft dem Freund die Frage entgegenhält: »Warum denn mich! ⟨. . .⟩ das Eigenthum eines andern«, und sich an der Stelle Werthers selbst die Antwort gibt: »Ich fürchte, ich fürchte, es ist nur die Unmöglichkeit mich zu besizzen, die Ihnen diesen Wunsch so reizend macht.«

Als ein Vexierbild der komplizierteren Sorte entpuppen sich dagegen die Ereignisse, die – wie dokumentiert – mit

Lottes Kanapee verbunden sind. Hat man zunächst den Eindruck, dieser Auftritt, der die ›Klopstock-Szene‹ in ausge-
spielter Form wiederholt, sei von Werther nach der Devise
»Heut, oder nie mehr« mit der Absicht provoziert, am Ende
doch noch alle Schranken der Bürgermoral zu durchbrechen,
um in den Besitz des absolut Verbotenen, der ›Mutter‹, zu
gelangen, wird man in dieser Annahme entschieden bestärkt,
sobald man aktualisiert, was in Werthers letzter und bis heute
kontrovers diskutierter, weil immer ein wenig rätselhaft ge-
bliebener Lektüre an sinnerschließenden Implikationen
steckt. Gemeint ist Lessings *Emilia Galotti*, die Werther,
demonstrativ aufgeschlagen, neben den Brot- und Weinre-
sten seines solitären und wieder etwas blasphemischen
›Abendmahls‹ einem verschlüsselten Testament gleich zurückläßt. Denn dieser Text, den Werther anläßlich seiner
Malerphantasien insgeheim bereits im Brief vom 10. 5.
[1771] herbeizitiert – verarbeitet wird dort das Kunstge-
spräch zwischen Gonzaga und Conti aus dem 4. Auftritt des
1. Aufzugs –, hat in erster Linie durch seinen Schluß Furore
gemacht, an dem Odoardo seine Tochter auf deren flehent-
liche Bitten hin eigenhändig erdolcht, einen Schluß, den man
jedoch nicht unbedingt unter dem Aspekt perverser bürgerlicher Selbstbehauptung lesen muß, sondern im Blick auf die
hochgradig erotisierten Familienbande der Betroffenen mit
derselben Berechtigung als verschleierten inzestuösen Akt
begreifen kann. Die Tatsache, daß Werthers Leserkarriere bei
Lessing endet, hätte vor diesem Hintergrund zweifelsohne
die Bedeutung eines Eingeständnisses; Werther hätte sich zu
einer Regression bekannt, wie sie verschlingender und le-
bensfeindlicher nicht denkbar ist. Läßt man indessen auch
diese Möglichkeit beiseite und favorisiert an ihrer Statt eine
dritte, ebenso plausible Lesart von Lessings Drama, indem
man Odoardo als die ordnende Instanz betrachtet, durch die
Emilia vor dem Bruch ihres Treuegelöbnisses gegenüber
dem Grafen Appiani und der diabolischen Anziehungskraft
Gonzagas bewahrt wird, rückt das Trauerspiel, modisch ko-
stümiert, doch nicht weniger rigoros, plötzlich an die Seite

der erwähnten mittelalterlichen Bezugstexte, die im Fall des Falles stets den Vertreter des Gesetzes und damit denjenigen aufgeboten haben, der bis in die Fragen des erotisch-geschlechtlichen Selbstverständnisses hinein die Identität der Sünder zu garantieren wußte. Die Folge dieser Nachbarschaft aber ist, daß Werthers ertrotzter vorweihnachtlicher Besuch bei Lotte samt der Szene auf dem Kanapee in einem anderen Licht erscheint. Vor allem drängt sich der Gedanke auf, ob Werther, um in der ausweglosen Situation ein Äußerstes zu versuchen, diesen Überfall nicht im Sinne seiner literarisch induzierten Handlungsmaximen als letzte, spektakuläre Herausforderung dessen veranstaltet, der sich bis zu diesem Zeitpunkt so recht nicht hat herausfordern lassen. Denn kein anderer als Lottes Ehemann Albert hätte die Macht, den Bann zu brechen und Werther wieder auf den Weg zu helfen. Daß dieser Vorstoß, wie sich alsbald herausstellt, ein vergebliches Unterfangen, daß Werther weder Abälard noch Paolo und nicht einmal ein männliches Pendant Emilia Galottis, vielmehr erneut bloß Werther ist, der seinen Rivalen auch an diesem Abend nicht zu Gesicht, geschweige denn zum Partner der überfällig gewordenen Auseinandersetzung bekommt –: all das würde nämlich nichts an den Konsequenzen ändern. Lessings Text auf Werthers Lesepult wäre unter diesen Voraussetzungen als Indiz eines zwar nicht in Erfüllung gegangenen, doch vehement empfundenen Wunsches nach der Autorität aufzufassen, die Werther aus der Zwangsjacke seiner imitatorischen Existenz hätte befreien können.

So wenig sich demnach am tödlichen Schlußpunkt von Goethes *Werther* herumdeuten läßt, so beunruhigend sind andererseits die Fragezeichen, die dieses Finale umstellen. Genauer erwogen, ist seine Zweideutigkeit indessen nicht nur als jener Gewinn, als das Plus an Spiel- und Freiheitsbefähigung zu verbuchen, das der *Werther*-Leser vor dem lesenden Werther voraushaben und im Sinne einer poetologischen Bekundung des strukturell zum Dialog verpflichteten Briefromans realisieren kann; auf Goethes gesamte Ro-

manproduktion bezogen, stellt diese Sinnkonkurrenz das
Auftaktsignal zur Entwicklung einer Erzählform dar, die in
denkbar radikaler Weise mit allen bis dahin gültigen Konventionen brechen wird. Erinnert sei an die Kurzweil, die
sich ein anderes ›lesendes Liebespaar‹, Friedrich und Philine
im 8. Buch von *Wilhelm Meisters Lehrjahren*, verschaffen, indem sie an einem mit Büchern bepackten Tisch einander
gegenübersitzen und nach dem Gang einer alten Sanduhr
»gegeneinander«, das heißt »immer nur stellenweise, aus einem Buch wie aus dem andern« lesen. Im Anschluß an Wil-
helms Kommentar ließe sich diese anarchische Wechsellek-
türe als die reine Tollheit bezeichnen, durch die der Flucht-
punkt der Texte ständig verschoben, der Sinn im Augenblick
seiner Manifestation konterkariert, widerrufen, einer entfes-
selten Semiose überantwortet wird; man darf jedoch nicht
vergessen, daß aus diesem Experiment neben den *Wahlverwandtschaften* die *Wanderjahre* und also die beiden Romane der
deutschsprachigen Literatur hervorgegangen sind, die in unterschiedlicher Form – die *Wahlverwandtschaften* durch eine
fast schwindelerregende Aufmischung diverser Diskursfor-
mationen sowie die phantasmatische Novelle von den
Wunderlichen Nachbarskindern, die *Wanderjahre* in Gestalt eines
Kunterbunts von Novellen, Märchen, Briefen, Tagebuch-
fragmenten und Spruchsammlungen – das Prinzip des Ge-
geneinanderlesens zu einem virtuosen Konzept des bezie-
hungsreich widersprüchlichen, an die Peripherie seiner selbst
gedrängten Erzählens entfaltet und damit im Vorgriff gleichsam eine der wesentlichen Literaturtechniken des 20. Jahrhunderts erprobt haben. Für Goethes *Werther* sollte daraus
rückwirkend keine Aufwertungsteleologie, nur die Erkenntnis abgeleitet werden, wie lohnend es unter Umständen sein
kann, auch eine Liebesgeschichte von dieser Intensität und
Geschlossenheit auf die Schubkraft ihrer insgeheim genährten Dissoziationsimpulse hin zu lesen.

ZUR TEXTGRUNDLAGE UND ZUM GEBRAUCH DES
PARALLELDRUCKS

Die Textgeschichte der *Leiden des jungen Werthers* ist kompliziert. Erstmals erschien der Roman 1774 bei dem Leipziger Verleger Weygand, der im gleichen Jahr noch zwei Nachdrucke folgen ließ. In ihnen waren einige Druckfehler berichtigt. 1775 wurde, ebenfalls von Weygand, die »zweyte ächte Auflage« herausgebracht, für die man noch einmal Goethes (nicht erhaltenes) Manuskript heranzog. Erstmals ist hier der mittlere Absatz des Briefes vom 13. 7. 1771 enthalten (vgl. Stellenkommentar zu S. 76,18-21). In dieser Ausgabe stellte Goethe den beiden Teilen als Motto jeweils vier Verse voran. Ebenfalls 1775 erschienen im Verlag des Berliner Buchhändlers Christian Friedrich Himburg erstmals *J. W. Goethens Schriften* – ein Raubdruck, der in seinem ersten Teil den *Werther* in einer leicht veränderten, dem Berliner Sprachgebrauch angeglichenen Fassung brachte. Himburgs Druck erfuhr 1777 und 1779 weitere Auflagen; in ihnen vermehrte sich die von Anfang an beträchtliche Zahl der Druckfehler noch weiter. Der Himburgsche *Werther* von 1779 wich also von der Erstausgabe deutlich ab. Dieser Text lag jedoch einer Abschrift zugrunde, die Goethe 1782 anfertigen ließ, als er den Plan einer Umarbeitung des Romans ernsthaft ins Auge faßte. In dieses Manuskript trug der Autor seine Korrekturen ein, wobei er Himburgs Abweichungen vom Erstdruck großenteils beibehielt. Die so entstandene ›Handschrift H‹ diente als Druckvorlage für die Ausgabe, die 1787 als erster Band von *Goethe's Schriften* bei Göschen in Leipzig erschien.

Unser Druck der ersten Fassung folgt unter Beiziehung der Erstausgabe der Edition von Hanna Fischer-Lamberg (in: *Der junge Goethe*, Bd. 4, S. 105-187). Von dort übernommene Konjekturen werden im Stellenkommentar verzeichnet. – Dem Druck der zweiten Fassung liegt die Akademie-Ausgabe zugrunde: *Die Leiden des jungen Werthers*, er-

ste und zweite Fassung, bearbeitet von Erna Merker, 1954.
Diese Edition folgt der ›Handschrift H‹. Da sich die Unter-
schiede der beiden Fassungen nicht zuletzt im orthographi-
schen Detail manifestieren, wurde für diesen Paralleldruck –
abweichend von der sonstigen Praxis der vorliegenden Edition – auf eine Normalisierung verzichtet.

An einigen Stellen weicht unsere Ausgabe der ersten Fassung von der Vorlage ab und folgt dem Erstdruck (in Klammern die Lesart von Fischer-Lamberg): 64,5 Friedrike [Frie-
derike]; 76,30 unversehns [unversehens]; 84,4 wurden
[wurde n]; 140,20 Graf v. C. [Graf v. C..]; 142,12 fournirten
J. [fournirten J..]; 172,16 Abgeschiedenen [abgeschiedenen];
194,12 Liebesthal [liebes Thal]; 248,31f. Sterben! Grab!
[Sterben! – Grab!]. Im Brief vom 13. 7. [1771] wurde der
mittlere Absatz gestrichen (vgl. Anm. 76,18-21).

In der Ausgabe der zweiten Fassung wurde in einem Fall
(der WA folgend) von der Vorlage abgewichen: 135,25 bleibe
in [bleib ein].

Die parallele Textanordnung erzeugt in beiden Fassungen
Freiräume, die der durchlaufende Text der Vorlagen nicht
enthält. Diese Freiräume sind allerdings problemlos von jenen Spatien zu unterscheiden, die dem Druckbild der Vorlagen entsprechen: Im durchlaufenden Text beginnt ein Absatz
mit Einzug; am Beginn eines neuen Abschnitts (Briefs) beginnt er linksbündig ohne Einzug. Stumpfe Absätze, größere Einrückungen oder Textlücken innerhalb der Briefe ergeben sich durch die Parallelität. Im Herausgeberbericht am
Romanende markieren linksbündige Einsätze nach Spatium
den Beginn eines neuen Sinnabschnitts; in Fassung A
schließt allerdings S. 254,29 ohne Absatz an S. 252,21 an. –
Beide Fassungen plazieren an je unterschiedlichen Stellen ein
einfaches Spatium, um Sinnabschnitte innerhalb der Briefe
voneinander abzusetzen. Diese Konvention kann im Paralleldruck nicht erhalten werden. Es handelt sich um folgende
Textstellen: Fassung A Spatium nach: 20,5; 26,6; 44,3; 44,25;
104,14; 106,30; 112,5; 116,9; 116,19; 118,4; 118,9; 120,2;
120,27; 120,35; 216,31; 222,23. Fassung B Spatium nach:
47,37; 49,23.

STELLENKOMMENTAR

In der Regel wird die umfangreichere zweite Fassung kommentiert. Die hier gegebenen Erläuterungen beziehen sich in den meisten Fällen auf beide Fassungen, so daß Kommentare zur Erstfassung meist unter der jeweils folgenden Seitenzahl zu suchen sind. Verständnisschwierigkeiten bei der Lektüre der Erstfassung klären sich vielfach bereits durch einen vergleichenden Blick nach rechts, auf Goethes spätere Umarbeitung: Wo bereits die Zweitfassung Archaismen, Fremd- und Dialektwörter etc. des Erstdrucks heutigem Sprachgebrauch anpaßt, wurde auf eine Kommentierung der Erstfassung verzichtet.

9,1 ⟨Die⟩ Leiden des jungen Werthers] Die heute vertraute schwache Flexion des Eigennamens (ohne Endungs-›s‹) führte Goethe erst in der Ausgabe ein, die Weygand 1824 zum fünfzigjährigen Jubiläum der Erstausgabe veranstaltete. Dort wurde auch der bestimmte Artikel wieder eingeführt, auf den die Ausgaben der Zweitfassung zuvor verzichtet hatten.

12,26 zur Mayenkäfer] Oberdeutscher Feminingebrauch.

15,13 bin nie ein größerer Mahler gewesen] Anspielung auf das Gespräch des Prinzen Gonzaga mit dem Maler Conti in Lessings Emilia Galotti (I 4): »Ha! daß wir nicht unmittelbar mit den Augen malen!« Vgl. S. 265,30f.

15,18-20 näher an der Erde ⟨. . .⟩ Wimmeln der kleinen Welt zwischen Halmen] Hier wird der Diskurs der Naturlyrik des 18. Jahrhunderts aufgenommen. Für dessen Technik minutiöser Beschreibung des Kleinen und des Details sind stellvertretend Barthold Heinrich Brockes (Irdisches Vergnügen in Gott), Friedrich Gottlieb Klopstock (Der Tropfen am Eimer) und Christian Ewald von Kleist (Der Frühling) zu nennen.

15,23f. Gegenwart des Allmächtigen ⟨. . .⟩ Wehen des Alliebenden] Hier ist an Klopstocks religiöse Hymnendichtung zu denken (Dem Allgegenwärtigen).

15,30-32 *der Spiegel deiner Seele* ⟨. . .⟩ *der Spiegel des unendlichen Gottes*] Die schon zuvor (S. 15,22) eingeführte Reminiszenz an die Gottesebenbildlichkeit des Menschen wird damit auf die für das 18. Jahrhundert insgesamt charakteristische Metapher gebracht: Die Seele als Spiegel Gottes fungiert nicht allein im pietistischen Schrifttum als gängige Formel, sondern läßt sich beispielsweise auch auf Leibniz' Monaden-Lehre beziehen.

17,6 *Melusine*] Wassergeist. Im deutschen *Volksbuch* (1474) wird erzählt, Melusine sei mit ihrer Schwester in einem Brunnen gebannt.

17,12 *anzügliches*] Anziehendes.

17,18 *Altväter am Brunnen*] Vgl. Gen 24,11-14; Gen 29,1. Aber auch Jh 4,5: Die dort erzählte Begegnung Jesu mit der Samariterin am Jakobsbrunnen (vgl. die spätere Selbststilisierung Werthers zum Postfiguranten Christi) ist typologisch und auch ikonographisch eng mit der Werbung Eliezers um Rebekka verbunden. Da das Motiv der Begegnung am Brunnen hier schon das Zusammentreffen mit Lotte präfiguriert, steht die künftige Geliebte bereits vor ihrem Auftreten in einem doppelt besetzten Sinnhorizont.

17,29 *Homer*] Erste Erwähnung des, neben der Bibel, zentralen Referenztextes für Goethes Roman. Vgl. S. 27,19; 59,4; 111,25; 143,34f.; 153,25.

17,33 *von süßer Melancholie zur verderblichen Leidenschaft*] Der Umschlag depressiver in manische Zustände ist ein der zeitgenössischen Melancholie-Diskussion vertrautes Phänomen; er wird später auch für Werther selbst charakteristisch.

19,11 *Flüchtlinge*] Oberflächliche Menschen.

19,20-27 *Letzthin kam ich* ⟨. . .⟩ *stieg hinauf*] Eine ähnliche Abwandlung des biblischen Motivs (vgl. Anm. 17,18) findet sich in Salomon Gessners Idylle *Daphne. Chloe* (*Schriften*, Bd. 5, Zürich 1772, S. 8-10; vgl. Evans, *A Passage in »Hermann und Dorothea«*, S. 78f.).

19,26 *Kringen*] Ringförmiges Tragepolster für Kopflasten.

21,34 *Akademien]* Universitäten.

23,2 *Batteux]* Charles Batteux, *Cours de belles lettres ou Principes de la littérature* (1747-50), übersetzt von Karl Wilhelm Ramler (1756-58).

23,2 *Wood]* Robert Wood, *An essay on the original genius and writings of Homer* (1768), übersetzt von J. P. Michaelis (1773).

23,3 *de Piles]* Roger de Piles (1635-1709), *Œuvres diverses* (1767), darin Schriften zur Theorie der Malerei.

23,3 *Winckelmann]* Johann Joachim Winckelmann, *Gedanken über die Nachahmung der griechischen Werke* (1755); *Geschichte der Kunst des Altertums* (1764).

23,4 *Sulzer]* Johann Georg Sulzer, *Allgemeine Theorie der schönen Künste* (1771-74).

23,5 *Heyne]* Christian Gottlieb Heyne (1729-1812), seit 1767 in Göttingen, der führende deutsche Altphilologe des späten 18. Jahrhunderts. Nachschriften der Vorlesungen bedeutender Gelehrter waren in akademischen Kreisen äußerst begehrt.

23,20f. *historisch]* In Form eines Tatsachenberichtes abgefaßt.

29,8 *Wohlstand]* Anstand.

29,28 *Collegium]* Verwaltungsbehörde.

31,13 *Weck]* Brötchen.

31,22 *Scharre des Brey's]* Der Rest, der nach dem Verteilen des Breis im Topf zurückbleibt.

33,26 *geboßelt]* Kunstvoll geschmiedet, überhaupt: bearbeitet.

39,29 *Versorgung]* Amt, Stellung.

41,2 *verziehen]* Warten.

45,7 *Miß Jenny]* Vermutlich die Titelheldin aus Marie-Jeanne Riccobonis *Histoire de Miss Jenny Glanville*, übersetzt von J. G. Gellius (1764); allgemein wird angespielt auf den empfindsamen Roman mit weiblicher Heldin, wie er in der Nachfolge von Samuel Richardson in Mode gekommen war (vgl. »Zur Deutung«).

45,18f. *Landpriester von Wakefield]* Oliver Goldsmith, *The Vicar of Wakefield* (1766), vgl. *Dichtung und Wahrheit*, 10. Buch.

45,30 *Contretanz*] Diese Form des Tanzes drang im Lauf des 18. Jahrhunderts zunächst aus Frankreich, dann auch aus England (»country-dance«) nach Deutschland: Jeweils zwei Paare tanzen mit- und gegeneinander.

47,13 *Menuets*] Einzelpaartänze.

47,17 *einen Englischen*] Country-dance (vgl. Anm. 45,30).

47,28 *Deutsch tanze*] Der deutsche Tanz (Allemande) erweitert den Contretanz um Einzelpaarfiguren (das Walzen).

47,30 *Chapeau*] Tänzer, Tanzherr.

49,19 *Orangen*] In der Ikonographie traditionell ein Attribut der Venus; die Orange kann zudem in Darstellungen des Sündenfalls die Stelle des Apfels als verbotener Frucht einnehmen. Gleich anschließend wird Werther eine stumme Drohung zuteil. – Denkbar wäre auch eine Reminiszenz an die Novelle IV 5 aus Boccaccios *Decamerone*, in der Lisabetta den im Basilikumstopf geborgenen Kopf des von ihren Brüdern ermordeten Geliebten nicht allein mit ihren Tränen, sondern – derselben Bildtradition folgend – auch mit Orangenwasser begießt.

51,15 *Wetterkühlen*] Wetterleuchten.

51,34 *Schlukker*] Schlemmer, Genießer.

53,6 *Vortrag*] Vorschlag.

53,36f. *Klopstock* ⟨...⟩ *der herrlichen Ode*] Gemeint ist Klopstocks Ode *Die Frühlingsfeyer* (1759). Der Einklang der Herzen durch das Nennen und Vernehmen eines Autornamens umschreibt den Diskurs der Empfindsamkeit auf denkbar prägnante Weise. Allerdings ist die vermeintliche Unmittelbarkeit der Empfindung durch ein äußerst artifizielles Arrangement hergestellt. Der Herzensbund, der hier sprachlos geschlossen wird, ist nicht nur eine zitierende Wiederaufnahme von Geßners Idylle um das Schäferpaar Damon und Daphne (vgl. *Schriften*, III. Teil); sie ist zugleich eine Neuinszenierung des alten Motivs vom lesenden (das heißt durch Lektüre zueinandergeführten) Liebespaars. Jean-Jacques Rousseaus *Nouvelle Héloïse* (1761) führt die Erinnerung an ein klassisches lesendes Liebespaar schon im Titel, die Geschichte von Abälard und Heloisa (aus dem 12. Jahrhundert). Auch Gottfried von Straßburg läßt in seinem *Tristan* (um 1210) die Liebenden ihre Zeit mit dem Erzählen (antiker) Liebesgeschichten zubringen (V. 17182-17199). Noch konziser ist die erotische Funktion gemeinsamer Lektüre im Fünften Gesang von Dantes *Göttlicher Komödie* gefaßt, wo Paolo und Francesca, das ›Liebespaar von Rimini‹, sich in die Geschichte Lancelots, der (wie Tristan) die Gattin seines Königs liebt, vertieft (vgl. »Zur Deutung«). Das Arrangement der Szene mit den beiden Liebenden am Fenster kontaminiert das Lektüre-Motiv mit einer weiteren Schlüsselszene abendländischer Literatur, der sogenannten *Szene von Ostia* aus den *Confessiones* des Augustinus, in der Mutter und Sohn schweigend am Fenster die Präsenz des Vatergottes erfahren. Die Rollen von Mutter und Vater werden von Werther zwar anders besetzt, die familiale Kodierung der Dreieckskonstellation ist gleichwohl unverkennbar. Sie wird, im Problem der *ménage à trois*, aber auch in Werthers Beschwörungen des Vatergottes, die Struktur des Romans bestimmen (vgl. »Zur Deutung« und Anm. 85,10).

59,8 *Freyer der Penelope*] Die Bewerber um Penelopes Gunst veranstalten auf Ithaka große Festgelage (vgl. Homer, *Odyssee*, XX 247-280); der Vergleich mit Werthers Zukkererbsen hat von daher eine ironische Note. Allerdings kommen auch die Freier nicht zum Besitz der Umworbenen, sondern erleiden ein schmähliches Ende.

59,28 *Kräusel*] Gewebefaden.

61,6 *guten Humor*] Gute Laune, glückliches Temperament. Die mittelalterliche Säftelehre klingt in Goethes Sprachgebrauch noch an.

61,9f. *Lehrers der Menschen ⟨. . .⟩ wie eines von diesen*] Vgl. die Worte Jesu in Mt 18,3.

61,20 *radotiren*] Schwatzen.

62,33 *Kur⟨z⟩zeit*] Konjektur nach Fischer-Lamberg – der Erstdruck liest »Kurzeit«. Vgl. auch Fassung B.

63,3 *Quakelchen*] Nesthäkchen (frankfurterisch).

65,14 *Fratzen*] Mürrischen Gesichtern; auch allgemein: Nichtigkeiten.

65,37 *hängt sehr dahin]* Neigt sehr dazu.

67,10f. *Resignationen]* Entsagungen.

67,35f. *Lavatern ⟨. . .⟩ Buch Jonas]* Johann Caspar Lavater, *Mittel gegen Unzufriedenheit und üble Laune*, in: *Predigten über das Buch Jonas* (1773).

73,4 *Schulden einer Nation]* Schuld, Vergehen.

73,28 *lüftig]* Luftig, flatterhaft.

73,30 *auf sie resigniret]* Ihr ergeben.

74/75,12 *[m]einer Freundinn]* In Fassung A Konjektur nach Fischer-Lamberg, da von einer Freundin Werthers nichts bekannt ist. Die ›Handschrift H‹ liest, wie der Erstdruck, »meiner Freundin«.

75,9 *Ossian]* Erste beiläufige Erwähnung von James Macphersons Dichtung (1761-69).

75,14 *rangiger Filz]* Habgieriger, geiziger Bauer.

75,31f. *Losung]* Erlös, Einnahmen.

76,18-21 *mich liebt ⟨. . .⟩]* Der mittlere Absatz dieses Briefes war in der Erstausgabe nicht enthalten, wahrscheinlich wegen eines Versehens des Setzers (Haplographie). Er wurde aber bereits der »zweyten ächten Auflage« von 1775 eingefügt. Dort hat er folgenden Wortlaut:

Mich liebt! Und wie werth ich mir selbst werde! Wie ich – dir darf ich's wohl sagen, du hast Sinn für so etwas – wie ich mich selbst anbete, seitdem sie mich liebt.

77,10f. *des Propheten ewiges Öhlkrüglein]* Der Prophet Elia und die Witwe in Sarepta, 1. Kön 17,10-16.

79,18 *der alten Zauberkraft der Musik]* Vgl. beispielsweise die griechische Sage von Orpheus und Amphion, die biblische Geschichte von David und Saul (1. Sam 16,14-23) oder die Legende von der heiligen Cäcilie.

79,26 *Zauberlaterne]* Laterna magica, Projektionsvorrichtung.

81,4 *Bononischen Steine]* Bologneser Schwertspat, phosphoreszierendes Mineral. Vgl. *Italienische Reise*, 20. 10. 1786.

81,8 *Sürtout]* Überrock, Jacke.

83,15 *prostituiret]* Blamiert, lächerlich gemacht.

85,5 *Mährchen vom Magnetenberg]* Aus *Tausendundeiner Nacht*; auch im *Volksbuch* vom Herzog Ernst.

85,10 *Albert ist angekommen*] Mit diesem Brief beginnt die explizite Auseinandersetzung mit dem Thema der *ménage à trois*, einem für den Roman des 18. Jahrhunderts zentralen Thema. Als Referenztexte für den *Werther* sind zunächst Christian Fürchtegott Gellerts *Leben der schwedischen Gräfin von G.* (1747/48) und Rousseaus *Nouvelle Héloïse* zu nennen; durch letzteren Roman vermittelt aber auch die klassischen Typen einer verbotenen, gesellschaftlich tabuisierten Liebe: Abälard und Heloisa oder Petrarcas *Sonette an Laura* (vgl. Anm. 53,36f.). Diese Spur intertextueller Verweise hatte schon Jakob Michael Reinhold Lenz in seinem *Hofmeister* (entstanden 1772/73) exponiert (vgl. »Zur Deutung«).

87,8 *Prätension an sie*] Anspruch auf sie.

89,16 *einem verwandten Gleichnisse*] Vgl. Mt 18,8.

91,6-9 *Ein Glied der liebenswürdigsten Familie* ⟨...⟩ *dann der ehrliche Albert*] Vergleichbare ›Familien‹-Modelle werden von Gellert und Rousseau entworfen (vgl. Anm. 85,10).

93,15 *Terzerolen*] Taschenpistolen.

93,20 *dahlt*] Scherzt, albert herum.

93,23 *Maus*] Daumenmuskel.

93,30 *rechtfertig*] Rechthaberisch.

95,21 *Wer hebt den ersten Stein*] Vgl. Jh 8,7.

95,35f. *geht vorbei* ⟨...⟩ *wie einen von diesen*] Vgl. Lk 10,31 und 18,11.

97,37 *Radotage*] Geschwätz.

99,17 *Krankheit zum Tode*] Anspielung auf Jh 11,4: »Diese Krankheit führt nicht[!] zum Tode.«

103,32f. *Prinzessin die von Händen bedient wird*] Vgl. *La chatte blanche*, ein Märchen aus den *Contes de Fées* von Marie Cathérine Jumelle de Berneville, Gräfin von Aulnoy.

103,35 *Incidentpunct*] Juristisch: strittiger Nebenpunkt; hier allgemein: Einzelheit, Detail.

111,11 *Fabel vom Pferde*] Bei Stesichorus, Phädrus, Horaz (*Epist.* I 10), Lafontaine (*Fables* IV 13); vgl. auch *Reineke Fuchs* X 133-151.

111,24 *in Duodez*] Im Taschenformat.

111,24-26 *der kleine Wetsteinische Homer* ⟨...⟩ *mit dem Er-*

nestischen] Zweibändige griechisch-lateinische Ausgabe aus dem Offizin von J.H. Wetstein, *Homeri opera...*, Amsterdam 1707. Die ebenfalls griechisch-lateinische Edition von J.A. Ernesti, *Homeri opera ...*, Leipzig 1759-64, umfaßt fünf Bände im größeren Oktav-Format.

113,6-9 *ich sitze oft auf den Obstbäumen ⟨...⟩ Sie steht unten]* Eine vergleichbare Szene findet sich in Jean-Jacques Rousseaus *Confessions* (I 4).

113,31 *gähen]* Steilen.

115,7f. *das härene Gewand und der Stachelgürtel]* Vgl. Mt 3,4. Johannes der Täufer trägt allerdings einen ledernen Gürtel; der Stachelgürtel diente christlichen Asketen zur Selbstkasteiung.

125,31 *idealische]* Einem (literarischen) Ideal entsprechende.

129,1 *Inversionen]* Umstellungen der Wortfolge im Satz, charakteristisch für Werthers Stil; im Sturm und Drang vielfach ausdrücklich zur Steigerung der Emphase proklamiert.

129,2 *seinen Perioden]* Periode: Satz aus mehreren Teilsätzen (von Goethe noch als Maskulinum gebraucht).

129,32 *Deraisonnement]* Unvernünftiges Geschwätz.

133,11f. *ehrene Jahrhundert ⟨...⟩ im eisernen]* Nach der antiken Lehre von den fünf Weltaltern, die – in absteigender Folge bis zum eisernen – Kultur und Glückseligkeit des Menschengeschlechts bestimmen.

135,17f. *Raritätenkasten]* Guckkasten mit Vergrößerungslinsen, Jahrmarktsattraktion.

141,20 *distinguiert mich]* Zeichnet mich aus.

143,11 *Krönungszeiten Franz des ersten]* Franz I. wurde 1745 zum deutschen Kaiser gekrönt.

143,12 *in qualitate Herr von R... genannt]* Seinem Rang (nicht seiner Geburt) nach als Mitglied der »noble[n] Gesellschaft« (S. 141,23) angesprochen.

143,13 *fournirten]* Ausgestatteten.

143,32 *Cabriolet]* Zweirädrige Kutsche, Einspänner.

143,34f. *meinem Homer ⟨...⟩ bewirthet wird]* Der heimkehrende Ulyß (lat. für Odysseus) wird von seinem

Schweinehirten Eumaios beherbergt; vgl. den 14. Gesang
der *Odyssee*.

147,12f. *gestern Nacht ausgestanden]* Den vergangenen
Abend durchgestanden.

153,25f. *Wenn Ulyß ⟨...⟩ unendlichen Erde spricht]* Häufig
bei Homer, etwa *Odyssee* X 195; XV 79.

157,29 *bey der Stelle eines lieben Buches]* Ein weiterer Verweis auf den Topos vom lesenden Liebespaar, der mit der
Klopstock-Szene eingeführt worden war (vgl. Anm.
53,36f.).

167,14 *Kanarienvogel]* Die folgende Szene ist ikonographisch unmißverständlich besetzt; es handelt sich um einen
von der Rokoko-Malerei vielfach variierten Topos erotischer Verführung im Rahmen einer anstößigen Liaison (vgl.
Anm. 17,18).

168/169,25 *Zutragen/Zutrauen]* In Fassung A Konjektur
nach Fischer-Lamberg; Fassung B liest wie der Erstdruck.

169,30f. *sich in die Untersuchung des Kanons melirt]* Sich ⟨...⟩
einmischt. – Den Kanon bilden die von der Kirche anerkannten Bücher der Bibel; dem Anspruch auf deren Authentizität
begann im 18. Jahrhundert die historische Kritik zu widersprechen.

169,31f. *neumodischen moralischkritischen Reformation des
Christenthumes]* Theologen der Aufklärung wie Bahrdt,
Basedow und Eberhard plädierten dafür, den allgemein-
menschlichen Gehalt der christlichen Religion im Sinne einer
Morallehre zu erhalten, die historisch bezweifelbare Fundie-
rung des Glaubens jedoch aufzugeben.

169,33 *Lavaters Schwärmereyen]* Johann Caspar Lavater
trat für ein Gefühlchristentum ein, das in seinem Über-
schwang weder auf historischen Anhalt noch auf historische
Kritik angewiesen sein wollte.

171,6f. *Kennikot, Semler und Michaelis]* Die Theologen
Benjamin Kennicot (1718-1783) und Johann Salomo Semler
(1725-1791) sowie der Orientalist Johann David Michaelis
(1717-1791); drei führende Vertreter der historischen Bibel-
kritik.

171,15 *Prätensionen]* Ansprüche.

171,29 *Ossian* ⟨. . .⟩ *Homer]* Vgl. Anm. 17,29. Der Präsenz des patriarchalen Idylls bei Homer kontrastiert die Totenklage des Ossian. Der Brief stellt eine zusammenfassende Paraphrase der Gesänge Ossians dar, in denen Fingal, der Vater des fiktiven Sängers, besungen wird. Zahlreiche Motive, wie »die Wehklagen des zu Tode sich jammernden Mädchens« oder der Ruf nach dem »Wanderer«, werden später in Werthers Lesung von Macphersons Dichtung aus dem Original zitiert.

175,22f. *Alles in allem]* Vgl. 1. Kor 12,6 und 15,28; Eph 1,23.

179,15f. *vor Gottes Angesicht]* Vgl. Anm. 15,23f. und »Zur Deutung«.

179,17 *verlechzter]* Rissiger.

179,19 *der Himmel ehern über ihm]* Gängiges Epitheton bei Homer; auch Dt 28,23. Zudem schwingt deutlich die Spiegel-Metaphorik des Romananfangs mit (vgl. Anm. 15,30-32).

181,14f. *daß die um ihn seyn würden* ⟨. . .⟩ *gegeben hat]* Vgl. Jh 6,37;44;65.

181,23f. *der Kelch* ⟨. . .⟩ *zu bitter]* Vgl. Mt 26,39.

181,27f. *Seyn und Nichtseyn]* Vgl. Shakespeare, *Hamlet* III 1, V. 56.

181,34 *Mein Gott!* ⟨. . .⟩ *mich verlassen]* Mt 27,46.

183,2 *die Himmel* ⟨. . .⟩ *Tuch]* Die biblische Anspielung ist im christologischen Kontext des Briefes wohl auf Apk 6,14 zurückzuführen (vgl. Williams, ›. . .der die Himmel zusammenrollt wie ein Tuch‹, S. 364-367). Dafür spricht auch die Nähe der im Brief aufgerufenen Metaphorik zur Apk 6,12-17 prophezeiten eschatologischen Verfinsterung der Natur. In der Offenbarung ist allerdings nicht von einem »Tuch«, sondern von einem »Buch« bzw. einer Schriftrolle die Rede; die Veränderung könnte auf einen von Goethe auch später nicht bemerkten Druckfehler zurückgehen oder sich dem Einfluß von Ps 104,2 verdanken. Zu bedenken ist ferner, daß Drucke der Offenbarung in der Regel illustriert waren und daß sich von der ikonographischen Tradition her die Verwechslung des ›Buches‹ mit einem ›Tuch‹ durchaus nahelegen konnte.

185,29 *in einem grünen schlechten Rocke*] Möglicherweise eine Anspielung auf das Lied der Ophelia in Shakespeares *Hamlet* (IV 5).

187,26 *Generalstaaten*] Bis 1795 Staatsname der Vereinigten Niederlande; sie galten allgemein als eine reiche Nation.

191,20 *rückkehrender Sohn*] Vgl. Lk 15,11-24.

194,12 *Liebesthal*] Die kritischen Ausgaben, auch Fischer-Lamberg, greifen hier zu einer Konjektur und lesen »liebes Thal«. Vgl. aber den Brief vom 21. 6. [1771] über die Lage von Wahlheim und überhaupt die erotische Besetzung der Natur durch Werther.

196,1 *Ährenfeldern*] Konjektur Fischer-Lamberg; alle Drucke lesen »Ehrenämtern«. Da eine so gravierende Textverderbnis wahrscheinlich auf einen Hörfehler beim Diktat zurückgeht, geben wir auf einen freundlichen Hinweis von Christian Wagenknecht (Göttingen) zu bedenken, ob möglicherweise – phonetisch näherliegend – »Ährenäckern« zu lesen wäre.

210,15 *Zaudern und Zagen*] Anklang an den Charaktertypus des Shakespeareschen Hamlet.

210,25 *politische*] Öffentliche.

215,2 *Ehrenämtern*] Vgl. Anm. 196,1. Wenn also eine Textverderbnis vorlag, hat Goethe sie jedenfalls bei seiner Revision der ›Handschrift H‹ nicht bemerkt.

217,7 *Zaudern und Zagen*] Vgl. Anm. 210,15.

217,23 *verziehe*] Warte.

219,29 *geschickt*] Artig, brav (wie es sich schickt).

219,29 *Wachsstöckchen*] Gezogene Kerze.

221,14 *knirrte*] Knirschte.

221,24 *Politisch!*] Klug, diplomatisch.

225,32 *Conto's*] Abrechnungen.

231,27f. *Ihre Übersetzung* ⟨...⟩ *Ossians*] Goethe hatte 1771 in Straßburg, von Herder angeregt, einige Gesänge von Macpherson ins Deutsche übertragen; diese Übersetzungen wurden in einer rhythmisch stärker akzentuierten Bearbeitung für den *Werther* verwendet.

231,34 *Stern der dämmernden Nacht]* Beginn von Ossians *The Songs of Selma.* Die fast identische Konstellation des auf einer Insel ausgesetzten Mädchens und seiner Klage um den ertrunkenen Geliebten findet sich (allerdings mit glücklichem Ausgang) bereits in Salomon Geßners Prosaidylle *Mirtil. Thyrsis*, in der Chloe um ihren Geliebten Daphnis trauert. Geßners *Idyllen* (1756) wirkten stilbildend für die arkadische Dichtung im Europa des späten 18. Jahrhunderts.

236,19f. *Oskars]* Konjektur nach Fischer-Lamberg; der Erstdruck liest »Oslars«.

245,28 *Warum weckst du mich Frühlingsluft?]* Der folgende Abschnitt stammt aus Ossians *Berrathon*, steht bei Ossian also in keinem Zusammenhang mit dem vorhergehenden.

251,28f. *Ich gehe voran!* ⟨...⟩ *zu deinem Vater]* Vgl. Jh 14,28 (aber auch Anm. 53,36f.).

251,31f. *ich fliege dir* ⟨...⟩ *des Unendlichen]* Vgl. Klopstocks *Ode an Daphnen [An Fanny]* (1749).

251,34 *ich wähne nicht]* Ich phantasiere nicht.

251,35 *Wir werden* ⟨...⟩ *wieder sehen!]* Vgl. den Brief vom 10. 9. [1771]. Werthers Abschiedsbrief an Lotte ist unverkennbar als Replik auf den Brief der sterbenden Julie an St. Preux in Rousseaus *Nouvelle Héloïse* angelegt.

259,9 *Brod und Wein]* Bestandteile des Abendmahls.

261,28 *aufgehabenen]* Aufgehobenen.

263,11f. *Priester und Levit* ⟨...⟩ *Samariter]* Vgl. Lk 10,30-37.

263,14-16 *kalten schrecklichen Kelch* ⟨...⟩ *Du reichtest mir ihn]* Vgl. Jh 18,11:»Soll ich den Kelch nicht trinken, den mir der Vater[!] gegeben hat?«

265,3 *Blick]* Blitz.

265,30f. *Emilia Galotti]* Vgl. Kestners oben zitierten Brief an Goethe (aber auch »Zur Deutung«).

266/267,6 *tischten/tuschten]* Beschwichtigten.

DIE WAHLVERWANDTSCHAFTEN

ENTSTEHUNG

Die erste Erwähnung der *Wahlverwandtschaften* findet sich unter dem Datum des 11. 4. 1808 in Goethes *Tagebuch*: »An den kleinen Erzählungen schematisiert, besonders den *Wahlverwandtschaften* und dem *Mann von 50 Jahren*«. Hier wird das Projekt noch den kleineren Erzählungen zugeordnet, die Goethe den *Wanderjahren* integrieren wollte. Sehr zügig muß sich aber die Konzeption der *Wahlverwandtschaften* verselbständigt und die Dimension novellistischen Erzählens überschritten haben. Denn schon am 1. 5. 1808 konnte Goethe notieren, er habe »Hofrat Meyern die erste Hälfte der *Wahlverwandtschaften* erzählt«. Mitte Mai traf Goethe zu seinem jährlichen Kuraufenthalt in Karlsbad ein; Anfang Juni begann er, den Text zu diktieren, und stellte bis zum 25. 7. eine erste Fassung des Romans fertig. Sie umfaßte 18 Kapitel. Goethes Bemerkung, er habe Marianne von Eybenberg den Roman »bis zu Ottiliens Brief an die Freunde« vorgelesen, läßt vermuten, daß der Gang der Handlung schon in dieser ersten Ausarbeitung weitgehend festlag. Durch private Abhaltungen und die Zuspitzung der politischen Lage kam die Arbeit an den *Wahlverwandtschaften* in den folgenden Monaten jedoch ins Stocken, so daß Goethe am 16. 1. 1809Frau von Eybenberg mitteilte, es sei ihm seither »fast gar nichts gelungen«. Erst Mitte April 1809 nahm sich Goethe das Manuskript wieder vor. Da Krieg und französische Besatzung eine Reise nach Böhmen unmöglich machten, begab sich Goethe nach Jena. Dort verzeichnet das *Tagebuch* am 26. 5. überraschend, der Autor habe »der *Wahlverwandtschaften* drittes Buch angefangen«. Welche Aufteilung des Stoffes hier zugrunde lag und wann Goethe sich endgültig für die

Gliederung des Romans in zwei Teile entschied, läßt sich nicht ermitteln. Am 28. 7. 1809 schrieb Goethe an seine Frau, die ersten Bogen des Romans befänden sich in der Druckerei. In den folgenden Wochen arbeitete er kontinuierlich weiter, und zwar parallel an seinem Manuskript und an der Revision der ersten gedruckten Bogen. Am 20. 9. lag der erste Band im Druck vor, am 9. 10. erhielt Goethe das vollständige Exemplar. Auch hatte er bereits eine Anzeige formuliert, die er am 4. 9. 1809 mit folgendem Wortlaut in das ›Morgenblatt für gebildete Stände‹ einrücken ließ:

Notiz.

Wir geben hiermit vorläufige Nachricht von einem Werke, das zur Michaelis-Messe im Cotta'schen Verlage herauskommen wird:

Die Wahlverwandtschaften,

ein Roman

von Goethe.

In zwei Teilen

Es scheint, daß den Verfasser seine fortgesetzten physikalischen Arbeiten zu diesem seltsamen Titel veranlaßten. Er mochte bemerkt haben, daß man in der Naturlehre sich sehr oft ethischer Gleichnisse bedient, um etwas von dem Kreise menschlichen Wissens weit Entferntes näher heranzubringen; und so hat er auch wohl in einem sittlichen Falle, eine chemische Gleichnisrede zu ihrem geistigen Ursprunge zurückführen mögen, um so mehr, als doch überall nur *eine* Natur ist, und auch durch das Reich der heitern Vernunft-Freiheit die Spuren trüber leidenschaftlicher Notwendigkeit sich unaufhaltsam hindurchziehen, die nur durch eine höhere Hand, und vielleicht auch nicht in diesem Leben, völlig auszulöschen sind.

Von den umfangreichen Konzepten und Vorarbeiten, die Goethe während der Niederschrift der *Wahlverwandtschaften* erstellte, ist lediglich ein einzelnes Schema erhalten geblieben, das, von Riemers Hand geschrieben, den ersten Teil des Romans gliedert. Es dürfte im Frühsommer 1809 entstanden sein und stimmt im wesentlichen mit der späteren Einteilung des Stoffes überein. Allerdings hat Goethe nachträglich noch das 8. Kapitel des Romans eingefügt (Punkt *8.* des Schemas entspricht also dem späteren Kapitel *19*) und die für Punkt *13.* vorgesehenen Handlungssegmente auf die späteren Kapitel 14 und 15 verteilt. Damit wurde Raum für die Schilderung der im Schema noch nicht erwähnten Grundsteinlegung geschaffen.

I Teil.

1. Exposition überhaupt
   Beratschlagung wegen des Hauptmanns Aufnahme in die Familie.

2. Ottiliens Verhältnis wird eingeführt
   Mittler kommt.
   Es wird entschieden, den Hauptmann aufzunehmen.

3. Der Hauptmann kommt.
   Unterhaltung in der Mooshütte.
   Aussicht von der Höhe.
   Einleitung der Geschäfte.
   Tadel von Charlottens Anlagen.
   Erste Nachricht aus der Pension.

4. Die Charte wird fertig,
   die Geschäfte förmlicher betrieben.
   Allerlei nützliche Anstalten werden gemacht.
   Vorlesung und daraus entspringender Vortrag von den Wahlverwandtschaften.
   Es entscheidet sich, daß Ottilie aufgenommen wird.

5. Zweite Briefe aus der Pension
   Die beiden Männer ziehen zusammen.

6. Ottilie kommt.
   Die beiden Frauen schließen sich aneinander.

Die beiden Männer handeln immerfort gemeinsam.
Größeres Parkwesen in Bewegung gebracht.
Dadurch Annäherung Charlottens zum Hauptmann.

7. Eduard schließt sich an Ottilien
Die Geschäfte der beiden Freunde leiden
Großer Spaziergang um die Teiche.
Aussichten und Vorsätze zu neuen größeren Anlagen.
Die Neigungen wachsen.

8. Charlottens Geburtstag.
Ankündigung der Gäste.
Erscheinung Mittlers.

9. Der Graf und die Baronesse kommen an.
Tischgespräch über Heirat und Scheidung
Spaziergang nach Tisch.
Charlotten eröffnet der Graf seine Absichten auf den
Hauptmann.
Die Baronesse forscht Eduarden aus wegen Ottilien.
Abendtisch und Unterhaltung.

10. Nachtszene zwischen dem Graf und Eduard.
Abenteuerlicher Gang der beiden.
Eduard bringt bei seiner Frau die Nacht zu.

11. Frühstück.
Zerstreuter Tag.
Wasserfahrt des Hauptmanns und Charlottens.
Vollendete Abschrift durch Ottilien und Erklärung
zwischen ihr und Eduard.
Abendessen der Viere.
Ereignisse zwischen dem Hauptmann und Charlotten
nacherzählt.

12. Eduards Leidenschaft bricht aus.
Der Hauptmann bereitet sich zu seiner Entfernung.

Eduard und Ottilie verstricken sich immer tiefer.
Charlotte und der Hauptmann resignieren sich.

13. Der Graf beruft den Hauptmann ab.
Verwandlung der Teiche in einen See wird betrieben.
Ottiliens Geburtstag wird vorbereitet.
Kommt heran.
Das Haus wird gerichtet.
Unglück durch Einsinken des Damms.
Feuerwerk.
Bettler.

14. Der Hauptmann ist abgereist
Erklärung Eduards mit seiner Frau.
Entschluß sein Haus zu verlassen
Abreise.
Bettler.

15. Ottilie vermißt Eduarden.
Wird seiner Entfernung gewiß.
Schmerzlicher Zustand.
Fassung
Charlottens Betragen
Gegen Ottilien
Gegen das Haus- und Parkwesen.

16. Mittler besucht Eduarden,
Eduards Leidenschaft.
Hoffnung einer Scheidung
Mittler besucht Charlotten.
Entdeckung ihrer Schwangerschaft
Eduards weitere Reise.
Ottiliens dunkle Entsagung.
Erwähnung des Tagebuchs.

⟨nach AA, *Die Wahlverwandtschaften*, Bd. 2⟩

Noch während der Arbeit an der Fertigstellung der *Wahl-verwandtschaften* versuchte Goethe mit einigem Aufwand an Korrespondenz und Mundpropaganda, dem Roman eine günstige Aufnahme bei seinen Freunden zu sichern und über informelle Kanäle auch die Öffentlichkeit zu beeinflussen. Diese Strategie war insoweit erfolgreich, als das Publikum die *Wahlverwandtschaften* mit hochgespannten Erwartungen aufnahm. Vielfach eilte der Ruf, hier werde Skandalöses auf skandalöse Weise traktiert, dem Werk voraus. Mit dessen handlungsarmer, komplexer Textur konfrontiert, zeigten sich viele Leser jedoch enttäuscht, ja überfordert (vgl. »Zur Deutung«). Dennoch wurden die *Wahlverwandtschaften* Gegenstand einer intensiven – wenn auch meist vertraulich geführten – literarischen Debatte in allen Lagern der literarischen Öffentlichkeit.

ÄUSSERUNGEN GOETHES

Goethe, *Tagebuch*. 1. 6. 1808:

Die 2 ersten Kapitel der *Wahlverwandtschaften* diktiert. ⟨. . .⟩ Abends zu Hause und an den *Wahlverwandtschaften* schematisiert.

Goethe an Johann Friedrich Cotta. 26. 7. 1808:

Diesmal habe ich meine Muße und meinen Humor genutzt um einen Roman zu endigen, der wohl ein Paar niedliche Bändchen füllen möchte. Indes ich ihn vorlas konnte ich auf künftige gute Aufnahme hoffen. Der Roman ist gar ein angenehmes allgemein faßliches und auch den Schriftsteller bequem unterhaltendes Genre, ich habe große Lust mehr als bisher was ich zu sagen habe in dieser Form zu geben.

Friedrich Wilhelm Riemer, Tagebuch. 28. 8. 1808:

Goethes Geburtstag. Mit ihm über den neueren Roman, besonders über den seinigen.

Er äußerte, seine Idee bei dem neuen Roman ›Die Wahlverwandtschaften‹ sei: soziale Verhältnisse und die Konflikte derselben symbolisch gefaßt darzustellen.

Goethe an Karl Friedrich von Reinhard. 21. 2. 1809:

Da Sie mir meine liebe Ottilie so echt, gut und freundlich nehmen und auch dem Eduard Gerechtigkeit widerfahren lassen, der mir wenigstens ganz unschätzbar scheint, weil er unbedingt liebt; so gewinnen Sie gewiß diesem zweiten Teile des Farbenwesens so viel ab, daß er dem ersten, der Ihre Gunst erwerben konnte, die Waage hält.

Goethe an Karl Friedrich Zelter. 1. 6. 1809:

Da es noch nicht rätlich war nach Carlsbad zu gehen; so befind' ich mich in Jena, wo ich einen Roman fertig zu schreiben suche, den ich vorm Jahre in den böhmischen Gebirgen konzipiert und angefangen hatte. Wahrscheinlich kann ich ihn noch in diesem Jahre herausgeben und ich eile um so mehr damit, weil es ein Mittel ist mich mit meinen auswärtigen Freunden wieder einmal vollständig zu unterhalten. Ich hoffe Sie sollen meine alte Art und Weise darin finden. Ich habe viel hineingelegt, manches hinein versteckt. Möge auch Ihnen dies offenbare Geheimnis zur Freude gereichen.

Goethe an Charlotte von Stein. 6. 6. 1809:

Über die Hauptschwierigkeiten bin ich hinaus und wenn ich noch 14 Tage weder rechts noch links hinsehe; so ist dieses wunderliche Unternehmen geborgen. Freilich gehört zum letzten Zusammenarbeiten, ich will es nicht Ausarbeiten nennen, noch die größte innere Harmonie, damit auch das Werk harmonisch würde.

Goethe mit Friedrich Wilhelm Riemer. 24. 7. 1809:

Die sittlichen Symbole in den Naturwissenschaften (zum Beispiel das der »Wahlverwandtschaft«, vom großen Bergman erfunden und gebraucht) sind geistreicher und lassen sich eher mit Poesie, ja mit Sozietät verbinden, als alle übrigen, die ja auch, selbst die mathematischen, nur anthropo-

morphisch sind, nur daß jene dem Gemüt, diese dem Verstande angehören.

Goethe an Johann Friedrich Cotta. 22. 8. 1809:

Mit einiger Zufriedenheit melde ich, mein wertester Herr
Doktor, daß der erste Teil des Romans wohl noch im August
die Presse verlassen wird, und wenn alles fortgeht wie bisher,
der zweite zu Michael fertig sein kann. Ich sende deshalb eine
kleine Anzeige, die ich ins *Morgenblatt* eingerückt wünschte.
Vielleicht könnte sie auch, um mehrerer Verbreitung willen,
in das Intelligenzblatt der *allgemeinen Zeitung* gesetzt werden;
wobei ich jedoch inständig bitte, keine einzelnen Stellen aus
diesem Werkchen abdrucken zu lassen. Es ist dergestalt in
einander gearbeitet, daß ich nichts davon abgelöst wünschte,
auch selbst das nicht, was im zweiten Teil hie und da für sich
zu bestehen scheint.

Goethe an Karl Friedrich Zelter. 26. 8. 1809:

Wo Ihnen auch mein neuer Roman begegnet, nehmen Sie
ihn freundlich auf. Ich bin überzeugt, daß Sie der durchsich-
tige und undurchsichtige Schleier nicht verhindern wird bis
auf die eigentlich intentionierte Gestalt hineinzusehen.

Goethe an Bettine Brentano. 10. 9. 1809:

Gegenwärtig nur so viel von mir, daß ich mich in Jena
befinde und vor lauter Verwandtschaften nicht recht weiß
welche ich wählen soll.

Wenn das Büchlein das man Ihnen angekündigt hat, zu
Ihnen kommt, so nehmen Sie es freundlich auf. Ich kann
selbst nicht dafür stehen was es geworden ist.

Goethe an Karl Friedrich von Reinhard. 13. 9. 1809:

Ich befinde mich seit länger als sieben Wochen hier und
komme mir vor wie jene Schwangere, die weiter nichts
wünscht, als daß das Kind zur Welt komme, es sei übrigens
und entstehe was will. Diese Geburt wird sich etwa in der
Hälfte Oktobers bei Ihnen präsentieren. Ich bitte um gute
Aufnahme.

Goethe an Christiane von Goethe. 15. 9. 1809:

Sodann schicke ich ein Bändchen, aber nur unter folgenden Bedingungen:

1.) Daß ihr es bei verschlossenen Türen leset.
2.) Daß es Niemand erfährt, daß ihrs gelesen habt.
3.) Daß ich es künftigen Mittwoch wieder erhalte.
4.) Daß mir alsdann zugleich etwas geschrieben werde von dem, was unter euch beim Lesen vorgegangen.

Goethe an Johann Friedrich Cotta. 1. 10. 1809:

Die Aushängebogen des Romans werden nun bald in Ihren Händen sein, und ich wünsche, daß diese beiden Bändchen zuerst Ihnen und dann dem Publikum Vergnügen machen. Es ist so manches hineingelegt, das, wie ich hoffe, den Leser zu wiederholter Betrachtung auffordern wird. ⟨...⟩

Einen Preis für diese Arbeit wüßte ich nicht auszusprechen. Ich habe daran alles was ich vermochte gewendet und bin von Ihnen überzeugt daß Sie mich dagegen das Billige und Rechte werden genießen lassen.

Goethe an Karl Ludwig von Knebel. 21. 10. 1809:

Den 2. Teil meines Romans schicke ich dir nicht; du möchtest mich darüber noch mehr als über den ersten ausschelten. Kommt er dir von andern Seiten her in die Hände, so bin ich alsdann unschuldig daran. Die armen Autoren müssen viel leiden und es ist hergebracht, daß gerade die Exemplare die sie selbst ausgeben, ihnen die größte Not machen.

Goethe an Johann Friedrich Rochlitz. 15. 11. 1809:

Billig ist es wohl daß die Freunde des Schönen und Guten mir ein tröstliches Wort über diese Produktion sagen, die wenigstens ein fortgesetztes redliches Streben andeutet und die mich in manchem Sinne teuer zu stehen kommt; ja, wenn ich die Umstände bedenke, unter denen das Werkchen fertig geworden; so scheint es mir ein Wunder daß es auf dem Papier steht.

Seitdem es abgedruckt ist habe ich es nicht in der Folge

gelesen, eine solche Prüfung pflege ich gewöhnlich zu verspäten. Ein gedrucktes Werk gleicht einem aufgetrockneten
Fresco Gemälde an dem sich nichts mehr tun läßt. Soviel es
mir noch im Sinne schwebt und wie es sich mir durch Ihre
Bemerkungen vergegenwärtigt, möchte ich wohl noch einige Schraffuren anbringen der Verknüpfung und Harmonie
willen. Weil aber das nicht angeht; so tröste ich mich damit
daß der gewöhnliche Leser dergleichen Mängel nicht gewahr
wird, und der Kunstgebildete, eben indem er die Forderungen macht, für sich selbst das Werk ergänzt und vollendet.

Goethe an Marianne von Eybenberg. 21. 12. 1809:
    Jetzt bin ich fleißig, ⟨. . .⟩ indessen meine lieben Lands-
leute mit den *Wahlverwandtschaften* verwandt zu werden trachten, und doch mitunter nicht recht wissen, wie sie es anfangen sollen.

Goethe an Karl Friedrich von Reinhard. 31. 12. 1809:
    Das Publikum, besonders das deutsche, ist eine närrische
Karricatur des *demos*, es bildet sich wirklich ein, eine Art von
Instanz, von Senat auszumachen, und im Leben und Lesen
dieses oder jenes wegvotieren zu können was ihm nicht ge-
fällt. Dagegen ist kein Mittel als ein stilles Ausharren. Wie
ich mich denn auf die Wirkung freue, welche dieser Roman in
ein paar Jahren auf manchen beim Wiederlesen machen wird.
Wenn ungeachtet alles Tadelns und Geschreis das was das
Büchlein enthält, als ein unveränderliches Factum vor der
Einbildungskraft steht, wenn man sieht, daß man mit allem
Willen und Widerwillen daran doch nichts ändert; so läßt
man sich in der Fabel zuletzt auch so ein apprehensives
Wunderkind gefallen, wie man sich in der Geschichte nach
einigen Jahren die Hinrichtung eines alten Königs und die
Krönung eines neuen Kaisers gefallen läßt. Das Gedichtete
behauptet sein Recht, wie das Geschehene.

Sulpiz Boisserée mit Goethe. 5. 10. 1815:

Unterwegs kamen wir dann auf die *Wahlverwandtschaften* zu sprechen. Er legte Gewicht darauf, wie rasch und unaufhaltsam er die Katastrophe herbeigeführt. Die Sterne waren aufgegangen; er sprach von seinem Verhältnis zur Ottilie, wie er sie lieb gehabt, und wie sie ihn unglücklich gemacht. Er wurde zuletzt fast rätselhaft ahndungsvoll in seinen Reden.

Goethe an Stanislaus Zauper. 7. 9. 1821:

Wahlverwandtschaften. Der sehr einfache Text dieses weitläufigen Büchleins sind die Worte Christi: *Wer ein Weib ansieht ihrer zu begehren pp*. Ich weiß nicht, ob irgend jemand sie in dieser Paraphrase wieder erkannt hat.

Goethe, *Tag- und Jahres-Hefte 1809*. Dezember 1822 oder Januar 1823:

Um von poetischen Arbeiten nunmehr zu sprechen, so hatte ich von Ende Mai's an die *Wahlverwandtschaften*, deren erste Konzeption mich schon längst beschäftigte, nicht wieder aus dem Sinne gelassen. Niemand verkennt an diesem Roman eine tief leidenschaftliche Wunde, die im Heilen sich zu schließen scheut, ein Herz das zu genesen fürchtet. Schon vor einigen Jahren war der Hauptgedanke gefaßt, nur die Ausführung erweiterte, vermannigfaltigte sich immerfort und drohte die Kunstgrenze zu überschreiten. Endlich nach so vielen Vorarbeiten bestätigte sich der Entschluß, man wolle den Druck beginnen, über manchen Zweifel hinausgehen, das eine festhalten, das andere endlich bestimmen.

Goethe mit Johann Peter Eckermann. 21. 1. 1827:

Obgleich Solger zugestand, daß das Factum in den ›Wahlverwandtschaften‹ aus der Natur aller Charaktere hervorgehe, tadelte er doch den Charakter des Eduard.

»Ich kann ihm nicht verdenken« sagte Goethe, »daß er den Eduard nicht leiden mag, ich mag ihn selber nicht leiden, aber ich mußte ihn so machen, um das Factum hervorzubringen. Er hat übrigens viele Wahrheit, denn man findet in

den höhern Stände Leute genug, bei denen ganz wie bei ihm
der Eigensinn an die Stelle des Charakters tritt.«

Goethe mit Johann Peter Eckermann. 6. 5. 1827:

Das einzige Produkt von *größerm* Umfang, wo ich mir
bewußt bin, nach Darstellung einer durchgreifenden Idee
gearbeitet zu haben, wären etwa meine ›*Wahlverwandtschaften*‹. Der Roman ist dadurch für den Verstand faßlich geworden; aber ich will nicht sagen, daß er dadurch besser geworden wäre! Vielmehr bin ich der Meinung: *je inkommensurabler
und für den Verstand unfaßlicher eine poetische Produktion, desto
besser.*

ZUR DEUTUNG

Wenn man den Beobachtern der Literaturszene zu Beginn
des 19. Jahrhunderts glauben darf, lagen die auf zwei Bändchen zu je achtzehn Kapiteln berechneten *Wahlverwandtschaften* am Ende ihres Erscheinungsjahres 1809 »in allen gebildeten Kreisen auf dem Teppich«. Einer Augenzeugin zufolge waren die »Buchhändler [nie] so bestürmt worden, – es
war«, berichtete sie Goethe nach Weimar, »wie vor einem
Bäckerhause, in einer Hungersnoth«, und wer sich zu erinnern vermochte, stellte Vergleiche an. »Seit *Werthers Leiden*«, so wurde gemutmaßt, »ist wohl von keinem Roman
soviel in Gesellschaften gesprochen worden, als von den
Wahlverwandtschaften.« Das Problem allerdings war, daß dieses hochgestimmte Palaver alsbald ins Leere lief, weil die auf
ein Maximum an erzählerischer Ökonomie bedachten *Wahlverwandtschaften* im Gegensatz zu Goethes populärem Erst-
ling nicht das geringste Zugeständnis machten. Verweigert
wurde jede Geste, die konzeptionell nicht integrierbar, jede
Art von Gratifikation, die im Rahmen der Gesamtarchitek-
tur nicht zu funktionalisieren war. Für unterrichtete Leser,
für Leser mit Kunstverstand und der Fähigkeit geschrieben,
der formalen Organisation das Gewicht eines ernsthaften

Arguments beizumessen, bot der Text eigentlich nur denjenigen eine Zugangschance, die sich von seiner Hermetik, seiner äußerlichen Emotionslosigkeit nicht einschüchtern und vor allen Dingen nicht davon abhalten ließen, die Mühen des geduldig kombinierenden Wiederlesens mehr als einmal auf sich zu nehmen. Die wenigsten, die ein Exemplar ergattert hatten, sahen sich infolgedessen auch zu einer Beurteilung imstande. Zwar gab es, wie nicht anders zu erwarten, die Moralisten, für die Jacobi, Erfinder der sogenannten Glaubensphilosophie, gleichsam stellvertretend die gehässige Formel von der »Himmelfahrt der bösen Lust« in Umlauf setzte; es gab diejenigen, die sich wie Wilhelm Grimm gelangweilt fühlten, die den Eindruck hatten, der »gemächlich abgehaspelt[e]« Erzählfaden sei »zuweilen auf die Lehne des Schlafsessels herabgefallen«, und es darum vorzogen, mit Tieck von den »Qualverwandtschaften«, mit Görres von »gefrorne[n] Fensterblumen« und »ausgespritzte[n] Präparate[n]« zu reden; das Gros der Leser jedoch war zutiefst verunsichert, überfordert, ratlos, wußte nicht, wie dem aufsehenerregenden Verkaufsschlager das Vergnügen abzugewinnen war, das man sich für gewöhnlich von Erzeugnissen dieses Kalibers versprechen konnte. Das Echo, sofern es sich artikulierte, hatte jedenfalls etwas vom Unmut und Katzenjammer geprellter Aktionäre. »Nie«, heißt es, habe man »so enthusiastisch, so gescheut und so dumm und absurd über etwas sprechen hören als über diesen Roman«; bei keiner Gelegenheit, so muß man hinzufügen, ist Goethe aber auch derart unumwunden der Vorwurf gemacht worden, seine Haltung, sein Werk seien publikumsfeindlich, sie seien die Resultate einer auf Weimars olympischer Höhe entwickelten Verächtlichkeit.

Zwischen den *Leiden des jungen Werthers* und den *Wahlverwandtschaften* schien also nicht bloß ein halbes Menschenalter zu liegen, es schienen die beiden Texte, so sehr sie als Goethes Bestseller den Vergleich provozierten, durch Welten voneinander getrennt zu sein. Um so höher ist deshalb die Tatsache zu veranschlagen, daß wenigstens einer: der Rezensent des

›Morgenblatts für gebildete Stände‹, in diesem Zusammenhang von Verwandtschaft sprach und den Interessierten nahelegte, mit vorwärtsgerichtetem Blick zurückzulesen, um auf dem Wege einer solchen Vergegenwärtigung womöglich den Punkt zu finden, von dem aus sich die Lektüre des jüngsten »Gedichte[s]« verständnisfördernd perspektivieren ließ. Denn wie auch immer dieser Vorschlag in die Praxis umgesetzt worden ist, steht doch außer Zweifel: Der Mann hatte nicht nur grundsätzlich, er hatte in dem genauen Wortverstande, in dem ihm die Formulierung aus der Feder geflossen war, »in mehr als einer Hinsicht« recht, wobei die analoge thematische Zentrierung der beiden Romane um die Verführungsgewalt der Literatur (oder anderer schriftlicher Dokumente) und die uralte Dreiecksgeschichte von dem Mann, der die Frau des anderen, und umgekehrt, der Frau, die den anderen Mann begehrt, kaum einer Erwähnung bedarf. Wichtiger ist die mit dieser Klammer implizierte Einbindung der *Wahlverwandtschaften* in dieselben, bei den ›Quellen‹, den großen Texten der Antike und des Mittelalters, einsetzenden Gedächtnis- und Transkriptionsketten, eine Einbindung, die den Roman aufgrund seiner chronologisch nachgeordneten Position geradezu zwangsläufig bestimmte, sich im Sinne einer Ab-, Um- und Weiterschrift auch *Die Leiden des jungen Werthers* ›einzuverleiben‹ und nach Maßgabe der dadurch veränderten Referenzkonstellationen in allen denkbaren Formen – zitierend, imitierend oder kritisch – zu bearbeiten.

Verlangt man nach Anschauung und einer Probe aufs Exempel, empfiehlt es sich, die *Wahlverwandtschaften* aufzuschlagen und in Erinnerung an Goethes Jugendroman die ersten Seiten zu lesen. Trifft man dort nämlich zunächst auf Eduard, der sich zur »schönste[n] Stunde eines Aprilnachmittags« in den alten Anlagen seines vom Vater übernommenen Besitzes als dilettierender Freizeitgärtner zu schaffen macht, dann auf Charlotte, die nicht weniger dilettantisch um den Ausbau der neuen, im modischen Stil des englischen Landschaftsgartens entworfenen Anlagen besorgt ist, wird man unversehens mit dem Inventar eines wohlbekannten Motivs konfrontiert. Durch Eduards Wunsch veranlaßt, den Hauptmann, seinen Jugendfreund, vorübergehend zum Hausgenossen und Dritten im Bunde zu erklären, verweist Charlotte auf den Plan, den man entwickelt hat, um das späte Glück der endlich realisierten Lebensgemeinschaft zu genießen. »Bedenke«, so sagt sie,

> daß unsre Vorsätze, auch was die Unterhaltung betrifft, sich gewissermaßen nur auf unser beiderseitiges Zusammensein bezogen. Du wolltest zuerst die Tagebücher deiner Reise mir in ordentlicher Folge mitteilen, bei dieser Gelegenheit so manches dahin gehörige von Papieren in Ordnung bringen, und unter meiner Teilnahme, mit meiner Beihülfe, aus diesen unschätzbaren aber verworrenen Heften und Blättern ein für uns und andre erfreuliches Ganze zusammenstellen. Ich versprach dir an der Abschrift zu helfen, und wir dachten es uns so bequem, so artig, so gemütlich und heimlich, die Welt, die wir zusammen nicht sehen sollten, in der Erinnerung zu durchreisen. (I 1)

Diskret auf die Belange einer umwegigen Liebesgeschichte abgestimmt, doch gleichwohl dem Charakter nach nicht zu verkennen, werden anhand dieses Programms die Parameter der *Wertherschen* ›Klopstock-Szene‹ und der mit ihr zitatweise verknüpften, bis zum Briefwechsel von Abälard und Heloisa zurückreichenden Mustertexte reproduziert. Offensichtlich soll die Literatur, soll die gemeinsame Lektüre auch im Falle von Eduard und Charlotte die Liebe machen, ja sie soll das Kapital der verlorenen Liebesjahre mit Zins und Zinseszins erstatten – ein Kalkül, das sich beim unaufhaltsamen Gang der Dinge zuletzt zwar anders darstellt als gedacht, das vorgeschriebene Ziel indessen so beharrlich verfolgt, wie man das vom Erzählmanagement des *Werther* her kennt. So findet sich nicht nur die Abschrift, die zum Inbild der Liebe, zum Siegel der Vereinigung wird, in Gestalt des Vertragswerks, das Ottilie mit Eduards Handschrift kopiert, tatsächlich: Dieses Ereignis markiert bekanntlich den Augenblick, in dem Eduard und Ottilie, von sich selbst überrascht und ohne zu wissen, »wer das andere zuerst ergriffen«, einander in die Arme sinken (I 12). Es finden sich außerdem die vom Erzähler detailliert ausgearbeiteten Momentaufnahmen, die zeigen, wie Eduard und Ottilie während der abendlichen Lesestunden zusammenrücken, um von beiden Seiten und also gemeinsam im stillschweigend vereinbarten Takt ins Buch zu sehen (vgl. I 8 und II 18); und schließlich wartet der Roman in dem Abschnitt, der zur Wiedersehensfeier der Liebenden unmittelbar hinüberleitet, mit einer Ottilie auf, die im Zuge ihrer Lektüre – man möchte in Anbetracht der Erzählerbemerkungen vermuten: eines Liebesromans – Zeit, Ort und überhaupt die Welt um sich herum vergessen hat. Der Faszination dieses Anblicks ist Eduard nicht gewachsen: »er sieht Ottilien, sie ihn«, so heißt es; »er fliegt auf sie zu und liegt zu ihren Füßen ⟨. . .⟩. Sie wähnten, sie glaubten einander anzugehören; sie wechselten zum erstenmal entschiedene, freie Küsse« (II 13).

Keine Frage daher: Mit der spielerischen Lust zur Variante präsentiert, ist das die Liebesregie des *Werther*, die Inszenierung seiner handlungstragenden Zitate noch einmal und Rechtfertigungsgrund genug, auch die *Wahlverwandtschaften* zu den Werken zu zählen, die das Kulturerbe, das Archiv der über Jahrhunderte gesammelten Reichtümer, ungeniert plündern, um Literatur aus Literatur zu machen. Sein Meisterstück in dieser Hinsicht aber liefert der Roman an keiner anderen als an der Stelle seines größten Coups, womit gemeint ist: nicht aus Anlaß des »doppelten Ehbruch[s]«, dem das Kind der Wahlverwandten seine monströse Existenz zu verdanken hat (II 13; vgl. I 10), sondern bei Gelegenheit jener berühmt-berüchtigten ›Gleichnisrede‹ aus dem vierten Kapitel des ersten Teils, die dafür und für alles Weitere die Weichen stellt. Denn was man beim ersten Anlauf kaum wahrhaben will: Selbst diese Gleichnisrede ist ihrem Grundriß nach kein ›Original‹, keine voraussetzungslose Erfindung, sie ist ebenso wie die bereits angeführten Episoden eine Reminiszenz aus dem Gedächtnisrepertoire von

Werthers Leiden, mit der das Kunststück nicht allein einer abermaligen Aktualisierung der erinnerten literarischen Vor-Fälle, vielmehr einer nun tatsächlich ingeniös zu nennenden und in höchstem Maße der Reflexion und Selbstreflexion dienlichen Sinnvervielfältigung gelingt.

Dazu gehört, daß die ›Urszene‹ des ›lesenden Liebespaares‹ an dieser Stelle zuerst auf den Kopf gestellt, hernach in doppelter Besetzung und komplizierten Verschränkungsfiguren durchgespielt wird. Derselbe Eduard, der Ottilie später zum Mitlesen auffordern wird, reagiert nämlich spürbar ungehalten, als ihm Charlotte bei der Abendlektüre vor Frau und Freund ins Buch zu blicken beginnt: »Wenn ich Jemand vorlese«, fragt er anklagend,

> ist es denn nicht, als wenn ich ihm mündlich etwas vortrüge? Das Geschriebene, das Gedruckte tritt an die Stelle meines eigenen Sinnes, meines eigenen Herzens; und würde ich mich wohl zu reden bemühen, wenn ein Fensterchen vor meiner Stirn, vor meiner Brust angebracht wäre, so daß der, dem ich meine Gedanken einzeln zuzählen, meine Empfindungen einzeln zureichen will, immer schon lange vorher wissen könnte, wo es mit mir hinaus wollte? Wenn mir Jemand ins Buch sieht, so ist mir immer, als wenn ich in zwei Stücke gerissen würde.

Charlotte vermag sich jedoch zu helfen, indem sie das entscheidende Stichwort geistesgegenwärtig aufnimmt und das Gespräch über ›Verwandtschaften‹ und ›Wahlverwandtschaften‹ eröffnet, das gegen Ende, als Buchstabenspiel maskiert, selbst im Wortlaut auf nichts anderes als die Bildung zweier ›Paare‹ hinausläuft. »Denken Sie sich ein A«, so erläutert der Hauptmann,

> das mit einem B innig verbunden ist, durch viele Mittel und durch manche Gewalt nicht von ihm zu trennen; denken Sie sich ein C, das sich eben so zu einem D verhält; bringen Sie nun die beiden Paare in Berührung: A wird sich zu D, C zu B werfen, ohne daß man sagen kann, wer das andere zuerst verlassen, wer sich mit dem andern zuerst wieder verbunden habe.

Eduard dagegen versucht, mit der »Lehre«, die er »zum unmittelbaren Gebrauch« zieht, den ebenso erotischen wie ehegefährdenden Hintersinn dieser Operationen noch abzuwiegeln. »Du«, behauptet er,

> stellst das A vor, Charlotte, und ich dein B: denn eigentlich
> hange ich doch nur von dir ab und folge dir, wie dem A das
> B. Das C ist ganz deutlich der Capitain, der mich für diesmal dir einigermaßen entzieht. Nun ist es billig, daß wenn
> du nicht ins Unbestimmte entweichen sollst, dir für ein D
> gesorgt werde, und das ist ganz ohne Frage das liebenswürdige Dämchen Ottilie, gegen deren Annäherung du
> dich nicht länger verteidigen darfst. (I 4)

Für Charlotte ist das endgültig das Zeichen, Ottilie zu berufen. Später, nachdem die Katastrophen der Reihe nach eingetreten sind, weiß sie es natürlich und weiß es auch der Leser besser: Diese Auslegung ist zu spät gekommen, »das Geschriebene, das Gedruckte« war von Beginn dieser Unterhaltung an nicht ohne Effekt geblieben, es hatte seine verführerische Wirkung in einer Weise entfaltet, die sich hier so wenig wie im Falle des *Werther* oder dessen Beglaubigungstexten beeinflussen ließ. Vorschriftsmäßig hat sich A tatsächlich zu D, B tatsächlich zu C, hat sich Eduard zu Ottilie, Charlotte zum Hauptmann gefunden und haben diese vier gemeinsam dem Kind ins Leben geholfen, das anders als seine Väter und Mütter, anders als Otto nicht genannt werden konnte.

Angesichts eines derartigen Präzisionsspieles läuft man allerdings Gefahr, mit dem Nächstliegenden die Tatsache zu übersehen, daß sowohl der formale Rahmen, in dem sich dieses Gespräch und mit ihm die ›Gleichnisrede‹ entfaltet, als auch der spezifische Diskurs, der im vorliegenden Falle das Referenzgeflecht um den Topos vom ›lesenden Liebespaar‹ transportiert, im weitesten Sinne literarischer Herkunft, oder einfacher: daß sie ebenfalls Zitate, Anspielungen, Assoziationen und in dieser Eigenschaft einem Überlieferungskomplex zuzurechnen sind, der seinerseits ein Amalgam einander bis weit ins 18. Jahrhundert hinein verschwisterter

Disziplinen, eine kaum dividierbare Gemengelage aus Naturwissenschaft, Naturphilosophie und experimentell erprobter Naturkunde darstellt. So hat man vor nicht allzu langer Zeit auf die Tradition unterhaltsam aufgemachter chemischer Dialoge, Werke wie Fontenelles *Entretiens sur la pluralité des mondes* von 1686 oder Francesco Algarottis *Il Newtonianismo per le dame* von 1737, hingewiesen, die, nachdem sie zum Beispiel schon Rousseaus *Nouvelle Héloïse* als Argumentationsstütze gedient hatten, durch die 1806 publizierten *Conservations of Chemistry* von Jane Mercet einer Aktualisierung von geradezu verblüffender Parallelität zu den *Wahlverwandtschaften* unterzogen worden sind. Denn fast möchte man Goethe eines Plagiats bezichtigen, wenn man liest, wie dort, zwischen Caroline, Emily und Frau B., das Thema der ›Verwandtschaft‹ in Analogie zu einem veritablen Eifersuchtsdrama verhandelt wird. »We might«, so heißt es da,

> use the comparison of two friends, who were very happy in each other's society, till a third disunited them by the preference which one of them gave to the new-comer.

Doch wie dem auch sei: Ob Goethe nach den älteren Dialogen auch diese zweibändige Neuheit aus England zur Kenntnis genommen und ob der bedeutungsschwangere Satz aus dem ersten Kapitel der *Wahlverwandtschaften* über die »Dazwischenkunft eines Dritten« und deren erwägenswerte Bedenklichkeiten dank dieser oder einer anderen Anregung seinen Weg ins Manuskript gefunden hat – solche Fragen erscheinen sekundär; ausschlaggebend ist die Vergleichbarkeit des Verfahrens, ist die Nachbarschaftsbeziehung, durch die sich die Texte wechselseitig beleuchten und die vor allem das eine sichtbar macht: daß der Roman, daß seine belesenen Protagonisten in der Sache bestens orientiert sind.

Einschlägigen Recherchen und Analysen zufolge lassen sich nicht nur die von den Freunden exempelweise entwickelten Prinzipien der Kohäsion, der ›einfachen‹ und ›doppelten‹ Wahlverwandtschaft, dem um 1800 erreichten Diskussionsstand entsprechend verifizieren; es lassen sich aufgrund typologischer Zuordnungen die »Werke physischen, chemischen und technischen Inhalts«, die Eduards Neugierde geweckt und zu des Hauptmanns Bildung beigetragen haben, inklusive des erwähnten »chemische[n] Cabinetts« sozusagen namentlich benennen. An Kompendien, Hand- und Lehrbüchern nämlich steht, bei Geoffroys *Table des différents rapports observés en chimie entre différentes substances* (1718/19), Spielmanns *Institutiones Chemiae* (1763) und Bergmans *Disquisitio de attractionibus electivis* (1775) angefangen, so gut wie alles zur Disposition, was dazumal zur wissenschaftlichen Avantgarde oder zum Standard zählte: unter anderen die ebenso grundlegenden wie voluminösen Arbeiten des Franzosen Pierre Joseph Macquer, dessen *Chymisches Wörterbuch* in den achtziger Jahren ins Deutsche übersetzt worden ist; ferner die Beiträge von Gren, Erxleben und Hagen, die, nach den Auflagen zu schließen, vermutlich zu den am intensivsten rezipierten Ratgebern gehörten, und – nicht zu vergessen – eben jenes 1788 auf 1789 angekündigte *Probier-Cabinet* des Jenaer Chemikers Johann Friedrich August Göttling, dem die Forschung nachsagt, Goethe habe ihm in den *Wahlverwandtschaften* ein Denkmal setzen wollen. Das Ergebnis hält jedenfalls durchaus einer kritischen Überprüfung stand; in die mittlerweile vereinbarten Nomenklaturen und Symbolsysteme übertragen, wäre das zentrale Beispiel der ›Gleichnisrede‹, das zunächst auf die Verwandlung von Kalziumkarbonat und Schwefelsäure in Kalziumsulfat, dann auf die Verbindung der freigewordenen Kohlensäure mit Wasser und also auf die Formel $CaCO_3 + H_2SO_4 \rightarrow CaSO_4 + \langle CO_2 + H_2O \rangle$ zielt, selbst unter heutigen Experten keine Angelegenheit, die irgendeiner Korrektur bedürfte.

In diesem spröden Formelkram ist jedoch, mit Goethe zu reden, noch etwas ganz anderes, es ist darin eine Vorstellung »versteckt«, die aus gegenwärtiger Sicht mit wissenschaftlicher Seriosität sehr wenig, mit der Geschichte der Chemie, ihrer Verwurzelung im Bereich der bis in die frühesten Schichten des abendländischen Denkens zurückreichenden

Sympathie- und Geheimlehren dagegen sehr viel zu tun hat.
Denn kurz und bündig: Wie das Beispiel der Substanzen-
trias, jener Hinweis auf Wasser, Öl und Quecksilber, der das
Lehrgespräch der *Wahlverwandtschaften* eröffnet, ist auch das
Hauptexempel mit einem Doppelsinn befrachtet, der lesbar
wird, sobald man die Reihe

Kalkerde + Schwefelsäure → Gips + ⟨Luftsäure + Wasser (= Mineralwasser)⟩

im Blick auf ihre Elementarbestandteile in eine zweite, die
Reihe

Erde/Luft + Wasser/Feuer → Erde/Feuer + Luft/Wasser
(= Mineralwasser)

überführt. Plötzlich hat man nicht mehr das chemische Reaktionsmuster, man hat – neben den traditionellen Wandlungs-
stoffen – die Grundformel der Alchemisten und mit ihr das
Aktionsprogramm vor Augen, das auf die »übers Kreuz«
verbundenen Paare appliziert (I 4) und um Eduards letztes
Buchstabenspiel, das am Ende aller Wirren zu seinem O
(= Charlotte) zurückkehrende A (= Eduard; vgl. I 5), ergänzt aus der ohnehin ungewöhnlichen Ehe- und Liebesgeschichte eine noch ungewöhnlichere, die Geheimgeschichte
eines die Realitätsschwelle überschreitenden und für alle Beteiligten sichtbar ins ›Werk‹ gesetzten hermetischen Prozesses macht. Das aber hat nicht nur zur Konsequenz, daß man
den ›doppelten Ehebruch‹ bei allem, was er sonst bedeuten
mag, im Zeichen einer Quadratur des Zirkels als chymische
Hochzeit betrachten muß, die nach dem Gesetz des *opus ma-
gnum* die Zwei zur Vier und diese Vier über eine doppelte
Dreieckskonstellation wiederum zur Eins, der *quinta essentia*,
vermittelt; es steht damit außer Zweifel, daß Otto junior, der
den Verlauf dieses Experiments geradezu buchstäblich: in
Gestalt seines aus vier Lettern bestehenden, vorwärts wie
rückwärts gleichermaßen entzifferbaren Namens symbolisiert, dem angekündigten »Wunderkind« (vgl. II 11) und also
jenem ›Gold‹ oder ›Stein der Weisen‹ wenigstens zum Verwechseln ähnlich ist, von dem die Alchemisten behaupten, er
sei im Gegensatz zu den kursierenden Trivialphantasien

nicht das Objekt eines schnöden Gewinnstrebens, sondern tatsächlich der magische Schlüssel zum Glück, nach dem die erlösungsbedürftige Welt so sehr verlange. Um Leben und Gedeihen dieses Kindes sorgt sich deshalb keiner derart angelegentlich wie der ehemalige Geistliche und spätere Lotteriespieler Mittler, der, als Ehespezialist getarnt, die Geschäfte des Mercurius, des obersten der Hermetiker, betreibt; keiner ist aber auch weniger daran interessiert, die wahre Herkunft des *homunculus* zu offenbaren. Denn Mittler scheint begriffen zu haben: Nach Abzug aller Phantasmen ist Otto nicht eine beliebige Lesefrucht, nicht bloß die Frucht jenes offiziell vollzogenen Lektüreaktes, in dem die bevorstehenden Rochaden wie zufällig nach den Gesetzen der Chemie durchgeprobt werden; Otto ist vielmehr Indiz und Resultat einer zutiefst zweideutigen Lektüre, einer Lektüre, in deren Verlauf man die Paradigmen insgeheim vertauscht, aus den Chemiebüchern ein zweites Register oder gar eine zweite Bibliothek gezogen hat. Es handelt sich dabei nämlich um einen der unübersichtlichsten und verschlungensten Literaturkomplexe, der gesamteuropäisch, von Anaximander bis Agrippa von Nettesheim, von Pythagoras und Paracelsus bis zu den späten Derivaten der Rosenkreuzer und Freimaurer, ausgebildet und als Traditionsstrom selbst durch die historische Aufklärung kaum angefochten worden ist. Man kann sich dieses Schrift- und Gedankenlabyrinth infolgedessen nicht alexandrinisch, nicht weiträumig genug vorstellen, und wer einzudringen, wer Spurensicherung zu treiben versucht, wird sich wohl oder übel mit Kostproben begnügen, gleichzeitig jedoch die Erfahrung machen müssen, welche Aufgabe es ist, aus einem Konglomerat so unabsehbarer Korrespondenzen, Filiationen und synkretistischer Verknüpfungen auf systematisch überzeugende Weise auch nur ein einziges Element herauszulösen.

Ähnlichen Schwierigkeiten – Schwierigkeiten, die aus der Überdeterminierung bestimmter Bilder und Erzählsequenzen resultieren – begegnet man indessen, wenn man sich mit den mythologischen Zitaten im engeren Sinne und also den-

jenigen zu befassen beginnt, die man im Gegensatz zu den
geheimwissenschaftlichen Mischgebilden noch guten Gewissens dem klassischen Repertoire zuzurechnen vermag. Mittler, den die Forschung aufgrund seiner Machenschaften als
Hermesfigur identifiziert und damit dem griechischen Göt-
terhimmel gutgeschrieben hat, ist in dieser Hinsicht allenfalls
ein Anfang. Auf die Fährte einer weiteren Markierung, die
sich mit dem Schlußsatz der ›Gleichnisrede‹ im fünften Kapitel vollendet, gerät man, sobald man die Anfangsbuchstaben des *Wahlverwandtschaften*-Personals in der Reihenfolge
seines Auftretens zusammensetzt. ECHO heißt dieses Akrostichon und ist, im Sinne eines Lesezeichens und ironisch
intendierten Erinnerungskürzels verstanden, gewiß das
Komplement zu jenem Narziß, auf den sich Eduard in aller
Unbefangenheit zu Beginn der chemischen Unterrichtung
beruft: »Der Mensch«, sagt Eduard,

> ist ein wahrer Narziß; er bespiegelt sich überall gern selbst;
> er legt sich als Folie der ganzen Welt unter. (I 4)

Dank solcher eindeutigen Signale bedarf es in Anbetracht
des Nachfolgenden natürlich keines großen Rätselratens
mehr. Schon im Ansatz ist die ›Gleichnisrede‹ nicht als frei
und selbstbewußt gewählte Aktion, sie ist einschließlich der
Folgen, die sie zeitigen wird, als Reaktion im Zeichen eines
Spiegelspiels und einer prekären Ebenbildlichkeit deklariert,
wie sie Eduard wenige Seiten später für sich und die in
Aussicht stehende Ottilie bereits in launigster Kennerschaft
entwirft: »Es ist doch recht zuvorkommend von der Nichte«,
so behauptet er,

> ein wenig Kopfweh auf der linken Seite zu haben; ich habe
> es manchmal auf der rechten. Trifft es zusammen und wir
> sitzen gegeneinander, ich auf den rechten Elbogen, sie auf
> den linken gestützt, und die Köpfe nach verschiedenen
> Seiten in die Hand gelegt; so muß das ein Paar artige
> Gegenbilder geben. (I 5)

Wie man inzwischen aber weiß, steckt in diesen Sätzen eine
zweite Pointe. Mit demselben Recht, mit dem sie sich als
Reinszenierung der Narzißfabel deuten lassen, erscheint es

nämlich erlaubt, sie auf Platons *Symposion* und den dort entfalteten Androgynenmythos zu beziehen, anhand dessen
Aristophanes den Ursprung der Liebe und die Genese der
Geschlechter nach dem Modell der Entzweiungsgeschichte
eines ehemals vollkommenen und in dieser Vollkommenheit
kugelrunden Wesens erklärend zu illustrieren sucht. Dabei
liegen die Anschlußstellen, die sich zum Teil bis in die Wortwahl hinein gegenüber dem chemisch-alchemistischen Kommentar ergeben, ebenso offen zutage wie auf der anderen
Seite die strukturellen Analogien, die zwischen den beiden
Mythen auszumachen sind. Dasselbe gälte, wenn tatsächlich
noch eine dritte Referenz, die in Ovids *Metamorphosen*
erzählte Geschichte des Hermaphroditos samt der aus ihr
entwickelten Ikonographie, ihre Spuren hinterlassen hätte.
Das Ergebnis dieser Mythenmelange ist jedenfalls kein
prinzipielles Konkurrenzverhältnis, sondern eine Art offener nichtlimitierter Materialienbank: ein Verfügungsfonds
höchst beweglicher Bedeutungsträger, die nach Belieben und
Bedarf zur wechselweisen Ergänzung kombiniert, ange-
reichert, verschoben, unter Umständen auch einander entgegengesetzt werden können. Mit unterschiedlichen Dominanzen und Zugehörigkeitsmerkmalen ausgestattet, tauchen
diese Bausteinchen in der Regel an den Gelenkstellen der
Romanhandlung oder dort wieder auf, wo der Erzähler auf
besondere Intensität seiner Mitteilungen angewiesen und bemüht ist, die mythische Verstrickung seiner Figuren möglichst eindrucksvoll zur Anschauung zu bringen. Neben den
Inszenierungsformen der gemeinsamen Lektüre, der dif-
ferenzlosen Angleichung von Ottiliens Handschrift an diejenige Eduards und – bislang nicht erwähnt, aber dieser
Reihe zweifelsfrei zugehörig – den im Gleichklang entstellten musikalischen Darbietungen der beiden Liebenden (vgl.
I 8) gilt das zum Beispiel für die Rekonstruktion des dramati-
schen Rendezvous am See, in die außer einer Serie von Reminiszenzen an die Ovidsche Narzißerzählung das Motiv der
androgynen Vereinigungsmagie eingearbeitet ist (vgl. II 13),
und gilt – nicht weniger exemplarisch – für die graphisch

eigens akzentuierten Zeilen, die der letzten Lebensphase des Paares gewidmet sind. »Sie wohnten unter Einem Dache«, heißt es,

> aber selbst ohne gerade an einander zu denken, mit andern Dingen beschäftigt, von der Gesellschaft hin und her gezogen, näherten sie sich einander. Fanden sie sich in Einem Saale, so dauerte es nicht lange und sie standen, sie saßen neben einander. Nur die nächste Nähe konnte sie beruhigen, aber auch völlig beruhigen, und diese Nähe war genug; nicht eines Blickes, nicht eines Wortes, keiner Gebärde, keiner Berührung bedurfte es, nur des reinen Zusammenseins. Dann waren es nicht zwei Menschen, es war nur Ein Mensch im bewußtlosen vollkommnen Behagen, mit sich selbst zufrieden und mit der Welt. (II 17)

Zu einer allem Anschein nach greifbaren Wirklichkeit geworden, ist da wieder die ›Kugel‹ des Aristophanes, die so demonstrativ mit dem in »Kugelgestalt« sich präsentierenden Selbstbezug unvermischter chemischer Substanzen und den von Charlotte ins Feld geführten Quecksilberkügelchen harmoniert (I 4); doch ist da gleichzeitig auch der Spiegelwahn des Narziß, der sich auf trügerische Weise mit sich selbst im reinen glaubt, und ist die von ihm abhängige Echo, die ohne den Geliebten, ohne das wiederholbare fremde Wort, keine Existenz und kein Leben hätte. Mag also die erinnernde Inanspruchnahme der aristophanischen Vision noch so ›rund‹ erscheinen: Man begreift sofort, daß sie die Realitätsprüfung nicht bestehen kann und daß die Dinge – übrigens nicht nur für Eduard und Ottilie, sondern für das gesamte Quartett – einen Lauf nehmen werden, wie er sich mit einem dritten mythologischen Zitat ebenfalls im Rahmen des ›Gleichnis‹-Kapitels angekündigt hat.

Die Rede ist vom Pandora-Mythos, einer vor allem durch die Darstellungen Hesiods geprägten Erzählung, derzufolge entweder Hephaistos auf Befehl des Zeus oder dessen Widersacher Prometheus eine Frau von überwältigender Schönheit geschaffen und beauftragt haben soll, in einem *pithos*, einem Gefäß von zunächst topf- oder korb-, in der jüngeren Überlieferungsgeschichte von büchsen-, schachtel- oder kästchenähnlicher Form, den Menschen die ihr von den Göttern dargereichten, zumeist sehr zweifelhaften, um nicht zu sagen: unheilvollen Gaben zu übermitteln. Und wie geplant soll es dann auch geschehen sein; als Pandora ihr Ziel erreicht hatte und den Deckel des besagten Gefäßes anhob, »so fuhr«, mit einer Formulierung von Goethes bevorzugtem Nachschlagewerk, Hederichs *Gründlichem mythologischen Lexicon*, »alles bemeldete Unglück heraus«, während einzig und allein die Hoffnung »am Rande hängen blieb«. Die spätere, durch die Kirchenväter, durch Origines und Tertullian bewirkte Verquickung mit der christlichen Sündenfallmythe war damit gewissermaßen ebenso vorgezeichnet wie der Gedanke, Eva als wiederbelebte, als ›Prima Pandora‹ zu betrachten und dieses doppelt beglaubigte Inbild weiblichen Unheils im Sinne des berühmten Louvre-Gemäldes von Jean Cousin d. Ä., *Eva Prima Pandora*, der Nymphen- beziehungsweise Venusikonographie eines Cellini oder Tizian anzunähern. Goethe brauchte im Grunde nur noch zuzugreifen und die Details seinem Erzählkonzept entsprechend zu arrangieren: an erster Stelle Ottiliens Galanteriewaren- und Schmuckkoffer, der gedacht war, »sie mehr als einmal vom Kopf bis auf den Fuß zu kleiden« (I 15), und der sich zuletzt als das Behältnis ihres Totenkleides entpuppt (vgl. II 18); in zweiter Linie das ›putzhafte‹ Sammlerkästchen des Architekten, in dem sich vorzugsweise die Entwürfe von Grabmonumenten und anderen einschlägigen Utensilien aufbewahrt finden (vgl. II 2); desgleichen das ›schöne‹ Kästchen, aus dem der Engländer die Instrumente für seine undurchsichtigen und schmerzauslösenden Pendelversuche zieht (vgl. II 11); und schließlich – sei's Kästchen, sei's Brieftasche – jene Reliquienkollekte, mit der Eduard bis in den eigenen Tod hinein das Trauerritual um die verstorbene Geliebte bestreitet (vgl. II 18). An Pandoras Präsenz, so heißt das im Klartext, sollte niemand zu zweifeln haben; und doch muß man sagen: Die Tücke dieser mythologischen Erbschaft tritt in vollem Umfange erst dann zutage, wenn man auch hier die Schleusenfunktion des vierten Kapitels in Rechnung stellt.

Für die initiale Referenz, um die es dabei geht, lassen sich mindestens drei Einfalls- oder Anknüpfungspunkte benennen. So bietet sich zum ersten der erwähnte Androgynenmythos an, der als eine der zahllosen Varianten der Welteltern-mythe zwangsläufig mit der Geschichte der Ur-Mutter be-faßt ist, mag diese Eva oder Pandora heißen. Es sei deshalb nur am Rande bemerkt, daß die Zunft im Zuge der geheim-wissenschaftlich-alchemistischen Adaptionen dieses Vorstel-lungskreises eine 1582 von Hieronymus Reusner unter dem Titel *Pandora* publizierte Schrift zu verzeichnen hatte (die Bibliographien notieren diesen in seiner Art sehr typischen Titel wie folgt: *Pandora, Das ist / Die Edelste Gab Gottes / oder der Werde vnnd Heilsamme Stein der Weisen / mit welchem die al=ten Philosophi / auch Theophrastus Para= / celsus, die unuol-komene Metallen / durch ge= / walt des Fewrs verbessert . . . Ein Guldener Schatz / welcher durch einen Liebhaber diser Kunst /. . . errettet ist worden / vnnd . . . erst jetzt in Truck verfertiget*). Zum zweiten ist noch einmal auf das großgeschriebene ECHO und die damit verbundene Projektionsstelle hinzu-weisen, die in Goethes unmittelbar vor der Niederschrift der *Wahlverwandtschaften* aufgegebenem *Pandora*-Fragment durch Elpore, die Tochter der Titelheldin, besetzt wird; zum drit-ten und wichtigsten aber muß an das womöglich geheimnis-vollste Kästchen von Goethes Gesamtwerk, an das Rätsel-ding erinnert werden, das Wilhelm Meisters Sohn Felix zu Beginn der *Wanderjahre* aus einer Gebirgshöhle rettet und das ausgerechnet mit einem ›kleinen Oktavband‹, ja mit einem ›Prachtbüchlein‹ verglichen wird (vgl. *Wanderjahre*, 4. Kap.). Dieser Vergleich erscheint um so signifikanter, als dem Fund ein Gespräch zwischen Wilhelm und Montan über die grund-sätzliche Problematik des Lesens, das prinzipiell Trügerische jedweder Lektüre vorausgegangen und im Verlaufe der Hunderte von nachfolgenden Seiten nicht andeutungsweise, durch keine Silbe zu erfahren ist, welchen Schatz zu welcher der strittigen ›Lesarten‹ des Meisters ›Glückskind‹ am Ende gehoben haben mag. Ganz anders dagegen die *Wahlverwandt-schaften*; da ist nicht nur von Eduards Reisenotizen, den hinterlassenen Wirtschaftsjournalen seines Vaters, den Briefen der Pensionsvorsteherin und ihres Gehülfen bis zum Unterhaltungsroman und den Affenbüchern Lucianes nichts Schriftliches, kein Dokument davor sicher, eines Tages wie jene über Jahre vernachlässigten Gutspapiere aus »Kammern, Schränken und Kisten« herbeigeschleppt, ans Licht gezogen und gelesen zu werden (I 4); es käme unter diesen sorglos hantierenden Schriftkundlern auch keiner auf die Idee, man könnte mit dem zur Abendunterhaltung herangezogenen Chemiebuch die ›Büchse der Pandora‹ geöffnet und das Unglück auf irreparable Weise in Gang gesetzt haben. Doch steckt genau darin der Clou des Arrangements und seiner mythologischen Unterfütterung; das Verhängnis ist nicht mehr auf die Hilfe der Götter, geschweige denn irgendeines göttlichen Racheaktes angewiesen, um sich in aller Unerbittlichkeit auszubreiten; es genügt, daß einer zur Unzeit, in ›falscher‹ Gesellschaft oder am ›falschen‹ Ort ein Buch, eine wie immer manifestierte Schrift in die Hand nimmt und sich von seinen eigenen Kurzschlüssen, einer auf Buchstäblichkeit und reduktionistischer Sinnbeherrschung beharrenden Auslegung überrumpeln läßt.

Im übrigen aber macht sich vor dem Hintergrund dieser Konnotationen der Brückenschlag vom Erinnerungsfundus der klassischen Mythologie zu dem, was man die christliche Diskursdimension der *Wahlverwandtschaften* nennen könnte, nahezu von selbst. Das Vermittlungsmedium sind jene beiden Augen, die – gleichviel, ob sie auf einem geöffneten oder geschlossenen Buch erscheinen – als das traditionelle ikonographische Attribut der hl. Odilie zu gelten haben, einer Kultfigur vorzugsweise des süddeutschen und elsässischen Raumes, der nicht allein nachgesagt wird, es seien dank ihrer Fürsprache die Augenkranken wieder gesund und die Blinden sehend geworden, nach der auch Goethe einer Anmerkung im 11. Buch von *Dichtung und Wahrheit* zufolge die Gestalt der Ottilie gemodelt haben will. Aus der Wundertä-

terin der Legende ist dadurch eine Art Augenwunder, ist –
mit dem Text zu reden – ein »wahrer Augentrost« geworden,
der niemanden, und vor allem die Männer nicht, unberührt
läßt. »Wer sie erblickt«, heißt es von Ottilie,

> den kann nichts übles anwehen; er fühlt sich mit sich selbst
> und mit der Welt in Übereinstimmung. (I 6)

Noch entschiedenere Züge beginnt diese Modellierung nach
christlichen ›Vor-Bildern‹ indessen dort anzunehmen, wo
Ottilie, zunächst fast unmerklich, dann immer deutlicher,
durch das Zitat marienikonographischer Konventionen in
die Sphäre der Himmelskönigin gerückt und zur Figur eines
regelrechten ›Marienlebens‹ stilisiert wird. Um das nachzuvollziehen, braucht man die Galerie der sich wie von ungefähr arrangierenden Tableaus nur abzuschreiten: Ottilie, die
am »Abend vor Eduards Geburtstage« in der mit Engels-
köpfen ausgeschmückten Kapelle sitzt (II 3) – man denkt
nicht bloß, man erkennt unwillkürlich eine ›Maria im Gehäuse‹ und eine Verkündigungsszene, die subtiler nicht veranschaulicht werden könnte; Ottilie, die in der Weltabge-
schiedenheit von Eduards Schloß und Park, zunehmend
auch zwischen den Sträuchern und Blumen der alten Anlagen
einen ihr angemessenen Lebensort findet (vgl. bes. I 17) –
man sieht Maria im *hortus conclusus* und Maria als Gärtnerin,
wie man sie auf den Tafelbildern der Meister oder – beispielsweise – in Gestalt von Raffaels *La bella Giardiniera* zu sehen
gewohnt ist; und erneut Ottilie, die, »so viel als eine Mutter,
oder vielmehr eine andre Art von Mutter«, mit dem Kind auf
dem Arm und einem Buch in der Hand »lesend und wandelnd ⟨. . .⟩ eine gar anmutige Penserosa« bildet (II 11) –
verblüfft steht man vor der literarischen Reproduktion des
tausend-, des millionenfach reproduzierten Grundentwurfs,
man steht vor der christlichen Ikone schlechthin. Unauffällig
und dennoch im Sinne der tradierten Marien-Zyklen bis ins
Detail durchkalkuliert, sind diese und weitere ›Bilder‹ um
das vom Architekten aufwendig inszenierte Präsepe gruppiert (II 6), ganz so, als wolle sich der Erzähler, wolle sich der
Text an der wörtlich so genannten »frommen Kunstmum-

merei« beteiligen und darauf aufmerksam machen, daß
Eduards eilfertige, im Assoziationsgewebe der Geheimlehren angesiedelte Rede vom A und O schließlich doch als
Verweis auf die Offenbarung des Johannes, daß sie unter
heilsgeschichtlichen Vorzeichen tatsächlich als die Botschaft
des über Anfang und Ende wachenden Gottes zu lesen sei
(vgl. I 5).

Durch einen prüfenden Blick auf die Rezeptionsgeschichte der *Wahlverwandtschaften* wird man jedoch rasch über
die Konsequenzen eines solchen Unternehmens belehrt.
Man müßte Ottilie, wie das im Sog der moralbedachten Goe-
theapologie und einflußreicher ›Vor-Leser‹, zum Beispiel des
Kommentators der weitverbreiteten *Hamburger Ausgabe*, bis
in die achtziger Jahre des 20. Jahrhunderts hinein geschehen
ist, auf Kosten ihrer Mitspieler in das Zentrum rücken,
müßte sie zur Sühne- und Entsagungsfigur, zur Büßerge-
stalt, zur Märtyrerin erheben und sähe sich insbesondere
verpflichtet, dem letzten Kapitel des Romans den Rang einer
Apotheose, einer zwar poetischen, doch nicht weniger
respektablen, weil alle sonstigen Identitätszuweisungen
übertrumpfenden Heiligsprechung einzuräumen. Allerdings
hätte man dafür auch den Preis einer Reihe nicht zu unter-
schätzender Tabus zu bezahlen. Man dürfte nicht nachfragen,
wie sich diese Anmutungen im Lichte der spiegelbildlichen
Gefolgschaft Eduards behaupten, dem das »Genie ⟨. . .⟩ zum
Märtyrertum« so offensichtlich abgeht, daß er selbst von
»Nachahmung«, von der Vergeblichkeit eines falschen Be-
mühens spricht (II 18); man wäre gehalten, die Aspekte zu
ignorieren, die das Schlußgeschehen als Wiederholung des
topologisch gewordenen Liebestodes, die Kapelle mit dem
hochzeitlich aufgebahrten Paar als Variation auf die ›sündige‹
Minnegrottenallegorie von Gottfrieds *Tristan* (vgl. V.
16679ff.) und deren Vorlagen, den Liebesgrotten und -palä-
sten kenntlich machen, wie sie im Zusammenhang der um die
Phantasie vom Venusberg zentrierten Literatur und den
amourösen Szenerien der Antike, bei Ovid, Vergil oder Homer, zu finden sind; vor allem aber müßte man dahingestellt

sein lassen, warum jene christliche Ikone ungeachtet ihres nicht bezweifelbaren Urbildcharakters – wie angeführt – im Zeichen einer ›Penserosa‹ vorgestellt wird. Von seiner Wurzel her ist dieser Begriff nämlich alles andere als christlich bestimmt; er zitiert Miltons Melancholiegedicht *Il Penseroso* und mit ihm eine Literatur und Denktradition, die ihren Ausgang von dem berühmten *Problem XXX 1* des Pseudo-Aristoteles, also im 4. Jahrhundert v. Chr. genommen und im Verlaufe des 18. Jahrhunderts über die Beiträge einer ganzen Literatenphalanx, Autoren vom Schlage Kants, Youngs, Adam Bernds, Johann Georg Zimmermanns, Moritz', Herders, Hamanns, eine geradezu brennende Aktualität gewonnen hat; er – der Begriff ›Penserosa‹ – beschwört durch das Tableau der ihrer Lektüre nachsinnenden Frau die Bildformel der ›saturnischen‹ Ikonographie, aus der Dürers *Melencolia I* (1514) ebenso wie Castigliones *Melancholie* (1640) hervorgegangen ist – Blätter, die sich unter anderem in Goethes Kunstsammlungen gefunden haben; und er reichert Eduards Entwurf der Gegenbildlichkeit, der die androgyn determinierte Beziehung zu Ottilie präfiguriert, mit einer weiteren Sinndimension, einem semantischen Potential an, das vom Ende des fünften Kapitels aus den gesamten Text affiziert, um zu begründen, was man zu Recht die ›Trauerkonstellation‹ der *Wahlverwandtschaften* genannt hat. Denn dieses Wort zielte nicht nur auf Eduard und Ottilie, sondern auf das Quartett als geschlossene Gruppe und die Tatsache, daß ausnahmslos alle vier zur Sippschaft derer gezählt werden müssen, die im Sinne der mittel- oder spätmittelalterlichen Planetenkinderdarstellungen dem Einfluß Saturns unterstellt worden sind. Und da dies neben den Schriftgelehrten in erster Linie die Landleute, die Geometer, die Baumeister, die Ökonomen, die Rechen- und Wasserkünstler waren, brauchte man nach den Indizien nicht lange zu suchen, zumal man sich in jedem Einzelfalle, angefangen bei Eduards Weingenuß und Ottiliens Schweigsamkeit bis zu Charlottens Friedhofsliebe und des Hauptmanns Ordnungsfanatismus, dank einer Fülle ergänzender Hinweise auf gesichertem, einwandfrei melancholisch besetztem Terrain agieren sah.

Nicht beantwortet ist mit diesen Rekonstruktionen aber die Frage, die angesichts der genannten Interferenzen das Hauptproblem betrifft: Was soll man – exemplarisch und für den Fall gesprochen, daß man den Dialog des Textes mit seinen Prä- und Kontexten durch ein Leseverbot nicht einfach abschneiden will – aus einer ›melancholischen Maria‹, was aus einer Maria machen, die abgesehen von der Mitgift ihrer belletristischen ›Mütter‹, der Héloïsen und Isolden, bald als Eva-Pandora, bald als Echo, bald als androgyne ›Halbkugel‹, bald als chemisch-alchemistisches Element erscheint? In welcher Form soll, wie kann man außerdem einer Gestalt gerecht werden, die im Aufgebot des Romans nicht das einzige Verwandlungsphänomen dieser Sorte, vielmehr Teil einer Konfiguration vergleichbar instabiler Größen ist, durch deren beziehungsvolles Zusammenspiel die Kombinierbarkeit der Referenz- und Identifikationsmöglichkeiten auf nachgerade provozierende Weise gesteigert wird? Gelegentliche Allianzen, komplementäre Ordnungen, Sinnakkumulationen sind unter diesen Bedingungen ohne weiteres vorstellbar, kaum jedoch plausible Synthesen, wie denn auch der vor einigen Jahren unternommene Versuch, aus den Offerten der herbeizitierten Fremdtexte einen Durchschnittswert, eine Art von Bedeutungsmittel zu ziehen, in Anbetracht der damit verbundenen Exklusionen und Verdrängungszwänge nicht überzeugt hat. Die Entwicklung einer sachgerechten Alternative ist infolgedessen nur denkbar, wenn man auf der Basis der Mehrsinnigkeitserfahrungen mit Goethes *Werther* diese Provokation positiv aufnimmt, akzeptiert, daß der Text der *Wahlverwandtschaften* als eine noch wesentlich aufwendigere Einlegearbeit und jede einzelne Intarsie als nicht zu verharmlosender, in die Breite und Tiefe des semantischen Netzes gleichermaßen wirkender Aktivposten, als allseitiger Komplexitätsmultiplikator betrachtet werden muß, und wenn man dann die Frage stellt, für die der Erstlingsroman keine Handhabe bietet, die sich in der Aus-

einandersetzung mit dem späteren Roman dagegen fast un-
abweisbar aufzudrängen beginnt: ob nicht allen inhaltlichen
Erwägungen voran die Botschaft der *Wahlverwandtschaften* in
diesem verwegen den Kulturbestand aufmischenden Er-
zählverfahren selbst, ob das Organisationszentrum des Textes nicht dort zu suchen ist, wo die Prämissen dieser Gedächt-
niskunst, die Voraussetzungen ihrer nicht bezähmbaren, zuweilen mit-, zuweilen gegeneinander streitenden Sinnex-
plorationen eigens zum Thema werden.

Dieser Gedanke beruht auf Überlegungen, wie sie die
jüngste, keineswegs einstimmig, aber mit großer Intensität
und beachtlichem intellektuellen Niveau geführte Diskussion zutage gefördert hat. Im Kern geht es dabei um den
Vorschlag, Goethes *Wahlverwandtschaften* vorrangig nicht als
Roman einer hermeneutisch abzusichernden und am Ende
lebensweltlich verrechenbaren Aussage, sondern als semio-
tisches Gebilde zu begreifen, das seine Leser auffordert, über
die Bedingungen des Sprechens und der Sprache, über die
Eigenart des Zeichens und die Regularien seines Gebrauchs
und vor allen Dingen über Macht und Ohnmacht der Schrift
nachzudenken. Von einer Metalektüre im Sinne strikter
Hierarchisierung sollte man dennoch nicht vorbehaltlos
sprechen, ist der Ausgangs- und Angelpunkt dieses Zugriffs
doch erneut eine Referenz des wahlverwandtschaftlichen
Chemieunterrichts, die sich gegenüber den bislang verhandelten (und künftig vielleicht noch zu entdeckenden) nur
dadurch auszeichnet, daß mit ihr die Quelle aller Wirrnisse,
nämlich die Rede vom Gleichnis, zur Debatte steht. Diese
Rede – Resultat einer rhetorisch fundierten Dichtungslehre –
geht auf das für alle weiteren Annäherungsversuche maßgeblich gewordene 21. Kapitel der aristotelischen *Poetik* zurück, die das Strukturgesetz der Metapher mit einer zwischen vier Grundelementen vollzogenen Analogiebildung,
oder schlichter und genauer: einem kreuzweise angelegten
Vergleich identifiziert hat, bei dem sich – so wörtlich – »das
zweite ⟨...⟩ zum ersten ⟨...⟩ wie das vierte zum dritten
⟨...⟩ verhält«. In der Symbolik von Aristoteles' Nachfol-

gern ausgedrückt, bedeutete das die Verwandlung der Gleichung B/A wie D/C in die Äquivalenzformeln A/C wie B/D oder A/D wie C/B und also exakt in die Beziehungs- und Reaktionsmuster, die im Blick auf die chemisch-alchemistischen Experimente schon einmal zu zitieren waren. Die List dieser Überlagerungen und Kongruenzen besteht nun freilich weniger darin, daß die ohnehin doppelt befrachtete, natur- und geheimwissenschaftlich auslegbare Anspielung im Horizont der antiken Rhetorikschulen auch noch für ein drittes Transformationsreglement, eine nicht minder intrikate Sprachchemie, durchsichtig wird; die Pointe sitzt vielmehr dort, wo sich die seit Aristoteles einvernehmlich vorausgesetzte Unterscheidungsmöglichkeit zwischen dem buchstäblich gemeinten Literal- und dem durch Übertragung, durch eine Art lexikalischen Ortswechsels bewirkten Bild-Sinn, wo sich – fachspezifisch formuliert – die Differenz zwischen dem sogenannten *verbum proprium* und *inproprium* als ein bequemes, doch unhaltbares Axiom erweist. So zögert Eduard zwar nicht, seiner im Dunstkreis des Wortes ›Verwandtschaft‹ auf Nebenpfade, vom Bereich chemischer in den Bereich menschlicher Verhältnisse geratenen Frau zu erklären, sie sei durch eine Gleichnisrede nicht bloß verwirrt, sondern aufgrund einer anthropologisch verankerten Bereitschaft zur narzißtischen Bespiegelung geradezu verführt worden; Eduards Anregung indessen, die »seltsamen Kunstwörter« der Chemiker (I 4), oder allgemeiner: die semantisch kaum beherrschbaren ›bösen‹ Metaphern um der Eindeutigkeit willen durch Buchstäbliches, ein Kürzel alphabetisch aneinandergereihter Lettern, zu ersetzen, führt zu nichts anderem als wiederum zu einer Gleichnisrede. Denn selbst diese scheinbar nichtssagende Konstellation hat Ersatz- und Stellvertreterqualität; Eduards Algebra ist übertragene, figurative Rede, deren grundsätzliche Mobilität spätestens in dem Augenblick ersichtlich wird, da Eduard, als hätte er nicht kurz zuvor noch alles besser gewußt, das ABCD seiner Beziehungen zu Frau und Freunden im Sinne von Charlottens ursprünglichem ›Mißverständnis‹ zu buchstabieren beginnt.

Was sich anhand dieser zirkelschlüssigen Prozeduren offenbart, ist die Logik einer endlosen Umkehrbarkeit, sind die Spielregeln, die Mechanismen eines Sprechens, das ohne gesicherten Rückhalt, ohne basale Wertstellungen, ohne die Kategorie des ›Eigentlichen‹ und der ihm beigelegten Beglaubigungskraft auszukommen hat. Es findet sich keine Rede, die nicht in der Aura anderer Reden angesiedelt, kein Wort, das im Zuge der hin und her, kreuz und quer verlaufenden Substitutionen nicht durch vorgängige oder benachbarte Wörter infiziert, beeinflußt, unterlaufen, gebrochen wäre. Die ›Gleichnisrede‹ steht deshalb in direktem Zusammenhang mit der Anfangssequenz des Romans, die man aufgrund ihres raumgreifenden Schöpfergestus – »Eduard – so nennen wir ⟨. . .⟩« (I 1) – als die Kundgabe eines omnipotenten Erzählers zu deuten versucht ist, die sich im nachhinein jedoch, im Blick auf den bereits getauften ›Täufling‹ namens Otto Eduard (vgl. I 3), als das Zeichen einer gezielt plazierten Ironie und einer Kontrafaktur der den göttlichen Logos beschwörenden Eingangsverse zum Johannes-Evangelium entpuppt (vgl. Jh 1,1-5). Bezeugt wird nicht mehr das geist- und seinserfüllte Wort Gottes, sondern das Supplement oder Behelfswort, das die ontologische Leere des vorausgegangenen Spruchs allenfalls zu verdoppeln vermag, also weder Präsenz noch Identität verbürgt. Von jenem ›doppelten Brief‹ abgesehen, den der Hauptmann einmal »zum Vorzeigen«, einmal zum Zwecke seiner privaten Zukunftsplanung empfängt (I 14), läßt sich das modellhaft – wenn man so will: mikroanalytisch – auch an dem Einladungsschreiben nachvollziehen, das den Auftritt des Hauptmanns vorbereitet; da hat Eduard seiner Frau endlich das Zugeständnis abgerungen, das ihm sein *alter ego*, den anderen Otto, ins Haus zu holen und »seinem Freunde Vorschläge schriftlich zu tun« erlaubt, Eduard bewegt Charlotte außerdem zu einer Nachschrift, die das Geschriebene bekräftigen soll. Das Ergebnis aber ist ein Tintenfleck, der, je mehr man sich bemüht, ihn wegzuwischen, desto größer, ja zu einer Größe eigener Art und zum Anlaß weiterer Erklärungen,

einer zweiten Nachschrift wird, ohne daß sich dadurch die
Irritation beheben oder die sonst »gefällig und verbindlich«
erscheinenden Schriftzüge Charlottens gegenüber der Ver-
unstaltung des Papiers wieder behaupten würden (I 2). Neben dem fundamentalen Schriftcharakter jedwelcher Rede
wird statt dessen nicht bloß die Erfolglosigkeit eines solchen
sinnfixierenden Unterfangens, es werden im Gefolge der eigenwillig überschüssigen zugleich die destruktiven, die zer-
setzenden und zerstörerischen Energien erkennbar, die dieser Schrift und damit dem bis heute anerkannten Paradigma
aller Fixierungstechniken innewohnen.

So ist im Sinne jener Buchstabenfolge *ott*, die man nach
Ansicht der Interpreten als Namensrelais, als Imprese oder
graphisches Emblem des wahlverwandten Quartetts begreifen (vgl. *Ott*o Eduard, *Ott*o, Charl*ott*e, *Ott*ilie) und vor dem
Hintergrund der übrigen Letternsortimente legitimerweise
in das Kennzeichen *tot* verwandeln kann, das schriftlich Fi-
xierte, was immer es sein mag, zum ›Tode‹, zu einer Existenz
des Verschwindens und der Abwesenheit verurteilt, wie man
sie am anschaulichsten im Falle Ottiliens zu fassen bekommt.
Denn alles andere als ein unbeschriebenes Blatt, ist Ottilie in
einem fast banalen Verstande eine Schriftfigur, ist das Bild,
das Charlotte, »um zu wissen, was sich von [ihr] erwarten,
was sich an [ihr] bilden läßt« (I 6), selbst noch in ihrer leib-
haftigen Gegenwart nach Maßgabe wiedergelesener Briefe
entwirft und das mit Eduards androgyn-melancholischer
Gegenbild-Projektion in den Konnex der im zweiten Teil des
Romans nicht umsonst so detailliert ausgebreiteten *tableaux
vivants* gehört. Der Erzähler spricht dort von einer »natürlichen Bildnerei«; genau besehen vermag jedoch nur ein
»ungeduldiger Vogel« wie jener Verehrer Lucianes der ins
Bild Gebannten vorzuschlagen, sie möge sich für einen Augenblick aus der Erstarrung lösen und zum Publikum wenden (II 5). Ein derartiger Schritt wäre nämlich nicht allein
wider die Regel dieser Ikono-Graphie, die um des Lebens
der Bilder willen nach dem ›Stillstand‹, der Mortifikation der
Lebenden verlangt; er wäre gleichbedeutend mit dem Zu-

sammenbruch des Bildes, womöglich mit dem Ende des ganzen Spieles, und da sich Charlottens unterhaltungssüchtige, auf Beifall, Glanz und Glamour erpichte Tochter dieser Sachlage bewußt ist, weiß sie ihr Verhalten entsprechend einzurichten; sie rührt sich in den Kulissen ihrer Bilder so wenig, wie sich später Ottilie in ihrer »halb theatralischen Lage« als Mutter Gottes rühren wird (II 6).

Über den schneidenden Gegensatz, der hinter dieser Parallele steckt, unterrichten dann allerdings die nachfolgenden Ereignisse. Während sich die in ihrem »Lebensrausch« von Bild zu Bild, von Schauplatz zu Schauplatz eilende Luciane diesem Spiel einfach überläßt (II 5) – und zwar einem Spiel, das man nach einem Seitenblick auf die Geschichte jenes schreibenderweise wieder zum Leben ermunterten Jünglings erst recht als Schriftspiel bezeichnen muß (vgl. II 5) –, glaubt Ottilie, die ihrer eigenen Formulierung zufolge ihre Pflicht »vielleicht zu buchstäblich genommen und gedeutet« hat (II 17), dem Schicksal nur noch durch ein Schweigegelübde und einen auf dem Wege der Selbstaufzehrung bewirkten Rückzug aus allen Bildern und Buchstaben gerecht werden zu können. Analog zu anderen, längst eingebürgerten Begrifflichkeiten dieser Art läge es darum nahe, von einer negativen Ontologie, dem Versuch eines über die Verneinung lancierten Substanzgewinns zu sprechen. Das aber verbietet sowohl Ottiliens Schreiben an die Freunde, dessen betonter Abgrenzungs- und Innerlichkeitsanspruch schon im Ansatz dadurch ausgehöhlt wird, daß man sich diesen Brief nach allen zur Verfügung stehenden Informationen nicht anders denn als mimetisches Fremdprodukt, als eine neuerliche Imitation von Eduards Handschrift vorzustellen hat, als auch der Schluß der *Wahlverwandtschaften*, der den Erzähler auf dem Höhepunkt seiner kompromißlosen Inszenierungskünste zeigt. Man erfährt, wie die »fortdauernd schöne, mehr schlaf- als todähnliche« Ottilie unter dem Glasdeckel ihres Sarges um den Lohn ihres Opfers gebracht, wie sie nicht nur ins Bild schlechthin, sondern im Schein der »immerbrennende[n] Lampe« in das ewig gleiche

Bild gesetzt und darüber zu einem beliebig ausdeutbaren
Zeichen für diejenigen wird, die nach dem ätzend ironischen
Wortlaut des Textes durch einen schmerzhaft empfundenen
Seinsmangel, ein »Bedürfnis ⟨...⟩ zum Glauben« genötigt
sind, »dessen wirkliche Befriedigung versagt ist« (II 18). An
die ›heilige Ottilie‹ halte sich danach also, wer will und muß;
kaum übersehen läßt sich indessen, mit welcher Genauigkeit
diese Engführung auf die bis in die graphisch-optischen Ma-
terialisierungen hineinreichende Implosion des Schriftsinnes
reagiert: Schließlich ist mit Ottiliens Tod aus Eduards Trink-
glas-Monogramm, der Gravur E und O, die der ohnehin
buchstabenbesessene Eduard seinen Wünschen gemäß zu einem verheißungsvollen Zukunftsomen für sich und die Geliebte umgedeutet hat (vgl. I 9; I 18; II 18), das Signal einer
irreparablen Asymmetrie, aus der Initiale O eine Fehl- oder
Nullanzeige geworden, die über Eduards mehrfach erwähnte A-und-O-Prophetie am Ende des fünften Kapitels
die Gleichung der Wahlverwandten auf eben diese Null, das
im palindromisch-zirkulären Namen des Kindes OTTO
längst angekündigte reine, runde Nichts reduziert.

Sucht man diese Beobachtungen kategorial angemessen zu
erfassen, bieten sich zwei der Etikettierungen an, die man
Goethes *Wahlverwandtschaften* in jüngster Zeit hat angedeihen
lassen. Die erste, systematisch und literaturtheoretisch etwas
ambitioniertere, betrifft die Kennzeichnung des Romans als
›Apotheose der Schriftlichkeit‹, die dem Text *avant la lettre*
›grammatologische‹ Qualitäten, das heißt einen gewichtigen
Part in der Auseinandersetzung um das von Paulus im
2. Korintherbrief 3, 6 begründete, von Augustinus' Chri-
stenlehre unter beschwörenden Hinweisen auf den sonst
drohenden Götzendienst zum Dogma erhobene Schriftver-
dikt bescheinigt: »⟨...⟩ der Buchstabe tötet, der Geist aber
macht lebendig« (vgl. *De doctrina christiana* III, Kap. 5ff.).
Zwar erlauben die *Wahlverwandtschaften* – so die These – an
der ›tödlichen‹, die referentielle Präsenz zwangsläufig ver-
drängenden Macht des Buchstabens keinerlei Zweifel, doch
attackieren sie das Apostelwort dort, wo es namens eines

schriftunabhängigen, freischwebenden Geistes diese Verdrängung unterschlägt; sie widersprechen der Vorstellung, das Leben, der Sinn, die Bedeutung seien reichsunmittelbar, sie seien ohne das Korsett einer zur Entäußerung zwingenden Manifestation zu haben, und sie spielen unter Einbeziehung aller buchstäblichen Subtilitäten das Verhängnis durch, das sich vor dem Hintergrund des paulinischen Credos entwickeln kann. Denn wer dieser Illusion verfällt, sagen die *Wahlverwandtschaften*: wer wie Eduard und Charlotte aus den Schrift- und Erinnerungsrelikten einer vergangenen Epoche möglichst umstandslos eine neue Gegenwärtigkeit ziehen will (vgl. I 1); wer wie Eduard und Ottilie die Schrift als Medium magischer Transparenz betrachtet oder wer wie Charlotte und der Hauptmann im mißverstandenen Dienst am Leben »alles Tödliche«, ja mit den Gräbern auf dem Kirchhof auch noch die »Merkzeichen« des Todes »zu entfernen« bemüht ist (I 4; vgl. II 1), stirbt nicht bloß einen symbolischen, er stirbt den Tod, der ihn jeder ferneren Bemühung enthebt. Die Bedingungen des Lesens und Lebens sind dergestalt aneinandergeknüpft, daß von Anfang an nicht das Leben über die Lektüre, sondern umgekehrt und in einem wesentlich strikteren Sinne, als das dem Katastrophenpotential des *Werther* zu entnehmen war, die Lektüre über das Leben entscheidet. Strukturell gesehen geht es dabei um die Einübung in das lebensnotwendige, die individuellen Handlungsräume allererst eröffnende Prinzip der Differenz, das für den zweiten, hier zur Wahl stehenden Verständigungsversuch, für die Auslegung des Romans unter dem Titel einer ›Allegorie der Sprache‹ – beziehungsweise deren Gesetzmäßigkeiten –, eine nicht minder große Rolle spielt.

Das wird erkennbar, sobald man diesen Begriff über seine Funktionalisierung im Rahmen der rhetorischen Tropenlehre hinaus unter repräsentationslogischen Gesichtspunkten in Anspruch nimmt und an die Motive, die Argumente erinnert, die gegen Ende des 18. Jahrhunderts, zu den Triumphzeiten der Symbolapplikate, seinen bis heute nicht völ-

lig kompensierten Karriereknick zu verantworten hatten.
Gleichgültig, ob man sie als formalästhetisch beschreibbares
Darstellungsverfahren oder – komplementär dazu – als Lese-
und Exegesetechnik begreift, erscheint dann die Allegorie,
wörtlich übertragen: die ›Anders-Rede‹, als Figur, als Indiz
eines Doppel- oder Vielfachspiels, das mit Rücksicht auf
den grundsätzlichen Verweischarakter sprachlicher Vermitt-
lungssysteme den Akzent nicht allein auf den Bruch zwischen Bedeutung und Referenz zu legen, das vielmehr gegen
jede Art voreiliger Synthesebildung, jede Sorte falscher To-
talitätserwartung ein analytisch nicht wegzudiskutierendes
Veto einzubringen pflegt. Man hat aus diesem Grunde die
Allegorie trotz ihrer mehrfachen Lesbarkeit zu Recht eine
Rede- und Präsentationsform des Verzichts genannt, allerdings eines Verzichts, der weniger moralisch als kritisch di-
mensioniert und ausgerechnet mit Goethes *Wahlverwandtschaften*, dem von der Literaturgeschichtsschreibung viel zu
lange unter Symbolverdacht gehaltenen Roman, auf die kon-
sequenteste Weise zum Zuge gekommen ist. Mustert man
nämlich den Text, so gibt es nicht einen einzigen Sachzusam-
menhang, keine noch so rudimentäre Erzählsequenz, die un-
vermischt, gleichsam ›pur‹ dargeboten, die nach dem Modell
der beidseitig reziproken ›Gleichnisrede‹ und der zweifellos
als Antiphrase, als Einspruch und Widerrede angelegten
Novelle von den *Wunderlichen Nachbarskindern* (vgl. II 10)
nicht durch einen anderen, thematisch verwandten oder konkurrierenden Diskursstrang mediatisiert und infolgedessen
nur so: auf dem Wege des Umwegs, der Grenzverletzung
und territorialen Überschreitung zu lesen wäre. Die ›Allegorie der Sprache‹, die den Prozeß metaphorischer Sinn-
produktion veranschaulicht, ist ebensowohl eine Ehe- und
Liebesgeschichte, wie sie und wie letztere die erzählerische
Entfaltung eines chemischen Experimentes ist, wobei sich
weder eine entschiedene Rangfolge ausmachen noch an irgendeiner Stelle dieser Übersetzungsarbeit ein definitori-
sches Ende markieren läßt. Man kann die Lektüre darum
genausogut in gegenläufiger Richtung unternehmen, ganz

zu schweigen von den namhaft gemachten Zitaten und Allusionskomplexen, die den Text mit dem Archiv der Weltliteratur verbinden. Denn für diese eingelagerten Diskurse gilt dasselbe; auch sie sind ausnahmslos allegorisch, in wechselseitig verweisender Verschränkung semantisierbar, ohne daß sich daraus dauerhafte Dominanzen oder verankerungsfähige Sinnzentren entwickeln würden. Im Gegenteil: Was erzählt wird, wird im Medium einer anderen Erzählung und wird vor allem anders, nach dem Gesetz fortwährender metonymischer Verschiebung erzählt, das den *Wahlverwandtschaften* insgesamt nicht erlaubt, auf eine Mitte zuzusteuern. Diese Mitte – gleichbedeutend mit dem Ort, an dem Bilanz gezogen, Sinn fixiert werden könnte – bleibt so virtuell wie die Achse, um die sich nach dem Schema des zweigeteilten Attributs aller Wahlverwandten, des Spiegelnamens OT=TO, die beiden einander ergänzenden und dennoch gezielt gegeneinander komponierten Hälften des Romans zu drehen haben.

Es wäre jedoch irreführend, ein Präzisionswerk derart sorgfältig in Beziehung gesetzter Makro- und Mikroelemente mit einem mechanistischen *perpetuum mobile* zu vergleichen, wie das vor dem Hintergrund neuerer, speziell textwissenschaftlicher Erkenntnisse gelegentlich erwogen worden ist. Statt dessen sollte man daran erinnern, daß *Text* so viel wie *Gewebe* heißt und daß Roland Barthes im Zusammenhang einer Revision unserer Lektüreprämissen vorgeschlagen hat, dieses Gewebe nicht als fertigen Schleier aufzufassen, hinter dem sich der Sinn, am Ende gar die Wahrheit verborgen halte, sondern als eine *Textur* zu behandeln, die sich im Horizont wechselnder Kontexte und historisch bedingter Perspektivierungen – sei es durch strukturelle, sei es durch lexikalische Reorganisation – sozusagen selbst bearbeitet und im Verlaufe dieses Erkundungsprozesses eine ihr eigentümliche Produktivität entbindet. Darüber unterrichtet die Rezeptionsgeschichte, unterrichten die Kommentare, die eine solche Textur nach Art kaum zu berechnender Protuberanzen aus sich entläßt, die sie provoziert und

die sie entweder zurückweist oder auf dem Wege eines in-
tegrativen Recyclings, eines Sinnerwerbs und Bedeutungs-
zuwachses, sich erneut anzueignen fähig ist. Mit der sprichwörtlich ins Kraut schießenden Lust am Spekulantentum hat
das allerdings wenig, es hat mit dem Zukunftsprojekt zu tun,
das jeder, das insbesondere ein so hochkarätiger poetischer
Text wie die *Wahlverwandtschaften* noch zu Zeiten verkörpert,
da man ihn als anerkannten Klassiker längst den Zeugnissen
der Vergangenheit zugeteilt hat. Denn das maßgebliche Problem liegt anderswo; es lauert dort, wo angesichts der fehlenden Sinnmitte neben der Haben- die Soll-Seite erscheint und
wo sich diese Zuwachsraten zuletzt doch wieder als Verlust-
rechnungen präsentieren, weil das grundlegende Defizit und
die prinzipielle Exzentrik des Textes auch mit Hilfe der ange-
strengtesten, der ›sinnreichsten‹ Akkumulationsstrategien
nicht wettzumachen sind. Der Makel, das Ungenügen, die
Bedrohung durch das Vakuum – sie bleiben, weshalb den
Wahlverwandtschaften nicht allein alle nur denkbare Zukunft
beschieden, sondern eine Beschreibungsgröße wie die Ge-
webemetapher aus einem zweiten Grunde höchst angemessen ist. Dazu muß man wissen, daß Barthes sie nicht erfunden, daß er sie allenfalls wiedergefunden hat und daß sie
aufgrund ihrer vielfältig verzweigten, weit vor der neuen
Zeitrechnung einsetzenden Gebrauchsgeschichte unter anderem jenem Trauerdiskurs zuzuordnen ist, von dem ausführlich die Rede war. Man begegnet der Metapher nämlich
an keiner geringeren Stelle als im Vorwort eines der einschlägigen Grundbücher, Robert Burtons intrikater *Anatomy
of Melancholy* von 1621, die aus dem tradierten Ideen- und
Materialbestand eine Schreibweise, das Muster einer ›melancholischen Textualität‹ entwickelt hat. Da ging es zwar nach
wie vor um den Katalog der kanonischen Melancholiesymp-
tome, um Melancholie als bevorzugtes Gelehrten-, ja Poe-
tenleiden, als Stigma derer, die mehr als andere schöpferisch,
inspiriert und gedächtnisstark sind, gleichzeitig aber wurde
diese Symptomatik diskursiv umgesetzt, wurde durch ein
Geflecht von Sätzen ›abgebildet‹, das, mäandernd, labyrin-

thisch, enzyklopädisch wuchernd, den Kern des Übels bis in
das Schriftbild hinein erfahrbar machte. Mit entsprechend
üppigen Kursivierungen ausgestattet, gab und gibt sich Burtons Text noch heute im Rahmen der kritischen Ausgabe
dezidiert als Kompilation und Potpourri fremder Texte, als
Leseprodukt und Schriftapparat zu erkennen, der – wenn
überhaupt – für die ›Methode‹, die Originalität seiner Zei-
chenmixturen, nicht jedoch für deren Sinnentfaltung einzu-
stehen vermag. Diese entzieht sich der Kontrolle, wie sie sich
seit je dem Melancholiker und damit jenem Lesertypus entzogen hat, unter dessen trostlosem Blick einer These von
Walter Benjamins *Trauerspielbuch* zufolge die Undurchdring-
lichkeit, die Indifferenz der Zeichen in ihrer vollen Di-
menison erst wahrnehmbar geworden ist. Man braucht die
Fäden daher nur noch zu verknüpfen: Durch die Vorstellung
eines ›Gewebes‹ erhält man für Goethes *Wahlverwandtschaften*
nicht bloß ein Strukturmodell von hoher Evidenz, der Roman selbst rückt in eine Traditionslinie, die ihn nach dem
Intermezzo der Geniezeit und der klassischen Ganzheits-
konzepte als ausgewiesenen Zeugen einer inmitten der Sinn-
fülle den Sinnentzug fortbuchstabierenden, also genuin *literarischen* Selbstreflexion erscheinen läßt.

Jedenfalls wird man im Lichte dieser Zuschreibungen das
›Gleichnis‹-Kapitel der *Wahlverwandtschaften* abermals mit anderen Augen zu lesen haben. Es ist der Ort, an dem der
Roman seine erzählerischen Dispositionen trifft, indem er
unter der ohnehin schon amphibolisch gestalteten Oberfläche eine Art Kryptographie, das Geschäft eines Geheim-
schreibers, Kopisten und Kustoden betreibt, der sich darin
gefällt, seinen Schätzen durch ständiges Umschichten und
Neufigurieren ein Maximum an Bedeutung abzugewinnen;
darüber hinaus ist das Kapitel und sind insbesondere
Eduards alphabetische Gleichungen aber auch das Medium
der vermutlich intimsten Auseinandersetzung des Textes mit
sich selbst, sind diese spielerisch, aleatorisch unternomme-
nen Exerzitien die Stelle des Verständigungsversuches, an
der es auf die entschiedenste und zugleich konkreteste Weise

zur Sache geht. So muß man das vielbezügliche ABCD als
das Menetekel nicht allein des Wahlverwandtenquartetts,
man muß es als das ebenso verheißungsvolle wie unheil-
schwangere Impressum des Romans betrachten, der sich an-
schickt, die Geschichte einer tödlichen Zeichenbeschwörung
aufzublättern, und dabei seinerseits, um seinen Figuren ›Leben‹ einzuhauchen, um aus seinem eigenen Symbol- und
Repräsentationssystem herauszuholen, was man, als gäbe es
hinter den Buchstaben die große, weite Welt, den Reali-
tätseffekt oder die Referenzillusion allen Sprechens und
Schreibens genannt hat, mit dem ›Tod‹ im Bunde steht, nämlich nicht umhin kann, die für sich genommen völlig amor-
phen Valenzen des zu Erzählenden auf das sichtbarste und
mit dem Risiko eines unaufhaltsamen Präsenzschwundes zu
verschriften. Das Letterngeplänkel der Hauptfiguren ist
demnach alles andere als Dekor oder beliebiges Spielmate-
rial; was Goethes *Wahlverwandtschaften* fast plakativ, mit optischer Eindringlichkeit zur Diskussion stellen, ist das literarische Paradox schlechthin, ist der Widerstreit zwischen
hochgradig stimulierenden und programmatisch das Scheitern erzwingenden Energien, den die Literatur auszutragen
und von dem Goethes *Werther* – um an den Ausgangspunkt
zu erinnern – trotz aller feststellbaren Familienähnlichkeiten
so noch nichts gewußt hat. Zwar sind Werthers Leiden insofern durchaus melancholischer Natur, als sich der belesene
Held selbst in dieser Hinsicht auf der Höhe der literarischen
Aktualitäten bewegt und seiner sonstigen Statur entsprechend vor allem vom pseudogenialen Vokabular der ›süßen
Melancholie‹ beeindruckt zeigt, doch heißt das nicht, daß der
Roman deshalb auch ein melancholischer Text wäre. Im
Schutze einer äußerlich gesehen sehr strengen Architektur
wagen diesen Kategoriensprung, den Schritt vom anthropologischen Komplex der je nach Blickwinkel entweder ›un-
vergnügten‹ oder im Sinne einer ›Melancholia Generosa‹ no-
bilitierten Seele zum diskursiven Arrangement und zur melancholischen Textfigur erst die *Wahlverwandtschaften*: Teil
und Vorbereitung, Prä- und Subtext der *Wanderjahre*, die

Goethe, denkbar gelassen, als ›Aggregat‹, als ein Werk kollektiver Autorschaft ankündigen und mit der offensten aller Schlußpirouetten, einem lakonischen »Ist fortzusetzen«, beenden wird.

TEXTGRUNDLAGE

Die handschriftliche Druckvorlage für die *Wahlverwandtschaften* ist nicht erhalten. Unser Druck folgt, nach Vergleich mit der Erstausgabe, dem Text der Akademie-Ausgabe. Mit der Münchener Ausgabe (Bd. 9, S. 1245) weichen wir in einigen Lesarten von der AA ab (in Klammern die Lesart der AA): 311,23 Nun, ich [Nun ich]; 340,23 f. ehlichen [ehelichen]; 340,32 fort gespielt [fortgespielt]; 371,2 Ottilie [Ottilien]; 395,30 zeigten [zeigen]; 398,4 Hand [Hand,]; 503,10 ein [eine]; 511,31 verzweiflend [verzweifelnd]. In 306,14 wurde »Sie« und in 470,22 das zweite »Ihr« großgeschrieben; in 431,35 wurde (mit AA) die Abführung ergänzt.

STELLENKOMMENTAR

271,3 *Eduard, so nennen wir]* Tatsächlich ist Eduard der zweite Name des Barons. Sein Rufname lautet ebenso wie der des Hauptmanns Otto (vgl. S. 288,18).

271,6 *Pfropfreiser auf junge Stämme]* Das Baumpfropfen gilt traditionell als magische Handlung. Saturn, der Gott und Planet der Melancholie, ist der Herr der Gärtner; seine Attribute (die er mit der Erdgöttin Ceres teilt; vgl. Anm. 301,23 f.) sind zahlreichen bildlichen Darstellungen zufolge die Instrumente des Gartenbaus. Als Herrscher des Goldenen Zeitalters ist Saturn zudem der Herr Arkadiens und damit zuständig für die idyllische Poesie. – In der emblematischen Tradition tritt jedoch auch Amor als Herrscher über alle Obstgärten auf, dessen liebste Beschäftigung das Pfropfen der Bäume ist; er verrichtet seine Arbeit zwar

kunstvoll, doch bringen die aufgepfropften Früchte dem
Baum nicht Segen, sondern Not.

271,13 *in den neuen Anlagen]* Die Diskussion um Fragen
der Landschaftsarchitektur durchzieht den ganzen Roman;
sie bildet eine Art kritischen Kommentars zu den Positionen,
die sich im späten 18. Jahrhundert durchgesetzt hatten, das
heißt vor allem zur Proklamation eines ›modernen‹, am englischen Ideal orientierten Landschaftsgartens. Goethe war
mit der einschlägigen Literatur gut vertraut, so z. B. mit
Christian Cay Lorenz Hirschfelds allgemein als Standard-
werk akzeptierter *Theorie der Gartenkunst* (4 Bde., 1779-85).

271,14 *Mooshütte]* Möglicherweise eine Anspielung auf
die ›Sennhütte‹, die den Liebenden in Jean Jacques Rousseaus *Nouvelle Héloïse* (1761) als Refugium dient.

272,3-7 *Den einen ⟨...⟩ sachte hinaufwand]* Die Topographie entspricht der des Mythos von Herakles am Scheideweg, wobei sich Eduard allerdings für den linken bequemen,
nicht für den mühsamen ›rechten‹ Weg entscheidet (vgl.
Schlaffer, *Namen und Buchstaben*, S. 222f.).

272,14f. *Landschaft gleichsam im Rahmen]* Die Exposition
des Romans ruft das Schema einer ›idealen Landschaft‹ auf,
das an dieser Stelle in seiner Abkunft aus der Tradition
der Landschaftsmalerei gewissermaßen bestätigt wird. Als
ikonographische Charakteristika dieses ›arkadischen‹ Land-
schaftstypus können die Fernsicht, die sfumierende Beleuchtung und der durch Verschränkung der Perspektiven erreichte Eindruck von Unendlichkeit gelten. (Zur Topologie
des Arkadischen im Roman orientiert sich der Kommentar
meist an Buschendorf, *Goethes mythische Denkform*, S. 66-122.)

272,20/23 *einen Dritten/ein Viertes]* Mit der Motivik der
chemischen Gleichnisrede manifestieren sich, hier noch unauffällig, Elemente der hermetischen und alchemistischen
Tradition (vgl. Anm. 301,23f.). Angespielt wird auf die – in
Anlehnung an die Trinität – ternarisch oder quaternarisch
konzipierte Vollendungsfigur der Alchemie, die Quadratur
des Zirkels. Man vergleiche auch das Hexeneinmaleins in
Faust I (Hexenküche, V. 2560f.). – Zugleich nimmt der Ro-

man damit das schon im *Werther* zentrale Thema der *ménage à trois* auf (vgl. Anm. 85,10), das Goethe in seinem Schauspiel *Stella* (1776) bereits variiert hatte. Hess macht auf zahlreiche Parallelen zwischen Figurenkonstellation und -typisierung im Schauspiel und den *Wahlverwandtschaften* aufmerksam (›*Stella*‹ und ›*Die Wahlverwandtschaften*‹).

273,17f. *daß er geschäftlos ist, das ist eigentlich seine Qual*] Erzwungene oder ungewollte Untätigkeit disponiert den Menschen zur Melancholie. Alle vier Hauptfiguren des Romans sind durch ihre Attribute und nach ihrem Temperament als Melancholiker charakterisiert. (Die im folgenden zu diesem Komplex gegebenen Hinweise verdanken sich meist Buschendorf, *Goethes mythische Denkform*, S. 123-263.)

274,14 *Ausmessung des Gutes*] Die Vermessung des Gutes gehört zum Versuch einer umfassenden Ordnungsstiftung, der mit der Ankunft des Hauptmanns und Ottiliens unternommen wird und zunächst zu gelingen scheint. Die Herstellung geregelter Lebensverhältnisse gilt im 18. Jahrhundert als Voraussetzung einer Überwindung melancholischer Disposition. Ordnungswut ist aber zugleich ein melancholisches Symptom. Im speziellen unterstehen Saturn, als dem Gott der Melancholie, die Tätigkeiten des Zählens und des Messens, infolgedessen auch die Geometrie und deren praktische Anwendung.

275,6 *Planen*] Plänen.

275,26f. *des Lebens genießen, aber nur mit mir allein*] Die Geschichte der Liebe von Eduard und Charlotte, auf die der Roman in seinen ersten beiden Kapiteln zurückblendet, folgt mit der Vielzahl ihrer Verwicklungen dem seit der Antike tradierten Muster des Liebesromans. Nun, am Ende dieser romanhaften Vorgeschichte, hat die langgehegte Treue die Liebenden endlich zusammengeführt, und es scheint so, als könne das Paar in seinem »ländlichen Aufenthalt« (S. 275,36) dem bukolischen Ideal empfindsamen Selbstgenusses folgen und sich in eine geschichts- und konfliktfreie arkadische Idylle zurückziehen.

276,18-27 *Du wolltest zuerst* ⟨. . .⟩ *in der Erinnerung zu durch-*

reisen] Das bis ins Mittelalter zurückreichende Motiv der gemeinsamen Lektüre zweier Liebender nimmt im Handlungsgefüge des Romans eine ähnlich zentrale Stelle ein wie schon im *Werther* (vgl. dort S. 53,36f. und Anm.).

276,25 *artig]* Angenehm.

276,25 *heimlich]* Vertraut.

276,27-30 *Dann hast du ⟨...⟩ fehlt es uns nicht]* Die Bewohner Arkadiens zeichnen sich durch ihre Musikalität aus; daneben aber auch durch Gastfreundschaft, Rechtschaffenheit (vgl. Kapitel II 1) und uralte Herkunft. All diese Charakteristika sind bei den Romanfiguren gegeben. Die Flöte, als Instrument Pans, ist Instrument Arkadiens schlechthin. – Musikalische Betätigung sollte, ebenso wie der häufige Empfang von Besuchen, die Melancholie vertreiben; sie galt indessen zugleich als eine dem Melancholiker gefährliche Übung, weil Musik die Anlage zur Depression unter Umständen fördern konnte.

278,28-34 *Kind reicher Eltern ⟨...⟩ auf Reisen unabhängig]* Besitzer großer Vermögen unterstehen der Herrschaft Saturns. Auch das Unternehmen ausgedehnter Reisen hat an ihm ein Vorbild.

281,16 *Durch diese Prüfungen]* Nach den legendären Berichten vom Leben Mariens wurde die Gottesmutter getrennt von ihren Eltern zusammen mit anderen Jungfrauen im Tempel erzogen. Die konstitutive Verbindung Ottiliens mit der Gottesmutter wird erst später deutlich; allerdings ist zu erwägen, ob im Zuge der Buchstaben-Kombinatorik des Romans der Name der Figur nicht als eine Zusammensetzung des Namens Otto mit dem marianischen Hauptattribut, der ›Lilie‹, aufzufassen ist (vgl. S. 438,8f. und die weiteren Hinweise im Kommentar; weiterhin Wiethölter, *Legenden*, S. 21-37).

282,20 *schöne Augen]* Goethe weist im 11. Buch von *Dichtung und Wahrheit* selbst darauf hin, daß ›Bild‹ und ›Name‹ der hl. Odilie ihm zur Ausstattung seiner Romanfigur gedient haben. Dieser Hinweis läßt sich typologisch und ikonographisch präzisieren: Der Legende nach wurde die hl. Odilie blind geboren und erst sehend, als sie das Sakrament der Taufe empfing. Später hat sie selbst Blinde geheilt und gilt darum als Fürsprecherin der Augenkranken; ihr ikonographisches Attribut sind zwei Augen, die auf einem Buch erscheinen. Eduard, dem Ottilie »ein wahrer Augentrost« ist (S. 313,30), zeigt im Fortgang der Handlung eine subtil angedeutete Fehlsichtigkeit (vgl. S. 337,1-8).

283,8 *Herr Mittler*] Die Figur des Mittler ist durch zahlreiche mythologische Reminiszenzen an den Götterboten und Friedensbringer Hermes (bzw. Merkur) gekennzeichnet. Dieser ist nicht nur der Gott der Fruchtbarkeit, der Wege und der Reden, sondern auch Psychopompos, der Begleiter der Toten in die Unterwelt. Zudem gilt Hermes als Ahnherr der ›hermetischen‹ Geheimwissenschaften. Sein Element, als ›quinta essentia‹ zur alchemistischen Vereinigung der Elemente (vgl. Anm. 301,23 f.) unentbehrlich, ist das Quecksilber.

283,22 *zu vergleichen und zu ordnen*] Durch ihre Umgestaltung paßt Charlotte den Friedhof dem zeitgenössischen Gartenideal an. Eine solche Einebnung der Gräberfelder war im späten 18. Jahrhundert nichts Ungewöhnliches (vgl. Lindemann, *»geebnet« und »verglichen«*, S. 18 f.).

283,23 f. *das Auge und die Einbildungskraft*] Vgl. Anm. 271,13. Bei C. C. L. Hirschfeld findet sich zur Gartengestaltung die folgende Maxime: »Bewege durch den Garten stark die Einbildungskraft und die Empfindung, stärker als eine bloß natürlich schöne Gegend bewegen kann« (*Theorie der Gartenkunst*, Bd. I, S. 155 f.; vgl. Lindemann, *»geebnet« und »verglichen«*, S. 18).

283,25-31 *Auch dem ältesten Stein* ⟨. . .⟩ *stand ihm eine Träne*] Kirchhof und Gräber unterstehen traditionell dem Saturn. Die Episode nimmt zugleich das Motiv elegischen Eingedenkens des Todes angesichts eines Grabdenkmales in idyllischer Landschaft auf, wie es seit Nicolas Poussins Gemälde *Et in Arcadia ego* (1640/45) zu einem der geläufigsten Sujets der idealisierenden Landschaftsmalerei geworden war. Eduards und Charlottes mit einem Händedruck bekräftigtes Einverständnis reproduziert zudem (im Einklang mit der genannten ikonographischen Tradition) die Bildfigur eines antiken Grabreliefs, wie es während der Italienreise Goethes Beachtung gefunden hatte (vgl. *Italienische Reise*, Verona, den 16. 9.). Auch der Todesbote Mittler als Psychopompos kann im Hintergrund gedacht werden (vgl. Schlaffer, *Namen und Buchstaben*, S. 224f.).

284,26 *Landeskollegien*] Gerichtsbehörden.

287,6 *musikalischen Unterhaltung*] Vgl. Anm. 276,27-30.

289,31 *Pappeln und Platanen*] Die beiden exotischen Baumarten gehören traditionell zur Staffage der arkadischen Ideallandschaft; besonders schmücken sie deren Ruheplätze. Die Pappel gilt als Baum der Trauer, während die Platane, der seit jeher das Prädikat der Unfruchtbarkeit zugesprochen wird, auf die Todesverfallenheit des Lebendigen verweist. In diesem Sinne stehen beide Baumarten für eine melancholische Disposition. Die Ambiguität von bukolischer Sorglosigkeit und melancholischer Trauer ist für das arkadische Ideal seit der Renaissance kennzeichnend; der Roman spielt dies im folgenden prononciert aus: vgl. S. 366,36-367,15 mit S. 495,14. Die Platane im besonderen ist aber auch Emblem der edlen, philosophisch begeisterten Form von Melancholie; zugleich ist sie ein Symbol der marianischen Tugenden. In der emblematischen Tradition steht sie aufgrund ihrer Unfruchtbarkeit in Opposition zu der Nacht, in der Kinder gezeugt werden.

290,29 *laviert und illuminiert*] (Mit Tusche) schattiert und farbig ausgemalt.

293,18 *Zeuge*] Stoffe.

293,32 *Kopfweh auf der linken Seite*] Vgl. Anm. 311,15-18 und 508,13-15.

294,21 *langsam, langsam*] Ottilie, schon durch den Stand einer Waise dem Saturn zugehörig, erweist sich durch ihre immer wieder betonte Schweigsamkeit und Langsamkeit als genuine Melancholikerin. Ihre zunehmende Neigung zu fasten und ihr Tod durch Anorexie lassen Ottiliens Leiden als typischen Fall einer schweren melancholischen Verstimmung erscheinen.

294,25 *stöckisch]* Steif, verstockt.

296,6 *Messungen]* Vgl. Anm. 274,14.

296,17 *Folge]* Folgerichtigkeit.

296,33f. *Repositur]* Registratur (Aktenschränke).

296,34 *Archiv]* Die Stiftung von Ordnung durch rationale Einteilung galt als Mittel gegen die Melancholie (vgl. Anm. 274,14).

298,27 *Bleiglasur]* Das Blei untersteht wie andere Metalle dem Saturn.

299,21 *daß Charlotte ihm in das Buch sah]* Vgl. dagegen S. 327,35, wo Eduard und Ottilie nach dem Muster des ›lesenden Liebespaares‹ gekennzeichnet erscheinen (dazu Anm. 276,18-27).

300,12 *Es ist eine Gleichnisrede]* Mit dieser Wendung beginnt das chemische und alchemistische Gespräch, das durch seine auf Aristoteles' Metapherntheorie rückführbare Buchstabensymbolik das Romangeschehen präzise antizipiert. Die populäre Vermittlung naturkundlichen Wissens in Form von dialogisch konzipierten Werken hat eine lange, bis in die Entstehungszeit der *Wahlverwandtschaften* gepflegte Tradition (für beide Aspekte vgl. »Zur Deutung«). Zur Erläuterung des Phänomens erotischer ›Sympathie‹ griff im Genre des Liebesromans bereits Jean Jacques Rousseau für seine *Nouvelle Héloïse* auf naturwissenschaftliche Vergleiche zurück.

300,14f. *Narziß]* Bezugnahme auf den vor allem durch die *Metamorphosen* Ovids (ca. 5 n. Chr.) vermittelten Mythos vom schönen Jüngling Narziß, der, als er in einer Quelle sein Spiegelbild erblickt, unstillbarer, am Ende tödlicher Liebe zu sich selbst verfällt. Für den Roman hat dieser Mythos konstitutive Funktion, wobei sämtliche Hauptfiguren, in erster Linie aber Eduard Züge des Narziß aufweisen. An Ottilie, als Eduards weiblichem Komplement, sind Bezüge zur Figur der Nymphe Echo unverkennbar. Nach Ovids Bericht unterliegt Echo dem Fluch, selbständig nicht sprechen zu können, jeder fremden Rede aber durch deren zumindest fragmentarische Wiederholung antworten zu müssen. Sie verfällt in Liebe zu Narziß, wird von diesem jedoch verschmäht.

– Setzt man die Anfangsbuchstaben der Namen der vier
Wahlverwandten in der Reihenfolge ihres Auftretens zusammen, ergibt sich das Akrostichon ECHO (Schlaffer, *Namen
und Buchstaben*, S. 226, Anm. 12). Ottilie selbst bleibt, ob als
Imitatorin von Eduards Schrift, ob als Begleiterin seines
Flötenspiels, an das männliche Vor-Bild gebunden und wirft
ihm seine Rede schon zurück, bevor sie zu sprechen beginnt
(vgl. S. 312,9-14). Echo und Narziß als einander ergänzende
›Gegenbilder‹ hatte bereits Nicolas Poussin in ein Tableau
gebracht: In seinem *Reich der Flora* (1631) hält Echo die
Schale, in der Narziß sich bespiegelt. Das Bild gehörte zur
Sammlung der Kurfürstlichen Galerie in Dresden; Goethe
dürfte es aller Vermutung nach gekannt haben.

   300,27f. *wie ich es etwa vor zehn Jahren gelernt, wie ich es gelesen
habe]* Zu den Quellen aus der zeitgenössischen Chemie, die
Goethe heranzieht, vgl. »Zur Deutung«. Tatsächlich war die
im 18. Jahrhundert vorherrschende und für den Roman
grundlegende Verwandtschaftslehre (vgl. Anm. 304,10f.) inzwischen durch Claude Louis Berthollet (1754-1822) in seinen *Recherches sur les lois de l'affinité* (1801; deutsch 1803) er-
heblich modifiziert worden (vgl. Adler, ›*Eine fast magische
Anziehungskraft*‹, S. 70-73).

   301,23f. *das Wasser, das Öl, das Quecksilber]* Die im folgenden beschriebene Versuchsanordnung entspricht präzise einem aus Lehrbüchern der zeitgenössischen Chemie vertrauten Experiment. Besonders deutlich ist der Einfluß der von
Pierre Joseph Macquer (1718-1784) entwickelten Typologie
chemischer Reaktionen sowie der von Torbern Olof Bergman (1735-1784) in die Chemie eingeführten Buchstabensymbolik. In der Alchemie sind die genannten Stoffe der
›prima materia‹, das heißt den ›elementa magica‹ oder Wand-
lungssubstanzen zuzurechnen. Die chemische Versuchsanordnung, die nachfolgend (vgl. S. 304,1-306,21) geradezu
schulbuchmäßig in einem ersten Schritt die Verwandlung
von Kalziumkarbonat und Schwefelsäure in Kalziumsulfat,
in einem zweiten Schritt die Verbindung der freigewordenen
Kohlensäure mit Wasser beschreibt ($CaCO_3$ + H_2SO_4 →

$CaSO_4 + \langle CO_2 + H_2O \rangle)$, ist insofern zugleich eine ebenso ›korrekte‹ alchemische, als in ihr die vier Elemente zum ›Werk‹ (Opus) zusammentreten: (Kalk)Erde, Wasser, Luft(säure), Feuer (Schwefelsäure). Unter Beiziehung der ikonographischen Tradition lassen sich die vier Hauptfiguren des Romans diesen Elementen zuordnen: Eduard erscheint gleich zu Beginn mit den Attributen der Gärtnerei als Repräsentant der Erde (vgl. Anm. 271,6). Charlotte, für gewöhnlich um frische Luft besorgt (vgl. S. 320,13f.), ergreift nicht umsonst Partei für die »Luftsäure« (S. 304,22f.). Der Hauptmann, ein geübter Schwimmer, tritt mehrfach als Lebensretter Ertrinkender auf. Ottilie schließlich, deren Geburtstag mit Feuerwerk begangen wird, ist durchgehend der Wärme und vor allem dem Licht assoziiert. Der Tradition folgend, entspricht der elementaren eine jahreszeitliche Zuordnung, die mit den Geburtstagen der Figuren koinzidiert: Charlotte – Luft – Frühjahr; Ottilie – Feuer – Sommer; Eduard – Erde – Herbst; Hauptmann – Wasser – Winter. Entsprechend läßt sich das chemisch/alchemische Experiment in seiner figuralen Bedeutung aufschlüsseln: Ottilie (Feuer) und der Hauptmann (Wasser) lösen durch ihr Hinzutreten die anfängliche Verbindung von Eduard (Erde/Kalk) und Charlotte (Luft[säure]) auf. Wie aus Kalk und Schwefelsäure jener »refraktäre Gips«, entsteht dabei das neue Paar Eduard und Ottilie, während sich im Prinzip analog zur Verbindung von Wasser und Luftsäure zu mineralischem Wasser Charlotte und der Hauptmann zusammenfinden könnten (Näheres vgl. »Zur Deutung« und Wiethölter, *Legenden*, S. 37-52). Insgesamt sind die Substanzen des Experimentes mit saturnischer Bedeutung besetzt und damit ebenfalls der Melancholie assoziiert.

301,24f. *eine Einigkeit, einen Zusammenhang ihrer Teile*] Das (physikalische) Prinzip der Kohäsion der Materie wird in der zeitgenössischen Naturwissenschaft und -philosophie nicht durchgehend vom (chemischen Reaktions-)Phänomen der Verwandtschaft unterschieden (vgl. Anm. 304,10 f.). Die im folgenden herangezogenen Beispiele für die Kugelgestalt flüssiger Substanzen (S. 301,32-302,2) verweisen zudem auf den platonischen Androgynenmythos (vgl. Anm. 311, 15-18).

302,10/13 *Wein mit Wasser/Öl und Wasser]* Diese Beispiele für Sympathie bzw. Antipathie finden sich bereits bei dem griechischen Philosophen Empedokles (ca. 483-423 v. Chr.), der mit seiner Lehre von der Anziehung bzw. Abstoßung der vier Elemente die Tradition der Lehre von den Affinitäten begründete (vgl. Anm. 304,10f. und Adler, *»Eine fast magische Anziehungskraft«*, S. 38).

302,27 *Laugensalz]* Soda (Natriumkarbonat).

302,35 *Alkalien]* Oxyde und Hydroxyde von Kalium und Natrium.

303,5 *unser chemisches Cabinet]* Ein chemischer Experimentierkasten, wie ihn auch der von Goethe geförderte Johann Friedrich August Göttling (1753-1809), Professor der Chemie in Jena, zum Kauf anbot.

304,10f. *Wahlverwandtschaft]* Der Begriff der *attractio electiva* ist in der zeitgenössischen Chemie geläufig, obwohl er – wahrscheinlich um 1750 von dem schottischen Chemiker William Cullen (1710-1790) geprägt – ins Deutsche erst 1779 durch C. E. Weigel eingeführt wurde. Goethe selbst verwendet den Terminus zuerst 1796 in den *Fragmenten zur vergleichenden Anatomie* (WA II 13, S. 214). Der Sache nach handelt es sich beim Phänomen der Wahlverwandtschaft um einen für die Chemie des 18. Jahrhunderts zentralen Tatbestand: Das Prinzip der Verwandtschaft (Affinität) dient ihr zur Erklärung einfacher und komplexer Reaktionsvorgänge zwischen drei oder vier Substanzen. An diesem Erklärungsmodell erweist sich die Verwurzelung der zeitgenössischen Naturwissenschaft in einer philosophisch-hermetischen Tradition, die bis auf die Stoa und Plotin zurückgeführt werden kann und auch den neuplatonischen Bestrebungen der Renaissance sowie der Alchemie zugrunde liegt. Die Annahme von Affinitäten beruht auf einer Ideenlehre, die von der ursprünglichen Identität und späteren Spaltung alles Seienden ausgeht; diese Voraussetzung ermöglicht ein Weltbild, das auf der Wirkung umfassender Sympathien und entsprechender Analogien aufgebaut ist (vgl. auch den Text von Goethes Selbstanzeige). Auf entsprechendes Gedankengut griff, von Goethe kritisch beachtet, F. W. J. Schelling bei der Formulierung seiner Naturphilosophie zurück. Goethe selbst war nicht allein mit dieser Tradition vertraut, sondern auch mit dem aktuellen Stand der chemischen Literatur (vgl. »Zur Deutung«). Wie sich leicht belegen läßt, bediente er sich ihrer für seine Gleichnisrede durchaus korrekt, aber doch mit einiger Freiheit; insbesondere wird im Roman zwischen den von der Chemie herausgearbeiteten unterschiedlichen Typen wahlverwandtschaftlicher Reaktion begrifflich nicht differenziert (Näheres bei Adler, *»Eine fast magische Anziehungskraft«*, S. 84-139).

304,36 *refraktären]*   Naturwissenschaftliche Terminologie des 18. Jahrhunderts: unempfänglich, reaktionsträge. Verglichen mit der Ausgangssubstanz Kalk verhält sich Gips refraktär.

305,19 *übers Kreuz]*   Die Operation »übers Kreuz« soll zur Quadratur des Zirkels und damit zur Schaffung des ›Steins der Weisen‹ führen, sie ist die entscheidende Operation im alchemistischen Opus. Was sich hier andeutet, zieht im folgenden als realen Effekt die Zeugung des Kindes »Otto« nach sich; Otto ist schon durch seinen analog zum Elementen-Quartett aus vier Buchstaben bestehenden und ›übers Kreuz‹, das heißt palindromisch lesbaren Namen als Produkt einer hermetischen Operation ausgewiesen (vgl. Anm. 456,29).

306,9f. *mit Buchstaben]*   Die nachfolgenden Buchstabenrochaden verweisen hinter die zeitgenössische Chemie (vgl. Anm. 301,23f.) zurück auf die Theorie der Metapher als einer Verschränkung von vier Elementen, die Aristoteles im 21. Kapitel seiner *Poetik* entwickelt hat (vgl. »Zur Deutung«).

308,7f. *wie wenig ⟨. . .⟩ zu äußern im Stande]*   Ottiliens Unfähigkeit, sich mitzuteilen, gehört zum einen zur melancholischen Symptomatik. Zum anderen stellt sie den Bezug zur

mythologischen Gestalt der Nymphe Echo her (vgl. Anm.
300,14f.). Darüber hinaus ergeben sich jedoch auch Verbindungen zu Ovids Erzählung von Philomele im sechsten
Buch der *Metamorphosen*: Philomele wird vom Gatten ihrer
Schwester Procne vergewaltigt und, um das Verbrechen zu
verschleiern, ihrer Zunge beraubt. Es gelingt ihr jedoch, die
Botschaft von ihrem Schicksal in ein Gewand einzuweben
und so Procne zu übermitteln. Diese tötet daraufhin ihren
Sohn und setzt ihn dem Vater zum Mahl vor.

308,19f. *überparlierten und überexponierten sie manche*] Über-
trafen sie manche im Sprechen und Erklären.

309,33 *nach dem Schlafe zu*] An die Schläfe.

310,26 *Gebärde*] Nach den Bildbeschreibungen Philo-
strats hat Echo den Finger auf den Mund gelegt, um Schweigen zu gebieten. Ottiliens Gebärde hat vergleichbare Funktion. In der ›Jenaischen Allgemeinen Literatur-Zeitung‹
vom 19. 3. 1808 hatte Heinrich Meyer, auf Goethes Initia-
tive, unter dem Titel *Albrecht Dürers christlich-mythologische
Handzeichnungen* mit großer Begeisterung die Randzeichnun-
gen zum Gebetbuch Kaiser Maximilians besprochen, die der
Lithograph N. Strixner zum Druck gebracht hatte. Unter
diesen Blättern findet sich, nach einem Hinweis Buschen-
dorfs, auch die Zeichnung einer Jungfrau, deren Haltung
genau Ottiliens Abwehrgeste entspricht (vgl. Buschendorf,
Goethes mythische Denkform, S. 137).

311,6-10 *Es wird höchst nötig* ⟨. . .⟩ *den schönsten Raum*] Damit hat die Umgruppierung der am Wahlverwandtschafts-
Experiment beteiligten Elemente begonnen; sie folgt der in
der Alchemie vorgeschriebenen linksläufigen ›circumambu-
latio‹, nach der sich die Substanzen schrittweise miteinander
verbinden. Die hier entstandene Konstellation, nach den
Qualitätsmerkmalen der Elemente eine Konfrontation von
Kälte und Wärme, ist allerdings instabil und auflösungsbe-
dürftig (vgl. Wiethölter, *Legenden*, S. 45f.).

311,15-18 *Trifft es zusammen und wir sitzen gegeneinander* ⟨. . .⟩
ein Paar artige Gegenbilder] Das in strengem Sinne komplementäre (spiegelbildliche) Verhältnis wechselseitiger Ergän-

zung, in dem Eduard und Ottilie stehen, verweist nicht nur auf Narziß bzw. Echo (vgl. Anm. 300,14f.), sondern unverkennbar auch auf den Androgynenmythos aus Platons *Symposion*: Ihm zufolge wurde ein kugelförmiges Urwesen durch die Geschlechterdifferenz zerteilt und sucht nun in der Liebe nach Wiederherstellung der ursprünglichen Einheit (vgl. Lillyman, *Analogies for love*). Vermutlich spielt die komplementäre Beziehung der Liebenden aber auch auf den von Ovid überlieferten Mythos von *Hermaphroditos*, dem Sohn von Aphrodite und Hermes, an. – Christoph Martin Wieland erzählt in seinem *Hexameron vom Rosenhain* die Geschichte von *Narcissus und Narcissa* (Sämmtliche Werke, Bd. 38, Leipzig 1805, S. 25-92), indem er den antiken Mythos auf eine den *Wahlverwandtschaften* vergleichbare Weise variiert. Auch dort sind die Liebenden, gut platonisch, »zwey Hälften, die ganz in einander passen« (S. 38); ihrer wechselseitigen Liebe können sich die zunächst auf sich selbst fixierten Figuren jedoch erst bewußt werden, als beider Schutzgeister sich entschließen, in menschlicher Gestalt die Gesellschaft von Narcissus und Narcissa zu suchen. Der Umgang zu viert befähigt die Liebenden, im Bild eines Zauberspiegels schließlich nicht mehr sich selbst, sondern nur noch das Bild des anderen wahrzunehmen.

313,30 *ein wahrer Augentrost*] Vgl. Anm. 282,20.

313,30 *Smaragd*] Der Smaragd galt als heilsam bei Augenleiden. Zugleich ist er Attribut der Venus.

314,1f. *regelmäßiger die Stunden, ja die Minuten*] Eine strikte Einteilung der Zeit galt als Therapeutikum gegen Melancholie.

314,16-25 *Je mehr sie ⟨. . .⟩ so leise trat sie auf*] Der prononcierte Altruismus aller vier Hauptfiguren, besonders aber Ottiliens, die sich stets für das Wohl anderer einsetzt, zählt zu den traditionellen Attributen der Melancholie. – In Miltons *Il penseroso* (vgl. Anm. 482,38) wird die Melancholie als traurige Jungfrau personifiziert, »with even steps and musing gate« (Buschendorf, *Goethes mythische Denkform*, S. 208). Die Charakteristik Ottiliens folgt insgesamt, an dieser Stelle je-

doch besonders prägnant, dem erotischen Idealtypus einer
›Nympha‹, in dem sich formelhaft Schönheit und Dienstfertigkeit verbinden. Es ist aber auch an einen zeitgenössischen
literarischen Bezug zu denken: Die physische Symptomatik
ihrer Melancholie ebenso wie ihr topischer Melancholiege-
stus, die Verbindung zur arkadischen Landschaft bei gleich-
zeitiger typologischer Beziehung zur Jungfrau Maria lassen
Ottilie als eine Replik der aus enttäuschter Liebe in Wahnsinn verfallenen »poor Maria«, der »armen« oder auch »irren
Maria« erscheinen, die Laurence Sterne zuerst im 24. Kapitel
des neunten Buches seines *Tristram Shandy* (1767) auftreten
ließ und die er in *A Sentimental Journey through Italy and France*
(1768) noch einmal beschrieb. Die »arme Maria« streift im
arkadischen Kostüm durch die Natur, begleitet von ihrer
Ziege bzw. ihrem Hund; sie spielt auf ihrer Hirtenflöte unablässig ein melancholisches Abendlied, das an die Jungfrau
Maria gerichtet ist. In *A Sentimental Journey* findet der Erzähler das Mädchen »unter einer Pappel ⟨vgl. Anm. 289,31⟩
sitzend. Sie hatte den Ellbogen auf den Schoß gestützt und
lehnte den Kopf seitlich in die Hand« (übersetzt von S.
Schmitz, Frankfurt/Main und Berlin 1989, S. 187). In dieser
melancholischen Pose (vgl. S. 311,15-18; 508,13-15) hatte die
von Goethe geschätzte Angelika Kauffmann (1741-1807) die
»irre Maria« schon 1777 gemalt; das Bild fand mit etlichen
Repliken ebenso europaweite, bis in die Porzellanmalerei
reichende Verbreitung wie Sternes Texte: Die »arme Maria«
wurde zu einer Ikone der ›Empfindsamkeit‹.

315,11 *Carl der Erste von England*] Im englischen Bürger-
krieg von Cromwell gefangengenommen, vom Parlament
zum Tode verurteilt und 1649 hingerichtet.

315,37 *Schweizer-Ordnung*] Die Versuche der Ordnungsstiftung (vgl. Anm. 274,14) werden auch auf die Besitztümer
des Feudalherrn ausgedehnt.

317,4 *bettelte*] Die Bettelei untersteht Saturn; auch der
Versuch, sie zu vertreiben, gehört zu den Bemühungen, der
Melancholie durch die Austreibung alles Ungeordneten Herr
zu werden.

318,16 *die englischen Parkbeschreibungen mit Kupfern]* Das englische Ideal einer im ›landscape garden‹ veredelten Natur ist Vorbild der zeitgenössischen Gartenkunst; entsprechende Stichwerke waren weit verbreitet (vgl. Anm. 271,13).

318,37f. *bestreichen]* Überblicken.

319,12f. *Die Kasse ⟨. . .⟩ Rechnung führe ich selbst]* Saturn gilt als Schatzmeister und als Erfinder des Münzgeldes; häufig wird er in dieser Funktion durch die Figur einer rechnenden, Geld zählenden Frau versinnbildlicht.

320,28 *Gedächtnis]* Außerordentliche Gedächtnisleistungen gehören zur Symptomatik der Melancholie.

321,14 *chronometrische Sekunden-Uhr]* Der Verlust des Zeitgefühls (das heißt im melancholischen Diskurs die Verdrängung des mit Kronos identifizierten Saturn) schlägt in katastrophaler Weise auf die Figuren zurück. Das Vergessen bezeichnet hier die Vergeblichkeit aller Versuche, die Melancholie durch Selbsttherapie zu überwinden (vgl. zuvor S. 314,1f.). Später wird Zeitvergessenheit immer wieder zur Gelenkstelle der Romanhandlung (vgl. S. 491,23; 510,30f.).

321,23f. *wie in ein Gefäß]* Der Vergleich stellt einen deutlichen Bezug zum chemischen und alchemistischen Diskurs des Wahlverwandtschaften-Experiments her.

322,12-22 *auf einem bewachsenen Pfade ⟨. . .⟩ über Moos und Felstrümmer]* Neben der kultivierten Natur des Landschaftsgartens hat sich hier, in direkter Nachbarschaft, ein konkurrierendes Ideal unberührt-wilder Natur etabliert. Mit dem Gang zur Mühle wird der Eintritt des Paares in den Bereich des Gottes Pan bezeichnet und damit der Eintritt in ein Arkadien der freien, von Konvention nicht behinderten Erotik. Dem Saturn und damit dem Bereich der Melancholie sind die Mühlsteine zugehörig (vgl. den Mühlstein auf Dürers *Melencolia I*), während auch das Mühlgebäude selbst, aufgrund seines Alters und Zustandes, unverkennbar Saturn untersteht. – Bersier (*Ottilies verlorenes Paradies*) weist auf zwei Ottilien-Figuren in der zeitgenössischen Romanliteratur hin, die nach ihrer literarischen Herkunft zweifellos der Idyllendichtung entstammen: die junge Schäferin Tilia in

Christoph Martin Wielands *Der Goldne Spiegel, oder die Könige von Scheschian* (1772) und das Naturkind Tilie in Clemens Brentanos *Godwi oder das steinerne Bild der Mutter* (1801) (vgl. Anm. 495,12-14).

322,26-31 *ein himmlisches Wesen ⟨. . .⟩ gewünscht, sie möchte straucheln]* Der Abstieg zur Mühle wird von Motiven des (Sünden-)›Falls‹ überblendet. Nach neuplatonischen Vorstellungen wird die Seele mit dem Abstieg in die Welt (emanatio) ihrer ›jungfräulichen‹ Liebe zu Gottvater entfremdet und läßt sich durch irdische Liebe verführen.

323,18f. *entfernen Sie das Bild]* Mit dem Lösen der Kette (vgl. Anm. 333,22) und der Entfernung des Vaterbildes, das nach neuplatonischer Vorstellung der Seele ursprünglich aufgeprägt ist, wird der »Fall« (S. 323,17) erst möglich.

324,33 *Kosten]* Vgl. Anm. 319,12f.

325,34f. *indem sie den Finger auf die höchste Fläche der Anhöhe setzte]* Möglicherweise eine Anspielung auf die ikonographische Tradition der Darstellung von Heiligen als den Stiftern von Kirchen oder Klöstern: Die Patronin bezeichnet durch ihre Zeigegeste den Ort der Gründung. Auch für die hl. Odilie ist eine entsprechend gestaltete Tapisserie überliefert, auf der zu sehen ist, wie der hl. Johannes mit dem Finger Odilie den Ort einer Klostergründung anzeigt (vgl. Schelling-Schär, *Die Gestalt der Ottilie*, S. 50).

326,32 *Riß]* Vgl. Anm. 274,14.

327,12f. *Anschläge, Zeit- und Geldeinteilungen]* Vgl. Anm. 319,12f.

327,30f. *auf hergebrachten Plätzen]* Gegenüber der ursprünglichen Elementenfigur haben Eduard und Ottilie nun die Plätze getauscht; das alchemistische ›Opus‹, das zur Erzeugung des ›Steins der Weisen‹ ins Werk gesetzt wird, schreitet fort, wird jedoch erst mit der Zeugung des Kindes Otto abgeschlossen (vgl. Anm. 301,23f.; 311,6-10; 456,29).

327,35 *um ins Buch zu sehen]* Vgl. Anm. 276,18-27.

328,11 *seine Flöte]* Vgl. Anm. 276,27-30.

330,17-19 *Nach dem Gottesdienste zogen ⟨. . .⟩ voraus]* Der Festzug folgt dem ikonographischen Darstellungsschema der an antiken Vorbildern orientierten *Trionfi*, die in der Renaissance und ihrer Malerei beliebt waren. Zu deren Ritus gehört die (oft volkssprachliche) Rede eines Orators. Der Redner, der im folgenden das Wort ergreift, ist durch die Insignien des Maurerberufes als Vertreter der *melancholia imaginativa* ausgewiesen (vgl. Anm. 394,12). Zugleich sind Lot, Waage und Grundstein, als Gegenstände seiner Rede, die zentralen Symbole des Freimaurertums; indem der Redner das Geschehen in einer sinnbildlichen Rede erläutert, übernimmt er eine Funktion, die im *festiaulo* (einer Art Herold) der Renaissance bereits vorgegeben war. Die Rede ruft schließlich auch Elemente des Wahlverwandtschafts-Diskurses aus I 4 und damit die alchemistische Bedeutungsschicht des Romans wieder auf, derzufolge der ›Bau‹ des ›Hauses‹ die Durchführung des magischen Opus symbolisiert.

331,16f. *Gewerken]* Handwerke.

332,19 *Tüncher]* Anstreicher.

333,22 *die goldne Kette]* Die *aurea catena* ist ein Hauptsymbol der Hermetik. Sie bezeichnet den Traditionszusammenhang des seit der Antike überlieferten esoterischen Wissens und zugleich den geheimen Zusammenhang, der zwischen allem Seienden besteht und sich von Gott bis zur Materie hin abstuft.

334,28 *die Buchstaben E und O]* Zur Buchstabensymbolik des Romans vgl. Anm. 306,9f. und 511,14f. Das männliche Pendant der hl. Odilie, St. Odilo, ist zudem Patron des Glases.

336,29f. *der Aufsatz ist fertig]* Der (Vertrags-)Text ist aufgesetzt.

339,11-16 *Auch dieses Paar* ⟨...⟩ *Zwang bemerkt hätte]* Graf und Baronesse vertreten im Figurenensemble des Romans das Ideal einer freien Erotik, deren arkadische Herkunft allerdings durch Elemente höfisch-konventioneller Libertinage überblendet ist. Weisinger (*The Rules of the Game*, S. 360f.) macht auf die Parallele zu den beiden Verführerfiguren Vicomte de Valmont und Marquise de Merteuil in

Choderlos de Laclos' Roman *Les liaisons dangereuses* (1782)
aufmerksam. Er schlägt vor, auch die Beziehung Eduards zu
Ottilie aus ihrer strukturellen Ähnlichkeit zur Verführung
der Madame de Tourvel durch Valmont zu begreifen.

341,28-36 *Sie wußte recht gut ⟨. . .⟩ um nicht aufstehen zu dür-
fen]* Die Verführung (und Selbstverführung) der Unschuld
durch die Macht geselliger Konversation, der Vollzug der
erotischen Absicht durch Initiation ins erotische Sprechen
gehört zu den Topoi erotischer Literatur des 18. Jahrhunderts; auch hierfür liefern *Les liaisons dangereuses* einschlägige
Beispiele (vgl. Anm. 339,11-16).

342,32 *Konsistorien]* Oberste Kirchenbehörden in protestantischen Ländern, für Scheidungssachen zuständig.

347,17 *Weinlese]* Vgl. Anm. 348,14f.

348,14f. *des Weines nicht schonte]* Übermäßiger Weingenuß
galt nach zeitgenössischer Diätetik als ebenso typisch wie
schädlich für den Melancholiker.

349,10f. *Ehrenbezeugung der Sarmaten]* Hier ist nicht das
iranische Nomadenvolk gemeint, sondern ein Brauch der
Polen: »Die Sitte, bei festlichen Gelagen aus dem Schuh der
Königin des Festes zu trinken, hat sich zum Teil noch bei
dem wackern, fröhlichen und tapfern polnischen Landadel
erhalten, der, vom Geiste der alten Chevalerie belebt, ihn
auch in Verehrung der Damen – wiewohl auf eigene Art –
äußert.« So die Anmerkung zu einer entsprechenden Szene
(II 2) in Zacharias Werners von Goethe wohlwollend aufge-
nommenem Drama *Das Kreuz an der Ostsee* (1806).

350,14 *Enakskindern]* Ein Volk von Riesen; vgl. Num
13,23-33.

353,13 *behauptete die Einbildungskraft ihre Rechte]* Der Tradition nach sollte sich die Macht der melancholischen Einbildungskraft – als *imaginatio* im wörtlichen Sinn – so weit
erstrecken, daß dem Kind die Vorstellungsbilder der Eltern
beim Beischlaf aufgeprägt werden konnten. Im alchemistischen Diskurs ist die Vereinigung von Eduard und Charlotte
als *coniunctio* oder ›chymische Hochzeit‹ zu verstehen, das
heißt als Vereinigung der Gegensätze zu einer neuen Einheit,
mit der sich das ›Opus‹ vollendet.

355,24 *kollationieren*] Vorlage und Abschrift vergleichen.

356,35-357,1 *Traurigkeit ⟨...⟩ der Vögel*] Saturn herrscht als See- und Flußgott über alle Gewässer. – Ovid berichtet von dem arkadischen See Pheneos, dessen Wasser tags genießbar, nachts aber giftig ist (*Metamorphosen* XV 332-334).

359,26f. *Tiere unter der Erde*] Neben dem Wasser ist Saturns bevorzugtes Element die Erde; der Maulwurf ist darum als ein saturnisches Tier der Melancholie zugeordnet.

359,30f. *gewältigte*] Bewältigte, bezwang.

360,26 *Kasse*] Vgl. Anm. 319,12f.

360,37 *Zession der Gerechtsame*] Abtretung von Ansprüchen an Gläubiger.

366,13 *Koffer*] Ottiliens Koffer verweist als bedeutsames Requisit auf den Mythos von Pandora. Pandora wurde als Inbild einer schönen Frau von Hephaistos (oder Prometheus) geschaffen, von den Göttern mit zweifelhaften Gaben beschenkt und von Hermes auf die Erde gebracht. Das ihr gehörige Gefäß wurde von Pandora selbst (oder von ihrem Gatten Epimetheus) geöffnet; aus ihm entwichen, nach der für die Tradition verbindlich gewordenen Darstellung Hesiods, alle möglichen Übel, nur die Hoffnung blieb am Rand des Topfes hängen. Die künstlich geschaffene Unglücksbringerin Pandora wurde schon in der patristischen Literatur mit Eva und ihrer Rolle beim Sündenfall identifiziert: Eva Prima Pandora (vgl. »Zur Deutung«). Die Rede von der »Büchse« der Pandora geht auf die *Agadiorum chiliades tres* (1508) des Erasmus von Rotterdam zurück; sie ermöglichten die Umdeutung des antiken Gefäßes oder Topfes zu einem Kasten oder Kästchen.

369,17f. *Große Schollen hatten sich vom Damme losgetrennt*] Saturn ist verantwortlich für Flutkatastrophen, Dammbrüche und überhaupt für den Tod durch Ertrinken.

371,32 *um ein Almosen*] Der abrupte Wechsel von Geiz (vgl. S. 317,4f.) und Freigebigkeit gehört zu den Symptomen einer melancholischen Veranlagung.

376,37 *wie schon im Stegreife*] Wie schon im Steigbügel; ohne lange Überlegung.

380,18/32 *Wein/Weingenuß*] Vgl. Anm. 348,14f.

382,1 *Montierung*] Kleidung, Ausstattung.

382,6f. *Man fand an ihnen eine bequeme Dressur*] Sie erwiesen sich als anstellig.

383,6 *den Weg nach dem Garten*] In der Ikonographie des Marienlebens wird Maria topisch im *hortus conclusus* gezeigt, oder sie wird selbst als Gärtnerin dargestellt.

383,10 *so reichliche Ernte*] Bäume, die reichlich Frucht tragen, unterstehen Saturn.

383,15 *Pfropfreiser*] Vgl. Anm. 271,6.

383,21 *Carthäuser*] Mönchsorden mit berühmten Baumschulen in Paris.

383,23f. *wenn sie Früchte tragen, so ist es nicht der Mühe wert*] Auch unfruchtbare und wenig fruchtbare Pflanzen gehören zu den saturnischen Attributen der Melancholie.

385,18 *zu einem angenehmen Tal*] Eduards ländliches Refugium, wie es im folgenden beschrieben wird, trägt die topischen Züge eines *locus amoenus*; auch als Ort sentimentalischen Eingedenkens vergangenen Glücks hat es arkadischen Charakter (vgl. Anm. 402,10).

386,20 *ein himmlischer Bote*] Vgl. Anm. 283,8.

389,8f. *jeder Trost niederträchtig und Verzweiflung Pflicht*] Vgl.: »Jeder Trost ist niederträchtig │ Und Verzweiflung nur ist Pflicht.« Paralipomenon zu *Faust* (WA 15/2, 183, Nr. 83).

391,26-28 *jener Arzt ⟨. . .⟩ bezahlen wollte*] Anspielung auf Jung-Stilling. Vgl. *Dichtung und Wahrheit*, Bücher 9, 10 und 16, sowie Jung-Stillings *Lebensgeschichte* (1777-1804).

394,3 *Epopoë*] Epos.

394,6f. *ein zweiter, dritter*] Hier wird die Terminologie der chemischen Gleichnisrede wiederaufgenommen; freigewordene Positionen werden nach wahlverwandtschaftlichen Reaktionsprinzipien neu besetzt (vgl. Anm. 272,20/23).

394,12 *jener Architekt*] Architekten und Maler gelten als hervorragende Vertreter einer produktiv gewendeten Melancholie (melancholia imaginativa).

395,5 *jener Veränderung*] Vgl. Anm. 283,22. Für eine Beibehaltung der älteren Bestattungsweise, die jedes Grab individuell mit einem Stein kennzeichnete, hatte sich 1778 Justus Möser im Zweiten Teil seiner *Patriotischen Phantasien* ausgesprochen (vgl. Lindemann, *»geebnet« und »verglichen«*, S. 15f.).

395,21 *Philemon, mit seiner Baucis]* Nach Ovids *Metamorphosen* (VIII 607-713) Vorbilder eines anspruchslos bukolischen Lebens in andauernder ehelicher Liebe und Treue (vgl. *Faust II*, V. Akt, ›Offene Gegend‹, V. 11045-11142).

399,23f. *unbewunden]* Unumwunden.

400,6f. *nach deutscher Art und Kunst]* In Herders Sammlung *Von deutscher Art und Kunst* hatte Goethe 1773 seine Schrift *Von deutscher Baukunst* publiziert.

400,8f. *nachkommen]* Einsehen, erkennen.

401,14 *Kästchen eines Modehändlers]* Vgl. Anm. 366,13, wobei an dieser Stelle der schroffe Kontrast zwischen dem Aussehen des Kästchens und den in ihm enthaltenen Todesmonumenten besonders nachdrücklich auf den Pandora-Mythos verweist.

401,18 *Brakteaten, Dickmünzen]* Dünne, vergoldete Silberblechmünzen mit einseitiger Prägung; massive Münzen mit doppelseitiger Prägung.

402,10 *einem verschwundenen goldenen Zeitalter]* Die Erinnerung an einen paradiesischen Urzustand vor der historischen Zeit findet sich schon in den *Eklogen* Vergils, dem Initialtext aller arkadischen Poesie. In Jacopo Sannazaros *Arcadia* (1502/04) wird sie zum konstitutiven Moment eines Lebensgefühls, das selbst nur kultivierte Reminiszenz, nicht naive Einlösung der verlorenen Idylle sein will. An dieses sentimentalische Konzept schließt sich der Traditionsstrang vom ›Tod in Arkadien‹ an (vgl. Anm. 283,25-31).

403,7 *Aus Ottiliens Tagebuche]* Das »Tagebuch« dient hier nicht der Niederschrift persönlicher Aufzeichnungen, sondern als eine Art Merkbuch in der Tradition des Sammelns von Sprüchen und Sentenzen, die im 18. Jahrhundert unter Gattungsnamen wie ›Adagia‹, ›Aperçus‹, ›Apophtegmata‹, ›Maximes‹, ›Pensées‹ oder ›Réflexions‹ kursierten (vgl. S.

418,16-24 und 462,7-16 sowie die umfangreichen Spruchsammlungen in *Wilhelm Meisters Wanderjahren*). Weiterfüh-
rende Erläuterungen zu diesem Gattungszusammenhang
und zur Einordnung von Ottiliens Tagebuch in Goethes
Gesamtwerk gibt Harald Fricke in FA I 13, *Maximen und
Reflexionen* (S. 1046-1089).

403,19f. *Man unterhält sich ⟨. . .⟩ mit einem Bilde]* Der in
der Literatur des 18. Jahrhunderts vielfach anzutreffende
Topos vom Bild, das als Platzhalter des porträtierten Abwesenden zum Gesprächspartner wird, dient hier als Folie
einer pointierten Umkehrung: Der Anwesende wird zum
Bild und erscheint nur auf stumme Weise beredt. Derart
›ikonisch‹ wird die schweigsame Ottilie von Beginn an durch
Eduard wahrgenommen (vgl. S. 312,9-14), und auch später
ist das Verhalten der beiden Liebenden von einem entsprechenden Muster bestimmt (vgl. S. 516,3f. und Anm.).

403,23f. *Man verlangt ⟨. . .⟩ das Unmögliche]* Vermutlich
richtet sich dieser Einwand direkt gegen die *Theorie der schönen Künste* (1771-1774) von Johann Georg Sulzer, die unter
dem Stichwort »Porträt« vom Künstler fordert, daß er »vorzüglich ⟨. . .⟩ das scharfe Auge des Geistes haben ⟨müsse⟩,
die Seele ganz in dem Körper zu sehen:« Er »muß Dinge, die
andere Menschen kaum dunkel fühlen, wenigstens in einem
ziemlichen Grade der Klarheit sich vorstellen: da er sie in
dem Gemälde nachahmen muß. ⟨. . .⟩ Er muß beurteilen
können, was jeder Physiognomie natürlich, und so zu sagen,
inwohnend, und was vorübergehend, und etwas gezwungen
ist. Nur jenes muß er ins Portrait bringen.«

404,27f. *läßt sich die Zeit ihr Recht nicht nehmen]* Der Topos
»tempus edax rerum« findet sich schon in Ovids *Metamorphosen* XV 34.

404,31f. *Dilettanten]* Das Stichwort läßt sich auf alle
Figuren des Romans beziehen. Vor allem Eduards Unternehmungen und Aktivitäten bleiben bis zum Schluß dilettantisch; das betrifft letztlich sogar sein Verhältnis zu Ottilie
(vgl. S. 528,10-13). Ausführlich wird das Dilettantismus-
problem im Briefwechsel zwischen Goethe und Schiller dis-

kutiert. Auch ein von beiden gemeinsam konzipiertes Schema ist erhalten geblieben (WA 47,326).

406,29f. *auf dem Wege vom Auge zur Hand]* Anspielung auf das Gespräch des Prinzen Gonzaga mit dem Maler Conti in Lessings *Emilia Galotti* (I 4): »Ha! daß wir nicht unmittelbar mit den Augen malen! Auf dem langen Wege, aus dem Auge durch den Arm in den Pinsel, wieviel geht da verloren!« In anderer Akzentuierung bereits im *Werther* verwendet; vgl. S. 15,13.

408,4 *eine gegossene Gipsfläche]* Dieser Bodenbelag der nachmaligen Grabkapelle ist auch entscheidendes Element der chemischen Gleichnisrede (vgl. S. 304,1-37).

408,15-18 *es schien ihr ⟨. . .⟩ vor sich selbst verschwinden sollte]* Das ikonographische Arrangement folgt dem Muster einer *Maria im Gehäuse* und referiert damit auf das Sujet einer Verkündigungsszene. Der Aufschwung der Melancholikerin zur ekstatischen Schau im *furor divinus* ist auch in neuplatonischen Konzeptionen vorgebildet; im Zusammenhang des Romans wäre damit die *raptio* der Seele, der Beginn ihrer Rückwendung zu Gott, bezeichnet (vgl. Anm. 322,26-31).

409,31-410,2 *Eine Vorstellung der alten Völker ⟨. . .⟩ einen Willkommen]* Deutliche Anspielung auf den Schluß von Goethes früher Hymne *An Schwager Kronos*. Dort hatte Goethe schon auf den homerischen *Apollon-Hymnus* zurückgegriffen, von dem er 1795 eine Übersetzung anfertigte. Vgl. aber auch Jes 14,9 und, daran anschließend, Klopstock, *Messias* IV 52-54, außerdem entsprechende Vorstellungen in der germanischen Mythologie (Walhall, Folkwang) und in der Kyffhäuser-Sage von Kaiser Barbarossa.

410,14f. *das innere Licht]* Anspielung auf die Spekulation Plotins über die Verwandtschaft von Licht und Auge, mit der sich Goethe mehrfach auseinandergesetzt hat. Die Berufung auf das ›innere Licht‹ gegen das allgemein verbindliche Vernunftprinzip galt im 18. Jahrhundert als Symptom der melancholischen Schwärmerei. Im Falle Ottiliens ergibt sich aber auch ein Zusammenhang mit der Legendenbildung um ihre Namensheilige (vgl. Anm. 282,20).

410,21f. *daß in der abgesichelten Ähre ⟨. . .⟩ verborgen liegt*] Zur Ähre als Symbol des Todes vgl. Hi 24,19-24; die von Ottilie angesprochene Doppeldeutigkeit dieses Bildes wird nicht nur in den Gleichnissen Jesu immer wieder pointiert (vgl. Mt 13, 1-30 u. ö.), sondern beispielsweise auch im griechischen Demeter-Kult und seinen eleusinischen Mysterien (vgl. Schiller, *Das eleusische Fest* und Goethe, *Römische Elegien*, XII).

411,31 *Brancards*] Packwagen.

411,35 *Vachen*] Rindslederne Reisekoffer.

411,37 *Kästchen und Futterale*] Vgl. Anm. 366,13.

412,1 *Geschleppes*] Reisegepäcks.

413,1f. *wie ein brennender Kometenkern*] Wie die hier prägnant gebrauchte Metapher des ›Falls‹ oder ›Höllensturzes‹ verweist schon der Name Luciane auf eine Nähe der Figur zu ›Lucifer‹ (vgl. Anm. 493,27f.). Dadurch ergibt sich eine typologische Verbindung zu dem ehemaligen (›abgefallenen‹) Geistlichen Mittler, der in seiner alchemistischen Bedeutung als ›Mediator‹ (Quecksilber) auch der ›metallische Lucifer‹ heißen kann (vgl. Wiethölter, *Legenden*, S. 47-51). Daneben zeigen sich jedoch auch zahlreiche Bezüge zu Lucianes Namenspatronin, der hl. Lucia (vgl. Anm. 423,15f.).

414,10 *Saalnixe*] Karl Friedrich Henslers Singspiel *Das Donauweibchen* (1792), eine Variante des Melusinen-Stoffes, war über Wien hinaus eines der erfolgreichsten Stücke des dortigen Volkstheaters. Unter dem Titel »Die Saalnixe« hatte, ebenfalls 1792, Vulpius das Schauspiel für die Weimarer Bühne bearbeitet.

414,13 *pantomimische Stellungen und Tänze*] Am Ende des 18. Jahrhunderts kreierte Madame Genlis (1746-1830) am französischen Hof das ›tableau vivant‹, das lebende Gruppenbild. Derartige Bilder zu stellen, wurde rasch in ganz Europa populär; die Mode hielt sich bis zum Ende des 19. Jahrhunderts.

414,28 *Artemisia*] Königin von Karien, um 350 v. Chr. Zu ihrem Andenken errichtete ihr Gatte das sprichwörtlich gewordene Mausoleum.

415,2 *Grab des Mausolus*] Mausoleum, eines der antiken Weltwunder.

415,12f. *eher einem longobardischen als einem carischen König*] Die Langobarden (Longobarden), ein ostgermanisches Volk, besetzten im Zuge der Völkerwanderung einen Teil Norditaliens (Lombardei); sie legten zahlreiche Friedhöfe an, künstlerisch bedeutsam sind ihre Grabbeigaben (vgl. S. 401,3-9).

416,3 *Witwe von Ephesus*] Weitverbreiteter Novellenstoff, womöglich indischen Ursprungs; in die europäische Tradition eingegangen durch das *Satiricon* des Petronius (60 n. Chr.). Eine Witwe gibt das Vorhaben, ihrem Gatten durch Verweigerung der Nahrung (!) nachzusterben, nur allzu bereitwillig auf. Später auch in Lafontaines *Contes et nouvelles en vers* (1665-85); Lessing erörtert im sechsunddreißigsten Stück der *Hamburger Dramaturgie* (1767) die dramatische Darstellbarkeit des Sujets, in seinem Nachlaß ist ein Fragment *Die Matrone von Ephesus* überliefert.

417,18 *Affenbilder*] Der Affe gilt als ein saturnisches Tier. Zugleich ist er Attribut des Merkur (vgl. Anm. 283,8).

417,28 *Incroyables*] Stutzer; die »Unglaublichen« produzierten sich als Gruppe von Modegecken um 1800 in Paris.

418,10 *Kollation*] Imbiß, Erfrischung.

419,1-3 *Begegnet uns Jemand ⟨. . .⟩ daran zu denken*] Die Sentenz stammt von Seneca: »Haec beneficii inter duos lex est: alter statim oblivisci debet dati, alter accepti nunquam« (*De beneficiis* II 10,4).

419,6f. *Niemand würde viel in Gesellschaften ⟨. . .⟩ mißversteht*] Möglicherweise im Rückgriff auf Nr. 87 der *Réflexions* von La Rochefoucauld formuliert: »Les hommes ne vivraient pas longtemps en société s'ils n'étaients pas les dupes les uns des autres.«

419,28-31 *Einem bejahrten Manne ⟨. . .⟩ Jedermann*] Die Anekdote hat Goethe einer 1730 in Lyon erschienenen Spruchsammlung entnommen: *Vasconiana, ou recueil des bon mots, des pensées les plus plaisantes, et des recontres les plus vives des Gascons* (dort S. 414).

420,8-10 *Unsre Leidenschaften* ⟨. . .⟩ *aus der Asche hervor*] Der Vergleich ist wiederum den *Vasconiana* (Anm. 419,28-31) entnommen: »Nos passions sont autant de Phenix qui renaissent de leurs cendres. La fin de l'une est le commencement de l'autre« (S. 466).

420,11f. *Große Leidenschaften* ⟨. . .⟩ *gefährlich*] Die Sentenz stammt aus den *Vasconiana*: »Les grandes passions ⟨. . .⟩ sont des maux sans remede. Ce qui les guerit les rend perilleuses« (S. 405).

422,35 *Hautelißteppich*] Gobelin.

423,15f. *so viel Zweige* ⟨. . .⟩ *herbeiholen*] Die Figur der Luciane steht in Korrespondenz zu ihrer Namensheiligen *Lucia*, der sogenannten ›Lichtbringerin‹, deren Geburtstag auf den 13. 12. fällt. Dieser Tag wird in Kärnten und Ungarn damit begangen, daß Kirschzweige geschnitten und ins Wasser gestellt werden. In anderen Gegenden herrscht der Glaube an eine komplementäre, hexenartige Nachtgestalt. Dies verweist wiederum auf Lucianes luciferische Züge. Der Charakter des 13. 12. als Losnacht stellt noch einmal die Verbindung zum Lotteriegewinner Mittler her (vgl. Anm. 413,1f.). Von daher scheint es auch nicht zufällig, daß der L-OTTO-Spieler das Kind Otto aus der Taufe hebt (vgl. Hörisch, *Das Sein der Zeichen*, S. 127f.).

427,20 *Belisar nach van Dyk*] Belisar, ein oströmischer Heerführer, wurde auf Befehl des Kaisers Justinian geblendet. Das damals Antonis van Dyck (1599-1641), heute Luciano Borzone (1590-1645) zugeschriebene Gemälde stellt den blinden Feldherrn als Bettler dar. Goethe hatte eine Reproduktion dieses Bildes als Stich in seiner Sammlung, ebenso den im folgenden beschriebenen Poussin, wahrscheinlich auch den Terborch.

428,17 *Poussin: Ahasverus und Esther*] Nicolas Poussin (1594-1665), französischer Landschafts- und Historienmaler. Nach einer in den apokryphen *Stücken zu Esther* überlieferten Legende fällt die schöne Jüdin Esther zweimal vor dem babylonischen König, ihrem Gatten, in Ohnmacht, bevor sie für ihr Volk eintreten kann (vgl. Anm. 427,20).

428,28f. *väterliche Ermahnung von Terburg]* Gerard Terborch (1608-1681), holländischer Genremaler (vgl. Anm.
427,20).

428,30 *Wille]* Johann Georg Wille (1715-1808), Kupfer-
stecher, wirkte in Berlin und Paris.

429,20 *tournez s'il vous plait]* (Franz.) Bitte umwenden.

430,35 *Treibjagen im tiefsten Schnee]* In Norwegen wird die
Nacht der hl. Lucia durch wilde Jagdveranstaltungen begangen
(vgl. Anm. 423,15f.).

431,10 *Man nimmt in der Welt Jeden wofür er sich gibt]* Dieser
erste Teil der Reflexion stellt einen Auszug aus den *Vasconiana* (Anm. 419,28-31) dar: »On y est traité comme on s'y
traite soy-mème«; die pointierte Fortführung findet sich dort
allerdings nicht.

432,30f. *Das Betragen ⟨...⟩ Bild zeigt]* Diese Sentenz ist
wiederum wörtlich aus den *Vasconiana* (Anm. 419,28-31)
übersetzt: »La conduite est un miroir où chacun montre son
portrait« (S. 482).

433,6f. *Gegen große Vorzüge ⟨...⟩ als die Liebe]* Vgl. Schillers Brief an Goethe vom 2. 7. 1796: »Wie lebhaft habe ich bei
dieser Gelegenheit erfahren, ⟨...⟩ daß es dem Vortrefflichen
gegenüber keine Freiheit gibt als die Liebe.«

433,8f. *Es ist was schreckliches ⟨...⟩ zu Gute tun]* Goethe
notierte sich auf den Vorsatzblättern zu seinem Tagebuch für
das Jahr 1809 einige Sentenzen, die später für Ottiliens Tagebuch Verwendung fanden, so auch die folgende: »C'est une
terrible chose qu'un grand homme dont les sots glorifient.«
Die französische Quelle ist nicht bekannt.

433,10 *Es gibt ⟨...⟩ keinen Helden]* Der Spruch stammt
aus dem 13. Brief der *Lettres de Mademoiselle Aïssé à Madame
Saladin.* Wie er zu Goethes Kenntnis gelangte, ist umstritten,
finden sich doch Varianten nicht allein in Kotzebues Zeitschrift ›Die Biene‹ (1809, S. 160), sondern auch in Hegels
Phänomenologie des Geistes (Bamberg 1807, S. 616) oder in
Thomas Abbts Abhandlung *Vom Verdienste* (1761, III 2).

433,16f. *Die größten Menschen ⟨...⟩ Schwachheit zusam-
men]* Die erste Notiz erfolgte wiederum in französischer

Sprache und geht vermutlich auf eine nichtidentifizierte Quelle zurück (vgl. Anm. 433,8f.): »Les plus grands hommes tiennent toujours a leur siecle par quelque foible.«

433,20f. *Toren ⟨. . .⟩ sind die gefährlichsten]* Ähnlich lautet eine Maxime La Rochefoucaulds: »Il n'y a point de sots si incommodes que ceux qui ont de l'esprit« (*Réflexions*, Nr. 513).

433,27f. *Die Kunst beschäftigt sich mit dem Schweren und Guten]* In Goethes erster Niederschrift (vgl. Anm. 433,8f.) steht lateinisch: »Ars est de difficili et bono.« Da diese Formel sonst nirgends nachgewiesen werden konnte, ist nicht ausgeschlossen, daß Goethe sie selbst gebildet hat.

433,33 *Säen ⟨. . .⟩ ernten]* Vgl. Anm. 410,21f.

435,27 *Apprehension]* Besorgnis, Befangenheit.

437,17f. *Kustoden]* Aufseher, Sachbearbeiter an Museen, Sammlungen und Bibliotheken.

438,8 *Presepe]* Präsepe: Krippe bzw. künstlerische Darstellung der Geburt Christi. Im nachfolgend inszenierten Tableau wird die Identifikation Ottilie-Maria, die der Text durchgehend nahelegt, theatralisch vollzogen.

439,4 *alles Licht vom Kinde ausgehe]* Diesen malerischen Effekt hatte zuerst Antonio Allegri (Corregio) (um 1494-1534) in seiner *Heiligen Nacht* ausgenutzt. Goethe kannte das Bild vermutlich aus der Dresdener Galerie.

440,36f. *Freuden und Leiden]* Gebräuchliche Formel für die Stationenfolge des Marienlebens.

451,34f. *Kompatrioten]* Landsleute.

452,21 *Humboldten]* Alexander von Humboldt (1769–1859), führender Naturforscher seiner Zeit, bekannt geworden unter anderem durch Berichte von Reisen in Südamerika.

452,31f. *ganze Reihen untergeordneter Naturbildungen der Gestalt und dem Namen nach]* Hier liegt wohl eine polemische Spitze gegen die Naturkunde von Carl von Linné (1707–1778) vor. Linné hatte in seinem Hauptwerk *Systema Naturae* (1735) erstmals versucht, ein umfassendes Klassifikationssystem für das Gebiet der Botanik zu entwickeln.

453,1f. *das eigentliche Studium der Menschheit ist der Mensch]* Das Zitat stammt aus Alexander Popes *Essay on Man* (1733): »The proper study of mankind is Man« (II 1,2).

454,16-22 *der allgemeine Friede ⟨...⟩ zurückkehren könne]* Noch einmal wird das Modell eines arkadischen Lebens am Schauplatz des Romans aufgerufen, zugleich aber auch dessen Fragilität exponiert (vgl. Anm. 402,10).

455,1f. *sich einen Sohn verkündigt zu hören]* Anklang an die Erzählung des Evangelisten von Christi Geburt; läßt sich sowohl auf die Verkündigung durch den Engel Gabriel (Lk 1,26-38) als auch auf die Rede der Engel zu den Hirten auf dem Felde (Lk 2,10) beziehen. Im marianischen Diskurs rückt Charlotte, als Ottiliens ältere Verwandte, zugleich an die Stelle der biblischen Elisabeth, der Mutter Johannes des Täufers (vgl. Lk 1,5-25).

456,29 *Otto sollte das Kind heißen]* Das Kind trägt damit den Taufnamen seiner beiden ›Väter‹, wobei die Silbe ›ott‹ sich auch in den Namen der ›Mütter‹ Charlotte und Ottilie verbirgt. Mit der Vierzahl seiner Buchstaben repräsentiert der Name des Kindes ebenfalls die vier ›Wahlverwandten‹. Diese Vierzahl referiert zudem auf das Tetragramm des (hebräischen) Gottesnamens, das im alchemistischen Schrifttum eine zentrale Rolle spielt; alchemistisch lesbar ist Otto infolgedessen einerseits als ein anderer ›Adam‹, andererseits – als Palindrom (»übers Kreuz«) – im Zeichen des Kreises als des selbstidentischen Prozesses schlechthin. So steht Otto, dem vom marianischen Diskurs her die Position des Gotteskindes zukommt, zugleich für den ›Stein der Weisen‹. Dieser gilt als ›Heiland‹ der Alchemie (vgl. »Zur Deutung«). Außergewöhnliche Abkunft zeigen außerdem die nicht alltäglichen Umstände von Ottos Empfängnis und Taufe an (vgl. Anm. 423,15f. und 458,8f.).

457,3 *Gevatterbriefe]* Ladung der zu Paten bestimmten Personen zur Tauffeier.

457,19 *sie glaubte in ihre eigenen zu sehen]* Wiederum eine deutliche Anspielung auf den Narzißmythos.

458,8f. *mit Simeon]* Mittler zitiert Simeons Rede im Tempel beim Anblick des Jesuskindes; vgl. Lk 2,25-36. Im übrigen manifestiert sich an dieser Stelle in aller Drastik die Komplizenschaft der Hermes-Figur Mittler mit dem Tod (vgl. Anm. 283,8).

460,22 *ausgehen]* Eingehen.

462,17-22 *So wiederholt ⟨. . .⟩ wieder aufschlagen]* Die Eintragung kombiniert metaphorisch mehrere Topoi: Buch des Lebens, Buch der Natur, das Jahr als Buch; vgl. zur Herkunft des Topos Ps 69,29 und Off 3,5; 5,1f.; 17,8; 20,12.15.

463,18 *Comédie à tiroir, ein schlechtes Schubladenstück]* Form der Komödie mit weitgehend beliebiger Szenenfolge, in der auf anspruchslose Weise Anspielungen auf lebende Personen und wahre Begebenheiten untergebracht werden können.

463,33 *einen häuslichen Altar]* Anklang an die Darbringung Jesu im Tempel (vgl. Lk 2,22-40); in typologischem Rückgriff ist aber auch an Abrahams Bereitschaft zu erinnern, seinen Sohn Isaak als Opfer darzubringen (vgl. Gen 22).

465,6 *Tischer]* Tischler; diese mundartliche Form wird von Goethe durchgehend verwendet.

465,7 *Patronen]* Schablonen.

466,28f. *tragbaren dunklen Kammer]* Camera obscura, fand zur Herstellung exakter Zeichnungen Verwendung. Angespielt wird auf die vor allem in England grassierende Mode, die kanonisch gewordenen ›arkadischen‹ Landschaftsansichten auf dem Wege optischer und literarischer Reproduktion festzuhalten und so zu ›sammeln‹.

471,1 *Die wunderlichen Nachbarskinder]* Die Funktion der Novelle als einer antithetischen Spiegelung der Romanhandlung ist leicht erkennbar. Das Motiv des wechselseitigen Hasses zweier im Grunde Liebender erscheint, ähnlich angelegt, auch in Wielands *Narcissus und Narcissa* (vgl. Anm. 311,15-18). Auf eine Parallele zu Novelle und Roman, die sich in der *Italienischen Reise* findet, weist Adler hin (vgl. *›Eine fast magische Anziehungskraft‹*, S. 127-129). In der Passage »Oktober 1787. Bericht« sieht sich der Erzähler in eine Dreieckskonstellation verwickelt, an der sich die »entschieden-

sten Wahlverwandtschaften ⟨...⟩ hervortun«. Dabei wird
der Topos vom lesenden Liebespaar (vgl. Anm. 276,18-27)
mit dem Katastrophenmotiv der *Wahlverwandtschaften* verknüpft: Ein englischer Zeitungsartikel berichtet über ein
»Frauenzimmer«, das »in's Wasser gefallen, glücklich aber
gerettet und den Ihrigen wiedergegeben worden« (WA I 32,
S. 124); der Artikel wird zum Exempeltext für den
Sprachunterricht, den der Erzähler seiner Geliebten erteilt,
wobei die näheren Umstände des gemeldeten Unglücks- und
Rettungsfalles aber im unklaren bleiben.

471,23 f. *das trotzig mutige Mädchen*] Eine ähnliche Konstellation läßt sich im Märchen vom ›Neuen Paris‹ erkennen,
das im Zweiten Buch von *Dichtung und Wahrheit* erzählt wird.
Dort kämpfen Knabe und Mädchen allerdings nur mit Spiel-
zeugheeren gegeneinander.

476,32 *Werder*] Halbinseln, Inseln.

477,23 f. *Sie konnte sich ⟨...⟩ nicht schämen*] Einer der gegen Ende der Novelle zahlreichen Hinweise auf das arkadische Ideal der Liebesfreiheit, die sich in der »Wildnis« (S.
478,2) »mit unmäßiger Leidenschaft« (S. 477,33) durchsetzt
(vgl. Anm. 322,12-22). Analog ist beispielsweise die Begegnung der ans Ufer geretteten Liebenden Daphnis und
Chloe in Salomon Geßners Prosaidylle *Mirtil. Thyrsis* von
1756 gestaltet (vgl. Anm. *Werther* 231,34), wobei Geßners
Liebende allerdings unanstößig als Gatten firmieren. – Für
die Rahmenhandlung des Romans ist dagegen das im arkadischen Topos spätere, konkurrierende Modell einer gesittet
empfindsamen Freundschaft zwischen den Geschlechtern
verbindlich. Diese Restriktion wird von den beiden Paaren
jeweils nur für kurze Momente durchbrochen (vgl. S. 357,35-
358,7). Auf eine analoge Konfrontation der beiden arkadischen Liebeskonzepte in Goethes *Tasso* (II 1, V. 978-1006)
verweist Buschendorf (*Goethes mythische Denkform*, S. 94).
»Erlaubt ist was gefällt«, postuliert Tasso; »erlaubt ist was
sich ziemt«, repliziert die Prinzessin.

480,15 *Kopfweh an der linken Seite*] Vgl. Anm. 311,15-18
und 508,13-15.

480,20 *Steinkohlen]* Die Kohle untersteht dem Saturn; durch ihre Beziehung zum Feuer ist sie Ottilie im besonderen zuzuordnen (vgl. Anm. 301,23f.).

480,28 *Pendelschwingungen]* Das Phänomen war 1807 durch Schellings Aufsätze im ›Morgenblatt‹ und der ›Jenaischen Allgemeinen Literaturzeitung‹ bekanntgemacht worden; der Versuchsaufbau entspricht ebenso genau den dortigen Angaben wie Ottiliens körperliche Symptomatik. Johann Wilhelm Ritter, der mit Goethe auf dem Gebiet der Farbenlehre gemeinsame Versuche unternommen hatte, betrachtete in seiner Schrift *Der Siderismus* (1808) die Pendelphänomene als Auswirkungen derselben Kraft, die das chemische Prinzip der Verwandtschaft hervorbringt; zudem stellte er eine Analogie zwischen den Bewegungen des Pendels (S. 481,27f.) und den Bahnen der Himmelskörper her (vgl. Adler, ›*Eine fast magische Anziehungskraft*‹, S. 180-187).

481,4 *Markasiten]* Eisen- und Schwefelkies. Wie Gold und andere schwere Metalle ist der Markasit ein saturnischer Stoff.

481,5f. *in einem schönen Kästchen]* Vgl. Anm. 366,13.

482,3f. *gemeint]* Gewillt.

482,23 *Verwandtschaft]* Vgl. Anm. 304,10f.

482,38 *Penserosa]* Ottilie repräsentiert hier tatsächlich »eine andre Art von Mutter« (S. 482,28), nämlich als Madonna mit Kind und Buch die Grundfigur der Marien-Ikone. Zugleich wird mit der Anspielung auf Miltons *Il penseroso* (1632) das Bild melancholischer Lektüre in den Text eingetragen, das seine Grundformel im Sinne einer ›saturnischen‹ Ikonographie‹ am Tableau einer in ihre Lektüre versunkenen Frau hat (Dürer, *Melencolia I* [1514]; Castiglione, *Melancholie* [1640]). Fortgesetzte intensive Lektüre oder Lesesucht zählt zu den Symptomen, kann aber auch eines der Heilmittel der Melancholie sein (vgl. Karl Philipp Moritz, *Anton Reiser* [1785/90]).

488,17 *übertragen]* Ertragen.

491,14f. *des Sees, dessen Spiegel]* Das landschaftliche Arrangement ist wie die nachfolgende Begegnung der Liebenden von indirekten Zitaten der Narzißgeschichte aus Ovids *Metamorphosen* (III 407-510) durchsetzt (vgl. Anm. 300,14f.).

491,23 *Sie vergaß Zeit und Stunde]* Vgl. Anm. 321,14.

491,25 *versenkt in ihr Buch]* Vgl. Anm. 276,18-27.

493,27f. *Die Hoffnung fuhr ⟨...⟩ über ihre Häupter weg]* Der Stern ist zunächst als der bethlehemitische, als Morgenstern und damit als Attribut Mariens zu deuten; als sinkender aber ist er nicht nur Zeichen des Engelsturzes, sondern allgemein des (Sünden-)Falls. Erscheint damit Maria als Eva, so kann der (Abend-)Stern zugleich als Venus-Attribut und Zeichen der Verführung verstanden werden.

494,29-31 *Sie reißt ihren Busen auf ⟨...⟩ reine nackte Brust]* Nacktheit figuriert in der Tradition der Venus-Darstellung als Attribut der himmlischen, tugendhaften Liebe. Auch Narziß enthüllt in der Klage um das Vergehen seines Spiegelbildes seine Brust (Ovid, *Metamorphosen* III 480f.).

495,6-9 *Kniend sinkt sie ⟨...⟩ dem Marmor gleicht]* Narziß erstarrt im Anblick seines Bildes selbst zu einem Bild, wie aus parischem Marmor gefertigt (Ovid, *Metamorphosen* III 419). Auch der Körper der verschmähten Echo wird zu Stein (*Metamorphosen* III 399). – Ikonographisch figuriert Ottilie hier im vertrauten Bildtypus einer ihr totes Kind beweinenden Mutter (z. B. Medea, Maria Magdalena, bethlehemitischer Kindermord). Vgl. Goethe an Heinrich Meyer: »Das tote, wirklich tote Kind gen Himmel zu heben, das war der Augenblick, der gefaßt werden mußte ⟨...⟩« (27. 4. 1810). Im marianischen Diskurs erinnert die Figuration an das vertraute Schema einer Pieta.

495,12-14 *Auch wendet sie sich ⟨...⟩ nach den Platanen]* Die Szene rekurriert möglicherweise auf das Sujet von der Geburt der Venus, die ebenfalls von einem sanften Wind ans Ufer getragen wird. Indem sie sich »zu den Sternen« wendet, erblickte Ottilie dann den Abendstern und damit ihr eigenes mythologisches Vor-Bild (vgl. Anm. 493,27f.). – In Brentanos *Godwi* ist es dem Erzähler, »als stürze alles Licht auf sie ⟨Tilie⟩ herab, sie zu verschlingen, oder zu erschaffen, oder sie erschaffe alles Licht; es war, als entstehe sie aus den Wellen

der Grashalmen und Blumen, über die sie schwebend hinging, wie Venus aus dem Schaume des Meeres« (Werke,
Bd. 2, München 1963, S. 157). Gleich im Anschluß an diese
Vision erscheint dem Erzähler das Marmorbild einer Frau,
die einen Knaben trägt. Die Geschichte, die sich mit dieser
Statue verbindet, wird in Versen beschworen: In ihnen
scheint die Kahn-Szene der *Wahlverwandtschaften* fast bis in
den Wortlaut antizipiert: »An dem See im Mondenschein«
scheint das Marmorbild zum Leben zu erwachen:

> Traurig blickt es in die Wellen,
> Schaut hinab mit totem Harm,
> Ihre kalten Brüste schwellen,
> Hält das Kindlein fest im Arm.
>
> Ach, in ihren Marmorarmen
> Kanns zum Leben nie erwarmen!
> Sieht im Teich ihr Abbild winken,
> Das sich in dem Spiegel regt,
> Möchte gern hinuntersinken. (S. 145)

Diese Parallele erscheint um so bemerkenswerter, als Brenta-
nos Roman durch dasselbe Geflecht antik-mythologischer
(Venus, Narziß) und christlicher (Maria) Diskurse geprägt
ist, in dem sich auch Goethes Text bewegt (vgl. Bersier,
Ottilies verlorenes Paradies). Das zentrale Motiv des tödlichen
Unfalls am Wasser findet sich im übrigen schon in Rousseaus
Nouvelle Héloïse; dort zieht sich die Mutter bei der Rettung
ihres Kindes eine tödliche Krankheit zu.

496,36 *sein erstarrtes Ebenbild]* Vgl. Anm. 495,6-9.

500,15 f. *halb erstarrt, wie aus einer fremden Welt]* Referenz
auf das Schema des Marienlebens, in dem – als Pendant zur
Verkündigung – »zum zweitenmal« (S. 499,22; vgl. Anm.
408,15-18) ein himmlischer Bote ins Leben der Madonna
tritt, um ihr das nahe Ende anzukündigen. Zugleich nimmt
Ottilie eine topische Haltung der Melancholie ein; ihre Entrückung ließe sich darum auch als Zustand melancholischer
Starre (stupor) deuten. In Zuständen solcher Entrückung
wird die Seele nach neuplatonischer Vorstellung zur Rückwendung zu Gott fähig. G. H. von Schubert stellte in seinen

Ansichten von der Nachtseite der Naturwissenschaft (1808), neu-platonischer Tradition folgend, den todähnlichen magneti-schen Schlaf als Phänomen des Somnambulismus heraus, in dem der Körper von einem inneren Licht durchströmt werde (vgl. Anm. 410,14f.).

508,13-15 *fand er ihn allein ⟨. . .⟩ Kopfweh Sie wieder?]* Die Haltung, die Eduard hier einnimmt, ist die prominenteste Ausdrucksgeste der Melancholie.

508,27 *Anbringen]* Anliegen.

508,32-509,2 *gegen alles gleichgültig ⟨. . .⟩ ganz außer sich be-schäftigt]* Der abrupte Stimmungswechsel von depressiven zu manischen Zuständen entspricht der traditionellen Cha-rakteristik des Melancholikers (vgl. Anm. *Werther* 17,33).

511,14f. *Sind wir nur Schatten]* Die Begegnung im Wirts-haus läßt sich, nach einem Vorschlag von Schlaffer, mit dem vergeblichen Versuch des Orpheus in Beziehung setzen, Eu-rydike aus der Unterwelt zu führen. Dadurch ergäbe sich eine weitere Variante im Spiel des Romans mit Namen und Buchstaben; die Gravur ›E und O‹ auf Eduards Trinkglas stünde nicht nur für Eduard-Otto und die Umdeutung zu Eduard-Ottilie, sondern sie könnte ebenso auf Eurydike-Orpheus bezogen werden (Schlaffer, *Namen und Buchstaben*, S. 228, Anm. 30).

511,28 *Diese Bewegung]* Vgl. S. 310,26-35.

512,32 *die Hände beider Ehegatten]* 1806 schrieb Goethe einen neuen Schluß für sein Schauspiel *Stella*; dort »sucht« die sterbende Heldin »die Hände beider Gatten zusammenzu-bringen« (WA I 11, S. 193; vgl. Anm. 272,20-23).

513,37 *eine Art von wahnsinnigem Unmut]* Anspielung auf die als krankhaft geltende Form der Liebesmelancholie, dem Seelenzustand Werthers vor seinem Selbstmord vergleich-bar.

515,4 *nun habe ich nichts mehr zu sagen]* Vgl. Anm. 300,14f. und 308,7f.

516,3f. *eine unbeschreibliche, fast magische Anziehungs-kraft]* Der Terminus verweist noch einmal auf die che-misch-philosophische Tradition der Affinitäten- und Ver-wandtschaften-Lehre.

516,13f. *es war nur Ein Mensch]* Anspielung auf den platonischen Androgynenmythos (vgl. »Zur Deutung« und Anm. 311,15-18).

518,1 *Astern]* Als Herbstblumen unterstehen die Astern dem Saturn.

518,5 *Koffer]* Vgl. Anm. 366,13.

518,14 *Strumpfbänder mit Devisen]* Strumpfbänder mit applizierten Sprüchen oder Versen.

522,10-15 *Das bleiche himmlische Kind* ⟨. . .⟩ *bequemen Stellung]* Die Szene verweist auf den Tod der Maria, um sie versammelt sich der Kreis der Apostel. Die Figuration gleicht in auffälliger Weise der Ikonographie der Poussinschen *Treppenmadonna* (1648), einem Gemälde, das die Marien-Ikone bereits mit dem Pandora-Mythos und der als ›Prima Pandora‹ aufgefaßten Eva kontaminiert. Auf Poussins Gemälde wird allerdings für jede der drei Deutungsfiguren ein Gefäß zu Füßen der Madonna plaziert.

523,26 *in jenen Schmuck]* Das Arrangement verweist auch hier auf die Ikonographie des Marienlebens, und zwar nicht zuletzt dadurch, daß die Tote als »Himmelsbraut« mit hochzeitlichem Schmuck und Sternengloriole versehen wird.

524,15f. *Überirdisch, wie auf Wolken oder Wogen]* Die Bestattungsszene ist von deutlichen Anspielungen auf Mariä Himmelfahrt und Verklärung durchzogen.

525,12 *zu ihren Füßen das Köfferchen]* In der Grabstätte der hl. Odilie befindet sich ein Reliquienkästchen, das die Verstorbene bei ihrer Taufe vom hl. Erhard erhalten haben soll (vgl. Anm. 282,20).

528,35 *aus einem Kästchen]* Ein Analogon zu Ottiliens Koffer; vgl. Anm. 366,13 und 522,10-15.

529,6-8 *Charlotte gab ihm* ⟨. . .⟩ *beigesetzt werde]* Die Grabkapelle als exklusiver Ort der beiden Liebenden stellt im Zusammenhang der Romankonstruktion einen doppeldeutigen Sakralraum bereit: Die gemeinsame Grablege für ein Paar, das im Leben an Sitte und Konvention gescheitert ist, nimmt einen literarischen Topos auf (vgl. etwa Shakespeare, *Romeo und Julia*); darüber hinaus weist die Ausstattung des

Raumes unverkennbare Ähnlichkeit mit dem verbreiteten Motiv des Venusberges, insbesondere mit Gottfrieds von Straßburg ›Minnegrotten-Allegorie‹ im *Tristan*-Epos, auf.

529,11-15 *So ruhen* ⟨. . .⟩ *zusammen erwachen]* In ihrer unverkennbaren Rückbezüglichkeit auf Eduards ursprünglichen, sein Verhältnis zu Ottilie vorwegnehmenden Entwurf einer komplementären Gegenbildlichkeit (vgl. Anm. 311,15-18) ist die gemeinsame Grablege der Liebenden unter den engelsgleichen Ottilien-Porträts trotz ihrer christlichen Konnotationen zugleich eine letzte, sehr pointierte Anspielung auf den Mythos von Narziß und Echo.

NOVELLE

ENTSTEHUNG

Mit dem Sujet der *Novelle* hat sich Goethe erstmals im Jahre 1797 beschäftigt. Unter dem Datum des 23. 3., unmittelbar nach Abschluß der Arbeit an *Herrmann und Dorothea*, vermerkte er im *Tagebuch*: »Neue Idee zu einem epischen Gedichte. Nachmittag zu Schiller, darüber gesprochen.« Die genannte Idee wurde unter dem Arbeitstitel »Die Jagd« weiterverfolgt und auch brieflich mit Schiller diskutiert. Ein Schema entstand, und am 7. 4. 1797 berichtete Wilhelm von Humboldt in einem Brief an seine Frau ausführlich über den geplanten Gang der epischen Handlung. Unter dem Datum des 22. 4. 1797 schrieb Goethe an Schiller, sein »neuer Stoff« habe »keinen einzigen retardierenden Moment« und werfe die Frage auf, »ob sich ein solcher Plan auch für einen epischen ausgeben könne«. Im Rahmen einer ausführlichen Diskussion »über die Eigenschaften der Stoffe, inwiefern sie diese oder jene Behandlung fordern«, erwog Goethe, »Die Jagd« in Form einer Ballade auszuführen. Schiller stimmte einer solchen Behandlung des Stoffes »in Reimen und Strophen« am 26. 6. 1797 nachdrücklich zu: »ich glaube sogar, daß dies die Bedingung sein wird, unter welcher allein dieses neue Gedicht neben Ihrem Hermann bestehen kann.« Goethe stellte die Ausarbeitung jedoch zurück, und Wilhelm von Humboldt vermerkte gegenüber Schiller am 23. 7. 1797 einigermaßen maliziös, daß er »den Verlust nicht groß achte, wenn er [Goethe] diesen Plan fahrenläßt«.

Erst im Herbst 1826, während der Arbeit an den *Wanderjahren* und im Zuge der Edition seines Briefwechsels mit Schiller, kam Goethe auf die alte Idee zurück und entschloß sich, den Stoff in Gestalt eines Prosatextes zu behandeln.

Eine entscheidende Anregung für die Wiederaufnahme des Jagd-Sujets ging offensichtlich von James Fenimore Coopers Roman *The Pioneers; or, The Sources of the Susquehanna* (1823; dt. 1824) aus, den Goethe zu dieser Zeit las. Coopers Darstellung der von einem Panther bedrohten Elisabeth und ihrer Rettung durch Lederstrumpf hat unverkennbar der Erlegung des Tigers in der *Novelle* als Vorlage gedient. – Das 1797 angelegte Schema für »Die Jagd« ließ sich allerdings zunächst nicht auffinden (es tauchte später während der Arbeit an der *Novelle* wieder auf, ist aber nicht erhalten). Darum wurde, nach Auskunft von Goethes *Tagebuch*, am 4. 10. 1826 ein »erneuertes Schema der wunderbaren Jagd« angelegt (AA, Erzählungen, Bd. 2):

Nebel Morgen. schon versamelte Jager

Abschied.

Abritt.

Jahrmarkt. Buden gemalte Tiere

Damen allein mit dem Schwager und Maler

Zeichnungen und Risse des alten Schlosses.

Auslegung Beschreibung

Dahin reiten.

Höhe Brand.

Panther

Flucht Vorab Retardation des Tigers

Erlösung

Diese erste Skizze wurde sogleich weiter ausgearbeitet (AA, Erzählungen, Bd. 2):

Nebel Morgen

Versammlete Jager

Abschied

Dame allein mit dem Schwager

Und Maler

Abrisse des alten Schlosses vorgewiesen

Beurteilt neue Vorschläge.

Dahin reiten

    Jagd vielleicht von weitem

Stalljunker
Abritt
Jahrmarkt
Buden
Wilde Tiere
Bilder
Ahnung Geschichte des Brandes zu Haag
Erste Hohe
   Schoner rückblick
   Gegend
Zweite Hohe
   Anblick des Schlosses
Rückblick, Gegenden Interessant
   Brand
Schwager zurück
Ahnung
Fürstin und Junker
Brand fortwährend.
Einbildungsb des Schw.
Tiger aus dem Gebusch
Flucht der Fürstin.
Jungling angreift
Schießt und
Fehlt
Tiger vorbei der Furstin nach
Vorsprung
Verfolgung
Tiger langsam Bergauf
Fürstin sturzt erhebt sich
Des Tigers Ankunft
Schuß des Junkers
Tiger liegt
Jagd heran
Brand gesehen
Nach in die Stadt
Gruppe
Ankunft der Frau

Kind.

Jammer beider.

Der Mann.

Nachricht vom entwischten Lowen.

Wachter von der Burg.

Nahere Nachricht, der Löwe sei

Jagd Lust drangt

Innehalten

Kapitulation

Frau Kind und Wachter

Idyllisches Ende darstellen.

Im Laufe desselben Tages wurde das Schema noch zweimal
revidiert, so daß es schließlich sechzig Unterpunkte umfaßte.
Der Gang der Erzählung war damit weitgehend festgelegt;
allerdings war der Schluß der *Novelle* hier nur angedeutet.
Das gilt auch noch für das weiter differenzierte endgültige
Schema, das Goethe am 8. 10. 1826 zur Reinschrift bringen
ließ (AA, Erzählungen, Bd. 2):

   1 Nebelmorgen

   2 Halb bedeckter Schloßhof.

   3 Versammelte Jäger.

   4 Halbgesehenes Gewimmel.

   5 Des Fürsten Abschied von der Gemahlin.

   6 Dame allein.

   7 Reit=Toilette.

   8 Anmeldung des Oheims.

   9 und des Malers.

  10 Zeichnungen des alten Schlosses.

  11 Lage im Allgemeinen.

  12 Über den Wald hervorragend.

  13 Als Wald.

  14 Auf mit dem Felsen gebaut.

  15 Festestes Gestein.

  16 Gestreift.

  17 Ewige Dauer.

  18 Durchaus von uralten Bäumen bewachsen.

  19 Vorsätze des Ausbildens.

20 Lust dahin zu reiten.
21. Vielleicht die Jagd von weiten zu sehen.
22 Alfreds Tätigkeit.
23 Sie reiten durch die Stadt.
24 Durch den Jahrmarkt.
25 Buden, Handel u. Wandel.
26. Wilde Tiere.
27. Ausgehängte Bilder.
28 Vorsatz nachher einzutreten.
29 Oheim Reminiszenz eines Brandes.
30 Umständlich erzählt.
31 Allgemein referiert.
32 Fürstin kennt schon die Geschichte
33 Unangenehmer Eindruck
34 Abgeschüttelt.
35 Ins Freie
36 Anmutiger Weg.
37 Gärten
38 Stieg.
39 Gebüsch
40 Darauf Wald
41 Erste Höhe.
42 Rückblick
43 Schöne Gegend
44 Oberer Teil des alten Schlosses
    sichtbar aber umnebelt
45 Abwärts
46 Halb von Wald bedeckt.
47 Neues Schloß.
48 Oberer Stadtteil
49 Fluß hie und da.
50 Herrliche Landschaft.
51. Zweite Höhe
52 Voller Anblick des alten Schlosses
53 Wunsch eines dortigen Aufenthalts.
54 Stadt fast ganz zu ubersehen.
55 Land

56 Fluß im ganzen Lauf.
57 Ferne gegenüber.
58 Friedlicher Eindruck.
59 Betrachtung des reinen Überblicks
60 Im Gegensatz des bürgerlichen Wesens.
61 Ein Brand entsteht in der
     Mitte der Stadt.
62 Auf dem Markte.
63 Oheim mit einem Reitknecht zurück.
64 Fürstin und Alfred allein.
65 Sie sieht die längst bekannte Beschreibung des
     Oheims.
66 Alfreds Sorge sie zurück zu führen.
67 Tiger aus dem Gebüsch.
68 Flucht der Fürstin.
69 Alfred ihm entgegen.
70 Schießt.
71. Fehlt.
72 Tiger vorbei.
73 Der Fürstin nach.
74 Vorsprung vor Alfred
75 Verfolgung.
76. Tiger redardiert bergauf.
77 Fürstin stürzt.
78 Erhebt sich.
79 Steht neben dem Pferde.
80 Tiger heran.
81. Alfred auch
82 Schießt
83 Der Tiger fällt
84 Alfred vom Pferde.
85 Bewegung beider.
86 Er kniet auf dem Tiger.
87   Äußerer Anstand.
88   Zugesagte Gnade.
89   Ausgesprochener Wunsch zu reisen
90   Schon oft wiederholt und modiviert.

              W. d. 8. October. 1826.

Am 9. 10. 1826 begann Goethe mit der Ausarbeitung des
Textes, am 10. 10. entstand ein »kleines Gedicht zum Abschluß der projektierten Novelle«, und schon am 17. des
Monats wurde ein »erster Entwurf der Novelle geschlossen«
und John zur Reinschrift überlassen. Goethe revidierte diese
Handschrift im Verlaufe des November; im Januar 1827
sprach er sie mit Eckermann durch. Darauf folgte im Februar
eine weitere Überarbeitung. Während der nächsten Monate
diskutierte Goethe den Text noch mit anderen Gesprächs-
partnern und bot die *Novelle* schließlich im September 1827
seinem Verleger Cotta zum Abdruck im 15. Band der Ausgabe letzter Hand an. Nachdem der Jenaer Philologe Göttling eine Durchsicht von Orthographie und Interpunktion
vorgenommen hatte, erfolgte zwischen dem 19. 1. und dem
12. 2. 1828 die Schlußredaktion der Johnschen Reinschrift.
Am 15. 2. wurde die Druckvorlage an Reichel, den Leiter
von Cottas Augsburger Druckerei, abgeschickt. Die *Novelle*
erschien zur Ostermesse 1828 im Verlag von Cotta im 15.
Band der Ausgabe letzter Hand.

Aus der Zeit von Goethes intensiver und langdauernder Beschäftigung mit dem vergleichsweise kurzen Text sind zahlreiche Entwürfe erhalten geblieben, darunter die komplette Handschrift der frühen Fassung der *Novelle* vom Oktober 1826 (Paralleldruck mit der Endfassung in: AA, Die Erzählungen, Bd. 1, hg. v. Helmut Praschek, Berlin 1971). Goethe hat den Text in der Folge nicht allein erweitert, er hat vielfach auch längere Passagen gestrichen oder stark verändert. Das Lied des Knaben am Ende des Textes zu wiederholen, war zunächst wohl nicht vorgesehen; jedenfalls sind im ersten Arbeitsgang nur jene drei Strophen entstanden, die in der endgültigen Fassung am Schluß der *Novelle* stehen.

ÄUSSERUNGEN GOETHES

Goethe an Friedrich Schiller. 27. 6. 1797:
Da ich durch meinen Faust bei dem Reimwesen gehalten werde, so werde ich gewiß auch noch einiges liefern; es scheint mir jetzt auch ausgemacht, daß meine Tiger und Löwen in diese Form gehören, ich fürchte nur fast, daß das eigentlich Interessante des Sujetes sich zuletzt gar in eine Ballade auflösen möchte. Wir wollen abwarten, an welches Ufer der Genius das Schifflein treibt.

Goethe an Wilhelm von Humboldt. 22. 10. 1826:
Sie erinnern sich wohl noch eines epischen Gedichts, das ich gleich nach Beendigung von Hermann und Dorothea im Sinn hatte: Bei einer modernen Jagd kamen Tiger und Löwe mit ins Spiel; damals rieten Sie mir die Bearbeitung ab, und ich unterließ sie; jetzt, beim Untersuchen alter Papiere, finde ich den Plan wieder und enthalte mich nicht, ihn prosaisch auszuführen, da es denn für eine Novelle gelten mag, eine Rubrik, unter welcher gar vieles wunderliche Zeug kursiert.

Goethe mit Johann Peter Eckermann. 15. 1. 1827:

Ich wollte das Sujet schon vor dreißig Jahren ausführen, und seit der Zeit trage ich es im Kopfe. Nun ging es mir mit der Arbeit wunderlich. Damals, gleich nach Hermann und Dorothea, wollte ich den Gegenstand in epischer Form und Hexametern behandeln und hatte auch zu diesem Zwecke ein ausführliches Schema entworfen. Als ich nun jetzt das Sujet wieder vornehme, um es zu schreiben, kann ich jenes alte Schema nicht finden und bin also genötigt, ein neues zu machen, und zwar ganz gemäß der veränderten Form, die ich jetzt dem Gegenstande zu geben willens war. Nun aber nach vollendeter Arbeit findet sich jenes ältere Schema, und ich freue mich nun, daß ich es nicht früher in Händen gehabt, denn es würde mich nur verwirrt haben. Die Handlung und der Gang der Entwickelung war zwar unverändert, allein im Detail war es doch ein ganz anderes; es war ganz für eine epische Behandlung in Hexametern gedacht und würde also für diese prosaische Behandlung gar nicht anwendbar gewesen sein.

Goethe mit Johann Peter Eckermann. 18. 1. 1827:

Um für den Gang dieser Novelle ein Gleichnis zu haben, ⟨. . .⟩ so denken Sie sich aus der Wurzel hervorschießend ein grünes Gewächs, das eine Weile aus einem starken Stengel kräftige grüne Blätter nach den Seiten austreibt und zuletzt mit einer Blume endet. Die Blume war unerwartet, überraschend, aber sie mußte kommen; ja das grüne Blätterwerk war nur für sie da und wäre ohne sie nicht der Mühe wert gewesen. ⟨. . .⟩ Zu zeigen, wie das Unbändige, Unüberwindliche oft besser durch Liebe und Frömmigkeit als durch Gewalt bezwungen werde, war die Aufgabe dieser Novelle, und dieses schöne Ziel, welches sich im Kinde und Löwen darstellt, reizte mich zur Ausführung. Dies ist das Ideelle, dies die Blume. Und das grüne Blätterwerk der durchaus realen Exposition ist nur dieserwegen da und nur dieserwegen etwas wert. Denn was soll das Reale an sich? Wir haben Freude daran, wenn es mit Wahrheit dargestellt ist, ja es kann uns

auch von gewissen Dingen eine deutlichere Erkenntnis geben; aber der eigentliche Gewinn für unsere höhere Natur
liegt doch allein im Idealen, das aus dem Herzen des Dichters
hervorging.

Goethe mit Johann Peter Eckermann. 29. 1. 1827:
   »Wissen Sie was«, sagte Goethe, »wir wollen es *die Novelle*
nennen; denn was ist eine Novelle anders als eine sich ereignete unerhörte Begebenheit. Dies ist der eigentliche Begriff,
und so vieles, was in Deutschland unter dem Titel Novelle
geht, ist gar keine Novelle, sondern bloß Erzählung oder
was Sie sonst wollen.«

Goethe an den Faktor Reichel. 4. 3. 1828:
   Die Überschrift der kleinen Erzählung ⟨. . .⟩ hieße ganz
einfach:
                    Novelle.
ich habe Ursache, das Wort *Eine* nicht davorzusetzen.

                    ZUR DEUTUNG

Am Ende der *Novelle* hat der Knabe aus dem Orient den
Löwen besänftigt, und der Erzähler läßt diesen Knaben noch
einmal sein Lied anstimmen, »dessen Wiederholung« – so
wird dem Leser mitgeteilt – »wir uns auch nicht entziehen
können«. Was folgt, ist als Wiederholung freilich zugleich
Variation: Denn nach der identischen Repetition der ersten
und der dritten Strophe des zuvor schon gesungenen Liedes
folgt, die *Novelle* beschließend, eine noch nicht gehörte Strophe. Allerdings, vollkommen neu ist auch diese Strophe
nicht, denn sie unterliegt nicht weniger als das Vorherge-
hende dem an dieser Stelle herrschenden Grundprinzip poetischer Improvisation. Indem es bereits eingeführte Motive
spielerisch verändert, schreibt sich das Lied gewissermaßen
aus sich selbst fort: »Eindringlich aber ganz besonders«, so
der Erzähler, habe der Gesang dadurch gewirkt, »daß das

Kind die Zeilen der Strophe nunmehr zu anderer Ordnung durcheinanderschob, und dadurch wo nicht einen neuen Sinn hervorbrachte, doch das Gefühl in und durch sich selbst aufregend erhöhte«. Was das Prinzip der variierenden Wiederholung am Ende bewirkt, läßt der Erzähler offen – als mache es keinen bedeutenden Unterschied, ob sich das Verschieben einer Ordnung in einer rein affektiven Funktion erschöpft oder ob es tatsächlich einen neuen, womöglich ganz anderen Sinn erzeugt. Im einschränkenden »wo nicht« des Kommentars scheint eher Skepsis gegenüber dem suggerierten Sinnversprechen anzuklingen. Es könnte sich aber auch so verhalten, daß das durch allerlei Verschiebungen erregte Gefühl in der Illusion befangen bleibt, sich immer noch im Gleichen zu bewegen, während tatsächlich das Spiel mit den Zeilen, das nichts an seinem Ort beläßt, die alte Ordnung und deren Sinn längst aufgekündigt hat. Die Entscheidung darüber, wie es um den Sinn des Alten im Neuen steht, ist gerade für einen Text wie die *Novelle* von zentraler Bedeutung, der – erst recht an seinem Ende – Referenzen an alte Geschichten, an Mythen, Sagen und Legenden versammelt, sie spielerisch durcheinanderbringt und kontaminiert: Ein Knabe, ganz gemäß der messianischen Verheißung von Jes 11,6 friedlich in der Gesellschaft eines Löwen, nimmt in seinem Lied Bezug auf Daniel in der Löwengrube, ist aber durch seine Musik in die Nähe des Orpheus, durch seine Flöte in die des Rattenfängers von Hameln verwiesen, ohne daß darum die Allusion an Mozart/Schikaneders *Zauberflöte* bestritten wäre; zudem zitiert die Hilfeleistung gegenüber dem verwundeten Löwen die antike Legende von Androkles, an die sich wiederum zahlreiche benachbarte Motive anlagern. Der Frage läßt sich daher schwerlich ausweichen, ob all diese Referenzen im Text der *Novelle* eine Ordnung eigenen Rechts erzeugen oder ob das Hereinholen der alten Geschichten in eine ›moderne‹ Umgebung nur ein selbstgenügsam sentimentales Verhältnis zur Tradition bestätigt.

Genau betrachtet, steht hinter dieser Alternative die Frage

nach dem Ordnungsverständnis des Textes überhaupt. Werden am Beispiel des novellistisch skizzierten deutschen Kleinstaats von Anfang an die Phänomene von Wiederholung, Tradition und Veränderung als prinzipielle Probleme expliziert, so ist neben dem poetischen auch ein politischer, sozialer, erkenntnis- und kulturtheoretischer Anspruch formuliert. Und ähnliches gilt umgekehrt: Ist durch den Gesang am Ende des Textes tatsächlich neuer Sinn erzeugt worden, hätte er sich immer noch an jenen Konstellationen einer schlechten oder doch zutiefst prekären Wiederholung zu bewähren, in die das genannte Novellenpersonal durchweg gebannt erscheint. An niemandem wird diese Präsenz des Überkommenen deutlicher als an »Friedrich, de[m] fürstliche[n] Oheim«. Ihm ist die Erinnerung an die einmal erlebte Brandkatastrophe zur fixen Idee geworden. Mit seiner »wiederholte[n] Erzählung« hat der Alte aber auch die »Einbildungskraft« der jungen Fürstin angesteckt und sie auf Bilder des Schreckens fixiert. Deutlich genug steckt hinter der vagen Furcht vor den »bösen Geister[n]« des Feuers eine konkrete Angst vor Bedrohung: Ohne daß es offen ausgesprochen würde, macht der Erzähler der *Novelle* schon im zweiten Absatz seines Textes klar, daß die fürstliche Regentschaft in allem nur ein Ziel verfolgt – das Schreckgespenst einer erneuten Revolution wie der französischen zu bannen. »Ich fürchtete immer das Unglück zum zweitenmale zu erleben«, spricht der Oheim als gegenwärtiger Zeuge vergangener Katastrophen. Fielen diese in eine Zeit, da der Vater des jetzigen Fürsten Regierungsverantwortung trug, wird damit so diskret wie unmißverständlich das im folgenden Erzählte auf die Gegenwart des Autors und seiner Leser datiert. Die *Novelle* beschreibt also keineswegs bloß die Inszenierung eines poetischen Spiels in zeitlos-feudalem Rahmen; viel eher – das hat die jüngere Forschung hervorgehoben und aus der Spannung zwischen dem Ton der Darstellung und ihren versteckten Implikationen auf eine ironische Grundstruktur der *Novelle* geschlossen – handelt es sich um eine Studie über politische und soziale Zu-

stände der Restaurationszeit in Deutschland. Alle Tages-
aktualitäten bleiben jedoch ausgespart. Und erst recht scheinen am glücklichen Ende der *Novelle* mit der Aggressivität
des wilden Tieres auch alle anderen gewaltträchtigen Antagonismen gebändigt. Für den Augenblick einer quasi-
mythischen Versöhnung zwischen Mensch und Natur,
vorgestellt als spielerische Variation, ist jener Wieder-
holungszwang aufgehoben, der sich zuvor noch, in der Erlegung des Tigers, durchgesetzt hat. Damit wächst dem
Schlußtableau ›symbolische‹ Bedeutung zu: Der Gesang
wird Medium einer Utopie eigener Art. Er repräsentiert
nicht einen Inhalt, sondern präsentiert sich als ein Prinzip der
Vermittlung selbst jener Widersprüche, die unhintergehbar
scheinen.

Ganz undialektisch verstanden, konnte dieses Schlußtableau unter die ›Vermächtnisse‹ des Dichters gezählt werden. Die Rezeptionsgeschichte der *Novelle* ist ohne das entsprechende Vorurteil nicht zu denken. Unter Apologeten wie
unter Kritikern galt von vornherein als ausgemacht, daß
Goethe hier ganz entschieden ›Sinn‹ stiften wollte. Als nach
den Erfahrungen von Weltkrieg und Faschismus die
›Goethe-Religion‹ des 19. und frühen 20. Jahrhunderts
ihre Renaissance erlebte, konnte die *Novelle* zum alters-
weisen Erbauungsbuch aus der Feder des Olympiers erhoben werden – schien sie doch in der vermeintlichen
Simplizität ihrer Machart leichter rezipierbar als andere
Werke des alten Goethe, ohne daß ihr deswegen die Würde einer ›weltanschaulichen‹ Kundgebung abzusprechen
war. Was der alte Goethe als sein Vermächtnis betrachtete,
hätte er hier seinen Lesern noch einmal ins Stammbuch geschrieben: daß eine ästhetisch verfaßte Humanität ganz
selbstverständlich über die Anfechtungen irdisch-materieller
Konflikte triumphieren könne, ließe man sie nur zum Zuge
kommen.

Eine derartige Emphase rief die *Novelle* allerdings fast
ausschließlich unter Goethe-Spezialisten hervor. Im eigentlichen Sinne populär geworden ist die kleine Erzählung zu

keiner Zeit. 1828, bei ihrem Erscheinen im 15. Band der Ausgabe letzter Hand, blieb sie von der Kritik fast unbemerkt. Mehr als ein Jahr nach der Publikation klagte der Rezensent des ›Allgemeinen Oppositionsblatts‹ (Nr. 322, 21. 5. 1829), über die *Novelle* herrsche »ein tiefes Stillschweigen«, und es sei ihm »bis jetzt ⟨. . .⟩ noch keine gedruckte Zeile davon vorgekommen«. Ansonsten war die Besprechung des Lobes voll, aber indem sie Goethes Werke »neben die großen Schöpfungen Shakespeares« stellte und ihnen eine »unvergängliche Dauer« versprach, ging sie bereits auf die Kanonisierung des Dichterfürsten aus und dementierte damit unterschwellig die aktuelle Relevanz seiner poetischen Stellungnahme. Durch die »Ungetrübtheit seines Geistes«, so hieß es, ›ergreife‹ und ›erquicke‹ der Dichter seine Leser; und so, als seien alte Schlachten gegen die Romantik noch einmal zu schlagen, bestätigte sich der Zeitgenosse, was oft genug behauptet worden war: Goethe unterliege nicht jenem »Zwiespalt zwischen Phantasie und Reflexion, der den Neuern, vorzüglich den Deutschen, eigen zu sein scheint«. – Der Rezensent der ›Blätter für literarische Unterhaltung‹ (Nr. 13, 13. 1. 1834), ein anonymer Hegelianer, schlug kurz nach Goethes Tod in dieselbe Kerbe, wenn er feststellte, »daß in dieser kleinen, aber großen Dichtung der Genius der Poesie die unendliche Zersplitterung der modernen Ironie in ihre wahrhafte Schranke weist und zu ihrer Wahrheit erhebt«. Durch die *Novelle* sei »klar erwiesen, wie die Welt und ihr Inhalt, anstatt ein in sich Nichtiges und Verdrehtes zu sein, wirklich und wahrhaftig das Unendliche selbst ist«.

Auf die Vermittlung solch fundamentaler Einsichten war im novellistischen Genre nicht unbedingt zu rechnen. Zwar hatte der Autor, als er fast drei Jahrzehnte zuvor mit Schiller und anderen Freunden den Plan zur Ausarbeitung einer *wunderbaren Jagd* diskutierte, eine epische Dichtung entworfen, die als repräsentatives Seitenstück zu *Herrmann und Dorothea* bestehen sollte, doch war, was Goethe 1826 schließlich in Prosa zu Papier brachte, von vergleichsweise bescheide-

nem Zuschnitt. Erst mit der Festlegung des Titels, kurz vor
Drucklegung, meldete sich zumindest für den Bereich der
gewählten Gattung so etwas wie ein exemplarischer An-
spruch an. »Die Überschrift der kleinen Erzählung«, schrieb
Goethe an Cottas Angestellten Reichel, »hieße ganz einfach«:
Novelle.
Er, so Goethe weiter, »habe Ursache, das Wort *Eine* nicht
davorzusetzen« (4. 3. 1828). Welche Ursache hier vorlag,
blieb den Zeitgenossen offenbar unverständlich. Denn schon
bald hatte man für den Text einen Titel nach vertrautem
Muster parat: *Das Kind mit dem Löwen.* Damit konnte die
Gattungsbezeichnung an ihre hergebrachte Stelle rücken:
Novelle von Goethe – was bedeutete, daß der Einspruch unterschlagen war, den das Lakonische der Goetheschen Titel-
gebung gegen die Konjunktur der biedermeierlichen No-
vellistik erhoben hatte. Zahllose Taschenbücher und Journale waren gefüllt mit Berichten von »unerhörte[n] Begebenheit[en]« (vgl. Goethe mit Eckermann, 25. 1. 1827), durch
die das gesellige Bedürfnis nach Klatsch ebenso gestillt
wurde wie die Sensationslust eines lesehungrigen Publikums. ›Novelle‹, so ließe sich das zeitgenössische Verständnis der Gattung charakterisieren, konnte alles sein, was dem
Leser neu und interessant war – sich dabei aber doch im
Rahmen des »tägliche[n] Weltlauf[s]« hielt und variierte,
»was immerfort geschieht« (August Wilhelm Schlegel, *Geschichte der romantischen Literatur*, 1803/04). Die Gattung der
variierenden Wiederholung also schlechthin – und eben
darum höchst eigentümlich, einen Text einfach ›Novelle‹ zu
nennen. Im Vergleich mit der zeitgenössischen Gattungs-
praxis wirkt denn auch weniger die Schlußwendung der *Novelle* ins Legendenhafte verwunderlich – Ansprüche auf ›Realismus‹ oder Wahrscheinlichkeit wurden gegenüber der No-
vellistik nicht geltend gemacht – als vielmehr der beträchtliche Aufwand an poetischer Stilisierung, der zur Inszenierung der Begebenheit betrieben wird. In seinem feierlichen
Tonfall stellt sich Goethes Text nämlich nicht zuletzt gegen
die ›hochliterarische‹ Tradition des Genres seit Boccaccio

und Cervantes; immer war die Novelle als eine ›mittlere‹, gesellige Gattung verstanden worden. An diese Tradition schloß nicht nur, literarisch selbstbewußt und überaus erfolgreich, in den 1820er Jahren ein Novellist wie Ludwig Tieck an. Goethe selbst hatte schon früher zu ihr beigetragen – mit der als ›Novelle‹ ausgewiesenen Erzählung von den *Wunderlichen Nachbarskindern* aus den *Wahlverwandtschaften* und mit den in eine gesellige Rahmenfiktion integrierten Erzählungen der *Unterhaltungen deutscher Ausgewanderten*, die einer auf den Kanon fixierten Gattungstheorie lange als die Initialtexte des Genres in Deutschland galten. Goethes *Novelle* dagegen blieb, als Beitrag zur Gattung, ein singuläres Ereignis. Auch als später, im ›poetischen Realismus‹, die Novelle vollends zur hochliterarischen Kunstform aufgewertet wurde, wirkte gerade dieser Text nicht stilbildend. Offensichtlich war er allzu deutlich daraufhin konzipiert, »das grüne Blätterwerk der durchaus realen Exposition« erzählend in ein »Ideelle[s]« zu verwandeln. Die spezifischen Voraussetzungen, aus denen die »Blume« des mitgeteilten »Idealen« entspringt, diskreditierte der Autor selbst als bloßen Vorwand, »nur dieserwegen da und nur dieserwegen etwas wert. Denn was soll das Reale an sich?« (Goethe mit Ekkermann, 18. 1. 1827).

Wird aber eine solche Verwandlungskunst auf die Novelle, ein traditionsgemäß für die Behandlung von Realien zuständiges Genre, angewandt, dann sind die materiellen Voraussetzungen, aus denen das Ideelle hervorgeht, um so genauer zu beachten, zumal sich der Status des Realen schon in den ersten Sätzen der *Novelle* als prekär erweist. Wo die Erzählung in Nebel und »Halbhelle« beginnt, setzt der Erzähler auch das Verhältnis von Mensch und domestiziertem Tier in ein zweifelhaftes Licht. Bleibt hier schon unentschieden, was im Zusammenspiel von Reiter und Pferd der »Natur« und was der »Eitelkeit sich zu zeigen« oder vergleichbaren Affekten zuzuschreiben ist, muß dies erst recht für das am Novellenende vorgeführte Dressurkunststück gelten. Schließlich sind die ökonomischen Verhältnisse im Fürstentum von vergleichbarer ›Natur‹. Ihren sichtbaren Ausdruck finden sie in der Handelsmesse, die der Fürst tags zuvor seiner jungen Gattin vorgeführt hat, um seine Hauptstadt als den Ort eines »glücklichen Umtausch[s]« zu präsentieren. Unverkennbar hat jedoch die Sorge um den Staatsetat die sorglose Repräsentation von Herrschaft, etwa im Jagdvergnügen, in den Hintergrund gedrängt. Ja, das Repräsentieren erscheint umgekehrt wie eine Werbeveranstaltung für jene Wirtschaftsverfassung, in der die Bürger in einem Tauschhandel um der Prosperität willen auf ihre politischen Ansprüche Verzicht leisten. Die Suggestion, gerade hier sei ein Residuum unmittelbarer Verhältnisse zu finden und darum »kein Geld nötig«, entspringt einer absichtsvollen Verkennung der herrschenden Ökonomie. Auch das noch frische Glück der fürstlichen Ehe unterliegt solchen Tauschbeziehungen. So sehr der Topos vom Zaudern des Verliebten ein literarisches Glücksmuster zu beschwören sucht, so wenig läßt sich das durchgängig rationale Kalkül verkennen, dem die Regularien einer öffentlichen Darstellung des Herrschaftsapparates folgen. Möglicherweise entspringt die Besorgnis des Fürsten um seine junge Gattin dem begründeten Verdacht, sie könnte ihre »Lektion« noch nicht gelernt haben und sich der Repräsentationspflicht im Sinne einer durchgehenden Vermittlung des Lebens zu entziehen versuchen. Denn immerhin ist die junge Frau mit den vom Oheim eilends herbeigeschafften und weitschweifig kommentierten Ansichten des Stammschlosses im Bilde nicht zufrieden, sondern besteht – fast leichtsinnig – darauf, das Abgebildete »in der Wirklichkeit« zu sehen. Wird dieser Wunsch als voreilig zurückgewiesen, läßt die Fürstin gleichwohl nicht davon ab, sich »heute weit in der Welt umzusehen« und damit die Grenzen eines Territoriums auszukundschaften, das durch eine nicht allein räumliche Enge gekennzeichnet ist.

Sind die beiden Herrschergestalten in ihrem Auftreten immer nur Stellvertreter komplexer und abstrakter Verhältnisse, stehen sie zugleich einer »Welt« gegenüber, in der man

sich keineswegs nur umzusehen braucht, um sie zu durchschauen. Ebensowenig wie der Schein naturaler Beziehungen dem Wesen der Messe gerecht wird, verschafft der Augenschein schon sinnliche Gewißheit. Der Blick durchs
Teleskop, ein durchgängiges Motiv der Erzählung, ermöglicht allenfalls Hypothesen, verhilft aber nicht zu sicherem
Aufschluß. Nach der Stadt zurückblickend, »glaubt« die Fürstin, »einen aufflammenden Blitz, ein⟨en⟩ Schlag gehört zu
haben« – schon wird ihr der von der Feuerpolizei schnell
gelöschte Brand auf dem kleinstädtischen Jahrmarkt zur
Wiederholung der aus Friedrichs Erzählungen bekannten
nächtlichen Feuersbrunst. Die folgende Katastrophe findet
gleichfalls als Wiederholung, als Aufführung in der »Einbildungskraft« statt: Wie sie den Tiger der Schaubude »vor
kurzem gemalt gesehen« – »auf einen Mohren« losspringend,
»im Begriff ihn zu zerreißen« –, so erblickt die Fürstin das
lebende Tier, und auch Honorio sieht nur ein »Bild zu den
furchtbaren Bildern«. An diesen Imaginationen können fol-
gerichtig weder die Frau noch der Jüngling das Unange-
messene ihrer Wahrnehmung korrigieren: daß sie nämlich
ein zahmes, müdes und verstörtes Tier vor sich haben, das
vor seinem Verfolger flieht, ohne daran zu denken, sich selbst
auf ein Angriffsziel zu stürzen. Folgt derart der Tiger seinem
Bilde wie eine Karikatur, bleibt der Löwe ebenfalls seiner
Rolle als König der Tiere treu; er beweist jene großmütige
Majestät, die ihm von alters her zugeschrieben wird. Was der
Knabe an diesem Raubtier vollbringt, ist Ergebnis einer in
mehr als einem Sinn vorgängigen Dressur. Wie in jeder anderen »Arena« läßt sich das Zirkusungeheuer willig »im
Halbkreise« führen und die eingelernten Tricks abverlangen.
Auch die Darreichung der verletzten Tatze ist – als Wiederholung einer alten Legende – zumindest in den Augen der
stolzen Mutter nicht Demonstration eines kreatürlichen Vertrauens, sondern Vorführung eines besonders gelungenen
Kunststücks. Wenn also, wie in der Rede des Schaustellers
angedeutet, der König der Tiere dem Herrscher des Landes
gewissermaßen die Reverenz erweist, erscheint das unter den

herrschenden Umständen höchst zweideutig, fast als ein
Gruß unter professionellen Artisten. Und wo sonst als im
Hof der alten, verfallenen Stammburg könnte solches geschehen, an jenem Ort, der das Bemühen um politische Restauration in seinem Zwiespalt sinnfällig werden läßt? In
dem Bewußtsein, daß die alte Herrschaftsform endgültig die
überkommene Fülle ihrer Macht eingebüßt hat, denkt niemand daran, die ruinierte Burg wieder aufzurichten. Was die
Zeit als bloße Fassade überliefert hat, wird hingegen kon-
serviert und einer neuen Bestimmung zugeführt: »Ansichten
⟨...⟩ von verschiedenen Seiten« zu liefern. Erst in seiner
graphischen Verdoppelung kommt das Projekt des Fürst-
Oheims ganz zu sich selbst. Die Ruine darf nicht betreten
werden, bevor die Örtlichkeit so zugerichtet ist, daß die
Blicke der Betrachter zwangsläufig den vom Auge des Zeich-
ners vorgegebenen Perspektiven folgen. Zwar wird die
»Wildnis zugänglicher« gemacht, aber das geschieht auf eine
Weise, die dem künftigen Besucher nur einen »schmalen«, ja
»geheimen Weg« eröffnet. Dieses »Zauberschloß«, die Begeisterung des Restaurators macht es deutlich, wird seinen
wahren und angemessenen Ort unten im Stadtschloß erhalten, wo es als gemalte Tapete den »regelmäßigen Parterre«
des französischen Schloßgartens kontrastiert. Das »wirklich[e] Anschauen« des Originals kann, hat die »Kunst« ihr
Werk erst vollendet und sich alle »Natur« anverwandelt,
beinahe schon entfallen.

Die »Welt«, die Wirklichkeit besteht aus Wiederholungen.
Auch wer sich, wie Honorio, dieser Einsicht noch verschließt, entgeht nicht den Effekten der Repräsentation. Unversehens findet sich der Junker vor seiner Fürstin in der
überkommenen Pose des Minnenden, ohne jedoch seiner
Liebe die ihr angemessene Sprache verleihen zu können.
Denn die »Tafel« des Fürsten ist keine Tafelrunde, und wer
dort von der »Welt« erzählen kann, ist nicht auf ›aventiure‹
ausgegangen, sondern hat lediglich auf der vorgeschriebenen Kavalierstour mit ihrem touristischen Pflichtprogramm
die Fähigkeit erworben, eine provinzielle Hofgesellschaft

auf gehörige Art zu unterhalten. Zwar wird Honorio verheißen, er werde »überwinden«; doch am Löwen wird wenig später demonstriert, daß der Anschein eines solchen Sieges nur durch eine vorgängige Domestizierung erlangt werden kann. In der Haltung des gegen Abend der sinkenden Sonne nachsinnenden Hofjunkers deutet sich ein Zweifel an, ob das so Erreichte der Mühe wert sein wird. Gewiß, die Weissagung der Morgenländerin geht nach Westen, dort liegt Amerika und möglicherweise eine Zukunft, die mehr verspricht als eine Replik des restaurativen Spiels der Repräsentationen. Im Westen liegt aber auch das Reich des Todes, und mit seiner Pose bestätigt der Jüngling seine tiefe Melancholie und die Zugehörigkeit zum Reich ihres Gottes und Planeten Saturn. Ihm unterstehen die Weitgereisten und in diesem Sinne vielleicht alle Figuren der *Novelle*: Sie haben längst gesehen, was es von der »Welt« zu sehen gibt.

Von der Signatur der Melancholie sind die Akteure der *Novelle* nicht weniger deutlich gezeichnet als das Figurenquartett der *Wahlverwandtschaften*. Die Parallelen sind so augenfällig, daß man auch in dieser Hinsicht von variierender Wiederholung sprechen kann. War im Roman doch ebenfalls ein Bauprojekt auf den höchsten Punkt einer Anhöhe, einen Aussichtspunkt, plaziert worden – ein Lusthaus, das sich schon im Moment seiner Grundsteinlegung als eine Art ›Zauberschloß‹ erwies. Und in den *Wahlverwandtschaften* ging man ebenfalls daran, sich der eigenen Identität zu erinnern, indem man – das zeigen die Exempel von Kirche und Friedhof – das Alte restaurierte und dabei höchst gewaltsam umgestaltete, wenn nicht vollständig unterpflügte. In der *Novelle* richten sich beide Tätigkeiten, Neubau und Restaurierung, auf denselben Ort, so daß das alte Geschlecht, das den Stammsitz seiner Vorfahren wieder zugänglich macht, nicht allein seine Berufung zur Herrschaft beschwört, sondern sich auch die unausweichliche Disposition der Fürstenhäuser zu melancholischer Verstimmung in Erinnerung ruft. Anders als der verbürgerlichte Landadel der *Wahlverwandtschaften* will die Hofgesellschaft die feudale Ordnung des französi-

schen Gartens noch nicht missen, aber sie schafft sich daneben
›neue Anlagen‹, in denen die Natur durch höchsten Kunst-
aufwand inszeniert wird. Die Ruine wiederum, als klassischen Topos der Melancholie und der Kontemplation vergangener Größe, macht man in Bildern zum Teil des vertrauten spätfeudalen Ambiente. Zieht man von der Stadt zur
Gedenkstätte hinaus, durchquert man die vertrauten *loci* der
arkadischen Landschaft, die »heiterste Gegend«, »Frucht-
und Lustgärten«, ein »Wiesental« mit Quelle und parkähn-
lichen »Baumgruppen«, wobei jedoch der heiteren Seite der
Natur auch hier ihre dunkle direkt benachbart ist: die Ruhestätte des Pan, ein dämonischer Bereich, in dem Damen
straucheln oder stürzen und verborgene Leidenschaften sich
Bahn brechen. In der Topographie der *Novelle* ist damit
längst der Ort bestimmt, an dem ein »Untier« und »Ungeheuer« seinen Auftritt erhält, um in seinem Gefolge den
personifizierten Orient nach sich zu ziehen, der als Ursprung
aller Kultur noch vernehmlich mit der Stimme der Natur zu
sprechen scheint.

»Schwarzaugi[g], schwarzlocki[g]« – »bunt und wunderlich gekleidet«, ruft der Auftritt der Tierhalterfamilie Reminiszenzen an die Weisen aus dem Morgenland so gut wie
an die Heilige Familie auf. Doch zugleich handelt es sich um
ein pittoreskes Maskenspiel, und man darf annehmen, daß
die Schausteller nicht nur mit ihren Raubkatzen, sondern
auch mit ihrem eigenen Habitus das Bedürfnis eines europäischen Publikums nach exotischem Gepräge zu befriedigen
wissen. Immerhin versichert man sich bei Hofe der ritterlichen Vergangenheit noch jetzt, indem man Gewandtheit
beim Durchlöchern des »Türkenkopf[es]« und beim Auf-
spießen des »Mohrenhaupt[s]« demonstriert und so den Triumph des Abendlandes über den Orient ein ums andere Mal
auskostet. Was von den Repräsentanten des Okzidents als
eine »natürliche Sprache« vernommen wird, ist vielleicht nur
der wohlverstandene Dialekt derer, die stets die Rolle der
Verlierer zu spielen haben und immer aufs neue als Attrap-
pen fungieren; eine Sklavensprache, so unterwürfig wie sub-

versiv: »Ein Strom von Worten, wie ein Bach sich in Absätzen von Felsen zu Felsen stürzt«, kommentiert der Erzähler die Rede der Frau, in deren ›Übersetzung‹ nichts anderes beklagt wird als die Entfernung vom Ursprung, die Kontrafaktur des im alttestamentarischen Rätselspruch Verheißenen. Damit wird notiert, daß die mythische Überwindung des Wilden und seine Verwandlung in ein Nützliches zur kommerziellen Ausbeutung und Selbstausbeutung von Exoten heruntergekommen ist. Dasselbe Bild vom Lauf des Wassers gebraucht der Vater der Familie in einer Ansprache, die des Erzählers als eines Dolmetschers anscheinend nicht bedarf: Obwohl sie rätselhaft genug bleibt – scheint sie doch keinem Diskurs zu folgen und nur aus Digressionen zu bestehen. Gleichwohl geht diese Rede präzise auf *ein* Thema, wenn sie (im Blick auf die Stammburg) das Weichen des festesten Steins vor dem Wasser, den Sturz gekrönter Häupter beschwörend, diskret die Möglichkeit einer Revolution andeutet und diese als Wiederkehr einer anderen, mythischen Ordnung auslegt. Auch der zweite Teil der mit »natürliche[m] Enthusiasmus« gehaltenen Rede, der den Zuhörern wie ein Amalgam von Bibelsprüchen und physikotheologischen Kontemplationen der Schöpfungsordnung erscheinen mag, nimmt sich aphoristisch aus – thematisch ist das Gesagte dennoch konsistent. Nicht das sinnvolle Kontinuum, die Kette der Wesen, die das Kleinste mit dem Großen, die Insekten mit dem Menschen, selbst den Engeln verbindet, wird aufgerufen, sondern die Gewaltsamkeit, mit der die Menschen sich die ganze Natur unterwerfen und auch ihresgleichen in Herren und Knechte aufteilen.

Das eigentliche Schauspiel, das Kind und Löwe abschließend aufführen, hat nur den Wärter und die Mutter des Knaben zu Zeugen. »Der Fürst ist mit den Seinigen in die Stadt geritten, wo seine Hülfe nötig sein wird; Honorio, sobald er hört, daß der Löwe oben in Sicherheit ist, wird mit seinen Jägern folgen; der Mann aber wird sehr bald mit dem eisernen Käfig aus der Stadt da sein und den Löwen darin zurückführen. Dieses sind alles Dinge, die man voraussieht und die deshalb nicht gesagt und ausgeführt werden müssen. Täte man es, so würde man prosaisch werden.« (Goethe mit Eckermann, 18. 1. 1827.) Erstaunlich bleiben diese Dinge gleichwohl, zum einen wegen des offenbar unbegrenzten Vertrauens in die Dauerhaftigkeit der Liaison zwischen Kind und Raubtier, zum anderen wegen des vollständigen Fehlens aller Neugier auf ein solches Schauspiel von seiten der Hofgesellschaft. Das eine jedenfalls ist deutlich, daß mit dem Schluß der *Novelle*, wie immer man ihn einschätzt, nur ein transitorischer Moment beschrieben ist, der den gewohnten und erwartbaren Lauf der Dinge keineswegs unterbricht, sondern ihn im Gegenteil erst wieder in Gang bringt. Was hier als Versöhnung von Natur und Kultur erscheint, ist jener Kunst oder jenem Handwerk zu verdanken, mit dem alle Figuren des Textes beschäftigt sind: ihre Welt aus Repräsentationen, das heißt durch Wiederholung herzustellen. Die Stammburg, als eine Bühne perspektivischer Ansichten, ist für diese Inszenierung der rechte Ort. Denn der Gegensatz zwischen dem ›Wirklichen‹ und dem nur ›im Bilde‹ Bestehenden, von dem das Erzählen der *Novelle* scheinbar seinen Ausgang nimmt, markiert von Anfang an keine Antithese, sondern ein komplementäres Verhältnis: »⟨. . .⟩ und wirklich sah das Kind in seiner Verklärung aus wie ein mächtiger siegreicher Überwinder, jener zwar nicht wie der Überwundene, denn seine Kraft blieb in ihm verborgen, aber doch wie der Gezähmte, wie der dem eigenen friedlichen Willen anheimgegebene.« Das reiche Repertoire mythischer Quellen, das in dem großen Auftritt des flötespielenden Knaben aufgeschlossen wird, wie um die karge Gegenwart deutscher Kleinstaaterei zu transzendieren, macht nichts ›wirklich‹; es ermöglicht allein das verführerische ›wie‹ der Vergleiche: Ein Überwinder, aber kein Überwundener – als sei ein Gezähmter tatsächlich ein dem eigenen und nicht einem fremden Willen Unterworfener. Domestikation erscheint derart als primäre Leistung aller Kultur, weil sie im Spiel der Repräsentationen ermöglicht, an die Stelle gewaltsam ausgetragener Konflikte symbolische Lösungen zu setzen, in denen freilich die Antagonismen genauso verschwiegen werden wie die Kraft des Löwen in ihm selbst verborgen bleibt. Also hat es nichts gegeben, was zu versöhnen gewesen wäre – alle Vorleistungen, alle Gewaltsamkeit und aller Verzicht waren längst erbracht. In der Apotheose der Repräsentationen, im Gesang, wird aber durchschaubar, wie brüchig die Grundlage ist, auf der das ganz alltägliche Spiel mit Wirklichkeiten aufruht. Das einzusehen, kann den Figuren der *Novelle* nicht erwünscht sein; sie haben genug daran, »das Gefühl in und durch sich selbst aufregend« zu erhöhen. Dennoch kann der Leser in der Leichtigkeit, mit der das Lied des Knaben seine Ordnung verschiebt und seine Bedeutungen, fast nach Art eines Schüttelreims, durcheinanderwirbelt, die Möglichkeit eines »neuen Sinn[s]« erkennen, eines Sinns allerdings, der den prinzipiell repräsentativen Charakter von Welt und Natur nicht in einer Einheitsfiktion tilgt, sondern sich im Bezeichnen der Distanz zwischen Darstellung und Dargestelltem erst herstellt, das heißt in einer ausdrücklichen »Wiederholung«, der »wir uns auch nicht entziehen können«.

TEXTGRUNDLAGE

Die von Goethe eigenhändig korrigierte Handschrift des Schreibers John, die als Druckvorlage für den Erstdruck diente, hat sich erhalten. Unser Text beruht auf der Edition dieser Handschrift in AA (Erzählungen, Bd. 1, hg. v. Helmut Praschek, Berlin 1971).

STELLENKOMMENTAR

531 *Novelle*] Zur Geschichte des Titels und Goethes Verständnis des Begriffs vgl. »Äußerungen Goethes«. Goethe war sehr wohl mit der literarischen Tradition des Genres vertraut, insbesondere mit Boccaccios *Decamerone* (1349)

und Cervantes' *Novelas Ejemplares* (1613). Seine Formulierung von der »sich ereignete[n] unerhörte[n] Begebenheit« nimmt jedoch auf die zeitgenössisch noch vollkommen gebräuchliche Wortbedeutung von ›Novelle‹ als »Neuigkeit« Bezug, obwohl sich aus der medienspezifischen Gebrauchsform der Zeitungsnachricht längst ein Textgenre entwickelt hatte, das – mit Goethe – »bloß Erzählung oder was Sie sonst wollen« war. Ohne gattungstheoretischen Normen zu folgen, war die Novelle, in zahllosen ›Journalen‹ und ›Taschenbüchern‹ verbreitet, zur repräsentativen publizistischen Textsorte des frühen 19. Jahrhunderts geworden. Dabei schloß der Nachrichtencharakter eine literarische Überformung des Erzählens so wenig aus wie den Rückgriff auf schriftliche Vorlagen oder mündliche Tradition. Der Status einer zur ›hohen‹ Literatur zählenden Gattung wurde der Novelle erst in der Poetologie des bürgerlichen Realismus um die Mitte des Jahrhunderts verliehen.

533,7f. *Patrontäschchen* ⟨...⟩ *Dachsranzen*] Bestandteile der Jagdausrüstung.

533,19-23 *Des Fürsten Vater* ⟨...⟩ *genießen sollte*] Hier wird diskret auf die Französische Revolution und ihre Auswirkungen auf die feudalen Kleinstaaten in Deutschland angespielt. Sowohl die metaphorische Benennung der Bürger als »Staatsglieder« als auch die Restriktion, jeder solle »nach seiner Art« wirksam sein (vgl. Gen 1,21), lassen die nachrevolutionäre Staatsräson durchscheinen, wie sie in der im folgenden beschriebenen »Messe« ihren prägnanten Ausdruck findet: Die egalitäre Forderung nach Gleichheit wird umgedeutet in einen wirtschaftlichen Liberalismus, der die Grenzen der alten ständischen Ordnung nicht sprengen soll.

533,34 *zudringenden*] Dringlichen, anstehenden.

534,3 *auf dessen Vorstellung*] Nach dessen Darstellung, Darlegung.

534,15 *Honorio*] Zunächst sollte der Junker »Alfred« heißen. Der Name Honorio charakterisiert und typisiert seinen Träger (lat. honor: Ehre, Ruhm, Schönheit); ebenso ist der Oheim durch den Namen »Friedrich« (S. 534,13) bereits als

Adliger ausgewiesen. Die anderen Figuren der *Novelle* tragen keine Namen, sie sind durch ihren Stand oder Beruf bezeichnet.

534,17 *wohlgebildeten*] Wohlgestalteten.

535,9f. *Portefeuille*] (Franz.) Mappe.

535,10 *Cousine*] Allgemein: weibliche Verwandte.

535,27 *Zwinger*] Umgänge zwischen innerer und äußerer Burgmauer.

536,3 *Lokal*] Lokalität, Ort.

537,7 *Parterre*] Blumenbeete. Es ist an einen französischen Garten mit strenger geometrischer Ordnung zu denken. Zum Gegenentwurf des ›natürlichen‹ (englischen) Landschaftsgartens, der sich seit dem späten 18. Jahrhundert durchgesetzt hatte, vgl. *Wahlverwandtschaften* S. 271,13 und Anm.

537,25 *mich heute weit in der Welt umzusehen*] Möglicherweise eine – in Hinsicht auf die Begrenztheit des Fürstentums ironische – Anspielung auf die topische Herrschaft der Melancholie über alle Weitgereisten. Vgl. Honorios Projekt einer Reise S. 546,5-7 und 553,11-14 (auch *Wahlverwandtschaften* Anm. 278,28-34).

538,18f. *Güter- und Warenbreite*] Ausgedehnte Fläche zum Stapeln von Gütern und Waren.

538,35 *durften*] Konnten.

539,17 *brauschig ⟨. . .⟩ pauschig*] Wulstig – aufgebläht.

539,30f. *man konnte der Bemerkung nicht entgehen*] Es mußte einem auffallen.

539,37/540,2 *Tiger/Löwe*] Die gegensätzliche Charakteristik der beiden Raubtiere beruht hier, wie auch im folgenden, auf den Vorstellungen zeitgenössischer Naturkunde, die auf eine bis in die Antike zurückreichende Tradition zurückgehen. Demgemäß ist der Löwe als König der Tiere zugleich das gutmütigere Tier, während der Tiger sich durch Heimtücke und Grausamkeit auszeichnet.

540,23-32 *Dann ging es ⟨. . .⟩ empfing sie freundlich*] Die Landschaftsbeschreibung folgt in ihren wesentlichen Zügen der Topik des arkadischen ›locus amoenus‹.

542,10 *Pan schlafe]* Pan ist als Wald- und Weide-Gott der Herr Arkadiens (vgl. Anm. 540,23-32). Pan ruht in der Mittagsstunde; sein Schlaf kann nur um den Preis ›panischen‹ Schreckens gestört werden.

542,25 *unbewaffneten]* Bloßen.

542,27 *Dampf]* Qualm.

543,1 *Feueranstalten]* Vorkehrungen für den Fall eines Brandes.

543,7 *Schlag]* Knall, Explosion.

544,10 *wunderbaren]* Seltsamen.

544,11-545,10 *In das friedliche Tal ⟨...⟩ der rechten Hand]* Eine vergleichbare Szene findet sich in James Fenimore Coopers Roman *The Pioneers; or, The Sources of the Susquehanna* (1823; dt. 1824). Goethe las den Roman im Oktober 1826, als er den Plan zur Ausarbeitung der *Novelle* faßte.

544,32 *strack]* Sogleich.

545,9 *Hirschfänger]* Kurzes Jagdmesser.

545,11 *Lanzen- und Ringelspiel]* Ritterspiele nach mittelalterlichem Brauch: Lanzenduell zu Pferde bzw. Wurfübung, bei der es gilt, mit der Lanze durch aufgehängte Ringe zu treffen.

545,13/15 *Türkenkopf/Mohrenhaupt]* Zielattrappen beim Ritterspiel.

545,14 *flüchtig]* Schnell, leicht.

545,32 *darf]* Muß, brauche.

545,36-546,1 *Da ich nun einmal knie ⟨...⟩ untersagt wäre]* Der Kniefall des »Ritter[s]« (S. 545,2) vor der Dame verletzt den Kodex höfischer Konvention; unmißverständlich ruft er die topische Figuration der hohen Minne auf.

546,4 *Urlaub]* Reiseerlaubnis.

546,5 *weitern]* In die Ferne führenden.

546,6f. *wen Ihr beehrt ⟨...⟩ die Welt gesehen haben]* An Stelle der ritterlichen ›aventiure‹ ist längst die sog. ›Kavalierstour‹ getreten, deren gesellige Funktion für den höfischen Diskurs im folgenden genau benannt wird.

546,16 *gehoben]* Aufgehoben, beseitigt.

546,20 *Reisepaß]* Geleitbrief.

546,25-35 *hastig den Berg herauf* ⟨. . .⟩ *neben ihr kniete]* Der Auftritt der Tierhalterfamilie in ihrem orientalischen Habitus und ihren pittoresken Gewändern ruft Reminiszenzen an die Heilige Familie, aber auch an die drei Weisen aus dem Morgenlande auf.

546,26 *Gruppe]* Hier als Terminus der Kunstkritik gebraucht. Vgl. Eckermann im Gespräch mit Goethe (15. 1. 1827): »Eine schöne Situation‹, sagte ich, ist die, wo Honorio, der Fürstin gegenüber, am tot ausgestreckten Tiger steht, die klagende weinende Frau mit dem Knaben herzugekommen ist, und auch der Fürst mit dem Jagdgefolge zu der seltsamen Gruppe soeben herbeieilt. Das müßte ein treffliches Bild machen, und ich möchte es gemalt sehen. ›Gewiß‹, sagte Goethe, ›das wäre ein schönes Bild; – doch‹, fuhr er nach einigem Bedenken fort, ›der Gegenstand wäre fast zu reich und der Figuren zu viele, so daß die Gruppierung und Verteilung von Licht und Schatten dem Künstler sehr schwer werden würde. Allein den früheren Moment, wo Honorio auf dem Tiger kniet und die Fürstin am Pferde gegenüber steht, habe ich mir wohl als Bild gedacht; und das wäre zu machen.‹«

546,36-547,22 *Den gewaltsamen Ausbrüchen* ⟨. . .⟩ *Wehe wehe!]* Die Annahme einer »natürliche[n] Sprache« (S. 547,2), deren Zeichen sich in mimetischer Nähe zum Bezeichneten halten, steht im Diskurs des 18. Jahrhunderts über die Sprache und ihre Entstehung an zentraler Stelle (etwa: Jean Jacques Rousseau, *Essai sur l'origine des langues* [1761]; Johann Gottfried Herder, *Über den Ursprung der Sprache* [1772]). Dabei wird vielfach postuliert, daß sich Reste einer solchen Sprache bei den Naturvölkern und besonders in deren Dichtung ebenso erhalten hätten wie in den poetischen Büchern der Bibel und anderen alten Zeugnissen. Die Totenklage ist als Genre einer ›natürlichen‹ Rede beispielsweise in Herders *Volksliedern* vertreten. Die Schilderung einer indianischen Totenzeremonie mit einer sehr ähnlichen Kodierung des Fremden findet sich aber auch in James Fenimore Coopers Roman *The Last of the Mohicans* (1826). Die Behauptung, eine mündliche Rede dieser Art lasse sich nicht verschriftlichen oder überhaupt in eine diskursive Ordnung bringen, beruht auf einem Topos. Goethe selbst hatte Vergleichbares schon in *Wilhelm Meisters Lehrjahren* formuliert, wo Mignons Lied »Kennst du das Land« vom Erzähler als eine ungenaue und abgeschwächte Übersetzung durch Wilhelm Meister ausgegeben wird.

547,20f. *Speise von den Fressern, und süße Labung von den Starken]* Hier wird Simsons Rätselfrage aus Ri 14,14 zitiert: Simson hatte einen Löwen erlegt; im Bauch des Aases hatte sich ein Bienenschwarm niedergelassen, von dessen Honig sich Simson ernähren konnte.

547,30 *Blöße]* Lichtung, baumlose Fläche.

547,35f. *dem seltsamen unerhörten Ereignis]* Vgl. Anm. 531.

548,7 *mein Herr und mächtiger Jäger]* Biblische Redewendung in Erinnerung an Nimrod, den »erste[n], der Macht gewann auf Erden« (Gen 10,8f.).

548,6 *Es ist nicht Klagenszeit]* Vgl. Pr 3,4 und den Kontext.

548,14 *»Also]* Hier, wie im folgenden noch öfter, fehlen in der Druckvorlage die Abführungen zu den am Anfang einer wörtlichen Rede plazierten Anführungszeichen.

549,15 *die sanfte süße Flöte]* Flauto dolce (ital.); leicht spielbares Instrument, das jedoch im Lauf des 18. Jahrhunderts wegen seines zarten Tones von der Traversflöte weitgehend verdrängt wurde. – Das Motiv des wunderbaren Flötenspiels findet sich zeitgenössisch in Mozart/Schikaneders *Zauberflöte* (1790); man denke aber auch an die Sage vom Rattenfänger zu Hameln.

549,18 *Wärtel]* Wärter, Wächter (vgl. S. 548,29).

549,22 *entstellt]* Verstellt.

550,2f. *mit anständigem Enthusiasmus]* Die Rede des Mannes teilt mit der seiner Frau das Moment der poetischen Entrückung vom alltagssprachlichen Diskurs. Indem sich diese ›Begeisterung‹ aber, fast in einem Oxymoron, mit ›Anstand‹ verbindet, bedarf ihr »natürlicher« (vgl. S. 551,3) Ausdruck offensichtlich keiner ›Übersetzung‹ durch den Erzähler (vgl. S. 546,36-547,22 und Anm.).

550,4-551,2 *Gott hat* ⟨...⟩ *frommen Gesang]* In der Rede des Mannes, soweit sie Lobpreis der göttlichen Weisheit ist, klingt neben einzelnen Motiven auch der sprachliche Duktus des Gesanges der drei Männer im Feuerofen an, der als apokrypher Zusatz zum alttestamentlichen Buch Daniel überliefert ist (Stücke zum Buch Daniel 3,27-66). Überhaupt sind hier Elemente des alttestamentlichen Gotteslobes zu erkennen, wie es vor allem die Psalmen prägt.

550,6 *Seht den Felsen]* Vgl. Mt 6,26; eine vergleichbare Behandlung des Bildes in *Faust II*, V. 11844-11853.

550,19-22 *Warum seht ihr* ⟨...⟩ *die Ameise da!]* Vgl. Spr 6,6; 30,25. Das emphatische Lob des Kleinen gegenüber dem Fernliegenden, die physikotheologische Legitimation der Schöpfung bis hin zum ›Gottesbeweis‹ hat eine lange theologische Tradition, die bis zu den Kirchenvätern zurückreicht. Im frühen 18. Jahrhundert wird diese Tradition auch in der Literatur neu aufgenommen; prominentester Vertreter einer derart mikrologischen Naturlyrik ist Barthold Heinrich Brockes (*Irdisches Vergnügen in Gott*). Vgl. auch *Werther* S. 15,18-20 und Anm. sowie die vergleichbaren Motive in *Salomons Königs von Israel und Juda güldne Worte von der Zeder bis zum Issop*.

550,26-28 *denn das Pferd* ⟨...⟩ *kann nicht rasten]* Vgl. Hiob 39,19-25.

550,31f. *im Palmenwald trat er auf]* Vgl. Jer 5,6.

550,35f. *dem Ebenbilde Gottes]* Vgl. Gen 1,27.

550,37-551,2 *Denn in der Löwengrube* ⟨...⟩ *frommen Gesang]* Vgl. Dan 6,16-23. Daniel, der seinem Gott die Ehre nicht verweigern will, wird in die Löwengrube geworfen, bleibt aber, von einem Engel bewacht, unversehrt. Das folgende Lied des Knaben (S. 551,9) nimmt auf diese Legende Bezug. Von einem Gesang, den Daniel während seiner Gefangenschaft angestimmt hätte, berichtet die Bibel allerdings nicht.

551,12 *Engel schweben ihn zu laben]* In den apokryphen Stücken zum Buch Daniel (2,32-38) wird berichtet, der Prophet Habakuk sei von einem Engel am Schopf gefaßt und zur

Löwengrube gebracht worden, um Daniel Nahrung zu bringen. Goethe hat die Legende gern zitiert, unter anderem in seinem Bericht von der Begegnung mit einem schönen Knaben auf dem Schloß von Teplitz: »In dieser Mauerhöhle das schöne Wunderkind zu sehen, machte mich lächeln, ich dankte dem Genius, der mich bei dem Schopf herangezogen hatte.« (*Der deutsche Gil Blas*, 1821, FA Bd. 19.) Die Verbindung der Begebenheit mit der biblischen Anspielung macht deutlich, daß Goethe nicht etwa ein biographisches ›Vorbild‹ des Knaben der *Novelle* benennt, sondern daß es sich schon hier um eine literarisch kodierte Figur handelt.

551,13-16 *Löw' und Löwin* 〈. . .〉 *ihnen angetan!*] Das Motiv ist nicht biblisch: Unverkennbar wird auf den Mythos von Orpheus angespielt, der durch sein Singen und Musizieren Menschen, wilde Tiere und die gesamte Natur in seinen Bann zieht. Allerdings spielt Orpheus, anders als der Knabe der *Novelle*, nicht die Flöte, sondern eine Zither oder Leier.

551,20f. *zu anderer Ordnung durcheinanderschob*] Die Charakterisierung der vom Knaben hervorgebrachten Poesie nimmt wieder Bezug auf die ›natürliche‹, von der herkömmlichen Ordnung des Diskurses abweichende Sprache der orientalischen Familie (vgl. S. 546,36-547,22 und Anm.). Diese Art des Sprechens realisiert sich hier in einem aleatorischen Verfahren musikalischer Improvisation, das ›Sinn‹ nicht in einer fixierten Bedeutung sucht, sondern durch variierenden Gebrauch von Zeichen in immer neuen Kontexten erst herstellt (vgl. »Zur Deutung«).

551,34f. *Denn der Ewige* 〈. . .〉 *sein Blick*] Vgl. Jes 11,9.

551,36 *Löwen sollen Lämmer werden*] Überbietung der Verheißungen Jesajas vom messianischen Friedensreich; vgl. Jes 11,6f.; 65,25.

551,37 *Und die Welle schwankt zurück*] Vgl. Ex 14,21-30, Hiob 38,11.

552,1 *Blankes Schwert erstarrt im Hiebe*] Verbreitetes Märchenmotiv, etwa in *Tausendundeiner Nacht*, aber auch in mittelalterlichen Heiligenlegenden. Vgl. außerdem Gen 22,10 und Kontext.

552,2f. *Glaub' und Hoffnung* ⟨. . .⟩ *Liebe]* Vgl. 1. Kor 13,13.

552,30 ⟨*begleitet*⟩] Das Wort fehlt in Druckvorlage und Erstdruck. Es wird ergänzt nach einem Schema, das Goethe während der Konzeption dieser Passage entworfen hat. Dort heißt es: »Kind und Frau von Wartel begleite⟨t⟩«.

553,1 *Doppelbüchse]* Doppelläufiges Gewehr.

553,12 *Abend]* Westen; die Haltung des sinnenden Jünglings in der Stunde der Dämmerung verweist auf die ikonographische Tradition der Melancholiedarstellung. – In *Wilhelm Meisters Wanderjahren*, an denen Goethe zu gleicher Zeit wie an der *Novelle* arbeitete, besteht ein konstitutiver Zusammenhang zwischen der Haltung der ›Entsagung‹ (die auch Honorio in seiner Liebe zur Fürstin zu leisten hat; vgl. S. 553,13f.) und dem Plan der Emigration nach Amerika.

553,27 *deucht]* Dünkt.

554,30-37 *Indessen hatte* ⟨. . .⟩ *des Untiers]* Das Motiv vom Löwen, der sich von einem Menschen einen Dorn ausziehen läßt und dies mit Dankbarkeit vergilt, findet sich schon in der *Naturgeschichte* des Plinius. Bekannt ist die von Aelian und Aulus Gellius überlieferte Geschichte des entlaufenen Sklaven Androkles: In der römischen Arena vor die wilden Tiere geworfen, wird Androkles von eben jenem Löwen verteidigt, dem er einst geholfen hat. Daraufhin wird er begnadigt. Das Motiv taucht weiterhin in der Hieronymus-Legende und ebenso in den Geschichten aus *Tausendundeiner Nacht* auf.

555,21f. *nicht wie der Überwundene* ⟨. . .⟩ *wie der Gezähmte]* Eine vergleichbare Formulierung, die jedoch in ihrer optimistischen These, durch Versöhnung sei wahrhafte Überwindung zu leisten, von Goethes Satz entscheidend abweicht, gebrauchte Schiller in seiner Abhandlung *Über Anmut und Würde* (1793): »So lange der sittliche Geist noch *Gewalt* anwendet, so muß der Naturtrieb ihm noch *Macht* entgegenzusetzen haben. Der bloß *niedergeworfene* Feind kann wieder aufstehen, aber der *versöhnte* ist wahrhaft überwunden.«

555,32 *Hochtyrannen]* Neologismus; vgl. S. 550,31-37; auch Jer 5,6.

KLEINE PROSA

JUDENPREDIGT

Goethes Autorschaft an der *Judenpredigt* ist nicht zweifelsfrei gesichert. Die Zuschreibung erfolgt aufgrund einer Handschrift Friederike Oesers, die in deren Nachlaß gefunden und erstmals 1856 im ›Weimarischen Sonntagsblatt‹ (Nr. 50, S. 418f.) veröffentlicht wurde. Diese Handschrift ist heute verschollen. Sie soll mit einem Vermerk von Oesers Hand versehen gewesen sein, der auf Goethe als Verfasser hinwies. Die Handschrift eines unbekannten Abschreibers, die sich in der Sammlung Hirzel (Universitätsbibliothek Leipzig) befindet, trägt keinen Autorvermerk; sie weicht zudem in Einzelheiten von der Erstveröffentlichung ab.

Stammt die *Judenpredigt* von Goethe, so dürfte sie abgefaßt worden sein, als der Autor während seines Leipziger Studiums (1767/68) im Hause Oeser verkehrte. Da handschriftliche Belege fehlen, ist eine genauere Datierung nicht möglich.

Die *Judenpredigt* geht auf eine jüdische Legende zurück. Sie erzählt, der Messias werde am Jüngsten Tag auf einem Esel reitend erscheinen: Die Juden werde er vor sich aufs Tier nehmen, während die Andersgläubigen lediglich die Kruppe des Esels besteigen dürften. Man werde eine Brücke erreichen – möglicherweise überspannt sie das Rote Meer –, und diese Brücke werde zusammenbrechen. Dabei würden die Andersgläubigen abrutschen und ertrinken, die Juden aber gerettet werden (vgl. Ex 14; Sach 1,8; 2,1). – Die *Judenpredigt* verwandelt die volkstümliche Überlieferung in eine komische Apologie des Judentums, indem die Legende als Rollenrede eines jiddischen Sprechers präsentiert wird. Dieser parodistische Gestus kam wohl erst im mündlichen Vortrag des Textes durch einen mit dem Frankfurter Jiddisch vertrauten Sprecher richtig zur Geltung. Mehr als ein unterhaltender Scherz dürfte mit der *Judenpredigt* kaum intendiert gewesen sein.

Die These von der Autorschaft Goethes kann sich sowohl auf sein durch die Jugendschriften bezeugtes intensives Interesse am Studium des Alten Testaments und des Hebräischen als auch auf die gut belegten Kontakte mit dem Frankfurter Judentum und dem im Getto gesprochenen Jiddisch stützen, das sich zum Teil mit dem Frankfurter Lokaldialekt vermischt hatte. Wie umfassend Goethe das Jiddische beherrschte, läßt sich allerdings nicht mit Sicherheit taxieren.

James W. Marchand (Monatshefte 1958, S. 305-310) hat jedenfalls gezeigt, daß die in einem jüdisch-frankfurterischen Mischidiom abgefaßte *Judenpredigt* zwar charakteristische Eigenheiten des Jiddischen aufweist, in ihrer Wortwahl und ihren Flexionsformen von korrektem Jiddisch jedoch stark abweicht. Unterstellte man Goethe eine gründliche Kenntnis des Idioms, müßte man Goethes Urheberschaft in Zweifel ziehen. Doch liefert die linguistische Analyse kein hinreichendes Argument für diese Annahme. Statt dessen ist die Möglichkeit zu bedenken, daß Goethe seinem Leipziger Publikum eine Art exotischen Sprachspiels vorführen wollte, in dem es auf sprachliche Akribie nicht abgesehen war – in dem vielmehr zugunsten unmittelbarer Verständlichkeit der Parodie allzu durchgreifende Verfremdungen unterbleiben mußten. Zudem läßt sich vermuten, daß bei der Niederschrift eines primär auf mündlichen Vortrag konzipierten Kabinettstückchens das Deutsche als Schriftsprache normierend auf die Textgestalt einwirkte.

Unser Text folgt dem Erstdruck in der Fassung von DjG³, Bd. 1. Um die idiomatische Eigenart der *Judenpredigt* nicht zu beeinträchtigen, wurde die Orthographie des Erstdrucks nicht normalisiert.

Stellenkommentar

559,2 *Goyen]* Nichtjuden (von ›goj‹: Volk; Pl.: ›gojim‹).

559,3 *äch]* Euch.

559,6 *wäre]* Werden.

559,10f. *Düt-Horn]* Horn zum ›Tuten‹.

559,12 *gepöckert]* Verreckt, krepiert (von ›péjgern‹).

559,14 *Wonner]* Wunder.

559,23 *Wätel]* Wedel, Schwanz.

ARIANNE AN WETTY

Der Text ist in einem Konzeptheft überliefert, das sich im Nachlaß Charlotte von Steins befand. Dieses heute in der Universitätsbibliothek Straßburg aufbewahrte Konzeptheft enthält ansonsten Entwürfe zu Briefen, die Goethe aus Straßburg und Saarbrücken verschickte. Aus diesem Kontext läßt sich erschließen, daß die Niederschrift der Skizze im Frühjahr 1770 erfolgte. *Arianne an Wetty* ist wohl als Fragment eines Briefromans anzusehen; womöglich hat Goethe noch in späteren Jahren an dem Projekt gearbeitet. Jedenfalls hat er im Jahr 1774 seinem Freund Lavater ein entsprechendes Manuskript überlassen, aus dem sich dieser am 16. und 17. 7. einige Stichworte notierte. Sie sind den beiden Briefen als Paralipomena angefügt.

Der Briefroman hatte sich in der Mitte des 18. Jahrhunderts als das repräsentative Medium einer genuin bürgerlichen literarischen Kultur etabliert. In diesen Diskurs, der unter dem Titel der ›Empfindsamkeit‹ Instrumente zur Selbstverständigung des Publikums bereitstellte, trat auch Goethe mit den aus *Arianne an Wetty* überlieferten Fragmenten ein. Allerdings lassen sich weder im Räsonnement des ersten Briefes noch an dem im zweiten Brief vorgestellten Damenreigen Ansätze zu einer Ökonomie romanhafter Darstellung oder gar eines erzählerischen Konzeptes erkennen.

Anders als manche Privatbriefe des jungen Goethe, anders aber auch als die Briefe Werthers, inszenieren Ariannes Briefe nicht jene Emphase des Gefühls, die leicht als unmittelbarer Ausdruck von Empfindung genommen werden könnte. Vielmehr betreiben sie mit einigem Aufwand an quasi-theoretischem Räsonnement so etwas wie Empfindungs-Analyse. Das gilt vor allem für den ersten Brief, der Anregungen aus der Naturphilosophie und Anthropologie des 18. Jahrhunderts aufnimmt. Unverkennbar sind Einflüsse französischer Philosophen, mit deren Schriften Goethe in Straßburg bekanntgeworden ist (vgl. auch *Dichtung und Wahrheit*, 11. Buch). Das gilt vor allem für den ersten Brief. Hier wird (anders, als der Schreiber behauptet) sehr wohl zu widerlegen versucht, was als »Walter[s]« Argument vorausgesetzt wird, die These nämlich, Liebe lasse sich auf die Motive von »Stolz und Eigennutz« reduzieren. Dieser oberflächlichen Auffassung wird mit einer anthropologisch fundierten Theorie der Affekte und Sinne begegnet: Sie werden als Ausdruck und Medium eines Lebendigen verstanden, das sich selbst in seiner Sinnlichkeit genießt und in bloßer Kontemplation, wie der Gesichtssinn sie leistet, nicht aufgeht. Die von Lavater überlieferten Zitate scheinen diese Reflexion geradezu in Richtung auf eine Phänomenologie der Empfindung hin fortzutreiben. Zugleich belegen sie die Lektürepraxis eines anderen Teilnehmers am empfindsamen Diskurs: Ohne Scheu bricht Lavater einen fiktional-argumentativen Zusammenhang auf, um zum eigenen Gebrauch eine literarische Blütenlese zu erstellen.

Wie eigentümlich der von Arianne proklamierte Sensualismus sich zwischen den Polen einer elaborierten, äußerst kontrollierten Gefühlskultur und dem Hedonismus einer leicht zynischen Libertinage bewegt, illustriert der zweite Brief. Charakteristisch ist die Wechselbewegung von der Apotheose einer in der Dynamik ihrer Affekte gebändigten, auf Dauer angelegten Freundschaft zur Denunziation einer nur im Genuß des Augenblicks sich realisierenden Liebe, die keinen Bestand haben kann oder darf. – In der Situation des

mit dem aktuellen Geliebten der Adressatin an einem Tisch
schreibend Vereinten meldet sich dabei schon unverkennbar
die Konstellation einer *ménage à trois* an, die – ganz in der
Tradition des europäischen Briefromans – für die Konzeption von Goethes *Werther* strukturbildend wird (vgl. dort,
»Zur Deutung«). Es scheint, als solle das hektische ›name-
dropping‹ verflossener Geliebter, mit dem sich Arianne vor
Wetty brüstet, einige Unsicherheit gegenüber den eigenen
Empfindungen kaschieren, als sei der erotische Genuß des
Gegenwärtigen nur Vorwand für die reflexive Bearbeitung
des Affekts im Medium sentimentalischer Erinnerung. Doch
was an solcher Seelenfreundschaft ›heilig‹ ist, entpuppt sich
im selben Satz als Effekt einer dressurgleichen Konditio-
nierung, eines ›Menaschierens‹. Mit den Spannungen, die
sich hier auf wenigen Seiten andeuten, eröffnet *Arianne an
Wetty* schon die Perspektive einer Selbstkritik der literarisch
artikulierten Unmittelbarkeit. Solch kritische Distanz kenn-
zeichnet insgesamt Goethes Beitrag zum Diskurs der Empfindsamkeit.

Textgrundlage ist die Handschrift nach der Edition in
DjG³, Bd. 2.

Stellenkommentar

560,1 *Arianne]* Wie aus dem Text deutlich wird, als Män-
nername zu verstehen.

560,6 *superfiziellen]* Oberflächlichen.

560,20 *Der kälteste Sinn ist das Sehen]* In Herders Abhandlung *Über den Ursprung der Sprache* (I 3) findet sich die Bemerkung: »Das Sehen ist der kälteste Sinn.« Das hat die
ältere Forschung zu der Annahme geführt, *Arianne an Wetty*
setze Herders Schrift als Quelle voraus und sei darum auf
Ende 1770/Anfang 1771 zu datieren. Diese These kann edi-
tionsphilologisch als widerlegt gelten. Um so mehr macht die
Koinzidenz der Formulierungen auf eine gemeinsame Tradition aufmerksam, derer sich Goethe wie Herder bedienen

konnten. Hier sind insbesondere die französischen Philosophen des 18. Jahrhunderts wie Buffon, Condillac, Diderot, Holbach und Bonnet zu nennen, die sich eingehend mit der Analyse der menschlichen Sinne beschäftigt hatten.

560,22 *Ansprache*] Anspruch.

560,31 *Und so*] Wahrscheinlich ist ein Manuskriptblatt verlorengegangen, das die Verbindung zum vorigen herstellte.

561,35 *Ca-o*] Der Name ist in der Handschrift nicht klar zu entziffern; wenn er tatsächlich, wie früher angenommen, auf Constanze Breitkopf zu beziehen wäre, ergäbe sich ein Wortspiel: ›constantia‹ – o Beständigkeit.

562,20 *menaschieren*] Mäßigen, sorgsam behandeln.

ÜBER DAS WAS MAN IST

Die vorliegenden Fragmente hat Lavater im Tagebuch seiner Reise nach Ems überliefert. Dort finden sie sich in unmittelbarer Nachbarschaft zu den Notaten aus *Arianne an Wetty*; gleichwohl handelt es sich nicht um Bruchstücke des Romans, denn Lavater vermerkt mit Datum vom 15. 7. 1774: »Basedow ⟨. . .⟩ las uns einen herrlichen Aufsatz von Goethe *über das was man ist*. Leßing ist nichts, und alles was er sein will.« Am 16. 7. wird »noch aus dem Aufsatz« der zweite Absatz des Textes wiedergegeben.

Im Blick auf die Bemerkung über Lessing ist darauf verwiesen worden, sie sei möglicherweise in kritischer Wendung gegen die Maxime »Man kann, was man will; Man will, was man kann!« zu verstehen, die von dem in Lavaters Kreis als ›Gottes Spürhund‹ verehrten Rousseauisten Christoph Kaufmann (1753-1795) stammt. Die Pointe der Goetheschen Bemerkung ist allerdings nicht nur durch die Anbindung ans literaturkritische Genus eine ganz andere. Unverkennbar wird auch auf die mythische Figur des Proteus angespielt, der jede beliebige Gestalt annehmen kann. Das Räsonnement des zweiten Notats spielt auf die zeitgenössische Debatte um

eine Reform der Pädagogik an; vielleicht wurde der Aufsatz
aus diesem Grund Basedow überlassen, dessen stark syste-
matisierter Lehrmethodik Goethe mit einiger Skepsis ge-
genüberstand (vgl. *Dichtung und Wahrheit*, 14. Buch).

Unser Text folgt dem Erstdruck (*Goethe und Lavater*, hg. v.
H. Funck (s. S. 1236), Weimar 1901) in der Edition von
DjG³, Bd. 4.

Stellenkommentar

564,8 *Hofmeister]* Erzieher und Hauslehrer der Söhne
vornehmer Häuser; vgl. S. 220/21, Werthers Bemerkung zu
Lotte: »Das könnte man drucken lassen ⟨...⟩ und allen Hofmeistern empfehlen.«

⟨BESCHREIBUNG EINER SCHWEIZER LANDSCHAFT⟩

Der Text steht rechtsseitig auf einem Großfoliobogen; links
findet sich die dazugehörige Skizze (vgl. Abb. 1, nach
S. 624). Möglicherweise sollte das Notat als Gedächtnis-
stütze bei einer für später geplanten Ausführung der Zeichnung in Farbe dienen. – Festgehalten ist der Ausblick vom
Rigi auf den Vierwaldstätter See. Das macht wahrscheinlich,
daß Text und Zeichnung auf Goethes Schweizer Reise am
19. 6. 1775 entstanden sind.

Textgrundlage ist die Edition der Handschrift in DjG³,
Bd. 5.

Stellenkommentar

565,4 *Runsen]* Wasserrinnen an einem Berghang.

Dritte Wallfahrt nach Erwins Grabe
im Juli 1775

Der Text erschien zuerst in *Neuer Versuch über die Schauspiel-kunst, aus dem Französischen des Mercier übersetzt von H. L. Wagner* (Frankfurt 1776). Dieser von Goethe angeregten Übersetzung war ein »Anhang aus Goethes Brieftasche« bei-gegeben, der unter anderem die *Dritte Wallfahrt nach Erwins Grabe* enthielt. Entstanden ist der Text am 13. 7. 1775, als Goethe auf dem Rückweg von seiner Schweizer Reise in Straßburg Station machte. Anscheinend wurde die *Dritte Wallfahrt* tatsächlich auf der Plattform des Münsterturms abgefaßt, während der Autor auf seinen Freund Jakob Michael Reinhold Lenz wartete.

Die Einteilung in drei Stationen läßt sich topographisch auf die beiden Galerien und die Plattform des Münsterturms beziehen; der allmähliche Aufstieg, die immer weitere Aussicht und zunehmende Distanz zur »verzerrten Stadt« bestimmen die Struktur des Textes als eine der langsam gesteigerten Emphase. Mit der Einteilung in Stationen zitiert die Goethesche *Wallfahrt* zugleich das literarische Genus der Wallfahrtsbüchlein und -gebete, wie sie von Pilgern an Wallfahrtsorten benutzt werden. Als Goethe auf seiner Schweizer Reise am 15. 6. 1775 den Wallfahrtsort Maria Einsiedeln besuchte, mag er auf entsprechendes Schrifttum aufmerksam geworden sein.

Ihrem Gehalt und ihrer rhetorischen Zurichtung nach nimmt die *Dritte Wallfahrt nach Erwins Grabe* Motive aus dem Aufsatz *Von deutscher Baukunst* wieder auf, den Goethe 1773 in Herders Sammlung *Von deutscher Art und Kunst* publiziert hatte. Der hymnische Charakter des Lobpreises hat hier sein religiöses Formular gefunden. Mit bemerkenswerter Selbstverständlichkeit wiederholt sich in der Profanierung einer religiösen Zweckform die Verschiebung vom Lob des Welt-Schöpfers auf den Schöpfer eines Artefakts, das ursprünglich ein Ort der Verehrung jenes anderen Schöpfers war. Mit diesem Tausch der Gegenstände geht freilich eine weitere Verschiebung einher, die in der *Dritten Wallfahrt* mit seltener Konsequenz durchgeführt wird: Die Kontemplation des Kunstwerks als Ausfluß der »Schöpfungskraft« eines anderen kann nur gelingen, indem solche Reflexion selbst wieder produktiv wird. Sie ist eigentlich nur noch im ›Schreiben‹ möglich, einem Schreiben, das zwar wieder auf Mitteilung an einen entsprechend disponierten Leser angelegt ist – das aber gleichwohl seine »krützlenden Strich[e]« an die Stelle des vorgeblich gepriesenen Gegenstandes setzt, um sich in seiner Emphase selbst zu bespiegeln und zu feiern.

Eine Handschrift der *Dritten Wallfahrt* ist nicht erhalten. Unser Text folgt DjG³, Bd. 5.

Stellenkommentar

566,1 *Dritte Wallfahrt*] Als literarische Inszenierung einer ›ersten Wallfahrt‹ wird im Titel des vorliegenden Textes der 1773 in Herders Sammlung *Von deutscher Art und Kunst* veröffentlichte Aufsatz *Von deutscher Baukunst. D. M. Ervini a Steinbach* verstanden. Eine ›zweite Wallfahrt‹ fand während des Straßburgaufenthaltes vom 24. bis 26. 5. 1775 statt, als Goethe sich mit den Brüdern Stolberg auf dem Wege in die Schweiz befand.

566,12-15 *Wie viel Nebel* ⟨. . .⟩ *im Nebel*] Diese Sätze wurden zuerst separat (mit dem Zusatz »Aus einer Handschrift«) als Motto in der Zeitschrift ›Iris‹ (4. 9. 1775) gedruckt. Goethe hatte den Text an Jacobi geschickt.

566,19 *Sturze des gewaltigen Rheins*] Der Rheinfall in Schaffhausen.

566,23 *großen Gedanken der Schöpfung*] Vgl. Klopstock *Der Zürchersee* (1750): »⟨. . .⟩ schöner ein froh Gesicht, | Das den großen Gedanken | Deiner Schöpfung noch einmal denkt«.

566,27 *das da ist* ⟨. . .⟩ *da sein wird*] Vgl. Offb 1,4; 1,8.

567,6 *der verzerrten Stadt*] Gemeint ist die Sichtweise aus der Vogelperspektive.

567,10 *liebwärts*] Der Liebe zu (biographisch als Reminiszenz an Lili Schönemann zu verstehen).

567,12f. *Blatt verhüllter Innigkeit, das wenige lasen*] Goethes Aufsatz (vgl. Anm. 566,1) fand zunächst kaum Beachtung.

567,28 *Anspulen*] Im Druck von 1832 »Anspülen«.

568,1 *Raritätenkasten*] Guckkasten.

568,7 *durch Lenzens Ankunft*] Vgl. Jakob Michael Reinhold Lenz an Caroline Herder (13. 7. 1775): »Goethe ist bei mir und wartet mein schon eine halbe Stunde auf dem hohen Münsterturm.«

SALOMONS KÖNIGS VON ISRAEL UND JUDA GÜLDNE
WORTE VON DER ZEDER BIS ZUM ISSOP

Ein Doppelfolioblatt mit dem Text der Fabeln in Goethes Handschrift ist im Nachlaß von Sophie La Roche überliefert. Auf dieser Grundlage wurde das Werk zum ersten Mal 1861 in einem Privatdruck publiziert. Allerdings hatte bereits Achim von Arnim, offensichtlich auf eine ungenaue Abschrift Bettine von Brentanos gestützt, einen Teil der Fabeln in seiner ›Zeitung für Einsiedler‹ (12. 4. 1808) publiziert.

Eine präzise Datierung des Textes ist nicht möglich. Die Überlieferung im Nachlaß von Sophie La Roche deutet auf eine Entstehung während Goethes Frankfurter Zeit (vor Oktober 1775). Am 1. 12. 1774 hatte Goethe das erste Heft der Zeitschrift ›Iris‹ und damit Johann Georg Jacobis Aufsatz *Dichtkunst. Von der poetischen Wahrheit* erhalten, in dem der Autor sich ausführlich über das biblische Genus der Tier- und Pflanzenfabel äußerte. Mit hoher Wahrscheinlichkeit ist anzunehmen, daß Goethe durch Jacobis Abhandlung angeregt wurde, selbst Pflanzenfabeln zu schreiben. Jacobi führt aus: »In Pflanzen und Tieren ist Empfindung, Leben, Fähigkeit, Hang, es sind unter ihnen Verhältnisse: das entwickelt der Dichter, und hebt es empor. Stumme Bewegungen, und einfaches Geschrei verwandelt er in menschlichen Ausdruck. Wie solches, von der Zeder bis zum Ysop, vom Könige der

Wälder bis zur Ameise geschehe, will ich meinen Leserinnen, so bald Sie mich fragen, was die Fabel sei, erklären.« Diese Sätze dürften Goethe zum Titel seiner kleinen Sammlung angeregt haben – Jacobi zitiert 1. Kön 5,12f.: »Und er [Salomo] dichtete dreitausend Sprüche und tausendundfünf Lieder. Er dichtete von den Bäumen, von der Zeder an auf dem Libanon bis zum Ysop, der aus der Wand wächst.«

Von den biblischen Pflanzenfabeln ist vor allem die in 2. Kön 14,9 überlieferte Fabel vom Dornstrauch in Goethes Text wiederzuerkennen: »Der Dornstrauch, der im Libanon ist, sandte zur Zeder im Libanon und ließ ihr sagen: Gib deine Tochter meinem Sohn zur Frau! Aber das Wild auf dem Libanon lief über den Dornstrauch und zertrat ihn.« (Vgl. auch Ri 9,8-15; Jes 14,8.) – Goethes Fabeln lehnen sich in ihrer Kürze und Prägnanz an alttestamentarische Referenztexte an. Diese stehen allerdings in den biblischen Büchern in einer anderen Art von Kontext, aus dem jeweils ihr parabolischer Sinn unmittelbar deutlich wird. Für den zyklischen Charakter der von Goethe vorgelegten Sammlung, die vom Größten bis zum Kleinsten ein Kaleidoskop von Pflanzencharakteren entwirft, gibt es kein biblisches Vorbild. So entsteht einerseits der Eindruck formaler Geschlossenheit, zugleich aber bleibt die Bedeutung mancher der einzelnen Stücke auf erstaunliche Weise offen. Um die durchgängige Pflanzenmotivik werden in aller Unbefangenheit Referenzen auf Salomo, auf die mythische Zeit der Riesen, auf Motive des Rokoko (das bekränzte Mädchen, der Papagei) und des Sturm und Drang (der Wanderer) gruppiert. Unverkennbar sind außerdem die Reminiszenzen an *Werthers Leiden* (die gefällten Bäume, das Gräslein, der Waldstrom). Die Zeder, als größter und stolzester Baum Zentralfigur der Sammlung, erscheint in immer neuen Konstellationen und wird mit durchaus heterogenen Bedeutungen assoziiert (vgl. Nr. 11 mit Nr. 15). Dabei läßt sich die Zeder keineswegs ausschließlich als Repräsentantin von Größe, gar als allegorische Figuration des Genies vereinnahmen. Auch die Sammlung im ganzen ist nicht etwa Ausdruck eines kohärenten, neuen Verständnisses von ›Natur‹. Gerade die spielerische, literarisch höchst bewußte Transformation eines überkommenen Genres, die Exploration von dessen Potentialen zur Aneignung zeitgenössischer Diskurse, macht den Reiz der *güldnen Worte* aus.

Unser Text folgt der Handschrift in der Edition von DjG³, Bd. 5.

Stellenkommentar

569,3 *Issop*] Ysop, Heil- und Gewürzpflanze, die im Judentum zur rituellen Reinigung Verwendung fand (vgl. Ps 51,9).

569,10 *Dörner*] Dornen, Dornsträucher.

569,11 *wie Wellen des Meers*] Anklang an Hiob 38,11.

570,5 *Schätze aus Ophir*] Region im südlichen Arabien, mit der Salomo Handel trieb (vgl. 1. Kön 10,11).

570,24f. *Was mag der Fürst für Absichten haben!*] Vgl. das Motiv der gefällten Nußbäume in Werthers Brief vom 15. 9. [1772].

571,15f. *Alles ist gleich vor dem Herrn*] Ein direkter Bezug auf ein biblisches Prophetenwort liegt nicht vor.

DER HAUSBALL

Das Fragment stellt eine mit hoher Wahrscheinlichkeit von Goethe vorgenommene Bearbeitung der im gleichen Jahr 1781 anonym erschienenen Erzählung desselben Titels dar (*Der Hausball. Eine Erzählung v. V****, Wien, gedruckt bei Joh. Thom. Edl. v. Trattner, 1781; 86 p. in Duodez). Der einleitende Abschnitt sowie der Schlußsatz des Textes werden Goethe zugeschrieben; ansonsten hat er lediglich mit kleinen Korrekturen in eine von seinem Schreiber Seidel angefertigte Abschrift der Vorlage eingegriffen. In der so entstandenen Form erschien *Der Hausball* dann in dem von

Göchhausen redigierten ›Tieffurter Journal‹, einem Zirku-
lar, das jeweils in wenigen (handschriftlichen) Exemplaren
im Kreis der Weimarer Hofgesellschaft kursierte.

Auf die literarischen Erwartungen dieser Hofgesellschaft
ist Goethes Bearbeitung der Vorlage zugeschnitten. Erkennbar hat sich der Autor damit einer Pflichtaufgabe entledigt
und mit wenig Zeitaufwand einige Seiten gefüllt. Der offene
Schluß des redigierten »Auszuge[s]« wirkt fast als Affront; er
verweist aber auf die literarische Mechanik eines Genre-
stücks, das ganz auf eine vertraute Lustspiel-Dramaturgie
und deren stehende Figuren und Typen baut – so daß der
weitere Verlauf der häuslichen Komödie im Prinzip absehbar
ist.

Ein seltsames Licht fällt freilich von dieser Geschichte aus
dem ganz alltäglichen Hochstaplerwesen zurück auf die in
der Einleitung scheinbar so emphatisch begrüßte Proklamation des Josephinismus. Zwar wird dem neuen Herrscher
wie seinen begeisterten Untertanen nicht allein ein guter,
sondern gleich der »schönst[e] Tag« gewünscht. Doch auch
darin steckt Ironie, beachtet man, wie hier mit der Metapher
der Morgenröte, dem Emblem der Aufklärung schlechthin,
gespielt wird. Kann man die Wiener in ihrer »rohe[n] Art«
von Begeisterung für den Monarchen mit exotischen Wilden
wie den Sonnenanbetern gleichsetzen, so ist es um die von
oben verordnete Aufklärung nicht allzu gut bestellt. Und die
Prognose für den neuen Tag kann nicht günstig ausfallen,
wenn er seine ersten, noch nebelhaften Anzeichen an Erzählungen wie der vorliegenden hat, zumal deren Text gleich
den Verlautbarungen der anderen Ehrenbezeugungen »un-
lesba[r]« bleibt.

Die hier zugrunde gelegte Edition von AA (Erzählungen,
hg. v. Helmut Praschek, Berlin 1971) folgt der Handschrift
von Goethes Schreiber Philipp Seidel mit Korrekturen von
Goethes Hand. (S. 572,16 ist ein Plural-⟨e⟩ ergänzt; S. 573, 8
ist »im sich« zu »in sich« korrigiert.) – Diese Handschrift
diente auch als Vorlage für die sechs erhaltenen Reinschriften
der Erzählung im ›Journal von Tieffurt‹, in dem der Text in

zwei Folgen (im ersten und neunten Stück) erschien. Im Druck wurde der Text erstmals 1873 in der von Hempel besorgten Ausgabe von Goethes Werken publiziert.

Stellenkommentar

572,2 *Eine Deutsche Nationalgeschichte]* Der Untertitel, in Analogie zum ›Nationaltheater‹ gebildet, ist ironisch zu verstehen.

572,4 *Hauptstadt]* Wien.

572,6 *die Morgenröte des schönsten Tages]* Eine der prägnanten Metaphern in der Selbstverständigung der europäischen Aufklärung; hier bezogen auf die Herrschaft Josephs des II., der seit 1780 als Alleinregent des Hauses Habsburg fungierte und das Programm eines ›aufgeklärten‹, das heißt eines modernisierten und reformwilligen Absolutismus vertrat (›Josephinismus‹).

572,9f. *wilden Sonnenverehrern]* Die Anhänger des Zoroaster galten in Europa fälschlich für ›Sonnenanbeter‹.

572,15 *versehren]* So in der Handschrift, es wäre wohl sinnvoller, ›verehren‹ zu lesen.

572,19f. *unlesbaren fliegenden Schriftchen]* Die Lockerung der Zensur im Josephinismus brachte eine Konjunktur des Pressewesens hervor; die entsprechenden Flugschriften waren wegen ihrer schlechten Druckqualität oft schwer zu entziffern.

572,26 *Hornung]* Februar.

572,26f. *auf Subskription]* Mit Karten, die gegen Vorkasse ausgegeben wurden.

573,6 *zweideutigen Raum]* Raum, der zu zwei oder mehreren Zwecken genutzt wird.

573,12 *Gulden]* Der Wert der Münze war regional verschieden.

573,15 *Souper]* Nachtessen.

573,24 *fl]* Florin: Gulden.

573,24f. *verschreiben]* Gutschreiben, im Sinne einer Rückzahlungsverpflichtung.

573,25 *Pinsbekenen]* Unecht (von engl.: ›pinchbeck‹), also nicht massiv gearbeitet, sondern lediglich vergoldet oder versilbert.

574,3f. *moderierte Kosten]* Ermäßigte Gebühren.

574,7f. *Souverain d'or]* Habsburgische Goldmünze.

574,15 *Kr]* Kreuzer.

574,26 *Patron]* Hausherr.

574,29 *en masque]* Maskiert.

574,33 *Schnallen]* Zierschnallen an den Schuhen, oft aus Edelmetall.

574,33 *Dose]* Schnupftabaksdose.

574,35 *diensthülflichen Manne]* Gemeint ist ein Pfandleiher.

575,16 *Prokurator]* Rechtsanwalt.

576,2 *Darzählen]* Aufzählen.

576,4 *Groschen]* Kleine Münze von regional unterschiedlichem Wert.

576,25 *Össe]* Esse: Schornstein.

576,33 *Össenkehrer]* Schornsteinfeger.

576,34f. *Dukaten]* Goldmünze.

576,35 *Pfuhl]* Kissen.

REISE DER SÖHNE MEGAPRAZONS

Unter dem Datum »Pempelfort, November 1792« berichtet Goethe in der *Campagne in Frankreich* über die Arbeit an seinem satirischen ›Reise-Roman‹ und deren baldigen Abbruch:

Ich hatte seit der Revolution, mich von dem wilden Wesen einigermaßen zu zerstreuen, ein wunderbares Werk begonnen, eine Reise von sieben Brüdern verschiedener Art, jeder nach seiner Weise dem Bunde dienend, durchaus abenteuerlich und märchenhaft, verworren, Aussicht und Absicht verbergend, ein Gleichnis unseres eignen Zustandes. Man verlangte eine Vorlesung, ich ließ mich nicht viel bitten und rückte mit meinen Heften hervor; aber ich bedurfte auch nur wenig Zeit, um zu bemerken, daß nie-

mand davon erbaut sei. Ich ließ daher meine wandernde
Familie in irgend einem Hafen und mein weiteres Manuskript auf sich selbst beruhen.

Jene ›Vorlesung‹ hatte in Pempelfort stattgefunden, wo
Goethe auf der Rückreise vom Feldzug gegen das revolutionäre Frankreich am 6. 11. 1792 angekommen war. Bis zum
4. 12. war er zu Gast im Hause Friedrich Heinrich Jacobis.
Zuvor hatte er am 2. 11. in Trarbach Station gemacht. Da das
Papier der Handschrift aus einer nahe gelegenen Papier-
mühle stammt, lassen sich die erhaltenen Fragmente mit großer Sicherheit auf den November 1792 datieren. Freilich ist
nicht auszuschließen, daß Goethe schon zuvor – oder auch
noch später – an der *Reise der Söhne Megaprazons* gearbeitet
hat. Erhalten ist ein Schema, das früher als die erhaltenen
Textfragmente entstanden ist (AA, Erzählungen, Bd. 2): –

Megaprazon erwacht und ruft Epistemon.

Nachricht von den Söhnen.

Sie kommen an

Anrede

Sie haben sich proviantiert.

Lobrede auf die Häuslichen

Es wird alles eingeschifft.

Man geht zu schiffe.

Golfo von Neapel.

Weiter Reise Fäßchen und Rede des Megaprazon

Gedanken der sechs Brüder.

Megaprazon wirft das Fäßchen ins Meer.

Entsetzen weiter Reise.

Der Steuermann behauptet sie seien bei
   der Insel Papimanie

Streit darüber

Entscheidung.

Sie fahren nach der andern Insel.

Panurgos Vorschlag

Wird bewundert

Er steigt aus mit ihm x et. y

Er kriegt schläge

X. rettet ihn entschuldigt ihn man entdeckt
   den Irrtum.
Sie werden gut aufgenommen
Die Papefiguen erzählen den Zustand ihrer
   Insel.
Offerte ob sie bleiben wollen
Bedingung. Gefallen nicht gehen ab.
Fahren nach Papimanie.
Kommen nachts an. steigen aus
Maskerade. machen sich auf den Weg.
Nacht. Fangen den Pygmeen.
Bringen ihn ans Feuer.
Erzählung des Pygmeen.
Morgens nach Papimanie
Werden trübselig empfangen
Die Maskerade tragt nichts ein.
Erkundigen sich nach näherer Insel
Erzählen von der Insel der Monarchomanen.
Vulkan.
Zerspalten der Insel 3 Schwimmende Teile.
Residenz. Aristemon nah gesehen. Man zeigt
   sie von fern.
Abschied.
Sie fahren fort legen sich bei Windstille
   vor Anker.
Politisieren des Nachts schlafen ein.
Erwachen. sehen die Insel nicht mehr.
Schwimmende Einsiedler.
Erzählung.
Doktrin
Versuche
=Anzeige der Residenz
Abschied
Finden die Residenz
Beschrieben. Isole Borr.
Tafel des Cebes pp.
Absteigen. Cadavers.

Castellan.

Besehen sich.

Unleidiger gestank. Einfall des Panurgen.

 Werden in die See geworfen.

Die Residenz gereinigt.

Man genießt.

Entdeckung des Panurgens.

Xaris. Eifersucht der Brüder

Prätension. Bedingung des Vaters

Sechse bereiten sich

Morgen

Entdeckung

Beschreibung Venus und Mars.

Trost der andern.

Da die ausgeführten Textpassagen neben zahlreichen Übereinstimmungen auch beträchtliche Abweichungen von diesem Schema aufweisen, ist anzunehmen, daß das Konzept bei Abfassung der Fragmente nicht vorlag. – Der Titel *Reise der Söhne Megaprazons* ist durch Goethe selbst nicht belegt, doch vermutlich authentisch; Kräuter notierte ihn wohl 1822, im Zuge seiner Revision des Goetheschen Archivs, auf dem Umschlag des Handschriftenkonvoluts. Die dort vorliegende Anordnung der Fragmente in der Reihenfolge I, IV (in Goethes Handschrift) II, III (von Goethes Schreiber Paul Goetze) stammt nicht von Goethe, sondern kam erst postum zustande. Ein erster Druck der Fragmente erfolgte 1837 in dem von Eckermann und Ch. Th. Musculus besorgten Nachlaßband *Goethe's poetische und prosaische Werke*, Zweiter Band, Erste Abteilung.

Wie mit zahlreichen anderen Werken der 1790er Jahre bemühte sich Goethe mit der *Reise der Söhne Megaprazons* um eine literarische Antwort auf die Französische Revolution, wobei sich das Genre des satirischen Reiseromans für ein solches Unternehmen durchaus anbot, hatten sich doch in der Gattungstradition sowohl Verfahren einer grotesken Transformation zeitgenössischer Konstellationen als auch Möglichkeiten einer Distanzierung vom unmittelbar politischen

Anlaß herausgebildet. Beides, die Analyse des Geschehens und eine kritische Stellungnahme, ließ sich auf dem Wege allegorischer Verfremdung formulieren. Goethes Referenztext erwies sich in dieser Hinsicht als besonders einschlägig: François Rabelais' (1483-1553) Romanwerk *Gargantua et Pantagruel*, erschienen in fünf separaten Büchern zwischen 1532 und 1564. Im Zentrum dieses Romans stand die Auseinandersetzung mit der von Rabelais' Zeitgenossen Martin Luther ausgelösten Reformation und ihren Auswirkungen. Dem Grundriß dieser Darstellung vermochte Goethe um so leichter zu folgen, als damit ein Ereignis von europäischer Dimension und keineswegs bloß politischer Relevanz zur Debatte stand. Wo sich Goethe direkt auf das vierte Buch (1552) von Rabelais' Roman bezog, stellte er konsequenterweise Reformation und Revolution in einen historischen Zusammenhang, um den fremden Text entsprechend fortzuschreiben. Das bedeutete eine Aktualisierung der bei Rabelais vorgefundenen Konstellationen: Hatten einst die ›Papimanen‹ die ›Papefiguen‹ unterworfen, indem sie deren Land verwüsteten, und war das Land der ›Papimanen‹ in Pantagruels Beschreibung einst ein Paradies, das der ›Papefiguen‹ eine Wüste, so verlangten die mittlerweile eingetretenen Verhältnisse eine Umkehrung dieses Musters: Den reformierten Papstverächtern gebührte die Idylle, die Katholiken hatten auf einem öden Eiland zu hausen.

Im Blick auf die *Reise* hat man es also mit einer historischen Korrektur von Rabelais' Entwurf zu tun. Die Parallele zwischen Reformation und Revolution, auch von Zeitgenossen wie Herder oder Novalis bemerkt, kompliziert sich freilich durch die zwangsläufig räumliche Struktur der politischen Allegorie. Schon dem Erwartungsraster der Brüder, das vorgeblich aus der Erinnerung an die Abenteuer Pantagruels hervorgeht, zeichnet der Erzähler eine europäische Landkarte ein. Mit dem Gegensatz von »frischem Obste« und »schmackhafte[n] Gemüse[n]« hier, »Kohlrüben und Kohlrabis« dort, legt er nahe, im meteorologischen Gegensatz der

beiden Inseln Italien beziehungsweise Deutschland wiederzuerkennen. Damit wird topo-logisch Raum für eine dritte
Insel, die der Monarchomanen, geschaffen. Pantagruel hatte
sie aus einsichtigen Gründen noch nicht besuchen können, ist
hier doch unmißverständlich das vor- und nachrevolutionäre
Frankreich gemeint. Das monarchomanische Eiland taucht
darum wie aus dem Nichts neben den älteren Ländereien auf.
Und an ihm wird ein Typus von Konflikten exponiert, der
mit der belegten Umkehrung der von Rabelais vorgegebenen zweistelligen Topik der Gegensätze nicht beschrieben
werden kann. Ist schon die räumliche Koexistenz des refor-
matorischen mit dem revolutionären Streitfall nicht unbedingt historisch einleuchtend, so zeigt sich im weiteren auf
das deutlichste, daß es der Allegorie aus strukturellen Gründen nicht gelingt, den ›Ort‹ der Revolution im Europa des
ausgehenden 18. Jahrhunderts zu bestimmen. Die Insel der
Monarchomanen habe sich »auf und davon gemacht«, heißt
es. Tatsächlich ist dieses Land im Umsturz seiner alten Ordnung zu einem vagierenden, einem effektiv ortlosen Gebilde
zerfallen. Zwar lassen sich, indem das alte Märchenmotiv der
schwimmenden Insel allegorisiert wird, an dem dreigeteilten
Territorium aktuelle politische Prozesse um den Interventionskrieg illustrieren: Die ›steile Küste‹ – der Adel –
nähert sich gleich nach der Katastrophe dem Land der Papimanen, orientiert sich dann aber doch »etwas mehr Nordwärts«, ohne – in der Orientierung auf Habsburg – »festen
Stand gewinnen« zu können; später zeigt sich noch einmal
die ›Residenz‹ und schließt sich beinahe wieder mit der ›steilen Küste‹ zusammen.

Bezeichnend für Goethes Konstruktion ist allerdings, daß
die »Ebene« als der dem dritten Stand zugeordnete Landes-
teil ganz außer Sicht geraten und anscheinend verschollen ist.
Gerade an diesem Bruchstück der alten Ordnung – dem
nachrevolutionären Frankreich selbst – wäre jedoch zu studieren, ob es nicht auch ohne ›Residenz‹ und ›steile Küste‹
geht. Der allegorische Modus der Übersetzung politischer
Ereignisse in eine räumliche Topik widerstreitet ganz

offensichtlich der politischen Geographie des zeitgenössischen Europa. Durch die Revolution war die staatliche Integrität des französischen Territoriums keineswegs angefochten – das hatte Goethe im Zuge der ›Campagne in Frankreich‹ ja hinlänglich erfahren. Die Machtverhältnisse im Staate selbst stellten sich vielmehr als verändert dar. Die ›geologische‹ Motivation der Katastrophe durch das Phänomen des Vulkanismus hätte durchaus dazu dienen können, eine derart radikale Umgestaltung ›politischer Landschaft‹ allegorisch zu verbildlichen. Statt jedoch das Unterste nach oben zu kehren, führt der Ausbruch des Vulkans zur säuberlichen Dreiteilung der Insel. Das ist auf der Ebene des Bildes wenig überzeugend. Und auf jener der allegorischen Bedeutung wird nicht erkennbar, welchen Effekt das revolutionäre Ereignis auf Frankreich« hat, weil Goethes literarische Analyse das eingetretene Neue nur als Zerstörung des Alten benennt. An diesen Inkonsequenzen macht sich nicht allein die politische Verlegenheit des Zeitgenossen bemerkbar, es zeigt sich außerdem ein grundlegendes Problem des allegorisierenden Verfahrens. Zwar hat sich die Katastrophe schon lange durch »innerlich[e] Erschütterungen« des Landes angekündigt, zwar prägt sich der vulkanische Ursprung der Insel auch im »lebhafte[n] Charakter der Einwohner« aus – aber das Naturereignis der ›Revolution‹ läßt den Schematismus der vorrevolutionären Gebietseinteilung im Grunde unangetastet. Die hergebrachte Topik des monarchomanischen Eilands war zementiert im »alte[n] Reichs-Gesetz«, das die Verteilung von Macht und Reichtum regelte, sie war also eine politische: Und was diese Ordnung als Zustand der »Paradiesische[n] Glückseligkeit« festgeschrieben hatte, läßt sich satirisch in aller Schärfe als der parasitäre Status von König und Adel kennzeichnen. Eine Veränderung der alten Rechtsverhältnisse implizierte daher nicht allein eine Umstrukturierung der allegorischen Topographie; sie hätte auch zur Folge, daß das überkommene politische Unrecht als hinreichende Legitimation der Umwälzung anerkannt werden müßte.

Dieser Konsequenz seiner eigenen Konstruktion zu folgen, ist der Autor der *Reise* offensichtlich nicht bereit. Statt dessen setzt er sich dem Verdacht aus, er wolle den Mythos naturgegebener und zeitloser Herrschaft affirmieren. Daß davon freilich keine Rede sein kann, daß der Anspruch auf die natürliche Rechtfertigung der Macht vielmehr der Kritik verfällt, erweist ein genauerer Blick auf die vorrevolutionäre Geographie des Monarchomanen-Eilands. ›Residenz‹ und ›steile Küste‹ prägen sich in einer quasi-naturalen Herrschaftsarchitektur aus, die vom unverkennbar gewaltsam erzeugten Schein des Natürlichen getragen wird und darauf angelegt ist, als Menschenwerk mythische Erhabenheit zu usurpieren. In vergleichbarer Unentschiedenheit hält sich – seiner satirischen Intention durchaus gemäß – der Text, wenn er dieses Artefakt auf dem Wege einer geologischen Umwälzung auslöscht. Die Problematik der allegorischen Konzeption liegt darum weniger in einer Naturalisierung von Macht und Herrschaft – gerade dieser Modus der ›Übersetzung‹ verleiht dem satirischen Genre ja die Effektivität seiner indirekten Stellungnahme. Schwierigkeiten entstehen vielmehr dort, wo die ›Übersetzung‹ nicht gelingt, wo das aus dem zerstörten Alten hervorgegangene Neue als Einheit nicht mehr zu fassen ist und sich der Topik des Textes entzieht. Für eine nachrevolutionäre Geographie ist auf Goethes allegorischer Landkarte noch kein Ort beschreibbar. – So ist die *Reise der Söhne Megaprazons* vom »Zeitfieber« wohl nicht weniger betroffen als die brüderliche Reisegesellschaft, die unter dem Einfluß dieser Krankheit in Streit gerät. Auch dabei geht es um die Frage nach der Natur, nach jenem »alten Zustan[d]«, wie er – angeblich – der Vergesellschaftung vorausgeht. Und wiederum bleibt, im Rausch der Brüder, die Frage unentschieden stehen, ob sich eine Zwangsordnung auf die Natur berufen kann beziehungsweise welche Legitimation die Beschwörung der »Natur und ⟨. . .⟩ ihre[r] Absichten« ersetzen könnte.

Es hieße die kargen Fragmente zu einer zweifellos umfänglich konzipierten Erzählung überfordern, wollte man jeden einzelnen Zug der Allegorie auf eine politische Konzeption hin durchleuchten. Damit wäre nicht nur das abschließende vierte Fragment zu stark beansprucht, das in der Szenerie der verwüsteten Residenz direkt auf die Erstürmung der Tuilerien Bezug nimmt. Man würde auch dem Fragment der Einleitung nicht gerecht, in dem dialogisch der Konnex zum Roman Rabelais' hergestellt wird. In beiden Textstücken dominiert das komödiantische Spiel mit dem Genre des Seeabenteuers über die satirische Absicht. – Insgesamt läßt sich die Ablehnung durch Jacobi und seinen Kreis wohl nur als der äußere Anlaß für den Abbruch des Romanprojekts betrachten. Die *Reise der Söhne Megaprazons* scheitert vielmehr – auf instruktive Weise – an den strukturellen Prämissen der gewählten Gattung: Der Text ist als ein literarischer Kommentar zum Zeitgeschehen angelegt, aber zugleich ist er gegen diese Aktualität als Versuch einer poetischen ›Zerstreuung‹ zu lesen. So fehlt dem Kommentar die Entschiedenheit der polemischen Stellungnahme, jene Eindeutigkeit, mit der die auf Rabelais' klarer Antithetik beruhende Allegorie politisch zu fundieren wäre. Daß sich Goethe dieser Nötigung entzogen hat, zeigt der Text in Form von Widersprüchen; so ist nur konsequent, daß kein Erzählfluß zustande kommt und das Projekt schließlich abgebrochen wurde.

Textgrundlage ist die in sieben Lagen überlieferte Handschrift. Die Abschnitte I und IV sind von Goethes Hand, II und III von der seines Dieners Paul Goetze geschrieben. Unsere Edition folgt AA (Erzählungen, hg. v. Helmut Praschek, Berlin 1971).

Stellenkommentar

578,1 *Megaprazons]* Der Name ist persischer Herkunft; er findet sich mehrfach in Texten der griechischen Antike.

578,10-18 *Epistemon* ⟨...⟩ *Eutyches]* Die Namen der

Söhne sind teilweise aus François Rabelais' (1483-1553) Roman *Gargantua et Pantagruel* (fünf Bücher; 1532-64) übernommen, so Epistemon (griech.: Der Vernünftige) und Panurg (griech.: Der Schlaue). Die anderen Namen sind analog gebildet: Euphemon (Der Wohlredner), Alkides (Der Starke), Alciphron (Der Starkmutige), Eutyches (Der Glückliche).

579,7 *künstlich*] Kunstvoll.

579,29 *Papimanen*] Papstverehrer, in pejorativem Sinn (›manisch‹). Vgl. Rabelais, *Gargantua et Pantagruel* IV 45-53.

579,30 *Papefiguen*] Papstverächter; abgeleitet von einer obszönen Geste, der ›fica‹. Vgl. Rabelais, *Gargantua et Pantagruel* IV 45.

579,30f. *die Laternen Insel und das Orakel der Heiligen Flasche*] Die beiden letzten Stationen auf Pantagruels Seereise.

582,14 *Pfirschen*] Pfirsiche.

582,15 *Pomeranzen*] Zitrusfrucht.

582,17f. *Blumenkohl, Brokkoli, Artischocken*] Aufzählung, die sich wörtlich auch in der *Italienischen Reise* findet (Neapel, 28. 5. 1787). – Die Insel der Papefiguen nimmt dagegen ethnographische Klischees für die Beschreibung nördlicher Länder, insbesondere Deutschlands auf.

582,18 *Carden*] Eßbare Distelart.

582,35 *den Tagebüchern ihres Ältervaters*] Vgl. Rabelais, *Gargantua et Pantagruel* IV 48-53.

584,26f. *Violettseidne Strümpfe*] Traditioneller Bestandteil der Bischofstracht.

584,35-37 *rote Uniform* ⟨. . .⟩ *linken Brust*] Die beschriebene Kleidung entspricht ungefähr der Ordenstracht der Malteser.

585,13f. *geräuchert*] Fragment I bricht hier mitten im Satz ab.

585,21 *Monarchomanen*] Anhänger der Monarchie (vgl. Anm. 579,29).

586,3 *Archipelagus*] Inselgruppe.

586,33 *erzeigten*] Erzeugten.

587,11 *Pimstein*] Bimsstein.

587,29 *gepraß*] Prasseln.

587,31 *überzeigen]* Überzeugen.

588,10-12 *Die Residenz* ⟨. . .⟩ *erkennen]* Möglicherweise liegt hier und im weiteren eine allegorische Verschlüsselung der politischen Konstellationen um den Interventionskrieg von 1792 vor, zu dem sich das katholische Haus Habsburg, die französische Monarchie und der französische Adel verbunden hatten. – In der Handschrift ist der folgende Absatz durch einen größeren Zwischenraum abgesetzt.

588,24-28 *Man faßte* ⟨. . .⟩ *zu können]* Die verunglückte Satzkonstruktion findet sich so in der Handschrift.

588,30 *Scabulier und Agnus Dei]* Skapulier: Schulterüberwurf, gehört zur Tracht einiger Mönchsorden; Agnus Dei, hier: Medaillon mit dem Bildnis Christi als des Gotteslamms auf der einen, einer Heiligendarstellung auf der anderen Seite.

589,5f. *Krieg der Chranige mit denen Pygmenen]* Das Motiv vom Kampf der Kraniche gegen die Pygmäen geht zurück auf einen Vergleich, den Homer im Dritten Buch der *Ilias* anstellt (V. 3-6). Es findet sich auch in Rabelais' *Gargantua et Pantagruel* (II 27); Goethe hat es in der »Klassischen Walpurgisnacht« breit ausgeführt (*Faust II,* V. 7605-7675; 7873-7950).

589,13f. *es sei in der Natur doch einmal eins für das Andere geschaffen]* Anspielung auf die physiko-theologische Auffassung von der Schöpfung, wie sie vor allem im 18. Jahrhundert theologische Lehrmeinung war.

589,20f. *des sogenannten eßbaren Goldes]* Märchenmotiv, auch in Goethes *Märchen.*

589,31 *Ein wilder Schwindel]* Der nun folgende Streit der Brüder hat ein Gegenstück in der Auseinandersetzung, die in den *Unterhaltungen deutscher Ausgewanderten* zwischen Karl und dem Geheimerat von S. über die Auswirkungen der Französischen Revolution geführt wird.

590,11 *welche seltsame Erscheinung, noch]* So in der Handschrift.

590,20 *Matera]* Madeira (im folgenden auch: »mathera«).

591,34 *waret]* Fragment III bricht hier mitten im Satz ab.

592,32 *Leichname tapfrer Männer]* Möglicherweise eine
Anspielung auf die Soldaten der Schweizergarde, die bei der
Erstürmung der Tuilerien am 10. 8. 1792 gefallen waren.

BRIEFE AUS DER SCHWEIZ
ERSTE ABTEILUNG

Im 19. Buch von *Dichtung und Wahrheit* berichtet Goethe, er
sei nur durch die unwilligen Reaktionen des Schweizer Publikums davon abgehalten worden, das vorliegende »Fragment von Werthers Reisen« zu komplettieren: Die »intentionierte Fortsetzung« hätte »das Herankommen Werthers bis
zu der Epoche, wo seine Leiden geschildert sind, einigermaßen darstellen und dadurch gewiß den Menschenkennern
willkommen sein« sollen. Über private oder öffentliche Un-
mutsbekundungen aus der Schweiz ist freilich nichts bekannt. Und Goethes Bericht hat schon darum wenig Wahrscheinlichkeit, weil der zuerst 1808 im 11. Band von Goethes
Werken (Cotta) publizierte Text schon 1796 für Schillers Zeitschrift ›Die Horen‹ abgefaßt worden war. Schiller hatte Goethe um Beiträge gebeten, und dieser hatte am 12. 2. 1796
geantwortet:

> Da ich zum dritten Stücke noch nichts zu liefern weiß,
> habe ich meine alten Papiere durchgesehen und darinne
> wunderliches Zeug, aber meist Individuelles und Mo-
> mentanes, gefunden, daß es nicht zu brauchen ist. Um
> wenigstens meinen guten Willen zu zeigen, schicke ich
> eine sehr subjektive Schweizerreise. Urteilen Sie, inwie-
> fern etwas zu brauchen ist, vielleicht wenn man noch
> irgendein leidenschaftliches Märchen dazu erfände, so
> könnte es gehen.

Mit der »Schweizerreise« sind die *Briefe aus der Schweiz. 1779*
gemeint, von denen Schiller tatsächlich eine Bearbeitung unter dem Titel *Briefe auf einer Reise nach dem Gotthardt* erstellte,
um sie in den ›Horen‹ (8. Stück, 1796) zu publizieren. Diese
Briefe, die von Goethes 1779 unternommener Reise in die

Schweiz berichten, erschienen – nun in Goethes Fassung – ebenfalls erst 1808. Die hier vorliegenden fiktionalen Briefe waren dem Text als *Erste Abteilung* vorangestellt. Man kann also annehmen, daß mit dem ›leidenschaftlichen Märchen‹, das Goethe Schiller gegenüber ankündigte, die *Briefe aus der Schweiz. Erste Abteilung* gemeint waren. Am 18. 2. 1796 notierte der Autor in seinem *Tagebuch*: »Fing an zu diktieren an Werthers Reise«, und am 19. 2.: »Gleichfalls«. Weitere Belege sind weder aus dem Jahr 1796 noch aus dem Jahr 1808 vorhanden; die Handschrift ist verloren. So läßt sich auch nicht sagen, ob Schiller den Text überhaupt erhalten oder ob Goethe ihn zunächst als Fragment liegenlassen hat.

Die *Briefe aus der Schweiz. Erste Abteilung* sind also ein Nebenprodukt zu Goethes autobiographischen Schriften. Gleichzeitig tragen sie ein Stück der Vorgeschichte zu den *Leiden des jungen Werthers* nach, einem Roman, dessen Entstehung mehr als zwanzig Jahre, dessen durchgreifende Überarbeitung fast zehn Jahre zurückliegt. Dabei ist nicht auszuschließen, daß in dieser Verschränkung mit dem früheren Erfolgsroman auch ein publizistisches Kalkül auf das Interesse des Publikums steckt. Mit seinem *Werther* ist Goethe freilich immer höchst sorgsam verfahren; auch versuchen die *Briefe aus der Schweiz* in ihrem meist gelassenen Berichtston nicht, unmittelbar an den emphatischen Briefstil des Romans anzuschließen. Die einleitenden Bemerkungen des Herausgebers lassen sogar offen, ob die Briefe tatsächlich von Werther stammen oder ob sie nicht wenigstens einer durchgreifenden Redaktion unterzogen wurden. Der Neugier eines *Werther*-Lesers, der mehr über den Romanhelden erfahren will, kommen diese *Briefe* jedenfalls nicht entgegen. »Die arme Leonore«, an die man sich aus dem allerersten Brief des Romans noch erinnern mag, wird hier zwar endlich zur greifbaren Figur. Doch liegt kaum mehr als eine hübsche Fußnote zu *Werthers Leiden* in der Art und Weise, wie sie vorgestellt wird: Parallel zur ersten Begegnung mit Lotte entwickelt sich die wechselseitige Neigung im Zuge eines erotisch-literarischen Gesellschaftsspiels. Indessen bleibt der Fortgang der bis dahin noch überaus harmlosen Affäre im unklaren, ja, man mag zweifeln, ob es überhaupt zu einer Affäre kommt. Was die Romanstelle andeutet, wird hier absichtsvoll nicht ausgeführt – nämlich eine Intrige, in der Werther selbst die ihm entgegengebrachte Liebe nicht erwidern kann.

Die *Briefe aus der Schweiz* sind dagegen um eine eigenständige Thematik zentriert, die sich schon im Räsonnement des ersten Briefes ankündigt. Dort reflektiert der Schreiber über das Schreiben, genauer: Er erörtert am Beispiel der »Beschreibung« das paradoxe Verhältnis zwischen der Wirklichkeit und ihren Repräsentationen. Nicht nur bleibt die Beschreibung hinter der Wirklichkeit zurück, sondern das Gelesene – der Reiseführer – hat längst die Stelle des Realen eingenommen und blockiert jede unmittelbare Empfindung. »Herrliche Gegenwart« entsteht erst dann, wenn im ›Schreiben und Beschreiben‹ die Gegenstände noch einmal verdoppelt werden und wiederum in Beschreibungen übergehen: Doch auch diese halten einer erneuten Lektüre nicht stand. – Ist damit eine Art Leseanweisung für den folgenden Text gegeben, so ist hier zugleich ein Problem expliziert, das in den *Leiden des jungen Werthers* eher implizit den Modus der Darstellung bestimmt: jenes Verständnis vom Literarischen, das dem Roman insgesamt seine intertextuelle Struktur verleiht. Im weiteren verfolgen die *Briefe* diese Problematik am Paradigma der bildenden Kunst in ihrem Verhältnis zur ›Natur‹. Der sechste Brief entwickelt die Überlegungen des ersten in diesem Sinne fort und formuliert die entscheidende Frage: »Was ist denn das, dieses sonderbare Streben von der Kunst zur Natur, von der Natur zur Kunst zurück?« Denn auch der Anblick »eine[r] gezeichnete[n], eine[r] gemalte[n] Landschaft« macht den Briefschreiber nur nervös; hat er sich aber einmal von der Gesellschaft losmachen können, so ist er im Anblick der »herrlichen Natur« bereits wieder damit beschäftigt, »ein Blättchen voll« zu kritzeln. Diese Kontemplation des Natürlichen ist alles andere als unmittelbar: »ruft michs zum Genuß, warum kann ich ihn nicht ergreifen?« Dem direkten Zugriff, darf man vermuten, steht das vermittelte Verhältnis von Kunst und Natur im Wege. Selbst ein Korb voll Obst kann nur wie ein Stilleben, in seinem »himmlischen Anblick« genossen werden; der Verzehr und damit die Zerstörung dieser Naturprodukte in ihrer »Mannigfaltigkeit und Verwandtschaft« bleibt mit einer Art Tabu belegt.

Daß »dieser Genuß des Auges und des innern Sinnes« als kultureller Fortschritt interpretiert wird, verrät eher Verlegenheit, zumal Werthers Freund Ferdinand den Früchten ganz unbefangen wieder eine soziale Funktion zuweist, indem er sie – gewiß nicht »uneigennützig« – in einem Präsentkorb seiner Geliebten zukommen läßt. Bereits hier deutet sich an, was sich am Ende der *Briefe* unmißverständlich aufdrängt: die hochproblematische Verbindung zwischen der Wertherschen ›Augenlust‹ an der Kunst-Natur und der – sexuellen – Natur des Körpers. Der Anblick der nackt gemalten Danae führt geradezu zwangsläufig zum Auftritt des Briefschreibers unter der Maske des Malers, in der er sich den Anblick realer weiblicher Nacktheit verschafft, nachdem er schon früher »Ferdinanden zu baden im See« veranlaßt und so an einem Männerkörper ein »vollkommene[s] Muster der menschlichen Natur« gefunden hat. Die Konfrontation mit der nackten Prostituierten macht auf Werther dagegen »beinahe ⟨...⟩ einen schauerlichen Eindruck«. Dennoch bleibt fraglich, ob man aus der Verschiedenheit dieser Reaktionen direkt auf die »homosexuellen Implikationen« der *Briefe* zurückschließen kann (vgl. Eissler, *Goethe*, Bd. 1, S. 429). Immerhin steht das ganze Projekt, die menschliche Nacktheit in ihren Formen zu studieren, unter einer problematischen Prämisse: Mangelnde Kenntnis des Gegenstandes mache es der Einbildungskraft unmöglich, dessen Abbild zu schätzen. Aber ist der Anblick der Gegenstände selbst nicht stets von einer Enttäuschung begleitet gewesen? Und will Werther sich »die Gestalt des Menschen eindrücken wie die Gestalt der Trauben und Pfirschen«, so bekräftigt er damit vorneweg noch einmal das Verbot eines mehr als nur ästhetischen Genusses. Kein Wunder also, daß die Frau – so gut wie das Obst – unberührt bleibt; beide sind, auf seltsame

Weise, als Natur zugleich Kunst: »Ich konnte mich nicht überwinden, eine Beere abzupflücken, eine Pfirsche, eine Feige aufzubrechen.« So geht es dem Briefschreiber immer, wenn sich ihm Natur zur scheinbar unmittelbaren Befriedigung seines Bedürfnisses darbietet. Der nackte Körper des Freundes steht dagegen in einem anderen Diskurs; dem Anschein nach widerstandslos wird Ferdinand in eine Kunstfigur verwandelt, in ein »Muster« der Gestalten, die seit jeher die imaginären Landschaften eines topischen Arkadien bewohnt haben. Die mythologischen Gestalten Adonis und Narziß sind allerdings zugleich die Repräsentanten einer tödlichen und – im Falle des Narziß – einer unerwiderten Liebe. Und Werthers Blick auf Ferdinand ist gerade darin narzißtisch, daß er als Kunst zum »Gewinn für [s]ich« macht und von sich distanziert, was allererst Natur (auch seiner selbst) ist. Der Körper der Frau hat dagegen von vornherein »einen gewissen Preis«, und er widersteht dieser Art des Begehrens, obwohl oder gerade weil er vorschriftsmäßig dem Bildprogramm galanter Stiche folgt und das ›Mädchen im Bade‹ oder die ›schlafende Schöne‹ freizügig präsentiert. »Natürlich ⟨. . .⟩ und doch ⟨. . .⟩ studiert« folgen die Bewegungen aufeinander; gerade das Künstliche erscheint als ›wilde‹ Natur – der Hinweis auf die Mohawk-Indianer ist in dieser Hinsicht unmißverständlich. So kann auch das »allerliebst[e] Gesicht« des Mädchens erst in Erscheinung treten, als ihr Körper wieder bedeckt ist.

Die Schranke zwischen einem »Augenschmaus« und dem »Anfühlen«, das Werther doch »umsonst« haben könnte, wird auch jetzt nicht durchbrochen. Dennoch ist es ein zweifelhaftes Verdienst, wenn man sich auf diese Weise »nichts vorzuwerfen« hat. Daß der Preis für jene Dienstleistung höher ist als für diese, macht deutlich, in welchem Maße der Voyeurismus des Briefschreibers tatsächlich an ein kulturelles Tabu rührt. Diese Aspekte von Werthers Bericht wären unter Beiziehung psychoanalytischer Kategorien zu verfolgen. Die *Briefe aus der Schweiz* rücken ihr Thema jedoch in eine weitere, gewissermaßen kulturtheoretische Perspektive.

Sie können als eine semiotische Studie gelesen werden, die
am Gegenstand des Körpers grundlegende Probleme der
Repräsentation erörtert und – wie angedeutet – den Status
›nackter‹ Wirklichkeit grundsätzlich zur Diskussion stellt.
Das wird hier sehr viel offener expliziert als in anderen Texten der ›Weimarer Klassik‹. Damit stehen die Reflexionen der
Briefe am Kreuzungspunkt jener Diskurse, die um 1800 do-
minieren; hier werden, schlagwortartig gesagt, die Grundan-
nahmen des ›Rousseauismus‹ erörtert und das Prekäre aller
Versuche beleuchtet, der Natur als Instanz des Unmittelbaren gegen kulturelle Vermittlungen wieder zu ihrem Recht
zu verhelfen. Zum Medium dieser Reflexion machen sie die
Repräsentationen der bildenden Kunst. Als zeitgenössisches
Parallel- und Gegenstück wäre vorzugsweise auf den Roman
Ardinghello zu verweisen, den Wilhelm Heinse – nicht zufällig ein *Werther*-Begeisterter – 1787 publiziert hat. Nicht allein
ist auch in Heinses meist als Programmschrift einer ›freien
Liebe‹ simplifiziertem Roman die Spannung unverkennbar,
die zwischen dem voyeuristischen Blick des Mannes auf die
Frau hier und dem Kult der Freundschaft zwischen heroen-
gleichen Männern dort herrscht, zumal sich solche Freundschaft vorzüglich im gemeinsamen Bad realisiert. Vor allem
ist Heinses Text in vergleichbarer Weise durch die kaum
auflösbare Verschränkung zwischen mythologischen Kunst-
schönheiten – Statuen der Antike, Malereien der Renaissance – und einer nur scheinbar dem unvermittelten Zugriff
verfügbaren Natur gekennzeichnet. Gegenüber dem, was
am *Ardinghello* als utopisches Programm erscheint, wirken
die *Briefe aus der Schweiz* in ihrem Beharren auf der kulturellen
Vorgeformtheit aller Erfahrung zwar wie ein kritischer
Kommentar, doch sind es dieselben Widersprüche, die beiden Texten Kontur verleihen.

Die Handschrift ist verloren. Textgrundlage ist die Erstausgabe von 1808 (*Goethes Werke*, Bd. 11).

Stellenkommentar

594,3-10 *Als vor mehreren Jahren* ⟨. . .⟩ *durchlaufen kön-nen]* Anschluß an den Herausgeberbericht in den *Leiden des jungen Werthers* (vgl. dort, S. 10/11).

594,27 *den verschlossenen Städten]* Den von Mauern um-schlossenen Städten. Die Mauern der meisten deutschen Großstädte waren im Lauf des 18. Jahrhunderts geschleift worden.

595,2 *einem Tyrannen]* Anspielung auf die Sage von Wil-helm Tell und die im Kampf der ersten Kantone gegen Habs-burg errungene Eigenstaatlichkeit der Schweiz während des 14. Jahrhunderts.

595,5 *Fraubasereien]* Schweizerisches Idiom: Tratsch, Klatsch.

595,30f. *mit dem Fliegen]* Vgl. *Werther*, Brief vom 18. 8., S. 104-107.

597,20 *eine Pfirsche]* Einen Pfirsich.

597,24 *Gaum]* Gaumen.

599,1 *empfahe]* Empfange.

599,10 *Furka]* Alpenpaß; verbindet die Kantone Uri und Wallis.

599,20 *Applikation]* Fleiß, Hingabe.

599,27f. *Wie beneid' ich den Töpfer an seiner Scheibe]* Eine entsprechende Eintragung findet sich in Goethes *Tagebuch* vom 14. 7. 1779: »Man beneidet jeden Menschen den man auf seine Töpferscheibe gebannt sieht, wenn vor einem unter seinen Händen bald ein Krug bald eine Schale, nach seinem Willen hervorkommt.«

599,28 *Tischer]* Tischler.

600,1f. *Paroli]* Einsatz im Glücksspiel.

600,18 *Eleonore]* Bezieht sich auf das in den *Leiden des jungen Werthers* ›blind‹ gebliebene Motiv einer früheren Liebe des Helden (vgl. dort, S. 10/11).

601,35 *angreifen]* Anstrengen, ins Zeug legen.

603,26 *übersieht mich]* Übertrifft mich.

603,28 *hatte sich abgemerkt]* Hatte sich genau gemerkt.

604,8 *eine Danae]* Geliebte des Zeus; der Gott nähert sich ihr als goldener Regen. Beliebtes Sujet in der bildenden Kunst.

605,7 *Adonis]* Jüngling von großer Schönheit; Geliebter der Aphrodite (i. e. Venus, vgl. Z. 9). Adonis wurde von einem Eber getötet.

605,8/10 *Narciß/Echo]* Vgl. Anm. *Wahlverwandtschaften*, S. 300,14f.

607,9 *Portefeuille]* Hier: Zeichenmappe.

607,24 *Gueridon]* Franz.: Guéridon; rundes Tischchen.

607,37 *Sie fing an sich auszukleiden]* Die folgende Szene nimmt mit dem Motiv der voyeuristischen Beobachtung einen der zentralen Topoi erotischer Literatur auf. Der Vorwand, unter dem Werther auftritt, stellt zudem das Arrangement bis in seine Details in die ikonographische Tradition erotischer Bildkunst mit ihren Sujets von ›Maler und Modell‹ und der auf dem Lager ruhenden Nackten (vgl. etwa Tizians *Venus*, aber auch Bouchers *Kabinettstücke*).

608,14 *Freund L.]* Der Kontext läßt vermuten, daß Goethe hier – vielleicht unter Berücksichtigung älterer Papiere – auf Heinrich Julius von Lindau anspielt, den er 1775 während seiner ersten Schweizer Reise bei Lavater kennengelernt hat. Lindau war hessischer Offizier; 1777 ist er in Nordamerika gefallen.

608,15f. *Mohawks]* Nordamerikanischer Indianerstamm.

608,17 *konfundieren]* Verwirren, durcheinanderbringen.

608,27 *Minerva vor Paris]* Anspielung auf das ›Paris-Urteil‹: Allerdings hat Paris dem goldenen Apfel der jungfräulichen(!) Minerva (i. e. Athene) sowenig zugesprochen wie Hera, sondern Aphrodite bevorzugt.

DIE GUTEN FRAUEN

Am 6. 5. 1800 notiert Goethe im *Tagebuch*: »Bei Cotta über die neuen Kupfer zum Damenkalender«. Dabei ging es um

die Bitte des Verlegers, zwölf Kupferstiche des Berliner Malers und Illustrators Franz Catel zu kommentieren und so für
Cottas *Taschenbuch für Damen* aufzubereiten. Goethe übernahm die Aufgabe nur widerwillig: Nicht nur, daß ihm die
Stiche selbst nicht zusagten; er hatte auch prinzipielle Vorbehalte gegen die zeitgenössisch sehr beliebte, vor allem
durch die Arbeiten Georg Christoph Lichtenbergs zur literarischen Gattung avancierte Form der Bildbeschreibung.
Wohl aus Gefälligkeit gegenüber Cotta ließ sich Goethe dennoch zur Abfassung eines Textes bereden. Nachdem er am
16. 6. eine von Catel angefertigte Beschreibung der Kupfer
erhalten hatte, diktierte Goethe zwischen dem 25. und 27. 6.
Die guten Frauen und schickte das Manuskript am 9. 7. mit
einem äußerst reservierten Begleitbrief an den Verleger: »Sie
erhalten, wertester Herr Cotta, in der Beilage den kleinen
Aufsatz über die Kupfer ich hätte gewünscht daß derselbe
heiterer, geistreicher und unterhaltender geworden wäre, indessen läßt sich eine Ausführung, nicht wie man wünscht,
leisten, wenn die Arbeit zu einer bestimmten Zeit fertig sein
soll. Möge, diese sei auch geraten wie sie will, wenigstens der
Zweck erreicht werden, den unangenehmen Eindruck der
Kupfer einigermaßen abzustümpfen.«

Die guten Frauen sind demnach als ein ausgesprochenes
Gelegenheitswerk Goethes aufzufassen. »Kupfer und Poesie
parodieren sich gewöhnlich wechselweise«, hält Goethe am
25. 11. 1805 in einem Brief an Cotta noch einmal fest. Dieser
Vorbehalt wird in Goethes Aufsatz zum Darstellungsprinzip
erhoben. Dabei kündigt der Titel geradezu eine Kontrafaktur der mißlichen Bildvorlagen an. In der Sache kann davon
allerdings keine Rede sein – einige der Stiche Catels werden
nur en passant erwähnt, lediglich zwei einer Beschreibung
gewürdigt, die Mehrzahl mit Schweigen übergangen. Was
sich abzeichnet, ist nicht Kritik an den Vorlagen im einzelnen, sondern eine Parodie des Genres insgesamt. Zwischen
den Bildern und ihren Rezipienten kommt ein Gespräch in
Gang. Dabei werden im geselligen Diskurs des idealtypi-
schen Publikums, das sich hier zu einem Club versammelt

hat, nebenbei wohl auch einige Reflexionen zur Problematik
der Karikatur angebracht; vor allem aber zeigt dieses Publikum durch seinen Mangel an Interesse, daß die gesellschaftliche Funktion, auf die Produzenten und Verleger spe-
kulieren, hier grundsätzlich verfehlt wird. So stehen die
»Blättchen« am Ende wie »vernichte[t]« da. Anstatt einer
»Erklärung« (S. 633) der Stiche wird jene lange Digression
wiedergegeben, als die das Gespräch vom Autor inszeniert
wird. Man erkennt also: Es bestand hier von vornherein kein
Erklärungsbedarf.

Die Abhandlung eines Themas in Form eines Gesprächs,
dargestellt durch eine Mischung diskursiver und szenischer
Momente, war im 18. Jahrhundert durchaus üblich (verwiesen sei nur auf Friedrich Schlegels *Gespräch über die Poesie*
[1800]). Goethe selbst hatte sich schon in seiner Abhandlung
Der Sammler und die Seinigen einer entsprechenden Darstel-
lungsweise bedient. Auch der Kunstgriff, mit dem an die
Stelle eines Textes der Bericht von den Schwierigkeiten tritt,
einen solchen Text zu verfassen, war im satirischen Genre
vertraut. Der junge Ludwig Tieck hatte in seinen Litera-
tursatiren das Spiel mit entsprechenden reflexiven Wendungen geradezu perfektioniert (etwa: *Ein Roman in Briefen*
[1797]). Goethe ging es allerdings weniger darum, Reaktionen eines Publikums auf die Effekte von Literatur und Kunst
satirisch zu antizipieren. Er hat den geselligen Diskurs an
keiner Stelle aufgesprengt und seine Figuren mit einer Sympathie behandelt, die gegenüber den aufgerufenen Typen nur
leise ironische Untertöne zuläßt. Demgemäß wahren die Anekdoten und kleinen Geschichten, die in den Gesprächsrah-
men eingelassen sind, durchgehend jenen Plauderton, der
dem sozialen Rahmen von Glücksspiel, Schoßhunden und
Hausfreunden adäquat ist. Mitunter pointiert, im ganzen
aber doch sehr anspruchslos, steuerte Goethe damit zum
›novellistischen‹ Schrifttum im älteren Sinn des Begriffes bei
und lieferte – inszeniert als schriftliche Fixierung mündlich
umlaufenden Erzählgutes – das einem Damenkalender angemessene Lesefutter.

Der Text erschien zuerst im *Taschenbuch für Damen auf das Jahr 1801*, hg. v. Huber, Lafontaine, Pfeffel et al., mit Kupfern, Tübingen. 1817 wurde der Aufsatz in den 13. Band der *Werke* Goethes, ebenfalls bei Cotta, aufgenommen. In dieser und den folgenden Ausgaben wurde auf Goethes Wunsch der Titel in *Die guten Weiber* geändert. Die Handschrift ist verloren. Unser Text folgt dem Erstdruck in der Edition von AA (Erzählungen, hg. v. Helmut Praschek, Berlin 1971).

Stellenkommentar

610,18 *Marken*] Jetons, Spielmarken.

610,30f. *in zwölf Abteilungen*] Es handelt sich um sechs Blätter mit je zwei Bildern.

611,3 *Scharaden*] Hier: Silbenrätsel.

611,28 *die Karte schlägt*] Das Blatt zum Wahrsagen auflegt.

611,37 *Zwirnhalter*] Der Mann hält der Dame den Zwirn, damit sie den Faden aufwickeln kann. Beliebtes Motiv im Genre häuslicher Darstellungen; vgl. Abb. 6.

612,32 *Federkraft*] Spannkraft.

613,37-614,1 *Pitt ⟨...⟩ Fox*] William Pitt (1759-1806) war seit 1783 englischer Premierminister; er verfolgte eine antinapoleonische Politik. Sein politischer Gegenspieler Charles James Fox (1749-1806) war dagegen ein Anhänger der Französischen Revolution und befürwortete um 1800, als *Die guten Frauen* entstanden, noch die Verständigung mit Napoleon. – In der englischen Presse hatte sich die Karikatur als medienpolitisches Kampfmittel schon früh durchgesetzt.

614,2 *vollgesacktes*] Vollgestopftes, gemästetes.

614,10 *Hundeliebhaberei*] Vgl. Abb. 10.

614,18 *ein Reisender*] In einer 1792 anonym erschienenen *Skizze von Grätz* ist, nach einem Hinweis von Seuffert (GJb 15 [1894], S. 153, Anm. 3), zwar nicht von Hunden die Rede; wohl aber wird über die Irren der Stadt vermerkt: »Viele sind ganz stumm, oder reden zwar etwas, oder bellen und krähen vielmehr.«

615,6 *Möglichkeit eines Etablissements]* Chance auf eine zur Familiengründung ausreichende Versorgung.

615,27f. *das Tier in dem Bild eines Evangelisten]* Jedem der vier Evangelisten ist in der ikonographischen Tradition ein Tier zugeordnet.

615,34 *Exaggeration]* Übertreibung.

616,16-19 *Ulyß ⟨...⟩ Penelope]* Vgl. den XXIII. Gesang der *Odyssee*, wo allerdings Penelope den heimgekehrten Gatten keineswegs spontan wiedererkennt.

618,1 *ein genaues Verhältnis]* Eine intime Beziehung.

618,2 *Löwenhund]* Hunderasse mit löwenähnlicher Mähne.

620,4f. *Brantomes Großmutter]* Pierre Brantôme (1540-ca. 1614), der am Hof der Königin von Navarra aufgewachsen war, verfaßte nach 1598 eine ›Chronique scandaleuse‹, die vollständig erst postum unter dem Titel *Vies des dames illustres françoises et étrangères* erschien. Dort findet sich in VI 6 eine Geschichte, die entfernte Verwandtschaft mit der hier erzählten aufweist.

620,20 *supponiert]* Angenommen.

620,36f. *erklärten Kupferstichen]* Zum Genre vgl. die oben gegebenen Hinweise.

621,5 *Zettel]* Spruchbänder.

621,18f. *Noten dazu, wie zu Rablais oder Hudibras]* François Rabelais' satirisch-grotesker Roman *Gargantua et Pantagruel* (1532-64) war ebenso wie das komische Epos *Hudibras* (1663) von Samuel Butler im 17. und 18. Jahrhundert mehrfach kommentiert worden, da u. a. die satirischen Anspielungen aus sich selbst nicht mehr verständlich waren.

622,8 *Codovieki]* Daniel Chodowiecki (1762-1801), bekanntester Druckgraphiker und Illustrator des späten 18. Jahrhunderts in Deutschland. Seine »Monatskupfer«, Stiche zu den zwölf Monaten des Jahres, erschienen 1778-80 mit Erläuterungen von Georg Christoph Lichtenberg (1742-1799) im ›Göttingischen Taschenkalender‹.

626,20 *eine teure (kostspielige) Gattin]* Vgl. das Wortspiel, das dem zwölften der besprochenen Kupferstiche zugrunde liegt; vgl. Abb. 2-13, nach S. 624.

627,17f. *Fourage]* Viehfutter.

627,21 *ohne Pakete gemacht zu haben]* Ohne das Geld in Rollen abgepackt zu haben (vgl. S. 629,1).

627,22 *Erinnerungen]* Mahnungen.

628,37-629,1 *anzubinden]* Zu beschenken (vgl. ›Angebinde‹).

629,14 *Sechser]* Kleine Münze im Wert von sechs Kreuzern.

629,15 *Laubtaler]* Französische Silbermünze, mit Lorbeerprägung umrandet; ein auch in deutschen Ländern gebräuchliches Zahlungsmittel.

630,12 *Er soll dein Herr sein]* Gen 3,16; vgl. Abb. 5.

630,16 *inne]* Im Gleichgewicht.

631,35f. *In einem benachbarten Lande]* Gemeint ist die Schweiz.

632,4 *Schälke]* Vgl. Sinklairs Erläuterung S. 632,13-24.

632,6f. *Fragmente des Schweizer Phisionomisten]* Johann Caspar Lavaters *Physiognomische Fragmente zur Beförderung der Menschenkenntnis und Menschenliebe* (1775-78) enthalten zur Schalkheit nur beiläufige Bemerkungen. Vgl. aber die Diskussion der Übellaunigkeit unter Bezug auf Lavaters Predigten in *Werther*, S. 67,35f., auch Kontext und Anm.

EPEN

Zur Deutung

Zum Beschluß des zweiten Buches wartet der Erzähler von *Dichtung und Wahrheit* mit einer seiner amüsantesten Anekdoten auf. Man befindet sich im großbürgerlich herausgeputzten Goethehaus am Frankfurter Hirschgraben, man schreibt die Annalen des Siebenjährigen Krieges, der in Gestalt von Aufmärschen und Einquartierungen auch an der freien Reichsstadt nicht spurlos vorübergegangen ist, und man streitet sich über Wert oder Unwert von Klopstocks *Messias*, dessen erste zehn Gesänge seit 1755 käuflich zu erwerben sind. Der Vater, Johann Caspar Goethe, an die Reime eines Hagedorn und Haller gewöhnt, vermag der Dichtung nicht nur nichts abzugewinnen, er verabscheut das Hexameterwerk und belegt es mit einem regelrechten Bann; die jugendliche Mutter, Katharina Elisabeth, geborene Textor, und ihre beiden neugierigen Kinder dagegen sind hingerissen, sie halten das Buch hinter dem Rücken des Hausherrn, »um in Freistunden, in irgendeinem Winkel verborgen, die auffallendsten Stellen auswendig zu lernen und besonders die zartesten und heftigsten so geschwind als möglich ins Gedächtnis zu fassen«. Und selbstverständlich bleibt der Erfolg nicht aus; in Kürze rezitieren Wolfgang und Cornelia die verbotenen Verse entweder »um die Wette« oder teilen sich in die »wohlklingenden Verwünschungen« so dramatischer Dialoge wie der Auseinandersetzung zwischen Satan und seinem Gesinnungsgenossen Adramelech (vgl. *Messias* X 96-145). An einem nicht genauer datierten »Samstagabend im Winter« ist dem poetischen Komplott von Mutter und Kindern jedoch ein jähes Ende beschieden. Während sich der Vater im Blick auf den sonntäglichen Kirchgang und die dafür notwendige Rasur einseifen läßt, beginnen die Geschwister, unbeobachtet hinter dem Ofen sitzend, ihre »herkömmlichen Flüche« zu memorieren. Dabei geschieht es, daß sich mit »steigender Leidenschaft« aus dem anfänglichen Gemurmel ein hörbares Sprechen, ein Schrei entwickelt, daß der aufgeschreckte »Chirurgus ⟨...⟩ dem Vater das Seifenbecken in die Brust« gießt und die beiden Rezitatoren eine »strenge Untersuchung ⟨...⟩ besonders in Betracht des Unglücks« über sich ergehen lassen müssen, »das hätte entstehen können, wenn man schon im Rasieren begriffen gewesen wäre«. Erwartungsgemäß werden Klopstocks aufrührerische Hexameter erneut, sie werden unnachgiebiger als zuvor verbannt, und wie so oft in Goethes Autobiographie sieht sich der Erzähler zu einem merklich sentenziösen Satz herausgefordert. »So pflegen Kinder und Volk das Große, das Erhabene«, behauptet er, »in ein Spiel, ja in eine Posse zu verwandeln, und wie sollten sie auch sonst imstande sein, es auszuhalten und zu ertragen!«

Gleichgültig aber, ob man dieser Geschichte nun einen Realitätskern zubilligen oder ob man sie als Beitrag zu einer gut erfundenen Kindheitshistorie betrachten will – selbst der psychologisch wenig Geschulte wird nicht das ödipale Phantasma verkennen, das der Inszenierung strukturell zugrunde liegt und darauf abzielt, namens eines ›guten‹, eines sogenannten Wunschvaters, den ›bösen‹, mit Verbots- und Restriktionsdelikten belasteten Vater möglichst umstandslos zu beseitigen. Schließlich braucht man, um sich in dieser Lesart nachdrücklich bestätigt zu fühlen, nur ein paar Seiten weiterzublättern und den für Johann Caspar zutiefst demütigenden Bericht zu rekapitulieren, der über die Konfrontation mit dem französischen Königsleutnant und Zivilrechtsbeauftragten, dem Grafen Thoranc, unterrichtet (vgl. *Dichtung und Wahrheit*, 3. Buch). Eine zweite, vergleichbar plausible Auslegung ergibt sich indessen, sobald man die Klopstock-Anekdote in den Kontext der im siebten und zehnten Buch von *Dichtung und Wahrheit* entfalteten Darlegungen zur deutschen Literaturgeschichte stellt. Dort stößt man nämlich nicht bloß auf eine dem *Messias*-Dichter gewidmete Huldigung (vgl. 10. Buch), man wird außerdem über das Maß an Widerspruchsgeist belehrt, das den Entwürfen der mit Goethe angetretenen Generation gegen das bis zur Jahrhundertmitte kaum angefochtene, an spätantiken ›Leichtgewichten‹ wie Horaz, Theokrit oder Anakreon orientierte literarische Establishment zum Durchbruch verholfen hat (vgl. 7. Buch). Das Drama vom poetologisch initiierten ›Vatermord‹ besitzt demnach also auch eine literarhistorische Pointe; bei Lichte besehen wird die Geste einer sich mit Macht ankündigenden Rebellion erkennbar, die unter formalästhetischen Gesichtspunkten allerdings dadurch gekennzeichnet war, daß sie ihre Innovationen aus dem Rekurs auf Altes und Ältestes, daß sie ihre Schubkraft aus den vielberufenen Valenzen des homerischen Verses und einer Epik bezog, die sich dank ihres klassisch-monumentalen Charakters und ihrer vermeintlichen Naturnähe zwar mit begründeter Konsenserwartung in den Königsrang der Dichtung erheben ließ, die angesichts eines global veränderten und zunehmend verbürgerlichten Weltbildes jedoch so ohne weiteres nicht legitimiert erschien.

Diesen Sachverhalt – eine komplexe Gemengelage aus Vor- und Rückgriffen, die sich dazu noch im Wettbewerb mit dem Literaturphänomen der Moderne schlechthin, dem Roman, befanden – sollte man jedenfalls vor Augen haben, wenn man die Qualität von Goethes Versepen zu taxieren sucht. Als es darum ging, den Schritt von der Rezeption zur Produktion zu wagen, stand eine Lösung nach Klopstockschem Muster, der die Kombination des heroisch aufgeladenen Versmaßes mit der christlichen Heilsgeschichte allzu optimistisch und bedingungslos als eine Form wechselseitiger Nobilitierung begriffen hatte, so wenig mehr zur Debatte wie – beispielsweise – das von Wieland relativ erfolgreich praktizierte Verfahren, die traditionellen epischen Sujets im Sinne einer einfachen Negation ins Wunderbare und Märchenhafte oder ins Komische und Witzige zu ziehen. Und ganz ähnlich verhielt es sich mit dem Behaglichkeitsaroma, das die anfangs begeistert aufgenommenen, aber

rasch von einem deutlich spürbaren Alterungsprozeß erfaß-
ten Hexameter-Idyllen des Homer-Übersetzers Johann
Heinrich Voß vermittelten; auch in diesem Falle – erinnert sei
vor allem an die Dorfschulmeister- und Pfarrhaustableaus
vom Schlage des *Siebzigsten Geburtstags* (1781) und *Luise*
(1783/84) – war die prosodische Zurichtung des (klein-)bür-
gerlichen Genrestoffes nur auf den ersten Blick, nur um den
Preis der Engführung und der ideologischen Selbstbeschränkung gelungen. Es fehlte diesen Texten der Problem-
horizont, mit dem sich das Epos in der zweiten Hälfte des 18.
Jahrhunderts gegenüber den konkurrierenden Gattungen
allenfalls behaupten konnte; es fehlte die Bereitschaft, eine
Gratwanderung, den fällig gewordenen poetischen Balan-
ceakt zu riskieren und im Zuge der Adaption des Antiqua-
rischen zugleich die entsprechenden Distanzsignale zu setzen, Signale, die es erlaubten, den Text mehrstimmig zu
instrumentieren, ihn für ironische, womöglich nicht länger
harmonisierbare Konfigurationen durchlässig zu machen
und mit dem spezifischen Bewußtsein der Spätgeborenen
wenn schon nicht ein absolutes Novum, so doch ein Original
der zweiten, keineswegs unrühmlichen Potenz zu schaffen.

Denn welche konzeptionellen Schwierigkeiten an die Realisierung eines solchen Projektes geknüpft waren; welchen
Geschicks es bedurfte, den Ton, die Nuance zu treffen, die
das Unternehmen vor dem Absturz sicherten, und umgekehrt: wie wenig das bereits Geglückte den siegreichen Abschluß einer Folgearbeit zu garantieren vermochte – das belegen auf das anschaulichste die Epen, die Goethe nach
schwungvollem Beginn und zum Teil langgehegten Fortset-
zungsplänen als Bruchstücke, am Ende gar als Zeugnisse
eines offensichtlich falsch investierten Ehrgeizes liegenlassen
mußte. Von insgesamt fünf Entwürfen waren das immerhin
drei, und läßt man diese Reihe höchst unterschiedlicher Fragmente Revue passieren, wird man kaum die These vertreten
können, Goethe sei mit mangelnder Experimentierfreude
ans Werk gegangen. Zumindest gilt das für die beiden ersten
Versuche, die Verse zum *Ewigen Juden*, die vermutlich im

Anschluß an *Werthers Leiden*, im Frühsommer des Jahres
1774, entstanden sind, und den auf insgesamt fünfundvierzig
Strophen angewachsenen Torso der *Geheimnisse*, mit dem
Goethe seiner Korrespondenz zufolge fast genau ein Jahrzehnt später, in der Zeit zwischen 1784 und 1785, befaßt war.
Die Gemeinsamkeit der beiden Vorhaben bestand nicht nur
in der Aufbereitung eines im weitesten Sinne religiösen Themas, sie lag vor allen Dingen darin, daß sich Goethe bei der
Wahl seiner prosodischen Mittel weder für den Hexameter
des griechischen noch den jambischen Drei- oder Viertakter
des mittelalterlich-höfischen Heldenepos, sondern im Falle
des *Ewigen Juden* für den angeblich kunstlosen Knittelvers
à la Hans Sachs, im Falle der *Geheimnisse* für die aufgrund
ihres komplizierten Reimschemas dagegen als besonders an-
spruchsvoll geltende Stanzenform entschieden hatte. Mochten daher die Beurteilungsperspektiven noch so unvereinbar
erscheinen: Etwas Extravagantes steckte in diesem Verfahren allemal und war, wenn man nach Maßgabe des Rekon-
struierbaren den jeweiligen Stoff ins Verhältnis setzt, wohl
auch beabsichtigt.

Beim *Ewigen Juden* fällt diese Operation insofern nicht
schwer, als sich im 15. Buch von *Dichtung und Wahrheit* wiederum ein Kommentar findet, der einläßlich erläutert, worauf es mit dem »wunderlichen Einfall«, die Goethe seit
Kindertagen vertraute Geschichte des ruhelosen Ahasverus
»episch zu behandeln«, eigentlich abgesehen war. So sollte
die alte Legende lediglich zum Leitfaden dienen, an dem
entlang sich »die hervorstehenden Punkte der Religions- und
Kirchengeschichte nach Befinden« darstellen ließen. ›Nach
Befinden‹ aber hieß: so unmißverständlich, so schonungs-
und kompromißlos wie möglich, außerdem in einer Form,
die der erregten Frömmigkeit von Klopstocks *Messias* frech
und keck, oder literaturwissenschaftlich gesprochen: mit der
Clownerie des Parodisten an den Lebensnerv ging. Man erinnere sich nur der hochtönigen Inszenierung im ersten Gesang des *Messias*, wo zwischen Gott, dem Vater, und seinem
opferbereiten Sohn das anstehende Erlösungswerk zur Spra-

che kommt, und lese zum Vergleich die Verse des jungen
Goethe:

[D]er Vater saß auf seinem Thron
Da rief er seinem lieben Sohn
Muß zwei bis drei mal schreien.
Da kam der Sohn ganz überquer
Gestolpert über sterne her
Und fragt was zu befehlen.
(S. 93ff.)

Der komische Kontrast könnte kaum größer sein. Schon
nach wenigen Zeilen, genaugenommen beim ersten der »Fetzen«, die den gewohnten rhapsodischen ›Gesang‹ zu ersetzen
haben, weiß man, daß man es mit einer selbstbewußten
Mimikry, einer den Effekt durchaus kalkulierenden Unter-
bietungspoesie zu tun hat, vor der Klopstocks Pathos, wie
immer man dazu stehen mag, in nicht geringe Rechtferti-
gungszwänge gerät. Hinzu kommen inhaltliche Aspekte; das
Eröffnungsarrangement des *Messias* wird gleichsam im Zeit-
raffer simuliert, nicht um einen Heilsbringer, sondern um
den Christus zu präsentieren, der sich nach der Devise des in
Goethes *Italienischer Reise* zitierten ›Venio iterum crucifigi‹
(vgl. die Eintragung vom 27. 10. 1786) zum zweitenmal in
den Geschäftsgang des Irdischen mischt, bei dieser Gelegenheit jedoch erfahren muß, mit welcher Gottvergessenheit
man ihn verdrängt, ihn zum »Fremdling« und zur uner-
wünschten Person abgestempelt hat. »Des Menschen Sohn«
(S. 244/255), staunt die überraschte Stadtwache und zeigt
sich sehr erleichtert, als einer ihrer Wortführer, ein »Branntweiniger Korporal« (S. 257), den rettenden Gedanken faßt:

Was mögt ihr euch den Kopf zerreissen,
Sein Vater hat wohl Mensch geheißen.
(S. 258f.)

Als erzählerische Pointe hätte das zweifellos ›gesessen‹ und
im Zusammenhang der sich anschließenden Pfaffensatire
seine Wirkung entfaltet. Auch wäre dem Epos – das zeigen
diese Proben – nicht die Moral, nicht die ›Tendenz‹ abzusprechen gewesen, die den wohlerwogenen Respektlosig-

keiten und Blasphemien beim zeitgenössischen Publikum zu einem angemessenen Verständnis verholfen hätten. Nur eines wäre nicht gelungen: Mit keiner dieser Pointen, und hätten sie noch so viel Witz versprüht, wäre der *Ewige Jude* aus dem parasitären Verhältnis entlassen worden, das die Parodie nun einmal wesentlich zu kennzeichnen pflegt. Retrospektiv stellt sich daher zu Recht die Frage, ob es tatsächlich allein der von *Dichtung und Wahrheit* ins Feld geführte Zeit- und Konzentrationsmangel war, der Goethe zur Aufgabe des Projekts bewogen hat; näher liegt die Vermutung, daß der Erfolgsautor des *Werther* dank einer funktionierenden Produktionsökonomie schließlich doch davor zurückgeschreckt ist, seine Talente konsequent an einen Text zu wenden, der Klopstocks *Messias* zwar attackiert und die gesteigerte Feierlichkeit seiner Verse nach Kräften herabgestimmt hätte, der den machtvollen Schatten letzten Endes aber nicht losgeworden wäre.

Diese Überlegung erscheint noch stichhaltiger, sobald man sich mit den *Geheimnissen* das zweite Exempel von Goethes epischer Versuchsreihe vornimmt und in Form einer Variante erneut auf das Problem der Abhängigkeit und der fehlenden Autonomie gestoßen wird. Nach Auskunft aller einschlägigen Dokumente ging es dabei um die religionsgeschichtlichen Thesen, die Herder – ursprünglich sogar unter Goethes Assistenz – seit 1783/84 im Begriffe war, seinen *Ideen zur Philosophie der Geschichte der Menschheit* anzuvertrauen. Denn vollständig ist auch diese Schrift nie erschienen, ein Umstand, durch den ihre zentrale Vorstellung, die Vision einer universalistisch begriffenen Humanität, allerdings nichts an Attraktivität verloren hat. Goethe jedenfalls zeigte sich so fasziniert, daß er im Sinne eines poetischen Komplements ein weiträumig angelegtes Ordensgedicht oder, in seinen eigenen Worten, »eine Art von ideellem Montserrat« zu skizzieren begann und dazu heranzog, was sich mit einer christlichen Grundausstattung irgend vereinbaren ließ: Mythologisches, Naturphilosophisches, Geheimwissenschaftliches. In bezug auf die Quellen gab es da ohnehin kein Zö-

gern; Goethe kannte, wie das allerorts in der Forschung
belegt ist, die Autoritäten, kannte neben dem humanisti-
schen Traditionsgut die Werke eines Paracelsus, eines
Agrippa von Nettesheim und derer, die für den weiteren
Kontext der überkonfessionell operierenden Weisheitslehre
verantwortlich zeichneten; er war aus den Schriften Johann
Valentin Andreaes mit der Geschichte des Christian Rosenkreuz und der Gründung seiner Bruderschaft bekannt, und
er hatte selbstverständlich das Neueste aus dem Bereich der
in sämtlichen Rangskalen kursierenden Geheimbundlitera-
tur seiner Zeitgenossen, Lessings Freimaurergespräche
Ernst und Falk (1778/80) sowie Herders *Briefe über Templer,
Freimäurer und Rosenkreuzer* (1782), zur Kenntnis genommen. Man braucht sich deshalb nicht zu wundern, wenn die
Mittelpunktsfigur der *Geheimnisse*, der sterbende Humanus,
um dessen Lebensbericht sich die von Goethe ersonnenen
»zwölf Ritter« in ihrer Eigenschaft als Repräsentanten der
einander ergänzenden Weltreligionen sammeln sollten, an
den weisen Nathan erinnert oder wenn – zweites Beispiel –
der zum Nachfolger ausersehene Bruder Markus, der beauftragt war, die Teilhabe an diesem Zirkel der frommen
Gelehrsamkeit zur Leserschaft hin zu vermitteln, weniger
einem mittelalterlichen Mönch als einem aufgeklärten Mitglied der Geheimgesellschaften des 18. Jahrhunderts gleicht.
Und zweifelsfrei sind diese Ähnlichkeiten nicht ohne Bedeutung; beide Figuren haben insofern den Charakter sy-
stematisierbarer Referenzen, als sie im Rahmen des Ge-
samtunternehmens die Stellen markieren, an denen sich der
religiös fundierte Humanitätsdiskurs mit den politisch akzentuierten Toleranz- und Gleichheitsparolen hätte zusam-
menschließen müssen. Nur sollte man nicht den Versuch
machen, daraus eine Anspielung, und sei sie noch so kryp-
tisch, auf die konspirativen Jakobinerclubs oder deren deutsche Imitate abzuleiten – für Goethes *Geheimnisse* konnte das
schlechterdings kein Thema sein; die Denkmodelle, die bei
ihrer Konzeption Pate gestanden haben – Entwürfe wie die
vom ewig währenden Völker- und Religionsfrieden han-

delnde Jupiter-Allegorie aus Grimmelshausens *Simplicis-
simus Teutsch* (vgl. III 4f.) oder die universalwissenschaftli-
chen Traumgebäude eines Comenius und Leibniz –, waren
ausnahmslos Utopien, die man auch nach damaligen Maßstäben getrost zu den Klassikern zählen durfte.

Fehlende Investitionslust oder tagespolitische Unwägbar-
keiten lassen sich infolgedessen wohl nicht als Grund für das
alsbaldige Scheitern des Projektes geltend machen; im Gegenteil, es steht zu vermuten, daß Goethe mit seiner späteren
Bemerkung, er habe die *Geheimnisse* »zu groß«, habe sie auf
der Basis allzu üppig dimensionierter Ideenkonstrukte
»angefangen«, den Kern der Sache getroffen hat. Ein Indiz ist
dafür vor allem die Art der Versifikation, durch die das Ge-
dankengebilde eine poetisch überzeugende Gestalt annehmen sollte; so hat sich Goethe – wie gesagt – zwar für die
Stanze, nicht jedoch für die Form entschieden, in der sie zum
Beispiel durch die Epen von Boccaccio (*Filostrato*, 1338;
Teseïda, 1336/40; *Ninfale fiesolano*, 1344) und Ariost (*Orlando
furioso*, 1516/32) als gattungsgemäße Strophe etabliert worden ist: nämlich witzig-ironisch und im Zweifelsfalle in den
Diensten einer geistreich dargebotenen Erotik. Goethe
wollte ein ›ernstes‹ Epos und verbannte daher alle Elemente,
die einer solchen Wirkung hätten abträglich sein können, mit
der Folge freilich, daß die spannungsbedürftigen, nachgerade zum Erzählen einladenden Achtzeiler spürbar an Substanz verloren, daß die wechselweise weiblich und männlich
schließenden Elfsilbler, die sogenannten Endecasillabi, auf
einen einzigen, buchstäblich einen Mono-Ton gestimmt
wurden und – das eigentlich Ausschlaggebende im gegenwärtigen Zusammenhang –: daß sich unter der Glasglocke
dieser Monotonie die Profilierungschancen des Gedichts
gegenüber Herders philosophischem Traktat je länger,
desto unabwendbarer minimalisierten. In der Sache war
damit entschieden: Die *Geheimnisse* konnten sich – wenn
überhaupt – nur als Fragment empfehlen, und als Goethe
den Torso 1789 in Ergänzung seiner gesammelten *Schriften* schließlich zum Druck beförderte, hat er offenbar im

Sinne dieser Erkenntnis gehandelt. Das von ihm selbst so bezeichnete »rätselhafte Produkt« sollte die Lesergemeinde erreichen, bevor ihm die Rätselhaftigkeit völlig ausgetrieben war.

Von Resignation konnte also prinzipiell keine Rede sein; auf Goethes Wunschliste rangierte das moderne Epos unverändert an exponierter Stelle, weshalb man das knappe Jahrzehnt, das dem Abbruch der *Geheimnisse* folgte und durch ganz anders orientierte Vorhaben, Arbeiten wie *Egmont*, *Iphigenie* und *Tasso*, die Studien zur *Farbenlehre* und *Metamorphose der Pflanzen*, vor allem aber die Umschrift der *Theatralischen Sendung* zum angeblich deutschesten der deutschen Bildungsromane, *Wilhelm Meisters Lehrjahren,* geprägt war, vermutlich am besten als Moratorium beschreibt, das für die entscheidende Weichenstellung gesorgt hat. Denn plötzlich kam eins zum anderen; Goethe wagte nicht nur endlich die Konkurrenz mit Klopstocks ›messianischer‹ Verseschmiede, er schrieb 1793 unter widrigsten äußeren Umständen nicht weniger als viertausenddreihundertundzwölf Hexameter zum *Reineke Fuchs* und brachte drei Jahre später, vom September 1796 bis zum Juni 1797, in Gestalt der etwas schlankeren epischen Idylle *Herrmann und Dorothea* den Text zu Papier, der nach *Werthers Leiden* sein größter Publikumserfolg werden sollte. Spielten dabei auch Faktoren eine Rolle, die mit den zunehmend nationalistisch gefärbten Parteibildungen im Gefolge der Französischen Revolution und der sich restaurierenden Obrigkeiten zu tun hatten, so stand das Glück des Gelingens doch außer Frage. Nur hatte dieses Glück den Makel, daß es nicht vor Torheit schützte, oder anders und konkreter formuliert: daß es den Epiker Goethe nicht daran hinderte, seine Ansprüche erneut ins Unerreichbare zu schrauben. Da nämlich saß einmal mehr der springende Punkt im Falle der *Achilleïs*, die Goethe bereits im Sommer des nächstfolgenden Jahres im strengsten Hexametermaß und mit der erklärten Absicht in Angriff nahm, die Geschichte vom Tod des Peliden nachzutragen, um auf diese Weise den vermeintlichen Hiat zwischen *Ilias* und *Odyssee* zu

schließen, die über ihren ersten Gesang indessen nie hin-
ausgefunden hat. Zwar konnte sich der Plan zu einem solchen Brückenschlag auf die damals hochgehandelte Überzeugung des Altphilologen Friedrich August Wolf berufen,
nach der statt des einen, großen Homer eine Reihe qualitativ
nicht unbedingt vergleichbarer ›Homeriden‹ als Verfasser
der beiden Heldengedichte in Rechnung zu stellen waren,
doch hätte Goethe über das Risiko derartiger Anverwand-
lungen unterrichtet sein müssen. Schiller, dem sich Goethe
vertrauensvoll mitgeteilt hatte, suchte die Parameter noch
zurechtzurücken. Er riet dem Kollegen in Weimar, der unbe-
greiflicherweise glaubte, »den Alten« selbst »darinne folgen«
zu müssen, »worin sie getadelt werden« (vgl. an Schiller,
12. 5. 1798), »beim Homer bloß Stimmung«, alles übrige
dagegen im Bereich der eigenen Zuständigkeiten zu suchen.
»Sie werden sich«, so schrieb er unter dem Datum vom 18. 5.
1798, »ganz gewiß Ihren Stoff so bilden, wie er sich zu Ihrer
Form qualifiziert, und umgekehrt werden Sie die Form zu
dem Stoffe nicht verfehlen.« Das Stichwort, das Schiller in
diesem Kontext anbot, hieß ›Balance‹ und sollte zum Aus-
gleich zwischen Vergangenem und Gegenwärtigem ermuntern, »denn«, so Schiller weiter, »es ist ebenso unmöglich als
undankbar für den Dichter, wenn er seinen vaterländischen
Boden ganz verlassen und sich seiner Zeit wirklich entgegensetzen soll«. Allerdings wäre Goethe nicht Goethe
gewesen, hätte er sich auf Anhieb von dieser Replik beeindruckt gezeigt; er dankte postwendend (vgl. an Schiller,
19. 5. 1798) und produzierte während eines Jenaer Gast-
spiels im Frühjahr 1799 sozusagen unter den Augen seines
kritischen Mentors den erwähnten ersten Gesang der *Achilleïs*, wobei er es – wie man anhand einer Leseprobe unschwer
nachvollziehen kann – weder am Aufgebot glanzver-
sprechender Personnagen noch an literarisch belegbaren
Wissensgütern fehlen ließ. Im Quellenverzeichnis, das die
Achilleïs-Forschung erarbeitet hat, wird man kaum einen
Namen von Bedeutung vermissen; die Liste reicht von He-
siod über Aischylos, Sophokles, Euripides, Vergil und Ovid

bis zu Goethes Hausbuch, dem *Gründlichen mythologischen Lexicon* Benjamin Hederichs, und einem Werk, das die Philologen schon des gelehrten Titels wegen mit besonderer Andacht, selten jedoch vollständig zitieren: *Dictys Cretensis et Dares Phrygius, de Bello et excidio Trojae in usum Serenissimi Delphini, cum interpretatione Annae Daceriae. Accedunt in hac nova editione notae variorum integrae nec non Josephus Iscanus, cum notis Sam. Dressemii . . . Dissertationem de Dictye Cretensi praefixit Jac. Perizonius,* Amsterdam 1702. Tatsache ist aber, daß die Fortsetzung des auf insgesamt acht Gesänge veranschlagten Epos ausblieb und daß Goethe nach reichlich bemessener Schonfrist auch dieses Großunternehmen in erprobter Form zu Grabe trug; im Rahmen der von Cotta 1808 besorgten Werkausgabe wurde das Fragment der Öffentlichkeit zugänglich gemacht, wo es dann je nach Geschmack auf Lob oder Tadel oder – dritte Variante – auf diejenigen traf, die im Sinne einer gerechten Literaturpflege der Meinung waren, sie seien mit dem Herausgeber der Hamburger Ausgabe unter den rund sechshundertundfünfzig Versen zu einer Art Schiedsgericht verpflichtet: die guten ins Töpfchen (1-55 usw.), die schlechten ins Kröpfchen (547-558 usw.).

Die literaturgeschichtliche Ironie, die in diesem kunstrichterlichen Vorgang steckt, wird indessen so richtig erst faßbar, wenn man Goethes Fehlversuchen die beiden Erfolgsepen gegenüberstellt und nach den Gründen fragt, die im jeweiligen Falle für den positiven Ausgang der Sache verantwortlich waren. Hält man sich zunächst an *Reineke Fuchs,* so muß nämlich in vorderster Linie auf das Arrangement verwiesen werden, durch das Goethe im Blick auf die Lübecker Fassung von 1498 und Gottscheds Prosaübertragung dem »uralte[n] Weltkind«, wie er das mittelalterliche Tierepos apostrophierte, zu »seiner neusten Wiedergeburt« verholfen hat. Herder, gleichermaßen interessiert und entzückt, hatte die Idee, diese Hexameter ›glücklich‹ zu nennen. Der antiken, regelgerechten Form entsprachen Goethes Verse aber keineswegs, vielmehr zählten sie zu einer Sorte, die sich, wo immer man die metrische Meßlatte anlegte: beim Wechsel langer und kurzer Silben, bei Akzenten und Zäsuren, ja selbst bei der Zahl der sogenannten Füße, Freiheiten der bedenklichsten Natur erlaubten. Mochte ihr Urheber daher noch soviel von »Aisance und Zierlichkeit« sprechen –: Als Voß, der die ›hexametrische Verdeutschung‹ des *Reineke* grundsätzlich für einen Mißgriff hielt, von Goethe gebeten wurde, die »schlechten Hexameter anzumerken«, brandmarkte er sie nicht nur alle, sondern tat dies vom Standpunkt der reinen Lehre aus mit einem gewissen Recht. Woher sollte er auch wissen, welches innovatorische Potential in diesen Nachlässigkeiten verborgen war? Nicht einmal Goethe dürfte sich darüber so deutliche Rechenschaft abgelegt haben, doch liegt sein Verdienst zweifelsohne darin, daß er den entstandenen Raum- und Mobilitätsgewinn, daß er die Ausdrucksmöglichkeiten, die sich durch eine gelockerte Handhabung des überlieferten Normenkatalogs eröffneten, nach Kräften nutzte und auf diese Weise das Wunder an sprachlicher Geschmeidigkeit und Modulationsvarianz zustande brachte, das der jahrhundertelang fortgeschriebenen Fuchsfabel eine bislang nicht gekannte Tiefendimension verlieh. Denn federnd, melodisch und über weite Partien von einem eleganten Konversationston bestimmt, saß diese Sprache dem schlauen Fuchs nicht bloß wie ein maßgeschneiderter Anzug; sie erlaubte Braun, dem geschundenen Bären, nicht weniger überzeugend zu stöhnen, Henning, dem Hahn, sich als Totenkläger aufzuplustern, Hinze, dem Kater, diskret und dennoch nach allen Regeln seiner geheimnisvollen Kunst zu schnurren. Entscheidend aber war: Die scheinbar verkorksten, jedenfalls schlampig komponierten Hexameter zeigten sich bestens geeignet, im Rahmen der Textorganisation die Rolle einer Drehscheibe zu übernehmen, durch die sich die unterschiedlichsten Referenzen zur Bildung eines brisanten Sinngemischs miteinander in Beziehung setzen ließen.

Als Königszug in diesem Spiel kann man wohl den Umstand betrachten, daß Goethes poetische Begehrlichkeit auf eine der volkstümlichsten und in der Wahl ihrer Mittel wenig

zimperlichen Tiergeschichten gefallen ist, war doch damit
eine ähnlich fatale Diskrepanz zwischen Stoff und Gestalt
vorprogrammiert, wie man sie am Beispiel der 1735 durch
eine Prosaübersetzung wieder greifbar gewordenen pseu-
dohomerischen *Batrachomyomachia* aus dem 6. oder 5. Jahrhundert v. Chr. studieren konnte. Indem es, titelgerecht,
vom Krieg der Frösche gegen die Mäuse berichtete, par-
odierte das kleine Hexameterepos neben der *Ilias* das
Heldengedicht überhaupt, und eine Wirkung dieser Art
suchte vermutlich auch Goethe im *Reineke Fuchs* zu erzielen,
wofür nicht nur erneut die Einteilung der Erzählabschnitte
in ›Gesänge‹, sondern – im Sinne einer selbstironischen Re-
duktion und einer Erinnerung an das bescheidenere Maß
von Vergils *Äneis* – deren Anzahl spricht: Statt der kanonischen vierundzwanzig liest man zwölf. Den Beweis liefert
indessen die Geschichte selbst, und zwar vor allem dort, wo
sie mit Ereignissen zugange ist, die, sobald sie in Hexameter
gefaßt sind, einen spezifischen Wiedererkennungseffekt aus-
zulösen vermögen. Man sollte sich deshalb, um die Fallhöhe
ganz abschätzen zu können, noch einmal die großen, zuweilen herzzerreißenden Szenen der Einkehr und gastlichen Bewirtung vergegenwärtigen, in denen über das Schicksal der
homerischen Helden befunden wird – Telemach bei Mene-
laos, Odysseus am Hofe des Phäakenherrschers Alkinoos
und, nicht zu vergessen, derselbe Odysseus, als Bettler verkleidet, unter dem Dach des Schweinehirten Eumaios (vgl.
Odyssee IV, VIII, XIV): Denn bei Reineke und seiner Sippschaft geht es da merklich anders zu. Braun, der genannte
Bär, begleicht seine Aufwartung im Fuchsrevier bekanntlich
mit einem nicht unwesentlichen Teil seines Balgs; Kater
Hinze bezahlt »ein herrliches Gastmahl« (III 50) mit einem
seiner Augen und einer geistlichen Hatz, aus der er sich nur
dank eines krallenbewehrten Griffs »zwischen die Schenkel
des Pfaffen« zu retten weiß (III 148); und Meister Lampe,
kaum daß er die Schwelle zu Malepartus überschritten hat,
muß Leib und Leben lassen:

⟨. . .⟩ es faßte der Mörder
Bei dem Halse den Armen, der laut und gräßlich um Hülfe
Schrie. ⟨. . .⟩ Doch schrie er nicht lange: denn Reineke
hatt' ihm
Bald die Kehle zerbissen. Und so empfing er den
Gastfreund.
Kommt nun, sagt er: und essen wir schnell, denn fett ist
der Hase,
Guten Geschmackes. Er ist wahrhaftig zum erstenmal
etwas
Nütze, der alberne Geck, ich hatt' es ihm lange
geschworen. (VI 192ff.)

Wie sich dann allerdings herausstellt, ist dem Fuchs diese
Visite noch für ein zweites Schnäppchen gut. Unter dem
Vorwand, dringende Briefe seien zu bestellen, gelingt es
Reineke, Widder Bellyn, Lampens Begleiter, mit dem toten
Hasenhaupt im ›Ränzel‹ an König Nobels Hof zurückzu-
schicken. Und da Reineke scharf zu kalkulieren pflegt, geht
die Rechnung auf, ohne daß sich der gewitzte Improvisa-
tionskünstler auch nur die Pfoten schmutzig zu machen
braucht – der Bote überlebt die Botschaft in diesem Falle
nicht.

Eine weitere, eindeutig karikierende Bezugnahme stellt
die Szene dar, in der Reineke, als Kleinkunstkenner und
Hephaistos im Mikroformat, dem bestechlichen Königspaar
allen Unwahrscheinlichkeiten zum Trotz das Märlein vom
großen Schatz aufzutischen versucht. Zwar lassen sich die
sinnreich phantasierten Schnitzereien an Spiegel und Kamm
nicht annähernd mit dem Gebilde vergleichen, das den
Schild des Achill als Götterwerk beglaubigt (vgl. *Ilias*
XVIII), doch sind sie sichtlich dazu angetan, diesen Vergleich
zu provozieren, zumal einleitend das Parisurteil rekapituliert
wird, mit dem das Desaster um Troja seinen mythologisch
verbürgten Lauf genommen hat (vgl. X 79ff.). Im übrigen
aber verstärkt sich dieser Eindruck noch, sobald man auf das
Ende sieht: Berichten die Schlußgesänge der *Ilias* über die
Auseinandersetzung zwischen Hektor und Achill, die nach

dem Los der hochgradig involvierten Olympier schon vor
Beginn des eigentlichen Waffengangs zugunsten des Peliden
entschieden ist (vgl. XXII-XXIV), begegnet man im Finale
von Goethes Epos einem gleichfalls auf Leben und Tod geführten Zweikampf, der einerseits an das mittelalterliche
Heldenritual und die Vorstellung vom Gottesgericht erinnert, andererseits durch eine Reihe bedeutungsträchtiger
Details dem antiken Muster verblüffend nahekommt. So
kann sich offenbar selbst ein Reineke darauf verlassen, daß
ihm in der Stunde der Not eine Göttin zu Hilfe eilt, auch
wenn diese Göttin nicht über die Statur von Zeus' blau-
äugiger Tochter Athene verfügt, sondern als Gattin des
Affen Martin unter dem wenig spektakulären Namen
Rückenau registriert ist. Denn ausschlaggebend erscheint allein die Umsicht, mit der sie den Fuchs für das Ereignis
vorzubereiten weiß. Reineke wird nicht nur vom Kopf bis
zum Schwanz »glatt geschoren« und eingeölt (XII 2), er wird
während dieser Prozedur auch auf das sorgfältigste in-
struiert. »Höret den Rat verständiger Freunde«, so spricht
Frau Rückenau,

> Trinket nur brav und haltet das Wasser, und kommt ihr
> des Morgens
> In den Kreis, so macht es gescheut, benetzet den rauhen
> Wedel über und über und sucht den Gegner zu treffen,
> Könnt ihr die Augen ihm salben, so ists am besten geraten,
> Sein Gesicht verdunkelt sich gleich. Es kömmt euch zu
> statten
> Und ihn hindert es sehr.   (XI 385ff.)

Da Frau Rückenau keine taktische Variante ausläßt, geht die
Suada munter so weiter. Eine Pointe besonderer Güte steckt
jedoch in dem Segensspruch, den die kluge Äffin ihrem
Schützling mit auf den Weg gibt. Abgesehen nämlich von der
nicht mehr zu beantwortenden Frage, wie Voß wohl die
Akzente und Zäsuren gesetzt hätte, ist dieser Spruch –
»Nekräst negibaul geid sum namteflih dundna mein tedachs!« (XI 403) – nur in der Rückwärtsbewegung semantisierbar und fügt sich, nach gewohnter Ordnung buchsta-

biert, zu einer Formel, vor deren nichtssagender Rhetorik die strahlenden Kampf- und Siegesparolen einer Athene gleichsam zusammenschrumpfen (vgl. *Ilias* XXII 216ff.). Nüchtern und pragmatisch vertraut man im Reiche des Königs Nobel einfach darauf, daß sich »das Recht ⟨. . .⟩ ergeben« werde (XII 24). Und so geschieht es denn auch; nach einer bangen Zwischenphase, die den Fuchs in schwerster Bedrängnis zeigt, hat Reineke seinen Erzrivalen Isegrimm ebenso sicher unter Kontrolle wie Achill einst den Sohn des Priamos:

> Große Pein kam über den Wolf, er gab sich verloren.
> Blut rann über sein Haupt, aus seinen Augen, er stürzte
> Nieder betäubt. Es hätte der Fuchs des Goldes die Fülle
> Nicht für diesen Anblick genommen, so hielt er ihn immer
> Fest und schleppte den Wolf und zog, daß alle das Elend
> Sahen, und kneipt' und druckt' und biß und klaute den
> Armen,
> Der mit dumpfen Geheul im Staub und eigenen Unrat
> Sich mit Zuckungen wälzte, mit ungebärdigem Wesen.
> (XII 181ff.)

Nach wahrer Heldenart wird Reineke später nur lakonisch sagen, dieser Auftritt sei ihm »geglückt« (XII 229). Unter den gaffenden Zuschauern aber findet sich niemand, der nicht im Nu begriffe, was zu tun ist. Ob Dachs, Otter oder Biber, ob Marder, Wiesel oder Hermelin – man wirft alle Feindseligkeiten über Bord, um sich zum Jubelchor zu versammeln, man singt, man bläst die Flöte, schlägt die Pauke, läßt die Posaune tönen. Abseits bleibt, wie man das aus der *Ilias* kennt, allein das wehklagende Häuflein der gegnerischen Verwandtschaft: zwar keine Königsfamilie, kein Priamos, keine Hekabe und nicht einmal eine vor Schmerz derangierte Andromache, doch immerhin »Kind und Gesind'« (XII 305) und allen voran die Wölfin Gieremund, die sich tief bekümmert über die sechsundzwanzig Wunden ihres Mannes beugt, wohl wissend, daß er die Schmach dieser Niederlage kaum je verwinden werde.

Parodistische Tabus im Sinne einer bedingungslosen Klassikerverehrung wären also gewiß das letzte, was man Goethes hexametrisiertem Fuchs vorwerfen könnte. Die Analogie der erzählerischen Grundmuster erscheint konsequent ausgereizt, wobei, wer sich auf Nebengeräusche, auf den Mitteilungswert von Halbgesagtem und demonstrativ Verschwiegenem versteht, zugleich auch wahrnehmen wird, in welchem Maße der Text durch das Bewußtsein der perspektivischen Umkehrbarkeit imprägniert ist. Der Text ›weiß‹, daß der Blick von unten nach oben oder – sprichwörtlich gewendet – die mutwillige Inspektion aus der Froschperspektive zwangsläufig auf den Frosch zurückfällt und der Abstand zum attackierten Ideal eine Angelegenheit für Relativitätstheoretiker bleibt. Konkret bedeutet das: Goethes ›homerische‹ Fauna fordert nicht bloß dazu auf, das Personal der antiken Heldendichtung unter veränderten Prämissen, gegebenenfalls als überraschend nahe benachbarte Spezies zu sehen – man denke nur an die Art und Weise, wie der rachsüchtig frohlockende Achill Hektors Leichnam über das Schlachtfeld ziehen, wie der Sieger den Besiegten von »Hund' und Gevögel« zerfleddern läßt (*Ilias* XXII 335); als das eigentlich Kennzeichnende an Reineke und seinen Genossen entpuppt sich die Schwerkraft, die sie inklusive ihres namentlich vorbelasteten Königs gegen jeden Nobilitierungsversuch immunisiert. Sie sind am Ende, was sie am Anfang waren, hungrig, gefräßig, nimmersatt, mit einem Wort: Tiere, die des Lebens und Überlebens willen durch keinen noch so dringlich formulierten Humanitätsappell zu beeindrucken sind.

Die Kommentatoren pflegen in diesem Zusammenhang auf den Vorbildcharakter jener sechsundfünfzig Radierungen Allaert van Everdingens hinzuweisen, die Goethe in einer illustrierten Ausgabe von Gottscheds ›prosaischem‹ *Reineke* kennengelernt und 1783 anläßlich einer Kunstauktion in seinen Besitz gebracht hat. Denn ein einziges Blatt ausgenommen – Reineke in der Mönchskutte –, präsentieren diese Radierungen die Fabelakteure ohne die sonst üblichen anthropomorphisierenden Attribute, ein Verfahren, das

Goethe überzeugt haben muß und dessen Effekte er vor
allem dort zu nutzen wußte, wo er im Spannungsfeld seiner
zwischen Kultiviertheit und Drastik angesiedelten Hexameter ein zweites, mit der Homer-Parodie zuinnerst ver-
flochtenes Thema traktierte. Das Stichwort dazu: die Offerte
eines »wirklich erheiternd[en] ⟨...⟩ Hof- und Regenten-
spiegel[s]«, in dem »das Menschengeschlecht sich in seiner
ungeheuchelten Tierheit ganz natürlich vorträgt«, liefert
eine Eintragung zur *Campagne in Frankreich*, die für ihren
Verfasser so etwas wie das bilanzierende Protokoll der ersten
gegenrevolutionären Mobilmachung durch das feudalabso-
lutistische Europa darstellte, dem Gepräge dieses Unternehmens entsprechend aber wenig Rühmliches zu vermelden
hatte. Das vorzüglich Bemerkenswerte handelte vom
»Schauplatze des Unheils«, von Blut und Blutdurst, von einer »rollenden«, »an Straßen-, Markt- und Pöbelauftritten«
allzu reichen Weltgeschichte, angesichts derer die annon-
cierte Heiterkeit von vornherein nur als ironischer Marker,
als Signatur einer doppelbödigen Inszenierungskunst gemeint sein konnte. Bestätigt wird das außerdem durch einen
vergleichenden Blick auf Goethes niederländische Vorlage;
bis in die Feinabstimmungen des Vokabulars hinein hat Goethe im Zuge seiner Übertragungsarbeit alle Register der Hof-
und Diplomatensprache gezogen, um aus der Moraldidaxe
des *Reynke de vos* zu machen, was er in der Rückschau seinen
Beitrag zu einer »unheiligen Weltbibel« nannte: eine ebenso
prinzipielle wie für jeden Zeitgenossen aktualisierbare, mit
der herrschenden Aristokratenkaste unschwer in Verbindung zu setzende Politsatire, die sich von keiner der ange-
sprochenen Interessengruppen einen Maulkorb umhängen
ließ. So liest sich das Epos jedenfalls auch noch aus heutiger
Sicht als Totalangriff, der, vom Machtzentrum des Königs
Nobel ausgehend, das Panorama einer durch und durch kor-
rupten, auf Zynismen eingeschworenen Gesellschaft zum
Vorschein bringt. Die Handlungsmaximen dieser Gesellschaft bewegen sich jenseits aller Sittlichkeitsgebote; es regiert, wo immer man sich umsieht, der Eigennutz, und zwar,

wie Reineke ganz richtig betont, in einer dem System perfekt
angepaßten Weise von oben nach unten:

> Raubt der König ja selbst so gut als Einer, wir wissens;
> Was er selber nicht nimmt, das läßt er Bären und Wölfe
> Holen, und glaubt, es geschähe mit Recht. Da findet sich
> keiner,
> Der sich getraut ihm die Wahrheit zu sagen, so weit hinein
> ist es
> Böse, kein Beichtiger, kein Kaplan, sie schweigen!
> (VIII 109ff.)

An späterer Stelle, doch im selben Kontext berichtet
Reineke, wie ihn Nobel höchstpersönlich »nach Hofart teilen
gelehrt« habe (X 392), und beschreibt mit der ihm eigenen
Unverblümtheit die Mechanismen, die das System und den
Kreis seiner Helfershelfer nicht bloß aufrechterhalten, sondern gezielt reproduzieren. »Die allergierigsten Schälke«,
sagt Reineke,

> Werden erhoben, und Nutz und Gewinn bedenkt man
> alleine,
> Recht und Weisheit stehen zurück. Es werden die Diener
> Große Herren, das muß der Arme gewöhnlich entgelten.
> Hat ein solcher Macht und Gewalt, so schlägt er nur
> blindlings
> Unter die Leute, gedenket nicht mehr, woher er
> gekommen ⟨. . .⟩ (X 314ff.)

Und schließlich das Fazit, das erneut dem Fuchs anvertraut
ist und die wenigen Verse betrifft, um die Goethe mit Blick
auf die Französische Revolution und deren Folgeereignisse
den mittelalterlichen Text erweitert hat:

> Doch das schlimmste find' ich den Dünkel des irrigen
> Wahnes,
> Der die Menschen ergreift: es könne jeder im Taumel
> Seines heftigen Wollens die Welt beherrschen und richten.
> ⟨. . .⟩
> Aber wie sollte die Welt sich verbessern? es läßt sich ein
> jeder
> Alles zu und will mit Gewalt die andern bezwingen.

Und so sinken wir tiefer und immer tiefer ins Arge.
Afterreden, Lug und Verrat und Diebstahl, und falscher
Eidschwur, Rauben und Morden, man hört nichts anders
erzählen,
Falsche Propheten und Heuchler betrügen schändlich die
Menschen. (VIII 152ff.)

Schon aus Gründen aktueller politischer Anschlußmöglich-
keiten ist dieser Analyse kaum etwas hinzuzufügen, es sei
denn der Hinweis, daß sich die Passage als einzige im gesamten Epos explizit auf den kategorialen Sprung vom Tier
zum Menschen einläßt und daß der wahrsagende Fuchs, wie
das bereits vor der Folie des homerischen Heldengedichts
zutage getreten ist, seinen Spießgesellen nichts voraushat,
was ihn moralisch in der Rolle des Richters rechtfertigen
würde. Im Gegenteil: In einer Meute von beutegierigen Jägern, von Falschmünzern und – man muß wohl sagen –
Schwerverbrechern ist Reineke, der Erzlügner und Meister
scheinheiliger Verstellung, nur darum der Gewinner, weil er
die Spielregeln besser als andere durchschaut und weil es ihm
gelingt, im Dienste der Sache, und das heißt allemal: um der
Realisierung seiner Bubenstücke willen, die dafür notwendige Disziplin aufzubringen.

Selbstverständlich ist das bitter und die Versuchung nahe-
liegend, Goethes Opus dem Zirkel der erwähnten Zynismen
zuzuschlagen, bewegt es sich doch mit dieser Bestandsauf-
nahme in einem Argumentationsrahmen, der zum intellektuellen Hätschelkind des 18. Jahrhunderts, dem Natur-
rechtsoptimismus Rousseauscher Herkunft, in denkbar
schärfster Opposition steht. Man mustere zum Beispiel die
im IX. Gesang detailliert ausgebreitete Schlangenparabel,
die, als Geschichte in der Geschichte, die praktische Aus-
sichtslosigkeit humaner Regungen brennspiegelartig demonstriert (vgl. 221ff.); unter Schlangen, sagt dieses Exempel und meint damit zugleich: unter Wölfen und Füchsen ist
für das beschworene ›Gute‹ schlechterdings kein Platz, oder
umgekehrt: Tugend, Anstand, Empathie haben selbst bei
sorgsamer Dosierung allenfalls dort eine Chance, wo man

sich solche Gesinnungssignale auf der Grundlage gewisser Existenzsicherungen auch leisten kann. Auf den Punkt gebracht, geht das Exempel in seiner zugespitzten Paradoxie sogar noch einen gewichtigen Schritt weiter, indem es mit der Schlange, die sich Hungers halber an ihrem Retter vergeht, eine Situation vor Augen führt, die jede Form moralischer Belangbarkeit dadurch außer Kraft setzt, daß zwischen Tat und Untat, zwischen Recht und Unrecht eine Grenze zu ziehen nach Maßgabe begründbarer Entscheidungen nicht mehr möglich erscheint. Was Reineke als Konfliktlösung anbietet – die Wiederherstellung der Ausgangslage im Sinne einer schlichten Komplexitätsreduktion –, verdient daher diesen Namen nicht; es ist statt dessen ein Trick aus dem Handlungsvorrat derer, die man in der einschlägigen Literatur, der Pikareske, und ihren wissenschaftlichen Sekundärprodukten eben deshalb genau so, nämlich als *trickster*, zu deutsch: als Schelme, bezeichnet und der Ambivalenz dieses Titels gemäß in einer ethischen Grauzone, einer von komplizenhafter Bewunderung und Distanznahme gleicherweise geprägten Sphäre, agieren sieht. Für Goethes Fuchs ist diese literarhistorische und gattungstypologische Familienzugehörigkeit als betont markierte Referenz natürlich längst ausgemacht; man hat nachgewiesen, daß Goethe immer dort mit dem Schelmenbegriff und seinen Ableitungen operierte, wo in der Vorlage ein ›bösewycht‹, ein ›lozer wycht‹ oder eine ›valsche myssedaet‹ zu übersetzen war. Nur sind die Schlüsse, die man aus diesen Beobachtungen gezogen hat, viel zu einseitig ausgefallen. So hat es Goethe zwar geschafft, seinen Helden als Sympathieträger zu präsentieren, der den Leser zum vergnügten Augen- und Ohrenzeugen der übelsten Schurkereien macht. Reineke besticht durch Mut, Intelligenz und Geistesgegenwart; er behält selbst in scheinbar hoffnungslosen Fällen die handlungsbefähigende Übersicht, sprüht vor Witz und Einfallsreichtum, läßt sich durch nichts und niemanden die Butter vom Brot, oder besser gesagt: den Braten vom täglichen Speisezettel nehmen. Und vor allem ist Reineke ein Komödiant und glänzender

Rhetor, dem sich bis zum Staatsoberhaupt hinauf keiner gewachsen zeigt und dem infolgedessen auch keiner die Unver-
schämtheiten allzu kleinlich vorzurechnen wagt. Auf der anderen Seite aber muß daran erinnert werden, daß die Bezeichnung ›Schelm‹ noch im ausgehenden 18. Jahrhundert
nur bedingt ein Ehrentitel war; unter der jüngsten Bedeutungsschicht mischte nach wie vor die überlieferte Lexik mit,
die vom ›Kadaver‹ über die ›ansteckende Krankheit‹ bis zum
›Betrüger‹ und ›Scharlatan‹, ja bis zum ›Teufel‹ wenig Ansehnliches, geschweige denn einen Reichskanzler und Siegel-
bewahrer des Königs verhieß. Die bissige Ironie der Schluß-
konstellation wäre daher nur zu mildern gewesen, wenn sich
Goethe entschlossen hätte, Reinekes Strafregister nach Umfang und Art zu bagatellisieren. Trotz der unverkennbaren
Tendenz zur ›gehobenen‹ Wortwahl kann davon im Blick auf
den Sachbefund jedoch keine Rede sein; vielmehr gilt es
umgekehrt, das Argument aufzugreifen, das in der konzeptionellen Reorganisation des Stoffes liegt. Aus den vier ungleich proportionierten Büchern des *Reynke de vos* hat Goethe
nicht bloß zwölf quantitativ konkurrenzfähige Erzählsequenzen gezogen, er hat durch die Parallelisierung der ›Gesänge‹ I-VI und VII-XII eine Struktur etabliert, mit der sich
das Fabelende als prinzipiell wiederholbares Ereignis entpuppt. So sicher wie Reinekes erstem Tribunal ein zweites
folgt, wird dieses zweite ein drittes zeitigen und über einen
Angeklagten zu befinden haben, dem es als amtlich bestall-
tem Würdenträger im Traum nicht einfällt, den Fuchs verleugnen zu wollen, der im Gegenteil dank seiner Privilegien
die bösen Spiele noch effizienter, und das bedeutet: böser als
je zu spielen versteht.

Über das wahre Gewicht dieser Diagnose wird man allerdings erst dann unterrichtet, wenn man vor dem Hintergrund der eingangs aufgeführten Anekdote aus *Dichtung und
Wahrheit* auch den Antwortcharakter realisiert, der das Verhältnis von Goethes Epos zu Klopstocks *Messias* bestimmt.
Diese Antwort erschöpft sich nämlich keineswegs im metri-
schen Zitat, sondern zielt in das Zentrum von Klopstocks

ebenso abstrakter wie allumfassender, nicht einmal vor der
Hölle haltmachender Umarmungstheologie, die bei den zeitgenössischen Kritikern zum Teil mit Befremden, zum Teil
mit unverhohlenem Spott quittiert worden ist. Zu den Spöt-
tern zählte zum Beispiel August Wilhelm Schlegel, der Klopstock dem wirklichkeitsfernen Narrenkönig in Tiecks *Ge-
stiefeltem Kater* verglich (vgl. *Über schöne Litteratur und Kunst*
II), und es zählte dazu der junge Herder, der das sichtlich
abgemattete Satansgeschlecht der Messiade als ohnmächtige
Schreckensmaschinerie empfand. »Und seine Hölle!« so ließ
er sich in einem fiktiven Gespräch über Klopstocks erste
Gesänge vernehmen (vgl. *Sämmtliche Werke* I): »Immer wird
es mir schwer, blos reine Geister zu gedenken ⟨. . .⟩, die aus
einem innern giftigen Principio des Neides, gegen einen
Gott, den sie zu sehr kennen, und gegen einen Meßias, von
dem sie zu wenig wissen, aus Grundsäzzen, so unvernünftig
und ohne wahrscheinlich gemachte Triebfedern so boshaft
handeln werden.« Vielleicht ahnte Herder damals schon, wie
sich die Geschichte weiterentwickeln würde: daß Klopstocks
Vorzeigeteufel Abadona, nachdem er dem Leidensweg des
Gottessohnes Station für Station gefolgt ist, im Zuge des
großen Weltgerichts begnadigt und wieder unter jene Engel
eingereiht wird, deren himmlisches Gebaren der erwähnte
Schlegel bereits als »Tagedieberey« qualifiziert hatte. Doch
wie dem auch war und wie immer man die fraglichen Momente bewerten will – vor dieser Folie sind Goethes ›läßli-
che‹ Übersetzungshexameter nur als Kontrafaktur und An-
ti-Messiade, als kompromißloses Aufklärungsprojekt zu begreifen, das sich, statt von Erlösungsbildern, von einem
ausgeprägten Realitätsbewußtsein und einer entsprechend
anschauungsgesättigten Einsicht in die Zwangsgefüge des
Irdischen leiten läßt. Goethes *Reineke Fuchs* nennt ›böse‹, was
trotz raffinierter sozialer Maskeraden nach Recht und Gesetz
so genannt werden muß; das Epos verkündet keine Heils-,
sondern eine ernüchternde Lebenslehre, die gute Argumente
hat, den Bund der Prediger und sonstige Religionshüter
nicht schonender als andere Gesellschaftsgruppen zu be-

handeln, und es schließt in Gestalt einer eigens abgesetzten
Passage mit einem Tugendappell, der aufgrund seiner rabu-
listischen Rhetorik nichts als Hohn und Tücke, eine Didaxe
der schwärzesten Sorte ist. Nach Reinekes Devise

> Jeder durfte nur lesen und so verstand er die Fabel.

(X 111)

werden die Leser auf den »Sinn des Gesangs« (XII 375), sie
werden auf die »Weisheit« des Erzählten und die Notwendigkeit fortdauernden Studiums eingeschworen (XII 377),
gleichzeitig aber wird ihnen bedeutet, daß am »Laufe der
Welt« nicht das Geringste zu ändern sei (XII 378). »Denn so
ist es beschaffen, so wird es bleiben«, sagt der Rhapsode
(XII 379), der sich bis dahin auffallend zurückgehalten, im
Zusammenhang dieser Bilanzierung jedoch die entscheidende Stimme hat, zumal sich seine Prognose auf eine Autorität wie die des *vanitas*-Klägers Salomo berufen kann.
»Was gewesen ist, wird wieder sein, und was geschehen ist,
wieder geschehen«, heißt es bekanntlich schon im ersten Kapitel des Predigers (I 9), wenn auch nicht im Zeichen der
metaphysischen Abstinenz, die für Goethes Erzähler charakteristisch ist. Durch den himmelwärts gewendeten Schluß-
vers und den Frömmigkeitsgestus seiner Beglaubigungs-
formel

> Uns verhelfe der Herr zur ewigen Herrlichkeit. Amen!

(XII 381)

sollte man sich jedenfalls nicht beirren lassen; angesichts ihrer exakt kalkulierten Bezugnahme auf die Eröffnungszeile
stammt diese Form der Absegnung zweifelsohne aus dem
Repertoire jener Sprechblasen, wie sie Reineke in seiner
süffisanten Theatralik zu fabrizieren pflegt: Pfingsten, »das
liebliche Fest« (I 1), ist zur Friedensfarce, es ist zur Feier eines
Geistes verkommen, der sich beim besten Willen nicht mehr
als heilig bezeichnen läßt.

Im übrigen sind diese letzten Hexameter noch einmal ein
exemplarischer Beleg für die einst von Humboldt vertretene
These, Goethe habe anläßlich seiner Bemühungen um eine
Aktualisierung des mittelalterlichen Stoffes »nicht sowohl

viel, als vielmehr alles 〈. . .〉 getan«. Zwar findet sich in diesem Epilog keine Zeile, die in der Vorlage nicht wenigstens ihrem Grundriß nach wiederzufinden, keine, die im engeren Sinne als Original zu deklarieren wäre, doch erscheint, von den Verfremdungseffekten des Metrums abgesehen, jeder einzelne Vers durch eine Fülle gezielter Manipulationen, durch Eingriffe syntaktischer und semantischer Natur derart verwandelt, daß man von einer bis an die ideologischen Wurzeln reichenden Umschrift sprechen muß, die dem überlieferten Material neben einem Feuerwerk präzis plazierter Pointen neue Dimensionen der sachlichen Auseinandersetzung abgewonnen hat. Der Genügsamkeit des Sekundärprodukts ist Goethes Epos damit ebenso deutlich entwachsen wie dem Abhängigkeitsstatus einer simplen Homer- oder Klopstock-Parodie. Umgekehrt darf man aber auch die Schutz- und Rechtfertigungsfunktion nicht unterschätzen, die der Vorläufertext bei diesem Transkriptionsakt übernommen hat. Wer sich in Goethes weiträumigem Œuvre auf die Suche macht, wird wenig entdecken, was der gesellschafts- und ideologiekritischen Radikalität des *Reineke Fuchs* an die Seite gestellt werden könnte, ein Umstand freilich, der die von Anfang an durch eine bemerkenswerte Resonanzlosigkeit gekennzeichnete Rezeptionsgeschichte nicht unerheblich mitverschuldet haben dürfte. Da mochte Herder im Blick auf die neugefaßte Fabel noch so enthusiastisch die »seit Homer 〈. . .〉 vollkommenste Epopee« bejubeln – in Anbetracht der Revolutionsereignisse und des sich ausbreitenden politischen Terrors war diese Radikalität nicht nur nicht gefragt, man klammerte sich an Restaurationsparolen und kompromißlerische Beschwichtigungen, die allenfalls mit Reinekes antirevolutionärer Brandrede, nicht jedoch mit seiner sonstigen Lageanalyse zu vereinbaren waren. Also besann sich die offizielle Literaturkritik auf eines ihrer unspektakulärsten und zugleich probatesten Mittel: Man schenkte Goethes kaltschnäuzigem Tabubrecher so gut wie keine Beachtung, signalisierte hingegen Wohlgefallen, als man sich im Verlauf des 19. Jahrhunderts entschloß, das Epos auf die Maße eines gefahrlos konsumierbaren Erziehungstraktats der bürgerlichen Kinderstube zurechtzustutzen. Denn wie nicht anders zu erwarten, hatte diese Form des literarischen Registerwechsels einen durchschlagenden Neutralisierungserfolg; argumentativ entschärft und mit schmucken Illustrationen bedacht, ließ sich der Text ökonomisch verwerten, ohne daß man ihn wirklich ernst zu nehmen brauchte. Und dabei ist es im wesentlichen bis heute geblieben, obwohl die Goethe-Forschung um der historiographischen Redlichkeit willen immer wieder bestrebt war, das Bild vom obrigkeitshörigen Staatsdiener oder – affektbesetzter noch – vom aufstiegsorientierten Fürstenknecht zu korrigieren. So hat man zu diesem Zweck die umständlichsten Beweise ins Feld geführt – an Reinekes Lästerzunge, die dafür die schönste Handhabe bietet, aber wollte sich, nachdem das Gedicht durch das Raster der Erwachsenenlektüre gefallen war, kaum mehr einer erinnern.

Nun kennt die Literaturgeschichte natürlich eine Vielzahl von Ausmusterungsprozessen dieser und anderer Art, die man unter Qualitätsgesichtspunkten bedauern, mangels einklagbarer Rechtsansprüche indessen ihrer eigenen Dynamik überlassen, vielleicht als solche sogar akzeptieren muß; schließlich ist die Bildung des literarischen Kanons zu keiner Zeit ein Vorgang gewesen, der durch die Lobbyisten der unterschiedlichsten Interessenkomplexe nicht nachhaltig beeinflußt worden wäre. Im Falle des *Reineke Fuchs* lohnt sich jedoch insofern ein etwas genauerer Blick, als dem letzten von Goethes fertiggestellten Epen, *Herrmann und Dorothea*, ein ganz ähnliches Schicksal beschieden war, kurioserweise allerdings erst nach dem welthistorisch bedeutsamen Einschnitt von 1918 und im Anschluß an eine Erfolgsstory, die im Schriftstellerleben Goethes nicht ihresgleichen, die selbst den Triumph von *Werthers Leiden* in den Schatten gestellt hatte und vor allen Dingen dadurch charakterisiert war, daß sich das Publikum anders als bei der Konfrontation mit *Reineke Fuchs* in seinen elementaren Sicherheits- und Identifikationsbedürfnissen weitgehend befriedigt fühlte. Hörte man Goethe, so behauptete er zwar, mit *Herrmann und Dorothea* den Versuch unternommen zu haben, »das reine Menschliche der Existenz einer kleinen deutschen Stadt ⟨...⟩ von seinen Schlacken abzuscheiden«, tatsächlich aber war ihm der Zusammenhang zwischen den Konstituenten des Textes und dem öffentlichen Echo keineswegs entgangen. »In Herrmann und Dorothea«, so bekannte er Schiller gegenüber am 3. 1. 1798, »habe ich, was das Material betrifft, den Deutschen einmal ihren Willen getan und nun sind sie äußerst zufrieden.« Man sollte daher nichts beschönigen; auch wenn Goethe dem eigenen Zeugnis zufolge »das Gedicht« bis in seine späten Jahre hinein »niemals ohne große Rührung vorlesen konnte«, hatte er das Werk offensichtlich auf eine Wirkung berechnet, die den Wünschen der Leserschaft ironisch Rechnung trug. Und welcher Provenienz diese Wünsche waren, verriet wiederum Schiller, als er nach der ersten Begeisterungswelle unter dem Datum des 18. 5. 1798 an Goethe zurückschrieb: »Sie haben sehr recht gehabt, zu erwarten, daß dieser Stoff für das deutsche Publikum besonders glücklich war, denn er entzückte den deutschen Leser auf seinem Grund und Boden.« Worauf es nämlich ankam, war die Doppeldeutigkeit, die sich *Herrmann und Dorothea* scheinbar guten Gewissens abmarkten ließ: auf der einen Seite die Legitimation all jener Gesinnungsmerkmale, die man unter Einbeziehung des bürgerlichen Selbstverpflichtungskatalogs mit Vorliebe als ›vaterländisch‹ bezeichnete – Traditionsbewußtsein, Beharrungsvermögen, Wehrhaftigkeit nach innen und außen; auf der anderen Seite die Rechtfertigung des Besitzes, durch den diese Ehrsamkeit allererst ihren konkret taxierbaren Verkehrswert erhielt. In diesem Sinne wurde nicht nur dankbar vermerkt, daß Goethe mit seinem epischen Personal bei Klopstocks sogenannten Hermann-Bardieten (*Hermanns Schlacht*, 1767; *Hermann und die Fürsten*, 1784; *Hermanns Tod,* 1787) und deren Vorläufer, dem 1743 als Trauerspiel deklarierten *Herrmann* Johann Elias Schlegels, angeknüpft und den patriotischen Erzählungen um den ursprünglich durch Lohensteins *Arminius* literaturfähig gewordenen Cheruskerfürsten eine zeitgerechte Variante hinzugefügt hatte; man war im Fortgang des 19. Jahrhunderts zunehmend überzeugt, Goethe habe den Deutschen das »wahre Hermannslied« gesungen, und zögerte endlich nicht mehr, die Sache beim Namen zu nennen: *Herrmann und Dorothea*, so war 1893 in einer germanistischen Monographie zu lesen, »ist das Epos von der deutschen Bürgertugend, das Epos von der Familie und dem Privatbesitz, dieser Substanz des deutschen Geistes«.

Sonderlich überraschend erscheint es demnach nicht, wenn die Buchhandelsbilanzen noch zu Goethes Lebzeiten rund dreißig Auflagen verzeichneten, die neueren Kommentare zur Rezeptionsgeschichte dagegen einem wenig schmeichelhaften Vokabular den Vorzug geben. Von Besitzideologie und Deutschtümelei, von Nationalismus und Chauvinismus ist die Rede, und zwar mit Argumenten, die schon darum schwer zu entkräften sind, weil die Popularitätskurve von *Herrmann und Dorothea* in signifikanter Weise mit den Eckdaten der auf die Reichsgründung zugelaufenen Entwicklung korrelierte. Wann immer man unter den Druck konsolidierender Selbstverständigung geriet, bediente man sich der prägnanten Verse im Sinne von Aus- und Abgrenzungsstrategien, die den politisch-moralischen Appell einschließlich seiner militanten Untertöne in den Rang des unantastbaren Dichterworts erhoben. *Herrmann und Dorothea* wurde als »goldenes Sittenbüchlein«, als Vademekum bürgerlichen Rollenexerzitiums, seit der Jahrhundertmitte als schulische Pflichtlektüre gehandelt, von der man sich die Heranbildung ›deutscher Jünglinge‹ und der dazu passenden Ehehälften versprach. ›Geziemte‹ es jenen, nicht »zu wanken hierhin und dorthin«, sondern ihre Habe notfalls mit Waffengewalt zu verteidigen (vgl. IX 305ff.), stand über diesen ein nicht minder klar formuliertes Motto:

Dienen lerne bei Zeiten das Weib nach ihrer Bestimmung;
Denn durch Dienen allein gelangt sie endlich zum
                                                    Herrschen,
Zu der verdienten Gewalt, die doch ihr im Hause gehöret.
(VII 114ff.)

Als unvermittelte Lebensdevisen verstanden, lassen sich
diese Verse nicht einmal aus der Rückschau ohne ein gewisses
Gefühl der Beklemmung zitieren; auch dürften sie angesichts
der Aufbruchshektik der Gründerjahre und ihrer gesell-
schaftspolitisch traumatisierenden Begleitphänomene: Ka-
pitalakkumulation, Proletarisierung weiter Bevölkerungs-
kreise, Zerstörung der Familienbande, Beginn der Frauen-
emanzipation, sukzessive den Charakter illusorischer Beschwörungen angenommen haben. Nach dem Fiasko des
Ersten Weltkrieges – vom Zweiten erst gar nicht zu reden –
gab es freilich nichts mehr zu beschwören; die Katastrophe
hatte sich vor aller Augen sichtbar vollzogen, und eines ihrer
Folgesymptome bestand darin, daß Goethes Epos nahezu
spurlos aus dem öffentlichen Bewußtsein und der es nährenden kulturellen Obligatorik verschwand. Vermutlich versuchte man nach Kräften zu verdrängen, was man zuvor so
selbstgefällig instrumentalisiert hatte, wobei die literatur-
wissenschaftliche Zunft kaum eine Ausnahme machte; sie
hüllte sich in Schweigen oder bearbeitete Detailfragen, die
ihr keine Bekenntnisse abverlangten. Noch heute sind diese
Berührungsängste nicht überwunden, doch deutet sich zumindest im Forschungsbetrieb eine vorsichtige Rehabilitie-
rung an, die bemüht ist, inhaltliche Kurzschlüsse zu unter-
binden, indem sie den Gesprächsfaden dort aufnimmt, wo
Goethes zeitgenössische Kritiker einstens ihre Bewunderung bekundet haben: beim Kunstwerk und bei den Kon-
stellierungskonzepten seiner höchst spannungsvoll ins Spiel
gebrachten Bedeutungselemente. Denn professionelle Leser
wie der bereits mehrfach angeführte Schiller, der *Herrmann
und Dorothea* als »Gipfel« der »ganzen neueren Kunst« betrachtete, oder das brüderliche Augurenpaar Friedrich und
August Wilhelm Schlegel, das im spezifisch literaturtheo-
retischen Sinne vom »romantisierte[n] εποϛ« und einer Vollendung im »großen« Stile sprach, oder schließlich Wilhelm
von Humboldt, der sich durch die Vorzüge des Textes zu
einer ausgreifenden kunstphilosophischen Studie veranlaßt
sah und das Gedicht zu den ranghöchsten Exempeln seiner

Gattung zählte – sie alle waren sich der Tatsache bewußt, daß
sie es nicht einfach mit der Versifikation einer kleinbürgerlichen Liebesgeschichte zur Zeit der Revolutionswirren, sondern mit einem Gebilde zu tun hatten, das noch offensiver als
Reineke Fuchs den poetischen Raum zwischen Homer und
Tasso, zwischen Miltons *Paradise Lost* und Vossens *Luise*
durchmaß, um zur eigenen Standortbestimmung am pro-
spektiven Schlußpunkt dieser Traditionskette eine Art dia-
loger oder besser noch: polydialoger Synopse zu wagen.

Das erste Signal, dem diese Zielsetzung unmißverständlich abzulesen ist, bilden jene »doppelten Inschriften« (an
Schiller, 8. 4. 1797), die Goethe, die Namen von Mnemosy-
nes Musentöchtern mit handlungsbezogenen Sachtiteln
kombinierend, den neun Gesängen seines Epos vorangestellt hat. Hinter dieser Maßnahme steckt jedoch nicht bloß
ein Verweis auf das Werk Herodots, der als Geschichts-
schreiber und *pater historiae* beides zugleich, Historiograph
und Novellist, Darsteller geschichtlicher Ereignisse und Erzähler amouröser Geschichten, war; es sind damit auch die
Bedingungen, die Kategorien angezeigt, unter denen sich
gut zweitausend Jahre nach Herodot, im Zeitalter der modernen bürgerlichen Gesellschaft und des sie kennzeichnenden Partikularismus, die Chronik der Menschheitsgeschicke
fortführen ließ: als Familien- und Honoratiorengeschichte,
als Geschichte der Lokalgrößen, der Gastwirte, Apotheker
und Pfarrer, die vom Weltgeschehen keineswegs unberührt
bleiben, die höheren Orts entfachten Gewitterstürme in der
Regel aber auf eine eigentümlich mediatisierte Weise, wie ein
Wetterleuchten am Horizont ihrer emsig umsorgten All-
täglichkeiten wahrnehmen und es daher nicht leicht haben,
den Gang der Dinge realitätsgerecht einzuschätzen. Es handelt sich also um eine Geschichtsschreibung von unten, eine
Erzählung, die gegenüber der Totalen die Winkelperspek-
tive bevorzugt und die sich vornimmt, die Geschichte nicht
dort zu rekonstruieren, wo sie ›gemacht‹, sondern an der
Stelle aufzusuchen, wo sie im Konflikt mit anderen, mit Geschichten der häuslichen und ökonomischen Wunscherfül-

lung vollzogen wird. Ausschlaggebend ist dabei das Bewußtsein, daß die Heroik alten Stils nur noch Erinnerungsqualität, den Gebrauchswert ferngerückter Ideale besitzt und daß die Produktion einer neuen, aktuellen Heldenpoesie, so sie nicht unfreiwillig komisch wirken will, erst dann wieder – und womöglich zum letzten Mal – eine Chance hat, wenn die große Tat nicht um diejenigen Aspekte beschnitten erscheint, die ihr an der Schwelle zum 19. Jahrhundert ein notgedrungen ambivalentes Gepräge geben: die Einbindung ins Prosaische, die Gefahr eines Mißverhältnisses von Mittel und Zweck, die Nähe zur Donquichotterie, die Nachbarschaft zum Lächerlichen.

Wer *Herrmann und Dorothea* mit entsprechender Aufmerksamkeit zu lesen beginnt, wird sich diesem Eindruck jedenfalls kaum entziehen können. Die sorgfältig balancierte Erzählstruktur ausgenommen, findet sich hier selbst im engsten Umkreis der beiden Hauptakteure nichts von jener Eindeutigkeit und strikten Zuordnungspraxis, wie man sie, im Sinne einer Gattungsmaxime, in der Welt der Epen sonst anzutreffen gewohnt ist. Zwar wird man über die Herkunft des Paares nicht eigentlich im Zweifel gelassen; Herrmann ist der »wohlgebildete Sohn« aus dem irgendwo rechtsrheinisch gelegenen *Goldenen Löwen* (II 1), ein stiller, für den Geschmack seines ehrgeizigen Vaters ein wenig zu ungelenker, zu introvertierter und eigensinniger Zeitgenosse, auf dem dank seines Arbeitseifers und seiner Geschicklichkeit aber dennoch die Hoffnungen eines prosperierenden Familienbetriebes ruhen; Dorothea ist das »gute Mädchen« (VII 22), das durch die revolutionsbedingten Turbulenzen links des Rheins neben Haus und Heimat den Bräutigam verloren, inmitten dieses Unglücks allerdings das Glück hat, daß es Herrmanns Zuneigung gewinnt und trotz der dramaturgisch effektvoll aufgetürmten Hindernisse zuletzt mit dem so beargwöhnten »Bündel« als Schwiegertochter willkommen geheißen wird (II 185). Doch ist das tatsächlich nur die Oberfläche; nimmt man den Text schärfer ins Visier und sortiert seine Angebote unter dem Gesichtspunkt litera-

rischer Verwandtschaftsbeziehungen, wird die verwirrend
disparat angelegte Ahnengalerie erkennbar, die dem Paar auf
eine im Wortverstande bedeutsame Weise Pate gestanden
hat.

So zehrt Herrmann – wie angedeutet – zunächst von der
Substanz einer durch Legendenbildung manipulierten Na-
menswahl, die ihm insbesondere im Zusammenhang der
Kernsätze seiner Schlußrede den Nimbus des vaterländisch
gesinnten Heros verleiht. »»Dies ist unser!‹ so laß uns sagen
und so es behaupten«, beschwört Herrmann geradezu todes-
mutig die eben gewonnene Dorothea,

Denn es werden noch stets die entschlossenen Völker
                                            gepriesen,
Die für Gott und Gesetz, für Eltern, Weiber und Kinder
Stritten und gegen den Feind zusammenstehend erlagen.
(IX 307ff.)

Die Zahl der Leser, die bei diesen Versen nicht an das Kriegs-
gerassel im Teutoburger Wald, an Römerhaß und Germa-
nenglorie denkt, dürfte sich wahrscheinlich in Grenzen halten. Ein dezidiert literarisches Kombinationsvermögen dagegen ist verlangt, wenn auch das Anspielungspotential des
im Handlungszentrum stehenden Motivs der Brautwerbung
realisiert werden soll – die Tatsache, daß der bürgerliche
Figurant des deutschen Tapferkeitsidols gleichzeitig auf den
Spuren all der Liebeshelden wandelt, die sich vom *Nibelungenlied* bis zum *König Rother*, von der *Kudrun* bis zu Gottfrieds
Tristan entweder aus Gründen der Konvention oder widriger Umstände wegen vertrauenswürdiger Mittelspersonen
bedienen mußten, um die begehrte Frau am Ende in Besitz
nehmen zu können. Es erübrigt sich deshalb, die Liste der
Helferfiguren, sie mögen Siegfried, Rüdiger, Hagen, Hetel
oder Wate heißen, detailliert auszubreiten; maßgeblich ist die
mythische Überhöhung, die Herrmann und seinen Freunden
durch diese imaginäre Begleitung widerfährt und den Wer-
bezug um Dorothea ungeachtet seines Improvisationscha-
rakters als einen zutiefst traditionsgebundenen Ehrenakt erscheinen läßt. Vollends deutlich wird das angesichts der viel-

gerühmten Brunnenszene zu Beginn des VII. Gesangs (vgl. 9ff.), deren biblische Abkunft schon Werther, sozusagen im werkchronologischen Vorgriff, dazu angeregt hat, sich der »Töchter der Könige« und ihrer von langer, nämlich von göttlicher Hand lancierten Bekanntschaften zu erinnern (vgl. Briefe vom 12. und 15. 5. [1771] sowie die einschlägigen Kommentare in diesem Band). Ihren Glanz bezieht diese Szene infolgedessen nur bedingt aus sich selbst; ein gewichtiger Anteil geht auf das Konto des kulturellen Gedächtnisses, das in der Begegnung zwischen *Herrmann und Dorothea* das Moment einer uralten Regie, genauer gesagt: einer Heilsregie diagnostiziert, die das Paar mit Eliezer und Rebekka (vgl. Gen 24,1ff.), mit Jakob und Rahel (vgl. Gen 29,1ff.), möglicherweise sogar, wenn man die typologische Verlängerung berücksichtigt, mit Christus und der Samariterin (vgl. Jh 4, 5ff.) in eine gemeinsame Reihe stellt und um die verhaltene Intimität der Liebenden, ihren wissend-unwissend geschlossenen Lebensbund im Sinne eines anti-narzißtischen Gegenmythos das Licht derer verbreitet, die – komme, was da wolle – auserwählt sind.

Wie immer bei Goethe darf man diesen biblischen Anleihen gleichwohl keine christlich formulierte Theologie unterstellen; sie sind auch im Falle von *Herrmann und Dorothea* mit dem Gedanken einer ›patriarchalischen‹ Vorzeit verbunden, die den Entwürfen Homers zum Verwechseln ähnlich sieht. Verwunderung erregt allenfalls das Kuriosum, daß es nicht die Spezialforschung, sondern die in der ›Zeitschrift für den deutschen Unterricht‹ ausgerechnet unter der Rubrik »Sprechzimmer« abgedruckte Miszelle eines wilhelminischen Schulmeisters war, die im Blick auf diese wichtigste Bezugsquelle zu klären suchte, wo und wie die klassischen Epen, vor allem aber die Erzählungen der *Ilias* auf bedeutungsrelevante Weise im Spiele sind. Folgt man diesen Ausführungen und ergänzt sie um die spärlichen Recherchen jüngeren Datums, entsteht ein Bild, das wesentlich präzisere Einsichten zutage fördert als die notorischen Hinweise auf das ungewöhnliche Temperament von Herrmanns Heng-

sten: Über ein Netzwerk aus Allusionen und Parallelen gibt
sich Herrmann selbst als zweiter Achill zu erkennen, der ein
dem großen Vorbild durchaus vergleichbares Schicksal auszutragen hat. Indizien dafür sind erstens die Auseinanderset-
zungen im *Goldenen Löwen* um die ›richtige‹ Schwiegertochter (vgl. II 158ff.) – sie variieren den Streit zwischen Agamemnon und Achill, der sich vordergründig ebenfalls an
einer Frauenfrage, dem Anspruch des Atriden auf die Prie-
sterstochter Chryseïs, entzündet hatte, aus der Nähe betrachtet freilich eher eine Angelegenheit männlicher Eitelkeiten
war (vgl. *Ilias* I); zweitens das über den Fortgang der Handlung entscheidende Gespräch Herrmanns und seiner Mutter
unter dem Birnbaum (vgl. IV 51ff.), das man als Reflex auf
die vertraulichen und nicht minder tränenreichen Ausspra-
chen zwischen Achill und Thetis lesen kann (vgl. *Ilias*
I 348-428; XVIII 65-137); und drittens die zum Teil bereits
zitierten Schlußworte, die signalisieren, daß sich Herrmann,
wenn es denn sein müßte, zwar nicht von Thetis, doch von
Dorothea ›rüsten‹ ließe, um es dem Peliden zu guter Letzt
auch noch unter Kampfesbedingungen gleichzutun (vgl.
IX 313ff. u. *Ilias* XIX 1-36; XXII). Dieser Epilog zeigt außerdem in aller Anschaulichkeit, wie sich in Goethes Text die
unterschiedlichsten Referenzen und mit ihnen die sinn-
steuernden Präfigurationen überlagern; Herrmann, der Che-
ruskererbe, schlüpft problemlos in die Maske Achills, und
wirft man auf diese letzten Verse abermals einen Blick, wird
zu allem Überfluß das Profil des »helmumflatterte[n] Hektor«
sichtbar, der, zuinnerst überzeugt, er werde nicht wiederkehren, von Frau und Kind einen der weltliterarisch denk-
würdigsten Abschiede genommen hat (vgl. *Ilias* VI 390-502).
    Der Leser, die Leserin – sie haben also die Wahl, bezie-
hungsweise: Sie brauchen, da sich die Heldenbilder derart
ineinanderfügen, überhaupt nicht zu wählen; was mit Herrmann gemeint ist, scheint jedem Zweifel enthoben, zumal die
andere Hälfte, Dorothea, weder auf das Handlungsmuster
ihrer Namenspatronin, der als Schutzherrin der Wöchnerinnen verehrten heiligen Dorothea aus Kappadokien (vgl.

II 24ff.), noch auf das marianische Andachtsbild fixiert ist, zu
dem sie in der Apfelbaumszene des VI. Gesangs wie von
ungefähr die Staffage liefert (vgl. VI 132ff.). Erinnert sei an
die zeitgenössische Debatte, die durch Dorotheas Gewalt-
streich in Anbetracht der sie und ihre Schutzbefohlenen bedrohenden Revolutionsmarodeure ausgelöst und nicht einmal vom großen Humboldt eindeutig beschieden wurde
(vgl. VI 104ff.); Humboldt sprach in seiner langen Abhandlung von der Schwierigkeit, »noch jetzt eigentliche Amazo-
nencharaktere mit dennoch rein bewahrter Weiblichkeit zu
zeichnen«, um sich schließlich – sehr delikat – auf die »Deli-
catesse« zu verständigen, die »das Blutvergiessen ⟨...⟩ dem
Geiste« nicht »ganz und gar ⟨...⟩ unerträglich machte«.
Offenbar hatte die Vorstellung der verteidigungsbereiten
Dorothea das angstbesetzte Phantasma der ›phallischen
Frau‹ mitsamt den Gestalten wachgerufen, die man zur Il-
lustration dieses Horrorgemäldes traditionellerweise herbei-
zitierte: Judith, die ebenso gottesfürchtige wie reiche und
schöne Witwe, die ihr Volk durch den Mord an Holofernes
vor dem Untergang bewahrt hat; Prünhilt, die um ihren
wahren Bräutigam betrogene isländische Königstochter, an
der König Gunther kläglich gescheitert ist; Clorinda, die
bereits im Rahmen der *Theatralischen Sendung* zur Schlüssel-
figur aufgerückte Heroine aus Tassos *Befreitem Jerusalem*
(vgl. *Theatralische Sendung* I 9 und *Wilhelm Meisters Lehrjahre*
I 7), von der berichtet wird, sie habe, rücksichtslos gegen sich
selbst, an vorderster Linie gegen die Heiden gekämpft. Darüber hinaus wäre aber wohl auch Thusnelda zu nennen, ohne
die ein deutscher Her(r)mann im ausgehenden 18. Jahrhundert schwerlich zu präsentieren war – Johann Elias Schlegel
hatte die Braut des Germanenfürsten mit einem strategi-
schen Kniff, auf den er sich viel zugute hielt, »gleichfalls ins
Schlachtfeld« geschickt (vgl. »Vorbericht« zu *Herrmann, ein
Trauerspiel*); für Klopstock war sie anläßlich von *Hermann und
Thusnelda*, einer Ode aus dem Produktionsjahr 1752, zu einer
Figur geworden, die nichts Anstößiges daran fand, die Attraktivität ihres Geliebten nach der Menge seiner getöteten
Feinde zu bemessen:

Ha, dort kömmt er mit Schweiß, mit Römerblute,
Mit dem Staube der Schlacht bedeckt! So schön war
Hermann niemals! So hat's ihm
Nie von dem Auge geflammt!

Komm'! ich bebe vor Lust, reich' mir den Adler
Und das triefende Schwert! ⟨. . .⟩

Sätze dieses Zuschnitts, die vielleicht etwas weniger be-
fremdlich wirken, wenn man das alttestamentarische Bild
vom himmlischen Keltertreter aus Jes 63,1ff. in Rechnung
stellt, auf das sich Klopstock berufen konnte (vgl. die Parallele *Messias* XVIII 214ff.) – solche Sätze kommen Goethes
Dorothea natürlich nirgendwo über die Lippen. Allerdings
hieße es, gegen das Netzwerk an verifizierbaren Zitaten zu
argumentieren, wollte man deshalb jede Familienähnlichkeit
bestreiten. Dorothea ist gewiß kein simples poetisches Dop-
pel, sie entspricht keiner ihrer heroischen Gewährsfrauen
ganz; im Sinne eines literarischen Integrals scheint durch
diese Genealogie jedoch sichergestellt, daß dem neuen Helden Herrmann eine vergleichbar heldenhafte Partnerin zur
Seite steht.

  Tatsächlich aber müßten auch eingefleischte Liebhaber
von Heldengeschichten an dieser Stelle bereits eines Besseren
belehrt sein – das großartig arrangierte Bild, das die »hohen
Gestalten« auf der Schwelle zum *Goldenen Löwen* zeigt
(IX 55ff.), ist nicht nur schön, sondern ist viel zu schön, und
zwar weniger in Relation zu der Kleinstadtbühne, die sich
das angekündigte Heroenpaar erobern soll, als vielmehr im
Verhältnis zu den ausgefeilten Techniken, mit deren Hilfe
Goethes Epos seiner literaturhistorischen Rolle gerecht zu
werden versucht. Nachzuvollziehen ist das besonders anschaulich an einem der zahlenmäßig nicht weiter ins Gewicht
fallenden Rückgriffe auf die *Odyssee*, der sich ausnimmt, als
füge er sich bruchlos in den skizzierten Kontext ein. Betroffen ist Nausikaa, die nach einem nächtlichen Traumge-
sicht mit Sack und Pack zum Strand aufbricht, um dort in
Erwartung ihrer nahenden Hochzeit ihre Gewänder zu waschen:

Und Nausikaa nahm die Geißel und purpurnen Zügel;
Treibend schwang sie die Geißel: und hurtig mit lautem
Gepolter
Trabten die Mäuler dahin, und zogen die Wäsch' und die
Jungfrau ⟨. . .⟩
(*Odyssee* VI 81ff.)

Wechselt man zu Goethe hinüber, so stößt man auf Herrmann, der über sein erstes Zusammentreffen mit Dorothea
berichtet:

Als ich nun meines Weges die neue Straße hinanfuhr,
Fiel mir ein Wagen ins Auge, von tüchtigen Bäumen
gefüget,
Von zwei Ochsen gezogen, den größten und stärksten des
Auslands,
Neben her aber ging mit starken Schritten, ein Mädchen,
Lenkte mit langem Stabe die beiden gewaltigen Tiere,
Trieb sie an und hielt sie zurück, sie leitete klüglich.
(II 21ff.)

Trotz kleiner Differenzen – auf der einen Seite Purpur und
die Geste lässiger Lebensbewältigung, auf der anderen Seite
der kunstlose Stab, der dem schwergängigen Gespann Beine
machen muß – würde angesichts dieser Parallele kein quel-
lenkundlich interessierter Philologe zögern: Dorothea ist,
wenn nicht die phäakische Königstochter noch einmal, so
doch eine Figur, die zweifelsohne eine epische Aura im alten
Sinne besitzt. Anders sieht die Sache allerdings in dem Augenblick aus, in dem man einen einzigen der Texte wieder
präsent macht, der – gattungs- und motivgeschichtlich gesehen – die Lücke zwischen den zitierten füllt. Zum Beispiel
diesen:

Morgen will ich im hohen Triumph, mit wiehernden
Rossen,
Meine Cousine besuchen, und in dem fliegenden Trabe
Wie ein Sturmwind daherziehn, daß von dem donnernden
Rade
In den schütternden Fenstern die Scheiben erbeben sollen.
Mache mir alles zurecht am Amazonenhabite,

Und bereite dich selber mit mir zur lustgen Spazierfahrt.
Und weiter dort, wo die ersten Reiseeindrücke zu Protokoll
gegeben werden:

Wie ein wilder Ocean auf brausenden Wogen daher fährt,
Sich in dicke Dunkelheit hüllt, und Flammen umherstreut:
Eben so flogen durchs Feld die feuerschnaubenden
                                                    Hengste,
Und bestreuten mit Staub den Freyhern, und seine Diana.
Doch sie hielt noch die Zügel mit unerschrockenen
                                                    Händen;
War Regentinn allein, und machte den Freyherrn zum
                                                    Faulen.

So harmlos diese Verse, für sich genommen, auch sind – sie
stammen aus dem zweiten und fünften Gesang des *Phaeton*,
eines um die Mitte des 18. Jahrhunderts entstandenen komischen Epos von Friedrich Wilhelm Zachariä –: Als kulturell eingeführte und archivierte Elemente, die im Litera-
tursystem per Aktualisierung jederzeit semantisch produktiv
werden können, taugen sie vorzüglich dazu, das scheinbar
selbstevidente Korrespondenzgeflecht zwischen Homer und
Goethe durcheinanderzubringen. Plötzlich hat man es mit
einer völlig veränderten Konstellation der Texte und mit
einer Perspektivierung zu tun, die kaum noch eine klare
Auskunft erlaubt. Man fragt sich, ob Dorothea wirklich die
zweite Nausikaa, ob sie womöglich eine Widergängerin der
parodierten Nausikaa oder – dritte Überlegung – ob sie das
Exempel ist, mit dem die Parodierung der homerischen
Gestalt widerrufen werden sollte. Und da solche Fragen,
einmal auf den Weg gebracht, ihre eigene Dynamik entfalten,
liegt es schließlich nahe zu prüfen, ob nicht wenigstens Herrmann von diesen Irritationen ausgenommen ist – er ist es
nicht.

Recht betrachtet, steht der Titelheld sogar im Brennpunkt
aller auszumachenden Zweideutigkeiten, wobei ihn die Tatsache, daß sich die spöttischen Nachbarstöchter auf den
Spitznamen Tamino verschworen haben, so sehr nicht krän-
ken müßte (vgl. II 223ff.), ist doch Mozarts *Zauberflöte* trotz

ihrer Spiellaune und locker geschürzten Handlungsknoten keineswegs das Werk, das den Heldenglauben aufgekündigt hätte. Einschlägiger sind da schon die Zuschreibungen, die der Text andernorts bezieht, angefangen bei jenem »alten kattunenen Schlafrock | Echt ostindischen Stoffs« (I 33 f.), den der »treffliche«, später ›menschlich‹ genannte »Hauswirt« (I 32/151) aus modischen Erwägungen längst abgelegt hat, den man Herrmann aber dennoch nicht ohne Bedauern an die Flüchtlinge aushändigen läßt. Denn unverkennbar handelt es sich dabei um ein Erbstück des »ehrwürdige[n] Pfarrer[s] von Grünau«, mit dem diese Art der Gewandung fast gesellschaftsfähig geworden ist (vgl. Voß' *Luise*, 1. Idylle). Dann die Szene, in der sich der Löwenwirt, vom Blick auf das »wandernde Volk« ein wenig deprimiert, mit seinen Gästen in das »kühlere Sälchen« zurückzieht (I 160), um dort bei einem »Gläschen Drei und achtziger ⟨...⟩ die Grillen [zu] vertreiben« (I 162f.): Gleichgültig, ob man diese oder jene Beleuchtung bevorzugt – hinter dem gepflegten Wohlstandsinventar, den geschliffenen Flaschen, »grünlichen Römern« und zinnernen Untersetzern (I 167 f.), lauern palimpsestartig die Kaffeekannen und Zuckerlöffel, die bei Voß als idyllische, beim erwähnten Zachariä, bei Uz und anderen Epikern des 18. Jahrhunderts als spezifisch komische Requisiten eine staunenswerte Karriere gemacht haben (vgl. die Rede des Engel-Apothekers III 67ff.). Und rechnet man dazu noch das Klavier, an dem die komischen Epen ihre höheren Töchter vorzuführen pflegen, sollte ein Irrtum eigentlich ausgeschlossen sein. Das Bewirtungszeremoniell am »glänzend gebohnten, | Runden, braunen Tisch« des *Goldenen Löwen* (I 169f.) zielt ebenso entschieden auf eine Karikierung der Beteiligten wie der vehement vertretene Wunsch des Gastgebers, Herrmann möge bloß keine »Trulle« (II 264), sondern ein »Schwiegertöchterchen« ins Haus bringen (II 268), das sich im Rahmen der sonntäglichen Hofhaltung auch auf die notwendigen musikalischen Darbietungen versteht.

Was zunächst nicht so ganz in diesen enggezogenen Zirkel

passen will, ist Herrmann selbst, dem der Erzähler eine Art
Außenseiterrolle, um nicht zu sagen: den Part des jugendlichen Opponenten zugedacht zu haben scheint. So ist Herrmann nicht nur derjenige, der das wählerisch geschnürte
Hilfspaket mit Ungeduld erwartet, um es den Notleidenden
möglichst umstandslos zu überreichen (vgl. II 13ff.); Herrmann zeigt sich als einziger couragiert genug, den lebens-
feindlichen Einsiedlerparolen des Apothekers offen entge-
genzutreten (vgl. II 97ff.), und er stellt diesen Mut erst recht
unter Beweis, als es gilt, seine Heiratsabsichten gegen die
Zukunftspläne des Vaters durchzusetzen (vgl. V, bes. 89ff.).
Endlich aber ist Herrmann, wenn nicht alle Zeichen trügen,
ein Kontrapost zum Helden jener skandalösen Geschichte,
die Johann Carl Wezel, vierbändig und als komischen Roman
etikettiert, 1780 unter dem Titel *Herrmann und Ulrike* veröffentlicht hat. Auch diese Geschichte dreht sich um eine
standespolitische Mesalliance, nur mit dem Unterschied, daß
die Rollenverteilung anders zentriert, nicht die begehrte
Frau, sondern Herrmann der hergelaufene Habenichts ist,
und daß sich der Fall der Fälle in der Nacht nach einem
frostigen Gewitter, doch vor der Hochzeit ereignet. »Die
Tugend fiel durch ihre Hand«, heißt es von Herrmann und
Ulrike,

> bey ihrem Falle brauste der blasende Wind durch die
> Bäume und starb mit erlöschendem Keuchen in ihren wan-
> kenden Wipfeln ⟨. . .⟩ die Tannen seufzten ⟨. . .⟩ und der
> gantze Wald trauerte im Flor der Nacht um die gefallne
> Unschuld.
> (3. Bd., 8. T., 5. Kap.)

Für Goethes Figuren wäre dergleichen nicht denkbar.
Da können sich die Wolken am Epenhimmel noch so »gewitterdrohend« zusammenziehen (VIII 2) – als Dorothea
bei ihrem Einzug in den *Goldenen Löwen* auf einer der unbehauenen Weinbergstufen zu straucheln beginnt und Halt suchend an Herrmanns Schulter sinkt, steht dieser »starr wie
ein Marmorbild«, um das sich ankündigende Glück durch
keine vorzeitige Bewegung zu gefährden (VIII 94). Ent-

sprechend triumphierend klingt der zugehörige Erzähler-
kommentar:

Und so fühlt' er die herrliche Last, die Wärme des
                                Herzens,
Und den Balsam des Atems, an seinen Lippen verhauchet,
Trug mit Mannesgefühl die Heldengröße des Weibes.
(VIII 96ff.)

Kein geneigter Leser wird in diesem Falle widersprechen
wollen. Und dennoch sollte man sich gedächtnis- und ge-
rechtigkeitshalber die Mühe machen, von dieser Stelle aus
noch einmal zurückzublättern. Denn allzu lange ist es nicht
her – der Text meint, »an Ostern« (II 217) –, daß sich Herrmann in anderer Form auf dem Heiratsmarkt präsentiert hat,
im halbseidenen »Läppchen« nämlich, »gestutzt und gekräuselt« wie die »Handelsbübchen« (II 209ff.) oder – nimmt man
Bezug auf die nachweislich *literarische* Herkunft dieses Re-
pertoires – wie die Helden vom Kaliber des Uzschen Seli-
mor, der mit seiner französischen Weste zum Rendezvous
zieht, als stünde ihm eine Entscheidungsschlacht von homerischer Dimension bevor:

Nun, sprach er, ist es Zeit, o Wunder kluger Kunst!
Beweise, was du kannst, sey würdig meiner Gunst!
Heut ist Gelegenheit, die Liebe zu belohnen,
Da ich dich höher hielt, als Wissenschaft und Kronen.
Ich theile stets mit dir der Lorbeern süsse Last,
Die bey den Schönen du für mich erkämpfet hast.
⟨. . .⟩
Und wann der Mode Stolz dich nicht mehr leiden kann,
So weis ich deinen Platz bey Orpheus Leyer an.
(*Sieg des Liebesgottes*, 2. Buch.)

Im Handumdrehen ist man also wieder im Einflußbereich
der komischen Epik, die es sich hat angelegen sein lassen, das
Götter- und Heroengeschlecht Homers mit der Rokoko-
Welt des 18. Jahrhunderts zu konfrontieren. Die Helden, die
sie dazu aufbietet, kämpfen vorzugsweise um die Gunst der
Damen, die Waffen, die sie in diesem Kampfe führen, sind
modische Accessoires nach dem Muster von Zachariäs

Schnupftuch, dem die »Heldenmuse« fünf lange alexandrinische Gesänge zu singen hat, bis es schließlich beim *happy ending* als »Siegspanier« eines Liebeshandels aufgepflanzt werden kann (vgl. 1. u. 5. Gesang). Und Zweifel gibt es nicht: Auch die Ingredienzien dieser kleinen parodistischen Vergnüglichkeiten gehören zu dem Stoff, aus dem Herrmann gemacht ist, und zwar so, daß sie im Fortgang der Ereignisse nicht etwa vergessen und verdrängt, sondern überall dort in Erinnerung gerufen werden, wo der Text entweder mit seinen verräterischen Diminutiven oder mit seinen gleichfalls verräterischen Vergrößerungsformeln hantiert.

So ist zum Beispiel das »Kütschchen«, das, von »stampfenden Pferden« gezogen, »unter den Torweg ⟨. . .⟩ donnert'« (I 17 u. 211ff.), einerseits ein Unding, andererseits das denkbar anschaulichste Emblem, das sich für Goethes Unternehmung hätte ersinnen lassen. In seiner prinzipiellen Widersprüchlichkeit illustriert es nicht allein den Riß, der durch die beiden Titelgestalten hindurchgeht und nicht zu beheben ist: Herrmann und Dorothea sind in demselben Maße Helden, in dem sie Antihelden und komische Figuren sind; aufgrund seines doppelt motivierten Zitatcharakters verkörpert es außerdem genau das, was mit *Herrmann und Dorothea* literaturtechnisch zur Debatte steht: erneut ein Epos, das seine Effekte nicht unmittelbar aus der Differenz von Ur- und Abbild, von Original und parodistischem Imitat, sondern aus dem Dialog bezieht, den es mit den Zeitgenossen ähnlich intensiv wie mit der Antike und im übrigen – das haben die wenigen, über die Gattungsgrenzen hinausreichenden Anmerkungen gezeigt – quer durch die Weltliteratur führt. Vermutlich hat die Forschung diese Verflechtungen noch nicht annähernd aufgedeckt, doch verweisen die Kommentare immerhin auf die erste Ekloge Vergils, die – gewissermaßen mustergültig – das Terrain der Auseinandersetzung zwischen dem Seßhaften und dem Flüchtling erkundet hat; auf Geßners Idyllenzyklus, durch den die biblische Begegnung am Brunnen schon vor Goethe neu gefaßt worden ist (vgl. *Daphne. Chloe* und den Kommentar zu *Werthers Leiden*); und –

überraschenderweise – auf Rousseaus *Neue Héloïse*, weil sich dort, im zweiten Brief des sechsten Teils, die Vorlage zu jenem ominösen Satz über die Nacht als der schönen Hälfte des Lebens findet, den die Schulausgaben von *Herrmann und Dorothea* geflissentlich unterschlagen haben (vgl. IV 199; desgleichen *Wilhelm Meisters Lehrjahre* V 10). Selbstverständlich zeichnet sich dieses Referenzensemble durch unterschiedliche Gewichtungen aus – die aufgerufenen Texte sind weder quantitativ noch qualitativ in gleicher Form präsent; das Besondere an ihrem Dialog aber ist, daß keiner, und auch die komische Epik des 18. Jahrhunderts im Verhältnis zu Homer nicht, gegen den anderen ausgespielt wird. Man hat statt dessen den Eindruck einer sorgsam kultivierten Mehrstimmigkeit, die Haupt- und Nebenparts, Parallelen und Kontrapunkte, ja selbst eine Reihe provozierender Konkurrenzen kennt, als Gestaltungsprinzip und Instrumentierungsmedium einer zielgerichteten Erzählung jedoch ein kleines äquilibristisches Wunder vollbringt.

Nichts erscheint infolgedessen legitimer, als im Blick auf *Herrmann und Dorothea* zuerst das Kunstprodukt zu würdigen – festzuhalten, daß auch in diesem Falle von einer falschen Historisierung, einer unreflektierten Restauration der Gattungsmuster nicht die Rede sein kann, sondern ein Text entstanden ist, der das Angebot der Literaturgeschichte souverän zu nutzen, die verfügbaren Register nach Belieben zu ziehen und trotz aller Verbindlichkeiten das spielerhaltende Quantum an Distanz zu wahren versteht. Denn das Spiel im positivsten Sinne des Begriffes ist es eigentlich, wodurch sich Goethes Epos die Zugehörigkeit zur Moderne sichert; kein Spiel, das aufs Ganze, auf den Wiedergewinn einer der verlorenen Totalitäten ginge, wohl aber eines, das dem Gesetz der wechselseitigen Relativierung verpflichtet ist. Die Kluft, die sich gegenüber Klopstocks *Messias* aufgetan hat, könnte aus diesem Grunde kaum schärfer markiert sein – es ist, als hätten sich die epischen Normen regelrecht umgekehrt. Noch mehr Beachtung verdient allerdings ein Aspekt, der den historiographischen Entfaltungsraum von

Herrmann und Dorothea tangiert. Versucht man nämlich das breit ausgerollte Revolutionstableau auf seine fundamentalen Konfliktlinien zu reduzieren, ergibt sich eine verblüffende Analogie. Anders als im *Reineke Fuchs* trifft man auf keine Pauschalverurteilung, im Gegenteil; die Revolution wird – und zwar unwidersprochen – als eine Form gesellschaftlicher, ja völkerverbindender Hochzeit und als jenes Pfingstfest gefeiert, von dem im Reiche des Königs Nobel nur der Name geblieben war. »Aber herrlicher war die Zeit«, so heißt es,

> in der uns das Höchste,
> Was der Mensch sich denkt, als nah und erreichbar sich
> zeigte.
> Da war jedem die Zunge gelös't; es sprachen die Greise,
> Männer und Jünglinge laut voll hohen Sinns und
> Gefühles. (VI 36ff.)

Daß diese Hochstimmung nicht anhielt – nicht anhalten konnte –, ist bekannt; bemerkenswert ist jedoch, mit welcher Entschiedenheit die Ursache dafür bei den Verantwortlichen, bei ihrer Unfähigkeit gesucht wird, die dem Ereignis angemessenen Verhaltensweisen, Tugenden wie Selbstbescheidung, Kompromißbereitschaft und Toleranz, zu entwickeln, oder einfacher: auf einen Teil der Herrschaftsansprüche zugunsten anderer, gleich Berechtigter und gleich Bedürftiger, zu verzichten. Der Richter, der den linksrheinischen Flüchtlingstreck begleitet, spricht wörtlich von einem »verderbte[n] Geschlecht, unwürdig das Gute zu schaffen«:

> Sie ermordeten sich und unterdrückten die neuen
> Nachbarn und Brüder, und sandten die eigennützige
> Menge. (VI 41ff.)

Vor diesem Hintergrund liest sich die Liebesgeschichte von Herrmann und Dorothea wie ein mittelalterliches Moralexempel; am Einzel- und Individualfall wird demonstriert, auf welchem Wege, unter welchen Voraussetzungen es möglich gewesen wäre, zwischen dem Alten und dem Neuen, dem Vertrauten und dem Fremden ein Verhältnis produktiver Spannung herzustellen – man denke an die beiden Verlobungsringe, die Dorothea als unmißverständliches Zeichen dieser Absicht »neben einander« steckt (IX 297), und erinnere sich des programmatisch gefaßten Entschlusses, den »beweglichen Fuß« auch dann »nur leicht« aufzusetzen, wenn die Umstände eine andere Gangart zu erlauben scheinen (IX 286). Den Anschauungsunterricht *par excellence* bietet indessen das beschriebene Verweis- und Zitierverfahren, das sich im Rahmen eines solchen Funktionalgefüges nicht als selbstgenügsames Glasperlenspiel, sondern als die richtungweisende Einübung entpuppt. Literarisch wird vorgeführt, was es heißt, das an und für sich Unvereinbare so zu behandeln, daß sich die Irritation in Kreativität verwandelt. Wer zögert, *Herrmann und Dorothea* am Übergang zum 21. Jahrhundert bloß – wie der Brecht-Komponist Hanns Eisler sich ausdrückte – »wegen der Schönheit« zu lesen, sollte daher die Lektüre einmal aus dieser im weitesten Sinne politischen Perspektive wagen. Dank der Komik, durch die das Epos selbst noch seine Moral auf Abstand hält, hat das nichts mit den Vereinnahmungen der Vergangenheit, dagegen so manches mit jener »Lebenskunstlehre« zu tun, die Friedrich Schlegel in seiner berühmten *Meister*-Rezension Goethes Bildungsroman bescheinigt hat.

DER EWIGE JUDE

Entstehung und Quellen

Die vorliegenden Fragmente zu einem Versepos sind im Frühjahr und Frühsommer des Jahres 1774 entstanden. So belegt es das Tagebuch Lavaters, in dem am 28. 6. über eine Lesung Goethes auf der Fahrt von Wiesbaden nach Schwalbach berichtet wird: »viel von seinem ewigen Juden Ein seltsames Ding in Knittelversen«. Am 15. 7. berichtet Lavater, man habe noch einmal über das Epos gesprochen. – Goethe kam später noch mehrfach auf den Plan zum *Ewigen Juden* zurück, und in *Dichtung und Wahrheit* stellte er eine

Konzeption des ganzen Werkes vor, die allerdings nur schwer mit den vorliegenden Fragmenten übereinzubringen ist.

Die Legende von Ahasver, dem Ewigen Juden, soll angeblich zuerst 1223 von christlichen Palästina-Pilgern erzählt worden sein. Jedenfalls fand sie schon während des 13. Jahrhunderts in italienischen, englischen und französischen Quellen europaweit Verbreitung. Im 15. Jahrhundert war sie auf der iberischen Halbinsel populär; dort wurde Ahasver erstmals der Beruf eines Schusters zugeschrieben. Die für den jungen Goethe maßgebliche Quelle dürfte im deutschen Volksbuch von 1602 vorgelegen haben: *Kurze Beschreibung und Erzählung von einem Juden mit Namen Ahasver*. Daneben standen dem Autor in der Bibliothek seines Vaters auch Johann Jacob Schudts *Jüdische Merkwürdigkeiten*, T. 1-4, Frankfurt und Leipzig 1714, zur Verfügung, die im 13. Kapitel des 5. Buches »Von dem in aller Welt vermeinten umherlaufenden Juden Ahasverus« berichten.

Äußerungen Goethes

Goethe, *Dichtung und Wahrheit*, 15. Buch:

Weil nun aber alles was ich mit Liebe in mich aufnahm, sich sogleich zu einer dichterischen Form anlegte, so ergriff ich den wunderlichen Einfall, *die Geschichte des ewigen Juden*, die sich schon früh durch die Volksbücher bei mir eingedrückt hatte, episch zu behandeln, um an diesem Leitfaden die hervorstehenden Punkte der Religions- und Kirchengeschichte nach Befinden darzustellen. Wie ich mir aber die Fabel gebildet, und welchen Sinn ich ihr untergelegt, gedenke ich nunmehr zu erzählen.

In Jerusalem befand sich ein Schuster, dem die Legende den Namen *Ahasverus* gibt. Zu diesem hatte mir mein Dresdner Schuster die Grundzüge geliefert. Ich hatte ihn mit eines Handwerksgenossen, mit Hans Sachsens Geist und Humor bestens ausgestattet, und ihn durch eine Neigung zu Christo veredelt. Weil er nun, bei offener Werkstatt, sich gern mit den Vorbeigehenden unterhielt, sie neckte und, auf Socratische Weise, Jeden nach seiner Art anregte; so verweilten die Nachbarn und andre vom Volk gern bei ihm, auch Pharisäer und Sadduzäer sprachen zu, und, begleitet von seinen Jüngern, mochte der Heiland selbst wohl auch manchmal bei ihm verweilen. Der Schuster, dessen Sinn bloß auf die Welt gerichtet war, faßte doch zu unserem Herrn eine besondere Neigung, die sich hauptsächlich dadurch äußerte, daß er den hohen Mann, dessen Sinn er nicht faßte, zu seiner eignen Denk- und Handelsweise bekehren wollte. Er lag daher Christo sehr inständig an, doch aus der Beschaulichkeit hervorzutreten, nicht mit solchen Müßiggängern im Lande herumzuziehn, nicht das Volk von der Arbeit hinweg an sich in die Einöde zu locken: ein versammeltes Volk sei immer ein aufgeregtes, und es werde nichts Gutes daraus entstehn.

Dagegen suchte ihn der Herr von seinen höheren Ansichten und Zwecken sinnbildlich zu belehren, die aber bei dem derben Manne nicht fruchten wollten. Daher, als Christus immer bedeutender, ja eine öffentliche Person ward, ließ sich der wohlwollende Handwerker immer schärfer und heftiger vernehmen, stellte vor, daß hieraus notwendig Unruhen und Aufstände erfolgen, und Christus selbst genötigt sein würde, sich als Parteihaupt zu erklären, welches doch unmöglich seine Absicht sei. Da nun der Verlauf der Sache wie wir wissen erfolgt, Christus gefangen und verurteilt ist, so wird Ahasverus noch heftiger aufgeregt, als *Judas*, der scheinbar den Herrn verraten, verzweifelnd in die Werkstatt tritt, und jammernd seine mißlungene Tat erzählt. Er sei nämlich, so gut als die klügsten der übrigen Anhänger, fest überzeugt gewesen, daß Christus sich als Regent und Volkshaupt erklären werde, und habe das bisher unüberwindliche Zaudern des Herrn mit Gewalt zur Tat nötigen wollen, und deswegen die Priesterschaft zu Tätlichkeiten aufgereizt, welche auch diese bisher nicht gewagt. Von der Jünger Seite sei man auch nicht unbewaffnet gewesen, und wahrscheinlicher Weise wäre alles gut abgelaufen, wenn der Herr sich nicht selbst ergeben und sie in den traurigsten Zuständen zurückgelassen hätte. Ahasverus, durch diese Erzählung keineswegs zur Milde gestimmt, verbittert vielmehr noch den Zustand des armen Exapostels, so daß diesem nichts übrig bleibt, als in der Eile sich aufzuhängen.

Als nun Jesus vor der Werkstatt des Schusters vorbei zum Tode geführt wird, ereignet sich gerade dort die bekannte Szene, daß der Leidende unter der Last des Kreuzes erliegt, und Simon von Cyrene dasselbe weiter zu tragen gezwungen wird. Hier tritt Ahasverus hervor, nach hartverständiger Menschen Art, die, wenn sie Jemand durch eigne Schuld unglücklich sehn, kein Mitleid fühlen, ja vielmehr durch unzeitige Gerechtigkeit gedrungen, das Übel durch Vorwürfe vermehren; er tritt heraus und wiederholt alle früheren Warnungen, die er in heftige Beschuldigungen verwandelt, wozu ihn seine Neigung für den Leidenden zu berechtigen scheint. Dieser antwortet nicht, aber im Augenblicke bedeckt die liebende Veronika des Heilands Gesicht mit dem Tuche, und da sie es wegnimmt, und in die Höhe hält, erblickt Ahasverus darauf das Antlitz des Herrn, aber keineswegs des in Gegenwart leidenden, sondern eines herrlich Verklärten, und himmlisches Leben Ausstrahlenden. Geblendet von dieser Erscheinung wendet er die Augen weg, und vernimmt die Worte: Du wandelst auf Erden, bis du mich in dieser Gestalt wieder erblickst. Der Betroffene kommt erst einige Zeit nachher zu sich selbst zurück, findet, da alles sich zum Gerichtsplatz gedrängt hat, die Straßen Jerusalems öde, Unruhe und Sehnsucht treiben ihn fort, und er beginnt seine Wanderung.

Von dieser und von dem Ereignis, wodurch das Gedicht zwar geendigt, aber nicht abgeschlossen wird, vielleicht ein andermal. Der Anfang, zerstreute Stellen, und der Schluß waren geschrieben; aber mir fehlte die Sammlung, mir fehlte die Zeit, die nötigen Studien zu machen, daß ich ihm hätte den Gehalt den ich wünschte, geben können, und es blieben die wenigen Blätter um desto eher liegen, als sich eine Epoche in mir entwickelte, die sich schon als ich den Werther

schrieb, und nachher dessen Wirkungen sah, notwendig an-
spinnen mußte.

Goethe, *Dichtung und Wahrheit*, 16. Buch:

Was ich mir aber aus ihm [Spinoza] zugeeignet, würde sich
deutlich genug darstellen, wenn der Besuch, den der ewige
Jude bei Spinoza abgelegt, und den ich als ein wertes In-
grediens zu jenem Gedichte mir ausgedacht hatte, nieder-
geschrieben übrig geblieben wäre. Ich gefiel mir aber in dem
Gedanken so wohl, und beschäftigte mich im Stillen so gern
damit, daß ich nicht dazu gelangte etwas aufzuschreiben;
dadurch erweiterte sich aber der Einfall, der als vorübergehender Scherz nicht ohne Verdienst gewesen wäre, dergestalt
daß er seine Anmut verlor und ich ihn als lästig aus dem
Sinne schlug.

Goethe, *Tagebuch*. 22. 10. 1786:

Heute früh saß ich ganz still im Wagen und habe den Plan
zu dem großen Gedicht der Ankunft des *Herrn*, oder dem
ewigen Juden, recht ausgedacht.

Goethe, *Italienische Reise*, zum 27. 10. 1786. 1815:

Heute ward ich aufgeregt etwas auszubilden, was gar nicht
an der Zeit ist. Dem Mittelpunkte des Katholizismus mich
nähernd, von Katholiken umgeben, mit einem Priester in
eine Sedie eingesperrt, indem ich mit reinstem Sinn die wahrhafte Natur und die edle Kunst zu beobachten und aufzufassen trachte, trat mir so lebhaft vor die Seele, daß vom ursprünglichen Christentum alle Spur verloschen ist, ja wenn
ich mir es in seiner Reinheit vergegenwärtigte, so wie wir es
in der Apostelgeschichte sehen, so mußte mir schaudern, was
nun auf jenen gemütlichen Anfängen ein unförmliches, ja
barockes Heidentum lastet. Da fiel mir der ewige Jude wieder ein, der Zeuge aller dieser wundersamen Ent- und Auf-
wicklungen gewesen, und so einen wunderlichen Zustand
erlebte, daß Christus selbst, als er zurückkommt, um sich
nach den Früchten seiner Lehre umzusehen, in Gefahr gerät,

zum zweitenmal gekreuzigt zu werden. Jene Legende: venio iterum crucifigi, sollte mir bei dieser Katastrophe zum Stoff dienen.

Goethe, *Notizheft*. Zwischen 1786 und 1788:
  Ewiger Jude. Pius VI. Schönster der Menschenkinder. Neid. Will ihn einsperren, ihn nicht weglassen, wie ihn der Kaiser Staatsgefangen im Vatikan behalten, al Gesu Jesuiten Tross. Lob des ungerechten Haushalters.

Goethe mit Friedrich Wilhelm Riemer. 6. 4. 1808:
  Übrigens war ihm die Idee noch nicht völlig aus der Seele gewichen, und er sagte mir noch im Jahre 1808 den 6. April, er wolle ein Gedicht schreiben *Maran Atha* oder *Der Herr kommt*, ich solle ihn nur daran erinnern.

Textgrundlage

Goethe hatte 1819 die Veröffentlichung des *Ewigen Juden* untersagt. Gleichwohl publizierten Eckermann und Riemer das Material nach Goethes Tod in der Ersten Abteilung des Ersten Bandes ihrer Nachlaßausgabe: *Goethes poetische und prosaische Werke in zwei Bänden*, Stuttgart und Tübingen 1836. Die Handschrift ist erhalten: Zwei längere Reinschriften auf Foliobogen bilden Anfang und Ende des überlieferten Fragmentes. Ein zusätzlicher, vielfach korrigierter Foliobogen und ein einzelner *Fetzen* enthalten weitere Entwürfe, über deren Anordnung aber kein sicherer Aufschluß zu gewinnen ist. Die hier gewählte Gruppierung versucht, einen Zusammenhang der Fragmente herzustellen; sie folgt der Edition der Handschrift in DjG³.

Stellenkommentar

637 ⟨*Der Ewige Jude*⟩] Der Haupttitel findet sich nicht im Manuskript.

637 *Erster Fetzen*] Die so überschriebene Reinschrift umfaßt die Verse 1-72. ›Fetzen‹ ist hier wahrscheinlich als parodistisches Äquivalent zum epischen ›Gesang‹ zu verstehen. Möglicherweise wird auch auf den fragmentarischen Charakter des Werkes angespielt.

637,4 *Zu singen den gereisten Mann*] Parodistische Anspielung auf die Eingangspassagen der antiken Epen (Homer, *Odyssee*; Vergil, *Aeneis*).

637,8 *Per omnia tempora*] Durch alle Zeiten.

637,8 *in einem Punkt*] Die Spekulation über das Phänomen der ›Konzentration‹ in einem Punkt läßt sich auch im Pietismus nachweisen (vgl. Rolf Christian Zimmermann, *Das Weltbild des jungen Goethe. Studien zur hermetischen Tradition des deutschen 18. Jahrhunderts,* Bd. 2, München 1979, S. 319). An dieser Stelle ist allerdings auch eine blasphemische Anspielung auf den sprichwörtlichen ›archimedischen‹ Punkt denkbar. Arthur Henkel (*Kleine Schriften 1: Goethe-Erfahrungen*, Stuttgart 1982, S. 194f.) hat gezeigt, daß dem ›Punkt‹ in der Dichtung des jungen Goethe eine explizit sexuelle Bedeutung zukommt; vgl. etwa Mephistos schon im *Urfaust* enthaltene Sottise, der Weiber »ewig Weh und Ach« sei »so tausendfach | Aus einem Punkte zu kurieren«. – Zum Gebrauch des Begriffs im Zusammenhang religiöser Symbolik vgl. auch *Die Geheimnisse*, V. 76.

637,14 *Bruder*] In pietistischen Zirkeln eine verbreitete Anrede.

637,16 *Ludergaul*] Schlechtes Mietpferd.

637,18 *Besenstiel*] Möglicherweise eine Anspielung auf den Gebrauch des ›Knittelverses‹ als episches Metrum.

637,22 *Schuster*] Der Ahasver im Volksbuch zugeschriebene Beruf.

637,25 *Essener*] Jüdische Sekte zur Zeit Jesu, die sich auf

ein klösterliches Leben und die Befolgung strenger Ordens-
regeln verpflichtete.

637,25 *Methodist]* Protestantische Erweckungsbewegung,
im 18. Jahrhundert aus der anglikanischen Kirche Englands
hervorgegangen.

637,25 *Separatist]* Anhänger einer von der Amtskirche
abgespaltenen Glaubensgemeinschaft.

637,26 *Herrnhuter]* Die pietistische ›Brüdergemeinde‹
war 1722 in Herrnhut von dem Grafen Zinzendorf gegründet worden.

638,37 *Mantel und Kragen]* Geistliche Amtstracht.

638,40 *Sankt Paulen]* Der Apostel Paulus.

638,41 *Pollrer]* ›Polterer‹ (Verballhornung des Namens
Paulus).

638,42 *coeteri confratres]* Die übrigen Mitbrüder.

638,44 *Wunder und Zeichen]* Vgl. Apg 2,19.

638,48 *Tochter Zion]* Jerusalem; vgl. Jes 1,5; 8.

638,55 *O weh der großen Babylon]* Vgl. Off 18,10.

639,64 *welscht]* ›Welsch‹, d. h. unverständlich redet; vgl.
»kauderwelsch« (S. 637,20).

639,69 *gläubigt euch]* Bekehrt euch.

639,82 *non plus ultra]* ›Es geht nichts darüber‹, das
Höchste.

639,90 *Die Gabe Geister zu unterscheide⟨n⟩]* Vgl. 1. Kor
12,10.

639,91 *Cap]* Kapwein (aus Südafrika).

639,99 *stickt]* Steckt.

639,100 *blickt]* Blinkt; es wird auf die Vorstellung Bezug
genommen, manche Sterne seien bewohnt.

639,118 *Er fühlt]* Vor diesem Vers stehen im Manuskript
die folgenden, von Goethe gestrichenen Verse:

> Wie man zu einem Mädchen fliegt
> Das lang an unserm Blute sog
> Und endlich treulos uns betrog

639,119 *Zug]* Anziehung.

641,129 *nach drei tausend Jahren wiede⟨r⟩]* Eschatologischer
Chronologie der Schöpfung folgend, entsprechen jedem

Schöpfungstag 1000 Jahre, wobei die Erscheinung Jesu der Erschaffung der Sonne am vierten Tag zugeordnet wird.

641,44 *Schlangenknotige begier*] Möglicherweise eine Anspielung auf den Stab des Hermes (Äskulap), dessen Schlangensymbolik auf die mythische Hochzeit zwischen Jupiter und der Erdgöttin Rhea verweist.

641,139 *Du Mutter die mich selbst zum Grab gebar*] Anspielung auf Klopstocks *Messias* III 1f.: »Sei mir gegrüßt! ich sehe dich wieder, die du mich gebarest, | Erde, mein mütterlich Land.«

641,150 *Ich säete dann und ernten will ich nun*] Vgl. Gal 6,8.

641,155 *Auf dem Berge*] Vgl. Mt 4,8f.

642,162 *der Alten We⟨lt⟩*] Der Welt zur Zeit des ›Alten Bundes‹, das heißt vor dem Erscheinen Christi.

642,168 *Kopfen*] In den Kopf setzen.

642,174f. *die Zeugen ⟨...⟩ weiß aus meinem Blut entsprungen*] Die Apostel und Märtyrer; vgl. Luk 24,48; Off 1,5.

642,181 *Geiz*] Vgl. Ps 38,7f.

642,195 *dem Bauche*] Für das Wohl (gemeint ist: der geistlichen Würdenträger).

643,197 *Das Goldne Zeichen*] Die kostbaren Kreuze des Klerus.

643,207 *Sauerteig*] Vgl. 1. Kor 5,7.

643,208 *Befurcht*] Befürchtet.

643,209 *Mazkuchen*] Ungesäuertes Brot, von den Juden traditionell zum Passahfest verzehrt.

643,210 *geistlich Schaf*] Wie sich aus dem folgenden ergibt, ist ein Landpfarrer gemeint.

643,211 *auf hohem Wege*] ›Hohe Straße‹: Handelsverbindung, von Frankfurt am Main über Eisenach und Leipzig bis nach Breslau führend.

643,212 *macklige*] Rundliche, dicke.

643,213 *Zehnden*] Zehnten: Einkünfte des Pfarrherrn aus Abgaben der Bauern.

643,225 *Türne*] Türme.

643,227 *Friedensport*] Hafen des Friedens.

643,228 *Mitteltrohn*] Möglicherweise in Parallele zu ›Metropole‹ gebildeter Neologismus.

643,230 *Spedieren]* Befördern.

643,230f. *der Selzerbrunn Petschiert]* Das Mineralwasser aus Selters wurde in versiegelten (petschierten) Krügen vertrieben.

644,235 *zum Feigbaum]* Vgl. Mt 21,19; Mark 11,13.

644,244 *des Menschen Sohn]* Vgl. etwa Mt 25,31.

644,249 *was bedienen sie]* Welchen Beruf üben Sie aus? – formelhafte Frage des Torwächters.

644,252 *in Rapport ⟨. . .⟩ tragen]* In das Kontrollbuch eintragen.

644,260 *Gleiter]* Begleiter.

644,263 *krabbeln]* Reizen, ärgern.

644,264 *hoch am Brett]* Angesehen, respektiert.

644,266 *Hätt so viel Häut ums Herze ring]* War so hartherzig.

645,271 *Viaticum]* Reisegeld.

645,274 *hätt ihren Schmaus]* Hielt ihre Mahlzeit.

645,287 *porrisch]* Mürrisch.

645,294 *Wie ihr's bald weiter werdet sehen]* In Anlehnung an eine formelhafte Wendung aus Hans Sachs' Fabeln und Schwänken.

645,295 *die den Vater auch gekannt]* Gemeint sind Juden und Ketzer.

Die Geheimnisse

Entstehung

Das Epenfragment entstand im August und September 1784 sowie im März und April 1785. Herder, durch dessen Philosophie die Konzeption des Epos wesentlich mitbestimmt war (vgl. »Zur Deutung«), wurde ebenso wie Charlotte von Stein laufend über den Fortgang der Arbeit unterrichtet. Die Ausarbeitung des umfassend angelegten Planes erwies sich aber als außerordentlich mühsam; schließlich blieb der Text liegen. Das vorliegende Fragment wurde erstmals 1789 im achten Band der *Schriften* publiziert; im Jahre 1808 wurde es, ergänzt um die *Zueignung* (Bd. 1, S. 622f.), im achten Band der *Werke* abermals abgedruckt. Schon am 23. 7. hatte Goethe Frau von Stein brieflich eine Stanze mitgeteilt, die zur Fortsetzung des Epos gehören sollte. Sie lautet in der Fassung des Briefes:

> Wohin er auch die Blicke kehrt und wendet
> Jemehr erstaunt er über Kunst und Pracht.
> Mit Vorsatz scheint der Reichtum hier verschwendet
> Es scheint als habe sich nur alles selbst gemacht
> Soll er sich wundern, daß das Werk vollendet
> Soll er sich wundern, daß es so erdacht
> Ihn dünkt als fang er erst mit himmlischem Entzücken
> Zu leben an in diesen Augenblicken.

(Nach: H. Wahl, *Ein unbekannter Brief Goethes an Charlotte von Stein*, in: GJb. 1942, S. 220-226; der Erstdruck dieser Stanze erfolgte, leicht verändert, 1827 im vierten Band der Werkausgabe.)

Die Konzeption der *Geheimnisse* hat Goethe am 24. 4. 1816 auf Anfrage von Studenten aus Königsberg im ›Morgenblatt für gebildete Stände‹ erläutert (vgl. FA I,20: *Die Geheimnisse. Gedicht von Goethe*). Schon am 3. 8. 1815 hatte er sich gegenüber Sulpiz Boisserée zu dem Epos geäußert:»Die Geheimnisse‹, sagte Goethe, ›habe er zu groß angefangen, wie so Vieles. – Die zwölf Ritter sollten die zwölf Religionen sein, und alles sich nachher absichtlich durcheinander wirren, das wirkliche als Märchen und dies, umgekehrt, als die Wirklichkeit erscheinen.‹«

Äußerungen Goethes

Goethe an Johann Gottfried Herder und dessen Frau. 8. 8. 1784:

Zwischen Mühlhausen und hier brach uns heute die Achse des schwerbepackten Wagens, da wir hier liegen bleiben mußten machte ich gleich einen Versuch wie es mit jenem

versprochnen Gedichte gehn möchte, was ich hier schicke ist
zum Eingang bestimmt, statt der hergebrachten Anrufung
und was dazu gehört.

Es ist noch nicht alles wie es sein soll ich hatte kaum Zeit
die Verse abzuschreiben ⟨. . .⟩ schickt die Verse mit diesem
Brief an Frau v. Stein aufs baldigste.

Goethe an Charlotte von Stein. 8. 8. 1784:
Anstatt dir so oft zu wiederholen daß ich dich liebe schicke
ich dir durch Herders etwas das ich heute früh euch gearbeitet
habe. Zwischen Mühlhausen und hier ist uns eine Achse
gebrochen und wir haben müssen liegen bleiben. Um mich
zu beschäftigen und meine unruhigen Gedanken von dir
abzuwenden habe ich den Anfang des versprochnen Gedichtes gemacht, ich schicke es an Herders von denen erhältst du
es.

Goethe an Karl Ludwig von Knebel. 28. 3. 1785:
Auch bin ich wieder fleissig an meinem grossen Gedichte
gewesen und bin bis zur vierzigsten Strophe gelangt. Das ist
wohl noch zu sehr im Vorhofe. Das Unternehmen ist zu
ungeheuer für meine Lage, indes will ich fortfahren und
sehn, wie weit ich komme.

Goethe an Karl Friedrich Zelter. 27. 1. 1832:
Daß ich das Kreuz als Mensch und als Dichter zu ehren
und zu schmücken verstand, hab' ich in meinen Stanzen bewiesen.

Textgrundlage und Überlieferung

Eine Handschrift ist nicht erhalten. Textgrundlage ist die
Erstausgabe, *Goethes Schriften*, Achter Band, Leipzig, bey
Georg Joachim Göschen, 1789. S. 317-342. In V. 155 ver-
mutet der Editor der AA einen Druckfehler und schreibt
»Taufe Feyer«, ebenso in V. 200, wo AA das Ausrufungszei-

chen nach »Gabe« durch einen Punkt ersetzt. Zudem folgt AA in zwei Fällen dem zweiten Druck der *Geheimnisse* von 1808: V. 76 – »Einem«; V. 256 – »aus dem«. Am Ende von V. 258 setzt AA kein Komma.

Stellenkommentar

649,69 *Kreuz mit Rosen*] Die Legende des Christianus Rosenkreuz stammt von Johann Valentin Andreae (1586-1654). Vorgetragen in drei Rosenkreuzermanifesten – *Fama fraternitatis* (1614), *Confessio fraternitatis* (1615), *Chymische Hochzeit Christiani Rosencreutz Anno 1459* (1616) –, berichtete sie von einem armen Ritter, der sich auf ausgedehnten Reisen das esoterische Wissen des Orients um den Zusammenhang von Mikrokosmos und Makrokosmos angeeignet habe und – nach Deutschland zurückgekehrt – zum Stifter eines exklusiven religiösen Ordens geworden sei. Andreaes theosophisches Gedankengut und seine Utopie eines esoterischen Zirkels mit dem Ziel einer umfassenden Reform fanden europaweit Verbreitung. Ihr Einfluß machte sich nicht allein in eher pragmatischen Reformideen des 17. Jahrhunderts bemerkbar – in Leibniz' Plänen zur Gründung einer Akademie oder in Comenius' Entwurf einer Universalwissenschaft –; die Symbolik der Rosenkreuzer und der Synkretismus ihrer Programmatik gab auch wesentliche Anstöße für die Geheimgesellschaften des 18. Jahrhunderts (Freimaurer). Diesen Zusammenhang versuchten unter Goethes Freunden auch Nicolai und Herder aufzuklären.

652,153 *Als dritter Mann*] Die Position des ›Dritten‹ wäre die eines neutralen, vom Erzählten nicht persönlich betroffenen Beobachters.

652,155 *ein Stern*] Anspielung auf den ›Stern von Bethlehem‹ in der Legende von der Geburt Jesu; vgl. Mt 2,2-11.

652,157f. *ein Geier ‹. . .› bei Tauben*] Vgl. Jes 11,6-8.

652,162 *als Kind die Otter überwand*] Hera sandte zwei Schlangen aus, die Herakles noch in der Wiege töten sollten; das Kind erwürgte die beiden Tiere.

652,169f. *eine Quelle ⟨. . .⟩ aus trocknem Felsen]* Vgl. Ex 17,15.

656,287 *Gewehre]* Waffen.

656,299 *einen feuerfarbnen Drachen]* In der Alchemie Symbol des Quecksilbers. Der Feuersalamander steht emblematisch für Reinheit.

Reineke Fuchs

Entstehung und Quellen

Den Stoff des *Reineke Fuchs* kannte Goethe seit frühester Jugend. Schon am 13. 10. 1765 spielte er in einem Brief an seine Schwester Cornelia darauf an. Am 19. 2. 1782 wurde der *Reineke Fuchs*, wie Goethe im *Tagebuch* vermerkte, in der Weimarer Hofgesellschaft vorgelesen. Dabei fand wahrscheinlich die Übersetzung Verwendung, die Johann Christoph Gottsched 1752 herausgebracht hatte: *Heinrichs von Alkmar Reineke Fuchs mit schönen Kupfern. Nach der Ausgabe von 1498 ins Hochdeutsche übersetzt, und mit einer Abhandlung, von dem Urheber, wahren Alter und großen Werte dieses Gedichts versehen.* Gottscheds Ausgabe war mit Radierungen Allaert van Everdingens (1621-1675) ausgestattet. Goethe zeigte sich von diesen Illustrationen begeistert und versuchte sofort, sich Abzüge zu verschaffen. In der Tat gelang es ihm im Jahre 1783, 56 Blätter Everdingens in ausgezeichnetem Zustand zu erwerben: »Die Kupfer sind da und außerordentlich schön. Die Everdingen sind erste Abdrücke und als wie von gestern« (an Charlotte von Stein, 19. 4. 1783). Goethes Kollektion enthielt einige Stiche, die bei Gottsched nicht abgebildet waren; dafür fehlten einige der in der Buchausgabe enthaltenen Radierungen.

Goethes Bearbeitung des *Reineke Fuchs* entstand im Jahr 1793. Eine Anregung ging möglicherweise von Johann Gottfried Herders Abhandlung *Andenken an einige ältere deutsche Dichter* aus (erschienen 1793, entstanden wahrscheinlich

1792), in der *Reineke, der Fuchs* als »der Ulysses aller Ulysse, eine der ersten Kompositionen, die ich in irgend einer neueren Sprache kenne«, bezeichnet wurde:

Hier ist alles fortgehende Epische Geschichte; nirgend steht die Fabel stille; nirgend wird sie unterbrochen; die Tiercharaktere handeln in ihrer Bestimmtheit, mit der angenehmsten Abwechselung fort, und Reineke, der in einem großen Teil des Gedichts, wie Achill, in seinem Schloß Malepartus ruhig sitzet, ist und bleibt doch das Hauptrad, das alles in Bewegung bringt, in Bewegung erhält, und mit seinem unübertrefflichen Fuchscharakter dem Ganzen ein immer wachsendes Interesse mitteilet. Man lieset eine *Fabel der Welt*, aller Berufsarten, Stände, Leidenschaften und Charaktere. Eine Kenntnis der Menschen, der Höfe, der Geschlechter, des Laufs der Begebenheiten ist in ihm bemerkbar, daß man beständig vor dem köstlichen Spiegel zu stehen glaubt, von welchem der Fuchs so angenehm lüget; und die Szenen der größesten Gefahr werden natürlich auch die lehrreichsten, die interessantesten Szenen. Alles ist mit Kunst angelegt, ohne im mindesten schwerfällig zu werden; die Leichtigkeit des Fuchscharakters half nicht nur dem Reineke, sondern auch dem Dichter aus; sie half ihm zu sinnreichen Wendungen, in einer Leichtigkeit und Anmut, die ihn bis zur letzten Zeile begleitet. ⟨...⟩

Die anmutige Ruhe endlich, die in diesem ganzen Gedicht herrschet, die Unmoralität, ja sogar die Schadenfreude des Fuchses, die leider zum lustigen Gange der Welt mitgehöret; sie machen das Buch zur lehrreichsten Einkleidung eben dadurch, daß sie es über eine enge, einzelne End-Moral erheben: denn eine Epopee oder Tragödie, die sich zuletzt in einen einzelnen Satz zusammenzöge, wäre zuverlässig arm und elend.

Im Januar 1793, nach der Rückkehr von der ›Campagne in Frankreich‹, begann Goethe, unter Beiziehung der Übersetzung Gottscheds, den *Reinke de vos* in Hexameter zu übertragen. Am 2. 5. 1793 teilte er Friedrich Heinrich Jacobi mit:

»Reinicke ist fertig, in Zwölf Gesänge abgeteilt und wird etwa 4500 Hexameter betragen. ⟨...⟩ Ich unternahm die Arbeit um mich das vergangne Vierteljahr von der Betrachtung der Welthändel abzuziehen und es ist mir gelungen.« Auch andere Freunde hielt Goethe über das Fortschreiten der Arbeit auf dem laufenden; Herder etwa äußerte sich begeistert: »Die erste u. größeste Epopee Deutscher Nation, ja aller Nationen seit Homer, die Göthe sehr glücklich versifiziert hat, ist *Reineke, der Fuchs*« (an Johann Wilhelm Ludwig Gleim, Anfang Mai 1793). Goethe selbst wollte den Text, vor allem das Metrum, noch einmal gründlich durchgehen. Im Mai 1793 nahm er ihn mit ins Heerlager vor Mainz: »Ich komme nun fast nicht mehr vom Zelte weg, korrigiere an Reineke und schreibe optische Sätze« (an Herder, Lager bei Marienborn, 15. 6. 1793). Am 2. 7. meldete Goethe: »Wie sehr wünscht ich den Musen des Friedens huldigen zu können! Was möglich ist, tue ich doch. Reinecken habe ich stark durchgeputzt« (an Karl Ludwig von Knebel). Nach Weimar zurückgekehrt, nahm Goethe Ende September die letzten Korrekturen vor. *Reineke Fuchs* erschien im Frühjahr 1794 im 2. Band der *Neuen Schriften* bei Joh. Friedr. Unger in Berlin.

Die Geschichten um Reineke, den Fuchs, haben eine lange Tradition. Vor allem ist der in Frankreich aus volkssprachlicher Tradition hervorgegangene *Roman de Renart* zu nennen, eine zwischen 1174 und 1250 entstandene Sammlung von insgesamt 27 Stücken (Branchen) verschiedener anonymer Verfasser, in deren Zentrum stets die Auseinandersetzung zwischen Wolf und Fuchs steht. Hier findet sich bereits die Erzählung vom Gerichtstag der Tiere (Branche 1). Im 13. und 14. Jahrhundert entstanden unter anderen auch flämische Bearbeitungen, aus denen schließlich mit *Reinaerts Historie* die für die weitere Tradition bestimmende Version des Stoffes hervorging; sie wurde in einer Prosafassung 1479 in Gouda und 1485 in Delft gedruckt. Diese sogenannte ›Delfter Prosa‹ lag auch Goethe bei seiner Neufassung vor. Insbesondere aber griff er auf den 1498 in Lübeck publizierten *Reinke de vos* zurück, der den Stoff in Niederdeutsch und in Knittelversen brachte. Der unbekannte Verfasser dieses Textes bediente sich selbst der im späten 14. Jahrhundert entstandenen Versvariante des Hinrich von Alckmer (Alckmar), die nur fragmentarisch erhalten ist. Im Lauf des 16. und 17. Jahrhunderts erfolgten zahlreiche weitere Bearbeitungen; der Stoff ging in die Volksbuch-Überlieferung ein. Unter den im 17. und 18. Jahrhundert veranstalteten Neueditionen der mittelalterlichen Texte ist jene von Friedrich August Hackmann zu nennen, die im Jahre 1711 den Lübecker Druck wieder zugänglich machte und die von Gottsched seiner Übersetzung zugrunde gelegt wurde.

Äußerungen Goethes

Goethe an Christoph Martin Wieland. 26. 9. 1793:

Beiligende drei Gesänge Reinickes wollte ich erst recht sauber abschreiben lassen und nochmals durchsehen, eh ich sie, lieber Herr und Bruder deiner Sanktion unterwürfe. Da man aber in dem was man tun will meist einige Schritte zurückbleibt, so sende ich sie in einem etwas unreineren Zustand. Du hast die Güte sie, den kritischen Griffel in der Hand, zu durchgehen, mir Winke zu weiterer Korrektur zu geben und mir zu sagen: ob ich die Ausgabe dieser Arbeit beschleunigen oder sie noch einen Sommer solle reifen lassen. Du verzeihst, daß ich mich eines alten Rechts bediene das ich nicht gern entbehren möchte und weißt welchen großen Wert ich auf deine Bemerkungen und deine Beistimmung lege.

Goethe an Friedrich Heinrich Jacobi. 18. 11. 1793:

Reinecke Fuchs naht sich der Druckerpresse. Ich hoffe, er soll dich unterhalten. Es macht mir noch viel Mühe, dem Verse die Aisance und Zierlichkeit zu geben die er haben muß. Wäre das Leben nicht so kurz, ich ließ ihn noch eine Weile liegen so mag er aber gehen daß ich ihn los werde.

Goethe an Georg Christoph Lichtenberg. 9. 6. 1794:

Hierbei liegt mein Reinecke, ich wünsche daß dieses uralte Weltkind Ihnen in seiner neuesten Wiedergeburt nicht mißfallen möge.

Goethe an Charlotte von Kalb. 28. 6. 1794:

Hier, liebe Freundin, kommt Reinecke Fuchs der Schelm und verspricht sich eine gute Aufnahme. Da dieses Geschlecht auch zu unsern Zeiten bei Höfen, besonders aber in Republiken sehr angesehn und unentbehrlich ist; so möchte nichts billiger sein, als seine Ahnherrn recht kennen zu lernen.

Textgrundlage und Überlieferung

Eine Handschrift ist nicht erhalten. Unsere Ausgabe folgt der Erstausgabe: *Goethes Neue Schriften*, Bd. 2, Berlin 1794. Das dort anliegende Druckfehlerverzeichnis wurde eingearbeitet. Für die 1808 im Verlag von Cotta veranstaltete Ausgabe hat Goethe den Text noch einmal überarbeitet (kritische Edition durch Siegfried Scheibe in AA).

Stellenkommentar

I

659 *Reineke Fuchs]* Reineke, Kurzform von ›Reinaert‹: der im Rat Kundige (vgl. III 228-231). Im Niederdeutschen lautet der Name ›Reineke (auch: ›Reinke‹, ›Reynke‹) Vos‹, im Oberdeutschen ›Reinhart Fuchs‹. Die Mischform wurde schon von Gottsched gebraucht.

659 *In zwölf Gesängen]* Die Form des Untertitels spielt auf Klopstocks *Messias* (1748-73) an. Die Zwölfzahl verweist auf das Epos der Antike – Homers *Ilias* und *Odyssee* mit je vierundzwanzig, Vergils *Aeneis* mit zwölf Gesängen.

659,1 *Pfingsten]* Die Versammlung der Reichsstände wurde seit dem frühen Mittelalter zu Pfingsten einberufen.

659,6 *Nobel, der König]* Der Löwe als König der Tiere; der Name ist abgeleitet von lat. ›nobilis‹: vornehm, edel.

659,9 *Lütke]* Kurzform von Ludolf oder Ludwig.

659,9 *Markart]* Aus Markwart (›Grenzwächter‹).

659,18 *Grimbart]* Der ›Helmglänzende‹ (aus altnordisch ›grima‹ und althochdeutsch ›beraht‹, ›berht‹).

659,19 *Isegrim]* Eisenhelm.

660,32 *erbot sich zum Eide]* Mit einem Reinigungseid konnte sich ein Angeklagter vor Gericht rechtfertigen. Möglicherweise ist auch der Friedensschwur gemeint, den die Teilnehmer an der Reichsversammlung für deren Dauer abzulegen hatten.

660,37 *Leinwand von Gent]* Gent war Zentrum der flandrischen Textilmanufaktur.

660,42 *Wackerlos]* ›Frisch drauflos‹.

660,46 *Hinze]* Koseform von Heinrich.

661,63 *Kapaune]* Kastrierte Masthähne.

661,64 *Lampen]* Kurzform von Lamprecht.

661,68 *Credo]* Glaubensbekenntnis.

661,70 *Fried' und freiem Geleite]* Der Weg zum Reichstag und zurück stand unter dem Schutz des Königs.

661,75 *stracks]* Gerade, straff.

662,93 *sich nicht zu getrösten]* Nichts Gutes zu erwarten.

663,133 *Krummholz]* Ein Bügel zum Aufhängen von Schlachtvieh.

664,147 *Gieremund]* ›Von gierigem Sinn‹.

664,172 *härenes Kleid]* Büßergewand aus Tierhaaren.

665,175 *Malepartus]* Franz. ›mal pertuis‹: übles Loch.

665,182 *Henning]* Koseform von Johannes; hier wohl wegen der lautlichen Ähnlichkeit mit ›Hahn‹.

665,188 *Kreyant]* Von franz. ›crier‹: der Schreiende, Krähende.

665,191 *Kantart]* Von lat. ›cantare‹: der Sänger.

666,211 *Ränke]* Listen.

666,225 *Skapulier]* Schulterüberwurf, gehört zur Tracht einiger Mönchsorden.

666,229f. *Septe ⟨. . .⟩ None ⟨. . .⟩ Vesper]* Stundengebete zur siebten und neunten Stunde bzw. zum Abend (etwa 13, 15 bzw. 18 Uhr).

667,253 *Vigilie*] Nachtgebet; hier: Gebet für die Seele des Verstorbenen.

667,257 *Domino placebo*] Die lateinischen Anfangsworte von Ps 116,9: »Ich werde wandeln vor dem Herrn.«

667,259 *Lektion* ⟨. . .⟩ *Responsen*] Bibellesung – Wechselgesänge.

668,273 *um Liebes und Leides*] Alte Rechtsformel: ›niemandem zu Liebe noch zu Leide‹.

668,275 *Tage der Herrn*] Gerichtstag.

II

668,2 *Wüste*] Wildnis, einsame Gegend.

669,12 *Herr Oheim*] Diese allgemein übliche Form der Anrede bezeichnet nicht zwangsläufig eine verwandtschaftliche Beziehung.

669,22 *Compan*] ›Kumpan‹; Gefährte, Kamerad.

669,24 *künstlich*] Kunstfertig, durch Arbeit hergestellt.

669,35 *Seid willkommen*] Reinekes doppelzüngige Einladung leitet den ersten seiner zahlreichen Verstöße gegen die Regeln des Gastrechts ein; vgl. das Schicksal Hinzes (III) und Lampes (IV). Durch diese Verletzungen hergebrachter Konvention steht der Fuchs in direktem Gegensatz zu der Hochachtung der Gastfreundschaft in den Epen Homers (vgl. *Odyssee* IV, VIII, XIV), aber auch zu der beispielsweise in *Werthers Leiden* beschworenen patriarchalischen Idyllik ›homerischer Zeiten‹ (vgl. S. 17,29 und Anm.).

672,115 *das Honig*] Goethe schwankt zwischen dem Gebrauch von Neutrum und Maskulinum (vgl. II 84 u. ö.).

673,130 *Rocken*] Teil des Spinnrads.

673,132 *den wachsenden Lärmen*] Den zunehmenden Lärm (Maskulingebrauch).

674,159 *Talke Lorden Quacks*] Der Name findet sich schon in der niederdeutschen Vorlage; seine Bedeutung ist unklar.

675,200 *keichte*] Keuchte.

677,267 *Anspruch*] Anschuldigung, gerichtliche Forderung.

678,287f. *ein Zeichen* ⟨. . .⟩ *Rechter Hand]* Zeichen von rechter Hand galten als glückverheißend (vgl. III 3-6).

III

678,2 *Martins-Vogel]* Hier wohl keine Gans, sondern ein Rabe; die lateinische Übersetzung aus dem 16. Jahrhundert schreibt ›corvus‹. Der Rabe galt seit der Antike als Weissagevogel.

681,96 *der Frauen]* Altertümlicher Genitivgebrauch: der Frau.

681,98 *nach seinem Gewerbe]* Nach seiner gewohnten Beschäftigung (vgl. V 91); Goethe folgt hier der niederdeutschen Vorlage: »na synem ghewyn«.

682,125 *sein Weib mit andern zu sparen]* Seine Frau um einer anderen willen zu vernachlässigen. Wörtlich nach der niederdeutschen Vorlage: »syn wyf mit eyner andern spart«.

683,163 *mich etwa erlösen vom großen Übel]* Anklang an das Vaterunser; vgl. Mt 6,13.

684,173 *dräute]* Drohte.

684,181 *zum drittenmal muß man ihn fordern]* Wer einer dreimaligen Vorladung nicht folgte, verfiel nach mittelalterlichem Rechtsbrauch der Reichsacht.

685,202 *Deucht]* Dünkt.

685,230 *kützlichen]* Kitzligen.

686,244 *Ermelyn]* Wohl nach ›Hermelin‹.

686,246 *Zähne so artig ums Mäulchen]* Übersetzungsfehler Goethes; in der Vorlage steht »sine graneken« (seine Barthaare).

686,247 *Rossel]* Vermutlich nach ›Rüssel‹.

686,253 *Unberaten]* Unversorgt; nach dem niederdeutschen »unberaden«.

687,264 *verredet]* Unterläßt.

687,269 *Confiteor tibi Pater et Mater]* Anfangsworte des liturgischen Schuldbekenntnisses: ›Ich bekenne dir, Vater.‹ Die blasphemische Zufügung ›et Mater‹ (›und Mutter‹) findet sich schon im *Reinke de Vos* (1498).

687,286 *Elkmar]* Elemar. Propstei an der Grenze zwischen Flandern und Seeland.

688,301 *Platte*] Tonsur.

691,392 *nehmen*] Benehmen.

692,411 *Gebreite*] Gefilde, Flachland.

692,440 *Paternoster*] Vaterunser.

IV

695,56 *Bellyn*] Vermutlich nach lat. ›belare‹: blöken.

695,59 *Boldewein*] Balduin: Freund der Kühnheit.

695,60 *Ryn*] Herkunft und Bedeutung des Namens sind nicht geklärt.

695,61 *Metke*] Aus niederdeutsch ›Mette‹ (Ziege).

695,61 *Hermen*] Kurzform von Hermann.

695,64 *Bockert*] Vielleicht nach›Bokhart‹: Buchkundiger.

695,66 *Bartolt*] Berthold.

695,67 *Dybbke*] Möglicherweise Kurzform von ›Tideberta‹: die vor dem Volk Glänzende.

695,68 *Alheid*] Kurzform von Adelheid.

696,83 *noch übriges Recht*] Noch Rechtsansprüche auf seiner Seite.

696,88 *fahen*] Fangen.

698,153 *befesten*] Befestigen.

698,161 *gebeut*] Gebietet.

700,200 *Spiritus Domini*] Geist des Herrn.

703,305 *niemands*] Niemanden.

V

704,9 *König Emmrich*] Ermanarich, König der Ostgoten. Figur der mittelalterlichen Heldensage und Spielmannsdichtung.

704,24 *Ifte*] Hyfte. Ein Dorf in der Nähe von Gent.

705,32 *Achen*] Aachen.

707,109 *Milde*] Freigebig.

707,121 *Sachsen*] Im Epos ist durchgängig Niedersachsen gemeint.

710,181 *seine verwundete Sache*] Vermutlich juristischer Terminus; gemeint ist die Anklage gegen Reineke.

711,207 *ein einzelner Busch, heißt Hüsterlo*] Husterloo in Flandern.

711,208 *Kreckelborn]* Die Vorlage hat ›Krekelput‹ (frischer Quell).

711,233 *Lüttich und Cöllen]* Lüttich und Köln. Spätere Drucke lesen, nach der Vorlage, »Lübeck«.

712,250 *Simonet]* Anspielung auf die Käuflichkeit geistlicher Ämter und Pfründen (›Simonie‹).

VI

716,263 *Knorren]* Knochen, Knöchel.

716,85 *ihm das Wasser zu wärmen]* Ihm einzuheizen.

717,92 *Daß mein Ausgang und Eingang gebenedeit sei]* Daß mein Tun und Lassen gesegnet seien; vgl. 2. Sam 2,35; 1. Kön 3,7.

717,107 *Probst]* Propst, Vorsteher eines Kapitels.

717,107f. *Dechant Rapiamus]* Lat.: ›Laßt uns rauben.‹ Der Dechant ist Vorsteher eines Kirchenbezirks.

718,114 *kraute]* Kratzte.

718,138 *Maibaum in Aachen]* Die Redensart findet sich schon in der niederdeutschen Vorlage. Ihre Herkunft ist nicht geklärt. Im Kontext der Goetheschen Bearbeitung ergibt sich eine Anspielung auf die Freiheitsbäume der Französischen Revolution (vgl. *Herrmann und Dorothea,* S. 849,24 und Anm.).

721,228f. *Gallinen ⟨. . .⟩ Pullus und Gallus und Anas]* Hennen, Hühnchen, Hahn und Ente. Schon die niederdeutsche Vorlage verwendet statt Fischnamen lateinische Bezeichnungen für Geflügel.

722,250 *Elend]* Fremd, heimatlos.

723,267f. *Das kann mich keinen Katzenschwanz hindern]* Sprichwörtliche Redensart: ›Das hindert mich kein bißchen.‹

723,279 *schmälen]* Schimpfen.

726,371 *Lupardus]* Leopard.

726,377 *mich ⟨. . .⟩ vergangen]* Mich geirrt.

727,413 *empfahen]* Empfangen.

728,433 *den Hof]* Die Reichsversammlung.

VII

729,8 *Überflüssig]* Im Überfluß.

730,47 *Geleite]* Königliche Sicherheitsgarantie für Reisende.

730,51 *Merkenau]* Wahrscheinlich eine Abbreviatur aus ›merke genau‹.

730,55 *Scharfenebbe]* Die Scharfschnäbelige.

732,99 *Vorwort]* Fürsprache.

732,108 *gerochen]* Gerächt.

733,151 *Gewehren]* Waffen.

734,173 *Zeitung]* Nachricht.

VIII

738,26 *Kackyß und Elverdingen]* Dörfer in Flandern.

739,50 *Welsch]* Hier: italienisch.

739,53f. *Lizenzen förmlich genommen]* In aller Form das akademische Lizentiat der Rechte erworben.

741,94 *handelt einer mit Honig, er leckt zuweilen die Finger]* Sprichwort; von Goethe aus der Delfter Fassung von 1485 übernommen.

743,152-160] Diese Verse haben wie auch V. 171-177 keine Parallele in der Vorlage.

745,222 *bekappten]* Kuttenträger, Mönche.

745,228 *Lesemeister]* Theologischer und philosophischer Lehrmeister im Kloster.

746,234 *Beginen]* Frauenorden, entstanden um 1200 in den Niederlanden, 1311 als ketzerisch verboten.

747,287 *Exequieren]* Aufheben.

747,288 *Absolviert]* Losgesprochen.

747,291 *Simon]* Nach Apg 8,19; vgl. Anm. 712,250.

748,293f. *Schalkefund ⟨...⟩ Greifzu ⟨...⟩ Wendemantel ⟨...⟩ Losefund]* Sprechende Namen, die ihre Träger charakterisieren; im folgenden häufig (›fund‹: im Mittelhochdeutschen ›List‹).

748,296 *zitieren]* Vorladen.

748,302 *Rückenau]* ›Riech genau‹ (in der niederdeutschen Vorlage: ›Rukenouwe‹).

748,313 *Interdikt*] Kirchenrechtliches Verbot der Ausübung geistlicher Handlungen in bestimmten Ländern oder Bezirken.

748,318 *Ohnegenüge*] Vgl. Anm. 748,293f.

749,322ff. *Partey* ⟨...⟩ *Horchegenau* ⟨...⟩ *Schleifen und Wenden*] Vgl. Anm. 748,293f.

749,325 *Bakkalaureus*] Niedrigster akademischer Grad im mittelalterlichen Universitätssystem.

749,327f. *Moneta und Donarius*] Lat.: Geld, Münze – ›Denarius‹: eine Silbermünze.

IX

750,24 *Vorhaupt*] Stirn.

753,112 *bezüchten*] Bezichtigen.

754,127 *wir kämen nicht aus*] Wir kämen nicht glücklich heraus.

758,247 *Pflückebeutel* ⟨...⟩ *Quackeler*] Vgl. Anm. 748, 293f.

759,282 *Eitelbauch* ⟨...⟩ *Nimmersatt*] Vgl. Anm. 748, 293f.

X

763,16 *Meister Abryon* ⟨...⟩ *von Trier*] Bereits in der niederdeutschen Vorlage. Die Herkunft des Namens ist nicht geklärt.

763,18 *Poitou*] Landschaft in Westfrankreich.

764,22 *Seth*] Sohn Adams; vgl. Gen 4,25.

766,83ff. *Paris von Troja* ⟨...⟩ *Pallas und Juno und Venus*] Die Erzählung vom Paris-Urteil findet sich schon in der niederdeutschen Vorlage. Die folgende Beschreibung von Spiegel und Kamm spielt unverkennbar auf Homers Bericht vom Schild des Achill im XVIII. Gesang (478-608) der *Ilias* an.

766,96 *König Priamus*] Vater des Paris.

767,113 *Beryll*] Durchsichtiger Edelstein.

767,121 *Sethym*] Ägyptischer Dornstrauch.

767,125 *König Krompardes*] Das Motiv vom fliegenden

Holzpferd stammt aus der orientalischen Märchentradition. In dem Versepos *Cléomadès ou le cheval de fust* (1275-1282) von Adenet le Roi wird sein Besitz einem König namens Crompart zugeschrieben.

767,133 *neidischen Pferde]* Vgl. auch *Werther*, S. 111,11 und Anm.

768,158 *Boldewyn]* Vgl. Anm. 695,59.

772,275 *emetischen Kräfte]* Brechmittel. Hier liegt ein Übersetzungsfehler zugrunde, der schon auf Gottsched zurückgeht. In der niederdeutschen Vorlage ist vom ›utbreken‹, das heißt vom Öffnen von Geschwüren die Rede.

776,400 *Untersassen]* Lehnsabhängige.

778,451 *Behörde]* Amt, Aufgabe.

XI

780,12 *Zapfen]* Schließvorrichtung am Abfluß des Teiches.

786,209 *Öhmen]* Plural von Oheim.

789,293 *klaut]* Setzt die Klauen ein, kratzt.

789,294 *krammten]* Packten, krallten.

789,299 *kneipten]* Kniffen.

791,339 *Einen Handschuh biet ich euch an]* Das Hinwerfen des Handschuhs ist eine Geste der Herausforderung. Diese kann durch Aufnehmen des gegnerischen oder durch den Wurf eines eigenen Handschuhs angenommen werden. – Der Bericht vom Zweikampf zwischen Fuchs und Wolf, der das Epos beschließt, steht in parodistischer Korrespondenz zum Kampf zwischen Achill und Hektor, wie er in den letzten Gesängen der *Ilias* (XXII-XXIV) geschildert wird; vgl. die Hinweise im folgenden und »Zur Deutung«.

791,363 *Monecke ⟨...⟩ Märtenaffe]* Aus ital. ›monna‹: Affe; Märten: Martin.

791,364 *Reineke, sagte Frau Rückenau]* Die Äffin übernimmt in den folgenden Vorbereitungen zum Zweikampf die Rolle einer Mentorin, so wie in der *Ilias* (XXII) Achill von Athene zum Kampf gerüstet wird.

792,382 *bescheren]* Rasieren.

792,389 *salben]* Benetzen.

793,404 *Nekräst ⟨. . .⟩ tedachs]* Der Vers ist – mit kleinen Korrekturen – von rückwärts her zu lesen: »Schadet niemand und hilfet man mus die glaubigen stärken.« Von Goethe erfunden; in der Vorlage stehen Kunstwörter ohne lexikalische Bedeutung. – Vgl. dagegen die Rede, mit der Athene ihren Schützling Achill auf das Duell mit Hektor vorbereitet (*Ilias* XXII 216-223).

793,411 *Hünerbrot]* In der Vorlage: ›Honrebroet‹. Möglicherweise ist das Dorf Hoeckenbroec in der Nähe von Damme gemeint.

XII

794,12 *Lynx]* Luchs.

794,12f. *brachten ⟨. . .⟩ die Heil'gen hervor]* Reliquien, auf die vor dem Duell geschworen wird.

799,178 *Zotten]* Fell.

799,178 *löste]* Kotete.

800,190 *Aufzunehmen]* Aufzuheben, zu beendigen.

803,294f. *mein Siegel befohlen]* Mein Siegel anvertraut: Der Fuchs wird mit königlicher Amtsgewalt ausgestattet.

803,304 *Weib und Freunde gingen zu ihm]* Im folgenden kann eine ironische Anspielung auf die Trauer der Trojaner um den toten Hektor angenommen werden, wobei der Wölfin Gieremund die Rolle der Andromache zufällt (vgl. *Ilias* XXIV 704-776).

806,379 *so ist es beschaffen, so wird es bleiben]* Vgl. Pr 1,9.

H ERRMANN UND D OROTHEA

Entstehung

Wann genau Goethe den Plan zur Abfassung von *Herrmann und Dorothea* entwickelte, ist nicht bekannt. Schiller berichtete Johann Gottfried Körner am 28. 10. 1796, als Goethe mit der Niederschrift begonnen hatte, der Autor habe »die

Idee ⟨...⟩ mehrere Jahre schon mit sich herumgetragen«. Möglicherweise hat Goethe den Stoff für das Epos einer Flugschrift von 1732 entnommen; wahrscheinlicher ist, daß er in der *Vollkommenen Emigrationsgeschichte von denen aus dem Erzbistum Salzburg vertriebenen Und größtenteils nach Preußen gegangenen Lutheranern,* die 1734 von Gerhard Gottlieb Günther Göcking in Frankfurt und Leipzig publiziert worden war, auf die Episode gestoßen ist. Göcking schreibt:

So nahm man auch die wunderbare Führung Gottes an einer Salzburgischen Dirne wahr, die der Religion wegen Vater und Mutter verlassen hatte und auf der Reise so wunderbarlich verheiratet ward. Dieses Mädchen zog mit ihren Landesleuten fort, ohne zu wissen, wie es ihr ergehen oder wo sie Gott hinführen würde. Als sie nun durch das Öttingische reiseten, kam eines reichen Bürgers Sohn aus Altmühl zu ihr und fragte sie, wie es ihr in dasigem Lande gefalle. Sie gab zur Antwort; Herr, ganz wohl. Er fuhr fort: Ob sie denn bei seinem Vater wohl dienen wollte? Sie antwortete: Gar gerne, sie wollte treu und fleißig sein, wenn er sie in seine Dienste annehmen wollte. Darauf erzählte sie ihm alle ihre Bauer-Arbeit, die sie verstünde. Sie könne das Vieh füttern, die Kühe melken, das Feld bestellen, Heu machen und dergleichen mehr verrichten. Nun hatte der Vater diesen seinen Sohn oft angemahnet, daß er doch heiraten möchte; wozu er sich aber vorher nie entschließen können. Da aber besagte Emigranten da durchzogen und er dieses Mädchen ansichtig ward, gefiel ihm dieselbe. Er ging daher zu seinem Vater, erinnerte denselben, wie er ihn so oft zum Heiraten angespornet, und entdeckete ihm dabei, daß er sich nunmehro eine Braut ausgesuchet hätte; er bäte, der Vater möge ihm nun erlauben, daß er dieselbe nehmen dürfte. Der Vater frug ihn, wer dieselbe sei. Er gab ihm zur Antwort, es sei eine Salzburgerin, die ihm sehr wohl gefiele; wollte ihm nun der Vater nicht erlauben, daß er dieselbe nehmen dürfte, so würde er auch niemals heiraten.

Als nun der Vater nebst seinen Freunden und dem herzugeholten Prediger sich lange vergeblich bemühet hatte, ihm solches aus dem Sinne zu reden, es ihm aber endlich doch zugegeben, so stellete dieser seinem Vater die Salzburgerin dar. Das Mädchen aber wußte von nichts anders, als daß man sie zu einer Dienstmagd verlangete. Und deswegen ging sie auch mit dem jungen Menschen nach dem Hause seines Vaters. Der Vater hingegen stund in den Gedanken, als hätte sein Sohn der Salzburgerin sein Herz schon eröffnet. Daher fragte er sie, wie ihr denn sein Sohn gefiele und ob sie ihn denn wohl heiraten wollte. Weil sie nun davon nichts wußte, so meinete sie, man suchte sie zu äffen. Sie fing darauf an, man sollte sie nur nicht foppen; zu einer Magd hätte man sie verlangt, und zu dem Ende wäre sie seinem Sohne nachgegangen, wollte man sie nun dazu annehmen, so wollte sie allen Fleiß und Treue beweisen und ihr Brot schon verdienen; foppen aber ließe sie sich nicht. Der Vater aber blieb dabei, daß es sein Ernst wäre, und der Sohn entdeckte ihr auch darauf die wahre Ursache, warum er sie mit nach seines Vaters Hause geführet, nämlich: er habe ein herzliches Verlangen, sie zu heiraten. Das Mädchen sahe ihn darauf an, stund ein klein wenig stille und sagte endlich: wenn es denn sein Ernst wäre, daß er sie haben wollte, so wäre sie es auch zufrieden, und so wollte sie ihn halten wie ihr Auge im Kopfe. Der Sohn reichte ihr hierauf ein Ehe-Pfand. Sie aber griff sofort in den Busen, zog einen Beutel heraus, darin 200 Dukaten staken, und sagte, sie wollte ihm hiemit auch einen Mahl-Schatz geben. Folglich war die Verlobung richtig.

Anfang Juli 1796 vermerkte Goethe im Konzept eines Briefes an Schiller, er habe »eine bürgerliche Idylle im Sinn, weil ich doch so etwas muß gemacht haben«. Im September wurde in Jena die Arbeit an der Ausführung des Epos aufgenommen, wobei sich Schiller von Goethes Produktivität beeindruckt zeigte: »Die Ausführung, die gleichsam unter meinen Augen geschah, ist mit einer mir unbegreiflichen Leichtigkeit und Schnelligkeit vor sich gegangen, so daß er, 9 Tage hintereinander, jeden Tag über anderthalb 100 He-

xameter niederschrieb« (an Christian Gottfried Körner,
28. 10. 1796). Mit Goethes Rückkehr nach Weimar im Oktober geriet die Arbeit zunächst jedoch ins Stocken. Goethe
ging den vorhandenen Text durch und schrieb im Dezember
die ebenfalls *Herrmann und Dorothea* überschriebene Elegie,
die das Epos einleiten sollte, später jedoch separat publiziert
wurde. Am 8. 1. 1797 vollendete der Autor »das Schema zum
Schluß des epischen Gedichtes«; doch erst im März machte er
sich wieder ans Werk und konnte am 15. des Monats notieren: »Früh das Gedicht geendigt« (*Tagebuch*). Danach begann
eine erneute durchgreifende Revision, bei der Goethe – in
Konsultationen mit Schiller, Wilhelm von Humboldt, Karl
August Böttiger und Johann Heinrich Voß d. J. – vor allem
Korrekturen am Metrum seiner Hexameter vornahm. Eine
Abschrift des Textes von der Hand des Schreibers Ludwig
Geist, deren erstes Heft vor dem 15. 11. 1796, deren zweites
nach dem 21. 3. 1797 entstanden ist, zeigt noch die zunächst
erwogene Aufteilung in sechs Gesänge; die neunteilige Gliederung mit ihren handlungsbezogenen Überschriften und
den Namen der neun Musen wurde erst Anfang April
nachgetragen. Am 15. des Monats wurden dem Verleger
Vieweg »die ersten vier Musen« zugeschickt, Mitte Mai die
Gesänge 5-8, der letzte Gesang am 8. 6. Mit Vieweg hatte
Goethe schon im November 1796 über die Publikation zu
verhandeln begonnen und im Januar 1797 das geforderte,
außerordentlich hohe Honorar von 1000 Talern in Gold
zugesagt erhalten. *Herrmann und Dorothea* erschien zur Michaelismesse (Oktober) 1797 unter dem Titel *Taschenbuch für
1798. Herrmann und Dorothea von J. W. von Goethe,* Berlin bei
Friedrich Vieweg dem Älteren.

Äußerungen Goethes

Goethe an Johann Heinrich Meyer. 5. 12. 1796:
    Durch meine Idylle, über welche mir Ihr Beifall sehr wohl-
tätig ist, bin ich in das verwandte epische Fach geführt wor-

den, indem sich ein Gegenstand, der zu einem ähnlichen kleinen Gedichte bestimmt war, zu einem größern ausgedehnt hat, das sich völlig in der epischen Form darstellt, sechs Gesänge und etwa zweitausend Hexameter erreichen wird. Zwei Drittel sind schon fertig und ich hoffe nach dem neuen Jahre die Stimmung für den Überrest zu finden. Ich habe das reine Menschliche der Existenz einer kleinen deutschen Stadt in dem epischen Tiegel von seinen Schlacken abzuscheiden gesucht, und zugleich die großen Bewegungen und Veränderungen des Welttheaters aus einem kleinen Spiegel zurück zu werfen getrachtet. Die Zeit der Handlung ist ohngefähr im vergangenen August und ich habe die Kühnheit meines Unternehmens nicht eher wahrgenommen, als bis das Schwerste schon überstanden war.

Goethe an Johann Friedrich Vieweg. 16. 1. 1797:

Ich bin geneigt Herrn Vieweg in Berlin ein episches Gedicht Herrmann und Dorothea das ohngefähr 2000 Hexameter stark sein wird zum Verlag zu überlassen. Und zwar dergestalt, daß solches den Inhalt seines Almanachs auf 1798 ausmache und daß ich nach Verlauf von 2 Jahren allenfalls dasselbe in meinen Schriften wieder aufführen könne. Was das Honorar betrifft so stelle ich Herrn Oberkonsistorialrat Böttiger ein versiegeltes Billet zu, worin meine Forderung enthalten ist und erwarte was Herr Vieweg mir für meine Arbeit anbieten zu können glaubt. Ist sein Anerbieten geringer als meine Forderung, so nehme ich meinen versiegelten Zettel uneröffnet zurück, und die Negotiation zerschlägt sich, ist es höher, so verlange ich nicht mehr als in dem, alsdann von Herrn Oberkonsistorialrat zu eröffnenden Zettel verzeichnet ist.

Goethe an Friedrich Böttiger. 16. 1. 1797:

Für das epische Gedicht *Herrmann und Dorothea* verlange ich

Eintausend Taler in Golde.

Weimar d. 16. Jan. 1797. Goethe

(Herr Oberkonsistorial Rat Böttiger wird ersucht gegenwärtiges bis zur bekannten Epoche bei sich uneröffnet liegen
zu lassen.   Goethe)

Goethe an Friedrich Schiller. 4. 3. 1797:

Die Arbeit rückt zu und fängt schon an, Masse zu machen,
worüber ich denn sehr erfreut bin und Ihnen als einem treuen
Freunde und Nachbar die Freude sogleich mitteile. Es
kommt nur noch auf zwei Tage an, so ist der Schatz gehoben,
und ist er nur erst einmal über der Erde, so findet sich alsdenn
das Polieren von selbst. Merkwürdig ist's, wie das Gedicht
gegen sein Ende sich ganz zu seinem idyllischen Ursprung
hinneigt.

Goethe an Heinrich Meyer. 18. 3. 1797:

Ich habe indessen meine Zeit gut angewendet, das epische
Gedicht wird gegen Ostern fertig und kommt auch in Kalen-
derform bei Vieweg in Berlin heraus. Auf diesem Wege wird
es am meisten gelesen und am besten bezahlt. Was kann ein
Autor mehr verlangen.

Goethe an Friedrich Schiller. 23. 12. 1797:

Um nun zu meinem Aufsatze zurückzukommen, so habe
ich den darin aufgestellten Maßstab an Herrmann und Dorothea gehalten und bitte Sie desgleichen zu tun, wobei sich
ganz interessante Bemerkungen machen lassen, als z. B.

1. Daß kein ausschließlich episches Motiv, das heißt kein
retrogradierendes, sich darin befinde, sondern daß nur die
vier andern, welche das epische Gedicht mit dem Drama
gemein hat, darin gebraucht sind.

2. Daß es nicht außer sich wirkende, sondern nach innen
geführte Menschen darstellt und sich auch dadurch von der
Epopee entfernt und dem Drama nähert.

3. Daß es sich mit Recht der Gleichnisse enthält, weil bei
einem mehr sittlichen Gegenstande das Zudringen von Bildern aus der physischen Natur nur mehr lästig gewesen wäre.

4. Daß es aus der dritten Welt, ob gleich nicht auffallend,

noch immer genug Einfluß empfangen hat, indem das große
Weltschicksal teils wirklich, teils durch Personen, symbolisch, eingeflochten ist und von Ahndung, von Zusammenhang einer sichtbaren und unsichtbaren Welt doch auch
leise Spuren angegeben sind, welches zusammen nach meiner
Überzeugung an die Stelle der alten Götterbilder tritt, deren
physisch poetische Gewalt dadurch freilich nicht ersetzt
wird.

Goethe an Friedrich Schiller. 3. 1. 1798:
   In *Herrmann und Dorothea* habe ich, was das Material betrifft, den Deutschen einmal ihren Willen getan, und nun sind
sie äußerst zufrieden.

Textgrundlage und Überlieferung

Die Druckvorlage ist nicht erhalten. Textgrundlage ist die
1797 erschienene Erstausgabe: *Taschenbuch für 1798. Herrmann
und Dorothea von J. W. von Goethe*, Berlin bei Friedrich Vieweg
dem Älteren. Eine Korrekturliste, die Goethe dem Verlag
übermittelt hatte, wurde beim Erstdruck nur teilweise berücksichtigt; in einigen, im Stellenkommentar verzeichneten
Versen weicht unsere Ausgabe darum vom Erstdruck ab. –
Die weitere Textgeschichte von *Herrmann und Dorothea* ist
ähnlich kompliziert wie die des *Werther*. Als Goethe für die
Cottasche Ausgabe der *Werke* (1808) eine Überarbeitung des
Epos vornahm, griff er auf einen in Ulm verlegten Raub-
druck zurück, der gegenüber der Erstausgabe zahlreiche
Entstellungen aufweist. Sie wurden nur teilweise rückgän-
gig gemacht oder gaben Anlaß zu Korrekturen, die vom
Text der Erstausgabe abweichen (vgl. die kritische Edition in
AA, Epen, Bd. 1 und 2).

Stellenkommentar

Abweichend von der gängigen Editionspraxis antiker und
moderner Epen sind in der Erstausgabe von *Herrmann und
Dorothea* die einzelnen Gesänge nicht mit römischen Ziffern
durchnumeriert. Die entsprechende Zählung wird, um dem
Leser die Übersicht zu erleichtern, im folgenden Kommentar
nachgetragen.

807 *Herrmann und Dorothea]* Der Name Herrmann (die
Schreibung Hermann findet sich erstmals in der Cottaschen
Ausgabe von 1808) verweist, für den zeitgenössischen Leser
unmißverständlich, auf ›Hermann den Cherusker‹, der im
Laufe des 18. Jahrhunderts als vaterländischer Heros proklamiert wurde, nachdem entsprechende Sujets seit Daniel
Caspar von Lohensteins Roman *Arminius* (1689/90) literaturfähig geworden waren. Von den einschlägigen Dichtun-
gen sind vorzugsweise Johann Elias Schlegels Trauerspiel
Herrmann (1743) und Klopstocks Bardendichtungen *Hermanns Schlacht* (1767), *Hermann und die Fürsten* (1784), *Hermanns Tod* (1787) zu nennen. – Den Namen Dorothea
(griech.: ›die von Gott Geschenkte‹) trägt eine Heilige, die zu
den vierzehn Nothelfern zählt und vor allem als Helferin in
Kindesnöten und Patronin der Wöchnerinnen verehrt wird
(vgl. S. 816,31-41 u. ö.). Zu ihren ikonographischen Attributen gehört das Schwert (vgl. S. 852,114-118).

I

807 *Kalliope]* Die Verbindung der neun Gesänge des
Epos mit den Namen der neun Musen folgt dem Vorbild des
Geschichtswerks von Herodot (5. Jh. v. Chr.), das – vermutlich von dem Philologen Aristarchos von Samothrake
(ca. 217-145 v. Chr.) – in neun Gesänge eingeteilt und mit
den Musen der griechischen Mythologie assoziiert worden
war (für weitere Bezüge zu Herodot vgl. »Zur Deutung«). –
Kalliope ist als die Muse der epischen und elegischen Dich-

tung gewissermaßen die Schutzpatronin des gesamten Textes. Als Goethe die entsprechende Einteilung vornahm, war die Arbeit am Text jedoch schon abgeschlossen. Von daher liegt es nahe zu bezweifeln, daß zwischen den traditionell den einzelnen Musen zugeschriebenen Funktionen und den Gesängen des Epos stringente inhaltliche Bezüge bestehen, auch wenn sie sich für manche Gesänge – etwa *Klio*, Muse der Geschichtsschreibung: Darstellung der Revolution – bis zu einem gewissen Grade konkretisieren lassen. Prinzipiell ist zu bedenken, daß die Musennamen zum episch Erzählten weniger einen erläuternden Kommentar bereitstellen als vielmehr – in der Tradition des komischen Epos – eine Folie ironischer Distanzierung vom kleinbürgerlichen Milieu und seinen ›Heroen‹ bieten (vgl. »Zur Deutung«).

807,3 *deucht*] Dünkt.

807,10 *das überrheinische Land*] Das linksrheinische Preußen, die Pfalz oder Rheinhessen.

807,13 *milde*] Freigebig.

808,22 *die kluge, verständige Hausfrau*] Das im Epos formelhaft gebrauchte, stehende Beiwort ist eines von Homers charakteristischen Stilmitteln. Johann Heinrich Voß hat es in die deutschsprachige Ependichtung eingeführt; auch die Figur der »verständigen Hausfrau« tritt in Voß' idyllischem Epos *Luise* (1783/84) bereits auf.

808,29 *indianisch*] Indisch.

808,29f. *Schlafrock* ⟨...⟩ *Kattun*] Mit dem pittoresken Schlafrock, der als Requisit bürgerlicher Alltagskultur hier ausgedient hat, spielt Goethe auf den »Bräutigamsschlafrock« in Vossens *Luise* an: »Fein von Kattun, kleerötlich, mit farbigen Blumen gesprenkelt« (III 873 f.; vgl. außerdem die Eingangsverse der 1. Idylle der *Luise*). – Kattun: Baumwolle.

808,36 *Sürtout*] Überrock.

808,36 *Pekesche*] Pelzverbrämter Schnürrock.

809,56 *in Landau verfertigt*] Der ›Landauer‹ ist eine viersitzige Kutsche mit Verdeck.

809,59 *Und so saß das trauliche Paar*] Der im folgenden

ausgeführte Kontrast zwischen dem aus seiner Heimat Vertriebenen und dem Seßhaften bildet die Grundkonstellation der Ersten Ekloge in Vergils *Idyllen.*

810,73 *peinlich zum Tode geführt*] Zum Tode verurteilt nach der hochnotpeinlichen Gerichtsordnung.

811,118 *geflüchtet*] Gerettet, geborgen.

814,194 *Franken*] Franzosen (Kollektivsingular).

814,201 *Te Deum*] ›Großer Gott, wir loben Dich‹, frühkirchliche Hymne, Teil der Liturgie.

815,211f. *der stampfenden Pferde fernes Getöse*] Anklang an Homer, auch dort häufig in der Funktion als Schlußbild eines Gesanges (vgl. z. B. *Odyssee* III 491-497). Zur ironischen Doppelbedeutung des ›Kütschchens‹ vgl. »Zur Deutung«.

II

815 *Terpsichore*] Muse des Tanzes und der Kitharamusik.

816,23 *Auslands*] Gemeint ist das deutschsprachige ›Ausland‹ (vgl. S. 807,10).

816,24 *Neben her aber ging ⟨. . .⟩ ein Mädchen*] Vgl. Nausikaas Aufbruch ans Meer (*Odyssee* VI 81-83) aber auch den zweiten und fünften Gesang der Homer-Parodie *Der Phaeton* (1754) von Friedrich Wilhelm Zachariä (Näheres vgl. »Zur Deutung«).

816,32 *Aber mich dringet die Not zu reden*] Vgl. Goethe, *Campagne in Frankreich*, den 4. 10. [1792].

817,57 *Gemeine*] Gemeinde, Gemeinschaft.

818,68 *den Nackten bekleide*] Vgl. Mt 25,36.

819,94 *Provisor*] Apothekergehilfe.

820,123 *Anger*] Wiese, Weide.

821,154 *den Sohn mir ⟨. . .⟩ gegeben*] Vgl. S. 856,229: »dem Weibe der Jugend«. Anklänge an Spr 5,18 sowie an den Sprachgebrauch der Vossischen Homerübersetzung.

821,158 *Da versetzte sogleich der Vater*] Der im folgenden ausgetragene Streit über die für Herrmann geeignete Ehefrau spielt möglicherweise auf den im I. Gesang der *Ilias* zwischen Achill und Agamemnon ausgetragenen Streit um die Priestertochter Chryseïs an.

822,186 *Ungerecht bleiben die Männer, und die Zeiten der Liebe vergehen]* Nach den strengen Regeln der Metrik ist dieser Vers siebenfüßig; Riemer hat überliefert, daß Goethe, von Johann Heinrich Voß d. J. darauf hingewiesen, lachend bemerkt habe: »Diese siebenfüßige Bestie möge als Wahrzeichen stehenbleiben!«

822,197 *dringenden]* Drängenden.

822,210 *mich auch zu putzen]* Die im folgenden beschriebene Aufmachung eines ›Stutzers‹ gehört zur Grundausstattung der galanten Helden des komischen Epos im 18. Jahrhundert (vgl. »Zur Deutung«).

823,212 *Läppchen]* Hier: Halstuch.

823,221 *Minchen saß am Klavier]* Das Klavier als Requisit des bürgerlichen Salons und insbesondere die klavierspielende höhere Tochter wurden schon im komischen Epos parodiert, etwa: Friedrich Wilhelm Zachariä, *Das Schnupftuch* und *Der Phaeton* (beide 1754), sie findet sich aber auch im idyllischen Epos: vgl. Voß, *Luise*, 3. Idylle. Vgl. zudem die Begegnung Goethes mit der am Klavier sitzenden Lili Schönemann, wie sie im 16. Buch von *Dichtung und Wahrheit* dargestellt wird.

823,224 *Pamina* ⟨...⟩ *Tamino]* Figuren aus Wolfgang Amadeus Mozarts Oper *Die Zauberflöte* (1791).

824,253 *der Unterste]* In der Schule Platz des schlechtesten Schülers.

825,269 *Wiederbegegnen]* Die Aufmerksamkeit erwidern.

III

825 *Thalia]* Muse des Lustspiels.

827,33 *Bauherr* ⟨...⟩ *im Rat]* Für das öffentliche Bauwesen zuständiger Stadtrat.

827,35 *Anstalt]* Vorhaben, Projekt.

829,107 *Engel Michael]* Patron der Heilkunst.

829,108 *Offizin]* Apotheke.

829,109 *gräulichen Drachen]* Vgl. Off 12,7.

829,110 *Fordrung]* Rechnung, Kosten.

IV

830 *Euterpe]* Muse der Flötenmusik und der lyrischen Dichtung.

831,44 *Unfall]* Hier: Unglück.

832,60 *dort saß ihr Herrmann und ruhte]* Anspielung auf den trauernden Achill und seine Gespräche mit Thetis; vgl. *Ilias* I 348-428; XVIII 65-137.

832,72 *kein Herz im ehernen Busen]* Anklang an *Ilias* XXII 357.

833,86 *dringt]* Drängt.

834,122 *Montur]* Uniform.

834,124 *dringt]* Drängt.

835,149 *die Hindernis]* Das Hindernis.

835,159 *die Eltern zu ehren]* In Anlehnung an das Vierte Gebot; vgl. Ex 20,12.

835,164 *gerochen]* Gerächt.

836,187 *Gebreite]* Gefilde, Land.

837,199 *die Nacht zur schönen Hälfte des Lebens]* Vgl. Jean Jacques Rousseau, *Nouvelle Héloïse* VI 2, sowie das Lied der Philine in *Wilhelm Meisters Lehrjahren* V 10.

837,221 *Lässet Vater und Mutter dahinten, wenn sie dem Mann folgt]* Vgl. Gen 2,24; diese Bibelverse werden in Voß' *Luise* III 295 f. als Trauungstext zitiert.

838,252 *Vorsatz]* Absicht, Vorhaben.

V

839 *Polyhymnia]* Muse des Tanzes und des Gesangs.

839 *Weltbürger]* Die Überschrift bezieht sich wohl auf den »Richter«, der unter den Flüchtlingen Ordnung stiftet. Zunächst waren die Gesänge V und VI unter diesem Titel zusammengefaßt, während die Gesänge III und IV gemeinsam unter der Überschrift »Die Bürger« firmierten.

840,26 *Immer sich gleichen ruhigen Sinns]* Im Erstdruck: Immer gleichen, ruhigen Sinns.

840,32 *Städtchens der ländlich Gewerb mit Bürgergewerbe gepaaret]* Im Erstdruck: Städtchens, welcher ländlich Gewerb mit Bürgergewerb paart.

840,46 *Nun ist er kommen der Tag]* Vgl. *Ilias* IV 164 und VI 448.

841,69f. *die Gaben kommen von oben herab]* Vgl. Jak 1,17, aber auch den Namen ›Dorothea‹ (›die von Gott Geschenkte‹).

842,86 *Laßt mich also hinaus]* Das Motiv der Brautwerbung durch Vermittlung eines Dritten hat eine lange literarische Tradition, besonders auch in der Epik des deutschen Mittelalters. Herausragende Beispiele sind in diesem Zusammenhang *König Rother* (um 1150), das *Nibelungenlied* (um 1200), Gottfrieds von Straßburg *Tristan* (um 1210), *Kudrun* (um 1240). – Zum Motiv der Aussendung zweier Späher vgl. aber auch *Ilias* X 219-298.

843,108 *Tat bedeutend den Mund auf]* Biblischer Sprachgebrauch. Vgl. Ps 78,2; Mt 5,2 u. ö.

843,135 *Gebiß]* Mundstück am Zaumzeug.

844,139 *Waage]* Querstange an der Deichsel.

844,151 *Linden]* Die Linde ist schon in der mittelhochdeutschen Literatur topisch als Treffpunkt für Liebende.

844,155 *Brunnen]* Vgl. die Werbung Eliezers um Rebekka, Gen 24,11ff.; Gen 29,1ff. Die Forschung hat auf die Verwandtschaft dieser Passage zu jener Variation des biblischen Musters hingewiesen, wie sie Salomon Gessner in seiner Idylle *Daphne. Chloe* vorgenommen hatte (*Schriften*, Bd. 5, Zürich 1772, S. 8-10; vgl. Evans, *A Passage in Hermann und Dorothea*, S. 78f.). Vgl. zudem *Werther*, S. 19,20-27 und Anm.; zu ikonographischen Aspekten auch S. 17,18 und Anm.

845,167 *Bildung]* Gestalt, Körperbau.

846,204 *damit ihr Barmherzigkeit findet]* Vgl. Mt 5,7.

847,227 *Josua ⟨...⟩ Moses]* Im Alten Testament Führer des jüdischen Volkes ins Gelobte Land; Vorgänger der ›Richter‹, denen vor Einführung des Königtums die Leitung der Stämme Israels oblag. Vgl. auch den Abschnitt »Israel in der Wüste« in Goethes *Noten und Abhandlungen zu besserem Verständnis des West-östlichen Divans*.

847,230 *gemeine]* Profane.

847,236 *im feurigen Busche ⟨...⟩ in Wolken und Feuer]* Vgl. Ex 3,2 und 13,21.

VI

848 *Klio]* Muse der Geschichtsschreibung.

848,14 *Hauptstadt der Welt]* Paris.

849,24 *Bäume der Freiheit]* Freiheitsbäume; Baumstämme, die von den Revolutionären mit Bändern und Jakobinermützen geschmückt und auf öffentlichen Plätzen aufgestellt wurden.

849,28 *überwiegenden]* Stärkeren.

850,73 *in Wehre]* In Waffen.

852,114-118 *Aber sie riß ⟨...⟩ der Hülfe bewaffnet]* Die Frau, die bereit ist, notfalls selbst zu den Waffen zu greifen, gehört zum Figurenarsenal der vaterländischen Dichtung des 18. Jahrhunderts, vgl. etwa Thusnelda in Johann Elias Schlegels *Herrmann* oder Klopstocks Ode *Herrmann und Thusnelda* (1752). Darüber hinaus gibt es eine breite Tradition entsprechend wehrhafter Frauenfiguren, ikonologisch meist repräsentiert durch ›Judith‹, literarisch auch durch ›Prünhilt‹ (*Nibelungenlied*) oder ›Clorinda‹ (Tasso: *Das befreite Jerusalem*), die in *Wilhelm Meisters Lehrjahren* (I 7) als idolisierte Amazone für den Helden eine nicht unerhebliche Rolle spielt (vgl. »Zur Deutung«).

853,132 *Seht Ihr, sagt' er]* Die folgende Beschreibung Dorotheas als einer »Sitzende⟨n⟩« (S. 853,143) »unter dem Apfelbaum« (S. 854,174) reproduziert das Darstellungsschema eines marianischen Andachtsbildes.

853,132 *Puppe]* Wickelkind.

853,150 *sie hält ⟨...⟩ die Probe]* Anspielung auf die bewundernden Blicke der Alten auf Helena (*Ilias* VI 156-158).

856,219 *Peinlich]* Schmerzlich.

858,289 *daß sie ein würdiges Mädchen]* Im Erstdruck: Daß es wert ist das Mädchen.

859,305 *künstlichste]* In der Bedeutung von: schwierigste, anspruchsvollste.

VII

859 *Erato]* Muse der Liebesdichtung.

861,41 *und sie sahen gespiegelt ihr Bild]* Vista Clayton hat auf die Analogien zwischen dieser Szene und dem Prosagedicht *Joseph* (1767) von Paul Jérémie Bitaubé (1732-1808) aufmerksam gemacht (*The Relation of ›Joseph‹ by Bitaubé to Goethe's ›Hermann und Dorothea‹*). Im Jahr 1800 hat Bitaubé, mit Goethes freundlichem Beifall, *Herrmann und Dorothea* ins Französische übersetzt.

861,43f. *Laß mich trinken ⟨. . .⟩ den Krug]* Vgl. Gen 24, 11-27 und Anm. 844,155.

865,143 *geletzt]* Erquickt.

867,202 *Deuten]* Tüten.

VIII

867 *Melpomene]* Muse der Tragödie.

867,2 *gewitterdrohend]* Vermutlich eine Anspielung auf Geßners Idylle *Damon. Daphne* (vgl. *Schriften*, 3. Teil); sowie den vorehelichen ›Fall der Tugend‹ in Johann Carl Wezels »komischem Roman« *Herrmann und Ulrike* (1780); vgl. »Zur Deutung«.

867,6 *Schloßen]* Hagelkörner.

IX

871 *Urania]* Muse der Sternkunde; in Miltons stilbildendem Epos über den Sündenfall, *Paradise Lost* (1667), wird Urania als Dichtermuse angerufen.

871,1 *Musen, die ihr so gern]* Der Musenanruf ist ein Topos epischer Dichtung seit Homer (vgl. *Ilias* I 1f.; *Odyssee* I 1f.) Ungewöhnlich ist allerdings seine Plazierung nicht am Anfang, sondern kurz vor dem Ende des Epos.

872,18 *Fäschen]* Fäserchen.

872,31 *bedenklichen]* Bedenkenswerten.

873,46 *des Todes rührendes Bild]* Die Ansprache des Pfarrers nimmt möglicherweise Bezug auf Sarpedons mahnende Worte gegenüber Glaukos (*Ilias* XII 322-328).

873,49 *im Trübsal]* In der Trübsal.

875,116 *Handschlag]* Rechtswirksamer Abschluß eines Dienstverhältnisses.

878,198 *Wo ihm das Ehbett stand]* Vgl. *Ilias* I 609f.

881,252 *sorglich]* Mit Sorge.

881,269 *Nur ein Fremdling ⟨. . .⟩ auf Erden]* Vgl. Ps 119,19.

883,314 *so rüste mich selbst und reiche die Waffen]* Anspielung auf den von Thetis zur Schlacht gerüsteten Achill; vgl. *Ilias* XIX 1-36, auch XXII. Die im folgenden antizipierte Trennung der Liebenden nimmt möglicherweise auch auf Homers Erzählung vom Abschied Hektors Bezug; vgl. *Ilias* VI 390-502.

ACHILLEÏS

Entstehung

Im Zuge der brieflichen Diskussion mit Schiller über die Charakteristika der verschiedenen Gattungen las Goethe im Dezember 1797 erneut Homers *Ilias*. Als er am 23. des Monats dem Freund seinen Aufsatz *Über epische und dramatische Dichtung* übersandte, kam er erstmals auch auf den Plan zur *Achilleïs* zu sprechen:

Schließlich muß ich noch von einer sonderbaren Aufgabe melden, die ich mir in diesen Rücksichten gegeben habe, nämlich zu untersuchen: ob nicht zwischen Hektors Tod und der Abfahrt der Griechen von der Trojanischen Küste, noch ein episches Gedicht inne liege? oder nicht? ich vermute fast das letzte und zwar aus folgenden Ursachen.

1. Weil sich nichts Retrogradierendes mehr findet, sondern alles unaufhaltsam vorwärts schreitet.

2. Weil alle noch einigermaßen retardierende Vorfälle das Interesse auf mehrere Menschen zerstreuen und, obgleich in einer großen Masse, doch Privatschicksalen ähnlich sehn. *Der Tod des Achills* scheint mir ein herrlich tragischer Stoff.

Die Annahme, zwischen den beiden homerischen Epen fehle ein Bindeglied, das möglicherweise ergänzt werden könne, war in der altphilologischen Diskussion nicht neu. Bereits in

diesem ersten Brief machte sich jedoch eine Unsicherheit
bezüglich der Art des zu behandelnden Stoffes bemerkbar.
Am 27. 12. kam Goethe Schiller gegenüber auf diesen Punkt
zurück: »Das Lebensende des Achills mit seinen Umgebungen ließe eine epische Behandlung zu und forderte sie gewissermaßen, wegen der Breite des zu behandelnden Stoffs. Nun
würde die Frage entstehen: ob man wohl tue einen tragischen Stoff allenfalls episch zu behandeln? Es läßt sich allerlei
dafür und dagegen sagen. Was den Effekt betrifft, so würde
ein Neuer der für Neue arbeitet immer dabei in Vorteil sein,
weil man ohne pathologisches Interesse wohl schwerlich sich
den Beifall der Zeit erwerben wird.« In den folgenden Monaten zog Goethe mehrere historische Werke über den Trojanischen Krieg und philologische Studien über Homer zu
Rate. Insgesamt fühlte er sich am 16. 5. 1798 in seinen Überlegungen bestätigt: »Indes war mein erstes Aperçu einer
Achilleïs richtig und wenn ich etwas von der Art machen will
und soll so muß ich dabei bleiben. ⟨. . .⟩ Die Achilleïs ist ein
tragischer Stoff, der aber wegen einer gewissen Breite eine
epische Behandlung nicht verschmäht. – Er ist durchaus *sentimental* und würde sich in dieser doppelten Eigenschaft zu
einer modernen Arbeit qualifizieren, und eine ganz realisti-
sche Behandlung würde jene beide innern Eigenschaften ins
Gleichgewicht setzen« (an Schiller).

Erst am 10. 3. 1799 wurde mit der Ausarbeitung der Entwürfe begonnen. Bis zum 12. 3. waren die ersten 187 Verse
diktiert; zwischen dem 22. 3. und dem 5. 4. folgte der Rest
des ersten Gesanges. Mehr wurde von dem auf acht Gesänge
angelegten Epos nicht ausgeführt. Nachdem Johann Heinrich Voß d. J. und Friedrich Wilhelm Riemer eine metrische
Durchsicht vorgenommen hatten, publizierte Goethe das
Fragment schließlich im achten Band seiner Werkausgabe
von 1808. Das Druckmanuskript ist verloren. Erhalten geblieben sind jedoch zahlreiche Entwürfe, unter ihnen zwei
Schemata für das gesamte Epos, die am 31. 3. 1798 bzw. im
März/Mai 1799 entstanden sind. Aus diesen Paralipomena ist
der geplante Gang der epischen Handlung gut nachzuvollziehen (nach AA, Epen, Bd. 2):

Schema aus dem Jahre 1798

Schema
zur Achilleis.

1.) Morgen nach der Ver-
brennung des Hectors.
2.) Achill beim Grabhügel.
3.) Die Arbeit ist schon
weit vorgerückt.
4.) Anordnung wegen des
Umkreises in der
Mitte.
5.) Götter auf dem Olymp.
6.) Zeus erregt Zweifel ob
Troja fallen soll.
7.) Argument vom letzten
Lebenshauche.
8.) Von der geteilten
Schlange.
Vom Schiffbruch wo
einer gerettet wird
indeß der andre
untergeht.
9.) Juno entgegnet.
10.) Thetis kommt
11.) Zustand ihres Sohns,
der sie nicht anruft
12.) Ihr eigner Zustand da
sie ihn nicht sehen
mag.
13.) Zeus über den Tod des
Achills.
14.) Sobald dieser erfolgt
kann Troja nicht ge-
halten werden
15.) Breitere Aussicht über

das Schicksal beider
Parteien und Län-
der.

16.) Aufforderung an die
Götter von beiden
Seiten das mögliche
zu tun.

17.) Verbietet das Hand-
gemenge

18.) Mars geht den Tele-
phus, Memnon und
die Amazonen auf-
zurufen.

19.) Minerva geht in Ge-
stalt des Alkimedon
zu Achills Zelt.

20. Automedon.

21. Briseis, Diomede, Iphis.

22. Bei der Urne des Pa-
troklus.

23. Aufmunterung durch
Minerva

24. Automedon geht zu
Achill

25. Venus und Apoll be-
ratschlagen

26. Sie werden uneins.

27. Venus geht nach Troja.

28. Antenor.

29. Aeneas.

30. Das Volk.

31. Beratschlagung nun-
mehr nach Hectors
Tod die Helena zu-
rückzuschicken.

32 Auflauf.

58. Vortrag.
59. Abschlägliche Antwort.
60. Gegenantwort.
61 Rede der Casandra
62. Sie ziehen weg.

63. Antenor gibt dem
    Automedon einen An-
    trag an Achill.
64. Der schon gereizte
    Achill geht nach.
65. Venus in Gestalt des
    suchenden Mädchens.
66 Dann Antenor halten
    ihn auf.
67 Die Frauen kommen
    nach Troja
68. Antenors Vorschläge.
69 Achillens Einwilligung.
70 Einwirkung der Götter.

71. Achill vertraut sich dem
    Ajax
72 Versammlung der Heer-
    führer
73. Vortrag.
74 Einstimmung eines
    Teils
75. Gegensatz des Ulyss.
76. Von Diomed unter-
    stützt.
77. Sie werden überstimmt.
78. Ein Herold geht nach
    Troja.
79. Diomed und Ulyss be-
    raten sich über die
    Sachen

	80	Festlicher Tag.
	81.	Vorbereitung auf der
Olympische Versaml		trojanischen Seite.
Musen. 3 nur.	82	Verschwörung des Ulyss
		und Diomeds
	83.	Vorsicht des Achills des
		Ajax und der Myrmido-
		nen.
Chrysaor	84.	Hochzeitfeier.
	85.	Ajax stellt sich gegen
		den Ulyss.
	86.	Tod des Achills im Tempel.
	87	Die Trojaner fliehen.
	88.	Niederlage.
	89.	Die Volkspartei in der
		Stadt verliert ihren
		Einfluß.
	90.	Spalt im griechischen
		Heer.
	91	Ajax an der einen
	92	Ulyss an der andern
		Seite
	93.	Dem Scheine nach bei-
		gelegt.
	94.	Notwendigkeit den
		Philoctet und Nio-
		ptolem herbei zu
		holen.
	95.	Ulyss soll fort.
	96.	Vermächtnis des Achills
		wird bekannt.
	97.	Streit über die Waffen.
	98.	Ulyss gewinnt sie
	99	Er reist ab.
	100.	Thetis erhält den Leichnam
		des Achills.

101. Nachricht von der An-
       näherung neuer
       Bundsverwandten
102. Ajax Raserei und Tod.

Jena d. 31 März 98.

Schema aus dem Jahre 1799

[Erster Gesang]
Breitere Aussicht auf das
   Schicksal beider Länder
Aufforderung an die Götter
   gegen einander zu wirken
Verbietet das Handgemenge
Ares geht den Telephus und
   die Amazonen aufzurufen.
Pallas in der Gestalt des An-
   tilochos tritt zum Achill.
Er steht in der Mitte des
   Raums
Er ordnet die Steine an wie
   sie gesetzt werden sollen
Wie die Urne stehen soll.
Pallas preist ihn selig.
Aussicht über die Welt.
Aussicht auf die Zukunft
Beides vom Sigäischen Vor-
   gebirge aus.
Griechisches Lager
Kriegrische Beschäftigun-
   gen bei Ablauf des Still-
   standes.

Apoll darf nicht allein am   Zweiter Gesang
   Tymbraischen Tempel   Apoll steigt herab
   geschildert werden.   Er kommt über den Tym-
                                  bräischen Tempel

Frage, ob der Tymbräische
Tempel nicht moderner
sei

1) Apoll schreitet vom
Tempel nach Troja

2. Erblickt auf Callicolon
die Venus und redet sie
an. Erinnrung der alten
Zeit was sie jetzt zu tun
habe

3) Antwort. Götter nahen
sich gern den Orten wo
sie verehrt wurden . . .
Es kann wieder werden

Vorwürfe wegen ihrer
Händel auf Ida.

Phöbus in
Polydors Schlafgemach.
Schicksal eines vornehmen
Kindes im Kriege.

Lokal
Fest
Unterbrechung desselben
durch den Krieg
Aphrodite wartet auf
Callicolone
Einleitung des Lokals von
Alters her
So hat sie den Mädchen und
Jünglingen die zum Feste
gingen, aufgepaßt
Sie redet den Phöbos an
Sie wünscht gemeinschaft-
lich zu handeln
Um Troja zu retten
Apoll antwortet: er traue ihr
nicht
Aphroditens Vorschlag
Helena und Paris sollen
weggeschickt werden
Die Griechen versöhnt
Phöbos zürnt
Sie komme lange nicht in
Priams Pallast
Weil ihr der Handel mit
Dëiphobus mißlungen.
Er geht nach Priams Palast
Cypris geht in die Volks-
versammlung
Phöbos in Gestalt des Poly-
dors ruft Priams Söhne
zusammen
Abschied.
Die Mutter sendet ihn fort
Sorge für sich
Ob keiner Troja retten
könne.

Dëiphobus tritt auf
Paris wünscht Verlängrung
  des Stillstandes.
Er hofft auf Bundesver-
  wandte
Deiphobus will das Volk
  organisieren zu bewachung
  der Stadt
Paris und Helena sprechen
  zusammen

Uber sie im Vorbeigehn.

Vorschlag die Polyxena an-
  zubieten
Wahrscheinlicher Erfolg
Antenor vor dem Volk
Schon ist alles in Bewegung
Venus reizt ihn
Antenors Volksaufregende
  Rede

Priams Lob

Wirkung.

Im Gegensatz mit den
  Söhnen.

Deiphobus tritt auf

Verhältnis.

Vernünftige Vorschläge

Einführung der Volks
  Stimme durch Herkules

Tumult

Paris tritt auf

Er kaufte Priamus.

Rede zur Nachgiebigkeit

Nicht durch Erbe.

Glücklicher Erfolg

Groß Schön. gerecht. Hef-
  tig aufwallend im Ganzen
  gelinde.

Helena und Hekuba
Verschiedene Argumente
Vorzüglich wegen Polydor.

Söhne ungezogen.

Entschluß die Töchter ab-
  zuschicken

Bis auf 9 geschmolzen.

                Personal zum II.

Antenor

Phöbos.

  subalterne Energie.

Aphrodite.

  Stämmig, schwarz, kühn.

Polydor.

  Auch Kinder verloren.

Deiphobus

  Gereist. Leidenschaftlich

Paris.

schwankend.   Priamus
Rastlos, rachgierig.   Helena.
Deiphobus   Hekuba.
 Nach Hecktors Tod der   Polixen
 erste Trojanische Held.   Cassandra } nur   erwähnt.
 In Helena verliebt.   Antenor
 Was für Eigenheiten.   Aeneis

Jena d. 10 May 99.

                              Dritter Gesang.
                        Zelt des Achilles
                        Brisëis Diomede Iphis
                        Asche des Patroklus
                        Antilochos mit der Leier
                         Alkimos tritt auf
                        Tadel
                        Brisëis Rede
                        Betragen der Mädchen

Antilochos geht zu Achill
Polyxena dargestellt
Cassandra.   Versammlung der Griechen
                        Ulyssens Vorschlag
                        Ajax ist entgegen.
                        Achill tritt hinein
                        Er ist auch gegen den Ulyss
                        Die Griechen stimmen ein
           Idäos . . . . Herolde mit Vorschlägen
                        Achill stimmt abschläglich
                        Ajax auch.
                        Ulyss streitet für die Auf-
                           nahme
                        Und siegt.
    W. 9 März 99.

                              Vierter Gesang.
                        Alles geht auseinander
                        Transport von Lemnos

Alles kauft und gefällt sich
Pallas und Juno über Achill
Abend in Achills Zelt

Tausch Handel   Iris als Händler
Verschenken an die Mäd-   Man schmaust
chen und Freunde.   Erinnerungen
                             An Peleus
                             Deudamia
                             Pirrhus
                             Vermächtnisse
                             Ajas die Waffen.
                             Iris zum Schlaf
                             Ruhe des Achills
                             Morgen in Troja
                             Bereitung der Geschenke
Motive mit der Abfahrt   Bereitung des Wagens
Priamus zu vergleichen.   Geleite
                             Des erwachenden Achills
                               Sehnsucht nach Patroklos.
                             Der Griechen Versammlung
                             Den Act des Versammelns
                               zu motiviren
                             Einzeln
                             Zu zwei
                             zu drei
                             Das Ganze.
                             Zeus verbeut den Göttern
                               sich einzumischen ehe
                               der Entschluß gefaßt ist.
Weimar d. 11 März. 1799,

                    Fünfter Gesang.
                 Eintritt der Trojaner
                 Anthenor
                 Aeneas
                 Polyxena
                 Cassandra

Vortrag
Dilatorische Antwort
Gegenantwort
Rede der Cassandra
Agamemnons Neigung
Sie ziehen weg
Anthenor gibt dem Antilo-
  chos Auftrag an den Achill
Achill schon gereizt folgt
Antilochos geht zu Ajax
Venus als Mädchen hält ihn
  auf
Alsdann Anthenor
Die Frauen kommen nach
  Troja
Anthenors Vorschläge
Achills Einwilligung
Nacht
Achills Leidenschaft.

W. 11 März 99

        Sechster Gesang.
Ajax von Antilochus aufge-
  fordert sucht den Achill.
Er trifft ihn beim Grabe
  des Ilus
Entdeckung
Gespräch.
Sie gehen nach Ajax Zelt.

Konzeption des Gespräches Achill – Athene (vgl. 506-611)

Ach.
> Lebenslust des Menschen.
> Achtung derer, die den Tod nicht scheuen
> Ihn heran wünschen
> Ja befördern.

P.
> Ruhm der Privatleute dadurch.
> Oder einzelner Taten.
> Epoche des trojanischen Krieges
> Er in dieser glänzenden Epoche der erste.
> Volksversammlungen
>>   Feste
>>   Häfen
>>   Sänger

Ach. Schätzung durch ähnliche Helden.
> Todesverachtung
> Nichts großes ohne diese Gefahren und Not.

Pall
> Hohe Gesinnung fort gepflanzt durch Muster.
> Er der Helden Muster
> $\left(\begin{array}{c}\text{Wallfahrten}\\ \text{heroische}\end{array}\right)$ zum Grabe

Zum Schluß des Ersten Gesangs.

Minerva geht durch das Lager vom rechten nach
> dem linken Flügel
In der Mitte von Odysseus Gezelt reizt sie einige
> alte Soldaten die beim Feuer sitzen.
Heiterer Streit.
Odysseus tritt aus dem Zelte
Redet die Pallas an die er für Antilochos hält.
Sie wirft ihm seine Abneigung gegen Achill und
> Ajax vor

Männer brauchen sich nicht zu lieben wenn sie
　　nur zusammen wirken.
Beide scheiden.
Pallas kehrt zum Olymp zurück.

Zweiter Gesang.

Apoll schreitet vom tymbräischen Tempel nach
　　Troja.
Findet Aphroditen auf Callicolone
Er redet sie an
Erinnerung der alten Zeit da sie sich an festlichen
　　Tagen unter Jünglinge und Mädchen mischte.
Was sie jetzt hier zu tun habe
Aphrodite antwortet
Götter nahen sich gern den Orden wo sie verehrt
　　wurden
Apoll verweilt gern im tymbräischen Tempel.
Doch gesteht sie daß sie auf ihn gewartet habe.
Sie wünscht gemeinschaftlich mit ihm zu handeln
　　um Troja zu retten
Lob der Stadt und der Einwohner
Apoll antwortet er traue ihr nicht.
Aphroditens Vorschlag
Helena und Paris sollen eine Kolonie wegführen.
Die Griechen sollen versöhnt werden
Sie läßt unbestimmt wer die Troer regieren soll.
Phobos zürnt
Er wirft ihr die Veränderlichkeit vor.
Sie hasse die Helena weil der Handel mit Deipho-
　　bus mißlungen
Sie wünsche Priam und die Priamiden zu ver-
　　derben um den Aenäas das Reich zuzuwenden.

Eigenhändiges Schema

Himeros Eros	Zeus mit
Charites	Bios und Kratos
Reges	Donnerträger. Chrysaor.
Iudicium.	Gewaltige Umgebung
	Die Grazien treten für
	Die Musen kommen.

Bemerkungen
zur Achilleis.

Schutzgötter

Griechische.	Trojanische.
Xanthus.	Hephästos
Here	Ares.
Athene	Aphrodite.
Poseidon	Artemis
Hermes	Leto
	Phöbos

Achills Mädchen Briseis, Diomede
des Patroklus. Iphis,
NB. Überlegung wie alle Götter zu beschäftigen.
Achills Freunde. Automedon und Alkimos
Vulkan
   Kunstarbeit
   Ruhe
   Genuß des Mahles.
Der Hain und Tempel des Thymbräischen Apollos

Zu Gleichnissen oder Beispielen.

Flöße herabstürzend
Pfänden auf Äckern Wiesen cf. im Weinberg

Ein gespreizter Pfau bei der Henne. den der Regen ver-
treibt
Pfau am Abend die Hohe suchend
Aufbaumen der Fasanen.

Äußerungen Goethes

Goethe an Friedrich Schiller. 16. 3. 1799:
Von der Achilleïs sind schon fünf Gesänge motiviert und
von dem ersten 180 Hexameter geschrieben. Durch eine ganz
besondere Resolution und Diät habe ich es gezwungen und
da es mit dem Anfange gelungen ist, so kann man für die
Fortsetzung nicht bange sein.

Goethe an Karl Ludwig von Knebel. 22. 3. 1799:
Die Achilleïs ist eine alte Idee, die ich mit mir herumtrage
und die besonders durch die letzten Händel über das Alter
der Homerischen Gedichte und über die rhapsodische Zu-
sammenstellung derselben neues Leben und Interesse erhalten hat. Ich fange mit dem Schluß der Ilias an, der Tod des
Achills ist mein nächster Gegenstand, indessen werde ich
wohl noch etwas weiter greifen.

Goethe, *Tagebuch*. Karlsbad, 10. 8. 1807:
Verschiedene romantische Sujets überlegt. Verwandlung
der *Achilleïs* in einen Roman.

Textgrundlage und Überlieferung

Die handschriftliche Druckvorlage ist nicht erhalten. Unsere
Edition folgt der Erstausgabe von 1808. Für die *Ausgabe
letzter Hand*, Bd. 40 (1830), wurde der Text noch einmal
überarbeitet, ohne daß dabei durchgreifende Änderungen
vorgenommen worden wären.

Stellenkommentar

884,1 *Achilleïs]* Epischer Gesang von Achill; vgl. Vergil, *Aeneïs.*

884,4 *Ilions]* Trojas.

884,10 *Pergamos]* Trojas.

884,12 *den Freund]* Patroklos, von Hektor getötet (vgl. S. 885,22).

884,14 *mit Rosenfingern die Göttin]* Eos, die Göttin der Morgenröte, bei Homer formelhaft die »rosenfingerige« genannt.

884,17 *Antilochos]* Sohn des Nestor, Freund des Achill.

884,18 *So wird kommen der Tag]* Der Untergang Trojas ist längst beschlossene Sache; vgl. *Ilias* IV 164ff. und VI 448ff. Vgl. aber auch die biblischen Verheißungen auf den apokalyptischen ›Tag des Herrn‹, etwa: Jes 2,12; Mal 3,2; 1. Th 5,2.

884,20 *Idas ⟨. . .⟩ Gargaros]* Der Gargaros ist ein Berg im Ida-Gebirge.

884,21 *Eos]* Vgl. Anm. 884,14.

885,31 *Myrmidonen]* Die thessalischen Krieger des Achill.

886,61 *die Horen]* Türhüterinnen des Olymp, Göttinnen der Jahreszeiten und anderer zeitlicher Ordnungen.

886,62 *Helios]* Sonnengott.

886,63 *Aethiopen]* Sagenhaftes Volk am Rande der in der Antike bekannten Welt; gerühmt wegen ihrer Opferfreudigkeit.

886,68 *Zeus Kronions]* Oberster Gott der griechischen Mythologie; Sohn des Kronion und der Rheia.

886,69 *Hephaistos]* Gott des Feuers und der Schmiedekunst.

887,85 *Charitinnen]* Göttinnen der Anmut.

887,95 *Here]* Hera: Schwester und Gattin des Zeus.

887,95 *Pallas Athene]* Göttin des Krieges und des Friedens.

887,99 *Waffen bereitest]* Hephaistos hatte nach dem Tod des Patroklos eine Rüstung für Achill geschmiedet (vgl. *Ilias* XVIII).

887,104 *Keren]* Göttinnen oder Dämoninnen der Nacht und des Todes.

887,105 *künstliche]* Kunstreiche, geschickte.

887,107 *Thetis]* Mutter des Achill.

888,115 *Phöbos]* Beiname des Apoll.

888,118 *Aegis]* Schild des Zeus, von Hephaistos geschmiedet.

888,124 *Artemis]* Göttin der Jagd.

888,126 *Iris]* Götterbotin.

888,126 *Hermeias]* Hermes: Götterbote.

888,126 *Leto]* Hatte von Zeus Apoll und Artemis empfangen; darum »der Here verhaßt« (127).

888,129 *Ares]* Gott des Krieges.

888,130 *Kypris]* Beiname der Aphrodite (131), der Göttin der Liebe und der Lust.

889,142 *Hebe]* Tochter von Zeus und Hera; reicht der Göttergesellschaft den »ambrosischen« (143) Nektar.

889,144 *Uranionen]* Götter.

889,145 *Ganymed]* Schönster der Sterblichen; von Zeus zum Mundschenk der Götter erhoben.

889,149 *Nereus]* Meergott, Vater der Thetis.

889,152 *Tartarus]* Totenreich.

889,153 *stygischen Quelle]* Styx: Fluß im Totenreich; hier schworen die Götter ihre heiligen Eide.

889,162 *Aïs]* Hades.

889,173-187 *Da dir als Bräutigam* ⟨. . .⟩ *Busen des Mannes!]* Vgl. *Ilias* XVIII 84f.; XXIV 59-63: Zeus hatte sich in Thetis verliebt. Prometheus prophezeite jedoch, aus dieser Verbindung werde ein Sohn hervorgehen, der seinen Vater entthronen werde. Daraufhin vermählte Zeus die Thetis gegen ihren Willen an den Sterblichen Peleus; ihm gebar sie Achill. Hera, Achills Feindin im Rat der Götter, vergleicht ihn hier mit dem Untier ›Chimära‹ und dem Drachen ›Python‹ (vgl. 181).

890,188 *wahrhaft sprechenden Nereus]* Nereus hatte die Gabe der Weissagung.

891,197-199 *Jenes Tags* ⟨. . .⟩ *ein Erdsohn]* Vgl. *Ilias*

I 590-594: Als Hephaistos sich im Streit zwischen Hera und Zeus auf die Seite der Mutter stellte, schleuderte der Vater ihn aus dem Olymp auf die Insel Lemnos herab. Seit diesem Fall hinkte der Schmiedegott.

891,201 *Päan]* Arzt der Götter.

891,214 *Pelions]* Gebirgszug.

891,221 *das weibliche Kleid]* Thetis hatte Achill in Frauenkleider gesteckt, um ihn von der Teilnahme am Kriegszug abzuhalten. Odysseus gelang es, Achill aufzuspüren.

892,242 *Admetos Gemahlin]* Alkestis, die anstelle ihres Gatten in den Hades ging, wurde von Herakles dem Tode wieder abgerungen.

892,244 *Protesilaos]* Der erste vor Troja gefallene Grieche. Er wurde für kurze Zeit aus der Unterwelt entlassen und durfte seine Gattin besuchen.

892,245 *Persephone]* Herrscherin der Unterwelt, wurde durch Orpheus' Gesang gerührt, dessen Gattin Eurydike freizugeben.

892,247 *Asklepios]* Gott der Heilkunst.

893,257 *Poseidon]* Gott des Meeres.

893,258 *Syrt']* Gefährliche Untiefen an der afrikanischen Küste.

893,261 *Dämon]* Hier: ein mächtiger Gott.

894,284 *Themis]* Göttin der Gerechtigkeit.

894,300 *Danaer]* Griechen.

895,320 *Ceres]* Göttin des Ackerbaus.

895,321 *Ossa]* Göttin: Personifikation des Gerüchts.

895,327 *Memnon]* Nach späterer Überlieferung kam dieser König der Aethiopen den Trojanern ebenso zu Hilfe wie die Amazonen unter Penthesilea.

896,348 *thymbräischen Tal]* Nördlich von Troja; dort wurde, der Sage nach, Achill getötet.

896,361 *Tritogeneien]* Beiname der Athene.

897,378 *Syrten]* Hier: Meerengen.

897,391 *Anchises]* Trojanischer Held, Aphrodite empfing von ihm Aeneas.

898,392 *Endymion]* Geliebter der Mondgöttin Selene.

898,401 *Skamandrische Höhe]* Die Ebene vor den Mauern Trojas diente als Schlachtfeld (403); sie wird von den Flüssen Xanthos (Skamandros) (404) und Simois (405) durchflossen. Nördlich der Xanthos-Mündung liegt das sigäische Vorgebirge (409).

900,478 *von Okeanos Strömen]* Vom Rande der Welt.

900,479 *Phasis]* Fluß im Land Kolchis, am Kaukasus.

901,482 *des Kroniden Wieg']* Zeus wurde in Kreta geboren.

901,484 *Die tritonische Syrte]* Bucht an der libyschen Küste.

901,504 *Moiren]* Schicksalsgöttinnen.

902,516 *Deine treffende Wahl]* Vgl. *Ilias* IX 410-416: Achill, vor die Wahl gestellt, hatte einem langen Leben in Ruhe ein kurzes und ruhmvolles vorgezogen.

902,520 *Nestor]* Griechischer Heerführer, König von Pylos.

902,545 *Alkestis]* Vgl. Anm. 892,242.

903,550 *Phrygen]* Bewohner Kleinasiens; hier: Trojaner.

903,551 *Mnemosyne]* Göttin der Erinnerung, Mutter der Musen.

903,552 *der ersten göttlichen Kämpfe]* Des Götterkriegs, in dem Zeus mit den olympischen Göttern die Titanen überwand.

904,572 *voran ⟨. . .⟩ erwähnte]* Das Lob der Götter bildet den Auftakt eines epischen Liedes.

904,584 *Ajax]* Sohn des Telamos, griechischer Heros.

904,593 *Iapetiden]* Prometheus.

904,594 *Pandorens Gebild]* Nach einer Version des Pandora-Mythos ließ Zeus diese Frau erschaffen, als er Prometheus zürnte, der den Menschen das Feuer gebracht hatte (vgl. *Wahlverwandtschaften*, Anm. 366,13).

905,606 *Tyche]* Glücksgöttin.

905,613 *beseitigen]* Beiseite lassen.

905,651 *Mäuler]* Maultiere.

BIBLIOGRAPHIE

DIE LEIDEN DES JUNGEN WERTHERS

Richard Alewyn, »*Klopstock!*«, in: Euphorion 73 (1979), S. 357-364.

Richard Brinkmann, *Zur Genese und Aporie des modernen Individualitätsbegriffs. Goethes »Werther« und Gottfried Arnolds »Kirchen- und Ketzerhistorie«*, in: ders., *Wirklichkeiten. Essays zur Literatur*, Tübingen 1982, S. 91-126.

Bruce Duncan, »*Emilia Galotti lag auf dem Pult aufgeschlagen*«. *Werther as (Mis-)Reader*, in: Goethe Yearbook 1 (1982), S. 42-50.

Walter Erhart, *Beziehungsexperimente. Goethes »Werther« und Wielands »Musarion«*, in: Deutsche Vierteljahrsschrift für Literaturwissenschaft und Geistesgeschichte 66 (1992), S. 333-360.

Horst Flaschka, *Goethes »Werther«. Werkkontextuelle Deskription und Analyse*, München 1987.

Philippe Forget, *Aus der Seele geschrie(b)en? Zur Problematik des Schreibens (écriture) in Goethes »Werther«*, in: ders. (Hg.), *Text und Interpretation. Deutsch-französische Debatte*, mit Beiträgen von Jacques Derrida u. a., München 1984, S. 130-180.

Anselm Haverkamp, *Illusion und Empathie. Die Struktur der »teilnehmenden Lektüre« in den »Leiden Werthers«*, in: Eberhard Lämmert (Hg.), *Erzählforschung. Ein Symposium*, Stuttgart 1982, S. 243-268 (= Germanistische Symposien-Berichtsbände 4).

Georg Jäger, *Die Leiden des alten und neuen Werther. Kommentare, Abbildungen, Materialien zu Goethes »Leiden des jungen Werthers« und Plenzdorfs »Neuen Leiden des jungen W«, mit einem Beitrag zu den Werther-Illustrationen von Jutta Assel*, München und Wien 1984.

Friedrich A. Kittler, *Autorschaft und Liebe*, in: ders. (Hg.), *Austreibung des Geistes aus den Geisteswissenschaften. Programme des Poststrukturalismus*, Paderborn u. a. 1980, S. 142-173.

Martin Lauterbach, *Das Verhältnis der zweiten zur ersten Ausgabe von »Werthers Leiden«*, Straßburg 1910.

Georg Lukács, *»Die Leiden des jungen Werther«*, in: *Deutsche Literatur in zwei Jahrhunderten*, Neuwied und Berlin 1964, S. 53-68 (=Lukács, Werke, Bd. 7).

Reinhart Meyer-Kalkus, *Werthers Krankheit zum Tode. Pathologie und Familie in der Empfindsamkeit*, in: Friedrich A. Kittler und Horst Turk (Hg.), *Urszenen. Literaturwissenschaft als Diskursanalyse und Diskurskritik*, Frankfurt/Main 1977, S. 76-138.

Klaus Müller-Salget, *Zur Struktur von Goethes »Werther«*, in: Zeitschrift für deutsche Philologie 100 (1981), S. 527-544.

Peter Pütz, *Werthers Leiden an der Literatur*, in: William J. Lillyman (Hg.), *Goethe's narrative fiction. The Irvine Goethe Symposium*, Berlin und New York 1983, S. 55-68.

Kurt Rothmann, *Erläuterungen und Dokumente ⟨zu⟩ Johann Wolfgang Goethe »Die Leiden des jungen Werthers«*, Stuttgart 1971.

Gerhard Sauder, *Die Leiden des jungen Werthers*, in: ders. (Hg.), Johann Wolfgang Goethe, *Sämtliche Werke nach Epochen seines Schaffens*, Bd. 1.2, München 1987, S. 770-799.

Klaus R. Scherpe, *Werther und Wertherwirkung. Zum Syndrom bürgerlicher Gesellschaftsordnung im 18. Jahrhundert*, Wiesbaden 1976.

Hannelore Schlaffer, *Leiden des jungen Werthers*, in: dies. Schlaffer (Hg.), Johann Wolfgang Goethe, *Sämtliche Werke nach Epochen seines Schaffens*, Bd. 2.2, München 1987, S. 844-853.

Helmut Schmiedt (Hg.), *» Wie froh bin ich, daß ich weg bin!« Goethes Roman »Die Leiden des jungen Werther« in literaturpsychologischer Sicht*, Würzburg 1989.

Carol E. W. Tobol und Ida H. Washington, *Werther's selective reading of Homer*, in: Modern Language Notes 92 (1977), S. 596-601.

Hans Rudolf Vaget, *Die Leiden des jungen Werthers (1774)*, in: Paul Michael Lützeler und James E. McLeod (Hg.), *Goethes Erzählwerk. Interpretationen*, Stuttgart 1985, S. 37-72.

Erdmann Waniek, *»Werther« lesen und Werther als Leser*, in: Goethe Yearbook 1 (1982), S. 51-92.

John R. Williams, *». . .der die Himmel zusammenrollt wie ein Tuch«. Zu einer »Werther«-Stelle*, in: Euphorion 83 (1989), S. 364-367.

DIE WAHLVERWANDTSCHAFTEN

Jeremy Adler, *»Eine fast magische Anziehungskraft«. Goethes »Wahlverwandtschaften« und die Chemie seiner Zeit*, München 1987.

H. G. Barnes, *Bildhafte Darstellung in den »Wahlverwandtschaften«*, in: Deutsche Vierteljahrsschrift für Literaturwissenschaft und Geistesgeschichte 30 (1957), S. 41-70.

Walter Benjamin, *Goethes »Wahlverwandtschaften«*, in: Rolf Tiedemann und Hermann Schweppenhäuser (Hg.), Walter Benjamin, *Gesammelte Schriften*, Bd. I 1, Frankfurt/Main 1974, S. 123-201.

Gabrielle Bersier, *Ottilies verlorenes Paradies. Zur Funktion der Allegorie in den »Wahlverwandtschaften«: Wieland – Brentano – Goethe*, in: Goethe Yearbook 4 (1988), S. 137-160.

Norbert Bolz (Hg.), *Goethes »Wahlverwandtschaften«. Kritische Modelle und Diskursanalysen zum Mythos Literatur*, Hildesheim 1981.

Bernhard Buschendorf, *Goethes mythische Denkform. Zur Ikonographie der »Wahlverwandtschaften«*, Frankfurt/Main 1986.

Paolo Chiarini, *Das Wasser und die Tinte. Symbolische Schreibweise und romantische Allegorie in Goethes »Wahlverwandtschaften«*, in: ders. (Hg.), *Bausteine zu einem neuen Goethe*, Frankfurt/Main 1987, S. 107-117.

Harald Fricke, *»Die Wahlverwandtschaften«: Aus Ottiliens*

Tagebuche, in: ders. (Hg.), Johann Wolfgang Goethe, Sämtliche Werke, Bd. 13: *Maximen und Reflexionen,* Frankfurt/Main 1994, S. 1066-1089.

Jochen Hörisch, *Die andere Goethezeit. Poetische Mobilmachung des Subjekts um 1800,* München 1992.

William J. Lillyman, *Analogies for love. Goethe's »Die Wahlverwandtschaften« und Plato's »Symposium«,* in: ders. (Hg.), *Goethe's narrative fiction. The Irvine Goethe Symposium,* Berlin und New York 1983, S. 128-144.

Klaus Lindemann, *»geebnet« und »verglichen« – der Friedhof in Goethes »Wahlverwandtschaften«. Wiederaufnahme einer Diskussion aus Justus Mösers »Patriotischen Phantasien«,* in: Literatur für Leser 1 (1984), S. 15-24.

J. Hillis Miller, *A »buchstäbliches« Reading of »The elective Affinities«,* in: Glyph 6 (1979), S. 1-23.

Friedrich Nemec, *Die Ökonomie der »Wahlverwandtschaften«,* München 1973 (= Münchner germanistische Beiträge, Bd. 10).

Gerhard Neumann, *Bild und Schrift. Zur Inszenierung von Fiktionalität in Goethes »Wahlverwandtschaften«,* in: Freiburger Universitätsblätter 103 (1989), S. 119-128.

John Noyes, *Die blinde Wahl. Symbol, Wahl und Verwandtschaft in Goethes »Die Wahlverwandtschaften«,* in: Deutsche Vierteljahrsschrift für Literaturwissenschaft und Geistesgeschichte 65 (1991), S. 132-151.

Norbert Puszkar, *Dämonisches und Dämon. Zur Rolle des Schreibens in Goethes »Wahlverwandtschaften«,* in: The German Quarterly 59 (1986), S. 414-430.

Esther Schelling-Schär, *Die Gestalt der Ottilie. Zu Goethes »Wahlverwandtschaften«,* Zürich und Freiburg 1969 (= Zürcher Beiträge zur deutschen Literatur- und Geistesgeschichte, Bd. 36).

Heinz Schlaffer, *Namen und Buchstaben in Goethes »Wahlverwandtschaften«,* in: Norbert Bolz (Hg.), *Goethes »Wahlverwandtschaften«. Kritische Modelle und Diskursanalysen zum Mythos Literatur,* Hildesheim 1981, S. 211-229.

Gustav Seibt und Oliver R. Scholz, *Zur Funktion des My-*

thos in »Die Wahlverwandtschaften«, in: Deutsche Vierteljahrs-schrift für Literaturwissenschaft und Geistesgeschichte 59 (1985), S. 609-630.

Christoph Siegrist, *Die Wahlverwandtschaften*, in: ders. (Hg.), Johann Wolfgang Goethe, *Sämtliche Werke nach Epochen seines Schaffens*, Bd. 9, München 1987, S. 1202-1258.

Horst Turk, *Goethes »Wahlverwandtschaften«: »der doppelte Ehebruch durch Phantasie«*, in: Friedrich A. Kittler und Horst Turk (Hg.), *Urszenen. Literaturwissenschaft als Diskursanalyse und Diskurskritik*, Frankfurt/Main 1977, S. 202-222.

Kenneth D. Weisinger, *The Rules of the Game: A Comparison of Laclos' »Liaisons dangereuses« and Goethe's »Wahlverwandtschaften«*, in: Tankang Review 2/3 (1971/72), S. 359-373.

David. E. Wellbery, *Die »Wahlverwandtschaften« (1809)*, in: Paul Michael Lützeler und James E. McLeod (Hg.), *Goethes Erzählwerk. Interpretationen*, Stuttgart 1985, S. 291-318.

Waltraud Wiethölter, *Legenden. Zur Mythologie von Goethes »Wahlverwandtschaften«*, in: Deutsche Vierteljahrsschrift für Literaturwissenschaft und Geistesgeschichte 56 (1982), S. 1-64.

Waltraud Wiethölter, *Analyse und/oder Lektüre*, in: Deutsche Vierteljahrsschrift für Literaturwissenschaft und Geistesgeschichte 59 (1985), S. 631-634.

NOVELLE

David Barry, *A Tyrant on the Loose in Goethe's »Novelle«*, in: Seminar 25 (1989), S. 306-323.

Dieter Borchmeyer, *Goethes »Novelle« und die Idee des Friedens*, in: ders., *Höfische Gesellschaft und Französische Revolution bei Goethe*, Kronberg/Ts. 1977, S. 333-350.

Jürgen Jacobs, *»Löwen sollen Lämmer werden«. Zu Goethes »Novelle«*, in: Hildegard Gnüg (Hg.), *Literarische Utopie-Entwürfe*, Frankfurt/Main 1982, S. 187-195.

Gerhard Kaiser, *Zur Aktualität Goethes. Kunst und Gesellschaft in seiner »Novelle«*, in: Jahrbuch der Deutschen Schiller-gesellschaft 29 (1985), S. 248-265.

Erika Klüsener, *»Novelle«*, in: Paul Michael Lützeler und James E. McLeod (Hg.), *Goethes Erzählwerk. Interpretationen*, Stuttgart 1985, S. 429-452.

Herbert Lehnert, *Tensions in Goethe's »Novelle«*, in: William J. Lillyman (Hg.), *Goethe's narrative fiction*, Berlin und New York 1983, S. 176-192.

Herman Meyer, *Das Morgenländische in Goethes »Novelle«. Dichtung und Deutung*, Heidelberg 1973.

Katharina Mommsen, *Goethe und 1001 Nacht*, Berlin 1960.

Emil Staiger, *Goethe: Novelle*, in: ders., *Meisterwerke deutscher Sprache aus dem 19. Jahrhundert*, 2. verm. Aufl., Zürich 1948, S. 136-164.

Erwin Wäsche, *Honorio und der Löwe. Studie über Goethes »Novelle«*, Säckingen 1947.

Christian Wagenknecht, *Erläuterungen und Dokumente ⟨zu⟩ Johann Wolfgang Goethe, Novelle*, Stuttgart 1982.

KLEINE PROSA

Gabrielle Bersier, *›Reise der Söhne Megaprazons‹. Goethe, Rabelais und die Französische Revolution*, in: Wolfgang Wittkowski (Hg.), *Goethe im Kontext. Kunst und Humanität, Naturwissenschaft und Politik von der Aufklärung bis zur Restauration*, Tübingen 1984, S. 230-240.

K. R. Eissler, *Goethe. Eine psychoanalytische Studie 1775-1786*, 2 Bde., Basel und Frankfurt/Main 1983.

Heinrich Funck (Hg.), *Goethe und Lavater. Briefe und Tagebücher*, in: Schriften der Goethe-Gesellschaft, Bd. 16, Weimar 1901.

D. Lange, *Goethes ›Dritte Wallfahrt nach Erwins Grabe im Juli 1775‹ als Prosagedicht*, in: Jahrbuch des Freien Deutschen Hochstifts 1969, S. 66-75.

Victor Lange, *Die guten Frauen*, in: ders. (Hg.), Johann Wolfgang Goethe, *Sämtliche Werke nach Epochen seines Schaffens*, Bd. 6.1, München 1986, S. 1115-1118.

James W. Marchand, *Goethes »Judenpredigt«*, in: Monatshefte 1958, S. 305-310.

Max Morris, *Goethes Parabeln ›von der Ceder bis zum Issop‹*, in: Studien zur vergleichenden Literaturgeschichte 4 (1904), S. 248-262.

Helmut Praschek, *Frantz Ludwig Catel – nicht Johann Heinrich Ramberg. Neue Quellen zur Entstehung der Kupfer zu Goethes Erzählung »Die guten Frauen«*, in: Jahrbuch der Goethe-Gesellschaft NF 30 (1968), S. 313-318.

Helmut Praschek, *Goethes Fragmente »Die Reise der Söhne Megaprazons«. Entstehung, Überlieferung und Interpretation*, in: Helmut Holtzhauer et al. (Hg.), *Studien zur Goethezeit. Festschrift für Liselotte Blumenthal*, Weimar 1968, S. 330-356.

Gerhard Sauder, *Judenpredigt, Arianne an Wetty, Über das was man ist, Beschreibung einer Schweizer Landschaft, Dritte Wallfahrt nach Erwins Grabe, Salomons Königs von Israel und Juda güldne Worte von der Zeder bis zum Issop*, in: ders. (Hg.), Johann Wolfgang Goethe, *Sämtliche Werke nach Epochen seines Schaffens*, Bd. 1.2, München 1987, S. 766-770, 799-801, 854-856.

Hannelore Schlaffer, *Der Hausball*, in: dies. (Hg.), Johann Wolfgang Goethe, *Sämtliche Werke nach Epochen seines Schaffens*, Bd. 2.2, München 1987, S. 836-838.

Bernhard Seuffert, *Goethes Erzählung »Die guten Weiber«*, in: Goethe-Jahrbuch 15 (1894), S. 148-177.

Reiner Wild, *Reise der Söhne Megaprazons, Briefe aus der Schweiz. Erste Abteilung*, in: ders. (Hg.), Johann Wolfgang Goethe, *Sämtliche Werke nach Epochen seines Schaffens*, Bd. 4.1, München 1988, S. 1003-1010, 1099-1103.

EPEN

1. *Allgemein*

Arthur Henkel, *Kleine Schriften 1: Goethe-Erfahrungen*, Stuttgart 1982.

Ulrich Hötzer, *»Grata negligentia« – »ungestiefelte Hexameter«? Bemerkungen zu Goethes und Mörikes Hexameter*, in: Der Deutschunterricht 16 (1964), H. 6, S. 86-108.

Friedrich Neumann, *Grundsätzliches zum epischen Hexameter Goethes. Geprüft am 1. Gesang von »Hermann und Dorothea«*, in: Deutsche Vierteljahrsschrift für Literaturwissenschaft und Geistesgeschichte 40 (1966), S. 328-359.

Wolfgang Schadewaldt, *Goethe und Homer*, in: ders. (Hg.), *Goethestudien. Natur und Altertum*, Zürich und Stuttgart 1963, S. 127-157, 469-472.

Rolf Christian Zimmermann, *Das Weltbild des jungen Goethe. Studien zur hermetischen Tradition des deutschen 18. Jahrhunderts. Interpretation und Dokumentation*, 2 Bde., München 1979.

2. *Der ewige Jude*
Gerhard Sauder, ⟨*Der ewige Jude*⟩, in: ders. (Hg.), Johann Wolfgang Goethe, *Sämtliche Werke nach Epochen seines Schaffens*, Bd. 1.1, München 1985, S. 878-882.

3. *Die Geheimnisse*
Hannelore Schlaffer, *Die Geheimnisse*, in: dies. (Hg.), Johann Wolfgang Goethe, *Sämtliche Werke nach Epochen seines Schaffens*, Bd. 2.2, München 1987, S. 838-844.

4. *Reineke Fuchs*
Dieter Arendt, *Till de Vos und Reinke Ulenspegel oder Kleine Diebe hängt man, die großen läßt man laufen*, in: Kürbiskern 4 (1985), S. 126-134.

Klaus Düwel, *Reinhart/Reineke Fuchs in der deutschen Literatur*, in: Michigan Germanic Studies 7 (1981), S. 233-248.

Hans-Wolf Jäger, *»Reineke Fuchs« (1794)*, in: Paul Michael Lützeler und James E. McLeod (Hg.), *Goethes Erzählwerk. Interpretationen*, Stuttgart 1985, S. 103-133.

Lothar Schwab, *Vom Sünder zum Schelmen. Goethes Bearbeitung des »Reineke Fuchs«*, Frankfurt/Main 1971 (= Frankfurter Beiträge zur Germanistik, Bd. 13).

Reiner Wild, *Reineke Fuchs*, in: ders. (Hg.), Johann Wolfgang Goethe, *Sämtliche Werke nach Epochen seines Schaffens*, Bd. 4.1, München 1988, S. 1010-1039.

5. *Herrmann und Dorothea*

Vista Clayton, *The Relation of »Joseph« by Bitaubé to Goethe's »Hermann und Dorothea«*, in: The Romanic Review 28 (1937), S. 146-150.

Charlotte M. Craig, *Bourgeois settled versus bourgeois unsettled: some observations on the refugee problems in Goethe's »Hermann und Dorothea«*, in: Germanic Notes 21 (1990), S. 5-9.

Karl Eibl, *»Anamnesis« des »Augenblicks«. Goethes poetischer Gesellschaftsentwurf in »Hermann und Dorothea«*, in: Deutsche Vierteljahrsschrift für Literaturwissenschaft und Geistesgeschichte 58 (1984), S. 111-138.

M. Blakemore Evans, *A Passage in »Hermann und Dorothea«*, in: Modern Language Notes 19 (1904), S. 78f.

Ilse Graham, *Goethes »Hermann und Dorothea«: Schwanke Waage*, in: Leonard Forster und Hans-Gert Roloff (Hg.), *Akten des V. Internationalen Germanisten-Kongresses Cambridge 1975*, Bern und Frankfurt/Main 1976, S. 176-186.

Paul Michael Lützeler, *»Hermann und Dorothea« (1797)*, in: ders. und James E. McLeod (Hg.), *Goethes Erzählwerk. Interpretationen*, Stuttgart 1985, S. 216-265.

Maria Lypp, *Ästhetische Reflexionen und ihre Gestaltung in Goethes »Hermann und Dorothea«*, Diss., Berlin 1967.

Frank G. Ryder und Benjamin Bennett, *The Irony of Goethe's »Hermann und Dorothea«. Its Form and Function*, in: Publications of the Modern Language Association in America 90 (1975), S. 433-446.

Josef Schmidt, *Erläuterungen und Dokumente ⟨zu⟩ Johann Wolfgang Goethe, »Hermann und Dorothea«*, Stuttgart 1970.

Oskar Seidlin, *Über »Hermann und Dorothea«*, in: ders., *Klassische und moderne Klassiker*, Göttingen 1972, S. 20-37.

Reiner Wild, *Herrmann und Dorothea*, in: ders. (Hg.), Johann Wolfgang Goethe, *Sämtliche Werke nach Epochen seines Schaffens*, Bd. 4.1, München 1988, S. 1074-1098.

6. *Achilleïs*

Victor Lange, *Achilleïs*, in: ders. (Hg.), Johann Wolfgang Goethe, *Sämtliche Werke nach Epochen seines Schaffens*, Bd. 6.1, München 1986, S. 1095-1114.

EDITORISCHE NOTIZ

In Anbetracht des Textkorpus, das der Editionsplan der Frankfurter Ausgabe für den 8. Band von Goethes poetischem Œuvre vorsah, lag es nahe, im Sinne der Gesamtkonzeption zu verfahren und die Texte nach ihrer Gattungszugehörigkeit zu präsentieren. Trotz der Bedenken, die sich gegen ein solches Ordnungsprinzip geltend machten, hatte dies im Blick auf eine flexible, produktions- und rezeptionsgeschichtlich angemessene Handhabung des Kommentars erhebliche Vorzüge. So konnten nicht nur Goethes Epen vor dem Hintergrund der im ausgehenden 18. Jahrhundert intensiv gepflegten poetologischen Debatte als Zeugnisse eines letzten Aufgebots gegen das Genre der Zukunft, den Roman, versammelt werden; es eröffnete sich außerdem für die unter der Rubrik ›Kleine Prosa‹ zusammengefaßten Arbeiten die Möglichkeit, die sonst gesondert aufgeführten Hinweise zur Entstehung und Deutung auf einheitlich ökonomische und dem literarhistorischen Rang dieser Texte entsprechende Weise zu verknüpfen. Den Hauptvorzug einer derartigen Anordnung aber bildeten zweifellos die Nachbarschaften, die sich ohne großes Zutun zwischen den werkchronologisch zum Teil weit auseinanderliegenden Texten sowohl im Falle von *Werthers Leiden* und den *Wahlverwandtschaften* als auch im Vergleich der beiden Romane mit der *Novelle* und den Epen ergaben. Denn als Elemente eines kryptischen, aber sinnproduzierenden Dialogs rechtfertigen diese Familienähnlichkeiten die Prämissen, die den hier vorgelegten Kommentar durchgängig bestimmen: Es handelt sich um den längst fälligen Versuch, die intertextuell und diskursgeschichtlich orientierte Analysetechnik wenigstens exemplarisch für die Editionsphilologie nutzbar zu machen, um damit die Grundlagen für eine Lektüre zu schaffen, die

Goethes Texte inklusive aller Einschränkungen und Erweiterungsaspekte einer solchen Formel als weltliterarische Ereignisse begreift.

Der Band selbst ist das Ergebnis einer Koproduktion der Herausgeberin und ihres wissenschaftlichen Mitarbeiters. Dr. Christoph Brecht kümmerte sich vorrangig um die Textkonstitution, er verfaßte die Abschnitte zur Entstehungsgeschichte, außerdem die Deutungshinweise und Stellenkommentare zur *Novelle* und ›Kleinen Prosa‹ und unterzog sich in allen übrigen Fällen der schwierigen Aufgabe, die Stellenkommentare auf der Basis eines höchst unterschiedlichen Referenzmaterials zu proportionieren und nach den genannten Richtlinien vorzuformulieren. Mit bibliographischen Recherchen und Korrekturen waren – in alphabetischer Folge – Frauke Berndt-Höller, Anne Brenner, Karin Busemann, Heinz J. Drügh, Heiko Hartmann, Wolfgang Jüngling, Axel Schmitt und Wolfgang Struck betraut. Ihnen allen sei an dieser Stelle nachdrücklich gedankt.

W. W.

INHALT

»Der Deutsche Klassiker Verlag:
ein gigantisches Vorhaben, ein Jahrhundertwerk«
Marcel Reich-Ranicki

DEUTSCHER KLASSIKER VERLAG
IM TASCHENBUCH

In dieser Reihe erschienen:

TB 50
Johann Peter Eckermann
Gespräche mit Goethe in den letzten Jahren seines Lebens
Herausgegeben von Christoph Michel
unter Mitwirkung von Hans Grüters · 1390 Seiten